苏联史编委会

主　编

郑异凡

副主编

徐天新　沈志华

编委会（按姓氏拼音为序）

刘显忠　沈志华　徐天新　杨存堂　姚　海

叶书宗　张盛发　郑异凡　左凤荣

苏联史 第九卷

戈尔巴乔夫改革时期

Горбачёвская перестройка

左凤荣◎著

人民出版社

序

李 凤 林

苏联是曾经显赫一时的超级大国，对世界历史发展产生过巨大的影响，在现代中国的发展中也留下过重要痕迹。虽然苏联仅存在七十多年的时间，但是在这短短的七十多年中，它两次震撼了世界，改变了世界，一次是1917年的十月革命，另一次是1991年的苏联解体。

历史是一个绵延不断的长河，苏联是俄国历史中的一个阶段，一个时期，俄国作为苏联的前身和继承者，其历史是整个俄国历史这一有机整体中的一个重要组成部分。

历史是最好的老师，无论个人还是国家，都可以从历史的经验和教训中汲取营养。研究历史不仅可以使我们更好地认识过去，也可以使我们更好地把握未来。

历史是人创造的，人在创造历史的过程中，其精神的和物质的活动离不开他所生活的环境。俄国拥有横跨欧亚大陆的广袤国土，博大的生存空间和独特的气候条件孕育了俄国人豪爽、粗犷的性格，以多神教为基础的东正教培育了俄国人推崇平均主义、自给自足、自我封闭、自我欣赏的民族意识以及拯救人类的弥赛亚（救世主）情结。俄国人在这片广袤的国土上创造了灿烂的文明，它在科技、文化、艺术等领域取得的伟大成就得到世界的承认和敬仰。与此同时，俄国人的社会意识和俄国的社会现实往往是矛盾的，例如崇尚自由的俄国人又非常信奉权威，崇尚平均主义的俄国人又可以经常心安理得地生活在垄断的社会经济和政治环境中，生活节奏平缓的俄国人又会在社会变革中急于求成，急躁冒进。俄国人和苏联人正是在这种自然和社会环境中创造自己的历史的。1917 年的十月革命和 1991 年的苏联解体都表现了俄国人的这种民族特点和社会特征。了解这个历史需要超乎寻常的智慧和方法。正如 19 世纪俄国诗人丘切夫诗中所描绘的那样："俄罗斯，你用智慧无法理解，用通常的尺度无法揣摩，它有与众不同的性格，相信它是你唯一的选择。"

苏联是我们的近邻，也是我们的重要伙伴。中国革命和新中国六十年来的发展与苏联有着千丝万缕的联系。在苏联存在的七十多年中，中苏关系经历了兄弟般的联盟关系，苏联对新中国的发展和建设提供了大量援助；与此同时，中苏也经历了意识形态对抗甚至局部的边界冲突；目前中俄关系已经发展成为平等、信任长期的战略协作伙伴关系，双方宣布永远做好邻居、好朋友、好伙伴。对苏联历史的研究有助于我们总结历史的经验教训，深化中俄关系，造福于两国人民。

历史上，苏联对我们的影响是巨大的。这种影响包括历史的、思想的、政治的、经济的、文化的、国际关系方面的……

在意识形态方面，苏联的影响是非同寻常的。1949 年，毛泽东在总结中国共产党 28 年的光辉历程时提出，"十月革命一声炮响，给我们送来了马克思列宁主义"，形象化地揭示了一个基本事实，即中国共产党人了解马克思列宁主义，并以它作为自己指导思想的理论基础是从苏联学来的。被称作"马克思主义百科全书"的《联共（布）党史简明教程》对中国思想界的影响是"深远的"。在政治方面，我们正是在学习苏联的情况下建立了自己的国家政权。在经济方面，苏联不仅向我们提供了巨大的援助，而且其经济管理体制曾经被我们照搬照用。在文化方面，苏联文化和文学曾经影响几代中国人，许多已经被俄国人淡忘的苏联歌曲几乎成为中国的民歌。在国际关系方面，我们在新中国成立初期曾经实行向苏联"一边倒"的外交政策，把国家的建设和发展同苏联紧密地联系在一起。如此等等。

中国的建设深受斯大林模式的影响，在某种意义上说，中国的改革开放是对苏联发展模式的反思、修正或扬弃。因此，研究苏联历史对于当今中国的改革开放和现代化建设事业具有极其深远的历史意义和现实意义。

苏联历史，对于四五十岁以上的中国人来说，是一门既熟悉又陌生的学问。之所以这样说，是因为凡是受到过高等甚至中等教育的人，都或多或少地接触过这门学科，知道苏联历史中的一些重要事件或人物，此其一；其二，我们大多是通过《联共（布）党史简明教程》了解苏联历史的，而此书对苏共历史和苏联历史的阐述、描绘是程式化的，不能全面反映苏联发展的真实历史。

因此对苏联的历史很有必要重新学习，重新研究。历史科学是一门包罗万象的学科，涉及一个社会的方方面面，需要从政治、经济、文化、社会、思想等等各个方面对历史的进程进行全面的考察。研究任何一个历史题目并作出结论，需要具备一系列主客观条件，要有正确的立场、严谨的学风、科学的方法、充分的史料，等等。因此，正确认识历史离不开历史学家的辛勤劳动。可以说，在新形势下撰写和出版一部能够全面反映苏联走过的历程的学术著作是我国史学工作者多年的夙愿。

如今，实现这种夙愿的客观条件已经基本具备，包括：(1) 苏联已经成为历史，我们可以在历史的距离中考察这段历史，使历史研究的成果具有较大的客观性；(2) 苏联解体后，大量的历史档案已经公布，为客观地研究这段历史提供了较为充分的史料；(3) 中国三十多年改革开放的实践使我国的历史学家能够对苏联模式在特定历史条件下的积极意义作出更加客观的分析，同时对这一模式的弊端有了更加透彻的理解，他们更加成熟，思想更加解放，研究方法更为科学；(4) 我国已经拥有一批掌握扎实的专业基础知识，科学的研究方法，长期潜心研究苏联历史方面的专家。他们站在马克思主义的立场上，运用科学的研究方法，在分析研究新鲜史料的基础上已经撰写出大量有关苏联史学的最新研究成果。

由中央编译局和人民出版社与国内一批历史学家合作撰写出版的九卷本《苏联史》是苏联史学术研究领域的一件大事。这套著作的出版无疑会在学术界引起强烈反响。参加这套著作撰写的，既有老一代历史学家，也有年富力强的中青年史学工作者。老一代历史学家几乎一生都在研究苏联历史，他们撰写出的著作反映了其毕生的心血。而中青年史学工作者在市场经济大潮中，面对花花世界的各种诱惑，能够坐冷板凳，甘于寂寞，潜心研究历史问题，是值得称道的。

这套著作系统考察和研究了苏联各个时期的历史，对历史事件、历史人物、历史发展脉络进行了全方位的考察和研究。尤其难能可贵的是，这套著作对以往一些研究不够充分的历史时期和某些很少涉及的问题，进行了比较深入的研究和介绍，在某种意义上说，填补了学术研究的空白。就我所知，到现在为止俄罗斯联邦尚未出版过这样规模的反映苏联历史的巨著。

这部九卷本《苏联史》是一个整体，总体上反映了写作集体对苏联史的看法，而每卷书又是由负责写作的学者独立完成的，表现了作者本人的学术观点和研究成果。像任何学术研究一样，这部苏联历史著作中的某些观点也可能引起争鸣。由于所掌握的史料的不同，看问题的角度不同，对同一个历史问题往往会有不同的认识，不同的解读。不同观点的碰撞会推动学术研究的深化，这是好事。相信这部著作的出版一定会有助于我们进一步了解俄国，对于深化中俄战略协作伙伴关系发挥积极的作用。

我本人不是专门学历史的，从1950年学习俄文起，一生都从事对苏工作，而在苏联和俄国学习和工作23年的经历和外交工作的需要，使我不断学习苏联历史，长期关注苏联历史的研究。本书的有些作者是我的老朋友，我在这里向本书的问世表示祝贺，同时更要向潜心研究俄国，包括它的历史和现状的学者，表示由衷的敬意！

2009年夏

（作者系中国前驻俄罗斯联邦大使，现任国务院发展研究中心欧亚社会发展研究所所长）

主编的话

郑 异 凡

公元 1991 年 12 月，苏联共产党执政了 74 年的苏联解体了。正如 20 世纪初的十月革命曾经震惊世界一样，苏联的解体同样震惊了世界。此后苏联历史成了举世瞩目的研究对象，各国学人和政界都在探讨一个世纪之谜——一个超级大国轰然倒塌的原因。大家都想了解这样一个超级大国是怎样兴起，又是怎样一步步走向衰亡的。

苏联历史的轨迹

我们首先看看苏联走过的道路。

俄国是在一个落后的农业国进行社会主义革命的，不具备社会主义的必要的物质前提。这是列宁后来公开承认的。另一个不足是对搞社会主义的理论准备不足。列宁曾是革命的阶段论者，长期以来，一直认为俄国应当先进行民主革命，然后再进行社会主义革命，因此在 1917 年以前列宁关于民主革命谈得很多，比较具体、周密，而关于社会主义革命谈得较少，比较泛泛。1917 年突然提出社会主义革命的任务，在理论和思想准备方面都存在严重的准备不足。对党内高层领导人来说更是如此，因此列宁的主张社会主义革命的“四月提纲”应者寥寥。在举行武装起义问题上，列宁的主张起初不为中央所接受，后来又受到党内声望颇高的季诺维也夫和加米涅夫的顽强反对，这一切都不是偶然的。那时只有少数人主张直接进行社会主义革命，顺便解决民主革命的任务，如布哈林、托洛茨基。

列宁是现实主义者，在第一次世界大战环境所形成的革命危机的形势下，他力促布尔什维克党抓住不可多得的历史机遇，发动武装起义并取得了胜利。这个选择没有错，但这并不改变社会主义需要必要的物质前提这一客观历史要求本身，而仅仅是历史发展顺序的变更。无论如何，发展生产力这一课必须补上。

布尔什维克党夺取政权后，马上遇到政权的建设问题，没有现成的方案，基本上是摸索前进。此前的一些设想非常不完备，部分借鉴巴黎公社，而更多的是从第一次世界大战期间各国（包括沙皇俄国）的战时措施中借鉴而来。由于战争的需要，那时的交战各国都采取了军事管制的办法，政府把生产和消费统统管起来，于是有人认为这就是社会主义的雏形了，称之为"战时社会主义"或"军事社会主义"。国家战时对粮食的垄断，居民消费品的定量供应(配给制)等等，在布尔什维克党执政的情况下就被当作共产主义的措施了。资本主义国家为战时的需要所采取的措施一旦被披上"共产主义"的外衣，加上取消市场、货币关系等传统的共产主义观念中的措施，这一切就变成了所谓的"军事共产主义"。列宁后来说，那时认为把全国的生产和消费统统管起来，就是共产主义了。

高度集中的军事管理体制对战争来说是非常必要的，它保证了苏维埃政权取得国内战争和反击外国武装干涉的胜利。苏俄军事共产主义的一项最基本的措施是"粮食征收制"。这个词通常译作"余粮收集制"，这种译法有两个问题，其一，当时征收的不仅仅是"余粮"，而几乎是农民的所有粮食，其二，这不是和平的收集，而是凭借暴力的强取。何况这是沙俄和临时政府实施过的政策，并非布尔什维克的发明。因此按照这个词的原意改译为"粮食征收制"较为贴切。在这种制度下出卖粮食，甚至家藏粮食都是"投机倒把"和"反革命"行为，要遭到严厉的惩罚。这种做法引起广大农民的严重不满，国内战争的后期，农民反对苏维埃政权的起义蜂起，被称作"小国内战争"，严重威胁到苏维埃政权的存在。

这迫使列宁承认苏维埃政权遇到了十月革命以来最严重的政治和经济危机。在这生死存亡关头，列宁决定赶快后退，向农民让步，实行粮食税，于是出现了所谓的"农民的布列斯特"。由于农民在缴纳了粮食税之后可以自主支配手头的粮食，就引出了交换的问题。于是出现了运用市场、商品、货币这类向来被看作是资本主义的东西的问题，新经济政策应运而生。

这是苏联70多年历史中的第一次改革，是列宁执政五年时间里发生了第一次模式的转换：从军事共产主义转向新经济政策。新经济政策的最重大的突破是在社会主义建设中运用市场机制，这是在马克思主义发展史上应当大书特书的大事。这充分说明列宁不是按预先设定的、固定不变的模式进行社会主义建设的。

新经济政策下尽管也遇到一系列困难，甚至危机，但经过及时的政策调整，苏俄在经济建设中取得了巨大的成绩，工农业生产很快得到恢复。这是苏联走向兴盛的时期。

这时候的政治体制仍然是"一党专政"(这是列宁和俄共公开承认的用语)，取缔其他社会主义政党（孟什维克党和社会革命党）和本党内的反对派，驱逐持异议的知识分子（"哲学船事件"），以救灾的名义镇压东正教人士，消除东正教在广大群众中的影响，压制不听话的少数民族干部（格鲁吉亚事件），这样俄共也就失去了党内外的有效监督，没有一支政治和社会力量能够对布尔什维克政权实施监督、施加压力以实施政治体制改革。军事共产主义时期高度集中的政治体制，把全国作为一个军营来管理的军事化体制，已经与和平时期经济建设的需要不相适应，政治体制的改革应当与经济体制的改革同步进行，更不用说，经济改革需要政治体制的保护。但是在新经济政策时期，政治体制没有进行相应的改革，而是朝削弱党内国内民主，朝着高度集权的方向发展。列宁在生命的最后时日感觉到这个问题的严重性，他在给俄共第十二次代表大会的信中建议进行政治制度的改革，要求加强对包括政治局和总书记在内的各级组织和领导人的监督，但为时已晚，已经重病在身的列宁，力不从心，由季诺维也夫、加米涅夫和斯大林组成主政的"三驾马车"对列宁的建议阳奉阴违，置之不理。

政治体制的日益集权化和僵化最终决定了新经济政策的命运。列宁的改革宣告失败。布哈林、李可夫等人在最后关头据理力争，但已无济于事，他们在羽翼丰满的斯大林面前无能为力，无法挽狂澜于既倒。

新经济政策在弥补社会主义革命物质和理论准备不足方面发挥了重大作用——在社会主义建设的理论上加进了利用市场机制这一重要成分，在物质方面，它提供了在落后国家发展经济、和缓社会矛盾的有效手段。到20世纪20

年代末新经济政策处于社会主义发展的十字路口——一个方向是向市场经济和民主化发展，最后形成有特色的苏联社会主义模式；另一个方向是向高度集中的计划经济和集权体制发展，这就是我们在20世纪30年代看到的斯大林模式。

1929年，斯大林在击败了所有反对派之后中断了新经济政策，宣布让新经济政策"见鬼去"，在苏联实行了第二次模式的更换，实行"斯大林模式"，回到了已被历史所否定的军事共产主义模式。斯大林模式通过农业集体化、国家工业化——实际上是重工业化和军事工业化，实行严格的高度集中的计划管理，一方面使苏联的重工业得到高速度的发展，使苏联的一些工业发展指标赶上或接近西方发达国家，另一方面，开始暴露出苏联经济片面发展的弊病——农业和轻工业严重落后，国民经济综合平衡失调。

20世纪30年代形成的斯大林模式是对列宁新经济政策模式的否定和反动，它有三大支撑点：

1. 实行农业全盘集体化，剥夺全体农民。集体农庄并不是列宁所主张的合作社，而只不过是国家向农民征收粮食的大型连环保组织，国库得以充实，而农民变得更穷了。1932—1933年的大饥荒在很大程度上是人为的：全盘集体化对农村生产力的严重破坏，收过头粮，为换取外汇而不断增加粮食出口，向全国和国外隐瞒灾情，拒绝国外援助，等等。

2. 在国家工业化名义下的重工业化和军事工业化，把全国的物力人力集中到重工业和军事工业的发展中去，而置与人民日常生活休戚相关的轻工业于不顾，整个农业生产的首要任务也完全是为重工业服务，为之提供资金和原料。

3. 在阶级斗争尖锐化的借口下在国内对各阶层、各民族实施大规模镇压，以维持斯大林的个人独裁统治。经过20世纪30年代的大清洗、大镇压，列宁的战友和"老近卫军"被消灭了，领导层中有独立见解、有创造精神的人员被消灭了，武装部队中熟悉现代化战争的有才能的将领被消灭了，文化界有创造性的理论家、作家、艺术家、剧作家、历史学家、自然科学家、技术专家被消灭了。这是斯大林的"自宫"行为，其恶果在卫国战争中立即暴露无遗。苏军俘获了德军保卢斯元帅被看作是一重大胜利，而战前斯大林却处决了自己五大元帅中的三个元帅，并且恰恰是懂得现代化战争的元帅（剩下两位元帅伏罗希洛夫和布琼尼都是骑兵出身）。这正是德国统帅部求之不得的天大好事！

在文化界开展的大批判运动，不仅使用了“批判的武器”，而且也动用了“武器的批判”，借此确立了斯大林主义在意识形态领域、文化领域的绝对统治地位，用一本《联共（布）党史简明教程》来治天下。这直接导致马克思主义发展的停滞和倒退，庸俗唯物主义、教条主义的盛行。

在政治上，坚持并强化一党专政的路线，终于形成了斯大林的个人专权。斯大林模式的出现和形成开始了苏联由兴向衰的转折。

在战云密布的20世纪30年代末，斯大林最终采取同希特勒德国结盟、祸水西引的方针，以牺牲他国的利益来保全自己。这一战略让斯大林搬起石头砸了自己的脚，使希特勒赢得时间做好准备，入侵苏联。由于对希特勒德国的入侵丧失起码的警惕，由于大清洗对军队的严重摧残，苏联在战争初期遭受严重挫折。

这场战争终于胜利了，高度集中的军事动员体制、俄国反抗外来侵略的民族主义传统即人民的力量对胜利的结局发挥了决定性的作用。高度集中的体制，使苏联在卫国战争中能迅速把整个国民经济纳入战时轨道。卫国战争的胜利是苏联各族人民保卫祖国浴血奋战的胜利，也是包括中国在内的世界各国对苏联的支援的胜利。领导人在战争初期的严重失误增加了苏联人民的牺牲和损失。然而，令人意想不到的是，战争的胜利反而为加强斯大林模式提供了“依据”，也成为今天不少人为斯大林模式辩解的依据。

胜利的人民有权得到回报，至少应当得到休养生息的机会。应当像列宁在国内战争胜利后那样，适应时代的要求，抓住大好时机，进行改革，改变僵化的模式，让工人、农民和知识分子过上好日子。然而，斯大林不仅放过战后改革的大好机遇，反而加强已不适应时代需要的政治、经济模式。对内加强恐怖统治和思想控制，在反对“世界主义”的旗号下实行文化专制主义即臭名远扬的日丹诺夫主义，在哲学、文学、戏剧、电影、报刊等各个领域继续战前的大批判运动，制造一个接一个的冤假错案。斯大林处死自己曾经宣布的接班人库兹涅佐夫和沃兹涅先斯基，怀疑莫洛托夫、伏罗希洛夫、贝利亚等身边的战友为外国间谍，在临死之前还制造了一个“医生案件”，造成一个人人自危的社会氛围。他加强对农民的剥夺，再次酿成国内的大饥荒。他以战时叛国为名继续迫迁少数民族。对外，他为维护从雅尔塔体系所获得的既得利益，同西方搞冷战，搞军备竞赛。他一手制造了外蒙古独立，肢解中国。他控制东欧国家，改变它们实行的人民民主制度，把这些国家变成自己的“卫星国”，组成“社会主义阵营”。这些做法严重影响了国内的经济发展和人民生活水平的提高，也严重阻碍了东欧国家的政治经济发展。赫鲁晓夫把斯大林的种种行为解释为性格“多疑”，实际上是斯大林害怕大权旁落，权力是斯大林紧紧抓住不放的“命根子”！

1953 年斯大林逝世，苏联出现改革的契机。靠生理学的自然规律来改变国家的命运，是苏联社会主义制度的悲哀！

斯大林的统治如从列宁逝世算起，将近 30 年，如从 1929 年算起，共 24 年，期间积累了大量的问题，在他去世的时候苏联已经处于难以为继的局面，变革的呼声早在斯大林执政的时候已经暗流涌动，斯大林去世后，改革已经成为不可抵挡的潮流。这时候，不管谁上台执政，贝利亚也好，马林科夫也好，赫鲁晓夫也好，都势必把改革提到第一位，人们已经感到高度集权的管理模式已不适合当时的苏联社会，阻碍了社会的发展，区别只会在于改革的深度如何，进程如何，无论如何改革是不可避免的。

在党内斗争中赫鲁晓夫胜出，他以反对“个人崇拜”、平反冤假错案为突破口，实行“解冻”，开始改变斯大林的某些政策，如强调集体领导、抓农业(改变生产资料同生产者的脱离，减轻农民的负担，开垦荒地等等)，提升轻工业的地位。对外则设法缓和国际紧张环境，试图以此减少军备竞赛。

赫鲁晓夫的最大功绩是反对斯大林的个人崇拜，从而揭开了斯大林问题的盖子。至今仍有人指责赫鲁晓夫大反斯大林，说他在苏共二十大上所作的秘密报告“全盘否定斯大林”。实际上，如果不是从印象出发，而是从事实出发，只要读一读“秘密报告”本身就可以看到，那里对斯大林的否定并没有否定到点子上，即没有触及斯大林的体制问题。正如当时外国的共产党人铁托和陶里亚蒂所说的，斯大林的问题不是什么个人崇拜问题，而是“制度”问题（那时还没有“体制”的说法，所以用了“制度”一词，所以被指责为否定社会主义制度，不过他们的意思是清楚的)。在苏联历史问题上，赫鲁晓夫全盘肯定了斯大林反对托洛茨基、季诺维也夫、加米涅夫、布哈林、李可夫、托姆斯基等反对派的斗争，肯定了对他们的镇压。他平反了不少冤假错案，但是没有为苏联历史上这些最大的冤假错案平反！他多次赞扬斯大林是“杰出的马克思主义者”。

由于缺乏对斯大林体制的整体认识，改革仅局限于某些局部问题，没有触动斯大林体制本身。赫鲁晓夫继续斯大林的赶超模式，在斯大林的“建成”社会主义论断的基础上，宣布社会主义在苏联取得了“最终的、完全的胜利”，许诺在20年内进入共产主义。他注意了农业和轻工业的发展，人民的日常生活得到了某种程度的改善，然而重工业和军事工业依然是苏联优先发展的重点。由于主客观的原因，赫鲁晓夫继续同美国进行军备竞赛。20世纪60年代利别尔曼提出的改革试验，没有得到实施，便告夭折。当然，赫鲁晓夫的某些改革措施是有意义的，如实行“解冻”，把人们的思想从斯大林主义的桎梏中解放出来，取消干部任期的终身制，使拖拉机等农业生产工具成为集体农庄的财产，等等。他的另一些措施如常受到批评的“三和两全”，从理论上、逻辑上讲并没有什么错误。全民国家、全民党从理论上说是走向共产主义的必经阶段，而就赫鲁晓夫的本意而言，他无非是借此昭示人民，这个国家、这个党是全体人民的，不会再搞无产阶级专政，不会再用专政去镇压人民，因为人民的国家是不能对人民自己专政的。和平共处、和平过渡、和平竞赛，则是要向世界昭示，这个国家不会再去搞世界革命、颠覆其他国家，而要在竞赛中战胜资本主义。这些都仅仅是公示性质、宣言性质的东西，至于苏联在竞赛中是否能够胜出，想来赫鲁晓夫本人也未必相信。就在他接手这个国家的时候，战争的创伤尚未完全修复，人民的生活还相当艰苦，供应还很困难，吃得并不好，他的“土豆烧牛肉”的美餐，只是说给自己的人民听听而已！对西方国家的访问使他开了眼界，知道苏联还落后于西方很多，还必须执行赶超战略。由于抓了农业，开垦了大片荒地，到20世纪50年代后期人民的餐桌才开始丰盛起来，才有较多的牛奶、面包、白糖、香肠供应。

赫鲁晓夫执政十年，当然有很多错误，他文化水平不高，行事鲁莽，常欠考虑，在后期也欣赏起对自己的崇拜。但是应当说，他进行的改革从总体上说是必要的，人们可以指责他改得不够，或者其某些措施不在点子上，但不能否定改革的必要性。然而，在保守的官僚集团面前，就是这样没有实质触动斯大林体制的改革也不能见容，尤其是他的干部制度改革直接损害了当政官僚们的根本利益，于是一场“宫廷政变”轻轻松松地结束了赫鲁晓夫的改革，斯大林主义死灰复活。

勃列日涅夫统治苏联长达18年。不少人至今仍然怀念勃列日涅夫时期，因为这一时期不搞运动，不搞大规模的镇压，社会比较安定。同斯大林、赫鲁晓夫相比，勃列日涅夫的特点是“不折腾”，不过这只是相对而言，其中也包括不搞改革。勃列日涅夫执政初期，柯西金继续改革，但不久就被勃列日涅夫的“新斯大林主义”所取代。不过，由于消除了斯大林模式中频频动用暴力的一面，斯大林模式的潜力在这一时期得到最大程度的发挥。在整个苏联历史发展中，勃列日涅夫时期是以安定，然而保守、停滞著称的。

要维持统治，意识形态的严格控制是必不可少的，这就在国内逼出了“异议人士”（通常译作“持不同政见者”，实际上有的并不一定是“政见”的歧异问题）运动。这些异议人士有的并不反对社会主义，只是反对苏共的错误，反对斯大林主义而已，例如著名的梅德韦杰夫兄弟。但是即使这样，也不见容于当局。在勃列日涅夫统治时期，关集中营的少了，进“精神病院”的多了，反革命罪少了，“流氓罪”多了，驱逐出境的少了，吊销护照的多了……总之，还是变着花样压制“异端”。干部任职的终身制恢复了，正是从勃列日涅夫开始，苏联出现了连续三代病夫治国、老人治国的世界罕见景象。

在勃列日涅夫的统治时期，苏联的官僚特权阶层最终形成，在俄国通常把这个阶层叫做“在册权贵”（номенклатура），即由上级任命的登记在册的高级官员。正是这些“在册权贵”把平庸的勃列日涅夫推上台，并且不让又老又病的勃列日涅夫退下来，正是他们把病人安德罗波夫和老人契尔年科扶上台，也正是他们最后搞垮了苏共和苏联。

勃列日涅夫的对外政策，还是相当折腾的。其一，苏联自己不改革，也反对和压制东欧各国的改革，悍然出兵镇压了捷克的“布拉格之春”，致使“社会主义大家庭”里的矛盾越积越多，错过了拯救社会主义的时机。其二，追求世界霸权，继续同美国进行军备竞赛，消耗了大量国力。其三，实行“勃列日涅夫主义”，干涉他国内政，兵陷阿富汗。正是在这一时期，苏联错过了世界科技革命的大好时机。这一时期是斯大林模式的潜力得到最充分发挥的时期，也是其最后挣扎的时期。

安德罗波夫上台被人们寄予厚望，他的某些措施被看作是改革的先声。作为克格勃的首脑，他对国内的真实情况，国家存在的问题是清楚的，但是他没有一个经过深思熟虑的改革方案，他感觉到这个国家维持现状已经没有前途，但是他所能够实施的仅仅是使用强制手段，加强劳动纪律，并且他已是病入膏肓的人了，没有足够的精力去处理国事，即使他有改革的雄心大志，也已经心有余而力不足了，他执政一年就撒手人寰。人们记得，列宁卧病之中虽想改革，但力不从心的悲剧。接替安德罗波夫的位置的契尔年科不但是一个病魔缠身的老人，并且是一个胸无大志的庸人，他要的只是总书记这个头衔。这样，由勃列日涅夫恢复的职务终身制创造了一个泱泱大国由老人、病人治国，连续三年每年安葬一位党国首脑的世界纪录。

这种情况再也不能继续下去了，全国人心思变，迫使苏共推出"年轻力壮的"54岁的戈尔巴乔夫出任党和国家的领导人（不过，请记住，列宁是在54岁逝世的!）。戈尔巴乔夫的改革是时代的要求，是苏联继续发展的历史要求。但是，戈尔巴乔夫最初并没有看到根本改革体制的必要性，而是认为以往的问题是发展速度不够，因而第一个措施是推行"加速发展战略"，指望在旧体制下通过人为的办法加速经济的发展。不久即证明此路不通。老牛拉破车，靠鞭打怎能加速！那时的苏联真有点儿病急乱投医，开展了一个反酗酒运动，禁售各种酒精饮料。这种做法在20世纪20年代已经试过，并且以失败告终。一则俄国人历来嗜酒如命，积习难改，二则这是国库的重要来源，禁酒等于断了国家的财路。这就注定禁酒运动必然泡汤。有了前面的教训，这才走上体制改革的道路。实践显示，单纯的经济体制改革困难重重，阻力太大，于是想到进行政治体制的改革。一方面，戈尔巴乔夫的改革部分是赫鲁晓夫改革的继续，完成赫鲁晓夫未竟之事业，如平反冤假错案，戈尔巴乔夫的力度和深度都大大加大了。另一方面，他把自己的改革同列宁的新经济政策挂钩，新经济政策成为他的蓝本之一。戈尔巴乔夫提出民主化、公开性，都从列宁的著作中找到根据，是列宁的主张。这一切既是为了打破改革的阻力，也是想使社会主义回归本来的面貌，使社会主义成为民主的自由的社会，即建设一个"人道的民主的社会主义"。本来"人道"、"民主"是社会主义应有之义，无须画蛇添足。戈尔巴乔夫之所以在社会主义之前加上"人道、民主"几个字，是因为公开揭露了斯大林的大量黑暗的暴行之后，需要向人民交代，社会主义到底应当是什么样的，没有民主就没有社会主义，建设一个人道的民主的社会主义社会，是改革的方向和目标，是对人民的许诺。这个目标没有错，可惜的是，当苏共通过这一纲领的时候，苏联已余日无多了，纲领始终是纲领，没有能够变成现实。

戈尔巴乔夫的改革存在严重的缺陷，略举数例。其一是完全忽略了严重的民族问题。列宁曾经说过，沙皇俄国是各族人民的监狱，大俄罗斯民族歧视、迫害少数民族。斯大林执政后推行大俄罗斯沙文主义，继续迫害少数民族，其整体迫迁一系列少数民族的做法是历史罕见的。结果苏联国内民族之间积怨甚深，尤其是第二次世界大战前被并吞的波罗的海三国独立情绪强烈，民族问题呈一触即发之势。其二是国内的贪腐问题严重，老百姓对各级官员的特权深恶痛绝，因此当叶利钦打出“反特权”大旗，一呼百应，大得人心，终于成为他推翻苏共、解体苏联的有力武器。其三是党内“在册权贵”的强大的保守势力，一有机会就兴风作浪。戈尔巴乔夫休假期间爆发的“8·19事件”，是对改革的反动，使广大群众对苏共失去信心。其四，历史的旧账并未从人民的记忆中消失。清算斯大林大镇压的旧账，是迟到的正义。其五，还有一点是不能忽视的，这就是在戈尔巴乔夫改革的整个时期，国内的经济每况愈下，改革在经济上没有给百姓带来看得见、摸得着的好处，这样其支持率越来越低。我亲耳听到一位列宁格勒大学教授说：生活得苦了，但过得愉快了。“苦”是物质的贫乏，“愉快”是说有了思想自由、言论自由了。

戈尔巴乔夫忽视严重的民族问题，在市场经济问题上举棋不定，在一些关键时刻犹豫不决。由于苏联几十年来一直墨守成规，不善于根据世界和国内形势的变化及时调整自己的理论和方针政策，苏共从整体上来说成为不思变革的保守的党，戈尔巴乔夫的改革首先遇到的阻力就是来自党的各级组织及其领导人，改革到处受到内部力量的抵制。戈尔巴乔夫终于得出结论，不可能把共产党作为改革的依靠力量，试图摆脱僵化的苏共，因此他宁要总统的头衔，而不想要总书记的职位。但是在一个党国一体化的国家里，一旦失去党的支持，就失去了依靠，尤其是在国内和党内尚未形成强大的改革力量的时候。在某些问题上戈尔巴乔夫急于求成（如多元化、多党制、改组苏维埃等等），必须看到苏联几十年形成的体制已到了积重难返的程度，改革既刻不容缓，也不能急于求成，改革的必要性必须同改革的适当措施结合起来。戈尔巴乔夫的悲剧在于看到改革的必然性和必要性，但此时此地他已回天乏术，找不到适当的措施来挽狂澜于既倒。

纵观苏联74年的历史，有过两次模式更换（由军事共产主义转换成新经济政策，再由新经济政策转换成斯大林模式）和三次改革。最成功的一次改革是列宁主持的由军事共产主义向新经济政策的转变，它在理论上打破了传统的废除市场关系的社会主义理论，决定在不施加暴力的情况下引导农民走向社会主义，从恢复农业着手，以恢复和发展农业带动工业的恢复和发展，取得了重大成就。但是它也存在致命的缺陷，即没有能够触动政治体制。列宁在经过短时间的犹豫之后，取缔了其他社会主义政党（孟什维克党和社会革命党），在党内又禁止各种派别，这就使列宁所说的“一党专政”变成不受任何监督的“一党独裁”，最后变成一种不受法律约束的无法无天的“个人独裁”。其结果就是经济体制的改革得不到政治体制的保护，一个人就可以用一句话予以废除，新经济政策被打发去“见鬼”。而中断新经济政策，也就埋下了葬送苏共和苏联的历史伏笔！

列宁生前已经看到斯大林掌握的无限权力有可能被滥用，专门写信给党的代表大会，建议一方面加强党内监督，一方面解除斯大林的总书记职务。这时候的总书记职务虽然还不是后来的党政第一把手，但掌握中央组织人事和处理日常事务的大权，一旦被滥用，后果严重。但是列宁的建议没有被接受，最高层的某些人士出于私利的考虑，一心一意支持斯大林继续担任总书记，这便留下了极大的隐患。

苏维埃制度曾被说成世界上最民主、最好的制度。然而，历史表明事实并非如此。在“一党专政”的国家，国家事务的决定权在共产党，而不在苏维埃，十月革命后代表民意的苏维埃逐渐变成无足轻重的机构，最后沦为“橡皮图章”。戈尔巴乔夫后来提出复兴苏维埃，“全部政权归苏维埃”，在“一党专政”的情况下，只是一种幻想，而放弃“一党专政”，全部政权真的归苏维埃，就意味着共产党失去政权。这是一个无法克服的矛盾。

赫鲁晓夫改革的重大缺陷是未能触及体制问题，不能也不敢把斯大林个人专制体制与社会主义制度区分开来。改革是局部性的，对斯大林个人崇拜的揭露虽然震撼世界，但问题往往归结为斯大林个人，这显然是很不够的，不足以解决问题。赫鲁晓夫在开始的时候也强调加强集体领导，但没有形成一种机制，在他站稳脚跟之后，就逐渐退回到个人说了算。这样就为自己的下台埋下了伏笔，给“宫廷政变”开了方便之门。

戈尔巴乔夫的改革比前两次改革都要深入，它触及了积重难返的政治体制，但缺乏充分的准备，如何正确处理党和苏维埃的关系，如何解决一触即发的民族问题，如何推进国内的民主化，又能保持苏共的领导地位，如此等等，戈尔巴乔夫都缺乏预见和考虑，陷入头痛医头、脚痛医脚的状态，徒具愿望而无有力措施，非常被动。

政治体制改革是一大难题，到了20世纪末，不改，则苏共迟早可能步罗马尼亚的后尘，改，如处置不当则反而会加速垮台。这里的问题不出在民主化、公开性，民主自由是当今世界之潮流，世界上众多的民主制国家并没有因民主而垮台，倒是那些强权专制的国家政变频仍，当权者交替出现。苏联由于错过几次改革的良机，问题已经到了积重难返的程度，在这样的国家如何实行改革，做到改而不死，动（变动）而不乱，是一个世界性的难题，是一个值得探讨的问题。

向马克思、恩格斯和列宁求教

苏联兴亡的原因是一个世纪性的问题，即使到本世纪末也未必会有一个公认的答案。本书作者并不企望解答这个难题，只是希望我们提供的事实有助于读者对答案的探寻。我们再提供一些往往被读者忽略的马克思、恩格斯和列宁的论述，也许会给我们以某种启发。

一个由列宁首创的社会主义苏联，一个口口声声要建立社会主义，甚至据说已经开始共产主义建设的苏联，一个千百万群众曾经为之献身奋斗的国家，为什么最终垮台、解体，而达不到自己的目标？

恩格斯在《费尔巴哈和德国古典哲学的终结》中关于历史有一段精辟的论述：

“历史进程是受内在的一般规律支配的。”[1] 人们所预期的东西很少如愿以偿，许多预期的目的在大多数场合都互相干扰，彼此冲突，或者是这些目的本身一开始就是实行不了的，或者是缺乏实行的手段的。“行动的目的是预期的，但是行动实际产生的结果并不是预期的，或者这种结果起初似乎还和预期的目的相符合，而到了最后却完全不是预期的结果。这样，历史事件似乎总的说来同样是由偶然性支配着的。但是，在表面上是偶然性在起作用的地方，这种偶

[1] 《马克思恩格斯选集》第4卷，人民出版社1995年版，第247页。

然性始终是受内部的隐蔽着的规律支配的，而问题只是在于发现这些规律。”[1]

“无论历史的结局如何，人们总是通过每一个人的追求他自己的、自觉预期的目的来创造他们的历史，而这许多按不同方向活动的愿望及其对外部世界的各种各样作用的合力，就是历史。”[2]“我们已经看到，在历史上活动的许多单个愿望在大多数场合下所得到的完全不是预期的结果，往往是恰好相反的结果，因而它们的动机对全部结果来说同样地只有从属的意义。”[3]

恩格斯就此进一步提问：“在这些动机背后隐藏着的又是什么样的动力？在行动者的头脑中以这些动机的形式出现的历史原因又是什么？”[4]他回答说：

“如果要去探究那些隐藏在——自觉地或不自觉地，而且往往是不自觉地——历史人物的动机背后并且构成历史的真正的最后动力的动力，那么问题涉及的，与其说是个别人物、即使是非常杰出的人物的动机，不如说是使广大群众、使整个整个的民族，并且在每一民族中间又是使整个阶级行动起来的动机；而且也不是短暂的爆发和转瞬即逝的火光，而是持久的、引起重大历史变迁的行动。”[5]

探讨促使群众行动起来的动因，这是能够引导我们去探索那些在整个历史中以及个别时期和个别国家的历史中起支配作用的规律的唯一途径。

在这里我们之所以大段援引恩格斯的话，是因为在74年的苏联历史中我们可以多次看到这种预期和结果、动机和效果相背离的状况。尽管领袖们一再宣布他们发现并掌握了“规律”，所发现的“规律”如何正确，他们对规律的运用如何英明，他们的预期如何百分之百得到实现，然而历史毕竟是按照自己的规律发展的，一切违背历史规律的东西都不免遭到失败和破产。“军事共产主义”、“全盘集体化”、“阶级斗争尖锐化”和“大清洗”、“建成社会主义”、“进入共产主义”、“发达社会主义”等无不如此。一部苏联兴亡史如实地证实了恩格斯的论断。实际上，某些领导掌握的并不是什么规律，而是权力，他们依靠

[1] 《马克思恩格斯选集》第4卷，人民出版社1995年版，第247页。

[2] 同上书，第248页。

[3] 同上。

[4] 同上。

[5] 同上书，第249页。

手中的权力恣意妄为，无视历史发展的客观规律，无视人民群众的诉求与呼声，无视历史的潮流，凭自己的意志与权力行事。这就难免一朝崩溃，难逃历史的审判。

有人把苏共丧权、苏联解体归罪于赫鲁晓夫、戈尔巴乔夫，认为是党内出了“叛徒”。很难想象，一个大国、一个大党能够被某一个人、某一个叛徒出卖。可以说，历史上没有任何一个个人拥有这样的力量。苏联共产党、中国共产党党内都出现过货真价实的叛徒，但都没有能够搞垮党。因为决定党的命运的不是个别领袖，而是广大党员、广大群众。列宁就此写道：

“历史上有过各种各样的变化；依靠信念、忠诚和其他优秀的精神品质，这在政治上是完全不严肃的。具有优秀精神品质的是少数人，而决定历史结局的却是广大群众，如果这些少数人不中群众的意，群众有时就会对他们不太客气。”[1]

列宁这里说的是，对历史上任何一个重大转变起决定性作用的是广大群众，而不是少数领袖人物。群众对苏共“不太客气”，是因为它已经“不中群众的意”，换言之，不得人心！当苏共中央总部被查封，其中的工作人员走出总部大楼的时候，围观的群众没有一个人表示声援，而是旁观，甚至嘲笑。这是一幅什么样的情景！

不言而喻，这不是否定领袖的作用，领袖对促进或者推迟历史的发展能够发挥巨大的作用。1871 年 4 月 17 日，恩格斯给库格曼的信中谈到偶然性的作用，他说世界历史“发展的加速和延缓在很大程度上是取决于这些‘偶然性’的，其中也包括一开始就站在运动最前面的那些人物的性格这样一种‘偶然情况’。”[2]

恩格斯在《德国的革命和反革命》中指出，需要研究革命必然爆发又必然失败的原因，“这些原因不应该从一些领袖的偶然的动机、优点、缺点、错误或变节中寻找，而应该从每个经历了动荡的国家的总的社会状况和生活条件中寻找。”恩格斯特意批驳了领袖“出卖”论，他说：“当你问到反革命成功的原因时，你却听到一种现成的回答：因为这个先生或那个公民‘出卖了’人民。

[1] 《列宁选集》第 4 卷，人民出版社 1995 年版，第 679 页。

[2] 《马克思恩格斯全集》第 33 卷，人民出版社 1973 年版，第 210 页。

从具体情况来看，这种回答也许正确，也许错误，但在任何情况下，它都不能说明任何问题。甚至不能说明，‘人民’怎么会让别人出卖自己，而且，如果一个政党的全部本钱只是知道某某公民不可靠这一件事，那么它的前途就太可悲了。”[1]

同样，用“叛徒论”来解释苏联这样一个大国的解体，虽似简单明了，但不能说明任何问题，也是直接违背恩格斯的教导的。

马克思写于1857年的《印度起义》一文中有一段话非常值得注意：

“人类历史上存在着某种类似报应的东西。历史报应的规律就是，锻造报应的工具的，并不是被压迫者，而是压迫者自己。”[2]

马克思说的是印度的起义。此前，英国殖民者在印度本地人中间招募一支名叫“西帕依”的雇佣军，用来征服印度并维持其统治。然而，正是这支部队在1857年震撼殖民者的印度民族起义中发挥了重要的作用。所以马克思接着写道：“第一次打击法兰西君主制的是贵族而不是农民。发动印度起义的不是饱受英国人折磨、侮辱和洗劫的莱特，而是由英国人供给吃穿、受英国人豢养和宠爱的西帕依。”[3]

马克思提到的这个“历史报应的规律”或者“类似报应的东西”，值得我们注意。在苏联共产党垮台上，我们同样看到了它的威力。

历史报应规律包含两个方面：报应什么，由谁执行报应。

历史上的坏事恶事不能不受到历史的报应，中国有俗语说，物极必反，善恶到头终有报，就体现了历史的报应规律。承认报应规律，可以使人们对历史存敬畏之心。

这种报应有的很快来到，有的需假以时日，待矛盾积累到一定时候爆发。十月革命前列宁在《论大俄罗斯人的民族自豪感》中写道：

“我们满怀民族自豪感，因为大俄罗斯民族也造就了革命阶级，也证明了它能给人类提供为自由和为社会主义而斗争的伟大榜样，而不只是大暴行，大批的绞架和刑讯室，普遍的饥荒，以及对神父、沙皇、地主和资本家十足的奴

---

[1] 《马克思恩格斯全集》第11卷，人民出版社1995年版，第6页。

[2] 《马克思恩格斯全集》第16卷，人民出版社2007年版，第334页。

[3] 同上书，第335页。

颜婢膝。”[1]

按照历史报应规律，这样充满大暴行的制度是迟早要被推翻的。令人遗憾的是革命胜利之后人们在苏联还是看见了大暴行、刑讯室、集中营、大饥荒，以及对领袖的顶礼膜拜……

即使在阶级社会，国家的职能之一也是维持社会的稳定，防止社会分裂，防止“经济利益互相冲突的阶级，不致在无谓的斗争中把自己和社会消灭”，“缓和冲突，把冲突保持在‘秩序’的范围以内”[2]。这是恩格斯在《家庭、私有制和国家的起源》中说的。然而斯大林的国家却人为地掀起“阶级斗争”，制造社会的对抗和分裂。这样的国家出路有两个，一个是痛改前非，进行改革，一个是一意孤行，政权垮台。欠债总是要还的。世界历史的进程是一个不断进步的进程，总是光明战胜黑暗，正义战胜邪恶，民主战胜独裁，自由战胜专制的过程，如果不是这样，人类岂不是永远生活在奴隶社会，或者中世纪的黑暗统治之下！世界历史是世界法庭！布哈林在“自己的”法庭上说得很清楚：“世界历史就是进行审判的一个世界法庭。”[3] 所有处于无奈绝望之中的人们都曾寄希望于世界法庭。历史学家罗·亚·梅德维杰夫把他论斯大林主义的起源及其后果的专著取名为《让历史来审判》，绝非偶然。

报应规律的另一方面是实施报应的往往是作恶者自己打造的工具。苏共的垮台，其原因可以列举很多，但归根结底在于苏共本身。列宁曾经提议解除斯大林的总书记的职务，列宁的理由是斯大林“太粗暴”，他认为，这个缺点在一般共产党人之间的相互交往中是可以容忍的，“但是在总书记的职位上就成为不可容忍的了”，他特别警告说，“这一点看来可能是微不足道的小事”，但“这是一种可能具有决定意义的小事”。[4] 但是列宁身后的领导班子或者出于一己私利的考虑，或者由于眼光短浅，硬是把斯大林保了下来，并且赋予更大更多的权力。这样到 20 世纪 20 年代末，大权在握的斯大林就急不可待地中

---

[1] 《列宁选集》第 2 卷，人民出版社 1995 年版，第 450 页。

[2] 《马克思恩格斯选集》第 4 卷，人民出版社 1995 年版，第 170 页。

[3] 《布哈林在法庭上的最后陈述》（1938 年 3 月 12 日），《国际共运史研究》（布哈林专辑），人民出版社 1981 年版，第 139 页。

[4] 《列宁全集》第 43 卷，人民出版社 1987 年版，第 340 页。

断了新经济政策，使社会主义失去走向市场的可能性，而斯大林性格上“粗暴”的缺点，在20世纪30年代的大镇压中毕露无遗。

斯大林实行了由上级任命的等级官员制度，把自己的工资提高到1万卢布，给党政官员以高薪，同时实行暗箱操作的红包制度，在社会主义国家内部培养出一个享有特权的高薪阶层，即“在册权贵”。20世纪50年代赫鲁晓夫进行了还没有触动体制本身的改革，但是他提出的干部任期制已触及一大批干部的利益，于是他们发动“宫廷政变”推翻了赫鲁晓夫政权，使苏联失去一次通过改革以挽救共产党政权的机会。戈尔巴乔夫上台重启改革，这次的改革冲击面更大，深深触及党内利益集团根本利益，这就不可避免地遭到党内“左”右派的反对和抵制，既有保守派的“8·19政变”，又有分裂派的别洛韦日密林会议，叶利钦高举反特权的大旗，赢得大量群众的支持，而结集在他周围的党政官员绝大部分又是在册权贵。在册权贵的各路大军汇集起来推翻了苏共的领导，解散了苏维埃联盟。

促使苏联解体的还有另一支由苏联自己打造的力量。在苏联存在的74年里，在地缘政治上继承的是沙皇俄国的衣钵，它在1921年动用武力并吞了自己刚刚承认的独立的格鲁吉亚民主共和国，1940年，又出兵波罗的海三国，并吞了独立的立陶宛、爱沙尼亚、拉脱维亚。这样，苏联恢复了沙俄帝国的版图。然而，正是这四个被红军占领，强行并入苏维埃联盟的国家，争取民族独立的运动始终不断，成为苏联国内最不安定的因素，它们在20世纪80年代末率先举起民族独立的大旗，宣布本国主权高于一切，动摇了苏维埃联盟的基础，并最后脱离苏联，恢复为独立国家，为苏联国内其他谋求独立的共和国作出了榜样。这支民族分离队伍是苏联自己打造培养出来的，它们曾经“壮大”了苏联，但最后又成为解体苏联的急先锋，这就是一种历史的报应。

多次打断改革、最终使苏共丧权的不是平民百姓，而是苏共自己培植起来的领导上层——“在册权贵”！最后促使苏联解体的急先锋，在联盟内部打开缺口的则是几个被兼并的国家！这大概就是马克思所说的历史报应规律！

苏联史研究在俄国的进步

半个世纪前，赫鲁晓夫“解冻”之后，开始公布一些有关苏共的档案资料，纠正斯大林时期对苏联历史的歪曲，但是这个过程随着赫鲁晓夫被党内政变推翻而中止。戈尔巴乔夫上台之后，继续“解冻”的进程，开始填补“历史空白”，公布许多绝密档案，打开了苏联历史研究中的许多禁区。苏联解体之后，许多重要档案馆对学者开放，历史学家得以深入接触到尘封多年的档案，为真正的史学研究提供了大量可靠的依据。

对苏联历史重新审视始于戈尔巴乔夫时期的剧作家、政论家等，他们不是专业的历史研究者，是“外行”，但恰恰是他们凭自己的敏感、经历和历史见闻，对一些重大的历史事件提出新的看法，尽管多少存在不准确的地方，但非常富有启发性。

我们且以著名的剧作家米·沙特罗夫为例。他发表在1987年第4期《新世界》上的《布列斯特和约》（中译名为《1918年的苏俄领袖们》，世界知识出版社出版），《前进，前进，前进……》（1988年）等剧作在恢复革命的真实历史方面就发挥了积极作用。在这些剧本里，过去一直被从历史上抹去的列宁的战友们如托洛茨基、布哈林、季诺维也夫、加米涅夫等登上了舞台，斯大林也不再是一贯正确的了，也会受到列宁的批评，这样剧作者就在舞台上展示了一幅比较接近历史真实的生动画面，虽然其中还存在如此这般的不足之处。沙特罗夫是中国观众熟悉的《以革命的名义》（1957年）的剧作者，他的《我们一定胜利》（1982年）上演后，勃列日涅夫曾率苏共中央政治局全体委员去观看，因为这些党的领袖们所知道的党史知识不会超过《联共（布）党史简明教程》所教给他们的。沙特罗夫写过很多关于列宁的剧作，显然仔细研究过列宁的生平以及他所处的历史时期，知道许多官方历史教科书所不提供的资料。《布列斯特和约》一剧写于1962年，当时无法发表或者上演，只能发表一些片段，直到25年之后，才得以全文发表。这自然推动了当时提出的“填补历史空白点”、恢复历史真相的运动，同时也给苏联的历史学家们背后击一猛掌。

接着，历史学家们也开始投入重新研究。他们从事两方面的工作：

过去苏联历史学家能看到的机密档案非常有限，只有少数学者能够进入绝密档案库。[1]西方学者主要依据的是托洛茨基被驱逐出境时携带出去的档案，

[1] 1988年我参加在联邦德国举行的布哈林问题国际学术研讨会，与会的有一批苏联学者，其中来自苏联科学院历史研究所的学者就当面指责苏共中央马列研究院的学者垄断档案。

德国人在占领期间从斯摩棱斯克掠走的档案（称“斯摩棱斯克档案”）。从20世纪80年代末起，苏联开始公布一些解密档案，苏联解体后各级档案馆对外开放。历史学家们发掘整理档案资料，报纸杂志上不断披露从档案库中发掘出来的专题资料，在长期工作之后开始出版大量的专题档案集。尤其值得注意的是由A.H.雅可夫列夫院士主编，众多著名史家参加整理编辑的系列档案丛刊《20世纪俄国文献》[1]，一个专题一个专题地公布解密档案，如《1921年喀琅施塔得文献》、五卷本《新经济政策是怎样被打断的。1928—1929年联共（布）中央全会速记记录》、《斯大林与世界主义。苏共中央宣传部文件》，等等。

另一方面，历史学家们开始在此基础上撰写苏联史的论文和专著，如俄国史、苏联史、苏联国家史、政治史、经济史、文化史，等等。尽管由于史家们掌握的材料多寡有异，观点立场不同，对同一历史事实看法和评价不尽相同，甚至截然相反，但俄国的苏联史研究开始进入一个新阶段，总体上逐步走向写真实的历史，纠正以往对历史的伪造和歪曲。十月革命和国内战争只讲列宁和斯大林，不讲托洛茨基，能说清楚吗？除了列宁和斯大林两人以外，把十月革命后的所有党政领导人、列宁的亲密战友都打成“人民敌人”、“叛徒”、“内奸”，这样的历史能让人信服吗？一边宣布社会主义已经“建成”，一边实施大镇压，把千百万无辜人士投入监狱、集中营，予以枪毙，这是社会主义吗？这样的党史，这样的苏联史，是不是应当改写呢？写真实的历史必然要否定伪造的历史、歪曲的历史，说是填补历史的空白也好，说是恢复历史的正义也好，归根结底，需要还历史以本来面目！

与此同时，长期以来被雪藏于“特藏库”（спецхран）的禁书禁报禁刊，如托洛茨基、布哈林、季诺维也夫等反对派成员的著作，刊载反对派文章的报刊也解禁开放，有的公开重印。这使读者得以看到反对派的真正观点和主张，而不是靠斯大林著作和党的决议中多半是被歪曲或断章取义的转述和引文来了解他们的主张。苏联当时曾有禁令，禁止在论文和著作中直接引用反对派的言论，而只准转述，否则就是宣扬反对派的言论。过去一些被查禁的图书，如“异议人士”罗伊·梅德韦杰夫的《让历史来审判》等，也得以公开出版。戈

[1] Россия. XX век. Документы. Под общей ред. Академика *А.Н.Яковлева*. Международный фонд «Демократия». Изд. «Материк».

尔巴乔夫在苏联历史上第一次正式承认苏联存在书报检查制度，并予以废除。

自20世纪90年代以来，互联网得到飞速发展，许多俄国的学术著作、历史资料以至档案文件等可以在网上看到和下载，给史学研究提供了极大的方便。这一切为苏联史的研究提供了扎实的第一手资料，为纠正历史的伪造提供有力的证据。

俄国的史学家，不仅可以看到和使用各种新的解密档案材料，而且在写作史学论著时不再有过去那些官方的意识形态的束缚，没有了各种条条框框，可以按照自己研究的结果来写作了。历史研究成为历史学家的工作，而不再是政治家的工具。政治家们不再能够对历史的学术研究发号施令了，即使有人想发号施令，也再无法定于一尊。对苏联历史的各种问题仍然存在不同看法，争论在继续，但争论不再能够由官方来统一。莫斯科大学历史系副系主任Л.С.列昂诺娃教授指出：当前，俄国史学家们已达成了一定的共识，认为学术研究不能再回归从前那种思想一统的老路，方法和观点的多元化是任何一门学科顺利发展的首要条件之一。在这种生态条件下，苏联史的研究出了不少可喜的成果，包括论文和专著。这里既有为斯大林辩护的菲利波夫等人著作的教学参考书《俄国现代史（1945—2006）》，也有“颠覆性”的由安·祖波夫主编、多国学者参加编写的两卷本《20世纪俄国史》。可以同意或者不同意他们的观点，但仅就这两种观点截然对立的图书能在俄国出版而论，不能不承认这是历史的巨大进步。

从这一切可以看到，俄国的苏联史研究在最近1/4世纪的时间里有了长足发展，这是史学的进步，而不是历史虚无主义。

我们的工作

苏联的解体为苏联的社会主义画上了一个句号，苏联作为国家，作为制度，已经成为历史，整个苏联时期已经摆在世界历史的舞台上任人评说。苏联史成了整个俄国历史中的一个阶段、一个时期。诚然，这是一个非常独特的、影响过整个世界的时期。写前朝史是史家的一种惯例，一个朝代结束了，就有可能看到被深深掩盖的各种历史真相，有可能较为客观地评说其功过得失，为客观的科学的历史研究提供有利的条件。

苏联解体后，我国出了几本苏联史的专著，发表了不少叙述和论述苏联某一段历史、某一个问题的著作，这些著作分析问题的角度不同，详略不一，观点看法也不一致，对苏联历史和问题的研究出现了争鸣的良好态势。对存在74年的世界上第一个社会主义国家的兴衰存亡过程及其原因的探讨，不是短时间内能够达成共识的。罗马帝国灭亡以来世界上罗马兴亡史就出了好多种。法国大革命离今天已有两百多年，研究的著作依然源源不断地问世。曾有记者问周恩来怎样评价法国大革命？周恩来回答说：现在作结论为时尚早。已经过去两个世纪的法国革命尚且如此，一个曾经影响整个人类社会的社会主义革命的得失和经验教训，绝对不可能在短时间内取得各方的共识。仅仅就斯大林一人的评价而论，从他逝世算起，事过半个多世纪仍然众说纷纭，无法盖棺论定。对这么一段影响世界历史的发展进程的苏联历史决不是某几人或某几本书能作出定论的！

本书的作者群体关注苏联历史已久，有些学者从20世纪50年代起就学习和研究苏联史。有过痛苦的“文化大革命”经历的作者们深感苏联对中国影响之大、之深，开始从中国的教训反思苏联的历史。从20世纪70年代末开始，中国的苏联史研究者写出了一批有独立见解的论述苏联历史的论文和专著。

苏联解体之后我们有意写作一部比较完整、较为详尽的能够反映苏联历史真实过程的苏联史，这既是我国广大关心苏联历史的读者的需要，也是我们自己厘清苏联历史本身发展过程的需要。为此，本书的作者和其他一批苏联史研究者一起从1995年以来投入以下两项工作。

为使中国的学者能够看到并利用从苏联末期起开始公布的大量解密档案，由沈志华教授牵头在中国社会科学院立项，编译出版了34卷《苏联历史档案选编》[1]。我国有数十名苏联史研究者、翻译者投身于《苏联历史档案选编》的编译出版工作，历时七年，于2002年正式出版发行。这部书为我国苏联史的研究提供了一份非常有价值的资料。

编译出版档案资料不是我们的最终目标，利用这些档案资料撰写一部反映苏联历史真实面貌的苏联史，这才是我们追求的目标。1996年由沈志华等教授倡议，“中国史学会东方历史研究出版基金”提供资助，由郑异凡研究员

[1] 参见沈志华执行总主编：《苏联历史档案选编》，社会科学文献出版社2002年版。

牵头在中央编译局为九卷本《苏联史》正式立项。2002年《档案选编》完成之后，作者们开始集中精力撰写这部《苏联史》。

我们长期从事于历史研究，多年的工作使我们深深感到，一个历史工作者需要具备史魂、史识、史胆。“史魂”说的是史家的道德良知，要显善揭恶，独立思考而不媚时，不随风倒，尤其不为恶辩护。“史识”说的是对历史的认知，是建立在历史事实基础上的对历史的清醒认识，以史实为依据，运用历史唯物主义、历史主义，把握基本的历史联系，认识和揭示历史的本来面貌，力求揭示历史发展的规律。“史胆”，面对历史要敢于秉笔直书，敢于讲真话，敢于写真实的历史，这是对历史负责的态度。史魂、史识、史胆，这是中国史学的优良传统，也是我们追求的方向。

本书作者们努力给读者提供一部真实的苏联史。任何一个史家对自己所记叙、描绘的历史，不可完全处于超然的、纯客观的地位，必然会有自己的看法，并且会以各种形式表现出来，这是不言而喻的。本书同样如此，我们力求做到的是，所提供的历史事实，是真实可信的，我们的看法是有据可依的。苏联历史中伪造的东西太多了，纠正这些东西困难重重，尤其是对我们这些外国的史学家来说更是如此。迄今为止俄国的史学家们在这方面做了大量的工作，但是应该说，仍然处于起步阶段。写出一部完整、全面、真实的苏联史，有待俄国和各国历史学家的共同努力，我们所做的工作只是抛砖引玉而已。

当然，我们也不妄自菲薄，中国的历史学家在研究苏联史上具有自己的优势。我们是社会主义国家，正在建设中国特色的社会主义。此前我们在相当长的一个时期曾经照搬照抄过苏联斯大林的那一套做法，我们的社会主义曾经深深留下斯大林模式的烙印。中国人对斯大林模式的弊端有切身体会，摒弃和改革斯大林模式是中国改革开放的起点。这样，我们在考察苏联的成败得失时，会有自己的感性认识，可以通过自己的教训去认识苏联历史中的问题。从20世纪70年代末起，中国学者已经开始对苏联史中的某些问题进行认真的反思，得出新的认识，如列宁晚期思想、对斯大林的评价、对布哈林的评价、对赫鲁晓夫的评价、对《联共（布）党史简明教程》的评价、苏联农业集体化和工业化等等问题，都提出了自己的新见解，可以说，在20世纪80年代中国学者在苏联史的若干问题的研究上走在了苏联史家的前面。

马克思在《〈政治经济学批判〉导言》中说过："人体解剖对于猴体解剖是一把钥匙。反过来说，低等动物身上表露的高等动物的征兆，只有在高等动物本身已经被认识之后才能理解。"[1]这是马克思就资本主义社会对以往的各种社会的关系而言的。资本主义是借以往的社会形式的残片和因素建立起来的，其中一部分是还未克服的遗物，继续在这里存留着，一部分原来只是征兆的东西，得到了充分发展。中国的社会主义，是在苏联模式的基础上建立起来的，而中国特色的社会主义则是在克服和摒弃苏联模式中的斯大林模式的基础上建立起来的，在这里如马克思所说，一部分原来只是征兆的东西，如列宁的运用市场机制的新经济政策，得到了充分发展。在我国斯大林模式虽然已被摒弃，但不可否认，一部分尚未克服的"遗物"仍继续存在。通过中国特色的社会主义实践，我们能够更清楚地认识苏联社会主义的得失，这是不言而喻的。

本书是一部多卷本的苏联史，以相对独立的历史阶段分卷，依次为：俄国革命、国内战争、新经济政策时期、斯大林模式的确立、卫国战争、战后斯大林时期、赫鲁晓夫的十年、勃列日涅夫的十八年、戈尔巴乔夫改革和苏联解体。历史的延续存在有机的内在联系，分卷只是为了写作方便，并不是对苏联史的科学分期。九卷书是一个整体，讲述一个连续不断、有机联系的历史过程。与此同时，各卷的内容又是相对独立的。为发挥每一位作者的特长和创造性，在总体设计下，每卷的作者独立设计本卷的结构和内容，写作风格也不强求一致。为叙事方便，卷与卷之间部分内容或有重叠交叉。由于作者的视角不同，运用的资料不同，这种重叠不会是简单的重复。这样，每一卷都可以作为有头有尾的独立的一段史书来读。由于长期磨合，作者们对苏联历史的总体看法是一致或近似的，相信全书在基本观点上也会是一致的。尤其值得指出的是，本书的多数作者同时也是《苏联历史档案选编》相应卷次的主编，档案的编辑工作为他们提供了扎实的史料。

本书自1996年立项，到2013年开始出书，历时十多年，是名副其实的"十年磨一剑"。一部历史著作的撰写确实需要有较为充裕的时间，急就章是不行的。我们不敢说本书是精品，但是应当说，要出精品就必须舍得下"十年磨一剑"的功夫。

---

[1] 《马克思恩格斯选集》第2卷，人民出版社1995年版，第23页。

司马光言：“鉴前世之兴衰，考当今之得失。”写“前世之兴衰”是历史学家的责任，“考当今之得失”则未必是史学家所能完成的任务，倒不如说是每一位读者自己的任务。历史学家的首要责任就是写出信史，使所写的历史书尽可能接近历史本身。这是考当今之得失的前提。如果历史事实被歪曲了，那由此得出的结论必然陷入谬误。2009 年 5 月 13 日，习近平在中央党校说：领导干部要通过研读历史经典，看成败、鉴是非、知兴替，起到“温故而知新”、“彰往而察来”的作用。我们希望这套《苏联史》能在这方面提供一些有用的东西。

在成书之际我们深深怀念中国社会科学院世界史所已故朱庭光所长，他一直关怀我们的苏联史研究和写作；怀念我们的挚友中央党校战略研究所的姜长斌教授，他不是课题组成员，但几乎参加了我们的所有学术讨论，贡献了许多宝贵的意见，长斌不幸于 2009 年年初去世，未能看到本书的出版，实为憾事。中国社会科学院世界历史研究所闻一、马龙闪研究员、华东师范大学历史系余伟民教授、中国政法大学金雁教授等也参加了我们的部分讨论会，人民出版社张伟珍编审为本书的出版做了大量工作，东方历史研究基金会和人民出版社提供了资助，前驻俄大使李凤林先生百忙中为本书作序，对此我们深表谢意！

2009 年 7 月 18 日二稿

2011 年 5 月 1 日三稿

目录

序……李凤林 1
主编的话……郑异凡 5

前　言……1

第一章　安德罗波夫和契尔年科时期的苏联……37
第一节　壮志未酬的安德罗波夫……38
第二节　毫无作为的契尔年科……52
第三节　苏联体制的弊端与问题——改革的历史前提……59

第二章　戈尔巴乔夫上台及最初的改革措施……85
第一节　应运而生的戈尔巴乔夫——别无其他的选择……86
第二节　改革——从更新干部开始……100
第三节　苏共二十七大——“新方针”的确立……112
第四节　“改革”方针误入歧途……125

第三章　走上艰难的改革之路……147
第一节　经济改革方案的提出及实施……149
第二节　政治体制改革的启动……164
第三节　纠正历史的错误与重评历史……181
第四节　苏共对改革理论的探索与党内的分歧与斗争……199

第四章　改革的重心转向政治体制……223

第一节　根本改革政治体制方针的确定……224
第二节　政治体制的根本变革……248
第三节　日益严重的经济与社会问题……269

第五章　1990 年：改革战略的再转变……287

第一节　苏联社会的巨大变化……289
第二节　苏联政治体制全面转向……307
第三节　试图向市场经济过渡……327

第六章　越来越尖锐的民族问题……355

第一节　被忽视的民族问题……358
第二节　处理失当的民族问题……374
第三节　俄罗斯民族主义和民族分离主义的发展……406

第七章　戈尔巴乔夫新思维外交的理论与实践……419

第一节　新思维外交思想与苏联对外战略的大转变……420
第二节　苏联与西方国家关系的改善与发展……438
第三节　苏联调整对东欧国家的政策……458
第四节　实现苏中关系正常化……478

第八章　戈尔巴乔夫革新联盟的努力与“8・19”事变的冲击……495

第一节　苏联社会陷入全面危机……496
第二节　革新联盟：困难重重……511
第三节　事与愿违的“8・19”事变……536
第四节　“8・19”事变失败的原因与后果……563

第九章　通往别洛韦日之路……579

第一节　戈尔巴乔夫保留联盟的最后努力落空……580
第二节　从别洛韦日到阿拉木图……597

结束语……617

附 录……637

参考书目……638
主题索引……653
人名索引……659
人物简介……670
大事记……699

СОДЕРЖАНИЕ……717

后 记……721

前　言

20 世纪是一个充满光荣与梦想，又是一个多灾多难的世纪，1917 年发生的十月革命和 1991 年的苏联解体是这一世纪影响最大的两件事，它们改变了世界历史的发展进程。在第一次世界大战烽火中建立起来的世界上第一个新型国家政权，曾令被压迫者和世界进步人士欣喜若狂，但是，谁也不曾料想只经历了短短的 74 年和 7 位最高领导人，强大的苏联、令资本主义世界胆寒的强国就不复存在了，而最后为其送葬的是戈尔巴乔夫。“1990—1991 年期间，在这短短的两年之内，由列宁及其后继者所建立起来的强大体制，就这么崩溃了。70 多年统治地位无人撼动的庞大的苏联共产党，很快就被解散。它所推行的国家社会主义体制轰然坍塌，在其废墟上资本主义乘虚而入。甚至苏联的民族国家也解体了，取而代之的是 15 个新的国家……历史上有过多次大国衰落的事件，但从来没有一次发生得这样快、这样出人意料。像苏联这样一个经济上和军事上都十分强大的实体突然坍塌，而且根本就没有什么外部入侵和内部暴乱，在现代历史上实在少见。”[1] 苏联的剧变让人猝不及防，令人百思不得其解，成为学术界研究的热点。

一、研究现状

在苏联解体以来的近二十年时间里，研究苏联解体和戈尔巴乔夫改革失败的著述可谓汗牛充栋，观点和看法也五花八门。当年事件的参加者几乎都写了回忆录，为自己开脱。研究者们则由于研究的角度、评判的标准不同，得出的结论和看法也极不相同[2]。随着时间的推移，人们对戈尔巴乔夫及其时代的评价多了些理性，但在看法上仍然达不成共识。“一些人至今仍然认为改革是必然的，而另一些人则说是偶然的；一些人把改革评价为一种消极现象，另一

---

[1] ［美］大卫 · 科兹、弗雷德 · 威尔著：《来自上层的革命——苏联体制的终结》，曹荣湘等译，中国人民大学出版社 2002 年版，第 3 页。

[2] 参见李兴耕等编：《前车之鉴——俄罗斯关于苏联剧变问题的各种观点综述》，人民出版社 2003 年版；王佳菲：《国外学者关于苏联模式和社会主义前途的思考》，载《当代世界社会主义问题》2006 年第 2 期，第 56—62 页。王宪举：《我在莫斯科当外国记协主席》，新华出版社 2008 年版，第 87—106 页。

些人则把它作为积极现象。”[1]与苏联的其他时期相比，学术界对这一时期的研究还不够具体和深入，对戈尔巴乔夫改革情况和问题的论述比较简略，这当然有许多原因，最主要的是这段历史离我们太近，事件本身又十分复杂，我们还无法完全看清并作出冷静的分析，许多还需要历史来检验。学者们仍在不断努力，试图解释这段充满希望与失望、喜悦与悲伤的历史现象。对国内外学术界的研究状况可以从以下几方面作出概括和总结：

（一）关于苏联模式、戈尔巴乔夫与苏联解体的关系

对于苏联模式、戈尔巴乔夫与苏联解体的关系，政界与学术界一直有不同的看法，一些人认为苏联解体主要是苏联的体制造成的，戈尔巴乔夫只负次要责任；另一些人则持相反的看法。当年苏联政界的代表人物在这一问题上就有分歧。哈萨克斯坦领导人纳扎尔巴耶夫说：“实际上是策略上的错误导致了社会主义命令式计划体制自行走向崩溃，而无需西方引路人。这是历史性的失败。轻率地参加耗资巨大的军备竞赛，技术的落后，责任感下降都起了作用。”“如果说到加速联盟崩溃的间接因素，那么这里当然不能不提外部的影响。依我之见，‘团结’运动的产生和西方为使波兰脱离社会主义集团而给予的帮助都可以列为外部因素。对罗马教皇的作用也毋庸置疑，我们私人会晤时他对我讲的正是这事。还可以举出不少例子。正如我在前几章中讲到的，主观因素同样起了相当重要的作用，其中特别是戈尔巴乔夫和叶利钦之间的激烈较量，这一较量要达成任何妥协实际上是不可能的。正是由于这一对抗，俄罗斯在苏联各共和国中率先于 1990 年 6 月宣布为主权国家。那样一来，苏联还能留下些什么呢？”[2]利加乔夫和雷日科夫则强调戈尔巴乔夫等人的错误。利加乔夫说：“最主要在于，苏共在社会中的领导作用先是弱化，而后被完全消除……以戈尔巴乔夫为首的国家领导形成派别，他们的立场转向消灭了共产党和苏维

[1] Перестройка: Двадцать лет спустя. Составитель *В.И.Толстых*. М., 2005. С.90.

[2] ［哈］努・纳扎尔巴耶夫著：《时代、命运、个人》，陆兵、王沛译，人民文学出版社 2003 年版，第 152 页。

埃国家——所有这些都是毁灭苏共链条的环节。"[1]当然利加乔夫和雷日科夫也承认苏联体制存在问题，雷日科夫在谈到苏共被解散没有一个人站出来捍卫它时说："苏共之所以能走到酿成悲剧的一步，是因为几十年来它把权力视为自己的专利，它已经丧失了现实的日常政治斗争的能力。"[2]

美国研究苏联问题的著名专家斯蒂芬·科恩认为：说苏联制度不可改革的观点，是（西方）形成的一种错误的历史观点。[3]美国历史学家沃尔特·莫斯在其《俄国史》一书中认为苏联垮台的主要原因中有七个相互交错的背景因素（它们长期以来削弱了苏联体制）和一个直接原因。背景因素包括：经济和社会的滑坡、对苏联体制及其特权阶层的幻灭感和愤怒感、马克思列宁主义—斯大林主义意识形态的消逝、党对苏联公民控制的放松、城市化的发展和知识人口的增长、民族间的差异、外国的影响等。直接原因是戈尔巴乔夫个人的因素，他不愿"用武力保持苏联帝国的统一"，他急切地想改变政策，但在一项政策出台前并"没有很好地透彻思考这项政策的后果"。"他未能认识到在苏联公民中间人们对于共产党特权的愤怒和民族主义一类的情感是多么深刻。"[4]著名外交家基辛格认为："苏联帝国的覆亡，部分是因为其本身历史诱使她坚定不移地走上过度扩张之途。"[5]澳大利亚籍保加利亚人佩特罗夫认为："共产主义的大厦被推倒，就是世界上的万能之神苏共中央总书记所为。社会主义大厦的崩溃，是戈尔巴乔夫的杰作。"[6]针对有人把苏共的解散和苏联的解体看成

---

[1] ［俄］叶·库·利加乔夫著：《警示》，钱乃成等译，当代世界出版社 2001 年版，第 353 页。

[2] ［俄］尼·伊·雷日科夫著：《大国悲剧——苏联解体的前因后果》，徐昌翰等译，新华出版社 2008 年版，第 8 页。

[3] ［美］史蒂文·科恩：《苏联的制度能不能改革?》，载《奔向自由——戈尔巴乔夫改革二十年后的评说》，俄罗斯戈尔巴乔夫基金会编，李京洲译，中央编译出版社 2007 年版，第 18—37 页。

[4] ［美］沃尔特·G. 莫斯著：《俄国史（1855—1996）》，张冰译，海南出版社 2008 年版，第 434、436 页。

[5] ［美］亨利·基辛格著：《大外交》，顾德馨等译，海南出版社 1998 年版，第 706 页。

[6] ［澳］科伊乔·佩特罗夫著：《戈尔巴乔夫现象——改革年代：苏联东欧与中国》，葛志强等译，社会科学文献出版社 2001 年版，第 27 页。

是戈尔巴乔夫有意的行为，民主德国统一社会党最后一任总书记克伦茨则说："我个人与戈尔巴乔夫认识很久了，我在莫斯科的苏共中央党校学习了四年，那时我就与戈尔巴乔夫认识了。我不相信戈尔巴乔夫有一个事先设计好了的计划，打算解散苏联。我认为，苏联在改革全面实行之后，在各种势力的夹击下，戈尔巴乔夫已经无能为力了，他是被裹挟着做了很多事情。后来的许多事情也是他权衡各种利益关系后作出的，这也加剧了事态的发展。当然，改革措施不当是他造成的，但是其后果并不是他所期待的。"[1]

许多学者从苏联的体制模式中寻找苏联剧变的原因，而不是追究戈尔巴乔夫个人的责任。俄国经济学家盖达尔把苏联解体看成是合乎规律的意外，他认为，苏联社会主义制度之所以瓦解，"是由于苏联经济政治体制的根本特征注定的：20 世纪 20 年代末—30 年代初所形成的各项制度太过僵硬，不能让国家适应 20 世纪末世界发展的各种挑战。社会主义工业化的遗产、超常的国防负担、严重的农业危机、加工部门缺乏竞争力，都使得这一制度的崩溃不可避免。20 世纪 70 年代—20 世纪 80 年代初期，这些问题还可以依靠居高不下的石油价格进行调节。但要保全最后的帝国，这可不是足够牢固的基础。"[2] 俄罗斯著名历史学家麦德维杰夫认为，苏联"这样一个强大的国家突然间由于并不猛烈的冲击而开始削弱和瓦解，这个强大国家的命运只能说明一个问题，即苏联这座大厦是建立在不坚固和不稳定的基础之上的，其内部结构也有许多缺陷。如果基础被冲毁和削弱，如果承重结构被侵蚀和破坏，那么无论看起来多么坚实和宏伟的建筑都会倒塌。1991 年正是发生了这样的剧变。"[3] 他认为苏联剧变虽然突然，但并不意味着偶然。"忘记苏共矛盾重重的历史、它的意识形态和政策及组织结构、它在国家体系和社会生活中的地位，而将其垮台首先归因于改革期间苏共领导人的作为，这是不可原谅的自我欺骗；忘记苏联复杂的历史、它的构造以及它的领导人所实行的民族政策，而将其解体仅仅归罪于

---

[1] 孙劲松：《关于社会主义的对话》，载《中国党政干部论坛》2003 年第 6 期。

[2] *Гайдар Е.Т.* Гибель империи. Уроки для современной России. 2-е изд. М., РОССПЭН, 2007. С.196.

[3] ［俄］罗伊·麦德维杰夫著：《苏联的最后一年》，王晓玉、姚强译，社会科学文献出版社 2005 年版，第 279 页。

‘别洛韦日阴谋分子’，同样是不可原谅的自我欺骗。”[1]“如果苏共在1928—1933年不放弃‘新经济政策’或者在50年代恢复这一政策的话，那么这个过程也许进行得更平稳、痛苦更少一些。到了60年代末，这种转变的时机还没有完全失去，而到了80年代末，无论是从时机，还是政治、经济和其他方面的资源来说，这种变革已经不可能了。”[2]很多俄国学者认为斯大林体制是苏联剧变的根源，“斯大林时代，他所建立的行政命令体制正是基于这种心理定势：即结合了狗的忠诚、盲目的热忱和……恐惧感。当‘领袖’不在，恐惧感消除，热情减退之后，这个体制开始空转，并将我国带到了灾难的边缘。我觉得，改革不成功的主要原因之一就在于，尤其在地方上依然运转的斯大林体制，在完全缺乏热忱和没有恐惧感的情况下，成了前进的主要障碍”。[3]“如果到目前为止一直以为发生社会革命的原因是生产关系落后于生产力的发展的话，那么我们用自己的例子证明，生产关系超过生产力的发展水平的结果是社会反革命。历史不会宽恕无视其客观发展规律的态度，它对任意超前的惩罚，与对落后的处罚同样厉害。这就是1991年悲剧必然发生的原因。”[4]“社会主义的经济基础——国有制与集中的管理和对所有经济领域的计划结合在一起，并为党的机关的难以置信的力量所强化，甚至还有克格勃和军队，让人觉得这种经济体制是巩固和强大的，确实在世界上找不到一种能动摇它的力量。但是在1989—1991年社会主义到处像纸房子一样崩溃了。破坏的力量原来是可以找到的，而且这一力量早就在‘现实社会主义’的社会内部和经济中存在。在‘军事共产主义’、工业化、集体化和战争中，也就是说，在紧张和动员的时期，这种力量无法表现出来，只是在战后和平发展各种内部矛盾、‘制度’的一切腐朽性和无生存性才暴露出来。但是，在我国这并没有得到科学地深入思考和分

[1] [俄] 罗伊·麦德维杰夫著：《俄罗斯向何处去？——俄罗斯能搞社会主义吗?》，关贵海等译，当代世界出版社2003年版，第203—204页。

[2] [俄] 罗伊·麦德维杰夫著：《苏联的最后一年》，第283—284页。

[3] [俄] 瓦列金·别列什科夫著：《斯大林私人翻译回忆录》，薛福岐译，海南出版社2004年版，第107页。

[4] [俄] 尤里·亚历山德罗夫：《苏联历史的逻辑——政治经济学分析的尝试》，[俄]《对话》2002年12期，转引自《马克思恩格斯列宁斯大林研究》2004年第2期，第34页。

析。”[1]

俄国有些学者试图从文明发展的角度来解释苏联的解体，阿列克谢耶夫院士认为：“从宏观的角度看，20 世纪文明的主要进程是一个以帝国原则为基础的苏联国家和世界范围内走向现代化的过程之间的矛盾最终导致了苏联的解体。”苏联解体是苏联帝国结构和现代化过程之间相互冲突、相互作用的必然结果，“1922 年成立了苏联，确立了苏联宪法。在宪法中明确规定，各共和国拥有民族自决权。在实际过程中，现代化的矢量要求国家的民主化，而苏联政府却把权力牢牢地抓在自己手里；现代化要求各共和国有独立发展的空间，而帝国矢量却在朝着超级大国的方向发展；实际上，各个共和国都在苏联时代获得了工业的、社会的和文化上的发展，已经形成了获得了民族独立的经济条件，这就是国家现代化过程对帝国的结果的瓦解过程，当这个帝国的结构还在起作用，还没有把权力下放给各个共和国的时候，就形成了一种内在的矛盾。在理论上讲，它就是现代化过程和帝国结构上的矛盾。一旦经济上的统一性丧失、共产党失去政权，马上就会形成独立的意愿和事实。实际上国家的领导人已经看到了这个矛盾，但是他们既没有意愿，也缺乏手段来解决这个矛盾，因而造成了苏联的解体，而苏联本来可以在不解体的情况下来解决这个矛盾。”[2]

不少西方学者也认为苏联体制没有生命力，苏联垮台是社会主义经济体制缺乏生机造成的，苏联的计划经济已经失效。“建设社会主义事业是不可能成功的，它内部的矛盾必然导致该体制突然瓦解，这只是迟早的问题。”[3]还有人强调苏联这个基于强权的社会只有在它的领导人有能力随意使用镇压工具的情况下才能存在，一旦进行自由改革，就给了人民打破锁链的机遇，人民和平地瓦解了现行体制。[4] 美国左翼学者大卫・科兹认为：“细心阅读戈尔巴乔夫的言行记录，就会发现他是诚心诚意地想要革新社会主义，而不是用资本主义

---

[1] *Кудров В.* Крах советский модели экономики. М., Московский общественный научный фонд, 2000. С.5.

[2] 2004 年 11 月 24 日，俄罗斯科学院乌拉尔分院副院长、俄罗斯科学院历史及考古研究所所长维尼阿明・瓦西里耶维奇・阿列克谢耶夫在黑龙江社会科学院的演讲。

[3] 转引自大卫・科兹、弗雷德・威尔著：《来自上层的革命——苏联体制的终结》，第 11 页。

[4] 同上书，第 4 页。

来取代它。”[1]“让苏联走到尽头的，是一种特殊的社会主义类型——即那种非民主的、强制性的、经济组织高度集中的社会主义。对于社会主义事业来说，这种社会主义也取得了一定的成就，特别是它在没有导致贫富严重分化的情况下实现了快速的工业化。但它离马克思和历代西方社会主义者所想象的全民拥有和控制社会生产组织的体制太远了。苏联把非民主的国家社会主义转变成民主的社会主义的尝试的失败，并不表明后一种体制不可行或不可取。苏联经验以及苏联体制走到尽头的历程，为未来兴起的任何一种可行的社会主义体制的形成，提供了重要教训。”[2] 在西方较有影响的《苏维埃的悲剧》一书的作者马丁·麦拉厄指出：“这是因为在他们由于进行不可能建设的社会主义尝试所造成的内部矛盾将他们自己引向身败名裂之前，只是一个时间的问题。如果共产主义的最终灭亡就像纸房子一样，那是因为它一直就是一座纸房子。”[3] 当然，这种观点也受到了质疑，较有影响的美国历史学家罗伯特·斯特雷尔在《苏联为什么解体？——理解历史上的变化》一书中反对苏联必然灭亡的说法，斯特雷尔尖锐地质疑：“他们没有对这个国家在什么时间解体作出明确的说明，既然苏联拥有这样的致命缺陷，为什么它是在 1991 年而不是 1961 年或 2021 年解体呢？”所以这种“‘从一开始就注定失败’的理论犯了把历史的后见之明转变成对不可避免性断言的错误”，他写到：“这种致命缺陷论的批评者的结论是建立在事后诸葛亮基础上的、用不可避免性来解释历史实际上忽视了历史参加者的作用，忽视了他们的主观能动性。因此，这种说法不符合那些经历过苏联这段历史的人们的实际经历。”[4] 他认为苏联的瓦解是 1985 年之后苏联领导人所犯的种种错误造成的。

有不少人坚持认为苏联宪法为苏联解体提供了合理性，当事人沙赫赖认为：“第一个是苏联宪法条文中给予了加盟共和国自由脱离苏联的权利，它就像一颗延时爆炸的地雷休眠了几十年。第二个原因是在 80 年代末 90 年代初充

[1] ［美］大卫·科兹、弗雷德·威尔著：《来自上层的革命——苏联体制的终结》，第 5 页。

[2] 同上书，第 10 页。

[3] Martin Malia, *The Soviet Tragedy,* New York: The Free Press, 1994 , pp. 494–496.

[4] Robert Strayer, *Why Did the Soviet Union Collapse? Understanding Historical Change*, pp.36–37.

分发作的‘依赖性’这一‘信息病毒’，没能经受住沉重危机的考验，加盟共和国开始后悔向邻居施舍面包而以求自保。在第比利斯和维尔纽斯，人们都在说‘为莫斯科干够了’，在乌拉尔有人要求不再‘养活’中亚共和国。第三个原因是所谓的自治化过程……苏联最高苏维埃于 1990 年 4 月 26 日通过相应的法律，启动了‘自治化’机制。其结果是俄罗斯联邦的版图像块带着许多大窟窿的奶酪，俄罗斯失去了 51% 的领土及其全部战略资源和近两千万人口。意识到俄罗斯联邦事实上的崩溃危险，俄罗斯人民代表大会为了维护共和国的完整，于 1990 年 6 月 12 日以压倒多数（903 票赞成，13 票反对和 9 票弃权）通过了《关于俄罗斯苏维埃社会主义共和国联邦国家主权的声明》。”[1]

还有人认为，苏联解体不是戈尔巴乔夫的错误，而是人民集体犯的错误。俄国著名学者齐普科认为，戈尔巴乔夫改革的悲剧，也是俄国历史的悲剧，他反对对戈尔巴乔夫横加指责，认为：“许多普通人也把罪责推到戈尔巴乔夫身上，原因是他们对自己迷恋叶利钦感到羞愧、对他们作为最后的傻瓜没有经得住民主派的规劝和许诺感到羞愧。苏联解体实际上不是戈尔巴乔夫的过错，而首先是俄罗斯联邦人民的过错，首先是积极支持俄罗斯联邦享有主权的思想、俄罗斯联邦从苏联分离出去的思想的俄罗斯人的过错。要知道叶利钦在 1991 年 6 月参加总统选举时打的就是独立的、享有主权的俄罗斯联邦的旗号。”[2]

自苏联解体以来，中国学者也很重视对戈尔巴乔夫改革与苏联解体关系问题的研究，观点也不尽相同。俞邃认为：“苏联模式的弊端与苏共领导的路线政策错误，在苏联的剧变过程中，相互作用，前者是基础因素，后者是决定因素”，“这里就有戈尔巴乔夫领导集团不可推脱的历史责任。”[3] 吴恩远认为，“苏联的解体，虽然不能排除各个时期苏联体制弊端的影响，但这都不是根子上的原因，其根本原因在于戈尔巴乔夫时期党的变质和戈尔巴乔夫的政治背叛

---

[1] ［俄］沙赫赖：《苏联解体的谎言与事实》，载杨新宇、谢尔盖·沙赫赖、阿利克·哈比布林著：《变动中的法与宪法》，上海三联书店 2006 年版，第 315—316 页。

[2] 俄罗斯戈尔巴乔夫基金会编：《奔向自由——戈尔巴乔夫改革二十年后的评说》，李京洲译，中央编译出版社 2007 年版，第 312 页。

[3] 俞邃：《从苏联演变谈世界格局转变的若干理论问题》，载《当代世界与社会主义》2000 年第 3 期。

造成了苏联解体。"[1] 马龙闪则认为："戈尔巴乔夫的改革及其困难和失败，一方面有他自身原因，另一方面，在很大程度上又与斯大林、赫鲁晓夫和勃列日涅夫各个时期苏联沉淀下来的社会弊病有关。"[2] 高放指出："长期的教条主义和封建主义难以改正，到 1987 年以后，戈尔巴乔夫转向推行右倾机会主义路线，对苏联的解体起了决定性的作用……苏联东欧剧变的病根、病源是'左'的东西，病象、病变是后期右的东西。"[3] 季正矩认为"对于苏共的瓦解，戈尔巴乔夫难辞其咎"，但不能把主要责任推到他一个人的头上。原因在于："归根结底，人民群众是历史的真正创造者"，"迄今为止，还没有证据表明，某个人仅凭个人的能量和威望就能改变社会形态。""苏共作为一个大党，有一整套选拔干部的机制，怎么会搞来搞去选一个自掘坟墓的人。"[4] 陆南泉通过对苏联的经济体制进行深入研究，认为：苏联剧变的根本原因或者说深层次的原因是"斯大林苏联社会主义模式丧失了动力机制，它的弊端日趋严重，成了社会经济发展的主要阻力，这种模式走不下去了，走进了死胡同。"在梳理戈尔巴乔夫改革与苏联剧变的关系时他得出的结论是："第一，戈尔巴乔夫改革的严重失误，特别是后期改革迷失方向，加速了苏联剧变的进程，是苏联剧变的直接原因。""第二，更应看到，苏联剧变有其十分深刻的深层次的历史原因。就是说，不要因为苏联剧变发生在戈尔巴乔夫执政时期，而忽略了苏联历史上长期积累下来的问题，忽略引起质变的诱因，忽略量变背后更为重要的起决定性作用的东西。"[5]

与其他国家的学者相比，中国学者更重视对苏联剧变与苏联体制关系的研究，宫达非主编的《中国著名学者：苏联剧变新探》和陆南泉、姜长斌主编的《苏联剧变深层次研究》是比较有影响的研究成果，这两本书集中了中

[1] 吴恩远等：《也谈苏联剧变与中国的改革开放》，载《科学社会主义》2007年第1期，第37页。

[2] 马龙闪：《从斯大林到戈尔巴乔夫：历史的辩证的演变——有关苏联剧变根源的思考》，载《东欧中亚研究》1998 年第 2 期。

[3] 陆南泉、姜长斌主编：《苏联剧变深层次原因研究》，中国社会科学出版社 1999 年版，第 140 页。

[4] 季正矩：《腐败与苏共垮台》，载《当代世界与社会主义》2000 年第 4 期。

[5] 陆南泉：《苏联经济体制改革史论（从列宁到普京）》，人民出版社 2007 年版，第 616、617 页。

国苏联学界一些著名学者，他们与一些责骂戈尔巴乔夫是“叛徒”、“罪魁祸首”的感情用事者不同，更多是从苏联的体制中寻找问题的所在。宫达非在前言中说：“苏联的剧变与失败，领导人的失策与错误当然有关系，但从总体上讲，其责任并不是哪一个领导人能承担得了的，在旧俄国这样的社会基础上，根本就不存在建设马克思科学社会主义的基础。”[1]对于苏联的剧变，戈尔巴乔夫负有不可推卸的责任，但不能仅仅归结为他一个人的错误，体制问题是根本性的，苏联剧变是“20 世纪末在苏联的特殊条件下各种主客观因素综合作用的结果。”[2]高放也认为：“与其说是戈氏一人葬送了苏共，毋宁说是苏共饮下了斯大林配制的个人集权制和官僚特权制的苦酒、毒酒而自尽。斯大林的教条主义错误，尤其是极权主义体制留下了大患，以致后人难以有效地进行根本改革。”[3]此外，还有三种比较有影响的有关苏联历史的通史性著作，即周尚文、叶书宗、王斯德合著的《苏联兴亡史》（上海人民出版社，1993 年），该书 2003 年修订再版；陆南泉、姜长斌等主编的《苏联兴亡史论》（人民出版社，2002 年），该书 2004 年修订再版；陈之骅等主编的《苏联兴亡史纲》（中国社会科学出版社，2004 年）。这些著作研究了苏联模式的形成、演变和戈尔巴乔夫改革的历程，但普遍存在的一个问题是对苏联前期论述较为详尽，对戈尔巴乔夫改革本身的情况和问题缺少深入细致的分析和研究，特别是对戈尔巴乔夫面临的复杂的社会情况和经济困难论述不够充分。

（二）对戈尔巴乔夫改革进程与结果的评价

绝大多数人承认苏联改革的必要性，但对戈尔巴乔夫改革进程与结果的评述与分析不尽相同。俄国学者索格林详细分析了戈尔巴乔夫政治改革的进程，他的结论是：“新战略带来的后果是与它的提出者相反的和他们完全没有预料到的，经济改革失败了，但是政治民主化不仅扎下根来，而且具有自身的

[1] 《中国著名学者：苏联剧变新探》，宫达非主编，世界知识出版社 1998 年版，第 3 页。

[2] 徐葵：《关于苏联 74 年社会主义实践和苏联剧变的历史思考》，载《中国著名学者：苏联剧变新探》，第 43—45 页。

[3] 高放：《苏联剧变宏观研究论纲》，载《中国著名学者：苏联剧变新探》，第 86 页。

不以戈尔巴乔夫意志为转移的惯性。在政治改革的浪潮中形成了政治多元化、多党制，开始出现公民社会和分权。苏维埃社会的政治民主化，吸收了西方国家的自由民主模式，可以看成是20世纪主要的历史现象之一……改革的设计师本人也成了这场源自戈尔巴乔夫政治改革的和平的政治革命的最后一个牺牲品。”[1] 俄国历史学博士、教授亚历山大·加尔金认为：“戈尔巴乔夫改革其实就是将民主的社会主义（它要求建立以团结和社会公正以及得到民主架构和程序保障的坚实自由为基础的社会制度）思想付诸实践的第一次大规模尝试，这一尝试的意义大大超过著名的1968年捷克斯洛伐克的‘布拉格之春’，后者在尚未采取最初的实际步骤以前即被扼杀。很明显，戈尔巴乔夫改革作为各种实践活动的综合过程尽管已遭到失败，但改革同时也为人类开辟了新的发展机会，从而成为人类历史不可分割的组成部分。”[2] 著名学者斯拉文认为，“戈尔巴乔夫改革中断和停止是因为，作为执政党的整个苏共在改革之初没有站在应当解决的历史任务的高度去应对时代的挑战……政治改革应当从改革执政党开始，首先从改革对国内革新进程百般阻挠的党的官僚机关开始。”[3] 俄国著名学者阿尔巴托夫认为：“改革给了我们减少我们的制度解体中的破坏潜力的又一次机会：更稳当地走向民主和满足各共和国的民族愿望，走向实现经济和政治的渐进改革。不幸的是，这个机会大都被丧失了，而戈尔巴乔夫不管他过去有过多少功绩，是应负很大责任的……这不仅是戈尔巴乔夫的责任，也是他的民主派伙伴的责任，包括雅科夫列夫、谢瓦尔德纳泽和再低一点的层次上像我这样的人。”[4] 菲利波夫所主编的俄国现代史教师参考书认为：“戈尔巴乔夫的主要事业是使国家实现深刻的民主化，正是他废除了新闻检查制度、引入了竞争

---

[1] *Согрин В.В.* Политическая история современной Россию(1985–2001: от Горбачёва до Путина), М., Весь Мир, 2001. С.251–252.

[2] ［俄］亚历山大·加尔金：《戈尔巴乔夫改革在俄罗斯历史上的地位》，载《奔向自由——戈尔巴乔夫改革二十年后的评说》，第74页。

[3] ［俄］鲍里斯·斯拉文：《当代人对戈尔巴乔夫改革的诠释》，载《奔向自由——戈尔巴乔夫改革二十年后的评说》，第129页。

[4] ［俄］格·阿·阿尔巴托夫著：《苏联政治内幕：知情者的见证》，徐葵等译，新华出版社1998年版，第465页。

性的选举制，使从前只停留在纸上的公民权利和自由成为现实。可以毫不夸张地说，戈尔巴乔夫给了苏联人民自由，但付出的代价确实太大了。”[1]

基辛格给予戈尔巴乔夫改革以较高的评价，他说：“事实上，戈尔巴乔夫缔造了当代意义最重大的一场大革命。苏联共产党组织起来，只有一个特定目标——夺权、抓权，事实上它已经掌控了苏联人民生活的每个层面；戈尔巴乔夫却摧毁了共产党。然后，数个世纪辛苦建立的帝国，也在戈尔巴乔夫治下瓦解……这些结果绝非戈尔巴乔夫本身所规划的。他要促成现代化，不是自由；他想要苏联共产党与外在世界接触，不要固步自封；可是，他却推动了把他送上权力宝座的那种制度的覆亡，进而享有历史声望。”[2]这种看法在西方学者中具有代表性，如美国学者沃尔特·莫斯认为：“作为结束冷战的始作俑者，他首先发起的运动和变化给世界各国人民带来了更多的自由，其中包括东欧和中欧以及绝大多数苏联人民。”[3]

戈尔巴乔夫自己认为，改革不是自己中断的，是被打断的，“1991年的政变中断了改革，在这之后很多事情就已经是按照完全另外一种规则，带着其他的意图发展的了。但是无论如何，在短短的六年时间中还是做了不少事情……极权主义制度被消除了。开始了深刻的民主变革。第一次在可选择的基础上进行了普遍的自由选举。新闻自由和多党制得到了保证。形成了代表权力机关，向分权制方向走出了最初的几步。人权（过去在我们这里人权曾被称为‘所谓的’，而且必定要加上蔑视性的括号）成了不可侵犯的原则。确立了信仰自由。开始向多种成分的经济和各种所有制成分的平等的方向前进。经济自由有了法律予以规定，开始呈现出企业经营精神，启动了股份化和私有化的进程。在土地法的框架中农民开始再生了，出现了家庭农场。几百万公顷的土地交给了农村和城市居民。出现了第一批私人银行。各族人民有了选择自己的进一步发展道路的自由。对多民族国家进行民主改革及把它从实际上的单一制变为真正联邦制的探索，把大家带到签订新联盟条约的门槛前。它的基础是承认

---

[1] *Филиппов А. В.* Новейшая история России (1945–2006 гг.) Книга для учителя. *www.prosv.ru/umk/istoriya/index.html.*

[2] ［美］亨利·基辛格著：《大外交》，第728页。

[3] ［美］沃尔特·G. 莫斯著：《俄国史（1855—1996）》，第437页。

每个共和国的真正的主权和保持对大家都必要的共同的经济、社会和法律空间以及国防空间。国内的改革导致国家外交政策的转折。"[1]他认为改革犯了错误：一是苏共的改革迟了，在苏联这个党决定一切的国家里，如果党不倡导改革，就不可能进行改革，在1991年4月全会上他提出辞去总书记的职务，应该坚持到底；二是与联盟改革相联系的，应该早些对其进行民主和非集中化改革；三是在经济方面的错误，有政策的失误，亦有石油降价、切尔诺贝利事故等客观困难。[2]苏联克格勃最后一任主席巴卡京认为："我深信，这个人向地球上六分之一土地上的极权主义提出挑战，从对抗和自我毁灭中拯救了人类，他已经把自己的名字永远写进了历史。是的，他曾表现出不够坚决，犹豫，也犯过错误。但是戈尔巴乔夫所做的一切是最新的历史上鲜明的一页。我有幸从最初几天就积极参加了戈尔巴乔夫开始的改革我们国家和社会的工作。"[3]阿卡耶夫说："10年过去了。许多事情都是另一种样子了。但是总不能抹杀掉一点，正是米·谢·戈尔巴乔夫破除了旧的、过时的秩序和意识形态。""今天，米·谢·戈尔巴乔夫成了被绞裹在那个沉重时期的绞盘里的矛盾人物。他企图在'人道的社会主义'思想基础上完成一个可以控制的国家民主化的过程，但是没有能克服反对者们的抵抗。提出的任务从原则上说是不可能完成的。但是他自己作为一个政治家和个人，最终具有了人道的面孔。具有了人道面孔的是他，而不是他在某个阶段上企图拯救的那个制度。"[4]戈尔巴乔夫的首席翻译伊戈尔·科尔奇洛夫也认为戈尔巴乔夫给苏联人民带来了自由，确保较多的人参与政治，谋求通过政治手段解决一切问题，"或许他最大的成就在于他使他的国家远离了与西方行将发生的冲突，几乎是单枪匹马地遏制住了灾难性的军备竞赛，因此为重新分配资源以用于和平用途创造了极好的机会。"戈尔巴乔夫完成了三个奇迹，从而把世界翻了个个儿。"第一，他揭示了两个超级强国

[1] ［俄］米·谢·戈尔巴乔夫著：《对过去与未来的思考》，第72—73页。

[2] Союз можно было сохранить. Белая книга. М., АСТ, 2007. С.511－512.

[3] ［俄］瓦·巴卡京著：《摆脱克格勃——克格勃最后一任主席回忆录》，非琴译，新华出版社1998年版，第205页。

[4] ［吉］阿斯卡尔·阿卡耶夫著：《难忘的十年》，武柳等译，世界知识出版社2002年版，第57页。

之间看上去是合理的意识形态竞争以及它们的核威慑政策的不合理性。”“第二，冷战的结束是在没有发生战争或者没有发生大的流血事件的情况下来到的。”“第三，戈尔巴乔夫把俄罗斯带回到欧洲。”[1]

有人认为改革失败是戈尔巴乔夫等人背叛的结果，俄共领袖久加诺夫强调：“苏联解体不是剧变，而是背叛，戈尔巴乔夫背叛了亲属、朋友和人民，也背叛了革命，背叛了社会主义，借此在西方获得了名声。叶利钦等人也对苏联解体负有不可推卸的责任，他们不顾大多数苏联公民在1991年3月苏联全民公决中表示‘保留和改革联盟’的意愿，为一己私利瓦解了苏联。”[2]曾是戈尔巴乔夫助手的博尔金认为：“无论是世界大战、革命，还是两大阵营军事、经济对抗，都没能摧毁和肢解这个伟大的国家。苏联是被人从内部攻破的，是被一小撮有影响的党和国家领导人葬送的，是被反对派搞垮的。”[3]有不少中国学者也认为是戈尔巴乔夫倡导的“公开性”、“民主化”、“新思维”，特别是“人道的、民主的社会主义”，背叛了科学社会主义，导致了苏联剧变，有人甚至认为苏联剧变是戈尔巴乔夫这个“叛徒”出卖了苏联的社会主义。[4]这种说法违背历史唯物主义原则，也是说不通的。恩格斯在《德国的革命和反革命》中总结1848年革命失败的教训时就曾指出，需要研究革命必然爆发又必然失败的原因，“这些原因不应该从一些领袖的偶然的动机、优点、缺点、错误或变节中寻找，而应该从每个经历了动荡的国家的总的社会状况和生活条件中寻找。”恩格斯特意批驳了领袖“出卖”论。“当你问到反革命成功的原因时，你却听到一种

[1] [俄] 伊戈尔·科尔奇洛夫著：《首席翻译眼中的首脑外交》，达洲译，世界知识出版社1999年版，第402、403页。

[2] 赵灵敏：《“我比以往任何时候都更相信共产主义”——专访俄罗斯共产党总书记久加诺夫》，载《南风窗》2009年第24期，第33—34页。

[3] [俄]瓦·博尔金著：《戈尔巴乔夫沉浮录》，李永全等译，中央编译出版社1996年版，第1页。

[4] 关于戈尔巴乔夫“叛徒”说的一个主要根据是1999年戈尔巴乔夫在土耳其安卡拉“美国大学”的一篇讲话，称：“我生活的目的就是消灭共产主义”，后经核实，这篇材料是伪造的，土耳其没有“美国大学”，戈尔巴乔夫1999年也没去过土耳其。参见徐葵：《澄清一个假材料的真相》，《科学社会主义》2001年第6期，第61—63页，《苏联真相》第1034—1041页。

现成的回答：因为这个先生或那个公民'出卖了'人民。从具体情况来看，这种回答也许正确，也许错误，但在任何情况下，它都不能说明任何问题。甚至不能说明，'人民'怎么会让别人出卖自己，而如果一个政党的全部本钱只是知道某某公民不可靠这一件事，那么它的前途就太可悲了。"[1] 同样，用"叛徒论"来解释苏联这样一个大国的解体、苏共的丧权也不能说明任何问题。

俄罗斯历史学家麦德维杰夫认为："苏联解体发生在戈尔巴乔夫执政时期，他是沿着'改革'和'新思维'路线前进的这艘巨轮的船长，大海波涛汹涌，巨轮的四周险象环生，而船长自己首先信心不足，船员也操作有误，加上这艘巨轮本身就不坚固，已不能高速航行，更经受不住如此大的负荷。最终，船长不能控制住操作系统，这艘巨轮在失去方向和遭受重创之后，终于搁浅了。"[2]"戈尔巴乔夫从未将瓦解苏联和解散苏共作为自己工作的公开或者是秘密的目的。在最初阶段，戈尔巴乔夫力图缓解冷战的紧张气氛和加快苏联经济的发展。此后，他以'人道的社会主义'为目标决定促进苏联和苏共的民主化进程。公开性的发展和重新审议苏联历史中许多教条的、错误的评价，这也是戈尔巴乔夫的主要功绩。但戈尔巴乔夫在行动中却疏忽大意，他过高估计了自己的力量，而且对可能出现的敌对力量估计不足。他对产生的困难和克服困难的方法考虑不周，他没有依靠人民大众的支持，也没有想到会出现这么多棘手的问题和复杂的情况，所有这些最终导致苏联解体成为不可避免的现实。"[3] 俄罗斯经济学家盖达尔也认为，戈尔巴乔夫及其团队缺乏经济知识，是改革没有成功的重要因素，他说："1985 年开始掌权的新一代领导人所受的教育较他们的前辈为好。但无论他们还是他们负责经济工作的战友，都没有接受过高水平的经济培训。他们不懂得国际市场的构成、外贸平衡、预算和居民供给的相互关系，不能评估国家所遇到的战略威胁。他们觉得，最主要的问题——经济增长速度缓慢、效率低下、落后于西方等等，都是先前领导人浅薄无知造成的。"[4]

---

[1] 《马克思恩格斯选集》，第 1 卷，人民出版社 1995 年版，第 483 页。

[2] ［俄］罗伊·麦德维杰夫著：《苏联的最后一年》，第 244 页。

[3] 同上书，第 248 页。

[4] *Гайдар Е.Т.* Гибель империи. Уроки для современной России. 2-е изд. М., РОССПЭН, 2007. С.232.

俄国著名学者斯拉文在评价戈尔巴乔夫改革在历史上的地位时说："这是为了完善社会主义理想而进行反对极权的政治革命。"[1]军事历史专家沃尔科戈诺夫也认为："戈尔巴乔夫任何时候，哪怕在1991年8月之后，也没有提出消除苏联社会主义体制的问题：他只是想'完善'这一体制。"[2]并不是改革不对，戈尔巴乔夫的悲剧在于不知道如何进行改革，没有找到把美好的理想变成现实的途径。"他的主要历史功绩在于，他感受到了必须进行深刻的变革并在成为党和国家最高领导人后决定这么做，倡导改革。""戈尔巴乔夫成为20世纪历史上最伟大的改革家之一，但他的时代已经过去了"[3]。历史学家麦德维杰夫也说："时至今日，我们才开始懂得，衡量社会主义进步性的主要标准既不是劳动生产率，也不是生产规模，而是社会主义所能给予的现实的人道主义、人的发展条件和机会、人的生活水平和质量。朝理解这一真理走得最近的苏共领导人是戈尔巴乔夫，在他的大量讲话当中，这方面零零散散的思想俯拾皆是，但它们却不知为何淹没在无数其他无关宏旨的言论之中。"[4]

美国学者大卫·科兹认为，苏联是被戈尔巴乔夫改革所制造出的新的利益集团所抛弃的，他认为"让戈尔巴乔夫和他的改革派始料未及的是，他们所实行的经济的、政治的和文化的改革，其结果是创造了一个新的集团和阶级联盟，这个联盟喜欢的，却是用资本主义取代社会主义。"[5]叶利钦是这个联盟的领袖。"这个联盟发现，只有把俄罗斯和其他苏联加盟共和国分离开来，它的权力才能巩固。这就最终葬送了联盟。"[6]叶利钦"通过向精英们清楚地表明他将迅速扫除社会主义、尽快使俄罗斯走向资本主义未来的决心，他成功地做到了这一点。因此，有关苏联体制出人意料地突然终结与和平让渡的最终解释是：它被它自己的大多数精英抛弃了，随着苏联体制的发展，把这些人和任何

[1] Перестройка:Двадцать лет спустя. *Составитель В.И.Толстых*. М., 2005. С.13.

[2] *Волкогонов Д.А.* Семь вождей: В 2 кн. кн.2. М., Фирма издательство АСТ, 1999. С.281.

[3] *Волкогонов Д.А.* Семь вождей: В 2 кн. кн.2. М., Фирма издательство АСТ, 1999. С.281、282.

[4] [俄] 罗伊·麦德维杰夫著：《俄罗斯向何处去？——俄罗斯能搞社会主义吗?》，关贵海等译，当代世界出版社2003年版，第234页。

[5] [美] 大卫·科兹、弗雷德·威尔著：《来自上层的革命——苏联体制的终结》，第5页。

[6] 同上书，第6页。

社会主义形式联系在一起的物质和意识形态纽带越来越脆弱了。这是一场来自上层的革命。”[1]苏联党—国精英背叛了社会主义。在历史上任何一次政权更迭都会给原有掌权者造成损失，原有的成员要退出历史舞台，但苏联剧变是个例外。“20世纪80年代，绝大多数的党—国精英都是追求名利和地位的人，他们从没有考虑过为苏联社会的未来选择方向……戈尔巴乔夫及其同盟想对社会主义制度实现民主化和地方分权，让工人成为他们企业的主人，让人民在国家中获得政治上的自主。这种改革的方向使党—国精英受到威胁，他们手中的权力和物质利益方面的特权将会削弱。他们有可能真正成为人民的公仆，对人民负责，而不是做他们的主人。”[2]

戈尔巴乔夫改革的思路并不清晰，他破坏了旧的经济、政治、社会和意识形态体制，并没有建立起相应的新体制。“在社会经济恶化的基础上，导致了国家领导和管理的全面危机。改革的倡导者没有能力及时解决民族问题和经济恶化问题，导致了出现民族主义和极端自由主义这两大不妥协的反对势力。苏联的民族国家复杂的等级结构使他们后来结合在一起了。在党的作用削弱的情况下，改变自己地位的愿望在很大程度上能使他们增大支配财富的权力。而对于国家解体会付出怎样的代价，当时几乎没有人考虑。”[3]郑异凡指出戈尔巴乔夫的改革是苏联形势所逼：在用“计划加动员”方式无法改变苏联种种弊端的情况下开始走上经济改革的，而经济改革也遇到了严重的阻力，无法进行下去，戈尔巴乔夫才转而求救于政治改革，以消除经济改革的“障碍机制”——庞大的党政机关——苏共对权力的垄断。但是，戈尔巴乔夫忽视了一个问题：苏共在苏联已经成为管理国家大大小小事务的机器，在取代它的机构建立之前，对这台机器只能修理、改造、改善，而不能轻易打碎、抛弃、砸烂。“到了改革后期，这个党尽管扮演不了先锋队的角色，但是管理国家上仍然离不开它，一旦抛开它，整个国家就不可避免地陷入混乱。”[4]

苏联这个大国解体的事实影响着人们对戈尔巴乔夫改革成果的评价，“对

---

[1] ［美］大卫·科兹、弗雷德·威尔著：《来自上层的革命——苏联体制的终结》，第7页。

[2] 同上书，第146—147页。

[3] Российское государство и общество. XX век. М., Изд-во Моск.ун-та, 1999. С.270.

[4] 郑异凡：《戈尔巴乔夫与苏联解体》，载《南方周末》2002年3月7日。

改革的主要指责是其开始了国家的解体，Развал 成了评定改革的最常用的一个词。一些人确信，正是在这一时期苏联解体了。一句话，使国家崩溃的一切不幸正是那时开始的，一切罪魁不是叶利钦，不是寡头，不是市场化改革，而是戈尔巴乔夫。这种想法不仅普通人有，而且相当一部分知识分子也有。”[1] 也有人持相反的看法：“我不认为改革是戈尔巴乔夫政治上的失败，尽管改革发生了变化，他失去了权力。并不总是在权力斗争中的胜利者比被战胜者更正确：在历史上常常出现相反的情况。戈尔巴乔夫的离开不是民主的胜利，而是民主真正的失败。”[2]“在我看来，戈尔巴乔夫不是想破坏，而是想改革社会主义体制，保留其某些观念和贴近民众的原则和因素——社会主义的权利平等、劳动者的政权、社会公正，以及一些已经习惯的名字、象征和苏联历史的纪念日。走向权力的‘民主派’破坏了这一切，被称为‘彻底’的改革，是为了破坏在过去年代取得的许多闪光的、积极的成果。在这里我不打算重新计算一切损失。社会主义在理论与实践上终结了，不仅在俄罗斯、苏联，还是在欧洲——另一种解释是还有社会民主主义。这一切都被抛弃了。结果是社会主义走了，但民主并没有来到。”[3]

对戈尔巴乔夫改革的评价明显受现今俄国发展状况的影响。俄罗斯科学院院士亚历山大·涅基佩洛夫认为，“许多调查表明，俄罗斯的绝大多数公民，其中包括最近 20 年改革过程中物质上遭受损害的公民，都不愿回到过去。这看起来不是改革获得成功的证明吗？”尽管俄民众“对整个改革主要持否定态度”，但同时却“又明确肯定改革时期的主要事件和进程”，起码，“如今这一代俄罗斯人对改革的种种事件的评价要比 10 年前俄罗斯人更加肯定”，[4] 并且对改革时期的主要思想和价值观，如“公开性”（77%）、“民主化”（66%）、“新思维”（60%）、“全人类价值”（78%）、“市场经济”（66%）、“加速发展”（69%）、“差额选举”（62%）、“多党制”（58%）等等，都是多数予以肯定的；对“人道

[1] Перестройка:Двадцать лет спустя. Составитель *В.И.Толстых*.М.2005. С.30.

[2] Перестройка:Двадцать лет спустя. Составитель *В.И.Толстых*.М.2005. С.31.

[3] Перестройка:Двадцать лет спустя. Составитель *В.И.Толстых*.М.2005. С.34.

[4] ［俄］米·戈尔什科夫等：《俄罗斯人 20 年后看改革》，载《奔向自由——戈尔巴乔夫改革 20 年后的评说》，第 351—354 页。

的、民主的社会主义”，也是肯定者（42%）多于否定者（27%）。[1] 此外，调查中还出现了一种趋势，即“如今俄罗斯人对米·戈尔巴乔夫的工作的态度比对改革的总体态度更积极”，也就是说对戈氏本人更肯定一些。调查显示，积极评价戈尔巴乔夫的，多是年纪较轻、文化水平较高、生活状况较好，在经济领域较活跃的居民群体。[2]2001 年 3 月普京总统在祝贺戈尔巴乔夫 70 岁生日时说：“有理由把您的名字与整整一个时代联系在一起。我们国家开始了深刻改革，世界政治地图发生了根本改变。我真诚地感到高兴，您丰富的经验、知识、精力和极高的国际威望今天还在发挥作用。您在俄罗斯社会经济和政治研究国际基金会的领导职务、您作为俄罗斯统一社会民主党领导人在加强俄罗斯公民对话方面、在建立稳定和民主社会方面，做了许多有益的工作。”[3]2006 年 3 月 2 日俄罗斯总统普京在祝贺戈尔巴乔夫 75 岁生日时说“您是影响当代世界历史进程的国务活动家之一，国际关系领域开始向开放政策过渡是与您的名字联系在一起的。我指的是那些转折性变化，使我国在民主改革方面迈出了决定性的步伐。”[4] 俄罗斯学者瓦连京娜·菲达多娃认为，“米哈伊尔·谢尔盖耶维奇·戈尔巴乔夫做了一件伟大的事——他给了我们自由。”[5]

（三）关于民族问题与苏联解体的关系

美国学者科恩把苏联解体看成是一场悲剧，认为苏联完全可能通过渐进的改革拯救自己，就像美国废除奴隶制那样。他不同意把苏联说成是一个帝国或特殊帝国的解体，而是从另外的角度解释苏联的解体，即苏联的解体不同于其他帝国（包括俄罗斯帝国）是战争或革命的结果，促使苏联瓦解的力量不是边远殖民地区的分离主义，而是“帝国”自身中心地区的政治领导。他认为经

---

[1] ［俄］米·戈尔什科夫等：《俄罗斯人 20 年后看改革》，载《奔向自由——戈尔巴乔夫改革 20 年后的评说》，第 370—371 页。

[2] 同上书，第 377 页。

[3] www. president. kremlin. ru/text/psmes/2001/03/32178. shtml.

[4] www. president. kremlin. ru/text/news/2006/03/102645. shtml.

[5] Перестройка:Двадцать лет спустя. *Составитель В.И.Толстых.* М., 2005. C.79.

济因素在苏联解体中不是主要的，“苏联是被政治而不是经济打垮的”。苏联解体的现实原因是个人因素，主要是戈尔巴乔夫与叶利钦在同一个政治舞台上的争夺。[1] 英国学者雷切尔·沃克与科恩的观点相近，他说当俄罗斯“决定收回自己的主权时，‘中央’就会失去维持其权力的财富来源，戈尔巴乔夫成了没有国土的总统，苏联政府成了没有领土可以统治的政府”。[2]

苏联民族问题的总爆发与戈尔巴乔夫改革直接相关，尽管苏联一直存在民族问题，但没有合适的条件和土壤，这一问题处于隐蔽状态，美国施罗德教授研究了苏联发展日益缓慢的经济，他认为，“在这种严峻的经济形势下，导致族际关系紧张和民族冲突的潜在因素大量存在着。尽管民族主义活动会时常发生并越来越具有破坏性，但是，在没有严重的国内剧变或国际冲突的条件下，很难相信它们会对现存的政治秩序造成严重的威胁”。[3] 在高度集权的体制下这一问题被压住了，民主化和公开性之风把它吹开了，“从这个意义上说，戈尔巴乔夫为这一结局创造了前提条件，但他的行为造成国家解体的后果是他没有料到的，只有那些认为最好不改革苏联政治制度，让这种缺乏政治、精神和宗教自由的集权制度连同无效经济一同保留下来的人才会指责戈尔巴乔夫。”[4] 阿奇·布朗教授认为，“导致苏联解体的原因除了波罗的海沿岸三国要求独立的分离作用外，还有一个直接原因，即叶利钦决定打俄罗斯牌来对抗联盟的做法，以及 1991 年 8 月叛乱行动。”[5]

中国学者也很重视对苏联民族问题与苏联解体之间关系的研究，赵常庆等著《苏联民族问题研究》一书从沙俄时代讲起，从理论到实践分析了苏联的

[1] *Коэн С.*“Вопросы вопросов”: Почему не стало Советского Союза? М.-СПб., 2007. С.67–68,77,95.

[2] ［英］雷切尔·沃克著：《震撼世界的六年——戈尔巴乔夫的改革怎样葬送了苏联》，张金鉴译，改革出版社 1999 年版，第 167 页。

[3] ［英］罗伯特·康奎斯特主编：《最后的帝国——民族问题与苏联的前途》，刘靖北等译，华东师范大学出版社 1993 年版，第 177—178 页。

[4] ［英］阿奇·布朗：《改革与五个转型》，载《奔向自由——戈尔巴乔夫改革 20 年后的评说》，第 50—51 页。

[5] 同上。

民族问题，并有专门一章论述戈尔巴乔夫时期的民族问题，概述了这一时期民族问题的表现、产生的原因、解决的措施。该书认为，“苏联民族问题的产生、激化直至苏联解体，是多种因素综合作用的结果”，“苏联的解体与某些俄罗斯人的民族主义膨胀有很大关系”。对于民族问题与苏联改革的关系，赵常庆等人认为，“民族冲突是造成戈尔巴乔夫改革流产的重要原因之一”。[1] 吴楚克的《民族主义幽灵与苏联裂变》一书，也从历史和现实的角度论述了苏联的民族问题，他的观点显然与赵常庆等人不同，他认为，戈尔巴乔夫放弃共产党领导权以及和平演变是导致苏联裂变的根本原因。[2] 此外，在一些有关苏联兴亡的著述中，也大多涉及民族问题。[3] 不过，从总体上看，这些著述的一个共同的弱点是没有对当时发生的涉及民族问题的重大事件进行详细的分析，大多只是一笔带过；在史料的运用上，也基本上以当时的报刊资料为主。

（四）关于共产党与苏联剧变的关系

历史学家郑异凡认为：“由于社会主义国家产生的特殊性，执政党在国家和社会中起着决定性的作用，模式的选择、制度的变迁最终都决定于执政党的抉择。一旦作出错误的抉择，又坚持错误，久久不予以改正，就不免有崩溃的危险。”“过去把苏联所取得一切成就归功于苏联共产党，同样，社会主义事业遭到挫折和失败，首先应当承担责任的也应当是党。在苏联，可以说‘成也在党，败也在党’。”[4]

苏联的解体和苏联社会主义的失败，主要原因在于苏共并没有随着时代的变化而完成从一个革命党向执政党的转变，对此，曾任苏联总理的雷日科

---

[1] 赵常庆等：《苏联民族问题研究》，社会科学文献出版社 1996 年版，第 196、189、194 页。

[2] 吴楚克：《民族主义幽灵与苏联裂变》，中国人民大学出版社 2002 年版，第 11 页。

[3] 如陆南泉等主编：《苏联兴亡史论》，人民出版社 2002 年版；周尚文等：《苏联兴亡史》，上海人民出版社 2002 年版；陈之骅等主编：《苏联兴亡史纲》，中国社会科学出版社 2004 年版。

[4] 郑异凡：《苏共丧权的教训》，见《史海探索》，安徽大学出版社 2005 年版，第 117、106 页。

夫深有感触地说，苏联长期只有一个党——苏联共产党，实际上是党在领导国家，执行、立法、司法“三权被党垄断得很厉害。这在某个阶段是必需的，比如在伟大的卫国战争年代，要不是有党一直处于人民生活的中心，我不敢想象结果会是什么样子……但是，后来时代变了，需要对权力进行分工。在一个国家里，执行权应该给执行机构，也就是政府。司法权是独立的。党应该制定国家和社会发展的路线等等。我认为，在这方面，我们失去了一些机会。就是说，在某个时期，党应该逐渐地一步一步地放弃某些职能。在和平时期，不是在任何环境下都需要党事无巨细地包揽一切事情。但改变这种状况需要慢慢来。”[1] 现任俄罗斯联邦共产党总书记久加诺夫也有与雷日科夫相同的看法，他说：“苏共丧失政权的最主要原因是，在长期一党专政的制度下，实行了‘三垄断’：垄断真理的意识形态制度，垄断权力的政治法律制度，垄断资源与经济利益的经济制度。思想文化领域的专制，导致稍有不同于官方的意见，就会被认为是异端邪说，就动用专政工具整肃、镇压，或投入监狱，或关进疯人院，或驱逐出国、剥夺公民权利；垄断了权力，使得苏共及其领导人的权力凌驾于政府和法律之上，出现了一个脱离人民的官僚特权阶级；垄断了资源和经济利益，使得社会经济生活缺乏活力，大量资源被用于军事工业，人民生活得不到改善，对苏共的不满日益增加。而在苏联那样的多民族国家，少数民族往往会把对既得利益集团腐败专制的不满情绪转化为民族矛盾，一旦累积到不可调和的地步就将导致民族动乱、国家分裂。”[2]

苏共所犯的错误是多方面的，特别是在思想理论建设方面，长期奉行教条主义，压制创新，带来了许多恶果。共产党是苏联这个大厦的承重结构，“教条主义的马克思列宁主义的破产必然导致过去的苏维埃国家形式和经济形式的破产。这种变革迟早会发生，但是可以做得更平稳一些、少一些弊病。甚至在60年代末，这样做的时机还没有完全错过。但是到了80年代末，苏共已

[1] 《原苏联部长会议主席雷日科夫谈苏联解体、苏共失败的原因》，载《俄罗斯东欧中亚研究》2008年第5期，第94页。

[2] 赵灵敏：《“我比以往任何时候都更相信共产主义”——专访俄罗斯共产党总书记久加诺夫》，载《南风窗》2009年第24期，第33页。

没有时间，也没有政治、经济和所有其他资源来进行这种变革了。”[1]苏共把马克思列宁主义意识形态变成了教条，苏联的意识形态是在人造温室中培育和生存的，没有与之竞争和辩论的对象，失去了免疫力，它不是靠论据来维护，而是靠权力来维护的。实行公开性政策三四年后，它在人们的头脑中已彻底失败了。马龙闪在研究苏共意识形态为什么会发生“一夜之变”时指出：苏共意识形态具有极端封闭性的特点，其基本内涵是斯大林化的理论教条，“苏共意识形态给人们描绘的画饼，同实在的现实生活相距太远，人们对它由失望、冷漠、转而加以抛弃，是必然的结果。”[2]

在改革的过程中，苏共本身没有进行根本性改革。著名学者斯拉文认为，“戈尔巴乔夫改革中断和停止是因为，作为执政党的整个苏共在改革之初没有站在应当解决的历史任务的高度去应对时代的挑战。”在一个以苏共为核心的国家中，“政治改革应当从改革执政党开始，首先从改革对国内革新进程百般阻挠的党的官僚机关开始。历史事实表明，正是这个机关在八月叛乱期间给了国家紧急状态委员会以相当大的支持。这是改革倡导者的一个严重错误，他们迟迟没有对执政党进行革新和民主化，包括将其分为社会民主派和保守共产主义派，而这两派在改革的后几年，特别是在俄罗斯共产党成立之后，在苏共内清楚地显现出来。”[3]

（五）苏联剧变的外部因素

没有人否认外部因素在苏联解体中的作用，但在对外部影响程度的估计上存在着分歧。俄罗斯左派认为，外部因素在苏联解体中起了巨大作用。1995年5月31日，久加诺夫在访问中国时谈到，苏联解体有内因也有外因。从外

---

[1] ［俄］罗伊·麦德维杰夫著：《苏联为什么解体?》，载《世界社会主义研究动态》总第405期，2003年11月10日。

[2] 马龙闪：《苏共意识形态为什么会发生“一夜之变”》，载《探索与争鸣》，2007年第6期，第70—73页。

[3] ［俄］鲍里斯·斯拉文：《当代人对戈尔巴乔夫改革的诠释》，载《奔向自由——戈尔巴乔夫改革二十年后的评说》，第129页。

因的角度说，从加勒比海导弹事件开始，美国就制订了从内部瓦解苏联的计划，并从60年代中期起一直实施这个计划，共花费了3万亿美元。美国先是把苏联拖进军备竞赛，遏制苏联在社会领域优越性的发挥；后又挑起民族主义和宗教极端主义，通过舆论搞乱人民的思想，并从内部搞垮苏共。[1]苏联克格勃主席克留奇科夫认为，“苏联发生的事件不是解体，而是崩溃，是外部势力有意识、有目的地催化并支持的破坏过程。”[2]亚佐夫认为，长期以来，西方敌对势力对苏联进行了有组织、有预谋的各种颠覆活动。第二次世界大战以后，以美国为首的西方国家十分清楚，通过军事手段无法战胜苏联，因此寄希望于“和平演变”和苏联内部动乱。针对苏联是多民族大国的特点，以美国为首的西方势力千方百计地插手各地的民族分裂活动，煽动民族情绪。“美国之音”每周对苏广播时间长达500小时以上，并对民族分裂主义分子给予舆论支持，极力吹捧苏联国内“民主反对派”的典型代表萨哈罗夫。在戈尔巴乔夫时期，一部分移居以色列、德国和美国的苏联移民重新回到苏联，其中不少是西方间谍。他们汇集到雅科夫列夫旗下，以激进改革派自居，以戈尔巴乔夫的“民主化”和“公开性”为借口，四处煽风点火、混淆视听，大肆进行反党、反社会主义的宣传活动，为搞乱苏联、搞垮苏共推波助澜。[3]卢基扬诺夫认为，西方敌对势力的存在决定了国际范围的阶级斗争在相当长的历史时期内存在。在一定历史阶段，阶级矛盾会激化，有时会以民族矛盾的形式表现出来。西方曾许诺戈尔巴乔夫，让苏联融入西方文明社会，这实际上是一场骗局，而且这种骗局还一直持续了下去。针对苏联民族成分复杂、民族矛盾较多的特点，西方曾制定出一套分裂苏联的所谓“民族战略”，即始终支持苏联境内的任何民族分裂活动。例如，拒不承认苏联对波罗的海三国拥有主权，在克里米亚鞑靼人中煽动民族情绪，插手纳戈尔诺—卡拉巴赫地区的民族冲突，利用1986年撤换哈萨克加盟共和国领导人的机会支持当地群众

[1] 李兴耕等编：《前车之鉴——俄罗斯关于苏联剧变问题的各种观点综述》，人民出版社2003年版，第110页。

[2] [俄] 弗·亚·克留奇科夫著：《个人档案（1941—1994）——苏联克格勃主席弗·亚·克留奇科夫狱中自述》，何希泉等译，东方出版社2000年版，中文版序言，第1页。

[3] 《前车之鉴——俄罗斯关于苏联剧变问题的各种观点综述》，第110—111页。

闹事，等等。[1] 俄罗斯学者亚历山大·舍维亚金于 2002 年完成的《苏联灭亡之谜：阴谋与背叛的历史，1945—1991》一书认为，美国战后初期将瓦解苏联的希望寄托在苏联下几代人身上，从而对苏联实行和平演变战略。苏联解体是在“克里姆林宫—白宫”合作搞垮苏联的阴谋中，戈尔巴乔夫出卖了自己的国家，“苏联所发生的事件，是美国和苏联的某些领导人相互联系、协同动作的结果”，“苏联的内敌和外敌达成协议，共同完成了复辟资本主义的革命。”[2]

西方也有些人强调外部因素对苏联解体的作用，以便把苏联解体这个功劳记在自己身上，特别是强调里根在这方面的作用。曾是美国中央情报局雇员的彼得·施魏策尔认为：“里根政府虽然没有给苏联造成危机，但是加剧了苏联体制的崩溃。”[3] 他说，1982 年初，里根总统和几位重要顾问开始制定一项战略，对苏联体制的基本经济与政治弱点进行攻击，这项战略主要包括：以隐蔽手段对波兰团结工会的活动给予财政、情报和后勤方面的支持，确保反对派在苏联帝国的心脏得以生存；对阿富汗组织提供切实的财政和军事支持，也对穆斯林游击队提供支持，把战争引向苏联自身；通过与沙特阿拉伯合作而压低石油价格，并且限制苏联向西方出口天然气，从而发起一场使苏联硬通货收入显著减少的战役[4]。里根坚信苏联体制具有根本性的弱点，他要利用这些弱点确立美国的优势，并改变了美国的对苏政策，从而加剧了苏联的危机。多数俄罗斯人并不接受苏联解体主要是美国人的“功劳”一说，在 2007 年出版的供教师参考的《俄国现代史》一书写到：“外国史学著作常常依据美国总统乔治·布什声明的精神，说苏联解体是美国在‘冷战’中的胜利；但是，这种解释没有注意到：改革根本不是美国发动的，是苏联人民作出了民主和市场经济

---

[1] 《前车之鉴——俄罗斯关于苏联剧变问题的各种观点综述》，第 111 页。

[2] ［俄］亚历山大·舍维亚金：《苏联灭亡之谜：阴谋与背叛的历史，1945—1991》，转引自《苏联解体十年后的思考——苏联灭亡之谜评介》，《俄罗斯中亚东欧研究》2009 年第 1 期，第 92 页。

[3] ［美］彼得·施魏策尔著：《里根政府是怎样搞垮苏联的》，殷雄译，新华出版社 2001 年版，第 8 页。

[4] 同上书，绪论第 11—12 页。

的选择，而且是自主作出的。我们并没有输掉‘冷战’”。[1]

在外部因素的影响上，东欧的剧变无疑促进了苏联自身的解体。英国学者阿奇·布朗教授认为，东欧国家对戈尔巴乔夫的改革有兴趣，这些国家要求更多的独立和自主，影响到苏联。1989 年前波罗的海三国和格鲁吉亚更多要求的是自治权，但在东欧剧变后，它们看到了独立的前景。[2]

二、本书的研究方法与主要内容

本书主要采用传统的历史学“论从史出”、史论结合的方法，按照事情发展的次序与逻辑，研究戈尔巴乔夫改革的来龙去脉、苏联社会的发展变化、苏联经济从困境到危机的过程、苏联民族主义运动的兴起与民族分离主义的发展、戈尔巴乔夫新思维外交的起因与影响等等。在研究中力图回答人们所关心的问题：戈尔巴乔夫改革的失误表现在哪里？苏联民族主义运动为什么没得到控制，最终使分离主义者获得了成功？在苏联解体的进程中，戈尔巴乔夫、叶利钦、发动“8·19”事变的强硬派都起了什么作用？等等。

本书坚持马克思主义历史唯物主义原则，把戈尔巴乔夫改革放到苏联当时的历史条件下来考察。关于个人与历史条件的关系，恩格斯在 1890 年《致约·布洛赫》的信中有精辟的论述，他说：“我们自己创造着我们的历史，但是第一，我们是在十分确定的前提和条件下创造的。其中经济的前提和条件归根到底是决定性的。但是政治等等前提和条件，甚至那些萦回于人们头脑中的传统，也起着一定的作用，虽然不是决定性的作用。”“第二，历史是这样创造的：最终的结果总是从许多单个的意志的相互冲突中产生出来的，而其中每一个意志，又是由于许多特殊的生活条件，才成为它所成为的那样。这样就有无数互相交错的力量，有无数个力的平行四边形，由此就产生出一个合力，即历

---

[1] *Филиппов А. В.* Новейшая история России(1945－2006 гг.)Книга для учителя. *www. prosv.ru/umk/istoriya/index.html.*

[2] 2009 年 3 月 11 日上午在北京大学国际关系学院与阿奇·布朗教授的座谈，他著有：*The Gorbachev Factor*, 1996 (Oxford University Press); *Seven years that changed the world: Perestroika in Perspective*, 2007(Oxford University Press).

史结果”。[1] 本书作者反对简单地把戈尔巴乔夫称为社会主义叛徒，不认同那种认为是戈尔巴乔夫的背叛导致了苏联的解体和苏联社会主义的失败的说法。在对戈尔巴乔夫改革的评价问题上，既要看到戈尔巴乔夫个人的失误，他显然对遇到的问题、“阻塞机制”估计不足，许多政策或者不合时宜，或者操之过急，也要结合当时的历史条件，注意民众和社会对戈尔巴乔夫改革的推动与制约。虽然英雄人物在历史上起着重要作用，但历史终究是人民群众创造的。本书的宗旨是从历史发展的事实出发，对戈尔巴乔夫执政六年苏联的社会发展，按其本来的逻辑进行研究，从而让读者了解其来龙去脉、前因后果。

本书坚持用马克思主义辩证唯物主义的方法分析问题，1883 年恩格斯在马克思墓前发表的讲话中说：“正像达尔文发现有机界的发展规律一样，马克思发现了人类历史的发展规律，即历来为繁芜丛杂的意识形态所掩盖的一个简单事实：人们首先必须吃、喝、住、穿，然后才能从事政治、科学、艺术、宗教等等；所以，直接的物质生活资料的生产，从而一个民族或一个时代的一定的经济发展阶段，便构成基础，人们的国家设施、法的观点、艺术以至宗教观念，就是从这个基础上发展起来的，因而，也必须由这个基础来解释，而不是像过去那样做得相反。”[2] 这一原理完全可以用来判定苏联改革的得失。戈尔巴乔夫改革的失败，一个重要原因在于没有让民众从中得到物质实惠。在苏联政治经济制度陷入深刻危机、民众日用消费品严重不足的背景下，人们热切期望戈尔巴乔夫的改革能够改变这种现状，让民众过上与其超级大国地位相称的生活。世界上所有的改革的成功，都必须遵循满足社会特定阶层或群体利益要求这一规律，苏联的改革要想获得成功也必须首先满足社会最广大的群体——绝大多数民众的经济利益。但是，戈尔巴乔夫在改革政策的制定上却本末倒置，先从反酗酒开始，又搞了加重苏联经济结构失衡的“加速战略”，不仅没有解决问题，反而加重了危机。在“加速战略”落空后，他们又匆忙进行体制改革，政策变化快，但忽视了人民群众在克服“阻塞机制”方面的作用。随着改革的推进，民众的生活水平每况愈下，使这种牵动全社会的大变革难以得到广大群众的信任和拥护。戈尔巴乔夫的体制改革，并没有建立起反映下层愿望的机

---

[1] 《马克思恩格斯选集》，中文第 2 版，第 4 卷，第 696、697 页。

[2] 同上书，第 3 卷，第 776 页。

制，人们对现存体制的不满和利益诉求只能到街头去表达，在社会秩序混乱、野心家追求权力的环境下，改革难以成功。

本书以发展的观点来考察苏联的改革。戈尔巴乔夫执政的六年是复杂的，戈尔巴乔夫从认同苏联传统模式的社会主义发展到要建设人道的民主的社会主义，期间经历了复杂的斗争，苏联的改革也相应地经历了不同的阶段。在上任之初，戈尔巴乔夫提出进行改革，并开始实施“加速战略”，但这一阶段并没有真正开始改革，实际上还是在原有体制下打转，“加速战略”失败表明必须进行体制改革。从1987年开始，戈尔巴乔夫开始转入体制改革，首先进行的是经济体制改革，同时也在政治体制上做了一些调整，但效果并不明显。从1988年6月苏共第十九次代表会议起，苏联从以经济体制改革为主，转向了全面和根本的改革，本意是想通过政治体制改革促进经济体制改革，但实际结果却是政治体制改革干扰了经济体制的改革；在1990年之前，苏联的改革是否定斯大林体制，遵循列宁的思想进行改革，恢复列宁设想的社会主义的本来面目，在破除对斯大林模式迷信的同时，又陷入了对列宁的迷信，照搬列宁的一些设想，结果没有成功。从1990年以后开始按照西方的政治经济模式进行改革，走政治民主化、分权和经济市场化之路。戈尔巴乔夫改革的不成功使苏联社会各种矛盾尖锐化，促进了苏联剧变。苏联的解体、苏联社会主义的失败和苏联共产党失去政权交织在一起构成了苏联剧变的核心，这三个方面既有联系，又有区别。本书从分析苏联模式的社会主义面临的危机入手，探究戈尔巴乔夫改革的思路与局限性，研究改革所引发的苏联社会的深层次矛盾和苏共在解决这些问题时的政策取向，分析戈尔巴乔夫政治体制改革的前因与后果，苏共如何丧失了先进性和权威性，最后，党的联邦化、地方分离主义运动的发展、中央政权的无所作为，导致了多民族联盟国家的解体。

本书认为造成戈尔巴乔夫改革不成功、改革悲剧性结局的原因是复杂的，既有传统体制因素的影响，也有戈尔巴乔夫个人的失误，还有社会激进情绪和左右两种倾向的反对派的干扰等等。第一，戈尔巴乔夫及其追随者是苏联体制的产物，他们长期在斯大林社会主义理论的教育下生活，没有市场经济知识，也没有政治民主的训练，难以承担改革苏联体制的重任。第二，沉重的历史包袱造成了尖锐的社会矛盾，在公开性、民主化发展起来后，社会激进主义情绪迅速发展，在很多情况下，戈尔巴乔夫身不由己，回旋余地已经很小。戈尔巴乔夫的改革，犹如打开了潘多拉的盒子，促使苏联长期积累的社会、政治、经济、民族矛盾总爆发，这一洪流冲垮了人们原来的社会主义信念、冲垮了对联盟国家的认同。第三，国际环境对戈尔巴乔夫的改革有很大的影响，20 世纪 80 年代与赫鲁晓夫改革的 50 年代不同，与勃列日涅夫维护社会主义大家庭、碾碎布拉格之春的 60 年代也不同，在 20 世纪末世界已经发生了很大变化，民主是一股潮流，在东欧剧变后，苏共很难再维持一党统治了。

在评价历史人物，特别是国家最高领导人时，人们习惯于以成败论英雄，在戈尔巴乔夫接手时，尽管苏联问题很多，但它当时是世界上第二个超级大国，是一个统一强大的国家，但当他辞职之时，苏联已经不复存在，国家已经分裂成了 15 个。从这个意义上说，戈尔巴乔夫是失败者，更是苏联解体的罪人，他对苏联解体负有不可推卸的责任。但是，如果把戈尔巴乔夫时期放到苏联的整个历史中来考察，那么应该承认戈尔巴乔夫所面对的问题，不只是其改革本身带来的，更多的是苏联体制模式长期积累的问题，在戈尔巴乔夫改革这一宽松的环境下，这些问题来了个总爆发，导致了苏联社会的全面危机。面对国内外复杂的情况，戈尔巴乔夫回旋余地已经不大了，加上他又不是一个高明的领导者，苏联的解体在所难免。

把戈尔巴乔夫的改革放到人类历史发展的大趋势中进行考察，那么他的改革无疑是为了适应当今世界政治民主化、经济市场化的大潮，他试图恢复社会主义作为一种民主、自由、富裕社会的本来面目，尽管他没有取得成功，但他所开启的改革的大门摧毁了苏联体制，把俄罗斯引到了人类发展的主航道上。俄罗斯联邦总统普京在总结苏联的教训时说："苏维埃政权没有使国家繁荣，社会昌盛，人民自由。用意识形态的方式搞经济导致我国远远落后于发达国家。无论承认这一点有多么痛苦，但是我们在将近 70 年都在一条死胡同里发展，这条道路偏离了人类文明的康庄大道。"[1]俄罗斯联邦现任总统梅德韦杰夫在 2008 年 11 月 5 日国情咨文中说："俄罗斯将作为一个自由国家，作为一个把每个人的权利和尊严视为最高价值的社会而获得新生，宪法为此铺平了道路。几个世纪以来，对国家和行政机构虚假智慧的迷信在俄罗斯盛行。拥有权利、自由、个人利益和问题的个人最好也就被视为工具，最坏则被视为影响国

---

[1] 《普京文集：文章和讲话选集》，中国社会科学出版社 2002 年版，第 5 页。

家强盛的障碍。我再说一遍，这种情况已经持续好几个世纪了……在 1993 年通过基本法成为了俄罗斯民族历史上史无前例的事件。这部法律把人以及人的生命、权利和财产确定为最高价值。”[1]在苏联的废墟上站起来的新俄罗斯正在探索使国家繁荣、社会昌盛、人民自由的适合俄罗斯国情的发展之路，没有人愿意再恢复原来的体制模式。

本书作者认为，正如不能把苏联剧变完全归咎于戈尔巴乔夫一样，把苏联剧变归因于“人道的、民主的社会主义”也是值得推敲的。一个基本的事实是：“人道的、民主的社会主义”概念到 1990 年才正式形成，1990 年 7 月苏共二十八大把它定为党的纲领和奋斗目标，在苏联才刚刚付诸实践（甚至可以说还没来得及实践）。人道与民主本是社会主义题中应有之义，戈尔巴乔夫之所以在社会主义概念中强调这一内容，是因为苏联传统体制的一个要害问题是践踏人，不尊重人的社会价值和尊严，使广大劳动者与政权、公有制和管理相脱离，使社会缺乏活力，从而使社会主义无法表现其优越性。戈尔巴乔夫与叶利钦不同，叶利钦抛弃了社会主义，戈尔巴乔夫至今仍坚持社会主义信仰，戈尔巴乔夫改革提出的许多问题是值得深入研究的，“戈尔巴乔夫的改革失败了，但不能因此对其在改革过程中，在对苏联社会主义重新思考的基础上提出的新看法，简单采取完全否定的态度。例如，戈尔巴乔夫一再强调，要把解决人的问题作为改革的指导思想，一切事情都必须从人出发。戈尔巴乔夫把民主的、人道的社会主义与人和人权问题的解决联系起来，这是因为传统体制的一个根本要害问题是践踏了人，不尊重人的社会价值和尊严，把人视为集权管理体制上的一颗螺丝钉，使人的精神处于麻木的半睡眠状态。这种情形导致思想僵化，社会缺乏活力，生产效益低下，浪费严重，最终使社会主义濒临危机，无法体现社会主义的优越性。这些理论观点，是值得我们研究的。”[2]戈尔巴乔夫改革失败的教训更值得总结，完全否定戈尔巴乔夫的改革及其提出的许多理论观点是不符合马克思主义原则的。历史是一面镜子，戈尔巴乔夫六年多的改革也是世界社会主义运动发展的一面重要镜子，我们应该从中吸取教训。

---

[1] www.kremlin.ru/appears/2008/11/05/1349_type63372type63374type63381type82634_208749.shtml.

[2] 陆南泉：《戈尔巴乔夫经济体制改革失败与苏联剧变》，载《当代世界社会主义问题》，2008 年第 1 期，第 70 页。

三、本书的重要参考资料

戈尔巴乔夫时期离现在时间很近，从 1985 年 3 月戈尔巴乔夫上台算起，只有 20 多年，1991 年苏联解体离现在也刚刚 20 年，许多档案资料并未解密，但是，涉及这一时期的资料又浩如烟海。戈尔巴乔夫发起的改革，曾是世界关注的焦点，当时苏联所采取的每一次重要步骤、开的每一次重要会议都有大量的报道或评述。苏联解体后，重要当事人又写了大量回忆录，都尽量为自己所做的事、所参与的决策辩护，同样一件事，每个人的叙述又有很大不同，这又增加了研究的难度。关于这一时期的研究著作也越来越多，学术界对戈尔巴乔夫改革的看法各异。本书力求占有更多的资料，借鉴学术界的研究成果。本书所用的资料大致有以下几类：

一是文献和档案资料。这一时期历次党代表大会、会议和中央全会的文件，特别是关于苏共二十七大、1987 年 1 月苏共中央全会、六月中央全会，1988 年苏共第十九次代表会议、1990 年 2 月苏共中央全会、1990 年 7 月苏共二十八大的资料以及戈尔巴乔夫等人的讲话和文章。这一时期的档案资料主要利用了俄罗斯历史学家编的档案汇编《苏联历史文选（1945—1995）》、《我们所不知道的俄罗斯》[1]，戈尔巴乔夫基金会编的白皮书《联盟本可以保留》[2]，戈尔巴乔夫的三个顾问所记述的《在苏共中央政治局……》、《回应时代的挑战。改革的对外政策：文献证明》[3]，沈志华总主编的《苏联历史档案选编》第 30、

[1] Хрестоматия по отечественной истории(1946－1995).М.1996 . Россия, которую мы не знали, 1939－1993, Хрестоматия. Под ред. *М.Е.Главацкого*. Челябинск, Южно-уральское издательство.1995.

[2] Союз можно было сохранить, Белая книга: Документы и факты о политике М.С. Горбачева по реформированию и сохранению многонационального государства. 2-е изд., переработ. и доп. М., АСТ: АСТ М., 2007.

[3] Отвечая на вызов времени. Внешняя политика перестройки: документальные свидетельства. По записям бесед М.С. Горбачева с зарубежными деятелями и другим материалам. М., Издательство “Весь Мир”, 2010.

31、32、33卷，沈志华提供的其他档案资料，《苏共中央通报》、《历史档案》等杂志上公布的档案资料等。

二是重要当事人的回忆录。当然其中最重要的是改革的倡导者戈尔巴乔夫本人的回忆[1]，他的回忆录《生平与改革》记述了他的心路历程与主要活动，其中也不乏反思。苏联解体以来，戈尔巴乔夫很活跃，仍是媒体关注的主要人物，每逢苏联时期重大事件的周年纪念，都会有关于他的访谈，他也不断有不同主题的回忆录出版，涉及对社会主义过去与未来的思考、德国统一、八月事变、苏联解体等，这些资料对研究这一时期的苏联历史具有重要的参考价值。改革的设计师、公开性之父雅科夫列夫的著作[2]也很有参考价值，他不仅有对这段历史的回忆，更有他本人的思考。此外，长期担任苏联部长会议主席的雷日科夫[3]、戈尔巴乔夫的主要挑战者叶利钦[4]、苏共中央第二号人物利加乔夫[5]、克格勃主席克留奇科夫[6]、主管意识形态工作的政治局委员梅德韦杰

[1] *Горбачев М.С.* Жизнь и реформы. Кн. 2. М., Новости, 1995.[俄] 米·谢·戈尔巴乔夫著：《戈尔巴乔夫回忆录（全译本）》，述弢等译，社会科学文献出版社2003年版；[俄] 米·谢·戈尔巴乔夫著：《对过去和未来的思考》，徐葵等译，新华出版社2002年版；[俄] 戈尔巴乔夫著：《我与东西德统一》，王尊贤译，中央编译出版社2006年版。*Горбачев М.С.* Декабрь-91. Моя позиция. М., Изд-во “Новости”, 1992. www.gorby.ru.

[2] *Яковлев А.Н.*Омут памяти.От Столыпина до Путина: В 2-х книгах. Книга первая.-М., “Вагриус”, 2001. [俄] 亚·尼·雅科夫列夫著：《一杯苦酒——俄罗斯的布尔什维主义和改革运动》，徐葵等译，新华出版社1999年版。

[3] [俄]尼·雷日科夫著：《大动荡的十年》，中央编译出版社1998年版。[俄]尼·伊·雷日科夫著：《大国悲剧——苏联解体的前因后果》，徐昌翰等译，新华出版社2008年版。

[4] [俄] 鲍利斯·叶利钦著：《叶利钦自传》，朱启会等译，东方出版社1991年版；[俄] 鲍里斯·叶利钦著：《总统笔记》，李垂发等译，东方出版社1995年版。

[5] [俄] 叶·库·利加乔夫著：《警示》，钱乃成等译，当代世界出版社2001年版。

[6] [俄] 弗·亚·克留奇科夫著：《个人档案（1941—1994）——苏联克格勃主席弗·亚·克留奇科夫狱中自述》，何希泉等译，东方出版社2000年版。

夫[1]、戈尔巴乔夫的顾问切尔尼亚耶夫和沙赫纳扎罗夫[2]、联盟院主席普里马科夫[3]、担任过内务部长和克格勃主席的巴卡京[4]等人的回忆录，也从不同角度叙述了他们所经历的改革，作为改革的亲历者、政策制定者或者顾问，他们的回忆与思考也是重要的资料。

三是学者们的著作。其中最主要的是沃尔科戈诺夫的《七个领袖》[5]、皮霍亚的《苏联政权史》[6]、索格林的《当代俄国政治史（1985—2001）：从戈尔巴乔夫到叶利钦》[7]、巴尔谢科夫的《戈尔巴乔夫的改革与联盟国家的命运》[8]，以及弗多文、索科洛夫、斯拉文、麦德维杰夫等俄罗斯学者的著述。[9] 其中，

[1] *Медведев В.А.* В команде Горбачева:взгляд изнутри. М., Былина,1994. *Медведев В.А.* Распад. Как он назревал в “мировой системе социализма”. М., Междунар. отношения, 1994.

[2] *Черняев А.С.* 1991 год: Дневник помощника президента СССР. М., ТЕРРА; Республика, 1997.*Черняев А. С.* Шесть лет с Горбачевым. М., 1993. [俄] 阿·切尔尼亚耶夫著：《在戈尔巴乔夫身边六年》，徐葵、张达楠等译，世界知识出版社 2001 年版。*Черняева А.С.* Совместный исход. Дневник двух эпох 1972 – 1991 годы. М., РОССПЭН, 2008. *Шахназаров Г.* Цена свободы. Реформация Горбачева глазами его помощиника. Москва,1993. *Шахназаров Г.Х.* С вождями и без них. М., Вагриус, 2001.

[3] [俄] 叶夫根尼·普里马科夫著：《大政治年代》，焦广田等译，东方出版社 2001 年版。

[4] [俄] 瓦季姆·巴卡京著：《摆脱克格勃——克格勃最后一任主席回忆录》，非琴译，新华出版社 1998 年版。

[5] *Волкогонов Д.А.* Семь вождей: В 2 кн. Кн.2. М., Фирма издательство АСТ, 1999.

[6] *Пихоя Р.Г.* Советский союз: история власти. 1945 – 1991. М., РГАС, 1998. [俄]鲁·格·皮霍亚著：《苏联政权史（1945—1991）》，徐锦栋等译，东方出版社 2006 年版。

[7] *Согрин В.В.* Политическая история современной Россию(1985-2001: от Горбачёва до Путина). М., 2001.

[8] *Барсенков А.С.* Реформы Горбачева и судьба союзного государства. 1985 – 1991. М., Изд-во МГУ, 2001.

[9] *Барсенков А.С., Вдовин А.И.* История России. 1938—2002. .М., Аспект Пресс, 2003. *Соколов А.К.* Курс советской истории 1941 – 1991 г., Москва, Высшая школа, 1999.)[俄] 戈尔巴乔夫、斯拉文合著：《尚未结束的历史》，孙凌齐、李京洲译，中央编译出版社 2003

索格林所著的《当代俄国政治史（1985—2001）：从戈尔巴乔夫到叶利钦》，被认为是第一本系统研究这一时期重大事件的著作；皮霍亚的《苏联政权史(1945—1991)》，对戈尔巴乔夫时期的政治也有较为详细的叙述。当然也包括中国学者和某些西方学者的著述。

虽然苏联的历史已经尘埃落定，当年上演苏联这最后一幕历史剧的主角们或者已经逝去，或者已进入垂暮之年，俄国也已经从解体的震荡和经济衰退的阴影中走了出来，其综合国力和人民的生活水平都有了恢复和提高，克服了日常生活消费品短缺之苦，又开始争当世界一流强国，但是，由于时间还离得不远，许多档案资料并未解密，甚至还涉及一些人的利益，研究工作还有许多局限。因此，本书也会存在许多不足，希望得到同行的指正。

年版。[俄] 罗伊·麦德维杰夫著：《人们所不知道的安德罗波夫——前苏共中央总书记尤里·安德罗波夫的政治传记》，徐葵等译，新华出版社 2001 年版；[俄] 罗伊·麦德维杰夫《苏联的最后一年》，王晓玉等译，社会科学文献出版社 2005 年版。*Гайдар Е.* Дни поражений и побед. М., 1997.

第一章　安德罗波夫和契尔年科时期的苏联

1982 年 11 月 10 日，早已失去工作能力的勃列日涅夫死在了莫斯科郊外的别墅里，在两天后召开的苏共中央全会上，安德罗波夫成了苏共中央总书记，时年 68 岁，他执政了 15 个月，于 1984 年 2 月 9 日病逝。体弱多病的契尔年科（时年 73 岁）接任苏共中央总书记，他任职仅 13 个月，便又撒手人寰。安德罗波夫和契尔年科执政时期是从勃列日涅夫时代向戈尔巴乔夫时代的过渡，虽然这两个人都是老人，但他们的风格与抱负是不同的：安德罗波夫认识到了苏联体制存在的一些问题，试图进行一些改革，人们似乎看到了一线曙光，他的离去让人觉得惋惜；契尔年科则被认为是不该掌权的人掌握了权力，他当政的短暂的 13 个月是人们等待其生命走向尽头的 13 个月，更是停滞的 13 个月，当他离开人世时，许多人松了一口气，似乎国家又有了新的希望。

第一节　壮志未酬的安德罗波夫

一、勃列日涅夫去世与安德罗波夫继任

在苏联历史上，勃列日涅夫被公认为是最平庸的领袖，他领导苏联共产党和苏联国家的时间仅次于斯大林，长达 18 年。在 20 世纪 70—80 年代，世界新技术革命、信息革命方兴未艾之时，苏共的总书记勃列日涅夫“此时已经昏聩年迈，但对其个人崇拜却有增无减。这都是勃列日涅夫的亲密战友们一手操办，他们以私谋利，只要有‘忠诚的列宁继承人’掌握政权，他们就可保住其高官和个人的飞黄腾达。实话讲，不是勃列日涅夫，也不是中央政治局或党中央委员会管理着国家，而是强大的规章制度和层层密布的地方机构与党的上级任命制良好和谐的组织机构。”[1]这种情况引起了许多干部的反感，哈萨克斯坦领导人纳扎尔巴耶夫在回忆此事时说：“总书记老态龙钟，和他一脉相承，全党也僵化了。我追忆起一段使我惊讶不已的往事。1980 年，勃列日涅夫在庞大陪同团相随下来访问阿拉木图，祝贺哈萨克斯坦加盟共和国成立 60 周年。他给人们留下了难堪的印象：活像木头人，步履颤抖不稳，让两个青年小伙搀

[1]　[哈] 努·纳扎尔巴耶夫著：《时代、命运、个人》，第 38 页。

扶，双手垂下，目光迟钝无神。”[1]苏共中央机关工作人员说：“很多人都非常清楚，勃列日涅夫已不能继续领导党和国家，中央政治局会议越开越短。勃列日涅夫茫然地坐在那儿，并不十分清楚自己身在何处，会议室里都有谁，应该做些什么。经常出现这种局面，他坐在那儿，读着助手们用特制大号字母打字机打出的简短讲稿，有时读错行，前言不搭后语。”[2]党内第二号人物苏斯洛夫长期受糖尿病、心脑血管动脉硬化的影响，在20世纪80年代初每天在办公室的工作时间不超过3—4小时。这些权欲极强的老人们，并不知晓世界正在发生日新月异的变化，仍然迷恋权力，但自然规律是不可抗拒的，从80年代初开始，这些老人们相继走到了生命的尽头。1980年12月柯西金去世，1982年1月19日，不堪癌症折磨的克格勃第一副主席茨维贡开枪自杀，1982年1月25日苏斯洛夫去世。这种情况严重影响了苏共的威信，也使苏共内部有正义感的干部切实感觉到不能再这样生活了。

随着老人们的逝去，苏共面临着高层干部的更迭问题。安德烈·格拉乔夫在回忆录中说：“1982年1月25日苏斯洛夫去世，貌似永生不死的政治局的磐石上出现了明显的缺口：离去的可是权倾一时的党内第二号人物，‘国王制造者’，是他将勃列日涅夫送上权力的宝座，只要他活着一天，就可以保证勃列日涅夫手中的权力不失。苏斯洛夫的去世不仅使其他政治局委员、他的同龄人想到自己生命的短暂，而且提出了总书记接替者的问题。”[3]苏斯洛夫长期主管党的意识形态工作，甘心做第二把手，随着他的去世，苏共内部出现了争夺王位的斗争，许多人明白，谁占有了苏斯洛夫的位置，谁就可能成为勃列日涅夫的接班人。当时任外交部长的葛罗米柯曾想求安德罗波夫向勃列日涅夫推荐他来接替苏斯洛夫，[4]但被安德罗波夫拒绝了，因为他自己也在谋求这一职位。

勃列日涅夫心目中的理想人物是契尔年科和基里连科，勃列日涅夫是任

[1] ［哈］努·纳扎尔巴耶夫著：《时代、命运、个人》，第39页。

[2] ［俄］瓦·博尔金著：《戈尔巴乔夫沉浮录》，李永全等译，中央编译出版社1996年版，第30页。

[3] ［俄］安德烈·格拉乔夫著：《戈尔巴乔夫之谜》，述弢译，中央编译出版社2005年版，第56页。

[4] 同上书，第57页。

人唯亲的典型，他把自己的许多亲朋好友提拔到苏共中央，其中多是像勃列日涅夫自己这样的庸才。历史学家麦德维杰夫说：“到 1981 年年底的时候，勃列日涅夫的亲朋好友在苏共中央约占 100 个席位，可是对于这个人数众多的‘第聂伯罗彼得罗夫斯克—摩尔达维亚帮’来说却没有一个是能担任勃列日涅夫接班人角色的最佳人选。契尔年科生活上一直都非常朴素，不贪财，对奖章和珍贵礼物不特别感兴趣。他不单是‘勃列日涅夫帮’中的自己人，而且是勃列日涅夫的主要支柱之一。但是在苏共中央政治局和书记处里，契尔年科却没有多少支持者，他在军界也没有支持者。”[1] 苏斯洛夫去世后，契尔年科实际上开始履行主管意识形态的职责，但是，他身体不好，到 1982 年 3 月就病倒了，而且久拖不愈，因此，他无法在 4 月 22 日纪念列宁诞辰的会议上讲话，而此时基里连科也病了，勃列日涅夫也躺在医院里。时任国家安全委员会（克格勃）主席的安德罗波夫被定为报告人，实际上承担了党内第二书记的职责，在 1982 年 5 月苏共中央全会上安德罗波夫顺理成章地当选为苏共中央书记，实际上是位居勃列日涅夫之后的第二书记。

勃列日涅夫去世时，苏共中央 12 名政治局委员中：安德罗波夫 68 岁、契尔年科 71 岁、戈尔巴乔夫 51 岁、格里申 68 岁、葛罗米柯 73 岁、基里连科 76 岁、库纳耶夫 70 岁、佩尔谢 83 岁、罗曼诺夫 59 岁、谢尔比茨基 64 岁、吉洪诺夫 77 岁、乌斯季诺夫 74 岁，70 岁以上的人占了绝大多数，显然无力承担总书记的职责，50 多岁的两位又显得经验不足，安德罗波夫成了最合适的人选。在两天后召开的苏共中央全会上，安德罗波夫无可争议地当选为总书记。

尤里·弗拉基米罗维奇·安德罗波夫 1914 年 6 月 15 日出生在斯塔夫罗波尔州纳古茨卡雅车站的铁路员工家中，受过高等教育，当过工人。从 1936 年起做共青团的工作。1940 年当选为卡累利阿共青团中央委员会第一书记。1947 年晋升为卡累利阿共产党中央委员会第二书记。1951 年被调到苏共中央机关工作，1953 年开始从事外交工作，担任苏联驻匈牙利大使多年。1957 年被任命为苏共中央部长。1961 年苏共二十二大上当选为中央委员。1962 年当选为苏共中央书记。1967 年 5 月被任命为苏联国家安全委员会主席，同年 6

---

[1] ［俄］罗伊·麦德维杰夫著：《人们所不知道的安德罗波夫——前苏共中央总书记尤里·安德罗波夫的政治传记》，徐葵等译，新华出版社 2001 年版，第 275 页。

苏共中央总书记安德罗波夫

月当选为中央政治局候补委员。从 1973 年 4 月起成为中央政治局委员。在勃列日涅夫执政后期，他与乌斯季诺夫、葛罗米柯一起决定着苏联的内外政策，是入侵阿富汗的决策者之一。与那些从机关中成长起来的契尔年科之流不同，他是当时政治局中最有知识、最有能力，也最有权势的人。“他有超群的智慧和政治才干，有对于当时领导人来说是颇不寻常的知识分子气质……安德罗波夫是当时领导人包括那些具有大学文凭甚至学术头衔的领导人中一位出类拔萃、不同凡响的人物。”[1]与勃列日涅夫不同，安德罗波夫是共产主义的信仰者。安德罗波夫有自己的人格魅力，在腐败盛行的勃列日涅夫时期，他是政治局中极少数的不酗酒、不搞特权、不讲究吃喝、不钓鱼打猎、不追求奢靡生活的委员之一。

在安德罗波夫担任克格勃主席期间，这一机构对国家和社会的影响力提高了。安德罗波夫的发明是：“国家安全委员会不再采取直接镇压和司法审判的方法，而是推行所谓的‘预防警告’措施——对那些被认为潜在的危害制度者进行司法外干预。受到这种‘预防警告’的人数，是受到司法审判者的 10 倍。1963—1966 年，国家安全委员会审判了 3251 人，1967—1970 年，受到国家安全委员会审判的人有 2456 人，而同期受到国家安全委员会‘预防警告’的人数则达到了 58298 人。”[2]他们“最常用的方法包括：进行开除出党的威胁；剥夺职位（包括他受过专业训练的那一行的职位）；开除公职或使全家生活受到影响；不准家属就读于高等院校；取消在大城市中居住的许可，特别是不让在

[1] [俄] 格·阿·阿尔巴托夫著：《苏联政治内幕：知情者的见证》，第 347 页。

[2] [俄] 鲁·格·皮霍亚著：《苏联政权史（1945—1991）》，徐锦栋等译，东方出版社 2006 年版，第 464 页。

莫斯科居住；取消公费医疗待遇；临时或永久性地撤销电话机；对旅行大加限制；送精神病院；流放；送进监狱和劳动营进行强迫劳动。”[1]“在安德罗波夫的管理下，滥用精神病治疗的做法已经相当普遍而且系统化了。它已表现为一种政府的政策，连联合国大会也于1981年为此通过了一项决议，声明‘由于政治观点或其他并非医疗原因而把人们拘禁在精神病院中，是一种侵犯人权的行为。’”[2] 安德罗波夫领导下的克格勃把国内安全和对外秘密活动两种职能结合起来，它不仅是一个情报机构，而且有一支秘密警察部队，成了“国中之国”，人民怕它，党的领导人也怕它。

安德罗波夫是个头脑清醒的人，对国内外的情况比较了解，在思想观念上，他完全认同苏联的体制模式，他是苏联入侵捷克斯洛伐克的积极拥护者之一，主张把索尔仁尼琴驱逐出境，赞成出兵阿富汗，但他也感觉到苏联的体制模式是不完美的，需要改革。安德罗波夫认为，“党已确定这个阶段是发达的社会主义阶段。在这里已完全建立起符合社会主义原则的经济基础、社会结构和政治制度，在这里，社会主义如通常所说那样，是在自身的、集体主义的基

安德罗波夫告别克格勃，1982年

[1] [美] A. 贝奇曼、M. S. 伯恩斯坦著：《安德罗波夫——对西方的新挑战》，许邦兴等译，中国展望出版社1983年版，第187页。

[2] 同上书，第188页。

础上发展的。然而，所有这些当然并不意味着，我们建立起的这个社会已经尽善尽美。这个社会中还有许多由客观条件产生的困难，这些从当前发展水平来说是很自然的。也有不少由于主观原因、由于人们有时不能妥善地、有组织地进行工作所造成的缺点。在当前条件下的党纲应当首先是一个有计划地全面地完善发达社会主义的纲领，也就是进一步向共产主义前进的纲领。”[1]在执政一年多的时间里，安德罗波夫采取了一系列使人耳目一新的政策，一度为苏联的振兴带来希望。

二、安德罗波夫时期国家政治生活的变化

安德罗波夫面对的国家形势不妙，“国内气氛‘令人窒息’的程度在那时达到了极限：再继续下去就是死亡。人们生活水平的增长实际上中止了，全部建设，但主要是所谓社会范围的项目：住宅、商店、幼儿园、学校及其他建设骤然放慢下来。国家收入、正常收入的增长停止了，但不包括例如猛涨的伏特加酒销售量的收入。”[2]长期以来，人们第一次听到对苏联社会的客观评价，即承认矛盾和积累的问题。“安德罗波夫说的：‘我们不了解我们生活的社会’这句话，唤起了振兴国家、使国家政策走上合理决策轨道并对人民负责的希望。”[3]利加乔夫在谈到安德罗波夫任苏共中央总书记时的感受时说：“我同许多其他州党委书记一样，迫切期待着变革。我们已经遗憾地认识到，国家已处于通往社会经济绝境的轨道上。应当真正地干一番新的事业，把国家拉到正道上去。”[4]安德罗波夫这位正直的、有工作能力，同时也很有才干的人给苏联人带来了希望。

安德罗波夫在工作作风上与勃列日涅夫有很大不同。勃列日涅夫上班总

[1] [俄]尤·弗·安德罗波夫著：《安德罗波夫言论选集》，世界知识出版社1984年版，第340页。

[2] [俄] 尼古拉·雷日科夫著：《背叛的历史——苏联改革秘录》，高洪山、韩生民等译，吉林人民出版社 1993 年版，第 21 页。

[3] *Филиппов А. В.* Новейшая история России (1945–2006 гг.). *www.prosv.ru/umk/istoriya/index.html.*

[4] [俄]叶·库·利加乔夫著：《警示》，钱乃成等译，当代世界出版社2001年版，第17页。

是来得很晚，车队前呼后拥，安德罗波夫则轻车简从，他经常到各部去，只带一辆保卫车，他早9时上班，几乎没有护送车，他不开长会，很少在电视上露面，不接受贵重礼品，不开奢华的宴会，“1982年年底已经显露出，安德罗波夫较为务实，他具有坚定和理智这样的品质，而这些正是勃列日涅夫从来都不曾有过的。”[1] 安德罗波夫担任苏共中央总书记只有15个月，实际上有效工作只有8个月，但这段时间在苏联历史上仍很重要。

安德罗波夫上任后采取的第一个行动便是大力选拔和撤换干部，解决干部老化的问题，虽然成效有限，但毕竟让民众看到了希望。在1982年11月22日中央全会上，基里连科“因健康状况”被解除政治局委员和中央书记的职务，59岁的阿塞拜疆领导人阿利耶夫进入政治局，任部长会议第一副主席，抓改善交通和日用品生产，协助77岁的部长会议主席吉洪诺夫。为了研究和进行经济体制改革，安德罗波夫提出成立中央委员会经济部，推荐雷日科夫任该部部长，在这次苏共中央全会上，雷日科夫还当选为苏共中央书记。1983年4月，利加乔夫被从遥远的西伯利亚调到中央来担任组织部长，负责干部的选拔与配备工作。令人反感的苏共中央科技和高等院校部部长特拉佩兹尼科夫退休，其职务由瓦·安·梅德韦杰夫所取代。苏共中央办公厅主任由克鲁奇纳担任。1983年5月，戈尔巴乔夫访问加拿大后，雅科夫列夫被调回莫斯科，担任了苏联科学院世界经济与国际关系研究所所长。1983年6月佩尔谢去世，由俄联邦部长会议主席索洛缅采夫接替他担任苏共中央党的监察委员会主席，把沃罗特尼科夫从克拉斯诺达尔边疆区调来，任俄联邦部长会议主席。在1983年12月中央全会上，沃罗特尼科夫和索洛缅采夫成为政治局正式委员，克格勃新主席切布里科夫被选为政治局候补委员，选举利加乔夫为中央书记。乌兹别克斯坦、白俄罗斯等加盟共和国的领导人也发生了变动。到1983年底，全国已更换了约20%的州委第一书记和20%以上的部长，其他各级管理机构的干部变动也相当大。1983年8月，苏共中央委员会根据安德罗波夫的建议决定在秋天举行基层党组织和区、市、地区、州、边疆区党组织的改选工作，决定要求“不能容忍的是下列事实：会议按照现成的方案举行，不经过认真的

[1] [俄] 罗伊·麦德维杰夫著：《人们所不知道的安德罗波夫——前苏共中央总书记尤里·安德罗波夫的政治传记》，第317页。

和公开的讨论，与会者的发言事先经过编辑，而倡议和批评受到压制。”[1]在一些州和大城市，区党委领导成员更新了25%—30%，在莫斯科党的领导干部有31%被撤换，乌克兰达到34%，哈萨克斯坦达到32%。[2]但在高级干部更新问题上安德罗波夫动作不大，勃列日涅夫那些老态龙钟的亲信们仍身居高位，他只是提拔了几个新人。

安德罗波夫尽量疏远契尔年科，努力把戈尔巴乔夫提拔到头等重要的位置上来，在1983年12月中央全会召开前夕，安德罗波夫在他的发言提纲中加进了一段话：“苏共中央委员会的同志们：由于众所周知的原因，我现在已不能参加政治局和书记处的领导工作。我认为必须对你们说实话，这一阶段会拖得很长。有鉴于此，我请求中央全会讨论这一问题，并委托米哈伊尔·谢尔盖耶维奇·戈尔巴乔夫同志来主持中央政治局和书记处，我相信，戈尔巴乔夫能被委以主持政治局和书记处会议的重任。”[3]这等于指定了戈尔巴乔夫做他的接班人。但是，病榻上的安德罗波夫已经不能完全控制住局势，在正式开会时，安德罗波夫的这段话被删掉了。契尔年科集团开始悄悄地走向权力的宝座，他们的人数多于安德罗波夫提拔的年轻人。当时政治局里又出现了“三驾马车”——吉洪诺夫（部长会议主席）、契尔年科（党内第二把手）、乌斯季诺夫（国防部长）。乌斯季诺夫本是安德罗波夫的盟友，本来支持安德罗波夫把戈尔巴乔夫当成自己的继承人，他曾说：“我们需要一个年轻有为的并为全党所了解的领导人，安德罗波夫提拔戈尔巴乔夫进入政治局已经有5年之久了，因此他会继续尤里·弗拉基米罗维奇的事业。为了达到这个目的，我们务必尽最大的努力。”[4]但是，乌斯季诺夫很快便站到了契尔年科的阵营里，大概他也担心年轻的戈尔巴乔夫上台会把他们这些老年人赶下政治舞台。

从1982年12月11日起，苏共开始每周定期公布“苏共中央政治局通报”，

[1] Правда. 14 августа. 1983.

[2] *Барсенков А.С.* Реформы Горбачева и судьба союзного государства. 1985 – 1991. М., Изд-во МГУ, 2001. С. 49.

[3] [俄]阿·沃尔斯基著：《开诚布公地看问题》，载[俄]《星期》1990年第36期，第6—7页。

[4] [俄] 叶·伊·恰佐夫著：《健康与权力——“克里姆林宫医生”回忆录》，丁笃本译，湖南出版社1994年版，第214页。

在每周四政治局会议后，周五早晨广播和电视就会播出有关政治局会议讨论问题的消息，这被认为是加强透明度的重要举措，因为从斯大林时代起，政治局会议所讨论的问题是国家机密，民众是不能知道的。安德罗波夫仍然加强思想控制，在他当政时期出版物上完全不能出现关于斯大林时期大镇压的信息。1984 年 1 月还通过了一个法律，从国外组织获得金钱或者其他物质手段从事反苏行动，惩处可达 10 年刑期，这使对那些从国外获得资金帮助的持不同政见者的迫害更为方便。[1]

安德罗波夫很得民心的一个举措是对贪污腐败现象进行打击。众所周知，勃列日涅夫执政时期苏联的特权阶层有了很大发展，他们的腐败不仅阻碍了经济的发展，也对社会主义制度和苏共执政的合法性构成了严重威胁。20 世纪 80 年代初，安德罗波夫大规模地进行了反对经济领域犯罪的斗争。安德罗波夫领导的国家安全委员会开始审理大批经济案件，他把 150 多名经验丰富的国家安全委员会工作人员派到苏联内务部工作，其中反响最大的是莫斯科一些商店经理的案件。1982 年 10 月 30 日逮捕了莫斯科第一食品商店的经理索科洛夫，其他城市也进行了逮捕商界人士的工作，反对营私舞弊和侵吞国家资产斗争的规模越来越大。腐败势力的保护者勃列日涅夫去世后，当上苏共中央总书记的安德罗波夫加强了这一工作。斗争发展成反对“影子经济”的真正的战争。逮捕了几百人。许多人在被捕前为了保护家族的荣誉而自杀。[2]1983 年 6 月莫斯科商业总局局长特列古博夫被逮捕，他从 1970 年开始担任这一职务，与他一起被捕的还有莫斯科商业总局 25 名重要工作人员、大商店和食品商店的经理，一些人被枪决。1983 年 11 月 23 日作出《关于在苏联媒体上报道有关俄罗斯苏维埃社会主义共和国最高法院对莫斯科执委会商业总局“美食家”商店工作人员中的巨额受贿者进行刑事调查的结果》的专门决议，这些案件使报刊开始谈论国家和党的机关存在的腐败问题。

受到审查的还有克拉斯诺达尔边疆区委第一书记梅杜诺夫、苏联内务部长谢洛科夫，这两人都是勃列日涅夫的亲信。梅杜诺夫被指控“粗暴地违反党的纪律”，边疆区行贿受贿现象严重，1982 年梅杜诺夫就因“越权”和盗窃国

---

[1] *Кацва Л. А.* История России. Советский период (1917 – 1991) . http://it-n.ru.

[2] Российское государство и общество. XX век. М., Изд-во Моск.ун-та.1999. С.228.

家财产被免去边疆区委第一书记的职务，但由于勃列日涅夫的庇护仍保留其中央委员的职务，案件也没有移交司法机关；谢洛科夫长期担任内务部长，他营私舞弊，大量挥霍国家资财，为自己和亲属建造别墅和购买高档家具，设立专门为内务部长及其家庭成员和亲信购买廉价外国高档消费品的商店等。1982年12月16日安德罗波夫签署了解除在位17年的谢洛科夫内务部长职务的命令，任命费多尔丘克为苏联内务部长，还授予维克托·切布里科夫大将军衔并任命他为国家安全委员会主席。在1983年6月中央全会上，梅杜诺夫和谢洛科夫受到严厉指责，被开除出中央委员会，受克拉斯诺达尔边疆区经济案件的牵连，有200多人被捕，包括第一书记梅杜诺夫。1984年对谢洛科夫提出刑事诉讼，不久谢洛科夫自杀。

“乌兹别克斯坦案”成为轰动一时的大案，它泛指自20世纪70年代中期至80年代发生或被曝光的乌兹别克共和国的一系列腐败案，该共和国中央委员会共有13个核心人物卷入其中，勃列日涅夫的女婿丘尔巴诺夫上将也被卷入。“1983年7月9日，戈尔巴乔夫和利加乔夫召开中央机关全体人员大会，利加乔夫作题为《关于乌兹别克共和国党组织情况》的报告，揭露的事实令人发指。棉花的产量在增长，可是经加工后的纤维产量却在逐年下降，通过虚报‘隐瞒’棉花的数量每年达34万吨，盗窃国家资财的数额达数十万卢布。行贿受贿金额至少有1万卢布。在塔什干到处可见专门为领导人修建的豪华建筑、别墅和独家住宅，一个地铁站的一张壁画价值达200万卢布。与此同时，该市50万居民居住在没有排水设备、没有煤气、没有自来水和经常没电的土窑里。同样的情况发生在乌兹别克斯坦的第二大城市萨马尔罕。各类‘领导者’人均拥有2至5处住宅，包括在城郊的。他们每人可使用的轿车有5辆。在最近三年里，苏共中央收到了3万封乌兹别克斯坦劳动者写来的反映这一问题的信件，没有一封被认真研究过。”[1] 利加乔夫说：“乌兹别克斯坦的干部——无论是党的、苏维埃的、政府的、立法的——统统效忠于拉希多夫个人。在中央党的机关里竟有14名第一书记的亲戚……在1980—1983年期间苏共中央共收到几万封来自这个共和国的群众来信。人们抱怨没有公理可言，许多领导就像是

[1] *Черняев А. С.* Шесть лет с Горбачевым. М., 1993. С.17–18.

大地主，不行贿就别想解决任何问题。”[1]苏共中央决定调查乌兹别克斯坦领导人的情况，1983 年 10 月 31 日，乌兹别克斯坦共产党中央第一书记、苏共中央政治局委员拉希多夫自杀。

安德罗波夫的反腐败运动，引起了强烈的社会反响，得到了民众的拥护。“刑事案件牵涉到 1.5 万负责人，其中有 2500 多人是大贸易机构的领导人，包括莫斯科贸易总局的领导人……一批有影响的领导人受到了严厉惩处，有些人自杀。反腐败斗争伴随着干部的重大改组——大约 30% 以上的党的工作人员都被迫辞职。”[2]党的各地区委员会设立了负责审查党员问题的委员会，被赋予了实际上不受限制的监督职能，可以惩罚党员。但是，安德罗波夫也只是触及了表层，未能根本解决这一问题，其治理措施实质上还是在强化体制的作用。

三、成效有限的经济体制改革

安德罗波夫清醒地认识到，苏联的实际生活与“发达社会主义”之间存在着相当大的差距，他对逐年下降的经济发展速度感到担忧，解决苏联的经济问题无疑是安德罗波夫的当务之急。

1982 年 11 月，在勃列日涅夫去世后召开的第一次中央全会上，安德罗波夫在讲话中谈到五年计划进展不顺利，提出“主要的一点就是加速完善整个经济领导领域——管理、计划和经营机制——方面的工作。”[3]安德罗波夫强调要把劳动报酬与劳动成果挂钩，加强责任感，“应当同任何违反党纪、政纪和劳动纪律的现象作坚决的斗争。我相信，在这方面我们会得到各级党组织和工会组织的充分支持，得到全体苏联人的支持。”[4]他还提出研究关于扩大企业、集体农庄、国营农场自主权的问题，由部长会议和国家计委进行研究、试点，

---

[1] [俄]叶・库・利加乔夫著：《警示》，钱乃成等译，当代世界出版社 2001 年版，第 203 页。

[2] *Филиппов А. В.* Новейшая история России (1945–2006 гг.). *www.prosv.ru/umk/istoriya/index.html.*

[3] [俄] 尤・弗・安德罗波夫著：《安德罗波夫言论选集》，世界知识出版社 1984 年版，辛路、水石等译，第 250 页。

[4] 同上书，第 251 页。

要把扩大自主权与加强责任和关心全民利益结合起来；“应当在加速科学技术进步、广泛迅速地在生产中运用科学技术成就和先进经验等方面挖掘这些潜力……制订计划的方法和物质刺激制度应当有助于科学与生产的结合，不能使那些勇于采用新技术的人处于不利的地位。”[1]安德罗波夫还强调，解决国民经济中许多迫切的问题没有现成的良方，需要党中央委员会去寻找，党组织、经济部门的领导人和工程技术人员要做大量的组织工作。他指出：“苏共二十六大把党在第十一个五年计划和整个八十年代的长期战略任务更加具体化了。这个战略任务的目标是使苏联人的生活逐年改善，使他们的劳动带来更加丰硕的成果，使我们的社会主义制度更充分显示其人道主义本质和创造能力。”[2]为了完成这些任务，首先要求党中央进行目标明确的具体工作，把责任落实；要正确地配备干部，把内行的、有组织能力的、对新事务敏感的人配备到岗位上；提高劳动群众的积极性，“进一步广泛发扬社会主义民主，让劳动群众更加积极参加管理国家和社会事务。”[3]

由于执政时间短暂，安德罗波夫的许多设想并没有变成现实，他的政策最有效实行的是加强整顿国内秩序和加强纪律的工作。1982 年 12 月开始了加强劳动纪律的工作，反对在生产岗位上酗酒，规定商店开始售酒的时间从每天上午 10 时推迟到 12 时，使一些酒鬼早晨买不到酒，只好去上班。为了制止违反劳动纪律的现象，国家安全委员会的工作人员对商店、影剧院、浴池等场所进行拉网式检查，违反纪律者要受到严厉的制裁。但是，苏联的服务单位工作时间与工厂一样，还有一些出差在外不可能不去公共场所的人，这种粗暴的做法引起了人们的反感，使安德罗波夫不得不改变做法，加强制度建设。1983 年 7 月 28 日专门通过了“关于加强社会主义劳动纪律工作”的决议。该决议批评一些部委及其机关，没有为正常的高效能工作创造必要条件，没有作出表率，存在纪律松散的现象，决议要求加强对工作时间的监督，对旷工行为规定了多种惩罚措施。

[1] ［俄］尤·弗·安德罗波夫著：《安德罗波夫言论选集》，辛路、水石等译，世界知识出版社 1984 年版，第 251 页。

[2] 同上书，第 258 页。

[3] 同上书，第 259 页。

安德罗波夫在思考建立一种体制，能够把传统的对经济的集中领导方法与发展有效的自负盈亏结合起来，唤起“下面”的“创造潜力”，加强自觉性，但又不导致无政府状态。1983 年 7 月 10 日，《真理报》社论提出重新研究过去的经营机制，支持个人副业。7 月 14 日，通过“关于扩大工业生产联合公司（企业）制订计划和经济活动的权力”的决议，8 月 28 日，苏共中央和部长会议颁布《关于加快国民经济中科学技术进步的措施的决议》，其实质仍是加强整个垂直管理体系，由国家而不是生产者和消费者决定经济的运行。但是，造成苏联纪律下降，人们没有劳动积极性的恰恰是苏联的体制，正如一位西方学者所写的：“要使苏联经济从上到下都开创一种个人首倡精神和负责态度显然是一项许多年，甚至几十年才能完成的任务。安德罗波夫所能做到的至多不过是扭转一些破坏性的倾向，诸如酗酒、旷工、不爱护设备和公开盗窃这样一些根深蒂固的习惯。所有这些习惯中最坏的是对玩忽职守和舞弊行为的相互包庇，它大大破坏了管理权威。更不用说在苏联的制度下，经理不能辞退工人，也不能有效地执行工作纪律这样的事实了。造成这种情况的一个因素是下层工人们都知道的工头、工段长和高级管理人员自己也犯有大体类似的罪行。”[1] 安德罗波夫执政时间短，所做的工作有限，正如他在 1983 年 4 月 18 日召开的加盟共和国共产党中央、边疆区委和州委第一书记会议上的讲话中总结的：“政治局和书记处注意的中心，是与贯彻中央十一月全会（1982 年）决议有关的问题。重点是改进工作作风，加强对执行决议情况的监督，加强党纪、政纪和劳动纪律。这一点得到了共产党员和全体劳动者的赞同，对生产带来了积极的影响。第一季度工业产品销售计划完成 102%。同去年第一季度相比，工业生产增长了 4.7%。1982 年这个指标为 2.1%。劳动生产率增长了 3.9%，去年同期为 1.5%。”[2] 这些数字上的增长幅度有限，并没有扭转苏联经济的整体颓势。

有人把安德罗波夫看成是苏联的“改革之父”[3]，实际上安德罗波夫并不

---

[1] ［美］马丁·埃本著：《安德罗波夫传》，吴路明等译，世界知识出版社 1984 年版，第 123 页。

[2] ［俄］尤·弗·安德罗波夫著：《安德罗波夫言论选集》，第 303 页。

[3] *Корягина Т.И.*Мы стали свидетелями антиперестройки //Литературная Россия.1991.10января. 雷日科夫也称苏联的改革是从安德罗波夫开始的。

想根本改革苏联的体制，他整顿秩序的目的就是加强整个垂直管理体系，加强行政命令式的管理方法，是想办法让这一体制有效地运转下去。“他为社会主义规律而奋斗，为捍卫1977年苏联宪法而奋斗，该宪法禁止私有企业和私有制，反对人剥削人。”[1] 他特别强调党的思想政治工作，在1983年6月苏共中央全会上，他提出要运用多种手段，克服形式主义、墨守成规、缩手缩脚、思想懒惰。他还强调应该促进社会科学的发展，“必须坚决地转到解决生活向我们社会提出的现实而实际的任务方面来。社会科学也应当像自然科学一样，成为党和全体人民解决这些任务的得力助手。”[2] 安德罗波夫认为，“现实的社会主义的历史经验证明，把‘我的’，即私有制的，变成‘我们的’，即公有制的，并非易事。所有制方面的变革决不仅仅是把基本的生产资料变成全民财富的一次性行动。取得做主人的权利同当家作主——成为真正的、聪明的和勤勉的主人——远不是一回事。实现了社会主义革命的人民还需要长期地熟悉自己的新的地位，即作为整个社会财富最高的和独一无二的所有者的地位——在经济、政治上，也可以说，还要在心理上熟悉，要培养集体主义的思想和行为。须知，只有那些不仅关心自己的劳动成就、幸福和声望，而且关心一道工作的同志和劳动集体的事业，关心整个国家利益和全世界劳动人民利益的人，才是有社会主义觉悟的人。”[3] 安德罗波夫相信苏联的经济体制是正确的，他认为存在问题和困难的原因“是多方面的，但与已确立起来并证实了自己优越性的公有制和集体所有制的本质毫无关系。相反，破坏我国国民经济某些部门正常工作的大部分缺点的原因，就是偏离了经济生活的准则和要求，而生产资料的社会主义所有制则是经济生活的基础。”[4] 安德罗波夫提高原体制工作效率的措施，并没能使国家从危机状态下走出来。尽管如此，人们还是很怀念安德罗波夫，这“是因为他生活朴素，他不是热衷于在电视镜头前炫耀自己，而是致力于整顿国内秩序，准备逐步对国家进行现实的改革并改善普通人的生活。”[5]

---

[1] Российское государство и общество. XX век. М.,Изд-во Моск.ун-та.1999. С.229.

[2] ［俄］尤·弗·安德罗波夫著：《安德罗波夫言论选集》，第338页。

[3] 同上书，第280—281页。

[4] 同上书，第281页。

[5] ［俄］瓦·博尔金著：《戈尔巴乔夫沉浮录》，第222页。

1983年初，安德罗波夫的肾功能完全衰竭了，同年9月，他的健康状况恶化，10月初，医生为他摘除了一个肾，他不得不靠人工肾生活，此后，他没再离开医院，只能对国家进行遥控，召来助手，发布指示。1983年12月苏共中央召开全会，安德罗波夫没有出席，安德罗波夫在向会议提交的报告中呼吁完善经济管理制度，提高经济杠杆的作用，提高经济效益和经济集约化程度，戈尔巴乔夫受委托宣读了这份报告。1984年2月9日安德罗波夫去世，短暂而被寄予希望的安德罗波夫时代结束了。

历史学家麦德维杰夫评论说："他没有能在我们面前展开某种完善社会主义的新计划，但是他毕竟在命运只安排他当15个月党和国家元首的时间里做了大量的工作。我国大部分公民将会继续牢记他的短暂的，但对我国历史非常重要的富有启迪意义的治理时期。"[1]

第二节　毫无作为的契尔年科

一、自不量力的契尔年科

在安德罗波夫去世之时，许多人认为应该由年轻的戈尔巴乔夫继任，安德罗波夫也认为戈尔巴乔夫是他的继承人，[2] 但政治局的老人们决定推举契尔年科。此时的契尔年科已经73岁高龄，他长期患慢性肺病和肺气肿，1983年8月在克里米亚休养时，他又得了伴有心肺衰竭的严重中毒性感染，医生好不容易才把他从死神手中夺过来，但他的健康和工作能力始终没有恢复到原来的水平，他实际上已经成了残疾人。但是，死神的临近也未能阻止契尔年科追求最高权力。1984年2月10日11时举行的政治局会议决定了新总书记人选，契尔年科的好朋友吉洪诺夫第一个发言，他向中央全会推荐契尔年科为总书记的候选人，葛罗米柯继之发言对这一建议表示支持，乌斯季诺夫说在勃列日涅

[1] ［俄］罗伊·麦德维杰夫著：《人们所不知道的安德罗波夫——前苏共中央总书记尤里·安德罗波夫的政治传记》，第428页。

[2] 王振广等编译：《改革二十年——戈尔巴乔夫访谈录》，载《当代世界社会主义问题》2005年第4期，第51页。

夫时期和最近的安德罗波夫时期契尔年科都是党中央的第二号人物，他主持过政治局和书记处的会议，在这方面有经验。格里申也随声附和。戈尔巴乔夫说："局势要求我们党，首先是领导机关——政治局、书记处，要像以往那样团结……政治局和书记处的会议，最近在他（指契尔年科）的主持下是团结一致的，考虑所有人的意见……团结一致，我们今天正是这样在谈总书记的候选人，大家一致推荐康斯坦丁·乌斯季诺维奇"。[1] 几乎所有人都发言表示支持契尔年科。库纳耶夫在回忆此事时说："我们所有的人都明白，凭他的文化和知识水平、管理国家的智慧，他完全不符合作为国家第一把手必须具备的那些要求。但是，我们虽然保持了沉默，还是投票表示'同意'。我想，不仅是我一个人受到了良心的谴责。但是没有任何可为我们大家的怯懦作辩解。"[2]这是极不理智的行为，契尔年科是"勃列日涅夫班子"推举出来的，反映了这些老人们对权力的迷恋和对国家的不负责任。

在 1984 年 2 月 13 日苏共中央全会上，在吉洪诺夫的提议下，契尔年科被"一致"选为总书记，但是会场上没有多少掌声，失望的情绪弥漫整个会场。切尔尼亚耶夫在日记中写到："奇迹没有发生，选举的是契尔年科。中央全会不知为什么又是在斯维尔德洛夫大厅举行的……接近 10 点半时大厅里挤满了人……过了 20 分钟大厅里沉寂下来了，开始等待，每一分钟紧张的气氛都在增加，空气像充了电。差 5 分 11 点时政治局候补委员和中央书记从侧门进入会场，按惯例波诺马廖夫走在最前面……紧张程度达到高峰。所有人的目光都转向通向中央全会主席台的左侧的门。'谁排第一个？' 11 点整在进门处出现了契尔年科的头，其后是吉洪诺夫、葛罗米柯、乌斯季诺夫、戈尔巴乔夫等等。大厅里失望地沉默着，谁也没有站起来，其情景与当初勃列日涅夫逝世时安德罗波夫步入中央全会时相似。主席团成员坐下了，戈尔巴乔夫与契尔年科并排坐着，一切还不十分清晰。"[3] 契尔年科主持会议，让吉洪诺夫发言，吉

[1] *Волкогонов Д.А.* Семь вождей: В2 кн. Кн.2. М., Фирма издательство АСТ, 1999, С.200–201.

[2] 库纳耶夫：《关于我的时代》，转引自［哈］奥莉加·维多娃著：《中亚铁腕：纳扎尔巴耶夫》，韩霞译，新华出版社 2002 年版，第 73 页。

[3] *Черняев А.С.* На старой площади.Из дневниковых записей. //Новая и новейшая история. 2005. №5. С.115.

洪诺夫先谈形势和党的任务，最后才谈到选举总书记的问题，建议中央全会把契尔年科列为候选人，并对之进行了评价。“吉洪诺夫没有得到掌声……我观察了一下中央全会的成员，我感觉到他们脸上失望的表情，好像他们因为辜负了全会成员、党员和人民的期望而感到不好意思。因为这些日子里大家谈的都是戈尔巴乔夫，没有想到上台的却是契尔年科。”[1]全会虽然一致同意契尔年科任总书记，但人们心里都很清楚他执政的时间不会长，只具有过渡性质，人们又在等待另一个“勃列日涅夫”的死亡。

康斯坦丁·乌斯季诺维奇·契尔年科是典型的机关干部，而不是政治家。他 1911 年 9 月 24 日生于西伯利亚克拉斯诺亚尔斯克边疆区的农民家庭，曾在高级党校和基什尼奥夫教育学院学习。1931 年入党，1929—1933 年先后任共青团区委宣传部部长、边防军某部党组书记、党的区委部长等职。1933 年复员回乡。1933—1945 年先后任新村区党委和乌雅尔区党委宣传部部长、克拉斯诺雅尔斯克边疆区党的教育之家主任、克拉斯诺雅尔斯克边疆区党委宣传部副部长、党委书记等职。1948—1956 年他在摩尔达维亚工作期间与勃列日涅夫相识，进入勃列日涅夫的小圈子。1956 年进入中央委员会，从 1965 年开始担任中央委员会总务部部长，相当于党中央办公厅主任，负责向总书记呈报材料、下发书记处和政治局的各种指示。在勃列日涅夫的提拔下，1976 年成为政治局候补委员，1978 年成为政治局委员，但“他的真正最高能耐就是当苏共中央总务部副部长，或是苏联最高苏维埃办公厅主任。”[2]他长期在机关工作，能力平平。

契尔年科这个病入膏肓的总书记担任了他力所不及的工作，他执政的 13 个月实际是在守摊子，政治局中推举他上台的“勃列日涅夫班子”全部保存下来了，安德罗波夫有限的革新也停止了。这也说明当时勃列日涅夫帮还很强大，他们不愿意放弃自己的阵地，雷日科夫在谈到自己对此的感受时说：“人们面临着勃列日涅夫式的领导的复苏和重新执政。我认为，政治局中在安德罗波夫死后的第二天即匆匆地把契尔年科推举到党和国家最高岗位上的那些人物

[1] *ЧерняевА.С.* На старой площади. Из дневниковых записей. //Новая и новейшая история. 2005. №5. С.116.

[2] ［俄］格·阿·阿尔巴托夫著：《苏联政治内幕：知情者的见证》，第 388 页。

也希望这样。"[1] 关于契尔年科，在莫斯科流传着许多笑话，甚至传说他已经死了，人们对他普遍反感，但无能为力。

老人们要求契尔年科不要重用戈尔巴乔夫，契尔年科也明白安德罗波夫把戈尔巴乔夫定为自己的接班人，他一方面担心戈尔巴乔夫会成为他的政治反对派，他嫉妒戈尔巴乔夫的年轻，受过良好的教育；另一方面他也十分清楚，他需要戈尔巴乔夫这个年轻人替自己承担全部组织工作和政治工作。在政治局会议上，契尔年科提议让戈尔巴乔夫主持书记处的会议，吉洪诺夫表示反对，"吉洪诺夫对总书记的提议马上作出了反应：'戈尔巴乔夫会把书记处变成农业部的委员会，将把所有农业问题弄到那里去……'""显而易见，这只是反对戈尔巴乔夫作为候选人的表面原因，但有人立刻抓住这一点不放，又提出了一些疑问。""这时，葛罗米柯利用自己的外交经验开始讲话了。为了消除所产生的紧张气氛，他想出了一个巧妙而又简单的解决办法：'我们再考虑考虑，现在不要着急，过一会儿我们再来讨论这个问题。'""但是，精神有些萎靡不振、身体虚弱的契尔年科突然打起精神，口气强硬地说道：'我反正坚持这一点，希望您能支持我的提议，让戈尔巴乔夫同志主持书记处工作。'" [2] 实际上把戈尔巴乔夫推上了党的非正式的第二把交椅。但是，戈尔巴乔夫被看成是安德罗波夫改革思想的继承人，在契尔年科执政期间，戈尔巴乔夫不得不谨慎小心。博布科夫记述了 1985 年 1 月他参加的一次政治局会议的感受，当时讨论亚美尼亚领导人提出的一个提案，在会前的苏共中央书记处会议上戈尔巴乔夫表示同意，提交政治局会议，会上吉洪诺夫、葛罗米柯等人反对，戈尔巴乔夫及书记处的书记们都沉默不语，博布科夫写到："我第一次感觉到，在最高权力机构中，等级是何等的森严。每个人都要熟知自己的位置。如果有政治局委员发言，其他人只能洗耳恭听，不能表示反对。" [3]

契尔年科力不从心，根本无力领导这个大国。1984 年一年总共开过 48 次

---

[1] ［俄］尼古拉·雷日科夫著：《背叛的历史——苏联改革秘录》，第 47—48 页。

[2] ［俄］叶·库·利加乔夫著：《警示》，第 32—33 页。*Медведев В.А.* В команде Горбачева:взгляд изнутри.-М., Былина,1994. www.lib.ru/MEMUARY/GORBACHEV/medvedev.txt.

[3] ［俄］菲·博布科夫著：《克格勃与政权——克格勃第一副主席的回忆》，王仲宣译，东方出版社 2008 年版，第 157 页。

政治局会议和42次书记处会议，政治局通过了3760项决议，其中529项是在会议上通过的，另3231项是通过书面方式表决的。中央书记处通过了5452项决议，其中在会议上通过的仅980项，通过书面表决通过的4472项。[1]“据说，当时开政治局会议，契尔年科经常在其他与会者未到之前就由人搀扶进来，坐到主席位置上，把文件放在他面前，然后让其他人就座。他气喘吁吁，说话时脸涨得通红，由于吐字不清，别人听不清他说什么，他只是把助手们为他准备好的材料读一遍。开会的时间更短了，我从未见过政治局委员、中央书记情绪这样沮丧，他们预感到契尔年科疾病的最终结局，意识到自己向中央全会推荐这位候选人的责任。那时他们之间的谈话非常坦率，许多人对前途很悲观。”[2]在1985年1月3日政治局会议上，按日程要讨论14个问题，大家看到契尔年科身体状况很糟，没经过讨论就快速通过了有关决议。[3]

1984年12月，国防部长乌斯季诺夫病逝。1985年3月10日星期日，契尔年科也去世了。在短短3年时间里，苏联接连死去了三位国家元首，外加三名政治局委员，接连举行国丧，令全世界震惊，更让苏联人觉得羞愧、沮丧和迷惘。如果说勃列日涅夫和安德罗波夫葬礼上的哀乐还能激起人们的怀念之情的话，那么对契尔年科的死，中央委员们“没有丝毫的伤心和悲痛：人们想的是，这是一个偶然处于不应有地位的、摆脱了磨难的……使安德罗波夫赋予国家的那种飞速发展停歇下来的可怜的人。”[4]俄国学者皮霍亚评论说：“契尔年科执政的13个月是一个奇怪的时期。政治局选择了‘最不合适、最不方便的人’，这种实用主义近乎恬不知耻。（这哪里是近乎恬不知耻！简直远远超出了政治上恬不知耻的界限！）”[5]契尔年科现象暴露了苏联政治体制的严重弊端，甚至有人把他当成体制的象征，大大损害了苏联社会主义的威信。

---

[1] *Волкогонов Д.А.* Семь вождей. В2 кн. Кн.2. М., Фирма издательство АСТ, 1999, С.269.

[2] ［俄］瓦·博尔金著：《戈尔巴乔夫沉浮录》，第61页。

[3] *Волкогонов Д.А.* Семь вождей. В2 кн. Кн.2. М., Фирма издательство АСТ, 1999, С.268.

[4] ［俄］阿·切尔尼亚耶夫著：《在戈尔巴乔夫身边六年》，第27页。

[5] ［俄］鲁·格·皮霍亚著：《苏联政权史（1945—1991）》，第494页。

二、契尔年科时期的停滞与戈尔巴乔夫地位的上升

契尔年科表示要继续安德罗波夫加速经济发展的方针，改革经济管理体制，反对行贿受贿，在契尔年科时期出现了提高地方苏维埃作用的思想，反映了行政管理非集中化的方针，党的高层领导提出保护自然，提出重视“人的因素”。由于契尔年科不能有效领导国家，苏联实际上处于停滞和等待其死亡的状态，安德罗波夫反腐败和更新干部的工作实际上停止了。报刊上重又宣传起发达社会主义的美好前景。在契尔年科当政时期一个比较大的政治举动是恢复了莫洛托夫（此人至死都在竭力捍卫斯大林，为斯大林的大清洗、扩张辩护）的党籍。乌斯季诺夫在政治局会议上说：“按我的看法，马林科夫和卡冈诺维奇也应该恢复党籍，他们都是活动家、领导人。如果不是赫鲁晓夫，就不会有把他们开除出党的决议，要不是赫鲁晓夫的容许也不会有那些对斯大林令人发指的事。斯大林，这是我们的历史。任何一个敌人都没有像赫鲁晓夫那样对我们党和国家的过去、对斯大林带来那么大的损害。”[1] 乌斯季诺夫的言论代表了当时政治局大多数人的意见，在这样的思想指导下，苏联不可能进行改革，契尔年科时期加重了苏联的危机。“1984 年靠进口设备建造的 272 个企业和设施中大部分没有完成计划任务，1985 年 1 月，506 套进口设备放在那没有使用。但是从国外购买技术设备的要求仍然不断。” [2]

在契尔年科时期，戈尔巴乔夫实际上起着党的第二把手的作用，历史学家舒宾称 1984 年苏联实行的是“契尔年科—戈尔巴乔夫方针”。[3] 在戈尔巴乔夫周围逐渐聚集了一批人，他们支持革新思想。1983 年，他率领苏维埃代表团访问加拿大，在关注农业问题的同时，也关注着其他问题。1984 年 12 月，戈尔巴乔夫访问英国，与当时的英国首相撒切尔夫人会谈，令这位铁娘子大为惊讶，她感觉戈尔巴乔夫与那些老态刻板的苏联领导人有很大不同，是一

[1] *Кацва Л. А.* История России. Советский период(1917 – 1991) . http://it-n.ru.

[2] АПРФ.Ф.3.Записка Б. Гостева в ЦК КПСС.Л.1 – 6. 转引自 *Волкогонов Д.А.* Семь вождей: В2 кн.кн.2. М.: Фирма издательство АСТ, 1999, С.267.

[3] *Шубин А.В.* От “застоя” к реформам. СССР в 1917 – 1985 гг. М., “Российская политическая энциклопедия” (РОССПЭН), 2000. С.307.

个“可以打交道的人”。西方的苏联问题专家也注意到了苏联这位年轻的新领导人。

1984 年 12 月 10 日，戈尔巴乔夫在全苏意识形态工作科学实践会议上所作的报告，提出了许多新思想，从中可以看到后来改革的影子。戈尔巴乔夫虽然表示要沿着苏共第二十六次代表大会的方针前进，但他更突出要完善发达社会主义，“人民生气勃勃的创造活动是社会主义的本质，是这一制度产生和巩固的根本因素。怎样使千百万人对新问题和新任务感兴趣，并使他们相信必须努力实现革新的任务，使之成为劳动者自身的事业——列宁经常这样对待这些问题。”[1] 他强调经济与政治的进步为作为国家主人、劳动者和公民的苏联人的发展和创造性的发挥提供了可能，他要求关注人，改善群众的生活条件，关心人对社会所负的责任，“使苏联人感到自己是国家有充分权利的和勤勉的主人并同党和国家的事业与任务息息相关的一个可靠途径，是更加有效地吸收劳动者参与管理生产和社会政治过程，加强社会主义民主。”[2] 他强调民主的作用，认为“完善苏维埃政治体制和进一步发扬社会主义民主能够为提高人的社会作用开拓广阔的前景。今天，在提出把国家提高到社会经济进步崭新阶段的任务的时候，我们清楚地认识到，完成这项任务与在发展社会主义民主方面达到新水平是不可分的。”[3] 戈尔巴乔夫还提出，“公开性原则是社会主义民主不可分割的一个方面，也是整个社会生活的准则。广泛、及时和公开通报情况，是信任人民，尊重他们的理智和感情，相信他们自己有弄清问题的能力的证明。这种做法能提高劳动者的积极性。党和国家机关的公开原则是同官僚主义弊端进行斗争的有效工具，它要求更加深思熟虑地作出决定和组织对决定执行情况的监督，纠正缺点和疏漏现象。这是因为宣传的说服力、教育的效能以及保证言行一致，在很大程度上都有赖于这一点。”[4] 他提出反对形式主义，提倡求实精神。

戈尔巴乔夫也强调对经济进行革新和改革，他认为 20 世纪 70 年代末 80

---

[1] *Горбачев М.С.* Избранные речи и статьи. Т.2. М., Политиздат, 1987. С.77.

[2] *Горбачев М.С.* Избранные речи и статьи. Т.2. М., Политиздат, 1987.С.78.

[3] *Горбачев М.С.* Избранные речи и статьи. Т.2. М., Политиздат, 1987. С.93.

[4] *Горбачев М.С.* Избранные речи и статьи. Т.2. М., Политиздат, 1987. С.95.

年代初经济增长放慢，不仅是由于一些不利因素凑在一起，而且还由于没有及时发现改变生产关系的某些方面的必要性。生产力的根本改造和生产关系的完善决定了我们现阶段所有工作的性质和主要内容，“现在主要问题之一是改革经营管理的方式和方法，其目的是建立与发达社会主义相符合的经济机制。”[1]他强调要加速科技进步，利用先进的科技成果，“有助于在经济集约化、提高国家经济和社会发展速度方面发生决定性作用的环节，就是大大加速科学技术进步。”[2]戈尔巴乔夫的讲话显然反映了他本人的许多看法与主张，戈尔巴乔夫已经看到了改革苏联体制需要做些什么。

1985 年 3 月 10 日契尔年科逝世。

在次日举行的中央全会上，大家没有感到悲伤，“人们想的是，这是一个偶然处于不应有地位的、摆脱了磨难的……使安德罗波夫赋予国家的那种飞速发展停歇下来的可怜的人。在场的人眼中有一种如果不是明显的，那就是深藏在心里的‘喜悦’：俄罗斯捉摸不定的时代结束了，俄罗斯该有真正的领导人了。”[3]老人们的自然死亡为年轻一代走上政治舞台扫清了道路，人们期待着改革。“这些日子终于使人们懂得，国家多么需要变革和改革，而且是根本性质的。从这个意义上说，也许，契尔年科现象，恰恰也为改革准备了土壤。”[4]这种急不可待的心情既促使苏联走上了改革之路，也使苏联的改革步伐大大超过了社会的承受程度。

第三节　苏联体制的弊端与问题——改革的历史前提

苏联是世界上仅次于美国的超级大国，但是它并没有为世界提供一个成功的发展模式，在苏联高层的老人们相继去世之际，他们把一个危机四伏的国家留给了后继者。到 20 世纪 80 年代中期，苏联体制的种种弊端更加突出，面临的国际压力增大，迫切需要改变。

[1] *Горбачев М.С.* Избранные речи и статьи. Т.2. М., Политиздат, 1987. С.92.

[2] *Горбачев М.С.* Избранные речи и статьи. Т.2. М., Политиздат,1987. С.87.

[3] ［俄］阿·切尔尼亚耶夫著：《在戈尔巴乔夫身边的六年》，第 27 页。

[4] ［俄］格·阿·阿尔巴托夫著：《苏联政治内幕：知情者的见证》，第 395 页。

一、苏联政治体制的弊端

在执政了近74年时间里，苏共并没有完成从一个革命政党向执政党的转变，仍保留着在革命时期形成的权力高度集中的体制，实行干部任命制、终身制和党的决策保密制，广大党员对国家的政治生活发挥不了应有的影响。从勃列日涅夫时代起，苏共就越来越不符合时代发展的要求，在政治民主化、经济市场化、决策科学化和科技革命方兴未艾的大潮下，苏联体制的危机日益显露出来。

（一）领导层的老化与政治体制僵化

在勃列日涅夫干部稳定政策下，苏联形成了典型的“老人政治”。1981 年 3 月苏共二十六大上选出的 14 名政治局委员，60 岁以下的只有 2 人，70 岁以上的竟有 8 人，占一半以上。政治局候补委员的平均年龄也达到了 67 岁，部长会议领导层的平均年龄达到了 68.1 岁。很多州委书记、部长、党和苏维埃机关的负责人占据自己的职务达 15—20 年之久，随着国家领导人渐入老境，他们越来越远离现实世界，对于现实社会存在的矛盾和问题视而不见，当时苏联社会流传着一个笑话：一群苏联领导人舒舒服服地坐在一辆静止不动的火车车厢里，他们放下窗帘，把假装摇晃的列车当成正在行驶的列车。“在‘发达社会主义’时期，苏联社会好像一场声势浩大的列队行进，人们全都蒙上眼睛，由一些眯着眼睛、自己都不知道去向何方的向导引领着，向导不时高喊雄纠纠气昂昂的口号，并要求大家齐声高喊‘乌拉’。”[1] 苏联是世界上领土最辽阔、民族最多、问题最复杂的大国，不能指望这些 70 多岁的老人能够精力充沛地工作，他们无法解决社会面临的各种问题。

苏联不存在干部的任期制，选举基本流于形式，各级领导人的政治命运主要取决于其上司。对于中央一级的领导而言，“主要取决于与某些政治局委员和列昂尼德·伊里奇本人的关系。这种规矩（确切说是无规矩）必然要加重地方领导人对中央和莫斯科领导机关的依赖性。就问题的实质而言，一切都取决于个人的好恶程度。”[2]“政治局成员处在上层，中间一级是候补委员们，第

---

[1] ［俄］安德烈·格拉乔夫著：《戈尔巴乔夫之谜》，述弢译，中央编译出版社 2005 年版，第 102 页。

[2] ［俄］叶·库·利加乔夫著：《警示》，第 25—26 页。

苏共中央政治局

三级是书记们。对于他们，所有一切都是一成不变的；在各种主席团会议上谁与谁并排就座，登列宁陵墓观礼台时谁走在谁的后边，谁主持什么样的会议，谁有权拍下什么样的照片。已经不必说谁有什么样的别墅，有多少侍卫和轿车是什么牌子的。不知道是谁、什么时候确定了这一铁的序列。”[1]干部等级特权十分明显，处于这一序列中的官员为了得到更多的物质享受，只能想办法讨好上级，以取得升迁的机会。

苏联实行官员的层层任命制，形成了一套严格的程序：“不是勃列日涅夫，也不是中央政治局或党中央委员会管理着国家，而是强大的规章制度和层层密布的地方机构与党的上级任命制良好和谐的组织机构。勃列日涅夫亲自挑选各共和国党组织的第一把手，直到他还能做得到这一点为止；共和国第一把手按程序任命下级党组织领导，而这些领导接过接力棒，按个人看法喜好首先任命晋升党内有职务的下属。按照这个原则去选拔‘绝对可靠’和对其忠诚的人。”“党的机构营造出十分严厉的干部过滤器，通往政权机关的道路对那些

[1] ［俄］尼古拉·雷日科夫著：《背叛的历史——苏联改革秘录》，第 28 页。

'怀疑的'或者对选拔政策真实性持怀疑的人们紧紧关闭。采用研究候选人履历登记表，认真考察其工作经历，多次约其谈话及'权威机关'（指安全委员会和内务部的专门机构）的调查资料来选拔和分配干部。""涉及任命党内高级职务，候选人先要和两到三位政治局委员谈话，然后和分管干部的中央书记谈话，最后勃列日涅夫亲自谈话。交谈之后在书记处和政治局例会上对被提名的候选人进行讨论。中央全会只是办理由上面发来的任命书，全会并不负责讨论审定。"[1]在这一严格的干部制序列里，没有民众的地位，人民主权的思想并没有贯彻到生活中。这一制度带来了严重后果，用学者阿尔巴托夫的话说："这种专政最沉重、时间最长的后果之一，正是在于它在长达几十年的时间内把国家置于软弱无能的领导之下，它消灭了千百万的优秀的人，使社会机体失血过多。它同时又建立了切断最能干和有才华的人的发展道路，却保证那些平庸之辈和无原则的钻营之徒（他们只善于争权夺利，搞阴谋，但不善于领导一个复杂的国家和解决国家出现的问题）飞黄腾达、官运亨通的制度。"[2]

任人唯亲、裙带关系不可避免地发展起来了。以前党的工作人员、国家工作人员和经济界领导人大多数都来自业务能力表现突出的普通民众，但20世纪70—80年代，精英的增补通过特殊的选拔和培养干部的系统：高级党校、团校、工会学校、社会科学学院、外交学院进行的，进人这些学校只能靠有影响的官僚的推荐。评定直接取决于领导们个人喜好和政治考虑，业务素质很少被考虑，正直性和原则性通常最有可能成为升迁的障碍，许多地区同乡关系和裙带关系发展起来。长官的子女和其他亲属独立生活后，一开始就处于特殊的地位，勃列日涅夫的儿子是外贸部第一副部长，女婿是内务部副部长，连襟领导着机器制造部。拉希多夫在乌兹别克斯坦当政20多年，该共和国的党、政、经和执法部门全部都是他的亲信，仅在乌兹别克斯坦共产党中央机关，他的亲属就达14人之多。"中央组织部只是大致定出苏共的结构、它的关键部门，具体事情都由地方领导去做。出于自身的利益，他们挑选'侍从'都是首先能够帮助他们在例行的党的选举中保住职位的人，思想性、诚实、不妥协精神等常常被置于次要地位。人们看到了这一点，他们对那些不称职的工作人员被提升

[1] ［哈］努·纳扎尔巴耶夫著：《时代、命运、个人》，第38页。

[2] ［俄］格·阿·阿尔巴托夫著：《苏联政治内幕：知情者的见证》，第163页。

为‘领导’感到气愤，由此产生的后果是许多党组织的威信下降，对许多共产党员形成了不好的看法。”[1]党的委员会、区、州的党委书记具有绝对的权力，经常包办代替苏维埃机关、经济机关和社会组织的工作，他们的权力来源于上边，只知道完成上边布置的任务，对于党组织、党员、民众的要求他们并不关心。对于苏联体制存在的问题，苏共的领导人也看到了，安德罗波夫被认为是一个有抱负的改革家，有一次他竟然说：“任何社会都有缺陷。如果说起社会主义社会，那么它最大的缺陷就是没有章法，主要是没有挑选和提拔干部的客观标准。在资本主义制度下，假如撇开相当小一部分大财团的继承不谈，那么就是在竞争对手斗争的基础上对领导人实行自然淘汰。我们有很多主观主义的东西，往往根据发布的口号，甚至根据政治蛊惑来进行评价。要是我们从集体农庄到部长会议的各级领导人都是聪明人，干本职工作得心应手，忠诚务实，那我们早就在各项指标上与世界先进水平并驾齐驱了。”[2]任人唯亲，忽视了职业技能，许多人无法胜任担当的工作，苏共的干部制度割断了民众与政权的联系，也使无能之辈能够升到高位。

苏共不重视自身的建设，只满足于党员人数的增加，从1976年苏共二十五大到1981年苏共二十六大每年入党的人数达到63.2万，二十六大以后，每年新增党员66万，苏联没有分析过这种现象背后的原因，实际上入党者是各种各样的人，很多人把入党当成了进一步向上爬的台阶。苏共没有看到人民的文化水平在提高，科学技术和知识分子的作用在增强，在吸收党员时，“他们只注意使工人阶级、农民、妇女在苏共中占有相应的比重，而忽视了国内工人力量结构已经发生变化，忽视了把科学技术和创作知识分子积极推向前台，因为这些知识分子就其修养水平和在经济、科学、文化中所占的关键地位来说起着越来越大的作用。”[3]“司机、清洁工比记者入党更快，因为他们被列入工人之列。这样的荒唐事不胜枚举，以致引起共产党员的义愤。”[4]“形式主义给党造成了不可补救的损失是有目共睹的。最具创造性的那部分社会力量同苏共

[1] [俄] 瓦·博尔金著：《戈尔巴乔夫沉浮录》，第392页。

[2] [俄] 叶·伊·恰佐夫著：《健康与权力——“克里姆林宫医生”回忆录》，第198页。

[3] [俄] 瓦·博尔金著：《戈尔巴乔夫沉浮录》，第389页。

[4] 同上书，第390—191页。

疏远，大量不相信理想但却很有能量的人涌入苏共，不仅破坏了而且瓦解了党的队伍。不道德行为、贪污受贿、入党收费、出卖党证等事越来越多，特别是在外高加索情况更甚。”[1]正是因为苏共对知识分子不公平的待遇，使他们后来成了反现行体制最积极的成分。

（二）领导层特权、腐化，引起民众反感

苏共没有建立起有效的监督与监察机制，特别是最高领导层不受任何监督，享有许多普通民众没有的特权。那些文化水平很高的博士、副博士之所以愿意在机关中从事工资不高的工作，主要是因为他们有机会享有到专门诊所看病、到疗养院疗养等特权。

贪污腐败、滥用职权、以权谋私成为普遍的社会现象，“邪恶之根在于体制本身。中央从各个共和国拿到他们获得的全部利润，然后再按其好恶给各加盟共和国以补贴、补助等类似赠送名义的拨款。同时中央调拨分配物资——水泥、金属、木材等其他紧俏物资。为了使中央分配者不吝啬，需要在各方面去讨好他们。那些对此厌恶的人被迫学会盘算、圆滑、厚颜无耻。在这些场合里无需谈论遵守伦理道德准则。因为从共同的大锅饭里给出手大方、善于争辩的申请人分配额外一碗粥，经常或许不是瓜分邻居那份可怜的口粮。在此情况之下，谁都好像没有受到良心的谴责。体制中的行贿受贿比比皆是，甚至发展到破坏计划、完不成任务，无人对此承担责任。只要凭借莫斯科、苏共中央或者部长会议中的私人关系，共和国的代表便能找客观理由，不可抗拒地抹去亏损。”[2]

高层的管理者，即通常所说的特权阶层，“总数达到50万—70万人，加上其家庭成员有300万，占全体居民的1.5%。”[3]根据阿尔巴托夫提供的资料，苏共中央机关高级干部的工资不是很高，但是他们有许多津贴和额外的部分，“每年我们去休假的时候，还有额外的一个月的收入，此外，每年还有同样数量的一份奖金。政府还支付70%的去休假地的费用，并为我们的夫人支付50%的费用，外加旅费开支。”“高级干部的主要津贴来自克里姆林宫食堂（作

[1] ［俄］瓦·博尔金：《戈尔巴乔夫沉浮录》，第393页。

[2] ［哈］努·纳扎尔巴耶夫著：《时代、命运、个人》，第43页。

[3] ИсторияРоссии. XX век.Ответстственый редактор *В.П.Дмитренко.* М., 1998. С.571.

为一种伪装，它的官方名称是‘医疗饮食食堂’)，每个月的中饭和晚饭餐券官方定价为 140 卢布，但我们只需付一半的钱。实际上没有一个人在那个食堂吃饭，人们用餐券到那里去买各种食品，买到的食品供他们的全家食用还绰绰有余。那个食堂出售许多最昂贵的食品包括鱼子酱、高级鱼类、由专门工厂生产的质量大大超过一般商店出售的香肠以及上等的高级糖果和水果。当我第一次把我的 4 天的食品份额带回家的时候，和我们住在一起的我的岳母简直不能相信她的眼睛，她说，在新经济政策以后，她从未见过这样的食品。这样我们一家的食品只需花我们收入的 10%，而普通的公民则需花他们收入的 60%—70%。”[1] 住房是另一项重要津贴，可以得到常人难以得到的有几个居室的住房；还享受最好的医生和医疗服务，党中央在全国最好的地方设有疗养院所，还有其他许多福利补贴。党的干部按照不同的级别享受不同的特权。在物质不丰富的时期，党的干部特别需要特权，它成为收买党政干部的一种手段，“存在特权这一事实本身也使党政军领导干部害怕失去特权，并大大降低他们的生活水平。特权是保证服从和上层保持一致的十分有效的办法。他们的负面是容易引起得不到特权人的嫉妒和仇恨。”[2] 造成苏联人“所得不是按劳动、按劳动的质量，而是按一个人的职位高低。”[3] 完全违背了社会主义的公平与正义性。特供食堂一直存在到 1988 年。高级干部形成了特殊阶层，有点类似贵族制度：终身制、高的生活水平、各种特权。“这个阶层和社会上其他人的鸿沟不断扩大。这是一个真正的越来越脱离社会的阶层：他们孤立地生活、治疗、休养，在这个阶层中往往形成自己的家族、氏族关系——须知这个阶层的子女们在一起度时光，互相认识，往往通婚。不仅如此，正是在停滞年代，迈出了下述合乎逻辑的一步：试图建立交权制度，或者叫做特权继承制度。”[4] 领导人和机关干部的特权从内部破坏了人们对社会主义制度公正性的信仰。

从党内的情况来看，尽管党的上层老朽昏庸，许多地方领导人年富力强，

[1] ［俄］格·阿·阿尔巴托夫著：《苏联政治内幕：知情者的见证》，第 113 页。

[2] 同上书，第 115 页。

[3] ［俄］维·戈·阿法纳西耶夫著：《真理报总编辑沉浮录》，贾泽林译，东方出版社 1993 年版，第 197 页。

[4] ［俄］格·阿·阿尔巴托夫著：《苏联政治内幕：知情者的见证》，第 309—310 页。

希望国家发生变化。“与克里姆林宫那些老爷子不同，他们不能对现实生活中发生的事情视而不见。他们这些州党委和边疆区党委的第一书记，如戈尔巴乔夫、利加乔夫或者叶利钦，对于完成计划、及时收割庄稼、‘让老百姓吃饱吃好’和冬天取暖均负有个人的责任。他们从自己的角度看到国家的问题日益严重，为了解决这些问题自己日夜辛劳，其中许多人对于莫斯科那些头面人物的镇静自若，感到无法理解和接受。”[1] 苏共二十六大选出的党的最高机关（中央委员会和中央监察委员会），56 岁以上的人占优势，但年轻的党的工作者也占了 30%。在区一级戈尔巴乔夫这代人占了 50%，在共和国一级占了 42%，在重工业、建筑业和农业部门的厂长和领导人中占了 30%。[2] 他们是苏共党内要求改革的力量。但是，他们并不敢公开提出批评，也不可能有方针政策上的改变，他们毫无疑问要听命于和忠实于总书记，因为他们的升迁取决于上层领导而不是下层群众。

苏联的政治体制缺少政权与民众间的反馈系统。有西方学者对苏联的体制总结说：“不管是工人阶级，还是苏联人民，总体上并没有掌握苏联体制。权力滞留于党—国制度的最高层。从拟订经济计划，直到做个人生意，工人们都无权制定涉及该制度应如何运行的经济决策。”[3] 这种说法符合苏联的实际，苏联并没有建立起真正主权在民的体制。非经济因素造成社会阶层和现状体制的稳固，“一个人在社会的台阶上是上还是下取决于意识形态的忠诚和党性。社会组织的特殊职能、其事实上的权利不平等导致了‘社会电梯’的消失，导致了大多数这样的组织关起门来，变成了帮派。”[4] 社会组织失去了本来应具有的功能。

二、经济的停滞与落后：危机四伏

研究苏联史的专家公认，从 1968 年镇压了布拉格之春后，苏联的内外政

[1] ［俄］安德烈·格拉乔夫著：《戈尔巴乔夫之谜》，第 47 页。

[2] *Барсенков А.С.* Реформы Горбачева и судьба союзного государства. 1985–1991. М., Изд-во МГУ, 2001. С.57.

[3] ［美］大卫·科兹、弗雷德·威尔著：《来自上层的革命——苏联体制的终结》，第 30 页。

[4] История России. XX век. Ответстственый редактор *В.П.Дмитренко.* М., 1998. С.563.

策都在向斯大林时期倒退，出现了新斯大林主义。苏联的体制改革停止了，党和国家机关的工作人员在这种体制下过起了太平日子，越来越显而易见的是，苏联的超级大国地位是靠核武器来维持的，靠出卖油气支撑的，按其他经济和社会指标衡量，苏联已经沦为一个二流国家。

（一）苏联经济的落后状况

20 世纪 70 年代末 80 年代初世界开始了新技术革命的新阶段，被称为"微电子技术革命"，从这时开始各国的经济发展水平不是取决于生产了多少钢、采了多少煤，而是利用微电子技术的水平。在这方面苏联不仅落后于西方国家（专家估计，苏联在微电子和计算机技术方面比美国落后 10 年），也落后于新的现代化国家和地区，如韩国、中国台湾地区等。如果说 1975 年高技术产品的出口占苏联出口的 32.7%，到 1983 年则降至 5%。[1]"到 1988 年，个人计算机在苏联总共才数万台，与此同时在美国却已有 2 亿台。莫斯科空间研究院院长承认，为了能找到一台适合研究人员使用的计算机，他不得不购买美国制造而在莫斯科黑市上出售的计算机。"[2]

苏联的经济发展速度呈现递减态势，在 1951—1965 年年均国内生产总值的速度和工业发展速度分别为 5.1%和 7.9%，在 1976—1980 年则为 1.9%和 2.4%，在 1981—1985 年则为 1.8%和 2.0%。资本投入的增长超过了国内生产总值的增长，1951—1965 年资本投入的增长比国内生产总值的增长高 90%，1976—1980 年高 10%，1981—1985 年高 40%，这说明积累的效率在下降。[3]苏共中央书记、苏共中央政治局委员瓦·梅德韦杰夫在评价苏联的经济状况时认为："第八个五年计划（1966—1971）大概是国家社会经济发展最后一个顺利时期。在 60 年代经济改革和较为有利的外部经济因素影响下，经济发展速度甚至比此前数年还略高一些，实施了不少重要的社会项目，包括住宅建设。

[1] *Барсенков А.С.* Реформы Горбачев и судьба союзного государства. 1985–1991. М., 2001. С.39.

[2] ［美］沃尔特·G. 莫斯著：《俄国史（1855—1996）》，张冰译，海南出版社 2008 年版，第 411 页。

[3] *Кудров В.* Крах советский модели экономики. М., Московский общественный научный фонд, 2000. С.117.

此后经济发展开始迅速地不断恶化。近期的两个五年计划，包括其中的社会计划，全都破产。经济暂时依靠能源和原材料的国际高价来维持，国家在很大程度上依赖自己的自然资源。”“只有一个经济部门始终处于繁荣状态，这就是军事工业综合体。国家在力不从心的军费开支负担重压下疲于奔命。”[1]20 世纪 80 年代中期，苏联人均国内生产总值将近美国的 37%，实际上只相当于发展中国家的水平，劳动生产率的增长几近于零，苏联一个单位的国民收入消耗的电、燃料、钢铁和其他资源是工业发达国家的 1.5—2 倍。[2]1982 年，居民的实际收入增长率战后第一次滑到了零点。

苏联的经济效益差，按单位最终产品计算，1980 年苏联所耗费的原料和能源相应地比美国多出 0.6 倍和 1.1 倍。苏联工业企业的平均建设时间超过 10 年，美国则不到两年。按单位最终产品计算，1980 年苏联所耗费的钢比美国多出 0.8 倍，水泥多出 1.3 倍，矿物肥料多出 6.6 倍，林产品多出 0.5 倍。[3]

苏联的农业状况日益让人担忧，1982 年根据当时任苏共中央主管农业的书记戈尔巴乔夫的建议通过了一个粮食纲要，计划 1981—1985 年年均谷物收获量增加到 23800 万吨——24300 万吨，但是，实际上只收获到 18000 万吨，比第十个五年计划平均少 25%。[4] 与美国相比，苏联的农业劳动生产率低得多，20 世纪 70 年代美国农业从业人口占从业人口的 2.5%—3%，而苏联占 25%。在 1970 年一个苏联农业工人每年生产 4.5 吨谷物、320 公斤肉和 2.8 吨牛奶，而同时期在美国一个工人每年生产 54.7 吨谷物、4570 公斤肉和 11.8 吨奶。20 世纪 70 年代美国的平均农业劳动生产率是苏联的 4—5 倍。[5] 苏联 1985 年有耕地 2.2271 亿公顷，从 1896—1913 年，俄国曾是世界上粮食出口最多的国家，经过几十年的社会主义建设，苏联却养活不了自己的居民。苏联从 1963 年开始进口粮食，进口量逐年增加，成了世界上最大的粮食进口国。

---

[1] *Медведев В.А.* В команде Горбачева:взгляд изнутри. М., Былина, 1994. С.6,7.

[2] *Тимошина Т.М.* Экономческая история России. М., 2000. С.354.

[3] *Гайдар Е.Т.* Гибель империи. Уроки для современной России. 2-е изд. М., ОССПЭН, 2007. С.137.

[4] *Тимошина Т.М.* Экономческая история России. М., 2000. С.349.

[5] *Тимошина Т.М.* Экономческая история России. М., 2000. С.349–350.

1907—1913 年俄国在世界粮食出口中所占份额为 45%，1980—1990 年苏联在粮食进口的份额中占 16.4%。20 世纪 80 年代中期，每 3 吨粮食制品中就有 1 吨是用进口的粮食加工出来的。畜产品的生产也以粮食进口为基础。苏联被迫签订粮食长期协议，保证每年从美国购买至少 900 万吨，从加拿大购买 500 万吨，从阿根廷购买 400 万吨，从中国购买 150 万吨。[1]1984 年苏联从西方购买了 4550 万吨谷物及其制品，48.4 万吨肉及肉制品，超过 100 万吨的动植物油，以及其他用自由兑换外汇购买的粮食。为此苏联向境外投放了 300 吨黄金和通过出卖天然气、石油、木材及其他原料获取的大量外汇。[2] 为了解决粮食问题，苏联花费了大量投资，从 1971—1985 年，国家对农工综合体的投资为 5796 亿卢布。但粮食产量和收获量并未增加，1981—1985 年粮食平均收获量没有超过 1971—1975 年的指标（为 16170 万吨）。[3] 苏联的农业实际上已经崩溃，从美国进口的粮食要比苏联自己生产的粮食便宜一半。与此同时，城市人口却在增加，1970 年城市人口有 1.36 亿人，到 1980 年增加到 1.673 亿人，1985 年达到 1.801 亿人，1990 年则达到 1.906 亿人，分别占总人口的 56%、63%、65.2% 和 66%。城市居民的供应有赖于国家的农产品储备，城市化过快、城市居民增长过多，许多人流出农村，导致农村人手不够，粮食问题变得越来越尖锐了。

苏联工业设备的老化现象严重，1984 年，用于设备维修的资金为 350 亿卢布，用去的黑色金属占总数的近 1/5，修理车间使用的机床占国家机床总数的 1/4，工人有 600 万。从事手工劳动的工人约为 1/3，其中建筑业中从事手工劳动的为一半以上，农业中从事手工劳动的则为 3/4。[4] 根据 1985 年 4 月 11 日戈尔巴乔夫向政治局提交的一份材料，在苏联的食品工业中，手工劳动占 60%，劳动生产率比资本主义国家要低 60%—66%。1300 家干酪、奶类、黄油生产厂家，200 家肉类加工厂，103 家罐头厂和 60 家淀粉—果酱生产厂没

[1] *Гайдар Е.Т.* Гибель империи. Уроки для современной России. 2-е изд. М., РОССПЭН, 2007. С.174,175.

[2] *Волкогонов Д.А.* Семь вождей. В2 кн. Кн.2. М., Фирма издательство АСТ. 1999. С.267.

[3] *Гайдар Е.Т.* Гибель империи. Уроки для современной России. 2-е изд. М., РОССПЭН, 2007. С.158.

[4] 《戈尔巴乔夫言论选集（1984—1986 年）》，苏群译，人民出版社 1987 年版，第 93 页。

有净化设备。在1190万个农产品储藏仓库中只有1/3安装了冷藏设备，只有19%安装有通风设备。在制糖企业中只有20%的企业拥有仓库。140家肉类联合企业没有冷库。生产现代化机器的部门只能保证需求量的55%。由于这一切，农业原料的损失约为30%，在采购和运输牲畜的过程中，每年损失10万吨；在采购和转运过程中，土豆的损耗量为100万吨，甜菜损耗量为150万吨，已捕捞的鱼类损耗量为100万吨。由于缺少包装材料，造成了大量鲜果及蔬菜腐烂。仅俄罗斯就有2亿平方米的住房急需大修或者拆除，大量的简易住宅尚未拆除，自来水及排水设施的负荷已达到极限，还有300多座城市根本没有自来水和排水设施。俄罗斯联邦各城市的街道与马路几乎有一半没有铺设硬路面。[1]

人口增长过快，与生产的增长不平衡。20世纪60年代初到80年代初，苏联居民增长了25%，中亚人口增长最快，乌兹别克人、土库曼人、塔吉克人增加了100%，阿塞拜疆人和哈萨克人也增长了将近100%，格鲁吉亚人、亚美尼亚人、摩尔达维亚人增长了将近40%，增长较慢的是俄罗斯人20%、乌克兰人13%、白俄罗斯人19.5%、立陶宛人、拉脱维亚人、爱沙尼亚人。[2]

苏联的教育成就很大，到20世纪80年代初有32.7%的城市居民受过高等和中等专业教育，但是城市能提供的技术和工程师的职位少，他们只好去从事不需要专业技能的体力劳动，去占工人的空缺。工程技术人员的工作逐渐贬值，工资上的平均主义甚至导致熟练工人都失去了劳动兴趣。科研机构的人苟且偷安，年轻专家的分配问题尖锐，受过高等或专业技术教育的青年找不到专业对口的工作。“到1980年代中期，对于苏联公民来说，好的薪金和能得到更多商品的机会变得比任何时候都更加重要了。一个公共汽车司机或卡车司机的薪金常常超过医生或教授，变得更被人们所看重。商业或服务业工作也同样如此，因为这种职业能提供机会获得稀罕的消费品，也可以在普通公众得到机会以前就享受到某种服务。”[3] 由此可见苏联社会的扭曲现象多么严重。

---

[1] ［俄］阿·切尔尼亚耶夫著：《在戈尔巴乔夫身边六年》，第40页。

[2] История России. XX век. Отв. Редактор *В.П. Дмитренко*. М., ИздательствоАСТ-ЛТД.1998. С.561-562.

[3] ［美］沃尔特·G. 莫斯著：《俄国史（1855—1996）》，第447页。

（二）难以为继的军备竞赛

经过几十年的“赶超”，苏联取得的最大成绩是在军备上赶上和超过了西方资本主义国家，1967 年苏联有洲际弹道导弹 570 枚，美国有 1054 枚，到 1979 年美国仍然是 1054 枚，苏联增加到了 1409 枚，超过了美国。在此期间，美国军队从 350 万人减少到 206 万人，而苏联军队却从 368 万人增加到 419 万人。[1] 苏联的资源 40%被用在了与美国保持军力平衡上。但在国家的整体经济实力和人民的生活水平、生活质量上，苏联不仅没有赶上和超过西方资本主义国家，而且还被许多曾落后于苏联的国家超过。苏联一直以自己经济发展的速度高于西方国家而自豪，但是，从 20 世纪 70 年代中期开始，苏联失去了速度上的优势，加之苏联高速发展的部门又是与人民的需要相脱节的，其经济的弱点更加突出。

1985 年苏联人均国民生产总值（GNP）在全世界的排名位居第 38 位，不仅低于所有西方资本主义国家，也低于许多发展中国家。苏联的人均住房面积在 20 世纪 80 年代初是 15 平方米，相应的法国则是 30 平方米，联邦德国是 40 平方米，美国是 50 平方米。美国每年提供的住房面积比苏联多一倍：2.6 亿平方米对 1.3 亿平方米。[2] 苏联人民在社会保障、医疗服务、劳动就业、文化教育等方面享受的福利高于大多数西方国家，但是，其收入水平和生活水平与西方国家存在很大差距，在汽车拥有量、现代化生活设施方面，苏联远远落后于西方，甚至落后于许多发展中国家，在经互会国家中，苏联人的生活水平也是偏低的。

造成苏联这一困境的一个重要原因是军备竞赛，以及由军备竞赛导致的苏联经济结构的高度畸形化。据官方资料，生产资料生产的比重从 1928 年的 40%增加到 1990 年的 73%，而整个消费品生产的比重则相应地降至 27%。在事实上，消费品所占比重还要低，考虑到营业税主要是加在消费品上的，那么可以确信，国家工业潜力的 4/5 是满足生产需要的，在最好的情况下，也只有

---

[1] *Геллер М, Некрич А.* История россии(1917－1995). Т.2. М., Издательство МИК, Издательство Агар.1996. С.222.

[2] *Кацва Л. А.* История России. Советский период (1917－1991) . http://it-n.ru.

1/5 直接用于居民必需品的生产。[1]

苏联发展军备达到了疯狂的程度，国民经济中采掘和加工工业全部工人的 1/3 从事武器及军事技术装备生产，而美国为 12%—14%，西欧各国为 6%—7%。[2] 在 20 世纪 80 年代初，“苏联每年生产的坦克数量比美国多 3.5 倍，装甲运输车比美国多 4 倍，火炮比美国多 8 倍，核潜艇比美国多 2 倍。在国防军事工业工作的工人美国是 220 万人，苏联在这些年份达 500 万—800 万人。”[3] 戈尔巴乔夫在其回忆录中说，直到他当了总书记以后，才了解国家军国主义的真正规模，“原来，军费开支所占国家预算的比例并非 16%，而是 40%！军事工业系统的产值占社会生产总值的比例也不是 6%，而是 20%。250 个亿的科研总经费中，将近 200 个亿都用于军事设备的研制。”[4] 很难准确估计苏联军事经济的规模，不管怎么说，苏联的经济都是世界上军事化程度最高的经济，是一种典型的战时经济。戈尔巴乔夫的首席翻译说：苏联的一些科学家承认苏联的军事开支的“实际数字是高达国民生产总值的 30%，或者甚至还要高。而这只是为了在核武器上同美国大体保持平起平坐，并在化学武器、装甲装备、炮兵以及某些类型导弹的数量上大大超过北大西洋公约组织。据西方的某些估计，为了制造这些导弹，苏联花费了令人难以置信的 6000 亿美元。大约 5000 家军工厂继续在费力地制造成堆的武器。”[5] 阿尔巴托夫说，根据不同的估计，20 世纪 80 年代中期苏联经济占美国国民生产总值的 50%—60%，在世界上占第二位，12%—13%的国民生产总值直接用于国防（美国为 6.5%）。国防开支占国家预算的比重为 45%—50%（美国为 25%—27%），苏联军备开支水平估计为每年 2500 亿—3000 亿美元，接近美国同一时期的军备开支。[6] 著名的历史学家麦德维杰夫认为：国家用于军事的开支

---

[1] Вопросы экономики. 1991. №8. C.4.

[2] Мировая экономика и международные отношения. №8. 1989. C.13.

[3] История России. XX век. Отв. Редактор *В.П. Дмитренко*. М., ИздательствоACT-ЛТД. 1998. C.582.

[4] ［俄］米・谢・戈尔巴乔夫著：《戈尔巴乔夫回忆录》上册，第 394 页。

[5] ［俄］伊戈尔・科尔奇洛夫著：《首席翻译眼中的首脑外交》，第 30 页。

[6] Мировая экономика и международные отношения. 1998. №5. C.15.

不下于年度预算的 20%—25%；但是用于军事工业、用于宇航及对同盟国家的军援，用于军事科研工作，用于情报机构以及国家安全系统的直接和间接支出不下于国家预算的 50%。[1] 不计任何代价地发展国防实力，耗尽了自己的力量。

军备竞赛严重影响苏联的经济发展和经济结构。苏联的对手占有地缘政治、地理、经济、科技潜力等多方面的优势，其经济潜力比苏联高几倍。军备竞赛使苏联耗资数万亿美元，延缓了苏联社会问题的解决。苏联人与美国人之间的生活水平差距拉大。军备竞赛对于苏联人比对美国人贵得多。“在 80 年代中期，苏联军费支出占 15%—20%，固定资产投资占 30%—35%。用于个人和集体消费的只占国内生产总值的 1/2，而此时在西方国家则占 70%—80%。”在军事工业生产的总量上，1985 年生产的消费品占 25%，生产的设备和武器占 75%。[2]“几乎全部的共和国经济（全苏联也不例外）在为重工业工作。数十座巨型工厂、电站、钢铁厂、煤炭巨大储量是强大经济的象征，伴随建成这些大项目，官方宣传不久将实现苏联人民的真正幸福美满。但是年复一年又一年，繁荣的希望却被淡化更淡化，直到‘发达社会主义’的灰色现实彻底破灭。”[3] 尽管统计数字并不统一，谁也无法否认的是，军事经济已经成了苏联经济的吸血鬼。

苏联在世界上进行扩张，大大增加了苏联的经济负担，用尼克松的话说：“帝国使克里姆林宫变穷而不是致富了。越南使苏联每年支出 35 亿美元以上，古巴 49 亿多美元，安哥拉、莫桑比克和埃塞俄比亚共 30 亿美元以上，尼加拉瓜 10 余亿美元。莫斯科的帝国领土使克里姆林宫每天耗资 3500 万美元以上。”[4] 入侵阿富汗，更使苏联背上了沉重的经济负担。“70 年代苏联还能够与北约保持战略平衡，但到了 70 年代末情况向着不利于苏联的方向发展。这在

[1] ［俄］罗伊·麦德维杰夫著：《俄罗斯往何处去——俄罗斯能搞资本主义吗?》，第 21 页。

[2] *Барсенков А.С.* Реформы Горбачева и судьба союзного государства. 1985–1991. М., Изд-во МГУ, 2001. С.54.

[3] ［哈］努·纳扎尔巴耶夫著：《时代、命运、个人》，第 45 页。

[4] ［美］理查德·尼克松著：《1999：不战而胜》，王观声等译，世界知识出版社 1997 年版，第 30 页。

很大程度上促使开始改革。”[1]

（三）经济体制陷入危机

到20世纪80年代初，管理国民经济的各种命令、法规累计达到了20万个。这种过分集中的、僵硬的计划体制是苏联经济问题产生的重要根源。苏联的这种体制最大的优点是可以集中力量办大事，这对工业化初期经济的发展作用明显，但在工业化完成后，其作用明显下降，最重要的问题是无法满足人民多样化的需要，正如西方学者所说：“苏联经济的运行，总是伴随着一定的供不应求，其结果是允许生产者任意决定他们生产什么，而从不考虑消费者真正需要什么。”[2]在苏联成立之初，由于人民的文化水平低，靠上级的命令领导经济是有效的，但在人民的文化水平提高的情况下，“自上而下、高度集权、只要求劳动力唯命是从的体制，越来越与苏联人民的现实要求相冲突，他们现在要求一定的独立性和自主性。以往管理劳动过程的有效体制，现在也失去了作用。”[3]苏联的经济体制已失去了生命力，管理方法僵化，惰性大，官僚主义严重，出现了明显的停滞现象。

苏联的价格制度不合理，长期奉行的是斯大林关于社会主义靠降低物价来提高居民生活水平的原则，“只要考虑到当时每吨牛奶成本为380卢布，而每公升牛奶的零售价为36戈比，为了保持低价出售，国家财政1983—1986年每年补贴约150亿卢布，这是阿富汗战争每年开支的3倍。1986年肉类补贴约为400亿卢布，约占财政支出的10%。改革开始之前，苏联35%的财政支出用于对农产品的补贴，约15%的财政支出用于对市政支出和日用能源的补贴，还有15%的财政支出用于教育、医疗、科学和文化，12%的财政支出用于养老金和社会补贴。”[4]由于价格不合理，农民从城市里买面包面粉和大米来做饲料比用配合饲料更便宜。

---

[1] *Шубин А.В.* От “застоя” к реформам. СССР в 1917–1985 гг. М., Российская политическая энциклопедия (РОССПЭН), 2000. С.7.

[2] [美] 大卫・科兹、弗雷德、威尔著：《来自上层的革命——苏联体制的终结》，第52页。

[3] 同上书，第64—65页。

[4] 若・麦德维杰夫：《并非军备竞赛毁灭了苏联》，载《当代世界社会主义问题》1999年第1期，第12页。

与西方的做法不同，苏联的补贴不是给生产者，而是给消费者，实质上是对低工资的一种补偿，但这种体制逐渐演变成特权制度。“掌权和接近掌权人物的数百万人（国家官员、党的干部、检察官、法官、高级军官、演员、作家、学者等等）得到了过高的实物补贴，如上等住房、别墅、汽车、专门医疗、专门食品供应等。”[1]官职越高，得到的补贴越多。苏联的收入不是来自税收和商品销售，而是主要来自国营企业和合作企业的利润，由于农业和大部分企业没有利润，因此，国家的财政收入来自不太多的商品，即非生活必需品和进口关税。[2]

苏联的经济体制使企业没有动力提高劳动生产力，提高劳动生产率会增加下一阶段的计划额，减少工资基金，所以，在苏联的机器制造业，其工人数一般比西方企业多 30%—40%。“工厂越提高每项产品必要的规模成本，便可以多积累利润。正因这样，亏损企业乍看上去正常良好。这是工业上不关心提高工作效率和改进产品质量的根本原因。”[3]衡量企业用的是数量标准，工业与科学互不需要，工业不提出自己对科技工作的需求，科研成果也不用转化成产品，经常从事一些谁都不需要的研究。苏联在科研方面投入了大量预算。莫伊谢耶夫院士指出：“在发展和应用计算机技术方面的落后实际上是经济致命病症的征兆，更准确地说是显示器。”[4]“80 年代末，苏联生产占全世界新产品的 14%，但出口额只占世界的 4%。同时，所有发展中国家生产的产品也占世界产品的 14%，但他们的出口额却占 20%。”[5]苏联的产品在世界上没有竞争力。

国家计划和企业忽视居民的经济利益和个性化需求，居民消费品在工业品中所占的比重呈逐年下降的趋势：1928 年占 60.5%，1940 年占 39%，1960

[1] 若・麦德维杰夫：《并非军备竞赛毁灭了苏联》，载《当代世界社会主义问题》，1999 年第 1 期，第 12 页。

[2] 同上书，第 13 页。

[3] ［哈］努・纳扎尔巴耶夫著：《时代、命运、个人》，第 44 页。

[4] 转引自 История России. XX век. Отв. Редактор *В.П. Дмитренко*. С.564.

[5] ［俄］尼古拉・雷日科夫著：《背叛的历史——苏联改革秘录》，第 222 页。

年占27.5%，1980年占26.2%，1987年占24.9%。[1]党的机关里形成“部的院外集团”，在物资短缺的情况下，他们努力为本部门争利益，重工业、原料产业和军工企业成为“国中之国”。而广大的消费者则处于弱势地位，他们的利益得不到维护。由此可见，苏联消费品的短缺和老百姓从经济增长中得不到多少好处，主要是其经济体制造成的。

三、意识形态和道德领域的危机

这是最可怕的危机，人们失去了对伟大思想的信仰，苏共没有根据时代的发展创造性地发展马克思列宁主义理论，而是把共产主义变成了教条。“科学技术革命根本改变了形势，要求提出能够把群众联合起来的富有成效的新思想，但是苏共被苏斯洛夫和波诺马廖夫为首的意识形态偶像弄得昏昏欲睡，不愿在这日新月异的世界里革新共产主义运动的思想。党依然坚持过去的立场，从而在对于世界社会发展的认识上失去了战略优势，丧失了主动权，无力地、教条地反抗着西方宣传的进攻。”[2]苏共空洞无物、老生常谈的宣传让人们厌烦，领导层中绝大多数人已不是社会主义的狂热支持者。“到80年代初的时候，已经很少有人再相信马克思列宁主义的思想理论了，这使表面看似强大的苏联陷入了困境。”[3]苏共对不同思想者进行迫害、压制，使理论创新成为不可能。

社会主义应该为人们提供更公平、更自由、更富裕的生活，它不仅应该满足人民的物质文化需要，也应该保障民众的精神文化需求，苏共并没有使这一理想在苏联变成现实。20世纪70年代苏联经济发展速度放慢，在与西方进行的经济和科技竞赛中，苏联的差距明显，社会主义优越性并没有体现出来。“捷克斯洛伐克事件之后，苏联不仅在对内政策，而且在对外政策方面都朝着

---

[1] *Пихоя Р.Г.* Почему распался советский союз? См.: Трагедия великой державы: национальный вопрос и распад советского союза. Ответственный редактор Академик *Г.Н.Севостьянов*. М., Изд-во Социально-политическая мысль. 2005. С.411.

[2] ［俄］瓦·博尔金著：《戈尔巴乔夫沉浮录》，第400页。

[3] ［俄］罗伊·麦德维杰夫著：《苏联的最后一年》，王晓玉等译，社会科学文献出版社2005年版，第286页。

保守主义甚至新斯大林主义的方向迅速倒退。党的机关工作人员那种在冻结体制下过太平日子的梦想开始实现了。泱泱大国如同发动机出了故障的大船，已操帆停泊。愈来愈显而易见，世界第二超级大国完全依靠核武器维持自己在国际舞台上的地位，根据其他指标，它已迅速接近三流国家。”[1] 在这种情况下，苏共仍在遵循1961年苏共第二十二次代表大会通过的党纲。这一党纲是赫鲁晓夫时期冒进的产物，充满了空想，宣称在1980年前建成共产主义，现实社会主义与官方宣传的社会主义存在的差距越来越大。

苏联社会问题也很严重，一个重要的表现是酗酒成风，男子的寿命因此在20世纪70年代从66岁下降到了63岁，酒精中毒死亡率达到千分之一（世界平均水平为万分之一）。80%的恶性犯罪与酗酒有关，“约有90%的旷工与纵饮无度相关。1986年，苏联进过麻醉品成瘾学习班的酒鬼人数多达400万之众，每年进醒酒所的人将近900万。”[2] 因酗酒而造成的怠工、旷工而带来的经济损失更是难以统计。1970—1985年工人数增加了1680万人，在工人和服务人员中在20世纪80年代初妇女占51%，甚至在战后初期的1950年这一比例只有47%。全国共有2000万残疾人，2100多万的嗜酒成癖者，530万各种心理疾病者。[3]

更可怕的是苏联存在普遍的以权谋私，已经失去了社会公德意识，除官员以权谋私外，“差不多所有的苏联公民（其中包括党和政府的官员以及警察），都参与这种形式的非法或伪合法的经济活动。”[4] 商店的售货员、司机、乘务员都可以利用自己工作之便为自己和朋友谋利，他们出售来自国家交通工具的汽油、工厂和他们工作商店的商品，让没有买票但给乘务员一定费用者乘车等。

20世纪70年代苏联出现了意见和活动多元化的需求，出现了新的与旧体制平行的社会结构，即经济上的影子经济，出现了在社会组织和思想上的持不

[1] ［俄］安德烈·格拉乔夫著：《戈尔巴乔夫之谜》，第44—45页。

[2] *Гайдар Е.Т.* Гибель империи. Уроки для современной России. 2-е изд. М., РОССПЭН, 2007. С.142.

[3] История России. XX век. Отв. редактор *В.П. Дмитренко*. М., 1998. С.562.

[4] ［美］沃尔特·G. 莫斯著：《俄国史（1855—1996）》，张冰译，海南出版社2008年版，第391页。

同政见运动。他们开始要求修正缺点，后来发展到否定社会主义制度。公民向政府机关、媒体、广电部门写了大量信件，要求宪法保障反对新的个人崇拜，保障“不要害怕思考和说出自己的看法”。罗伊·麦德维杰夫在《论社会主义民主》一书中公开宣布：“只有民主化才是可行的，因为它是在社会主义社会里发生官僚主义蜕变的情况下唯一可以接受的选择。”[1]

20世纪70年代已经出现独立的组织。70年代在人权领域出现了许多独立于国家的组织：1969年成立的保卫人权倡议组织，1970年成立的人权委员会，1976年建立的莫斯科和共和国促进履行赫尔辛基协议的组织、教徒权利保障委员会等。持不同政见者运动提出的口号有：公开性、社会生活民主化、建立法治国家、经济领域进行激进改革、向知识分子开放社会等。这些要求有其历史的合理性，得到了不少同情和支持。

四、日益恶化的外部环境

苏联陷入了阿富汗战争的泥潭，每年花在阿富汗战争上的资金达30亿—40亿美元，有10多万军人在阿富汗作战。阿富汗战争在经济、政治、道德等各方面对苏联内政产生了重大消极影响。苏联在阿富汗的行动激起了伊斯兰世界的不满，巴基斯坦事实上介入了阿富汗的冲突，在其领土上有近300万阿富汗战士。[2] 苏联入侵阿富汗，不仅葬送了与西方的缓和，也受到了其东欧盟友的批评。到20世纪80年代中期，联合国成员中有120多个国家以各种形式表示反对苏联在阿富汗的军事行动。苏联的国际影响和国际地位下降，国际环境恶化。正如基辛格所说：“这傲慢的帝国主义有一致命的缺陷，苏联的领袖一路推进下来竟然失去均衡感，过分高估苏联制度巩固军事与经济成果的能力，忘记自己是站在非常薄弱的基础上，向所有其他大国挑战。”[3]

---

[1] ［俄］罗伊·麦德维杰夫著：《论社会主义民主》，史正译，商务印书馆1982年版，第344页。

[2] Советская внешняя политика в годы “холодной войны”(1945 – 1985) .Отв.ред. *Л.Н. Нежинский*. М., 1995. С.470.

[3] ［美］亨利·基辛格著：《大外交》，顾淑馨等译，海南出版社1998年版，第707页。

1981 年美国总统里根上台后，改变了对苏政策，“里根第一个任期的论调正式为缓和时代画上了休止符。美国的目标不再是缓和紧张局势，而是十字军任务和改变苏联帝国主义。”[1]其目的不只是与苏联和平共处，还要改变苏联的制度，为达到这一目的，美国采用了许多手段。其中之一是对苏联的经济战。里根看到了苏联的弱点，认为他可以达到目的：“过分中央集权，几无任何激励诱因，年复一年苏维埃制度倾注最佳资源制造毁灭的器材。经济成长持续萎缩，加上军事生产大增，对苏联人民造成沉重压力。我们看到的这个政治结构，不再吻合其经济基础；这个社会的生产力已受到政治力的挫伤。”[2] 里根要通过向苏联施加压力的办法迫使苏联坐到谈判桌前。“从里根一宣誓就职起，他们就同时追求两个目标；第一，抵抗苏联的地缘政治压力，直到扩张主义的进度受到遏止并扭转为止；第二，发动重建军备方案，遏制苏联的战略优势，并且使苏联的战略优势变为战略债务。”[3] 里根依靠美国强大的实力，想通过加强军事力量向苏联施加压力的办法，迫使苏联改变政策。

1981 年 12 月 29 日，也就是在波兰实行军管后，里根宣布对苏联实行禁运，“这一计划不仅对大约 60 家美国公司产生了影响，而且也中断了日本和苏联在萨哈林岛的周边地区开发石油和天然气田的计划。”[4] 美国国家安全委员会还尽其所能阻止银行业对苏联提供贷款，宣称苏联的经济危机像波兰一样会给贷款人带来风险。1982 年 11 月，里根批准 NSDD—66 号指示，声称通过对苏联经济赖以生存的“战略性三位一体”的关键资源进行攻击，进而瓦解苏联的经济，这将成为美国的政策。1983 年 3 月里根草签 NSDD—75 号指示，这是里根当政时期有关美国对苏联战略与目标的第一份，也是唯一一份总统指示，它与过去的政策完全不同，“问题的要害不仅在于苏联的行为，而且在于苏联体制的本质。第一次对此进行阐述的就是这份文件。NSDD—75 指出，我们的目标就是再也不能与苏联共存了，而是要改变苏联的体制。我们坚信，我

[1] ［美］亨利·基辛格著：《大外交》，顾淑馨等译，海南出版社 1998 年版，第 710 页。

[2] 同上书，第 711 页。

[3] 同上书，第 714 页。

[4] ［美］彼得·施魏策尔著：《里根政府是怎样搞垮苏联的》，殷雄译，新华出版社 2001 年版，第 85 页。

们有能力通过从外部施加压力来改变苏联的体制。”[1]其原则是不接受苏联把它的影响扩大到边境之外，美国将设法击退苏联的种种行为，美国将采取一切手段限制苏联获得经济利益，里根政府认为，在苏联的所有弱点中最主要的是它的经济，美国的政策是加重苏联经济的问题，设法减少其收入和增加支出，使其体制陷入危机。美国的封锁和压力，直接影响了苏联通往欧洲的天然气管道建设，“根据苏联天然气工业部 1986 年所做的估计，国内自己的努力付出了很高的代价，几乎花费了 10 亿美元的硬通货。然而，苏联最终也未能完成这个项目，他们需要美国的技术。” [2] 美国限制向苏联出口高技术产品，“1975 年，在美国出售给苏联的全部产成品中，高技术产品占了 32.7%，销售总额达 2.19 亿美元。到了 1983 年，高技术产品的出售量下降到 5.4%，销售总额只是微不足道的 3900 万美元。” [3]

1981 年 11 月底，美国和苏联在日内瓦开始就限制欧洲中程导弹问题进行谈判，美国提出“零点方案”，即以将要部署的 572 枚陆基中导来换取苏联已经部署的约 600 枚 SS-20、SS-4 和 SS-5 陆基中导。苏联同意削减其部分导弹，但不同意美国的方案，经过六轮会谈，因双方分歧大，无果而终。1983 年 10 月 31 日英国议会首先通过了在年底前部署美国巡航导弹的决议，继之，意大利和联邦德国也同意部署美国的新式导弹，苏联也宣布要在民主德国和捷克斯洛伐克部署新的战役战术导弹，双方在欧洲加强了争夺，限制欧洲中程核武器会谈中断。在德国和其他欧洲国家不顾苏联的压力，决定部署美国的潘兴导弹后，苏联退出了日内瓦关于限制和裁减战略核武器的谈判，美苏关系降至冰点。

为了对苏联经济施加更大的压力，里根加紧与苏联进行军备竞赛，不仅追求数量上的优势，而且追求质量上的优势。1983 年 3 月 23 日晚，里根向全国发表电视讲话，说明苏联战略核威慑力量“已大大超过美国”，表示要进一步发展和加强战略进攻性武器，同时要加紧研制和部署空间时代的超级武器，建立有效的战略防御体系，里根的倡议被形象地称为“星球大战计划”。从

---

[1] ［美］彼得·施魏策尔著：《里根政府是怎样搞垮苏联的》，第 152—153 页。

[2] 同上书，第 130 页。

[3] 同上书，第 162 页。*Барсенков А.С.* Реформы Горбачева и судьба союзного государства. 1985–1991. М., Изд-во МГУ, 2001. С.39.

1980 年到 1985 年，美国的军费开支增加了一倍，大部分用于发展高技术的战略武器系统，260 亿用于星球大战计划。苏联被迫在较弱的微电子和计算机技术方面与美国进行竞赛，美国严格限制高技术相关产品向苏联的出口，无论是直接还是间接的。美国帮助阿富汗的反苏武装，向阿富汗大量提供武器，“1980—1981 年，向穆斯林游击队提供的武器总价值大约为 5000 万美元。”[1]1985 年 3 月里根签署 NSDD—166 号文件，明确美国在阿富汗的目标是把苏联赶出去，美国加大了对阿富汗的支持力度，“正在运输途中的武器数量猛增，1985 年穆斯林游击队获得 1 万枚火箭推进榴弹和 20 万枚火箭，比过去 5 年间的总数还要多。每年总共获得的武器弹药有 5 万吨，而两年前只有 1 万吨。”[2] 美国还支持尼加拉瓜的反政府游击队，援助埃塞俄比亚和安哥拉的反共势力。

在意识形态领域，里根的政策更加咄咄逼人，1983 年 6 月 8 日，他在英国议会发表了著名的演说：号召世界进行民主革命，用自由民主取代马克思列宁主义，要制订一项“把马克思列宁主义扔到历史的垃圾堆”去的自由和民主进军的长远规划。[3]1983 年 2 月 23 日，美国国务院向国会提出了一项为在全世界“推进民主”而申请 6500 万美元的拨款案，推进民主不仅针对拉美、非洲和亚洲，也针对东欧和苏联，促进苏联和东欧“向更加开放、富于同情心和人道的社会演变——最终走向民主。”[4] 美国政府成立以国务卿、国防部长、总统国家安全事务助理等人组成的“特别行动小组”，具体负责“促进民主运动”。为了加强宣传攻势，里根政府对“美国之音”、“自由欧洲”、“自由电台”三个电台加大投资，1984 年美国新闻总署拨款 7.1 亿美元用于扩大和加强这三个电台。[5]

1983 年 9 月 1 日凌晨，苏联击落了一架闯入其领空的韩国客机，造成 269 人丧生，又拒不道歉和赔偿，使这一事件发展成了美苏间的严重对抗，美

[1] ［美］彼得·施魏策尔著：《里根政府是怎样搞垮苏联的》，第 11 页。

[2] 同上书，第 280 页。

[3] 转引自资中筠主编：《战后美国外交史——从杜鲁门到里根》，世界知识出版社 1994 年版，第 880 页。

[4] 《战后美国外交史——从杜鲁门到里根》，第 881 页。

[5] 桂立：《苏美关系 70 年》，人民出版社 2005 年版，第 417、418 页。

国又掀起了一场反苏浪潮，苏联的国际威信严重受损。与此同时，社会主义大家庭内部不稳，增加了苏联的负担。波兰的局势对苏联产生了很大影响。20世纪70年代末80年代初，波兰出现严重的社会经济危机，进而发展成政治危机。苏联给予了援助，从1980年中到1981年中提供了45亿美元，增加了对波兰的石油、天然气和棉花的供应。[1]

1981年12月12日波兰政府宣布进行军管。这“成为美国政府对苏政策的一个转折点，它坚定地在幕后支持一项击退苏联势力的进攻战略。在几个月之内，总统签署了几项秘密指示，以表明美国政府的政策就是要破坏苏联的势力，并且呼吁发起一场广泛的经济战。同时，要寻找机会在东欧散布与波兰当局不同的意见。”[2]1982年10月波兰议会通过法律宣布团结工会为非法，10月9日里根宣布暂时停止给予波兰贸易最惠国待遇，使波兰向美国出口产品的关税增长了300%—400%。美国支持团结工会，向其提供金钱、通信和印刷设备等，“后来在提供资金的高峰时期，每年有800万美元的资金进入了团结工会的口袋。”[3]美国向波兰团结工会运送的物资，从布鲁塞尔，经斯德哥尔摩到格但斯克，运来的物资通过一个广泛的地下分配网络进行分配，保证了团结工会能生存下来。面对困境的波兰领导人只能向苏联求援，1982年3月1—2日波兰党和国家代表团访问苏联，波兰统一工人党第一书记雅鲁泽尔斯基表示波兰经济很困难，只有60%的工业潜力得到了利用，40万产业工人和20万建筑工人面临着失业威胁，双方达成协议，苏联于1982—1983年度向波兰提供27亿卢布贷款。波兰代表团还提出了给予大规模补充经济援助的问题。[4]波兰与西方的贸易额1980年为75亿美元，1986年已经下降到了10亿美元，在1980年以前，波兰每年还能从西方国家借到80亿美元，到1985年只能借到3亿美元。[5]美国对波兰的制裁，迫使苏联每年拿出10亿—20亿美元用于支持

---

[1] *Барсенков А.С.* Реформы Горбачева и судьба союзного государства 1985–1991. С.39.

[2] ［美］彼得·施魏策尔著：《里根政府是怎样搞垮苏联的》，第80页。

[3] 同上书，第89—90页。

[4] *Гайдар Е.Т.* Гибель империи. Уроки для современной России. 2-е изд. М., РОССПЭН, 2007. С.188.

[5] ［美］彼得·施魏策尔著：《里根政府是怎样搞垮苏联的》，第294页。

雅鲁泽尔斯基政府，这又加重了苏联的经济负担。

里根摆出一副要在东欧与苏联决一雌雄的架式，1982 年 3 月里根签署 NSDD—32 号指示声称，美国将设法“抵消”苏联对东欧的控制，并且批准采取隐蔽行动和其他手段，以支持该地区的反苏组织。“在 NSDD—32 中，罗纳德·里根明确指出，美国不会屈从于苏联支配东欧的现状。我们要努力形成一项多头战略，以削弱苏联的影响，加强本地区的自由力量。相对于保加利亚、罗马尼亚和捷克斯洛伐克这几个国家而言，波兰提供了一次独特的机遇。这并不是说，我们不继续采取行动了。为了使其他国家摆脱莫斯科的控制，我们还要继续采取行动，而不管这些行动是公开的还是隐蔽的。”[1] 苏联长期向东欧国家提供廉价能源，为了保证东欧政治稳定，苏联不得不承担经济责任，但又力不从心，美国则加大了投入。

苏美两大集团在欧洲的对抗达到白热化的地步，北约和华约两大军事集团的军备竞赛日益激烈。美国加紧在欧洲部署新式中程导弹，本来计划在 1983 年开始，5 年内完成，但到 1985 年底，联邦德国已经部署完全部 108 枚潘兴Ⅱ式导弹，表现犹豫的比利时和荷兰也在 1985 年 3 月和 11 月部署完 48 枚巡航导弹，苏联则在民主德国和捷克斯洛伐克部署了新的、射程远的战役战术导弹，把在欧亚部署的 SS-20 导弹从 1982 年 7 月 1 日的 315 枚增加到 1985 年 7 月 1 日的 423 枚。同时双方都在加紧研制和部署新的导弹。北约和华约在欧洲的对抗加剧，在欧洲部署的人数上，华约有 357.31 万人，北约有 366.02 万人；在战斗机的数量上，华约有 7876 架，北约有 7130 架；坦克的相应数字是 59470 对 30690，比率是 1.9：1；步兵战车和装甲运输车是 1608 对 136，比率是 11.8：1；炮和迫击炮的数量是 71560 对 57060，比率是 1.3：1；反坦克火箭的数量是 11465 对 18070，比率是 1：1.6；大型水面舰只的数量是 102 对 499，比率是 1：5；潜艇（除 П Л А Р Б，包括核动力）数量是 228 对 200，比率是 1.14：1。[2] 华约七国与比自己多一倍的北约国家较量，不仅实现了核力量的平衡，而且在许多武器的数量上甚至超过了对方，取得这样的“成就”

[1] ［美］彼得·施魏策尔著：《里根政府是怎样搞垮苏联的》，第 90—91 页。

[2] *Грибков А.И.*Судьба варшавского договора . Воспоминания, документы, факты. М., Русская книга.1998. С.171-173.

代价可想而知，苏联已经力不从心。

在与其他社会主义国家和共产党的关系方面，苏共失去了许多大党的支持，同意大利共产党、中国共产党的关系不好，坚定地跟苏共站在一起的多是一些小国的共产党，如越南、古巴，它们也需要苏联大量的援助。波诺马廖夫长期主管苏共与共运中其他党联系的工作，他奉行极左的大党主义路线，为了保持以苏共为首，对其他党不能平等相待，这一做法隐藏着苏联与那些与之友好的社会主义国家之间关系的危机。

总之，安德罗波夫和契尔年科留下的是一个面临一大堆内政外交难题的国家：阿富汗战争还在进行，国家资源的近 40% 被用于维持与美国的军备竞赛，经济靠卖原料维持，社会腐败现象严重、世风日下、酗酒离婚现象严重，社会主义失去了对人们的吸引力等等，改革的历史前提已经准备好了。根本扭转这种局面，是戈尔巴乔夫等苏联新领导人的使命。

第二章　戈尔巴乔夫上台及最初的改革措施

戈尔巴乔夫担任总书记，为苏联的政治注入了一股清新之风，人们终于看到了一位年轻的、不看讲稿也可以讲话的领导人，“人们把戈尔巴乔夫视为一个正常的、活生生的、自然的人，仅此一点，就使人们对他有巨大的好感。”[1] 尽管上任之初戈尔巴乔夫表示不会改变苏共二十六大的方针，强调继承性，但他也强调要使经济高速发展，要“改革管理和计划，改革机构和投资政策，普遍加强组织性和纪律性，从根本上改善工作作风”[2]。戈尔巴乔夫在 1985 年 5 月 15—17 日列宁格勒之行显示了新领导人与前任的不同，他走上街头直接与群众见面，回答他们的问题，他对列宁格勒党员积极分子发表演讲，呼吁改变观念：“最困难的阶段——心理上的改革……当前需要思想大改革……谁无意改革自己的观念……就应当让路，别挡道”[3]，戈尔巴乔夫首次使用了“改革”（Перестройка）这个词。

在上任之初，戈尔巴乔夫及苏共的领导者们，并没有真正认识到苏联问题的症结所在，没有认识到苏联的问题主要出在无效率的体制上，更没有认识到要改变不合理的经济结构。戈尔巴乔夫碰到的问题是经济停滞，国家处于危机状态，因此，他提出了“加速战略”，即加快经济的发展，实际上仍在用传统的行政命令方法，推动苏联在原有的体制下“加速”发展重工业，再加上出现了一系列天灾人祸，戈尔巴乔夫的改革以希望开篇，结果却让人失望。戈尔巴乔夫这一时期作出的种种决定，如发展机器制造业、加快科技进步的措施、创建农工联合公司、实行对制成品的国家验收等等，都是在加强行政命令的经济体制，仍是保持原有的经济结构及其赖以生存的体制。

第一节　应运而生的戈尔巴乔夫——别无其他的选择

1985 年 3 月 10 日 19 时 20 分，契尔年科逝世，在 22 时召开的政治局会

---

[1] ［俄］鲁·格·皮霍亚著：《苏维埃政权史（1945—1991）》，徐锦栋等译，东方出版社 2006 年版，第 505 页。

[2] 沈志华总主编：《苏联历史档案选编》，第 30 卷，第 500 页。

[3] *Оников Л.* КПСС: анатомия распада. Взгляд изнутри аппарата ЦК. М., Республика, 1996, С.93.

议上，成立了治丧委员会，由戈尔巴乔夫任主席，实际上向世人表明，戈尔巴乔夫将成为总书记。11 日，也就是契尔年科去世的第二天，苏共召开中央全会，戈尔巴乔夫当选为总书记。

一、戈尔巴乔夫的升迁之路

米哈伊尔·谢尔盖耶维奇·戈尔巴乔夫于 1931 年 3 月 2 日生于苏联斯塔夫罗波尔边疆区克拉斯诺格瓦尔杰伊斯克区普里沃利诺耶村的一个农民家庭，不久苏联发生了可怕的大饥荒，戈尔巴乔夫爷爷的 5 个孩子死了 3 个，“饥荒来势凶猛。普里沃利诺耶的村民饿死了三分之一甚至一半。有的人家成了绝户，直到战争前夕，那些破烂不堪，没有主人的农舍仍然孤苦伶仃地留在村子里。”[1] 戈尔巴乔夫出生的年代正是斯大林体制建立时期，新体制的建立是以极高的代价进行的，许多人受到冲击。戈尔巴乔夫的外祖父满怀热情地投入到十月革命后的新生活中，入党，积极参与集体化，担任其创建的集体农庄的主席；他的祖父则是顽固的小农，不愿加入集体农庄。但这两位老人却都在 1937 年的大清洗中遭迫害，其外祖父的罪名是“右派托洛茨基反革命组织的积极成员”，祖父则是“怠工者”，幸运的是他们都没被处死。

卫国战争使苏联遭受了严重的人力物力损失，战后苏联十分缺劳动力，戈尔巴乔夫从 15 岁起便参加劳动，17 岁时因与父亲在联合收割机上并肩劳动而荣获劳动红旗勋章。1950 年 19 岁的戈尔巴乔夫成为联共（布）预备党员，当时他还是 10 年级的学生。戈尔巴乔夫能够走出农村，得益于他强烈的求知欲，他喜欢读书，兴趣广泛，成绩也不错，中学毕业时获得银质奖章，他是普里沃利诺耶村第一个考入莫斯科大学的人。

1950 年 9 月戈尔巴乔夫进入莫斯科大学法律系学习，这是苏联最好的大学，在 5 年学习生活中，戈尔巴乔夫这个来自边疆地区的大学生不仅了解了首都的情况，更使他形成了自己的思想和观念。当时正值斯大林去世后相对宽松的时期，在大学期间他们不仅学习苏联法律和马列理论，还学习了西方政治学说史，西方主要国家的宪法，学生们中间常常举行辩论会。戈尔巴乔夫在大学

[1] ［俄］米·谢·戈尔巴乔夫著:《戈尔巴乔夫回忆录》上册，第 36 页。

期间就表现出了良好的领导素质，成了法律系共青团组织的领导人，他功课好、善于与各种各样的人打交道，在同年级同学中有很高的威信。戈尔巴乔夫赶上了斯大林去世后苏联的“解冻”，欣然接受赫鲁晓夫给苏联带来的变化，他属于“60 年代人”。[1]

戈尔巴乔夫的政治升迁是与苏联的体制紧密联系在一起的，他走的是典型的苏共干部成长之路。1955 年大学毕业后回到家乡，他并没有从事与其专业相关的工作，而是从事共青团的工作，很快担任了共青团边疆区委宣传部副部长，他工作热心，组织才能和演讲才能强，使他很快脱颖而出，引起了领导人注意，他沿着官阶快步上升，到 1958 年已经成为共青团边疆区委第二书记，到 1961 年又成为第一书记，他成了边疆区的“上层”干部，还参加了于 1961 年 10 月召开的苏共二十二大，投票赞成把斯大林遗体从列宁墓中迁出。他得到了单独居住的房子，不用再跟别人合住了。

戈尔巴乔夫的升迁得益于斯塔夫罗波尔边疆区第一书记库拉科夫的赏识，他在快速地提拔戈尔巴乔夫。担任共青团边疆区委第一书记一年后，戈尔巴乔夫就成了边疆区党委的党组书记，一年后又担任了组织部长，1966 年 9 月当选为斯塔夫罗波尔市委第一书记，在他担任第一书记期间，该市面貌发生了很大变化。1968 年 8 月起他任苏共斯塔夫罗波尔边疆区委第二书记。戈尔巴乔夫被重用提拔并不完全是因为他会拉关系，会逢迎领导，主要还是他有工作能力。“不能说戈尔巴乔夫在这个迅速飞黄腾达的阶段一帆风顺，也不能说他的青云直上仅仅归功于个人的有力庇护。无论边疆区党委将戈尔巴乔夫派到哪里，他都不遗余力，辛勤耕耘。他脚踏泥泞跑遍各区，宣传开展突击运动，时而对养羊业、时而又对‘田野之王’玉米的种植进行辅导，为党的队伍的纯洁性进行斗争，训斥犯错误者。总之，始终勤勤恳恳、忠心耿耿地履行机关的职责。而且，如他自己所说，当时并未打过个人的小算盘。”[2]

苏共党内的许多高层领导与斯塔夫罗波尔边疆区有关系，曾任该区第一

---

[1] 指世界观形成于 20 世纪 50 年代末 60 年代初，即赫鲁晓夫解冻时期的一代自由主义知识分子，他们主张尊重人权、个人自由和公开性。

[2] ［俄］安德烈·格拉乔夫著：《戈尔巴乔夫之谜》，述弢译，中央编译出版社 2005 年版，第 25 页。

书记的库拉科夫于1965年升任中央书记，负责农业，他曾跟契尔年科一道工作过。党的第一号理论家苏斯洛夫在1939—1944年曾任过该区的书记。高加索矿泉区所有的著名疗养院都在斯塔夫罗波尔边疆区内，戈尔巴乔夫作为疗养地书记，有机会见到党的高层领导人，这种便利条件也有利于其个人的升迁。1968年戈尔巴乔夫与来此地疗养的安德罗波夫相识，两人很投机，并保持了友谊，安德罗波夫对戈尔巴乔夫的高升起了很大作用。20世纪70年代初，苏共领导也意识到存在干部老化的问题，提出必须把老干部和年轻干部结合起来。库拉科夫被调到莫斯科，1970年4月，39岁的戈尔巴乔夫成了斯塔夫罗波尔这个对国家经济具有战略意义的边疆区的第一书记，第二年，成为中央委员。戈尔巴乔夫进行土壤改良，修建斯塔夫罗波尔大运河、安装煤气设施、实行畜牧业的集约化经营、推广收割任务的承包制、发展边疆区的葡萄种植业和酿酒业等等，取得了一定成效。从这些经历看，戈尔巴乔夫是沿着官位的阶梯一步步走上高位的，算得上是一位有行政经验和行政能力的干部。在担任边疆区第一书记时，作为当地的一把手，他不坐专车，步行上班，在街头与百姓交谈，听他们的意见，不去内部供应商店购物，孩子也不上特别学校，而上普通学校。因此，戈尔巴乔夫又是勃列日涅夫的亲信们眼中的非典型书记，是异己分子，他在担任边疆区委书记的8年间，从未被允许在中央全会上发言。

1978年7月最年轻的政治局委员库拉科夫突然去世，他既是政治局委员也是苏共中央负责农业问题的书记，安德罗波夫推荐戈尔巴乔夫任负责农业的中央书记，因为斯塔夫罗波尔边疆区就是苏联的农业区，由该区的第一把手接替库拉科夫也顺理成章。值得强调的是，安德罗波夫推荐戈尔巴乔夫并不只是因为他们是老乡、关系好，主要是因为安德罗波夫看重戈尔巴乔夫的才能，把他看成是未来的希望。他曾对阿尔巴托夫抱怨："你看那些无用之辈不让把戈尔巴乔夫调到莫斯科来。"[1]在安德罗波夫的努力下，1978年9月19日勃列日涅夫乘火车从莫斯科前往巴库，在矿泉水车站与戈尔巴乔夫见面，亲自考察戈尔巴乔夫。1978年11月，戈尔巴乔夫当选为中央书记，负责农业工作，戈尔巴乔夫回到了他离开23年的首都。"戈尔巴乔夫作为苏共中央书记在莫斯科的出现无疑是具有历史意义的非凡大事。如果说安德罗波夫如同人们可以猜测的

[1] ［俄］格·阿·阿尔巴托夫著：《苏联政治内幕：知情者的见证》，第354页。

那样，在这里起了某种作用的话，那么可以说这是他最重大的功绩之一。”[1]西方学者认为“戈尔巴乔夫非常理智，充满自信，风度翩翩，而且懂得如何取悦于上级又不至于显得谄媚，但他很少有真心朋友”[2]。

尽管戈尔巴乔夫主管的农业并未好转，苏联的粮食收获量从 1978 年的 23700 万吨下降到 1984 年的 17300 万吨，1982 年通过的粮食纲要只停留在纸面上，但这并没有影响到戈尔巴乔夫的升迁，1979 年戈尔巴乔夫成为政治局候补委员，1980 年底成了政治局委员，戈尔巴乔夫能够迅速升迁的一个重要因素是高层领导的老化。由于年轻、工作热情高，戈尔巴乔夫很快引起了注意，他的工作作风也与那些老人们不同，当时任苏共中央国际部副部长的切尔尼亚耶夫回忆说：“在苏斯洛夫和基里连科去职以后，当戈尔巴乔夫开始主持书记处会议时，我们这些副部长中有人有时列席会议后回来兴奋地说：终于出现了一个聪明和正直的、关心国家状况和决心做些事情的人。”[3]

安德罗波夫在当政期间尽可能让戈尔巴乔夫承担更多的工作，不只是让他负责农业，还让他关注更多的问题，特别是经济问题。他把戈尔巴乔夫当成他的继承人，有意识地让戈尔巴乔夫经受锻炼，1983 年 4 月安德罗波夫委托戈尔巴乔夫在列宁诞辰纪念日上作报告，“当年安德罗波夫作完报告后就被选为第二书记。现在他让我来作报告。安德罗波夫想扶持我并千方百计地给我创造机会。这一次他利用了勃列日涅夫对他的方法：提供讲话的机会。这一方面意味着支持，另一方面意味着我应该提出新东西，展示自己的思想，对问题的理解。”[4]许多人认为戈尔巴乔夫是安德罗波夫的继承者，“在安德罗波夫领导下的 1983 年，正是戈尔巴乔夫被看作是尤里·安德罗波夫可能的接班人。”[5]但是，就政治局内的力量对比而言，安德罗波夫的人不占多数，安德罗波夫去世后上台的是契尔年科。

---

[1] ［俄］格·阿·阿尔巴托夫著：《苏联政治内幕：知情者的见证》，第 354 页。

[2] ［美］沃尔特·G. 莫斯著：《俄国史（1855—1996）》，第 411 页。

[3] *Черняев А.С.* Шесть лет с Горбачевым:По дневниковым записям.М.,1993.С.9.

[4] ［俄］戈尔巴乔夫、斯拉文著：《尚未结束的历史——戈尔巴乔夫访谈录》，孙凌齐、李京洲译，中央编译出版社 2003 年版，第 5 页。

[5] ［俄］叶·库·利加乔夫著：《警示》，第 25 页。

由于契尔年科身体欠佳，围绕其地位继承问题苏共党内仍在明争暗斗。契尔年科有意让党内二号人物的位置空着，很长一段时间不让戈尔巴乔夫这个事实上的第二书记进驻苏斯洛夫的办公室。契尔年科拒绝把主持政治局会议的权力正式让给别人，“甚至到了这样的地步：人们将他抬进会议室，扶他在摊开公文的桌子旁坐好，然后再让其余的政治局委员入场。有时则直到最后一刻才由助手给戈尔巴乔夫打电话，以总书记的名义请他‘越俎代庖’。”[1] 安德罗波夫时期就决定召开的中央意识形态工作会议在戈尔巴乔夫的努力下终于在1984年秋天召开了，“这次会议对戈尔巴乔夫的前途产生了重要影响。党内和经济战线的精英发现了他，同时发现他不仅仅是一位农业工作者。一位年富力强、精力充沛、风度翩翩的人登上讲台，作了一个非常内行的报告，提出了不少新思想，指出了光明的前途。”[2]

此后，契尔年科认可戈尔巴乔夫搬进了苏斯洛夫的办公室，也就等于承认了戈尔巴乔夫在党内位居第二的地位。但争夺总书记职位的工作并没有停止，在1985年春天进行俄罗斯最高苏维埃代表的选举时，莫斯科市委书记格里申硬拉着契尔年科参加选举，当时契尔年科已经病得站不起来了，只好在医院拍摄契尔年科发表电视讲话和接受代表委托书的场面，旁边站着格里申和莫斯科党和苏维埃的其他官员，借此显示格里申与总书记的亲密关系。有人把这看成是权力交接，是新领袖格里申的亮相，让戈尔巴乔夫感到不安。

二、戈尔巴乔夫——苏共别无其他的选择

契尔年科去世后，推选新的总书记的问题现实地提了出来。由于当时苏联接连安葬了三位高龄总书记，人们最迫切希望上来的是一位年轻人，而戈尔巴乔夫恰恰是政治局中最年轻的。在中央委员会内，戈尔巴乔夫显然得到了绝大多数委员的支持，但这一问题必须首先在政治局内解决。苏共的总书记名义上由中央委员会选出，事实上却是先在政治局内确定，然后提交中央委员会批准。在政治局里，除了戈尔巴乔夫外，还有人觊觎最高权力的宝座，其中之一

[1] [俄] 安德烈·格拉乔夫著：《戈尔巴乔夫之谜》，第69页。

[2] [俄] 瓦·博尔金著：《戈尔巴乔夫沉浮录》，第65页。

是莫斯科市委书记格里申，尽管格里申积极进行种种活动，但他在莫斯科威信不高，而且也已年过七旬，出任苏联的最高领导是不现实的；另一个人是列宁格勒市委书记罗曼诺夫，人们传说他像沙皇那样嫁女儿，把冬宫的一些桌子、酒杯等借来在女儿的婚礼上使用，列宁格勒市民甚至喊出了“打倒罗曼诺夫!”的口号。当时政治局中还有葛罗米柯[1]可以竞争总书记的职位，据戈尔巴乔夫回忆，他也确实希望得到这个职务，但是，他也难以得到大家的认同，其主要因素也是年龄超过了 70 岁，再选一个年迈者肯定得不到中央委员和民众的支持。戈尔巴乔夫是政治局里的“白乌鸦”，即出类拔萃的人，他接受了人文和经济两种教育：毕业于莫斯科大学法律系和斯塔夫罗波尔大学农业经济系。无论从受教育程度，还是年龄看，政治局中都没有比戈尔巴乔夫更合适的人选了。

但是，在契尔年科去世当天召开的政治局会议上，关于戈尔巴乔夫出任总书记的问题没有解决，戈尔巴乔夫表示，不急于解决这个问题，第二天再来解决。据戈尔巴乔夫回忆，格里申当时提议：“让米哈伊尔·谢尔盖耶维奇担任治丧委员会主席吧。”实际上意味着推荐戈尔巴乔夫担任总书记。[2]

从 1985 年 3 月 10 日至 11 日上午，苏联的高层就选举国家最高领导人问题进行了紧张的活动，起决定作用的是葛罗米柯，戈尔巴乔夫以让他担任最高苏维埃主席为条件，获得了他的支持。“戈尔巴乔夫的一位密使带着这个建议去见葛罗米柯，很快便得到答复：葛罗米柯有兴趣在新的水平上搞国际问题。事情有了新的转机，出现了戈尔巴乔夫当选总书记的现实希望，于是，除利加乔夫和雷日科夫以外，葛罗米柯也开始为戈尔巴乔夫积极活动。”[3]戈尔巴乔夫承认与葛罗米柯交换过意见，达成了联合行动的协议，但没有作出许诺。[4]在 3 月 11 日 15 时召开的政治局会议上，葛罗米柯提议戈尔巴乔夫为总书记候选

---

[1] 葛罗米柯是当时政治局中资格最老的委员。他从 20 世纪 30 年代后期开始外交生涯，曾同斯大林、罗斯福和丘吉尔一道参加过雅尔塔会议，对苏联外交政策的制定一直起着重大作用。

[2] [俄] 鲍·斯拉文著：《尚未结束的历史——戈尔巴乔夫访谈录》，第 10 页。

[3] [俄] 瓦·博尔金著：《戈尔巴乔夫沉浮录》，第 79 页。

[4] [俄] 鲍·斯拉文著：《尚未结束的历史——戈尔巴乔夫访谈录》，第 11 页。

人，没有人提出异议。葛罗米柯认为戈尔巴乔夫是苏共中央总书记的合适人选，“第一，他才华横溢，渴望多做工作，做好工作。第二，待人的态度……我从未听说过米哈伊尔·谢尔盖耶维奇刚愎自用。没有，他总是把党的利益、社会利益和人民利益放在第一位。第三，米·谢·戈尔巴乔夫有丰富的党务工作经验……我们可以毫不犹豫地说，如果选举他担任苏共中央总书记，我们不会错。我想再次强调，他知识渊博，经验丰富，不过，这些经验应当再加上我们的经验。”[1]葛罗米柯是元老，他的讲话一锤定音。继葛罗米柯之后，吉洪诺夫站了起来，也表示赞同戈尔巴乔夫担任总书记，随后，其他政治局委员也都纷纷发言，说了戈尔巴乔夫许多优点和功绩，纷纷表示赞同戈尔巴乔夫当选总书记。

在1985年3月11日17时召开的苏共中央全会上，戈尔巴乔夫主持会议，他先宣布契尔年科去世，并表示了哀悼，接着宣布这次全会的日程只有一个：选举苏共中央总书记，由葛罗米柯代表中央政治局讲话。葛罗米柯表示政治局一致同意推荐米哈伊尔·谢尔盖耶维奇·戈尔巴乔夫为中央总书记，受到中央委员们的热烈欢迎。“会场上爆发了热烈的掌声，比安德罗波夫当选时还要热烈。掌声一浪高过一浪，经久不息。”[2]

在关于戈尔巴乔夫当选苏共中央总书记的问题上，当时的领导层成员有很多描述，其中的出入还很大。根据利加乔夫的回忆，在戈尔巴乔夫走上总书记岗位的路上，他起了不小的作用。利加乔夫调到中央后主要负责干部工作，当时有大约20%的干部被撤换，因此，利加乔夫在这些来参加中央全会的中央委员中很有影响，他们纷纷到利加乔夫这里来探听消息，其中也包括担任斯维尔德洛夫斯克州委第一书记的叶利钦，许多地方上的领导也都倾向于戈尔巴乔夫，利加乔夫扮演了统一大家立场的角色。根据利加乔夫的回忆，葛罗米柯是力推戈尔巴乔夫继任总书记的最主要的人物之一。在由谁主持契尔年科治丧委员会问题上，当时政治局内部是有分歧的；按照惯例，治丧委员会主席理应是由总书记一职的继任者担当，可是，有些委员却“长时间沉寂”不语。随后，戈尔巴乔夫主持治丧委员会也是很勉强的。葛罗米柯展开了积极活动。他在3

[1] ［俄］鲁·格·皮霍亚著：《苏联政权史（1945—1991）》，第503页。

[2] ［俄］阿·切尔尼亚耶夫著：《在戈尔巴乔夫身边六年》，第27页。

月 11 日 9—10 点钟时，主动与利加乔夫协调一致，商定在接下来的政治局会议和中央全会上由葛罗米柯提名戈尔巴乔夫，由利加乔夫事前为葛罗米柯准备发言提纲和戈尔巴乔夫生平的‘详细材料’。”利加乔夫随即与其助手开始了紧张的准备工作。这时，离中央全会开会推选总书记仅剩 7 个多小时，而离政治局开会仅有 5 个小时了，利加乔夫描述说，他作为政治局主管干部工作的负责人，对州委书记们一一进行了“谈话”。下午 3 时政治局开会，葛罗米柯第一个发言，用“清楚的、训练有素的所谓‘外交’声音”说道：“请允许我讲几句话。我已经详细考虑过了，我提议米哈伊尔·谢尔盖耶维奇·戈尔巴乔夫为苏共中央总书记职务的候选人。”[1]接着，葛罗米柯扼要地介绍了戈尔巴乔夫，描绘出了戈尔巴乔夫的政治肖像，说戈尔巴乔夫“是一个很有发展前途的人”。此后，吉洪诺夫立即站起来表示赞同。这一切对其他政治局委员的表态起了决定性的作用。据利加乔夫说，葛罗米柯、他本人和其他委员当时认为，只有戈尔巴乔夫能够带领国家摆脱“80 年代初的濒于危机状态”。此后，政治局、中央全会均“一致赞同并选举戈尔巴乔夫为苏共中央总书记”。利加乔夫在回忆录中这样写道：“当时我直接目睹并参与了那场事件，那时我是这样想，事过多年我仍然这样认为，我还绝对有把握地说，政治局委员中有人明显地不赞成戈尔巴乔夫为总书记候选人。”“当时私下还流传着契尔年科留下的保举格里申的‘遗言’。尽管这种‘遗言’未必会对新总书记的选举产生决定性影响，可它无疑将给推荐戈尔巴乔夫为总书记候选人造成困难，票数会分散。”利加乔夫不无遗憾地说：“当然，我当时没能料到，过了 3 年之后在‘内部’、在最高权力集团内部开始出现困难，恰恰是这些困难成为不可克服的，最终使所有最初提出的设想遭受打击，导致国家走向衰落。”[2]

叶利钦在回忆此事时，认为这次不是政治局委员，而是中央全会决定了总书记的命运，他说：“实际上那次全会的全体与会者，包括富有经验、政治上成熟的第一书记们，都认为格里申的方案行不通，因为若他当选，那就意味着党和国家的末日将很快来临。不用多长时间想必他就会窒息全国的各级党组织，就像他窒息莫斯科市的党组织一样。这是无论如何也不能允许的。而且还

[1] ［俄］叶·库·利加乔夫著：《警示》，第 75 页。

[2] 同上书，第 78 页。

不能忘记他本人的品质：自满、自命不凡、强烈的权力欲等。”“州委第一书记当中大部分人都有一个想法，即只能从政治局成员中推选戈尔巴乔夫担任总书记职务，因为他精力充沛，学识渊博，而且年龄最合适。因此大家决定将赌注下到戈尔巴乔夫的身上。我们拜访了几个政治局委员，其中包括利加乔夫。我们的观点同他的想法不谋而合，因为他也像我们一样惧怕格里申。当看到这是大多数的愿望之后，我们决定，如果推选别的候选人，譬如格里申、罗曼诺夫或其他什么人，我们就一致反对、否决他。”[1]

也有人不同意这种说法，当时任政治局候补委员的雷日科夫则认为，在当时没有出现任何斗争，不可能有其他决议，也不存在任何现实的危险。[2] 格里申、罗曼诺夫、吉洪诺夫、库纳耶夫等没有表示异议，他们不得不考虑现实，自 1983 年以来已经发生了很大变化，地方领导人支持年轻的总书记，苏联不可能再选举一位老人来执政了。鉴于戈尔巴乔夫在安德罗波夫执政以来发挥的作用，以及政治局中的实际情况，他是唯一的选择。正如切尔尼亚耶夫所说：“‘期待戈尔巴乔夫到来’的气氛早在 1985 年 4 月之前就形成了，也就是从知道安德罗波夫身体已不行之时开始。在勃列日涅夫时人们就已为国家有羞辱感。在契尔年科时整个社会生活变成了一出令人感到羞耻的滑稽戏。”[3] 阿尔巴托夫也说：在契尔年科时期沉闷的气氛下，人们意识到“国家不能再有一个契尔年科，不能容忍一个有他同样思想和同样低下智力和政治水平的人。虽然讨论哪位政治活动家可以担任下届领袖并不是我国的传统，但是我们国家已对领导人的缺乏鲜明形象、平庸而低微的人品感到如此厌倦，所以总书记继任人的问题已经在每个人的头脑中开始考虑。契尔年科寿终之际，占上风的意见是，唯一有资格候选领袖职务的是戈尔巴乔夫”[4]。

尽管当事人的说法不一，客观现实是当时根本没有别的候选人，戈尔巴乔夫是唯一的选择。

[1] [俄] 鲍利斯·叶利钦著：《叶利钦自传》，朱启会等译，东方出版社 1991 年版，第 124—125 页。

[2] 尼古拉·雷日科夫著：《背叛的历史——苏联改革秘录》，第 66 页。

[3] [俄] 阿·切尔尼亚耶夫著：《在戈尔巴乔夫身边六年》，第 4 页。

[4] [俄] 格·阿·阿尔巴托夫著：《苏联政治内幕：知情者的见证》，第 394 页。

让人始料不及的是戈尔巴乔夫也是苏共最后一任总书记，后来的事实证明：“就其气质和性格，戈尔巴乔夫不能成为真正的国家首脑。他不具备充当国家首脑的素质，完全不愿作出权威的决断，总是无休止地争论，吸取各种不同的意见，没完没了地争论，并借机不作最终的决定，花言巧语，不置可否，不明确表示赞成或反对。他从不对任何错误决定承担责任，总是以所谓集体研究通过决定为掩护推卸责任。”[1]但这既不能怪罪戈尔巴乔夫，也不能怪当时选举戈尔巴乔夫的人，因为戈尔巴乔夫是苏联体制的产物，是老人政治的产物，是当时唯一的选择。苏联的干部体制使国家长期处于软弱无能的如勃列日涅夫、契尔年科之流的领导之下，切断了最能干、最有才华的人的发展道路，使平庸之辈和无原则的钻营者得以升迁。“早在个人崇拜时期建立的机制不仅把权力集中在领袖个人手里，而且一贯有目的地把领导人的大多数有竞争潜力的对手在距争当领导人还很远的时候就‘打掉了’。”[2]“在这种制度下，掌握权力的往往不是最聪明能干的人，而是最狡猾、最会阿谀奉承的人，从上到下都是如此。”[3]

1985年3月11日，戈尔巴乔夫这个新任总书记在中央全会上发表了讲话，他虽然说遵循过去的方针：“在第二十六次代表大会上，在随后召开的中央委员会全体会议上，经尤·弗·安德罗波夫和康·乌·契尔年科的积极参与下制定的战略方针，永远都不改变。”但他对这一方针的解释明显带有他自己的特点，他强调：“这一方针的目的是加速国家的社会经济发展，改善社会生活的所有方面。这里指的是改革生产的物质技术基础；指的是改善社会关系的体系，首先是经济体系；指的是人类自身的发展，从根本上改善人民的生活和劳动的物质条件及精神面貌。”他表示：“当前，我们面临着使国民经济向快速发展道路的决定性转变。我们应该，也必须在短时期内进入最先进的科学技术领域，拥有世界上最高水平的社会劳动生产率。”“为了更加顺利和更快地完成这一任务，必须继续始终不渝地完善经济机制和整个管理系统。沿着这条道路

---

[1] ［俄］尼·雷日科夫著：《大动荡的十年》，王攀等译，中央编译出版社1998年版，第367页。

[2] ［俄］格·阿·阿尔巴托夫著：《苏联政治内幕：知情者的见证》，第267页。

[3] ［俄］瓦·博尔金著：《戈尔巴乔夫沉浮录》，第213页。

前进，在选择最适宜的解决方法的同时，创造性地运用社会主义经济的基本原则是十分重要的。这就意味着要始终不渝地实行计划经济的发展，巩固社会主义的所有制，扩大权力，提高企业的自主性和责任感，增强它们对工作最终结果的关心。这就意味着使所有经济的发展，最终都要服从于苏联人民的利益。”“党将始终贯彻其制定的社会政策。一切为了人，为了人的福利——这个纲领性的原则应该赋予更深刻、更具体的内容。我们都明白，改善人的生活条件，应该根据他对共同事业所作出的贡献。什么地方偏离了这个原则，那里就必然出现破坏作为社会主义社会最重要的团结和安定因素的社会公道。”[1]戈尔巴乔夫创新之处是提出了加快社会经济进步和完善社会主义民主，而没有提发达社会主义。

在众望所归的情况下戈尔巴乔夫就这样成了苏共历史上第7任党的首脑，“年轻、精力充沛的米哈伊尔·戈尔巴乔夫1985年走马上任，在前任们不佳形象的衬托之下，他显得非常有魅力。大众百姓一下便喜欢上他的公开性，他和蔼可亲的外表，他愿意对话，曾宣誓般表态在社会改革过程中吸收一切知识能力和人民自觉性的力量。给人一种感觉，国家终于从多年的沉睡之中苏醒振奋起来。都感到很快会出现所承诺的美好变化：苏联人生活中将实现美好理想，他们家中将会富裕美满。”[2]阿卡耶夫说：“推举戈尔巴乔夫担任党和国家的领导，我认为带来了新的希望和气息。他个人的宽广视野是令人鼓舞的。他受过良好的大学教育，掌握广泛深奥的知识，有不同非凡的组织能力、民主的观点和思想。”[3]戈尔巴乔夫当时只有54岁，精力充沛，言谈举止明显不同于其前任，其上台之初拥有极高的支持率，“其他任何一位苏联领导人的上台，都没有像戈尔巴乔夫那样，受到国内外的欢迎。”[4]戈尔巴乔夫给世界各国领导人留下了很深的印象，普遍认为他是苏联的新型领导人，他的上任标志着苏联历史上一个新时代的开始。戈尔巴乔夫面对的是一个盛极而衰的社会，人民对他期

[1] 沈志华总主编：《苏联历史档案选编》，第30卷，第498页。

[2] ［哈］努·纳扎尔巴耶夫著：《时代、命运、个人》，第39—40页。

[3] ［吉］阿斯卡尔·阿卡耶夫著：《难忘的十年》，第56页。

[4] ［美］小杰克·F. 马特洛克著：《苏联解体亲历记》上，吴乃华等译，世界知识出版社1996年版，第53页。

望很高，戈尔巴乔夫也想迅速改变国家的面貌，但苏联几十年积累了太多的问题，让苏联迅速摆脱危机，是个难题。

三、戈尔巴乔夫的难题——如何使苏联走出危机

对戈尔巴乔夫所继承的苏联状况的评价，学术界存在着分歧，一些人否认 20 世纪 80 年代苏联面临全面的危机，认为如果戈尔巴乔夫不改革，苏联还可以延续下去。实际上，苏联体制的危机早就出现了，赫鲁晓夫、柯西金、安德罗波夫的改革都是想解决这些问题，但都没成功。苏联面临的问题很多，高度集权的政治体制压制创新、农村的贫困、民族问题、对官僚阶层的专横没有任何制约、沉重的军备负担等等。戈尔巴乔夫及与之观点相同的一些人意识到，再不能这样生活下去了。戈尔巴乔夫上台之时，尽管苏联仍是一个超级大国，看似强大，坚如磐石，但已经是个泥足巨人，外强中干。苏联有能力造高精尖的原子武器、拥有世界上最庞大的科学力量，但是人民的生活却远远落在了西方的后头。医院里没有足够的棉签和注射器，百姓家里连质量低劣的黑白电视机都不普及，在同一个城市里通电话竟然听不清对方在说什么，更可笑的是具有世界上最丰富的森林资源的苏联，连妇女用的卫生纸都供应不足。当国门打开了，苏联的老百姓看到了外面的世界并不像苏联媒体宣传的那样痛苦不堪时，他们感到羞愧，他们希望年轻的领导能够通过改革，振兴苏联。

苏联新领导人面临的是政治、经济、意识形态和道德领域的全面危机，正如基辛格所说："他继承了一套真正棘手，甚至可能无法克服的困难。戈尔巴乔夫继承权位时，苏联灾厄之规模才开始显露出来。40 年的冷战，几乎使全体工业国家都集合起来，组成一个松散的反苏同盟。苏联早先的盟友中国，基于实际理由也加入反苏阵营……从安哥拉到尼加拉瓜，美国重振旗鼓，使得苏联的扩张主义所费不赀却仍停滞不前，甚至含愧认输；同时，美国的加强兵力（尤其是推动战略防御计划）在技术上作出重大挑战，可是停滞且负荷过重的苏联经济开始无法应付。西方国家发动超级电脑、微晶片大革命之际，苏联这位新领袖却眼睁睁看着自己的国家沦为技术后进国家。"[1]美国情报官员认

---

[1] ［美］亨利·基辛格著：《大外交》，第 728 页。

为，“戈尔巴乔夫继承了一个危机四伏的帝国，在阿富汗和波兰面临着地缘政治的挑战。对苏联摇摇欲坠的经济体制起着支撑的硬通货收入体系，因美国发起的经济战而受到了严重的扭曲并且处于混乱之中。戈尔巴乔夫所面临的经济状况经受不了美国高科技国防建设的冲击，这将迫使他将更多的资源用于军事领域。当他开始为苏联这只航船掌舵时，美国政府高级官员们正在努力扩大美国的优势。”[1]

戈尔巴乔夫是苏联体制的产物，但他登上高位后却发动了一场针对体制的革命，其中原因正如格拉乔夫所言：“将一个具有高度公民责任感和清醒理智的人（戈尔巴乔夫显然就是这样的人）变成了对荒唐体制构成威胁的怀疑论者甚至论敌的，肯定是他从克里姆林宫山冈上一览无余的本国的悲剧性现实，而不是国外的海市蜃楼。”[2] 戈尔巴乔夫是在苏联和苏共的体制下步步升迁的，他看到和体会到了苏联体制的问题，作为一个有知识的干部、一个有责任、想有所作为的人，他早就成了体制内的持不同政见者。俄国史学家德米特连科认为：“到 80 年代中期在俄国逐步、无痛苦地向新的社会关系体制过渡的可能性已经被无望地错过了，体制的悄然蜕变改变了苏联社会整个生活方式：不再重新分配领导职位和企业的权力，本位主义加强、社会不平等。企业内部生产关系的性质发生变化，劳动纪律性下降，冷漠、漠不关心、偷窃、不尊重多劳多得的诚实劳动。那时国家存在着经济之外的对劳动的需要。苏联人与劳动成果相分离，发展成不是按照良心，而是根据需要完成任务。革命以后年代制定的意识形态的动机与相信在近期内实现共产主义一起削弱了，与此同时，石油美元减少、内外债增加。”“到 80 年代初苏联社会几乎所有阶层都无一例外地因无自由而痛苦，经受着心理的折磨。知识分子想得到完全的民主和个人自由。大多数工人和职员需要更好的组织和劳动报酬，特别是公平地分配社会财富。一部分农民指望成为自己的土地和劳动成果的真正主人。但是，最终完全是另外的力量决定苏联体制的方向和性质。这一力量是苏联的在册权贵，他们也受制于共产主义的条件，其个人的幸福取决于其供职的状况。”“这样，到 80 年代初，苏联的极权体制事实上在社会上失去了支持，不再有合法性。它的崩溃

[1] ［美］彼得・施魏策尔著：《里根政府是怎样搞垮苏联的》，第 255 页。

[2] ［俄］安德烈・格拉乔夫著：《戈尔巴乔夫之谜》，第 64 页。

只是时间问题。”[1]

除内部原因外，还有外部的原因，或许在某种意义上外部的因素更重要。美国发起的新一轮军备竞赛使苏联的大国地位面临严峻挑战，苏联的体制难以承受新一轮的军备竞赛。米格拉尼扬认为：“事实上对苏联的大国地位提出的军事技术上的挑战，是迫使苏联新领导认真考虑要实现现代化以保持苏联大国地位的决定性因素。”[2]

总之，苏联已经面临着种种危机，积累了许多问题，在苏联只有一个党执政和党垄断一切的情况下，改革不可能“从下边”开始，人们期待着“从上面”发生变化，并准备予以支持。许多人认为苏联社会无法变革是因为领导人因循守旧，戈尔巴乔夫的上台，给了人们以新的希望，戈尔巴乔夫激发了人们实现变革的愿望。对此，戈尔巴乔夫的夫人赖莎描述道：“改革思想及其步骤，从一开始就对人们充满着吸引力，并且得到了热烈的拥护。这种拥护与支持，一开始还只是情感上的、言语上的，最后才体现在米哈伊尔·谢尔盖耶维奇环游国内外的过程中，流露在成千上万夹道欢迎的人群的目光里，从而成为改革的感情背景。这种支持与同情也表现在一发不可收拾的来信中。1985 年，米哈伊尔·谢尔盖耶维奇个人平均每月可以收到 4 万封来信，1985 年全年竟高达 40.25 万封！而且，我再说一遍，这都是他个人收到的！还不包括那些寄给全体中央委员会成员的。1986 年，只是米哈伊尔·谢尔盖耶维奇的私人信函，平均每月多达 6 万封。”[3]

第二节　改革——从更新干部开始

自 20 世纪 30 年代斯大林模式形成后，苏联的体制并没有经过根本性的改革和修正，在此期间进行的比较大的改革是赫鲁晓夫倡导的改革，其改革是在

[1] История России. XX век. Отв. редактор *В.П. Дмитренко*. М., 1998. С.584–585.

[2] [俄] 安德兰尼克·米格拉尼扬著：《俄罗斯现代化之路——为何如此曲折》，徐葵等译，新华出版社 2002 年版，第 137 页。

[3] [俄] 赖莎·戈尔巴乔娃著：《我的希望——赖莎·戈尔巴乔娃回忆录》，王攀、黄鹂译，中国工人出版社 2000 年版，第 156—157 页。

反对个人崇拜的名义下进行的，实际上并没有动摇斯大林体制，在勃列日涅夫时期这一体制又得到了进一步的完善。但是，无论是苏共领导层，还是知识分子、民众，其中的有识之士都意识到，苏联正在走下坡路，需要改变。在戈尔巴乔夫时期长期担任部长会议主席的雷日科夫在总结苏联改革失败的教训时说："任何一个社会制度，如果能全面发展，经常不断地回应时代的新要求，那它就是一个足够稳定的制度。停滞是制度老化、制度毁灭的前兆。所以，苏联社会根据新时代的要求进行改革，就成为历史的需要和必然。它无疑应该早在几十年之前就开始，如果当时就去完成这样一个复杂的过程，无论是经济条件、社会条件还是其他条件，显然都要有利得多。但正如大家了解的那样，这一过程直到 1985 年才到来，而它的道路上铺满的已经不是玫瑰，而是荆棘。"[1]

一、苏联领导层中存在改革的力量

在统治苏联的 18 年时间里，勃列日涅夫求稳怕变，苏联的体制没有随着条件的改变而发生变化，他实行干部的终身制和无任期制，导致了干部队伍，特别是高层领导的老化，但是自然规律是不可抗拒的，到 20 世纪 80 年代初，柯西金、苏斯洛夫、勃列日涅夫、佩尔谢、安德罗波夫、乌斯季诺夫、契尔年科相继离开了人世，也就是说，勃列日涅夫班子的成员、成长于斯大林时代的领导人、与斯大林社会主义模式的建立有密切关系者退出了历史舞台。接替他们的是新一代的领导人，他们比老人们年轻许多，基本上是在赫鲁晓夫时期受的教育，而且受教育的水平要比那些老人们高。这一代人从父辈和祖辈那里了解了斯大林那些残酷手段给人民造成的创伤，经历了非斯大林化的浪潮，当时苏联的思想界很活跃，他们中的许多人对现状不满，早就希望摆脱传统理论的束缚。

苏共二十六大选举的中央级领导中，56 岁以上的人占优势，但年轻人也占到了 1/3。在地方一级领导中，戈尔巴乔夫这一代人所占比例高于中央，在区级占 50%多，在加盟共和国一级占 42%以上，在经济界领导人中占 30%以

[1] ［俄］尼·伊·雷日科夫著：《大国悲剧——苏联解体的前因后果》，徐昌翰等译，新华出版社 2008 年版，第 3 页。

上。[1] 勃列日涅夫的停滞与苏联体制的问题，让许多领导人认识到必须改变，正如阿尔巴托夫所说："发动改革的戈尔巴乔夫及其同事们来自体制内部，而不是外部，这也不是偶然的。"[2] 抽象地说，戈尔巴乔夫当上总书记时仍然可以一成不变地维持原来的体系及做法，就像勃列日涅夫那样安享权力。在苏联高度集权的体制下，如果上层不发起改革，下层即使有改革的愿望，也很难进行改革。戈尔巴乔夫改革的起因虽然有经济状况不佳的因素，但是如果不改革，苏联的经济也能维持下去，决定苏联改革的原因中，"其中主要的是决定政治气候的社会心理态势，在战后时期国内的实际情况与大多数公民期望之间出现巨大差距，而且这一差距在持续扩大。苏联政权几十年来的政治信用建立在居民的一种意识形态的固定信念上，即相信他们目前日复一日经历的严重困难是暂时的，好日子为期不远。这种信念依据的不仅是许诺和纲领性文件公开宣布的目标，还有社会政策上某些实际行动，它们被视为按既定方向前进的证明。然而人们越来越清楚地看到，预示着情况必将好转的未来渐行渐远，于是便产生失望，然后是疏远政权，逐渐又转化为敌视政权。"[3] 戈尔巴乔夫这一代苏联领袖选择了走改革之路，政治家的良心、责任与道德无疑起了很大作用。

虽然西方对苏联有压力，似乎是军备竞赛使苏联不堪重负而不得不进行改革，但这不是直接的原因，直接的原因是改革的想法早就在一些领导人的头脑中涌动，他们认识到苏联在各个领域的状况多么严重，需要进行改革，戈尔巴乔夫强调，提出改革的四月全会"是经过深思熟虑的。这不是即兴之作，而是经过周密考虑、仔细权衡的看法。如果认为 1985 年 3 月的中央全会以后刚过一个月突然出现了一批人，他们什么都明白，什么都认识到了，把什么问题都完全弄清楚了，这样看就错了。这样的奇迹是没有的。"[4] 戈尔巴乔夫长期

---

[1] *Барсенков А.С.* Реформы Горбачева и судьба союзного государства. 1985–1991. М., Изд-во МГУ, 2001. С.57.

[2] ［俄］格·阿·阿尔巴托夫著：《苏联政治内幕：知情者的见证》，第 328 页。

[3] 俄罗斯戈尔巴乔夫基金会编：《奔向自由——戈尔巴乔夫改革二十年后的评说》，李京洲译，中央编译出版社 2007 年版，第 59 页。

[4] ［俄］米·谢·戈尔巴乔夫著：《改革与新思维》，岑鼎山等译，世界知识出版社 1988 年版，第 13—14 页。

在党内担任领导工作，他对苏联的体制弊端是有认识的，他早就感觉到“再不能这样生活下去了”。戈尔巴乔夫回忆说，当他当上总书记在国内视察时，他深切地感到人们担心日益增长的核冲突的危险，“一句话，‘为了不发生战争’和‘再不能这样生活了’，这些要求不是产生在某个人的头脑中和在国境之外，而恰恰是苏联社会本身的愿望”[1]。斯拉文认为，“戈尔巴乔夫及其周围人的功绩在于，他们比别人更早地意识到了需要从极权政权制度下解放出来，开始在民主和人道的原则基础上更新苏联社会，试图把勃列日涅夫时代专横的‘发达社会主义’模式变成民主的社会主义，或者是‘带有人的面孔的社会主义’。由此产生了著名的口号：‘多一些民主，多一些社会主义！’”[2]

戈尔巴乔夫及其同事

在苏联社会存在体制外的持不同政见者，如萨哈罗夫、麦德维杰夫、索尔仁尼琴等人，在苏联的体制内，也早有有识之士认识到了斯大林体制的弊端，正如普里马科夫所说：“通常都强调 80 年代后半期，强调戈尔巴乔夫‘改

[1] Перестройка:Двадцать лет спустя. Составитель *В.И.Толстых.* М., 2005. С.210.

[2] Перестройка:Двадцать лет спустя. Составитель *В.И.Толстых.* М., 2005. С.16.

革’时期。其实，那些企图改变苏联局势、根本修正国内局势之共产主义思想基础的力量所开展的活动，不但以前早已有之，而且实际上为后来发生的诸多变化做好了准备。这些力量之积极活动的真实时间应从苏联共产党第二十次代表大会算起。”[1]据戈尔巴乔夫的妻子赖莎提供的资料，戈尔巴乔夫在大学实习时就已经对机关作风很厌恶，他当时在莫洛托夫区检察院实习，在 1953 年 6 月 20 日写给赖莎的信中，戈尔巴乔夫抱怨说：“……这里的环境太让我压抑了。每当接到你的来信，这种感觉就会显得尤为强烈。你的信给我带来的越是美好、珍贵、亲切、明白，我对四周的丑恶就感觉越深……尤其是对该区的上层生活。虚伪狭隘、奴颜婢膝、一切结局都预先设定，官员公然为所欲为、厚颜无耻、目中无人……瞅瞅这儿的头头脑脑，除了便便大腹之外，毫无突出之处，可那副得意洋洋、自高自大、高高在上的腔调啊！还藐视科学呢。由此还有对青年专家的冷嘲热讽。”[2] 据普里马科夫讲，鲁缅采夫在担任《和平与社会主义问题》（1958 年创刊，总部设在布拉格）总编辑时，这份杂志变为特殊的党内“异己思想的中心”，一大批杰出人物集中在这里，他们不是从书本上，而是从实际出发去认识当今世界。鲁缅采夫给了工作人员自由思想的空间，吸收有才能的创作人员，保护他们，“这本杂志还成了培养理论和政治骨干的学校，这也是他为我国社会政治思想解放及后来的发展作出的相当重要的贡献。这些理论和政治骨干后来肩负着吃力不讨好但极其重要的使命——在赫鲁晓夫领导的最后几年，尤其是在勃列日涅夫时期，阻止理论、意识形态和政策的滑坡和倒退，还要参与架设某种介于苏共二十大和改革之间的智能桥梁和跨越停滞深渊的桥梁，同时还要参与修建防止斯大林主义的反扑的街垒。不仅如此，很多当时在杂志社工作过并在杂志社这个集体里思想上政治上成熟起来的人，很荣幸地为准备和形成改革和政治新思维的理论基础作出了相当的贡献。”[3] 戈尔巴乔夫认为，“在我国人民中，在党内早已积聚了革命变革的能量。我们得出改革的思想，不仅是受实用的利益和考虑的影响，而且是听从了不平静的良

[1] ［俄］叶夫根尼·普里马科夫著：《大政治年代》，焦广田等译，东方出版社 2001 年版，第 2 页。

[2] ［俄］赖莎·戈尔巴乔娃著：《我的希望——赖莎·戈尔巴乔娃回忆录》，第 75—76 页。

[3] ［俄］格·阿·阿尔巴托夫著：《苏联政治内幕：知情者的见证》，第 106 页。

心的呼唤，依靠了革命传下来的不可摧毁的思想性，也是理论探索的结果，这种探索加深了我们对社会的了解，坚定了我们采取行动的志向。”[1]有学者也认为：“当1985年戈尔巴乔夫宣布实行改革政策时，在精神领域中已为这种改革准备了土壤。”[2]

在负责社会主义国家工作的中央书记尤·安德罗波夫周围集中了很多有才干的人，其中大部来自《和平与社会主义问题》编辑部，他们是Γ.A.阿尔巴托夫、Φ.M.布尔拉茨基、A.E.鲍文、H.B.希什林等。后来担任戈尔巴乔夫助手的切尔尼亚耶夫、沙赫纳扎罗夫也在该杂志社工作过。实际上，对苏联模式社会主义体制的怀疑的情绪是普遍的，1985年6月18日保加利亚领导人日夫科夫在给戈尔巴乔夫的信中写道：几十年来，西方在经济上超过了我们，而我们继续跟在它们后面走，这是怎么回事；为什么社会主义制度几十年还达不到前列；我们的科学成果竟很快地被资本主义国家的公司首先掌握和应用，这岂非咄咄怪事；为什么我们最经常地使用党和国家机构的力量去加速技术进步。经互会已在很大程度上耗尽了自己的可能性。在这个组织中，已难以出现新的东西，即使出现也会死亡，因为我们是在拼命往已干裂的旧酒瓶里装新酒。粉饰表面的办法已经不够了。我们每个国家都在各自为政地行动或者说经常互相妨碍。[3]在科技革命面前，在劳动生产率和人民的生活水平方面，苏联已经落后了，戈尔巴乔夫感到苏联已经迟到了，失去了很多机会。勃列日涅夫时期一直酝酿要召开一个关于科技进步的中央全会，始终都没开成。20世纪70年代苏联的经济发展速度一路下滑，到安德罗波夫上台时已经降到了最低点。除了军品外，苏联的产品在国际市场上没有竞争力，苏联是世界上资源最丰富的大国却不能解决民众最基本的生活问题，财政赤字始终存在，人民不满，官员只知道满足自己的利益。

戈尔巴乔夫表现出了与其前任不同的工作作风，他吸引科学界，特别是

---

[1] ［俄］米·谢·戈尔巴乔夫著：《改革与新思维》，第14页。

[2] ［俄］安德兰尼克·米格拉尼扬著：《俄罗斯现代化与公民社会》，徐葵等译，新华出版社2003年版，第66页。

[3] ［保］托多尔·日夫科夫著：《日夫科夫回忆录》，吴锡俊等译，新华出版社1999年版，第240—241页。

经济学和社会学工作者参加到他的改革计划中来，在他的倡议下，特·扎斯拉夫斯卡娅和阿·阿甘别吉扬[1]从西伯利亚调到了莫斯科，他们早就对经济学的正统理论进行过批评。在戈尔巴乔夫的班子里，主要改革派人物有：苏联驻加大使、中央宣传部部长雅科夫列夫，中央委员会科技部部长、经济学家梅德韦杰夫，中央委员会总务部部长卢基扬诺夫，法学家沙赫纳扎罗夫，国际关系专家切尔尼亚耶夫等。戈尔巴乔夫还经常求教于知识分子，他开始定期与阿甘别吉扬、阿巴尔金、博戈莫洛夫见面，科学院的学者莫伊谢耶夫、劳申巴赫、沙塔林、阿尔巴托夫、什梅廖夫、彼特拉科夫渐渐成为戈尔巴乔夫的非正式的智囊团成员。戈尔巴乔夫出国访问时，也要带上一些专家。“全国的政治精英和知识精英对于改革已迫在眉睫的主张几乎万众一心地支持，依靠的是全社会积累已久的焦急心情以及改革在社会上唤起的充满希望的欣快感。当时未必能够把与改革有关的期望讲得清楚的千百万改革拥护者那高涨的热情，取代了宣传机关多年勉强凑成的虚构的‘党和人民的团结一致’。”[2]

二、改变老人治国局面，提拔任用年轻干部

戈尔巴乔夫在提出解决存在的社会和经济问题时，首先强调加强党的工作和党的领导的成效问题，认为从组织上和意识形态上加强党、完善党在一切领域的工作作风和方法的问题具有重要意义。戈尔巴乔夫特别重视用具有首创精神和精力旺盛的领导干部加强各级党组织，他希望全体干部，“认清时势的要求，改变工作方式。但是，凡是不想改变工作方式，尤其是阻挠解决新任务的人，就应干脆走开，别再碍事。我们不能把一个人的利益置于整个社会的利益之上。”[3]党的工作的主要方针，是从上到下地使干部的思想和情绪发生转折，以便把注意力集中到最重要的方面——科学技术进步上。[4]戈尔巴乔夫

[1] 这两位学者在1983年初完成的长达180页的《新西伯利亚报告》，对苏联经济现状作出了不同于官方的评估。

[2] ［俄］安德烈·格拉乔夫著：《戈尔巴乔夫之谜》，第92页。

[3] 《戈尔巴乔夫言论选集》，第82页。

[4] 同上书，第112页。

批评斯大林主义和勃列日涅夫主义，认为事情做不好是因为人，所以也开始找“精明的省长”，撤换区委书记、中央委员。

利加乔夫

戈尔巴乔夫上任伊始，面临的一个重要任务是调整干部，改变干部队伍长期老化的局面，实际上这一工作在安德罗波夫任总书记后就开始了，但没有完成，还需要戈尔巴乔夫加大这方面的工作力度。

在 1985 年四月全会上，中央书记利加乔夫、雷日科夫和克格勃主席切布里科夫进入了政治局，苏联国防部长索科洛夫元帅成为政治局候补委员，这使政治局里的力量对比发生了有利于戈尔巴乔夫的变化，利加乔夫成为主持书记处会议、掌管意识形态并担任外交委员会主席的党内第二号人物。

叶戈尔·库兹米奇·利加乔夫于 1920 年出生在西伯利亚一个农民家庭，毕业于莫斯科航空工业学院，曾在中央高级党校学习过，1944 年加入共产党。1957 年 5 月，37 岁的利加乔夫在新西伯利亚担任地方党委书记，1961 年调任苏共中央俄罗斯局宣传部副部长，后任组织部副部长。1965 年 11 月，他被调到西伯利亚西部任托木斯克州党委第一书记。1976 年，当选中央委员，1983 年 4 月任苏共中央组织和党务工作部部长，1983 年 12 月任苏共中央书记处书记。

在 1985 年 6 月 29 日苏共中央政治局会议上，戈尔巴乔夫提议葛罗米柯担任最高苏维埃主席团主席[1]，其腾出来的外交部长的职位由格鲁吉亚共产党第一书记谢瓦尔德纳泽担任。在 1985 年 7 月苏共中央全会上，罗曼诺夫“因

[1] 葛罗米柯担任这一职务被认为不是为了“事业利益”，而是上层的交易。参见［俄］瓦连京·法林著：《密室隐情》，余燕学译，军事谊文出版社 2001 年版，第 379 页。

健康原因”被解除职务，全会选举谢瓦尔德纳泽为政治局委员，选举叶利钦和扎伊科夫为中央书记，雅科夫列夫被任命为中央委员会宣传部长。1985年7月2日，葛罗米柯就任苏联最高苏维埃主席，谢瓦尔德纳泽就任外交部长。

戈尔巴乔夫推荐谢瓦尔德纳泽担任外交部长颇出人意料。谢瓦尔德纳泽1928年出生于格鲁吉亚苏维埃社会主义共和国兰奇胡季区的马马季村，他非常年轻时就步入政坛。1946年，年仅18岁的谢瓦尔德纳泽就出任共青团库塔伊西区委部长，后任区委第二书记。1951年任共产党库塔伊西市委巡视员，1953年任市委第二书记。1957年任格鲁吉亚共青团中央第一书记。1959年毕业于国立库塔伊西师范学院。1961年后任格鲁吉亚共产党姆茨赫塔区委第一书记、第比利斯市五一区党委第一书记。1964年任格鲁吉亚内务部第一副部长，1965—1972年任部长。1972年当选为格鲁吉亚共产党第比利斯市委第一书记，同年当选为格鲁吉亚共产党中央第一书记，当时只有44岁，是当时加盟共和国党中央书记中最年轻的。谢瓦尔德纳泽当时被认为是有创新精神的干部，他在经济领域进行改革，实行了责任制和物质刺激，使工农业产品成倍增长，1976年进入中央委员会并成为政治局候补委员。格鲁吉亚与斯塔夫罗波尔相邻，谢瓦尔德纳泽与戈尔巴乔夫从20世纪50年代起就是老朋友，他们同是年轻有为的干部，有更多的共同语言。谢瓦尔德纳泽没有国际事务的经验，也没受过这方面的培训，但他很会讨好上司。此举表明戈尔巴乔夫要亲自领导国家的外交活动。

叶利钦也是戈尔巴乔夫飞速提拔起来的人物，也是戈尔巴乔夫犯的重大错误之一。1985年4月，中央政治局候补委员、书记处书记多尔基赫把电话打到了叶利钦正在行驶的车里，他告诉叶利钦，中央准备把他调到莫斯科，到建设部当部长。叶利钦对莫斯科这个权力中心向往已久，但他对这个职务并不满意，他拒绝了多尔基赫的建议，说自己喜欢在家乡工作，这里更需要他。第二天，利加乔夫打来电话，再次向他提出这个建议，叶利钦权衡利弊，来到了莫斯科。“利加乔夫看上叶利钦，大概是因为此人具有同他自己一样的特点：属于行政管理型，作风严厉，行动果断，善于雷厉风行地惩治那些玩忽职守或者毫无用处的人。”[1]1985年7月，戈尔巴乔夫把叶利钦提拔为负责建筑业

[1] ［俄］安德烈·格拉乔夫著：《戈尔巴乔夫之谜》，第84页。

的中央书记，雷日科夫劝阻过他，但戈尔巴乔夫没有听。

雷日科夫

鲍里斯·尼古拉耶维奇·叶利钦于1931年2月1日生于斯维尔德洛夫斯克州的一个农民家庭，比戈尔巴乔夫大一个月。当叶利钦第一次受洗时，漫不经心的神父竟忘了把他捞出来，他差一点被淹死，其父母认为他大难不死，必有后福，他这么小就能经受这么大的折腾，一定会成为一个性格坚强、作风勇猛的斗士，于是给他起名为“鲍里斯”，俄文意思是“斗士”。与安德罗波夫、契尔年科和戈尔巴乔夫不同，他的政治生涯不是从共青团开始的，1955年他在乌拉尔工学院建筑工程专业毕业后，曾担任过总工程师和州委建设局局长，1976年11月45岁的叶利钦被任命为斯维尔德洛夫斯克州委第一书记，该州是苏联第八大州，是工业区。叶利钦在这里担任第一书记长达10年，他修建了地铁工程，改善了居民的居住条件，改善了这个州的交通状况，成了一个不搞特权和廉洁的好干部，在群众中威信较高，在1981年2月苏共第二十六次代表大会上当选为中央委员，向着苏共的权力中心迈了一大步。戈尔巴乔夫上台后，要起用支持他改革的新人，叶利钦当然是个应该重用的人才。在1985年对干部大换血中，叶利钦连升三级，大步跨上了苏联的最高领导层。1985年12月叶利钦取代从1967年起就任首都党组织领导人的格里申成为莫斯科市的第一书记，1986年2月叶利钦当选为政治局候补委员。

1985年9月27日，苏联部长会议主席吉洪诺夫退休，雷日科夫任部长会议主席。1985 年 11 月 26—27 日在最高苏维埃大会上，通过了对雷日科夫的任命。12 月 23 日，戈尔巴乔夫迫使格里申退休，格里申把经营了 18 年的领地让了出来，切尔尼亚耶夫写道："今天莫斯科沸腾了，终于撤销格里申，换上了叶利钦。"[1] 叶利钦在 1986 年 1 月 24 日莫斯科党代表会议上作的报告受到欢迎，"从其征兆意义和表达的深度和广度来说，报告可与苏共二十大报告相媲美。也就是说，从精神、言论和措施上，成了真正的新的生活和行动的规范。在出售《莫斯科真理报》的报亭前排起了长长的队伍。"[2] 说明戈尔巴乔夫信任叶利钦，希望他在首都大干一番，给全国做个榜样。叶利钦当上莫斯科市委第一书记后，便对莫斯科的干部进行了大规模的清洗，其用人的原则首先是非格里申的人。在不到一年的时间里，他先后撤换了市长、市委第二书记、两个市苏维埃执行委员会副主席、市警察局长、克格勃主席、33 个区委书记中的 23 个以及市委机关刊物《莫斯科真理报》的主编、电视台的总编等，其中当然有无所事事之徒，但也有的人并无大的过失，如基辅区委第一书记上任仅半年，便被降职，他以自杀来抗议对自己的不公。在此期间，叶利钦做了许多工作，但也表现出了急躁、主观、好冲动和随心所欲的毛病。戈尔巴乔夫赶走了一个对手格里申，扶上来的却是一个更为厉害的对手。

在 1986 年 2 月苏共二十七大召开前的一年时间里，戈尔巴乔夫进行干部调整的力度是史无前例的。最高苏维埃主席团的 17 名正副主席中有 8 人被撤换，部长会议 13 个正副主席中有 7 人退休，有 3 个共和国的党中央一把手被解职，6 个共和国的部长会议主席、9 个共和国的最高苏维埃主席团主席易人，35 个部长、46 个区委第一书记易人。据统计，在戈尔巴乔夫上台的第一个月，就有 6 个州委第一书记被撤换。雅科夫列夫担任了中央宣传部长，卢基扬诺夫担任了中央总务部长。经济学家梅德韦杰夫，国际问题专家切尔尼亚耶夫、沙赫纳扎罗夫等相继成为戈尔巴乔夫的智囊人物。经济学家阿甘别吉扬从他待了 23 年的西伯利亚回到莫斯科，担任了戈尔巴乔夫的经济顾问，叶戈尔·雅科夫列夫成了《莫斯科新闻》周刊的主编，历史学家尤里·阿法纳西耶夫成了国家历史档案馆的馆长。

---

[1] ［俄］阿·切尔尼亚耶夫著：《在戈尔巴乔夫身边六年》，第 68 页。

[2] 同上。

从1985年3月戈尔巴乔夫就任总书记到1986年3月6日苏共二十七大召开，戈尔巴乔夫对苏共最高领导层进行了4次重大的人事变动：有2人从政治局候补委员递升为政治局委员（切布里科夫、谢瓦尔德纳泽）；有2人从中央书记处跃升为政治局委员（利加乔夫、雷日科夫）；有2人由中央委员升为政治局候补委员（塔雷津、索科洛夫）；有3人从地方调任中央书记（尼科诺夫、叶利钦、扎伊科夫）；有3人被解除政治局委员职务（格里申、吉洪诺夫、罗曼诺夫）；解除了76岁的鲁萨科夫书记处书记的职务。与此同时，对最高苏维埃、部长会议、政府各部委、各共和国、边疆区、州的领导班子也进行了大调整。从任用干部看，戈尔巴乔夫并不善于识人，其任用的干部有些是明显的问题干部：谢瓦尔德纳泽被认为是溜须拍马之徒，利加乔夫固执己见，叶利钦缺少耐心，雅科夫列夫过分相信自由主义，也不被其他人认同，正如后来事态发展所证明的，这不是一个思想倾向接近、团结一致的班子："其中有来自'清教徒'的反对势力，例如，伊戈尔·利加乔夫，他对改革的兴趣仅限于消除勃列日涅夫时代的腐败；有来自'技术专家治国论者'的反对，如总理尼古拉·雷日科夫，他只关注在苏联行政和经济生活中寻求更科学的专门知识和合理的行政程序；还有像鲍里斯·叶利钦这样的极端派，他越来越对戈尔巴乔夫在改革中的迟疑感到失望。而这种迟疑某种程度上是为了避免在执政党内出现分裂。"[1]

在推行改革方针上，这一时期戈尔巴乔夫主要靠利加乔夫和雷日科夫，利加乔夫是第二书记，主持书记处会议，管理党，起草政治决议。雷日科夫作为总理，主管经济，他们和安德罗波夫一样，相信靠行政措施整顿纪律和秩序就能解决问题。在1985—1986年的第一阶段，即实行加速战略时期，戈尔巴乔夫及其领导班子并没有认识到对传统体制进行改革的必要性，其政策措施并未超出以往的实践，"加速战略"仍在强化斯大林—苏联模式，仍在用行政命令的办法搞经济。只有雅科夫列夫一开始就主张必须改变经济体制，实行管理的非集中化，扩大企业的权力，引入经济核算，但得不到多数的支持。因此，在原体制下打转的苏联新领导人不可能真正满足人民提高生活水平的愿望。

---

[1] ［美］尼古拉·梁赞诺夫斯基、马克·斯坦伯格著：《俄罗斯史》，杨烨等译，上海人民出版社2007年版，第588页。

第三节　苏共二十七大——“新方针”的确立

苏共第二十七次代表大会是戈尔巴乔夫担任苏共中央总书记后召开的第一次全国性的党代表大会，其任务是规划未来五年苏联的发展战略。苏共二十七大提出了加速战略，有了许多不同于上一次代表大会的新东西。但是，毕竟戈尔巴乔夫执政还不到一年，提出改革的方针也为时不久，苏共二十七大所确定的方针政策还有很多局限性。从中可以看到，苏联改革的理论准备不足，苏联的理论界长期停留在诠释马克思列宁主义理论的水平上，对于现代经济的基本要素，如竞争的市场、复杂的银行体系、外汇市场、劳动力市场、财政手段的运用等，都没有多少研究。因此，苏联的改革仍停留在解决看到的问题阶段，很大程度上仍是即兴之作。

一、改革政策的酝酿

在1985年3月21日苏共中央政治局召开戈尔巴乔夫上任后的第一次会议，会议讨论并提出了动员全国力量实现经济集约化和加速社会经济发展的任务。在4月23日召开的苏共中央全会上，戈尔巴乔夫提出了“加速战略”的问题，按戈尔巴乔夫的说法，“这次会议标志着向新的战略方针、向改革的转折，提出了改革这一构想的基本内容。”[1]戈尔巴乔夫在全会上虽然也强调要继承党的二十六大及其后历次中央全会所确定的方针，但他更强调要发现和解决新问题，“主要问题在于怎么样和依靠什么国家才能取得经济的高速发展。政治局研究这个问题时，我们得出了一致的结论，那就是实现这个高速发展的现实可能性是存在的。如果我们把全部工作的中心放在经济的集约化和加速科学技术进步上，改革管理和计划，改革机构和投资政策，普遍加强组织性和纪律性，从根本上改善工作作风，那么加速增长，而且是实质性地增长的任务是完

[1]　[俄]米·谢·戈尔巴乔夫著：《改革与新思维》，第13页。历史学家舒宾认为，1985—1987年戈尔巴乔夫的政治没有独创性，只是安德罗波夫路线的继续。*Шубин А.В.* От“застоя”к реформам. СССР в 1917–1985 гг. М., РОССПЭН, 2000. С.297.

全可以实现的。”[1] 戈尔巴乔夫在此提出的“加速战略”，实际上继承了安德罗波夫的政策，在方法上也与之一脉相承，“首先调动人的积极因素，使每个人都能在自己的工作岗位上极其认真地、高效地工作，那么我们就可以取得比较好的成效。”[2] 戈尔巴乔夫试图通过加快科学技术进步和对社会生产力的根本改造来提高苏联的经济增长速度。他虽然突出了科技进步的作用，强调了完善社会主义经济体系的意义，但其重点不在改革，而在促进经济增长。戈尔巴乔夫没有提经济体制改革这一真正决定经济发展的关键，也未提经济结构调整这一重要问题，说明他并未突破苏联传统的经济发展战略。

1985 年 5 月 17 日在列宁格勒党组织积极分子会议上，戈尔巴乔夫讲道：“我们大家都应当改变看法，人人都应当改变看法。我们甚至可以这样说，从工人到部长，到党中央委员会书记，到政府领导人都应当改变看法。人人都应该熟悉新的工作方法，懂得我们别无他路可走。”[3] 戈尔巴乔夫提出的主要工作，一是加速科技进步，二是调动人的因素，他说：“在第一阶段，也就是我们展开加速科技进步的阶段，我们应当从更好地组织工作、高度负责和我国劳动者对事业的认真态度中尽量取得一切效益。这里需要各级党组织、工会和共青团来做工作。这里也需要采取一整套教育措施、组织措施、经济措施，当然还有奖励性的物质措施。”“如果我们能够调动一切组织的、经济的和社会的潜力，首先是积极地调动人的因素，争取做到每个人都在各自工作岗位上诚实地和富有成果地劳动，我们就确实可以迅速取得效益。”[4]

1985 年 6 月苏共中央终于召开了关于加速科学技术进步问题的会议，戈尔巴乔夫在会上指出：“党认为加速科学技术进步是自己经济战略的主要方面，是国民经济实现集约化和提高其效率的主要杠杆，也就是说，是解决极为重要的社会问题的重要杠杆。”[5] 苏联要依靠科技力量加速社会经济发展，解决生产设备老化，手工劳动占比例大的问题，戈尔巴乔夫不重视能满足人民生活需要

[1] 沈志华主编：《苏联历史档案选编》，第 30 卷，第 500 页。

[2] 同上。

[3] 《戈尔巴乔夫言论选集》，第 70 页。

[4] 同上书，第 75 页。

[5] 同上书，第 87 页。

的农业和轻工业，仍然强调："机器制造业在国民经济的改造方面和实现科学技术革命方面起着关键性作用。我们要从根本上改变对机器制造业体系的态度。"[1]1985年8月苏共中央和苏联部长会议作出关于加速发展机器制造业的决议，作为第十二个五年计划和2000年发展前景中科技进步的基础。从中我们看到，戈尔巴乔夫并没有摆脱把加速发展重工业看成是社会主义经济重心这一传统的思维方式，实际上是在加重苏联本就不合理的经济结构。1985年6月27日，戈尔巴乔夫在基辅党组织积极分子代表大会上强调把注意力集中在机器制造业的最新方向上，关于管理体制的改革，他认为："决定国民经济发展主要方向的，不是市场，也不是自发力量，而首先应当是计划。同时，应当对计划工作采取新的态度，积极采用经济杠杆，为发挥劳动集体的主动性提供广阔天地。"[2]

在苏共二十七大召开前，戈尔巴乔夫强调苏联共产党的基本理论方针和政治方针的继承性，创造性地丰富和发展社会主义理论。苏联共产党要有计划、全面地完善社会主义，在加速国家社会经济发展的基础上使苏联社会继续向共产主义迈进。他把改革的目标定为完善社会主义，提出的口号是"更多的社会主义，更多的民主"。苏联一直过高估计苏联社会主义发展的阶段，1936年苏联刚刚完成生产资料的社会主义改造，斯大林就宣布苏联建成了社会主义。1939年联共（布）第十八次代表大会提出了向共产主义过渡的问题，斯大林要在一国建成共产主义。赫鲁晓夫执政时期继续沿着斯大林的这一理论前进，提出苏联要在20年时间里进入共产主义。勃列日涅夫上台后，从这一立场后退，提出苏联处在发达社会主义阶段，这仍然是不切实际的。1982年安德罗波夫主持苏共中央工作后，修正了"发达社会主义理论"，认为苏联正处在漫长的发达社会主义的历史阶段的起点。但是，苏联的大多数政治家仍认为苏联社会主义的社会经济与其他经济形式相比有优越性，他们不仅不能，也不想改革体制。

当然，苏共党内也有人对体制提出质疑，最早提出这一问题的是雅科夫列夫，他在1985年12月写给戈尔巴乔夫的信中说："今天问题不仅仅在于经济——这是进程的物质基础。关键在于政治体制……应该做到：（1）消除言论

---

[1] 《戈尔巴乔夫言论选集》，第96页。

[2] 黄宏、纪玉祥主编：《原苏联七年"改革"纪实》，红旗出版社1992年版，第7页。

与实际脱节的现象，把个人、集体、社会整体的利益结合起来。(2)（与每一阶段历史可能性相应的）彻底完全的民主。(3) 发展个人的自主性与创造性。(4) 实际吸引每个人参加地方和国家的现代生活。”“民主首先是选择的自由，我们缺少选择，只有集中……现在我们还没有完全理解已经发生事件的实质，现正处于从没有选举或不可能进行选举的时代向人人参加的民主选举的时代转变，这是历史的必然。”[1]对此，政治局没有讨论过，戈尔巴乔夫也不赞成，但戈尔巴乔夫采纳了其中一些建议，如民主化、公开性、尊重人权等。

二、新方针及其局限性

戈尔巴乔夫经济改革的核心是在利用最新科技进步成就基础上“加速”社会经济发展，所有的尝试都是在旧体制的框架内进行的，强调的都是发展和尽快赶上西方发达国家，而不是调整经济结构和解决人民生活的基本需要。

1986 年 2 月 25 日苏共第二十七次代表大会召开，这次代表大会从形式上并没有改变苏共已往的传统，不像是一次解决问题的大会，更像是一次庆典。有 4993 名代表出席了大会，还有来自 113 个国家的 152 个共产党、工人党、革命民主党、社会党、社会民主党、工党和其他政党的代表团以及一些民主社会团体的代表出席了会议。这样的会议实际上要完成的任务是通过中央政治局、书记处已经拟好的讲话、报告、纲领。与以往相同的是，代表也是按等级安排住宿的，代表们一项重要任务是给亲友买礼物，商店里有特设专柜，出席二十七大的代表每人得到一份礼品，仅这一项开支就达 100 多万卢布。[2]

与以前不同的是，戈尔巴乔夫在苏共二十七大所作的报告中谈成绩的篇幅较小，谈问题的很多，也有许多与以前不同的看法和提法，最突出的是他大声疾呼要进行变革，大会决议确认：“加速社会经济发展的方针要求必须深刻改造经济机制，建立一个以民主集中制原则为基础并有助于更充分地挖掘社会主义潜力

[1] *Яковлев А.Н.*Омут памяти.От Столыпина до Путина. В 2-х книгах. Книга первая. М., “Вагриус”, 2001. С.372.

[2] ［俄］瓦·博尔金著：《戈尔巴乔夫沉浮录》，第 150 页。

的完整、有效而灵活的管理体制。”[1]在制定目标的宏伟程度上并不亚于以往。

戈尔巴乔夫强调，“苏共领导人认为有责任把我们在政治活动和实践活动中出现的失误、经济和社会精神领域的不良倾向以及出现这些现象的原因如实直率地告诉党和人民。一些年来，不仅是由于客观因素，而且首先是主观原因，党的机关和国家机关的实际行动落后于时代和生活本身的要求。国家发展中问题的积累要比问题的解决快。惰性、管理方式方法的僵化、干劲不足、官僚主义滋长——这一切都给事业造成不少损失。社会生活中开始出现停滞现象。”[2]戈尔巴乔夫指出，社会生活中开始出现停滞现象，党的机关和国家机关的实际行动落后于生活，应该对经济体制进行根本改革，结束中央干预下级经济部门业务活动的做法，坚决扩大联合公司和企业独立自主性的范围，用经济方法领导企业，消除陈旧的理论观念；发展社会主义自治，继续挖掘合作社所有制的潜力，发挥个体经济对社会主义经济的补充作用；发展商品货币关系，使计划经济同市场机制相结合；实现经济管理的全面民主化；进行农业体制改革，在作业队、生产组和家庭一级推广承包制和合同制。改革的目标是完善社会主义，使社会主义继续向共产主义迈进，依然是党的基本任务。这一纲领主要是针对勃列日涅夫时期苏联社会的停滞、僵化和教条主义盛行的现象而提出来的。

在对国际形势的分析中，戈尔巴乔夫虽然歌颂了社会主义的文明进步性，认为社会主义是全人类发展的方向，谴责了资本主义对历史进步的阻碍作用，资本主义给各国人民带来了文化贫困，毁坏了世代建立起来的精神财富，帝国主义体系造成发展中国家的贫困等等。但同时，他又强调出现了全人类和全球性问题，如环境、大气层和海洋污染以及自然资源的枯竭，强调解决这些问题光靠一个国家或几个国家的努力是不行的，需要世界范围的合作。要求通过协作防止发生核浩劫，使文明社会能够生存下去。他提出“两种制度的竞赛和对抗与世界大家庭国家的相互依赖关系日益增长的趋势相结合，这就是当代发展的现实辩证法……共产党人一贯认为，社会进步的道路充满着各种内部的复杂性和矛盾性。但是，这正是共产主义世界观的主要特点，处在这些过程中心的

[1] 《苏联共产党第二十七次代表大会主要文件汇编》，辛华编译，人民出版社1987年版，第138页。

[2] 同上书，第6页。

始终是人、人的利益和他们所关心的事情。弗·伊·列宁强调指出，人的生命、人的全面发展的能力是最大的价值，社会发展的利益高于一切。苏共在自己的实践活动中是以此为目标的。”[1]

戈尔巴乔夫在苏共二十七大上提出了加速国家社会经济发展的战略方针，他这里讲的不只是经济的高速度发展，主要强调的是经济发展的质量，科学技术的进步、经济结构的改造、有效的管理、生产的集约化，“加速经济发展的方针不能只归结为经济领域中的改造。它还规定执行积极的社会政策，始终如一地确立社会主义公正原则。加速的战略要求完善社会关系，革新政治机关和意识形态机关的工作方式和方法，加深社会主义民主，坚决消除怠工、停滞不前和保守主义，即消除阻碍社会进步的一切东西。”[2]戈尔巴乔夫强调要从过去吸取教训，要讲真话，敢于说出20世纪70年代和80年代初出现的消极过程，要让群众积极自觉地参加这项工作。他还提出要克服对商品货币关系所抱的成见和在按计划领导经济的实践中对其评价不足的现象，否认商品货币关系对提高人们对事业的关心、对提高生产效益的积极影响的重要意义，就会削弱利用经济核算，造成其他不良后果。

苏共二十七大据此制定了宏伟的计划和目标，大会通过的《苏联1986至1990和至2000年经济和社会发展基本方针》，规定在1986—2000年的15年中，国民收入平均增长速度达到4%以上，到20世纪末国民收入翻一番，劳动生产率将增长1.3—1.5倍，国民收入的能源消耗将降低40%，金属消耗量差不多将降低50%，这将意味着向生产集约化，向提高质量和效益实现急剧转折。使全民所有制和合作社所有制逐步融合，加大对机械制造业的技术改造和投资力度。为了实现上述目标，苏联在五年计划中要增加15%的原材料供应，投资要增加30%—40%，需要投入200万劳力。而苏联并没有这些资源。[3]1986—1990年第十二个五年计划与以往的计划相似，目标仍是宏伟的，仍需大量投资和热情才能完成计划，计划的核心仍是重视重工业，特别是机器制造业。戈尔巴乔夫特别强调要利用经济增长的潜力，也就是利用原有体制的潜力，“更

[1] 《苏联共产党第二十七次代表大会主要文件汇编》，第29—30页。

[2] 同上书，第31页。

[3] *Тимошина Т.М.* Экономческая история России. М., 2000. С.356.

好地利用业已形成的生产潜力，提高劳动刺激的有效性，加强组织纪律性和克服经营不善。潜力就在我们手边，只要加以关心，只要像主人翁那样去安排，它们就会带来高效益。”[1]这个计划显然是不现实的，完成计划的手段与方法也是不现实的，这是苏联领导人好大喜功传统的再次体现。

坚持社会主义的原则与目标是戈尔巴乔夫政治报告和苏共二十七大的主线，列宁的社会主义原则成为苏共新领导改革的重要指针，在此，代表大会特别强调发展社会主义民主，发展人民的社会主义自治。戈尔巴乔夫强调，“民主，这是新鲜的清洁空气，社会主义社会的机体只有在这种空气中才能朝气勃勃地生活。”[2]戈尔巴乔夫强调党是推动社会主义自治发展的主导力量和主要保障，要扩大地方的权力，发挥工会和共青团的作用。戈尔巴乔夫提出，应该更好地利用直接民主的可靠渠道：公民集会、选民的委托、劳动人民的来信、报刊、广播、电视，以及表达舆论、迅速而敏感地反映群众要求和情绪的一切工具。代表大会的决议表示，今后仍将经常关心更有效地利用代表民主制和直接民主制的各种形式，关心不断扩大人民群众参与制定、通过和实施国家决定和其他决定的范围。

戈尔巴乔夫提出的新方针还包括公开性的问题，认为“扩大公开性的问题对我们来说是原则性的问题。这是个政治问题。不公开就没有，也不可能有民主、群众的政治创造性和参加管理……有时在谈到公开性的时候，还会听到这样的呼吁：在谈论我们的缺点和疏漏以及实际工作中不可避免的困难时要谨慎一些。这里只能有一个答复，列宁的答复：共产党人时时处处都要讲真话……一旦实行公开性，即把国家和社会中所做的一切都置于人民的监督和注视之下，他们确实感到不舒服。因此，我们应当使公开制成为不断起作用的制度。”“苏联人的全部社会政治的和个人的权利与自由应当为扩大和进一步发扬社会主义民主的任务服务。党和国家把加强这些权利和自由以及加强它们的保障看作是自己首要的义务。”[3]苏联一直实行严格的新闻检查制度，几十年来，人们对国内发生的车里雅宾斯克核灾难、新切尔卡斯克市民骚乱、格鲁吉亚的

[1] 《苏联共产党第二十七次代表大会主要文件汇编》，第55页。

[2] 同上书，第73页。

[3] 同上书，第80—81、81页。

民族冲突，以及潜艇失事等事件一无所知，戈尔巴乔夫要改变这种局面，他一开始便对改变苏联的国内政治气氛予以关注，希望借民众的参与推进改革事业。“公开性意味着要弄清一切阻碍加速的缺点，开展从上而下的批评与自我批评。而改革首先是使经济、社会、政治机制发生结构和组织性变化，也包括在意识形态领域，目的是加速社会发展。”[1]

在对外政策上，戈尔巴乔夫强调苏联的目标是保证持久的和平，任务是制止从物质上准备核战争。他说：“社会主义无条件地否定把战争作为解决国与国之间的政治和经济矛盾及意识形态的手段。我们的理想，是没有武器和暴力的世界，是每个国家的人民都能自由地选择发展道路和生活方式的世界。”[2]他批评了美国的军事实力政策，提出了新的安全观念。他认为，保障安全越来越变成了一项政治任务，安全不能无穷尽地建立在害怕报复的基础上，即建立在“遏制”或“威慑”理论的基础上，把全世界作为核人质。美苏之间的安全只能是相互的，就整个国际关系而论，安全只能是普遍的。“赢得军备竞赛以及核战争本身的胜利已经是不可能的了，继续在地球上进行这种竞赛，尤其是把军备竞赛扩展到太空，将会加快本来就极高的积累和完善核武器的速度……在我们这个世纪，真正的同等安全不是由最高水平的战略平衡来保证，而是由必须排除核武器和其他种类大规模毁灭性武器的最低水平的战略平衡来保证的。”[3]苏联承担了不首先使用核武器的义务，同意接受监督。报告的这部分是由雅科夫列夫和法林起草的，比内政的新东西多，宣称放弃阶级分析方法。但是，戈尔巴乔夫在外交上也继承了许多苏联的传统，正如外长谢瓦尔德纳泽在1987年5月3日外交部会议上所说：“苏共二十七大在宣布和平高于一切、和平共处是国际关系的普遍原则的同时，并没有否定对帝国主义及其政治的评价，没有否认两大制度之间存在着历史性对抗的现实，也没有否认社会主义同资本主义之间在意识形态方面是不可调和的。”[4]

---

[1] *Согрин В.В.* Политическая история современной Россиию (1985–2001:от Горбачёва до Путина).М., 2001. С.16.

[2] 《苏联共产党第二十七次代表大会主要文件汇编》，第84页。

[3] 同上书，第86—87页。

[4] ［俄］谢瓦尔德纳泽等著：《苏联外交反思》，第5页。

苏共二十七大通过了一个新的党纲，这是自 1961 年苏共二十二大以来苏共首次修改党纲。党纲基本上坚持了传统的提法，认为从资本主义向社会主义和共产主义过渡是当代的主要内容，用大量篇幅分析了资本主义的弊端，说明人类社会必将走向社会主义和共产主义。宣布苏联共产党的最终目标是在苏联建立共产主义，提出在加速社会经济发展的基础上，苏联社会将要达到新的阶段。新纲领把“加速战略”写入其中，指出了苏共要为实现二十七大制定的经济和社会发展方针而工作。提出要完善苏维埃民主和使劳动人民积极参与解决国家与社会生活的问题，充分地实行人民的社会主义自治，苏共要做这一进程的主导力量，强调苏共是苏联社会的领导力量。

苏共二十七大还做了一件大事，就是组建新的班子，这次大会选出的政治局委员有：戈尔巴乔夫、利加乔夫、阿利耶夫、沃罗特尼科夫、葛罗米柯、扎伊科夫、库纳耶夫、雷日科夫、索洛缅采夫、切布里科夫、谢瓦尔德纳泽和谢尔比茨基。政治局候补委员有：杰米契夫、多尔基赫、叶利钦、斯柳尼科夫、索科洛夫、索洛维约夫、塔雷津。中央书记有：戈尔巴乔夫、比留科娃、多勃雷宁、多尔基赫、扎伊科夫、齐米亚宁、利加乔夫、梅德韦杰夫、尼科诺夫、拉祖莫夫和雅科夫列夫。在新产生的中央委员会 307 名委员中，有 135 人是新当选的，占 44%，在候补中央委员 170 人中，新当选者有 117

在列宁墓观礼台上：戈尔巴乔夫、卢基扬诺夫、比留科娃、叶利钦

人，占69%。在政治局委员中只有葛罗米柯、库纳耶夫和谢尔比茨基3人不是戈尔巴乔夫的亲密支持者，戈尔巴乔夫已经牢牢地掌握了苏联党和国家的领导权。

苏共二十七大是戈尔巴乔夫改革的开篇，提出了许多值得注意的新东西，其中一个重要内容是进行改革，而且这种改革是综合性的改革。从苏联历史发展中我们看到，苏联的多次改革都是因为只进行经济体制改革而不进行政治体制改革，最后半途而废（新经济政策、赫鲁晓夫的改革、柯西金推行的新经济体制等等都是如此），经济与政治是相互影响、相互作用、不可分割的，经济体制与政治体制改革配套进行，是改革本身的逻辑要求。苏共二十七大在提出经济体制改革的任务时，也注意到了政治体制改革的重要性。戈尔巴乔夫的报告、闭幕词，以及代表大会的决议、新党纲都强调要加强民主，坚定不移地发展人民的社会主义自治，扩大党和社会生活中的公开性，为发挥每个劳动者和每个集体的主动性与首创精神开辟广阔的天地。这一新政策给人们带来了希望，连德意志民主共和国的学者都认为："戈尔巴乔夫80年代中期的'新思维'、他的改革及公开性政策，又一次，也许是最后一次使人们心中萌发新的希望"。[1]

但是，苏共二十七大也暴露出许多问题，表现了戈尔巴乔夫的幼稚和对苏联的状况缺乏深刻认识。戈尔巴乔夫强调要发展的是直接民主，让劳动人民参加管理，这并不符合现代政治的基本原则，随着社会化大生产的发展，国家需要一个特殊阶层进行管理，问题在于如何选拔和监督这个管理阶层。民众的直接民主将导致街头政治，导致混乱，此后苏联的历史发展证明了这一点。戈尔巴乔夫等领导人制定的"加速战略"也没有找到苏联经济问题的症结，苏联这个资源丰富的大国，面临的最尖锐、最迫切的问题是不能满足广大人民的衣食住行等最基本的要求，生活必需品处于严重的短缺状态，应该首先解决这些问题，而"加速战略"却把发展机器制造业作为重点，这说明戈尔巴乔夫等人仍在坚持斯大林、赫鲁晓夫等人的经济理论，仍把机器制造业看成是国民经济的基础，当成是国民经济的发展重心，远离了人民的生活需要，难以奏效。

[1] ［德］克里斯塔·卢夫特著：《最后的华尔兹——德国统一的回顾和反思》，朱章才译，中央编译出版社1995年版，第57页。

三、政治体制改革初露端倪

有人评论说："戈尔巴乔夫掌权后的第一个重大变化不是发生在经济领域，而是发生在文化领域和个人权利自由的思想领域。1986 年初，戈尔巴乔夫创造了被称作公开性的政策，它要求解除对于公开讨论和个人意见表达的限制。"[1]这种说法有一定的道理，在戈尔巴乔夫看来，如果民众麻木，思想保守，对国家和社会事务漠不关心，改革将无法进行，他希望通过公开性唤醒人民，激发他们参与改革的热情，因此，他一开始就很重视政治体制改革的问题。

在戈尔巴乔夫等人的讲话中，不再大谈社会主义与资本主义意识形态的不可调和，不再强调与资产阶级原则进行斗争，而越来越强调普遍的民主原则和人类共同的价值观。戈尔巴乔夫在苏共二十七大上提出实行公开性政策，这一政策的设计师是中央书记亚·雅科夫列夫，他经常与媒体负责人沟通。"雅科夫列夫本人发展了'民主社会主义'思想及其多种实现模式，坚持把'全人类价值'置于阶级之上，拥护实行有效的市场关系。"[2]1986 年 4 月 26 日切尔诺贝利核事故，促进了公开性的发展。1986 年中央两家刊物的领导人换上了具有自由共产主义色彩的"60 年代人"：叶·雅科夫列夫主管《莫斯科新闻》，柯罗季奇（利加乔夫坚持任命）任《星火》杂志主编。此后，《消息报》、《共产党人》、《真理报》等党的报刊的领导也换上了倾向于激进改革的新闻工作者，说明公开性是苏共有意采取的步骤，目的是唤醒社会意识、监督干部的行为、动员改革力量。1985 年年底，乌克兰的持不同政见者维·乔尔诺维尔获释，1986 年 2 月著名的政治犯阿·夏兰斯基获释。

1986 年 3 月，戈尔巴乔夫在会见新闻界工作者时说："……无论是在党内还是在国家机关中都存在着由停滞的思想和行为造成的保守现象、错误和失算，这都是因为没有反对派、没有不同意见造成的。现在，在社会发展的现阶段，我们的新闻界可以成为独特的反对派。"[3]在公开性之初，其宗旨是回归

---

[1] [美] 大卫·科兹、弗雷德·威尔著：《来自上层的革命——苏联体制的终结》，第 85 页。

[2] История России. Для технических вузов. Под ред. *М.Н.Зуева, А.А.Чернобаева.* М., Высш. Шк. 2004. С.538.

[3] Власть и оппозиция. Российский политический процесс XX столетия. М., 1995. С.284.

"完全的社会主义"、"带有人的面孔的社会主义"和"纯粹的列宁主义"。在1986年5月举行的电影节拒绝严厉的新闻检查，以前遭禁的影片可以被订购。1986年12月16日，戈尔巴乔夫亲自给苏联持不同政见者、著名的氢弹之父萨哈罗夫打电话，允许他们夫妇从软禁地高尔基市（1980年因反对苏联入侵阿富汗被流放至该市）回到莫斯科。苏联的政治气氛开始缓和，开始释放被关押的持不同政见者，1987年1月全会后设置了专门机构重新审理持不同政见者案件，1987年2月10日苏联外交部发言人宣布，苏联赦免了140名政治犯。

实行公开性政策得到了当时苏联党和国家领导层的支持，雷日科夫认为："应该向国内的公开性转变，向外部世界开放。我们当中许多人都明白，由于我国历史情况十分复杂，在实施这种变化时要多加小心，权衡利弊，以免国家航船颠覆。"[1]

苏共党内在如何改革问题上存在分歧，也存在争夺影响力和权力的斗争。切尔诺贝利事件后，戈尔巴乔夫对管理机关更加不满。1986年8月，戈尔巴乔夫在视察远东时看到，那里存在着大量无序、懒惰现象，人们不讲经济效益，

戈尔巴乔夫与民众对话，1986年

[1] ［俄］尼·伊·雷日科夫著：《大国悲剧——苏联解体的前因后果》，第13页。

没有责任心。那里人们为等住房排了10—15年的队，城市建在水上却没水吃。没有儿童服装出售，不知道冰激凌什么样，没有卖苹果的。由于人手不够，两个大的军工厂开工率只有60%，周六和周日都要工作，工资还不错，有400、500、700卢布，人们认为改革远未到远东。戈尔巴乔夫强调不能再这样对待人民了。[1] 对基层干部的不满促使戈尔巴乔夫考虑干部政策，在1986年9月22日政治局会议上他要求大家在即将召开的关于干部问题的中央全会前，“考虑我们的干部政策，我预料这是一次最困难的全会，但是最迫切的。”[2] 在9月25日政治局会议上他又说：“改革问题是国家生活的问题，应该向前进。我们大家都在进行这一实验：一个部计划用三年，另一个计划用一年，第三个什么都不想做。我们更多人关心的是保持控制力……乌克兰哲学研究所对社会调查结果进行了研究，弄明白了什么？ 50%的领导干部不相信转折的成就。”[3] 当时虽然没有改革的反对派，但有保守主义、有因循守旧的思想，在1986年10月27日政治局会议上，葛罗米柯指责有人津津有味地谈大镇压和各类丑事，为出版描写苏联政治和布尔什维克阴暗面的叶夫图申科的长诗花钱。他表示赞成当年对阿赫玛托娃等人的处罚。不同意有人提出的给资产阶级经济学家恰亚诺夫、康德拉季耶夫、切林采夫和马卡罗夫恢复名誉，认为他们是富农和自由田庄经济的捍卫者。[4] 实际上是反对“新思维”和公开性，反对重新审视过去的理论与实践。

戈尔巴乔夫的新方针没有见到什么成效，他认为关键在于干部，需要不受旧观念、旧方法束缚的新人。

---

[1] В Политбюро ЦК КПСС… По записям Анатолия Черняева, Вадима Медведева, Георгия Шахназарова (1985–1991) .2-е изд., исправ. и доп. М., Горбачев-Фонд, 2008. С.71–72.

[2] В Политбюро ЦК КПСС… По записям Анатолия Черняева, Вадима Медведева, Георгия Шахназарова (1985–1991). С.75.

[3] В Политбюро ЦК КПСС… По записям Анатолия Черняева, Вадима Медведева, Георгия Шахназарова (1985–1991). С.75.

[4] В Политбюро ЦК КПСС… По записям Анатолия Черняева, Вадима Медведева, Георгия Шахназарова (1985–1991). С.97–98.

第四节 “改革”方针误入歧途

在改革的进程中，戈尔巴乔夫开始纠正苏联对自己发展阶段估计过高的问题。1986 年 10 月 1 日，戈尔巴乔夫在全苏高等院校社会科学教研室主任会议上首次提出苏联社会处于“发展中的社会主义”阶段的新概念，他说：“中央委员们坚信，倘若思想理论工作不活跃，倘若为完善发展中的社会主义关系所采取的种种实际措施得不到可靠的科学保证，要实现加速、改革并使苏联社会达到崭新状态的方针，是不可思议的。”[1] 之后，戈尔巴乔夫又在 1987 年一月苏共中央全会和四月苏共中央全会上两次使用“发展中的社会主义”概念，苏联理论界也随之越来越多地使用这一概念。“发展中的社会主义”是一个不断发展、变化的社会，在这一过程中充满了新与旧的矛盾与斗争，这就需要克服停滞时期形成的不良现象，代之以革命性创新。

一、“加速战略”落空

戈尔巴乔夫改革的动机是为了让苏联人过上西方那样的好日子，当时的电视向人们展示：“请看，多么好的裙子、女衬衫、项链，它们在哪里？在威尼斯。而我们这里呢？为什么我们没有？共产党人没有提供。让我们改变我们的国家吧。”[2] 人们相信很快会像西方人那样生活。但是戈尔巴乔夫时期改革的条件明显不利，“1985 年的条件和 1955 年已经完全不同，那时赫鲁晓夫已经牢牢控制了权力；它也和 1965 年不同，那时勃列日涅夫是同意柯西金改革的。以往的改革针对的都是长期存在的经济问题——但造成这些问题的体制本身，还能够继续带来快速增长和技术腾飞。相反，在 1985 年，苏联经济已经历了十年停滞，况且前景未卜。停滞给领导层提出了严峻的挑战。教育良好、身居都市的大众所要求的是更高的生活水平。他们需要更多更好的住房、食品和其他消费品。同时，领导层还面临着来自里根政府的军事挑衅。他们不可能同时

[1] *Горбачев М.С.* Избранные речи и статьи. Т.4. М., Политиздат,1987. С.110.

[2] Перестройка: Двадцать лет спустя.Составитель *В.И.Толстых.* М. 2005. С.74.

满足这两方面的要求，因为二者都需要更多的经济资源，但眼前只有停滞着的经济。要想避免真正的危机，成功的经济改革必不可少。"[1]但是，戈尔巴乔夫等人并没有意识到经济体制改革的必要性，他们还相信苏联原有体制的有效性，认为只要加以鞭策，苏联经济就会再次"加速"发展。为了进行"加速"，戈尔巴乔夫和雷日科夫用的仍是传统的行政手段，强调道德的作用，其措施主要有三：一是加强大企业，二是抓劳动纪律，三是提高产品质量。

"加速战略"从兴建新企业转到更新企业的技术装备，核心是发展机械制造业，实现机器制造业的现代化。于是在戈尔巴乔夫的压力下，对整个机械制造部门的投资追加了80%，采取了一系列组织措施，特别是建立了苏联部长会议机械制造工业局。

戈尔巴乔夫试图用行政手段加速经济发展，其改革措施的主要表现是成立新的机构。[2] 他把军工综合体当成经济管理的样板，在部长会议下新成立了类似军工综合体这样的专门机构，如部长会议机器制造工业局、燃料与动力综合体、化工联合企业、社会发展局、农工综合体委员会等，每一个局都由一名部长会议副主席领导，他们各自为政。1985年11月，政治局通过了《关于进一步完善农工综合体的管理决定》，管理权集中在国家农工综合管理局的手中，这是一个通过联合近10个部建立起来的、由部长会议第一副主席领导的超级机关。在各共和国和地方上也设立了类似的机构。再次造成一个庞大的官僚机构高踞于集体农庄和国营农场以及农产品加工企业之上。

戈尔巴乔夫并没有进行机构改革，部长会议由近百个部长和15个加盟共和国的领导组成，非常庞大。同时，国防部、外交部、内政部、国家安全委员会（克格勃）不属于部长会议。党领导国家所有经济部门，苏共中央和部长会议工作有平行性：几乎相同的组织机构，解决几乎相同的问题。党的机关紧紧地与国家管理结合在一起，转到部长会议签署的决议，常常是中央委员会制定的，按职位是政治局成员的部长会议主席，只有在下一次的部长会议上才能了解隶属于它的军事工业系统的计划与工作。[3] 没有政治局的决议，部长会议主

[1] ［美］大卫·科兹、弗雷德·威尔著：《来自上层的革命——苏联体制的终结》，第67页。

[2] *Барсенков А.С. ВдовинА.И.* История России(1938–2002). М., Аспект Пресс, 2003. С.329.

[3] ［俄］尼古拉·雷日科夫著：《背叛的历史——苏联改革秘录》，第88页。

席不能把任何一位部长或其副手解职，部长会议第一副主席、国防部长、外交部长、克格勃主席也都是政治局委员，重大问题都由政治局决定，政府首脑的权威性有限。

为了提高产品质量，戈尔巴乔夫坚持在工业企业中实行国家验收产品制度，这是在军事工业部门首先实行的，苏联历来对军事工业部门的产品实行国家验收，验收产品的军官从国防部领取薪金，他们独立于工业企业，能够严格地监督产品的质量。戈尔巴乔夫在全国建立了庞大的国家验收体系，产品的质量不是由买方监督，而是由官员监督，生产者可以通过贿赂使自己的产品通行，没有任何效果。1986 年 11 月，沃罗特尼科夫和雷日科夫在政治局内批评国家验收制度，说它是官僚主义的，凭空臆造出来的。戈尔巴乔夫则执意坚持实行国家验收制度。[1]

在戈尔巴乔夫的这些行政命令式的“加速”措施中，整顿劳动组织与纪律最初取得了一些成效，1986 年的经济状况比 1985 年好，国内总产值的增长率从 2.4% 升至 3.3%，工业产量总额从 3.4% 增至 4.4%，农业则从 0.2% 增至 5.3%。[2] 国民收入在 1986 年增长了 4%（计划规定是 3.9%），劳动生产率增长了 4.9%（计划任务是 4.1%），比第十一个五年计划的年平均增长率高 1/3 多。[3] 但在实际生活中，人们并没有感到情况好转，日用消费品供应没有改善，反而在变坏，脱销在增加，人们手中的货币多了，但商店货架供应的商品和食品却很少。实际上，1985 年的预算赤字是 170 亿—180 亿卢布，而在下一年增加了整整两倍！[4]“1986 年，尽管石油和天然气价格下跌，但石油和天然气的出口仍是全部出口产品中的最大宗，占全部出口产品的 60%。与 1985 年相比，我们此项损失为 50 亿卢布，时间越长，损失越大。”[5]“1987 年初经济

[1] ［俄］鲁・格・皮霍亚著：《苏联政权史（1945—1991）》，第 547 页。

[2] *Медведев В.А.* В команде Горбачева: взгляд изнутри. М., Былина, 1994. www.lib.ru/MEMUARY/GORBACHEV/medvedev.txt

[3] ［俄］尼古拉・雷日科夫著：《背叛的历史——苏联改革秘录》，第 138 页。

[4] 转引自 *В.В.Согрин*. Политическая история современной России(1985 – 2001: от Горбачёва до Путина).М., 2001. С.25.

[5] ［俄］尼古拉・雷日科夫著：《背叛的历史——苏联改革秘录》，第 204 页。

发生了严重波动：工业生产比 1986 年 12 月下降了 6%。这首先涉及机械制造业和轻工业。冶金业、化学工业也遭遇了不小的困难。出现了 1987 年计划可能像纸牌搭成的房子般垮掉的危险。”[1]1987 年，苏联全部进口货中 41%为机械设备，消费制成品仅占 13%，比起 1970 年的 18%明显下降了。[2]“加速战略”走的是苏联体制的老路，通过增加国家基本建设投资的规模来增加生产，恰值国际油价下跌，苏联外汇收入减少，加剧了国家的财政紧张；苏联的经济结构极不合理，重工业已经成了整个国民经济的吸血鬼，继续加速机器制造业的发展只会加重这种畸形状态，迫切需要调整产业结构，加大对居民消费品工业的投资力度，改变对民用工业的歧视状态，但戈尔巴乔夫并没有这样做，却在石油收入减少、农业歉收的情况下，反而不断增加机器设备进口，削减消费品进口。1986 年 10 月 27 日雷日科夫在政治局会议上说，肉、奶制品等的进口额减少了 30%—40%。[3] 从 1988 年起苏联经济预算赤字增大，日用消费品短缺的问题更加突出。“加速战略”的受阻和失败，使本来已经“停滞”的苏联经济雪上加霜，出现了很高的赤字和通货膨胀，刺激了“影子经济”的发展。

“加速战略”失败的原因很多，最主要的是这一战略没有找到苏联经济的症结，苏联经济问题的主要症结一个是计划体制的僵化，排斥市场经济；另一个是经济结构失调，军工企业所占比重过大，“加速战略”并没有着手解决这两个问题。在苏联模式下成长起来的戈尔巴乔夫，并没有认识到需要对苏联模式进行根本改革，他采取的措施缺乏针对性和系统性，正如格拉乔夫所说：“继承下来的问题像一团乱麻，伸出好些个线头，他依次抓住一根又一根线头——机械制造业、科技进步、农工综合体，却每次都没有抓住关键，乱麻反而愈来愈乱了。”[4]戈尔巴乔夫并没有把发展民用经济、提高人民的生产积极

[1] ［俄］米·谢·戈尔巴乔夫著：《戈尔巴乔夫回忆录》上册，第 407 页。

[2] ［俄］阿贝尔·阿甘别吉扬著：《苏联改革内幕》，常玉田等译，中国对外经济贸易出版社 1990 年版，第 21 页。

[3] В Политбюро ЦК КПСС… По записям Анатолия Черняева, Вадима Медведева, Георгия Шахназарова (1985–1991). 2-е изд., исправ. и доп. М., Горбачев-Фонд, 2008. С.91.

[4] ［俄］安德烈·格拉乔夫著：《戈尔巴乔夫之谜》，第 113 页。

性作为目标，“加速战略”所要加速发展的仍然是机器制造业，也就是重工业，仍然轻视消费品的生产，使本来就已畸形的经济结构得不到纠正。苏联既没有根本改变经济管理体制，引入市场机制，也没有进行经济结构调整，采取的方式和方法也还是传统的行政命令方法，仍然在原来的体制内打转。而苏联的旧体制就像一部老掉牙的机器，你有加速的愿望，它却根本运转不起来；“加速战略”使苏联严重畸形的经济结构没有改变，还使国家把大量用于进口日用消费品的钱用于购买设备，使商品短缺更加严重。

戈尔巴乔夫等人囿于以往的观念，反对私有制、反对市场经济（1990 年 8 月 9 日，部长会议才宣布私有企业和雇佣工人合法），仍然靠改组行政机构，加强中央权力，成立诸如国家农工委员会这样的超部级机构解决问题。1986 年 5 月通过了《关于加强与非劳动所得进行斗争的决定》，其本意是反对贪污盗窃、收受贿赂、敲诈勒索分子等，结果却打击了个体劳动者、手工艺人。为了消除后果，1986 年 11 月 19 日通过了《苏联个体劳动法》，允许私人在手工业生产、居民生活服务和社会文化领域内的 27 个项目中从事个体劳动，但私人不得经商、不得雇工、不得搞非劳动收入或损害其他公共利益。在 1986 年 12 月 4 日政治局会议上，部长会议主席提出提高物价，利加乔夫、沃罗特尼科夫、谢瓦尔德纳泽等坚决反对，戈尔巴乔夫只好取消对这一问题的讨论。

1993 年，已不再是总统的戈尔巴乔夫在谈到 1985—1986 年改革的成果时，也认为其主要的错误是从重工业和机械制造业的改革开始，如果从农业、轻工业和食品工业开始会更正确，如果从这些部门开始，可能会更快、更有效地向人们提供物品，巩固改革的物质基础。[1] 客观公正地看，不能把一切都归咎于戈尔巴乔夫一个人，“戈尔巴乔夫不是‘加速战略’的唯一作者，正像许多具体的改革措施一样，都得到了无论是政界，还是知识界精英的支持，甚至多数居民的支持。”[2] 雅科夫列夫承认：“在改革之初，由于对社会主义及其‘成就’和

---

[1] 转引自 *Согрин В.В.* Политическая история современной Россию(1985－2001: от Горбачёва до Путина).М., 2001. С.26.

[2] *Согрин В.В.* Политическая история современной Россию(1985－2001: от Горбачёва до Путина).М., 2001. С.26.

潜力估计过高，用惯常的权威主义方式提出社会发展任务，因而期望定得过高。正是在这种心理环境中才有可能产生其基本原理都是空想的，而从历史角度看又是不能避免的加速战略。加速战略的目标不是进行可能使社会顺利发展的彻底的社会改造，而是设想去完善制度，消除它的特别不能让人容忍的表现。"[1]戈尔巴乔夫的其他改革措施也得到了经济学家的赞同，经济学家阿甘别吉扬就建议戈尔巴乔夫改变投资政策，把钱更多地投到机器制造业中，他们都把机器制造业看成是经济中技术改造的中心。1987年1月《共产党人》杂志曾组织学者们讨论过经济改革问题，阿巴尔金、沙塔林等都参加了讨论会，他们都表示要遵循苏共二十七大和苏共中央全会的决定，没有人对戈尔巴乔夫的改革提出意见。在部长会议里成立了专门负责改革的部门，1988年这一部门变成了经济改革委员会，由科学院院士阿巴尔金领导。

二、得不偿失的反酗酒斗争

"俄罗斯的欢乐在于饮酒"这句俗语反映了酒精在俄罗斯人生活中的地位，喜欢饮酒本是俄国（苏联）人上上下下的传统。到了20世纪70年代以后，酗酒发展成为普遍的社会陋习和顽症，酗酒每年给苏联造成的损失达2000多亿美元。60%的偷盗、75%的凶杀和强奸、80%的抢劫和伤人、90%的流氓行为都是在酗酒状态下进行的。酗酒还造成死亡率上升、低能儿童增多，而且离婚案件的一半起因于夫妇双方有一方酗酒。[2]酗酒严重地破坏劳动纪律、败坏社会道德，是造成生产率急剧下降的原因之一，但它只是苏联社会陷入危机、人们内心苦闷彷徨的外在表现，因而不是用法律手段能够解决的问题。可是，1985年5月6日，苏联最高苏维埃主席团正式通过决议，规定"加强同酗酒作斗争"的措施，采取了各种行政、司法手段予以严惩，形成一场大规模的社

[1] ［俄］亚·尼·雅科夫列夫著：《一杯苦酒——俄罗斯的布尔什维主义和改革运动》，徐葵等译，新华出版社1999年版，第210页。

[2] 唐修哲、孙润玉：《岁月有痕——从苏联到俄罗斯亲历》，东方出版社2008年版，第89页。

会运动。[1] 反酗酒运动是戈尔巴乔夫执政后烧的第一把火，此事本身暴露了许多问题。

惯于应用行政手段的苏联体制，开始动员起一切力量开展切实有效的反酗酒斗争。1985 年 5 月 7 日苏共中央和苏联政府通过了关于对酗酒现象处理办法的决定，5 月 16 日发布苏联最高苏维埃主席团关于加强同酗酒作斗争的命令，指出："上班时（在工作地点、房间、企业、机关、团体范围内）酗酒或上班时不清醒者处以 30—50 卢布的行政处罚。工长、工段长、调度员、车间主任和其他领导，上班时与其所属工作人员一起酗酒，或者不采取措施将醉酒人员调离工作岗位，或者对其所属人员酗酒或所属人员醉酒后仍留在工作岗位上隐情不报的，处以 50—100 卢布的行政处罚。对于违反本条规定的人员，在对他们实施行政处罚的同时，还要给予纪律处分。""为了牟取暴利收购和贩卖为数不多的伏特加和其他酒类，以及日用品和农产品，倒卖收款单和提货单，发票单据，各种文娱和其他企业门票，倒卖书籍、乐谱、唱片、磁带、影片胶卷和别的有重要价值的物品，如果牟利不超过 30 卢布者，可给予 50—100 卢布的行政处罚并没收投机者的物品。对违反本条规定的案件，由人民审判员单独按联盟共和国规定的程序进行审理。"[2]

该决定强制削减任何含酒精饮料的生产，甚至连啤酒、葡萄酒也包括在内。雷日科夫反对这一法令，认为行不通，戈尔巴乔夫积极支持。这个计划是怎么通过的？戈尔巴乔夫说是一个谜。他认为是社会舆论要求这样做，打算逐步压缩酒的产量。[3]1987 年的民意调查显示，86%的被调查者（其中 93%是妇女）表示支持反酗酒运动，在劳动集体的领导人中，82%的人赞成，工人中 85%赞成。[4] 利加乔夫在谈到此事时认为，靠大量出售酒类增加国库收入是不道德的，"1984 年苏共中央政治局成立了一个委员会，专门制定克服酗酒和酒癖的有效措施，著名的 1985 年 5 月决定和命令就是该委员会的工作

[1] 沈志华总主编：《苏联最高苏维埃主席团关于加强同酗酒作斗争的命令》，《苏联历史档案选编》，第 30 卷，第 501 页。

[2] 沈志华总主编：《苏联历史档案选编》，第 30 卷，第 501 页。

[3] ［俄］米·谢·戈尔巴乔夫著：《戈尔巴乔夫回忆录》上册，第 401 页。

[4] Аргументы и факты . 26 ноября 1987 .

结果……我不是这个委员会成员，也没有参加文件的起草工作，但是，我积极参与了这件事，正是我的职务义务和我个人对酗酒的不可容忍这两点促使我这么做。”[1]

反酗酒斗争是由利加乔夫和苏共中央监察委员会主席索洛缅采夫领导的，这两个人都以厌恶酗酒而闻名，他们热情很高，把反酗酒推向了极端。他们不仅禁止伏特加酒，甚至还关闭了啤酒馆，销售酒类的商店急剧减少，取消了玻璃酒具的生产，街道上甚至出现了反酗酒纠察队，以恐怖手段吓唬来做客的人。“反酗酒斗争进行得特别有成效，含酒精饮料的产量在1985—1986年减少了差不多1/2。”[2] 反酗酒影响财政收入，在1986年10月30日政治局会议上，利加乔夫说：“通过出售伏特加1985年收入是110亿，而1984年是540亿……从今年5月到8月由于喝酒而死亡的人数是36.5万人，比上一年同期少。”他反对提高伏特加和葡萄酒的计划生产数量。[3] 从良好愿望出发，不顾客观实际的反酗酒斗争带来的消极影响更大。

反酗酒实际上并没有减少酗酒现象，在工作场所发生的酗酒现象大大增加了，“酗酒现象从1986年的11.7万起，增加到1987年的25万起。”[4] 人们有需求，国家不生产，自然鼓励了私人酿酒业的发展，持续三年的反酿酒斗争，导致私酿酒成风，“1985年查出8万名私酿酒的人，1986年增加到15万人，1987年达到39.7万人，1988年头5个月已有27万人落网！ 1988年下半年在库尔斯克州、托木斯克州和哈尔科夫州进行了搜查，发现每3—4家就有一家私自酿酒。人们发明了各种酿酒设备，甚至动用了电子计算机。酿私酒使用白糖既方便又价廉，从1987年5月到1988年5月这12个月里，国家已把多年来积累的库存食糖耗尽。在长长的购酒队旁边又增加了另一支更长的购糖

---

[1] ［俄］叶·库·利加乔夫著：《警示》，第329页。

[2] *Согрин В.В.* Политическая история современной Россию (1985–2001:от Горбачёва до Путина). М.,2001. С.19.

[3] В Политбюро ЦК КПСС… По записям Анатолия Черняева, Вадима Медведева, Георгия Шахназарова (1985–1991), 2-е изд., исправ. и доп. М., Горбачев-Фонд, 2008. С.99.

[4] ［澳］利伊乔·佩特罗夫著：《戈尔巴乔夫现象——改革年代：苏联东欧与中国》，葛志强等译，社会科学文献出版社2001年版，第46页。

的队伍，原来几十戈比一包的白糖，黑市价格卖到 7 个卢布，这迫使商业部门不得不支付 10 亿美元来进口 180 万吨食糖。”[1] 因喝假酒死人、伤人的事件经常发生。实际上人们照常购买和饮用各种酒，酒精产量和交易量也未见明显减少，从下表中可见：

1985—1988 年苏联酒精产品的交易量 [2]

（单位：千万公升）

种类 / 年份	1985	1986	1987	1988
伏特加	251.2	156.6	123.6	136.9
葡萄酒	386.8	189.5	156.7	184.7
白兰地	8.5	8.8	9.4	11.3
啤　酒	667.8	496.9	514.6	564.8
香槟酒	21.9	20.7	20.6	21.8

禁止生产和出售酒类产品，使苏联因此失去了重要财源，根据部长会议主席雷日科夫的估计：“据 1985 年的计划（自然它是在禁酒决议作出之前通过的），预计酒类销售每年可取得 600 亿卢布的利润。决议通过以后，历年实际利润分别是：1986 年——380 亿卢布，1987 年——350 亿卢布，1988 年由于停止了禁酒运动，也才有 400 多个亿。国民经济 3 年至少损失 670 亿，而精神上的损失则是无法估量的。”[3] 曾担任过莫斯科市委书记的普罗科菲耶夫认为：“我国财政收入中近 30% 来自对酒业的垄断。经济衰退、生产规模缩小有 1/3 的责任应由这个法来承担。这个法律是摧毁我们社会的精神道德基础并破坏经济而精心策划的一个环节。”[4] 这一运动还破坏了酒业和葡萄种植业，如黑海之滨有 90 年历史的马桑德拉葡萄酒厂，其生产的葡萄酒闻名苏联内外，1988 年

[1] 唐修哲、孙润玉：《岁月有痕——从苏联到俄罗斯亲历》，东方出版社 2008 年版，第 93 页。

[2] *Гайдар Е.Т.* Гибель империи. Уроки для современной России.2-е изд.М.,РОССПЭН,2007. С.238.

[3] ［俄］尼 · 雷日科夫著：《大动荡的十年》，第 104 页。

[4] 项国兰译：《普罗科菲耶夫论苏联的改革》，www.cctb.net/xszm/200902050011.htm.

7月当记者来到这家工厂了解到的情况是："这次反酗酒运动使我们厂的产量由过去年产1700万立升减少到年产620万立升，为此已忍痛毁掉了工厂附属的25万公顷葡萄园。目前工厂仍面临进一步减产的问题。为把酿酒用的葡萄改为食用葡萄，需要更换品种，进行嫁接，而生产葡萄汁又需要更换工艺，改变生产结构，这就要投入大笔资金，而且还不是短期内就能见效的。生产规模的不断缩小，给工厂的经济和工人的生活都造成很大困难。"[1]经济学家也同意这一看法，阿甘别吉扬认为："在我看来，一个更大的错误，发生在全国性的反酗酒斗争上。""本来还应该及时开展深入细致的教育工作，加强戒酒协会的力量和影响，使之成为反酗酒运动中的一支主要队伍。可是我们并未那么做，而是采取了一种苛刻的，在我看来纯属错误的措施，这就是提高了酒类售价，同时关闭了一批卖酒场所，许多获准出售的地方也严格限制购买数量。此法一出，立即造成全国排长队挤商店，民怨沸腾，私酒横行……仅仅由于这类措施的出台，每年给国家造成的损失就在80亿至100亿卢布之间……国家丧失了对酒类的垄断；酒类零售行业供需矛盾进一步扩大；全国各地普遍出现食糖短缺，刺激食糖需求和消费到了从未有过的严重程度。于是我们只得实行定量供应，反过来这使食糖短缺愈发严重，人民不满情绪更加难平。"[2]利加乔夫后来也承认应该对过分严厉的行政措施负责，但他反对葡萄园减少的说法，认为反酗酒斗争提高了劳动生产率，减少了旷工和事故。[3]

到1988年中期以后，反酗酒斗争的副作用越来越大，受到了各方人士的批评，这项工作也就不了了之了。反酗酒运动暴露了苏联体制深层次的问题。犯错误的实质在于缺乏民主协商和多年养成的"唯上是从"的毛病，暴露了苏联领导人对行政手段的迷恋和熟悉，博尔金说："当大家肩并肩地坐在政治局会议室里时，都慷慨激昂地主张根治酒害，而当私下与他们中的一些人个别交谈时，他们却一个劲地咒骂那些决定，反对降低酒类生产的速度，据我所知，

[1] 唐修哲、孙润玉：《岁月有痕——从苏联到俄罗斯亲历》，东方出版社2008年版，第92页。

[2] ［俄］阿贝尔·阿甘别吉扬著：《苏联改革内幕》，常玉田译，中国对外经济贸易出版社1990年版，第12、13页。

[3] ［俄］叶·库·利加乔夫著：《警示》，第320—331页。

他们自己的嗜好都没有改变。”[1] 戈尔巴乔夫事后也承认：“如果说行政当局的这个荒唐决定还可以用一纸同样唯意志论的新命令中止执行的话，那么因砍掉葡萄园、拆毁酒厂和将一个强大的经济部门赶至地下等等所造成的危害极大的经济影响，就成为落在整个改革命运头上多年的沉重负担。”[2] 这一措施影响了多少人的生计，难以计算。

“加速战略”和反酗酒运动这些明显错误的措施，使苏联丧失了改革的时机，加剧了经济困难，暴露了苏联领导人对行政手段的迷信，做事缺乏耐心，更说明他们并不具备对苏联体制进行改革的见识。

三、切尔诺贝利核事故与石油降价

1986 年是在切尔诺贝利的阴影下度过的。戈尔巴乔夫在事后回忆说：“切尔诺贝利核电站事故是一个最直观可怕的例证，不仅证明了我国技术的陈旧，而且证明了原有的那个体制已经奄奄一息。与此同时（历史就是这般嘲弄人）这次事故也极其严重地影响了我们业已开始的改革，直接打乱了全国的生活。”[3] 切尔诺贝利事故的发生与处理暴露了苏联存在的深层问题，也对苏共的威信产生了极为消极的影响。

切尔诺贝利核电站位于乌克兰境内，离乌克兰首都基辅 130 公里处的第聂伯河的支流普里皮亚特河畔。电站于 1977 年建成并投入使用，在 1986 年时已有 4 座反应堆在工作，另有两座正在建设中。

1986 年 4 月 25 日（星期五）夜间，核电站 4 号机组（第 4 个反应堆）的专家正在进行非正式实验，检查反应堆按计划停止运行期间涡轮发动机组的情况。他们关闭了备用冷却系统并且只用了 8 根碳化硼棒控制核裂变的速度，按照标准的程序应该用 15 根。结果，26 日（星期六）1 时 21 分发生爆炸，爆炸产生的冲击波掀掉了反应堆的钢筋混凝土盖，并且引起大火，当附近的普里皮亚季镇的 28 名消防队员在 30 分钟后赶到时，他们看到的是高达 200 英尺的冲

[1] ［俄］瓦·博尔金著：《戈尔巴乔夫沉浮录》，第 133 页。

[2] ［俄］安德烈·格拉乔夫著：《戈尔巴乔夫之谜》，第 107 页。

[3] ［俄］米·谢·戈尔巴乔夫著：《戈尔巴乔夫回忆录》上册，第 348 页。

天火柱。核燃料起火后，烧掉石墨，并且把重1900吨、直径为14米的堆芯中的氧化铀熔化了，当堆芯解体时，产生的放射物质从无防护的反应堆建筑物中泄漏出来，酿成了人类和平利用核能历史上最大的一次灾难。在这场事故中有31名工作人员和消防队员以身殉职，28人死于核辐射，当天总共有300多人受伤住院，其中129人第二天被空运至莫斯科进行特别急救，237人受到严重的核辐射伤害，另有1209人受伤。造成8吨多强辐射物泄漏，使电站周围6万多平方公里土地受到直接污染，320多万人受到核辐射侵害。

事故发生后，没有人意识到这是人类历史上发生的最大的核事故。核电站的领导并没有及时向莫斯科报告情况，当这个消息传到莫斯科时已经到了26日早晨。能源部部长阿纳托利·马约列茨在26日早晨把情况报告给了雷日科夫，说核反应堆发生了爆炸，但对详细情况并不了解。雷日科夫要求马约列茨立即飞往基辅，赶到出事地点弄清情况。26日晚上8时，政府临时工作委员会乘专机到达切尔诺贝利，并接管了核电站的管理工作。从临时工作组报告的情况，戈尔巴乔夫和部长会议主席雷日科夫已经知道了爆炸的情况，爆炸时有放射物质喷发，也就是出现了核泄漏。

27日早晨，直升机驾驶员和化学部队赶到，防化兵司令皮卡洛夫将军同时飞抵事故现场指挥。从27日14时开始，疏散靠近切尔诺贝利核电站的普里皮亚季镇的居民，3个小时后，该镇成了一座空城，4万多人被迫离开家园。由于苏联长期没有进行过这方面安全知识的教育，对救援人员也没有进行必要的防护，许多救援者和记者也受到了核辐射的伤害。

苏联政府采取了积极的措施进行施救，从直升机的飞行侦察中已经知道：当时反应堆虽已沉寂，但石墨仍在燃烧，若不扑灭还在燃烧的火，情况十分危险。不仅关系到切尔诺贝利地区的安全，甚至会影响到苏联整个欧洲地区的生态环境。临时委员会决定根据列加索夫院士的建议，采取从空中投放沙袋、铅、硼及混凝土的办法，封闭反应堆。直升机连续工作了一昼夜，投下了5000吨材料，将大火扑灭。最早报道这次事故的是瑞典。当时苏联的报刊、广播和电视对此保持沉默，大众对此一无所知。到26日晚，全世界都知道了苏联核电站发生了事故，但莫斯科却在沉默，苏联领导人并没有意识到面临的巨大危险。27日东西方的大众媒体都在关注此事，并要求苏联政府说明真相。4月28日11时，政治局终于开会研究这个问题。政治局候补委员多尔基赫汇报了核电站的情况，他说："4 月 26 日 1 时 30 分，切尔诺贝利原子能电站在关闭 4 号机组准备修理时发生爆炸……有 17 人上班。一人死亡，一人未找到。4 月 28 日上午 9 时反应堆地区的辐射强度为 1000 伦琴，市内为 230 毫伦。居民已经疏散。在全市 4.5 万人中留下了在电站服务部门、食堂等处工作的 5000 人。疏散的人已经安置。辐射扩散到 60 公里。""正在采取防止喷射的措施，用直升机向反应堆的主喷射口填沙土、红黏土和铅。""需要深入研究原因和制定出消除事故后果的相应措施。"[1] 戈尔巴乔夫、利加乔夫、雅科夫列夫都认为应该尽快向外界通报情况，但通报还是被拖延下来了。

直到 4 月 28 日晚 9 时，电视和广播才在新闻中发布公告，简单地向公民通报："切尔诺贝利核电站发生了事故，一座原子能反应堆受到损坏。正在采取措施消除事故后果。受到影响者正在得到救助。已经为此成立了一个政府委员会。"并没有说出现了核泄漏事故，也没有提示居民进行防护。

4 月 29 日政治局召开会议，知道切尔诺贝利的情况在恶化，政治局决定成立消除切尔诺贝利事故后果的行动小组，成员有雷日科夫（主席）、利加乔夫、切布里科夫、多尔基赫、弗拉索夫、雅科夫列夫。领导小组昼夜值班，负责监督和指挥事故的处理工作，一批批抢险人员被派到出事地点。5 月 2 日雷日科夫和利加乔夫视察了切尔诺贝利，听取汇报，并根据专家的建议，编制出了放射性污染的初步区域图，决定将切尔诺贝利方圆 30 公里内，186 个居民点的居民全部撤离，但执行起来很困难，人们并没有亲眼见到危险，他们不愿离开家园。到 5 月上旬，迁移了近 13.5 万人。安置这些人在当时也不是件容易的事。对于政府采取的救援行动，对于承担巨大风险的国家领导人和救援者的活动新闻没有报道。

这次核事故的后果是严重的。据乌克兰科学家估计，核反应堆爆炸后，昼夜不停地向大气中释放放射性物质，直到 5 月 6 日才停止。这段时间总共抛洒出 50Mku 放射物质，占核反应堆放射物质总量的 3.5%。在离核电站 30 公里以内地区测量到的辐射剂量已达到极其危险的程度，为每小时 150 伦琴。专家认为，人在一年内接受辐射的安全剂量是 0.2 伦琴，50 伦琴是危险的起点，400 伦琴通常能致命。法国科研人员 1999 年作的一项调查，切尔诺贝利附近

[1] ［俄］鲁·格·皮霍亚著：《苏联政权史（1945—1991）》，第 533 页。

45 公里到 140 公里范围内采集的 17 种蘑菇，90%以上放射物质含量都超过了国际限定标准，最高的超标 300 倍。[1] 切尔诺贝利事故的后果在近 100 年内都难以消除。这起事故类似于核武器爆炸。据后来估计，其辐射超过长崎和广岛原子弹辐射总和的 100 倍，大约有 4300 人最终因此死亡，7 万多人终身残废。[2]2009 年刚出版的《20 世纪俄国史》一书描写道："1986 年 4 月 26 日凌晨 1 时 23 分切尔诺贝利核电站 4 号机组发生爆炸（电站中最新的机组，1984 年才投产）。爆炸喷发的放射物相当于 500 颗 1945 年投到广岛和长崎的原子弹。在这次事故中喷出了近 190 吨放射性物质和 8 吨放射性燃料。大火持续了差不多两昼夜……近 700 万人受到辐射，数千人遭受过量辐射，被污染的乌克兰、白俄罗斯和俄罗斯的土地达 1 亿公顷……参加救援的 8.45 万人，在 21 世纪初有一多半死亡或残废。"[3]

切尔诺贝利核事故也造成了大范围的水污染，切尔诺贝利是用为基辅供水的人工水库——基辅海的水来作为冷却水的，核事故发生后，这些带有放射性尘埃的水从核电站返回了基辅海，最后流入第聂伯河。苏联也采取了措施阻止核污染扩散。为了防止核尘埃被雨水冲入河流湖泊中，水利部门和军队在 1500 平方公里的范围内修筑了 130 多条大大小小的堤坝。为了防止反应堆再泄漏，7 月份提出了"石棺"的构想，并在短时间内，修建了一座由 40 万立方米水泥和 7000 吨钢筋建造的庞大建筑物，把受损的反应堆罩了起来。

切尔诺贝利发生的灾难"沉重地打击了刚刚获得解放并开始活跃的经济"[4]。仅在事故的最初阶段就花掉了 140 亿卢布（按 1986 年价格计算）。[5]

这一事件发生时，苏联刚刚开启改革的列车，但在处理这一事件的过程中，苏联新领导人并没有表现出与以往明显的不同，让人民失望。

事故的处理缺少透明度，苏联并没有及时通报核事故的情况，在事故发

---

[1] 顾志红：《非常邻国——乌克兰和俄罗斯》，第 102、103 页。

[2] www.booker.com.cn 2001\3\27.

[3] История России. XX век:1939–2007. Под ред. А.Б.Зубова. М., Астрель:АСТ. 2009. С.515–516.

[4] ［俄］尼古拉·雷日科夫著：《背叛的历史——苏联改革秘录》，第 126 页。

[5] *Кацва Л. А* .История России. Советский период (1917–1991) . http://it-n.ru.

生将近3天后才向公众通报，29日才见报，而此前消息已经不胫而走，传闻很多，加深了民众的核恐怖感和对官方的不信任。4月30日，苏联部长会议发表公告，宣布："由于过去几天所采取的措施，泄漏的放射物质已减少，原子能电站地区和电站村的辐射程度已经降低，反应堆处在熄灭状态，切尔诺贝利核电站和附近地区的辐射状况并没有引起危险，饮用水以及河水和水库的水质符合标准。"并没有如实向民众告知事故的情况。

在苏联政府的误导下，普通百姓并没有重视这一事故，没有意识到这次事故的严重后果，从切尔诺贝利开出来的车辆没有经过任何处理就驶入基辅市区，造成核尘人为扩散。正当英国、法国等西方国家纷纷把他们的公民撤出乌克兰首都基辅时，为了保持局势稳定，乌克兰当局仍然组织了五一节大游行，不明真相的市民依然不加防护地走上街头，沿克列夏季克大街游行，庆祝一年一度的五一国际劳动节。其他城市也举行了庆祝活动。此事大大损害了共产党的形象。

据国家农工委员会1986年5月8日的资料，放射性污染扩散到1090万亩农业用地，其中包括750万亩牧场。苏联整个西部地区的污染程度普遍增高（是环境指数的10—50倍）。"在过去一昼夜内，又有2703人住院……有10198人住院观察和治疗，其中345人有受辐射伤害症状，他们中包括35名儿童。自事故发生起，有2人牺牲，6人死亡，35人病情严重。"[1] 直到5月14日，戈尔巴乔夫才发表电视讲话，介绍这次核事故。但戈尔巴乔夫在讲话中也没有向民众报告真实的情况，他说："大家都知道，前不久我们遇到了不幸——切尔诺贝利核电站发生了事故。这一事故让苏联人民经受了痛苦，也引起了国际社会的不安。我们首次现实地感受到了脱离控制的核能会有这么大的威力。""考虑到切尔诺贝利事件的紧迫性和危险性，政治局承担起了迅速消除事故、控制其后果的组织工作，成立了政府委员会，迅速到达出事地点，为了研究解决问题政治局成立了由尼古拉·伊万诺维奇·雷日科夫领导的小组。"为消除事故，全国调动了各方面的力量，包括军队和内务部。戈尔巴乔夫强调这是第一次遇到这样的事故，一得到确切的消息就告知了民众，并通过外交途径告诉了外国政府。他表扬了为消除事故作出贡献的人，感谢社会主义国家和

[1] ［俄］鲁·格·皮霍亚著：《苏联政权史（1945—1991）》，第538页。

国际社会对苏联的帮助。关于事故的后果，他说有两个人：一个机器修理工，一个操作员在事故中死亡，有 299 人被诊断受到不同程度的伤害入院，其中 7 人死亡。最后他呼吁国际社会在国际原子能联盟的框架下加强合作，建议尽快和里根在欧洲任何一个城市举行会晤。[1] 从这一讲话中我们看到，戈尔巴乔夫并没有完全向民众说出灾难的实情，而且他并没有把注意力放在国内如何消除灾难上，而是转移到了国际舞台的核能合作上。舒什克维奇在谈到自己听了戈尔巴乔夫讲话的感受时说："1986 年 5 月初戈尔巴乔夫发表电视讲话，戈尔巴乔夫完全胡说什么，我们的核是世界上最安全的，在事故区一切都好。由此说明，他的党的利益高于健康的思维，高于科学，我对他的爱与尊重至此结束了。"[2]

舒什克维奇与戈尔巴乔夫

切尔诺贝利核事故暴露了苏联体制深层次的问题，在谈到这场事故的起因时，列加索夫院士[3] 指出："切尔诺贝利事件是由于个人崇拜及在我国延续了几十年的错误地进行经济活动达到登峰造极地步引起的后果。当然，切尔

[1] *Горбачев М.С.* Избранные речи и статьи. Т.3. М., Политиздат,1987. С. 390、391–395.

[2] *Станислав Шушкевич:* "Я ни о чем не жалею." Последний председатель Верховного Совета Белоруссии рассказывает о закулисах Беловежской Пущи. http://www.ng.ru/ng_politics/2010–04–20/15.

[3] 是负责处理切尔诺贝利核电站事故的政府委员会成员之一，受到过量的核辐射，于 1988 年 5 月自杀，切尔诺贝利最后一个反应堆于 2000 年 12 月 15 日关闭。

诺贝利事件的肇事者不是抽象的，而是具体的。今天我们已经知道，保护这个反应堆的控制系统有故障，许多技术人员也清楚，并对如何排除故障提出过建议。设计师不愿很快就去干额外的工作，因此没有及时更换保护控制系统。切尔诺贝利核电站本身发生的事故在许多年内都有，因为进行过实验，而实验计划却编写得极不认真和极不仔细，实验前也没有预定任何应付可能出现情况的对策。”“一个操作员给另一个打电话问道：‘这儿计划中已经写明应该做什么，而接着又勾去好多，我到底该怎么办？’他的交谈者稍加思考后告诉他：‘你就按勾掉的去做’。像核电站这么严肃的文件竟是这种水平：什么人把什么内容勾掉了，操作员可以自由解释；删得对与否，他可以任意采取行动。不应把所有的罪责推给操作员一个人。因为有人编计划，又在计划中涂抹；有人签字，而别人又不同意。事实本身说明：核电站的工作人员可以自行采取未经专业人员核准的行动。这就是说专业人员与核电站的关系有缺陷。”[1]工作人员不负责任、没有严格操作程序、不注意安全的状况可见一斑，出事恐怕也在情理之中。

切尔诺贝利事件使苏联付出了政治代价。“在报道这次悲剧中，政治局采用了‘有控制的公开性’，这不仅仅败坏了自己的名声，而且从准确的法学意义上讲，掩盖真相就是犯罪，因为秘而不宣或者不及时通报，对数十万人的健康和生命造成了危险，苏联政治领导人必须对此承担责任。切尔诺贝利事件以后，全国掀起了一场带有明显政治色彩的生态运动。在受害特别大的乌克兰和白俄罗斯出现了社会运动，指责中央政权对这些地区的居民犯有‘危害种族罪’。”[2]戈尔巴乔夫不得不为消除事故后果而斗争，加强反腐败、反贪赃枉法的斗争，提出扩大公开性。民众要求知道真相，国际社会也要求苏联提供真实的消息，促使戈尔巴乔夫把公开性作为民主化的重要杠杆。

在切尔诺贝利事件之后，1986 年夏，“纳希莫夫海军上将号”在新罗西斯克湾发生撞船事故，1989 年 5 月乌拉尔地区发生火车相撞和天然气爆炸事故，造成 190 人死亡，270 人失踪，720 人住院治疗。这些事故和损失暴露了苏联

---

[1] 列加索夫院士谈切尔诺贝利核泄漏事故（摘录）(1988 年 5 月 20 日)，转引自沈志华总主编：《苏联历史档案选编》，第 33 卷，第 687—688 页。

[2] [俄] 鲁·格·皮霍亚著：《苏联政权史（1945—1991)》，第 543 页。

体制的缺陷，许多都与缺乏纪律性和责任心有关，在处理这些突发事件时也暴露出处理不及时、效率低下、官员对民众麻木不仁的问题。

在苏联问题成堆，到处都需要花钱的时候，由于国际市场油价下跌，苏联的财政收入却在减少。苏联的主要外汇来源是出售石油和天然气，但在美国的阻挠下，苏联1980年计划修建的通往欧洲的天然气管道，推迟了两年也只建成了其中的一条。美国一直希望沙特增产以降低国际市场的石油价格，1985年8月沙特终于拧开了石油笼头，“在沙特增加石油产量的头几周里，日产量由不足200万桶猛增到大约600万桶。1985年秋末，原油产量将攀升到每天大约900万桶。”[1]在沙特阿拉伯提高石油产量后不久，国际石油价格就一落千丈，1985年11月每桶售价是30美元，在不到5个月的时间里便跌至12美元，这对出口石油占外汇收入60%的苏联来说，不能不是一个沉重的打击。20世纪70年代苏联经济的稳定主要靠石油出口所得，国际市场石油价格下挫，使苏联的外汇储备立即减少了2/3，成为引发苏联经济危机的重要原因。在1986年7月11日政治局会议上，雷日科夫忧心忡忡地说：“国际市场油价在下跌，1985年秋天每吨是172卢布，现在是52卢布，7月将降至40卢布。由此将损失90亿卢布。债务将从70亿美元升至110亿美元。支付工资的困难依旧。”[2]经济学家盖达尔认为：“发生严重经济危机、引起一个世界超级大国垮台的导火线，正是20世纪80年代中期国际石油价格的下跌。”[3]石油价格的下跌，外汇收入减少，使苏联经济体制中的问题充分暴露出来了。

石油价格的下跌，同时也影响到苏联另一个硬通货的来源——武器出口所得。苏联军火的大多数富裕而稳定的客户是中东石油国，1986年上半年，伊朗、伊拉克和利比亚的石油收入减少了46%，“结果，苏联军火销售量在1986年减少了20%，另外20亿美元的硬通货从克里姆林宫的金库中流失

[1] ［美］彼得·施魏策尔著：《里根政府是怎样搞垮苏联的》，第271页。

[2] В Политбюро ЦК КПСС… По записям Анатолия Черняева, Вадима Медведева, Георгия Шахназарова (1985–1991), 2-е изд., исправ. и доп. М., Горбачев-Фонд, 2008. С.62.

[3] *Гайдар Е.Т.* Гибель империи. Уроки для современной России. 2-е изд. М., РОССПЭН, 2007. С.428.

了。”[1]由于苏联经济存在致命的弱点，严重依赖出口燃料和军火，国际市场的变化对苏联经济影响过大，戈尔巴乔夫的“加速战略”因缺少资金不得不告吹了。

四、阿拉木图事件——敲响民族问题的警钟

戈尔巴乔夫宣布进行改革，着手撤换勃列日涅夫安插在各个地区领导人，其中也包括哈萨克领导人库纳耶夫，问题的关键在于如何去做。1986 年 12 月 14 日，哈萨克斯坦领导人库纳耶夫被招到莫斯科，被告知他不再担任哈萨克斯坦党中央第一书记，12 月 16 日，哈萨克斯坦共产党中央召开全会，苏共中央书记拉祖莫夫宣布该共和国原领导人、74 岁的库纳耶夫辞职，苏共中央推荐俄罗斯联邦乌里扬诺夫斯克州党委第一书记科尔宾接任。当时任哈萨克斯坦部长会议主席、年轻有为的纳扎尔巴耶夫被排除在外，他对此描述道：“1986 年 12 月 16 日早晨，匆匆忙忙地像着火一般召开哈萨克斯坦共产党中央全会。日程安排仅一项：组织问题。‘组织’一词包含什么意思，众所周知——要进行干部调整。会议由苏共中央部长盖奥尔金·拉祖莫夫斯基主持。他宣布共和国党中央领导人穆哈迈德·库纳耶夫辞职，并推荐当时在俄罗斯乌里扬诺夫斯克州党委任第一书记的盖纳季·科尔宾任该职务。当与会者异口同声投票通过候选人时，我瞥一眼手表：全会开了才 18 分钟，足以载入吉尼斯纪录。”[2]科尔宾也许是一个不错的地方领导人，但是他是俄罗斯人，对他的任命打破了几十年形成的当地第一把手是哈萨克族人的传统，更重要的是在哈萨克斯坦无人知晓科尔宾是何许人。纳扎尔巴耶夫写道：“全会召开前一天，拉祖莫夫斯基和科尔宾来阿拉木图，我们才知道，莫斯科替换库纳耶夫的人到底是谁。这毫不夸张地说，是古怪的选举。科尔宾从来未在哈萨克斯坦工作过，他不知道共和国的问题。哈萨克斯坦无论是党员，还是无党派人士都不知道他的名字。”[3]库纳耶夫年事已高，在哈萨克斯坦担任第一书记已经 20 多年，离职并非不应

[1] ［美］彼得·施魏策尔著：《里根政府是怎样搞垮苏联的》，第 292 页。

[2] ［哈］努·纳扎尔巴耶夫著：《时代、命运、个人》，第 47 页。

[3] 同上书，第 48 页。

该，但戈尔巴乔夫的做法不妥，正如雷日科夫所说："事实上中央总书记向全国和全世界大肆宣扬自己的改革和公开性政策已将近两年，千方百计地鼓励意见的多元化等等，而自己用的却是非常官僚主义的陈旧的方法。他根本没同共和国的领导、共和国党组织的积极分子讨论过，更没有同人民商量过。"[1]

第二天，也就是17日。人们开始集中到党中央大楼的广场上，对这种做法表示抗议，集会者手中拿着列宁画像，打出的口号是："我们要求遵循民族政策的列宁主义原则"、"民族平等——反对特权"、"让每个共和国选举自己领导人"等。参加者主要是青年大学生，开始有两三百人，11时30分他们离开广场奔向城市各街道，到13时30分又返回广场，这时游行队伍已有5000多人，人数也越聚越多，集会者要求撤换科尔宾，让哈萨克人取代俄罗斯人做哈萨克党中央的总书记。

内务部长沃拉索夫下令调集全国八个城市的内务部特种部队来到阿拉木图，民众与护法机关的冲突变成了恶斗，"青年大学生和集会者有人牺牲，有200多名集会者负伤和致残。关押共计8500多人。他们中的许多人在民警局派出所和审查隔离室惨遭毒打。剩余者半裸着被公共汽车拉到郊外甩在12月光秃秃的草原上……审查结果有近百人以参加骚动为罪名被判刑。很快其中的46人因无罪被科尔宾的法庭恢复名誉，稍后其他的人也被无罪释放。在匆忙审查过程中近800名男女大学生被开除团籍，270名大学生被所在学校开除学籍，数十名工人和干部被开除公职。"[2]"谁也不曾想到，任命俄罗斯人为非俄罗斯共和国领导人这一事实本身会引起民族自尊心的大爆炸。""人们不愿听到阿拉木图爆炸的真正原因，将其称为不明身份的黑手党和民族主义犯罪分子的阴谋听起来更顺耳，后来在政治局会议上也得出了这一结论。报刊上也是如此描述阿拉木图的十二月事件。"[3]1987年7月苏共中央通过《关于哈萨克斯坦加盟共和国党组织对劳动者进行国际主义和爱国主义教育工作的决定》，把阿拉木图事件定性为"哈萨克民族主义现象"。这种定性显然不符合事实，当时聚集在广场的人并不反对其他民族，他们所要求的也只不过是本民族应该享有

[1] ［俄］尼·伊·雷日科夫著：《大国悲剧——苏联解体的前因后果》，第29页。

[2] ［哈］努·纳扎尔巴耶夫著：《时代、命运、个人》，第51页。

[3] ［俄］尼古拉·雷日科夫著：《背叛的历史——苏联改革秘录》，第176页。

的平等权利，苏共中央的这种做法带来了消极影响，雷日科夫认为："中央关于哈萨克斯坦事件性质的错误结论在某种程度上起到了煽动国内民族主义情绪的挑拨作用。这再明显不过地证明，借助错误结论也能激怒群众，促使他们走上街头，从而收到某种政治效果。"[1]

科尔宾在哈萨克任职期间也没作出什么特殊的业绩，得不到当地干部的拥护和爱戴，1989 年 6 月 22 日纳扎尔巴耶夫被任命为哈萨克斯坦共产党中央委员会第一书记，科尔宾被调离了哈萨克斯坦。1990 年 1 月哈萨克斯坦苏维埃社会主义共和国最高苏维埃主席团成立专门调查十二月事件的委员会，1990 年 9 月 25 日公布报告，为参加十二月事件者恢复名誉地位。此事件影响很大，正如纳扎尔巴耶夫所说："自 1986 年 12 月以来已过了不少年头，但哈萨克斯坦人民绝对不会忘记对青年人的残酷镇压，不会忘记事后对抗议集会参加者的迫害。哈萨克斯坦人民反对当时存在专制的行为成为我们人民民族自觉性形成中的一个重要阶段。为此那些知道民主自由和专制国家现实之间区别，并为捍卫自己民主和民族独立的人们将在充满感激的后代人心目中永垂不朽。"[2]

阿拉木图事件是哈萨克斯坦民族自觉性增长的结果，"这次抗议是哈萨克人对长期数十年中苏联制度和共产主义思想压抑哈萨克民族自觉的自然反映。在出台对哈萨克民族自尊心有侮辱的苏共中央决定后，共和国社会马上继续表示抗议。"[3]阿拉木图事件与其说是一场民族主义事件，不如说是苏联国内年轻的民主幼芽与旧的工作方法和体制之间的冲突，"尽管改革的口号到处喊得怎样响亮，但它的'设计师'们的工作方法仍然像过去一样，没有变化。哈萨克斯坦人中从平民百姓到上层权力集团没有一个人甚至会想到，戈尔巴乔夫会找到这么样一个人来接替库纳耶夫。显而易见，中央认为共和国像以前一样继续是他们的世袭领地，所以无须与任何人商量就可按自己的意志和口味任命和更换那里的领导人。譬如说，甚至连哈共中央也未被告知，谁将担任他们的第一把手，就连库纳耶夫和纳扎尔巴耶夫也是和所有哈萨克人一起同时知道有关哈

[1] ［俄］尼·伊·雷日科夫著：《大国悲剧——苏联解体的前因后果》，第 45 页。

[2] ［哈］努·纳扎尔巴耶夫著：《时代、命运、个人》，第 58 页。

[3] 同上书，第 53 页。

共中央新领导人的消息的。”[1]中央对地方并不尊重，对各共和国说一不二，主管干部的利加乔夫工作作风简单生硬，戈尔巴乔夫仍然想同以往的总书记一样，拥有任命干部的全权，这种作风与其所宣称的民主原则相违背，高级领导人自己都不带头执行自己制定的政策，基层该如何行事呢？戈尔巴乔夫和利加乔夫应该为阿拉木图事件承担责任，其造成的消极后果显然不利于改革，真正的改革应该从自身做起。

从戈尔巴乔夫上任伊始所确定的新方针来看，他并未真正看到苏联存在的问题，“加速战略”不对症，政治民主化问题更多停留在宣传和思想层面，缺少实际操作性，虽然撤换了大批干部，但并没有解决人民与政权疏离的问题。不管怎样，戈尔巴乔夫毕竟年轻力壮，精力充沛，人们还是对他寄予厚望，期待苏联社会有新的变化。

[1] ［哈］奥莉加·维多娃著：《中亚铁腕：纳扎尔巴耶夫》，第 87 页。

第三章　走上艰难的改革之路

戈尔巴乔夫开始只想对原来的体制进行修补，但“加速战略”执行得并不顺利，经过一年的实践，戈尔巴乔夫等人认识到改革事业比原来估计得要困难得多，“加速战略”的破产表明，必须改变原来的体制。这一时期改革的指导思想是列宁的理论，正如戈尔巴乔夫自己所说：“有人试图谴责我们，说什么我们缺乏实现改革构想的明确而详细的计划。难道能同意这样提出问题吗？我想，如果我们再把现成的公式强加于社会，对生活和现实情况强求一律，那我们就在犯理论上的错误。这是斯大林主义的特点，我们与它格格不入。我们按照列宁的教导行事。而按照列宁的教导行事，就意味着要研究未来将如何从当今的现实中成长起来，并据此来制订我们的计划。”[1]如何进行这种改革？从哪儿入手？对于戈尔巴乔夫及其班子来说，是一个难题。客观地看，他们所接受的思想、观念、社会主义理念，基本都是斯大林式的，在他们看来，社会主义与资本主义两种生产方式是不相容的，市场经济、商品经济是资本主义的，因此，不能要求苏联改革一开始就能拿出一套切实可行的方案，改革只能“摸着石头过河”，在实践中解决问题。

1987年苏联真正开始走上改革之路，这一年苏共中央先后召开了一月全会、六月全会和纪念十月革命70周年大会，对苏联过去的历史进行批判性总结，提出了对苏联的政治经济体制进行根本性改革的问题。

改革伊始，许多此前存在于底层的尖锐问题都浮到表面上来了：社会问题、经济问题、道德问题、文化问题以及民族关系问题。人们对改革的信心很大程度上取决于对这些问题的解决，但苏联领导人显然对此准备不足。

随着改革的进行和民主化、公开性的发展，苏联各界对斯大林模式的社会主义提出了广泛批评。这一时期苏联的改革主要是纠正那些与社会主义不相容的扭曲现象，改革的矛头指向了斯大林时期形成的行政命令体制，从列宁的社会主义建设思想和新经济政策中寻找改革之策。恢复社会主义的本来面目，建设“带有人的面孔的社会主义”，“更多一些民主！”是这一时期改革的主要号召。虽然戈尔巴乔夫把改革看成是全面而完整的过程，把民主化作为主要推动力量，作为改革不可逆转的保证，但这一时期改革的重心在经济上，遗憾的是苏共领导人并没有找到使经济摆脱危机的出路，由于认识所限，市场经济和

---

[1] Правда. 26 ноября. 1989.

价值规律仍然没有受到重视。

第一节 经济改革方案的提出及实施

苏联计划经济最不合理的是价格，“国营商店里一公斤肉食大约收款 1.80 卢布，而国家对这一公斤肉食的补贴多达 3.5 卢布。食品行业中仅此一项，每年的国家补贴总额就在 600 亿卢布以上，而整个国家预算也不过是 4800 亿卢布。”[1] 在 1986 年 12 月 4 日政治局会议上，雷日科夫提出应该提高肉类的价格，戈尔巴乔夫、索洛缅采夫、尼科诺夫、穆拉霍夫斯基、比留科娃表示支持，但利加乔夫坚决反对，理由是苏联有 2500 万人的月收入低于 50 卢布，还有 5000 万人的月收入低于 80 卢布。他得到了沃罗特尼科夫和谢瓦尔德纳泽的支持。戈尔巴乔夫无可奈何地说：“政治局要打起来了！政治局存在多么严重的政治分歧！……不要再争了，我看到了总书记的作用，就是取消这一问题的讨论。”[2] 这个问题暂时搁置起来了。

“加速战略”落空，使戈尔巴乔夫意识到，经济机制和经济管理体制必须进行彻底的改革，其出发点是使人成为生产的主人，“列宁关于要找到公有制同个人利益相结合的最有效、最切合实际的形式的思想，成了我们对彻底改革经济管理的一切探索、全部构想的基础。”[3]“加速”不再提了，“改革”[4] 成了常用语。1987 年 1 月苏共召开了关于干部问题的中央全会，提出了许多新思想，6 月召开了有关经济问题的苏共中央全会，提出了经济体制改革问题。苏

---

[1] ［俄］阿贝尔·阿甘别吉扬著：《苏联改革内幕》，常玉田等译，中国对外经济贸易出版社 1990 年版，第 26 页。

[2] В Политбюро ЦК КПСС… По записям Анатолия Черняева, Вадима Медведева, Георгия Шахназарова (1985–1991), 2-е изд., исправ. и доп. М., Горбачев-Фонд, 2008. С.112–113. ［俄］阿·切尔尼亚耶夫著：《在戈尔巴乔夫身边六年》，第 136—137 页。

[3] ［俄］米·谢·戈尔巴乔夫著：《改革与新思维》，岑鼎山等译，世界知识出版社 1988 年版，第 69 页。

[4] 戈尔巴乔夫用的词是 Перестройка（直译应是“改建”、“重建”，中文译作“改革”），而不是 Реформа（改革，改良）。

联从此开始走上了对体制进行改革之路，正如梅德韦杰夫所说："广泛流传甚而一致公认的看法是，改革开始于 1985 年 4 月。如果就表达一种理念、宣示某些意图而言，这当然是对的。而事实上的改革开端则出现得更晚一些——是在 1987 年。1987 年的转折性质是党和国家生活中三个最大的里程碑所决定的。这就是对政治体制改革给予发轫性推动作用的苏共中央一月全会。这就是制定了经济改革综合方案的中央六月全会。这当然也是十月革命 70 周年，由于这个节日而对苏联历史最重要的各个阶段进行了重新评价，在很大程度上决定了国家的意识形态状况。"[1] 戈尔巴乔夫自己也说："1986—1987 年之交，我感到党内和管理阶层官僚在强烈抵制。"[2]"想寻求地方的支持，开始提出改革选举的思想。目的是唤醒人们的公民意识，1986 年秋天起开始筹备关于干部问题的中央全会，决定在 11 月或 12 月召开，没有开成。主要是对培养和教育干部的传统如何改变，没有考虑成熟。1987 年一月全会，在理论和政治体制改革问题上向前迈了一步。第一次对停滞时期进行了评价，对党内选举产生的机关的作用进行了评价。但决议没落实。1987 年 6 月召开了关于经济问题的六月全会。"[3] 但从苏联进行改革的历程来看，受原有社会主义观念的束缚，仍是"头痛医头、脚痛医脚"，在经济改革上对原有体制突破不多，在政治体制上虽然提出了选举党的领导人的问题，实际上也并未真正落实。

一、六月全会与经济改革方案的出台

苏联的经济改革是在经济危机的情况下不得不推行的，部长会议主席雷日科夫在 1987 年 1 月 27—28 日召开的苏共中央全会上就说："就以财政来说吧。这方面已经形成了极为危机的局面。国家带着严重的财政遗留问题开始执行第十二个五年计划。我们早已入不敷出，靠借债度日。日益增大的收支不平衡开始具有长期的性质，已使财政信贷系统处于崩溃的边缘。所有这一切都未得到

---

[1] *Медведев В.А.* В команде Горбачева: взгляд изнутри. М., Былина,1994. С.42.

[2] ［俄］斯拉文、戈尔巴乔夫著：《尚未结束的历史——戈尔巴乔夫访谈录》，孙凌齐、李京洲译，中央编译出版社 2003 年版，第 12 页。

[3] 同上书，第 15 页。

原则性的评价。财政成了某个狭小圈子里一些人的特权。不仅如此，这方面的真实情况被外表的平安无事所掩盖，没有得到深刻全面的分析研究。”[1]苏联已经开始出现通货膨胀，外汇状况也没有好转，外贸深受国际因素的影响，情况也在变坏。现实已经使苏联领导人认识到行政命令体制的弊端，认识到“对商品货币关系和价值规律的偏见以及往往把它们当作某种异己的东西同社会主义直接对立起来的做法，导致了经济中的唯意志态度，导致了对经济核算制估计不足，以及在劳动报酬方面的‘平均主义’，在价格形成中产生了主观主义原则，破坏了货币流通，不重视调节供求问题。”[2]

1987 年 6 月 25—26 日苏共中央召开全会，会议的中心议题是经济体制改革。这次会议进行了精心的准备，阿甘别吉扬、阿巴尔金、西塔良、彼特拉科夫、波波夫等经济学家与政府成员一起制定了经济改革构想。经济改革的总思路是：扩大企业自主权，加强对劳动的刺激，提高利润的作用。原则和思路与 1965 年柯西金的改革基本相同：提高国营企业的经营自主权，主要体现在对利润的支配上。对通货膨胀、外汇储备下降等问题，并没有切实的措施，对于不合理的价格也没有涉及。

戈尔巴乔夫在全会上作了题为《关于党根本改革经济管理的任务》的报告。戈尔巴乔夫认为苏联模式存在的最主要问题，一是过细、过分集中的计划领导方法；另一个是缺少有效的激励机制，生产者缺少积极性，纪律松弛。解决的办法是经济领导体制的民主化，计划的制订从企业开始，提倡民主参与和工人自我管理；发挥商品货币关系的作用，让企业更有效率，引入竞争机制，收入与企业的效益挂钩，用利益激励生产者。会议通过了经济改革的纲领性文件《根本改革经济管理的基本原则》，强调实现对国家经济管理的根本改革是一个真正的革命过程，其实质是使以行政领导方法为主转向以经济领导方法为主，转向以利益和通过利益进行管理，转向广泛民主化和大力调动人的积极因素。经济管理体制改革的主要内容是：扩大企业的自主权；改善对经济的集中领导，

---

[1] Стенографический отчет заседания Пленума ЦК КПСС. РГАНИ.Ф.2.ОП.5.Д.45.Л.22-22об. 转引自 *Гайдар Е.Т.* Гибель империи. Уроки для современной России. 2-е изд. М., РОССПЭН, 2007. С.224–225.

[2] *Горбачев М.С.* Избранные речи и статьи. Т.4. М., Политиздат, 1987. С.304.

放弃中央对下级经济环节日常工作的干涉；改革计划工作、物资供应、价格形成和财政信贷机制；建立促进专业化、加强各生产部门的协作、使科学直接参与生产的新的经济管理组织结构；保证部门和地区经济管理最佳结合；区分党、政、社会团体的职能，改进工作作风。经济改革的中心环节和出发点是企业，“与过去的做法不同，中央机关将只就数量有限的指标——完成国家订货指标、利润指标、劳动生产率指标、科学技术进步和社会领域的综合指标——对企业实行监督。检验企业活动的最重要的标准，是企业完成合同义务和国家对主要产品的订货以及完成工作和劳务的情况。根据市场的饱和程度，国家订货的种类和数量将逐步削减，以利于生产者同消费者建立直接联系。”[1] 戈尔巴乔夫后来对六月全会的评价是：“这次全会在思想方面并未增加新意，但其成果却相当重大：肯定了民主化的路线，确定了进行经济改革的基本任务和方法。还为下一阶段的改革铺设了一条通道，我指的是关于在 1988 年夏季召开全苏第十九次党代表会议的决定。”[2] 全会计划到 1991 年建立起新的管理体制和经济机制。

这一改革虽然提出要突破传统的高度集中的计划体制，但其所选择的目标模式并不是市场经济的运行模式，《根本改革经济管理的基本原则》仍然强调：“把经济统一的国民经济整体来进行计划管理，是社会主义经济体制的最大成果和优越性，是实施党的政策的一个主要工具。”实际上仍是对原来体制的修补和完善。根据这一改革方针，作为市场机制发挥资源配置作用的核心和关键的价格机制仍无法发挥作用，主要产品的价格以及工资、利润仍由国家，而不是由市场来决定。而苏联的价格是严重扭曲的，“几十年形成的现行价格体制中积累了许多比例失调、不相适应的现象。这里可以举出两个基本问题。第一是食品价格过低，尤其是畜产品，而工业品则价格高。第二个问题是，原料和载能体的价格太低，而机器制造业产品价格高。应当进行整顿，确立合理的价格关系。”[3] 但是，当时并没有调整价格，因为这涉及人们的利益、人们的习惯。“政府刚刚提到面包和通心粉的价格要进行‘调整’，尽管还要给居民

[1] ［俄］米·谢·戈尔巴乔夫著：《改革与新思维》，第 75 页。

[2] ［俄］米·谢·戈尔巴乔夫著：《戈尔巴乔夫回忆录》上册，第 421 页。

[3] ［俄］列·伊·阿巴尔金著：《苏联改革的道路和问题》，张慕良等译，世界知识出版社 1989 年版，第 180 页。

发补贴，当时尚不知市场规则为何物的苏联公民的怨声载道就迫使最高领导层、首先是戈尔巴乔夫本人打了退堂鼓……他当众保证今后‘不经过与老百姓协商决不搞’任何提价。在作出这样的保证之后，走向市场的问题就可以暂时置诸脑后了。这样一来，靠城乡新的企业家和私有主阶级的形成来扩大戈尔巴乔夫革命的社会基础的前景也变得很渺茫。”[1]经济改革的思路实际上并未跳出1965年柯西金改革的框架。

二、《国营企业法》等经济改革法案的制定与实施

这次会议还通过了《国营企业（联合公司）法》草案，1987年6月30日苏联最高苏维埃会议正式批准了《苏联国营企业（联合公司）法》。这是苏联第一部有关企业管理的法律，它规定了企业的组织原则、活动原则和法律地位，但这一法律很大程度上是不同政策主张妥协的产物，其内容不协调，往往是矛盾的：一方面使企业从过去的国家计划的执行者变成了社会主义商品生产者，企业内部实行自治，推行完全的经济核算制和自筹资金，可以“独立自主地制定和批准五年计划”；另一方面又让企业承担社会职能，“企业的活动建立在经济和社会发展的国家计划的基础之上”，不可能完全按照企业本身来经营，企业的计划要根据国家制定的控制数字、国家订货、长期经济定额和限额等来制定。国家订货实际上取代了原来的指令性计划，大大削弱了企业的经营自主权，不可能使企业成为社会主义的商品生产者。计划被国家订货所取代，企业获得了自行与消费者和供货者达成协议的权力，甚至确定了“协议价”，1989年苏联的国家计划不存在了。[2]由于没有进行价格体制改革，价格不合理的状况严重影响了物资供应的正常进行，也影响到企业的经营。这一法案1988年1月1日生效，先在机械制造、化工、冶金、交通运输等领域试行，先在一半企业中实行，到1989年再扩大到所有企业。

---

[1] ［俄］安德烈·格拉乔夫著：《戈尔巴乔夫之谜》，述弢译，中央编译出版社2005年版，第144页。

[2] *Кудров В.* Крах советский модели экономики. М., Московский общественный научный фонд, 2000. С.115.

企业改革的另一个意图是克服人同管理工作的异化，当时无论是苏共领导人，还是学者们，一个共同的看法是社会主义应该实行公有制，企业法在确定所有制形式上，只有国家所有制和合作社所有制。但以往的公有制使工人处于无权的地位，由官僚垄断了管理，现在需要克服这种异化现象，1987年阿巴尔金说："改革有一项极其重要的内容，就是恢复人对工作、对产品、对生产资料的主人翁感，克服人同管理工作的异化。这是改革的中心思想之一，恐怕还是最复杂、最深刻的思想之一。"[1] 其办法是工人民主选举企业领导人，这实际上又把工人理想化了，对于工人而言，付出少回报多的企业就是最好的，他们并不太操心企业的长远发展。企业的管理是个专业性很强的岗位，完全由工人选举并不能保证选出合格的企业领导人，后来的实践也恰恰证明了这一点。

实践表明，这一充满矛盾的企业法很难取得预期效果，在没有实行市场经济的条件下，企业很难做到自筹资金和自负盈亏。国家订货是指令性的，企业必须完成，据苏联国家计委经济研究所介绍，1988年，国家订货在制造业部门占产品的80%。因此，许多苏联经济学家认为，国家订货实际上已代替了原来的指令性计划指标，在经济生活中发挥着主要作用。这大大削弱了企业的经营自主权，从而违背了企业法使企业成为"社会主义商品生产者"的初衷。企业为了摆脱国家的这种新的控制往往出现如下两种行为：(1) 拒绝完成国家的订货。据苏联计委经济研究所提供的数字，因医疗器械不盈利，在150多种产品的国家订货中，有70%被企业拒绝。(2) 有的企业接受国家的订货仅仅为了获得国家提供的资源保证或减少产品销售方面的困难；更有甚者，有的企业还往往把为完成国家订货而取得的国家供应物资用于生产合同产品，以谋取更高的利润。[2] 按盖达尔的说法，"1988年对国民经济管理体制的变革，对经济生活的现实产生的影响有限。惯性的力量一如既往，人们依然相信，所宣布的改革与苏联以往的情形一样，不过是做官样文章，与生活无关。"[3] 由于企业

[1] [俄] 列·伊·阿巴尔金著：《苏联改革的道路和问题》，张慕良等译，世界知识出版社1989年版，第25—26页。

[2] 罗肇鸿等：《赴苏考察纪要》，载《世界经济与政治》1989年第1期，第2—3页。

[3] *Гайдар Е.Т.* Гибель империи. Уроки для современной России. 2-е изд. М., ОССПЭН, 2007. С.274.

仍然没有自主经营的相应环境，特别是经济改革措施不配套，实行经济核算并没有促进科学技术的进步，生产资料批发贸易进展缓慢，影响了物资技术供应的正常进行，只在企业环节进行改革显然难以成功。

这一法律难以变成现实的原因还有劳动集体和企业的“集体的自私主义”。企业领导人实行职工选举，这是戈尔巴乔夫实现“积极地把人纳入经济过程和生产过程，把国家的利益同个人利益和劳动集体利益有机地结合起来，使苏联的劳动者变为经济的真正积极的主人。”[1]为此，企业建立了劳动集体委员会，实行了厂长选举制，但当选者往往不是最能干的，而是最会说的。他们利用所赋予的权力提高工资和商品的出厂价格，只顾眼前利益，没有长远目标，甚至不惜牺牲国家利益。企业工人的货币收入迅速增长，更加剧了消费品的短缺。企业法给了企业分配利润的自由，他们可以把钱投入生产，也可以用于提高工资，由于没有规定固定投资的限额，多数企业用于提高工资，减少了投资，投资比例下降，对未来的生产构成威胁，又加剧了商品短缺。“获得自主权的企业迅速提高了职工的工资，1988 年工资增长 8%，1989 年增长达 13%……厂长选举制对劳动纪律造成了恶劣的影响，削弱了中央机关运用行政手段调控经济的能力。在既缺乏市场定价机制，又没有硬性财政限制的情况下，这一做法引发了尖锐问题。”[2]按照市场规则会有亏损企业关门，这让苏联政府害怕。企业可以从政府得到亏损补贴，他们没有动力根据市场的需求提高生产率，在这一政策下，工资的平均水平的上涨幅度高于物价的上涨。在 1985—1991 年，实际工资增长了 51%，但是在商店里什么都买不到，因此，工资提高越多，商品短缺就越严重。[3] 该法没有激励企业降低成本，提高生产率，企业往往利用垄断地位靠提高价格获得高额利润。戈尔巴乔夫出台企业法的意图是好的，他“力求解放生产者的主动精神，扩大生产者自由活动的范围。他想削弱部门对企业的控制。用他的话来说，当时工厂为了在本厂土地上盖一个厕所，也必须征得部长会议的允许；他反复强调必须克服人与企业疏远的现象。他想使企业成为走向

[1] ［俄］米·谢·戈尔巴乔夫著：《改革与新思维》，第 72 页。

[2] *Гайдар Е.Т.* Гибель империи. Уроки для современной России. 2-е изд. М., РОССПЭН, 2007. С.276.

[3] *Тимошина Т.М.* Экономческая история России. М., 2000. С.358.

市场的一个步骤。”但事实却是：“企业法大概成了将经济推向崩溃的第一个推动力。”[1]原因在于苏联的大企业大多具有垄断的性质，靠提高价格而不是提高生产率和采用新技术，它们照样可以过得很好。实践证明，企业把自主权主要用在了提高工资上，生产减少、工资提高，加剧了苏联本已存在的商品短缺。

在经济发展方向上，戈尔巴乔夫仍然强调发展机器制造业，通过机器制造业的振兴实现最新工艺的突破，“根本改建机器制造业的纲领，已由苏共中央全会于 1986 年 6 月制定了。提出了一项我国工业史上前所未有的任务：最重要的机器、设备和仪器的各项参数在最近六七年间要达到世界水平。决定把主要的注意力放在机床制造业、仪器制造业、电子行业和电工技术行业的改建上。冶金工业和化学工业的广泛现代化也正在进行。”[2]完成这一任务需要大量投资，在苏联财政状况不佳的情况下，这显然是纸上谈兵。

与企业改革相配套的应该包括银行体制的改革，改变财政完全由国家垄断的局面，在苏联原有的体制下，国家不断增加对亏损企业的补助金，从而需要不断增加货币供应，它们像个无底洞，银行本身也不是企业，只是国家资金的管理者。雷日科夫曾在苏共二十七大上指出：“在实际工作中还没有创造出能够促使企业和单位、集体农庄和国营农场合理使用贷款，提高赢利率，及时和全部向国家还清欠款的那些条件。银行机构应当维护国家利益，同时要大力促进发挥劳动集体的主动精神和搞好经营的事业心。”[3]1986 年曾经禁止向没有完成生产任务、上了生产质量差产品名单的企业提供贷款。在企业向完全的经济核算过渡后，改革银行体制问题显得更为迫切。对于银行改革的方向，一些财政专家和银行家主张建立两级体系，上面一级是中央银行，也可以说是“银行的银行”，第二级是商业银行。中央银行负责货币发行、完成国家预算和信贷政策，负责财政信贷体系的稳定和货币的汇率。商业银行体系（商业的、合作社的、部门和地区银行）集中直接满足用户的需求。[4]这种主张实际上是

---

[1] ［俄］阿·切尔尼亚耶夫著：《在戈尔巴乔夫身边的六年》，第 145 页。

[2] ［俄］米·谢·戈尔巴乔夫著：《改革与新思维》，第 72 页。

[3] 《苏联共产党第二十七次代表大会主要文件汇编》，第 218 页。

[4] *Кирсанов Р.Г.* Реформирование банковской системы СССР в годы перестройки.//Российская история. 2010. №2. С.65.

按西方市场经济的原则改组银行体系，雷日科夫政府主张进行渐进改革，要在国家的严格监控下走向市场。根据六月全会上通过的《关于完善国家银行体系和加强其在经济效益中作用》的决议所进行的银行体系改革，由苏联国家银行、苏联建设银行、苏联对外贸易银行和储蓄所体系组成。在保持对外经济银行和苏联国家银行主导作用的情况下，工业建设银行、住宅和社会发展银行、农工综合体银行也被纳入这一体系。这一改革实质上是从国家银行分出四个专业银行。10 月，苏联部长会议通过《关于改革苏联银行活动和组织结构》的决议，规定所建立的专门银行服务于其所在的部门。实际上只有住宅和社会发展银行是新型银行，它解决社会领域的具体问题，注意加强住宅建设，制定到 2000 年满足公民住宅需要的纲领。[1]

在农业中开始实行集体承包和家庭承包制。1985 年 11 月苏共中央和苏联部长会议通过决议《进一步完善农工综合体管理》，农工综合体成为土地上出现的唯一主人，1989 年开始在农业部门进行改革，1989 年 3 月苏共中央全会，决定解散苏联国家农业综合体，放弃对土地过分集权化的管理，中止同个人副业的斗争，确定五种土地经营形式：国营农场、集体农庄、土地联合企业、合作社、农户（农场）经济是平等的。形势迫使苏共不得不改革，在此期间国家预算投入了数十亿，1990 年提高收购价格、注销集体农庄和国营农场的债务、补贴等等，投向农工综合体的资金近 1000 亿卢布。[2] 但农业问题越来越尖锐，从 1989 年起食品短缺严重，苏共不得不动员一切力量来解决粮食问题。

1988 年年中通过允许开办私人企业的法令，目的是让“影子经济”合法化，当时的影子经济规模达 900 亿卢布。但在观念上，戈尔巴乔夫仍然排斥私人所有制，1988 年 11 月，戈尔巴乔夫在最高苏维埃会议上批评爱沙尼亚同志说：“私有制，很清楚，这是人剥削人的基础，而我们的革命完全是为了消除剥削，把它们完全转交给人民所有。试图恢复私有制意味着后退，这是极其错误的决

[1] *Кирсанов Р.Г.* Реформирование банковской системы СССР в годы перестройки.//Российская история. 2010. №2. С.67–68.

[2] *ТимошинаТ.М.* Экономческая история России. М., 2000. С.363.

定。”[1] 戈尔巴乔夫仍然相信只有公有制才是社会主义的。

1988 年 5 月 26 日，苏联最高苏维埃通过了《苏联合作社法》[2]，合作社是苏联公民自愿联合起来从事经营活动和其他活动的社会组织，合作社是法人，享有法人的权利并履行与法人活动有关的义务，具有独立的资产负债表。不仅农业，而且在商业、服务业、饮食业、小商品生产、旅游、医疗保健、法律咨询等方面发展各种形式的合作社，使所有制结构更趋多样化。数百家合作企业包括合作社银行成立了。合作社在向国家交过税后，重新计算利润的分配额，社员的工资由合作社自主决定。对合作社法及其实施存在着不同的评价，有人认为：“1988 年 5 月雷日科夫在最高苏维埃作了题为《合作社在国家经济中的作用和苏联合作社法草案》的报告，正是在这个报告中首次对市场的作用作出了原则性评价并具体提出了激进经济改革的方案。这一法律的通过不仅打破了国家所有制的垄断地位，而且还给企业家的活动提供了推动力。许多企业正是从合作社中发展起来的。”[3] 也有人认为：“大多数合作社建立在国营企业内部，它们按照国家固定价格购进产品，经过加工，再以市场价格出售（常常只不过是转手倒卖）。在商品短缺和财政不平衡的条件下，这就使得企业领导人和那些监管合作社的人都能获取不菲的收益。许多被列入亿万美元富翁名单的俄罗斯人的财产正来自这一时期。”[4] 曾担任过莫斯科市委书记的普罗科菲耶夫认为：“合作社法”蓄意破坏现行经济制度。这个法律给合作社比给国营企业更多优惠政策。合作社主要是由国家拨款即记账式拨款给合作社，而到了合作社那里马上就变成现金。“新俄罗斯人”马上悟出轻而易举以钱变钱的招数。这个法律为新资本家阶级聚敛财富奠定了基础。[5] 合作社工作人员的工资比国营

---

[1] *ФилипповА. В.* Новейшая история России(1945－2006 гг.). www.prosv.ru/umk/istoriya/index.htm.

[2] 全文见《苏联东欧问题译丛》1988 年第 5 期，第 90—117 页。

[3] *Леонид Иванович Абалкин.*Теория социальных альтернатив неизменна.Она определяет логику общественного прогресса. www.ng.ru/ng_politics/2010－04－06/9_theory.html.

[4] *Гайдар Е.Т.* Гибель империи. Уроки для современной России. 2-е изд. М., РОССПЭН, 2007. С.276－277.

[5] 项国兰译：《普罗科菲耶夫论苏联的改革》，www.cctb.net/xszm/200902050011.htm.

企业高 1—2 倍。合作银行打破了国家对银行的垄断，出现了非国家所有的、合作的银行。可以说合作社是在国家经济计划之外的新经济，在当时法律不完善的情况下，确实让一些人钻了空子，但这一法律的通过打破了单一的所有制和计划经济，促使苏联经济朝着市场化的方向发展。到 1989 年苏联的各类合作社达到 19.34 万个，从业人数达 485.15 万人，产品销售额达 403.655 亿卢布。[1]

1988 年 7 月 6 日，苏共中央和苏联部长会议通过《关于扩大全苏列宁共产主义青年团的对外经济活动》，以及 1988 年 8 月 4 日苏联部长会议第 956 号决议《关于促进全苏列宁共产主义青年团的经济活动》，为共青团精英参与商业活动创造了条件。

1989 年 4 月，租赁法获得通过，当时人们对此寄予很大希望，认为可以提高工人对自己劳动产品的兴趣，根据这一法令，劳动集体可以租赁国家的企业，以便将来可以按象征性的价格买下来。这种形式发展很快，到 1992 年 2 月底，有 9400 家俄罗斯企业被租赁，其工人占总数的 8%。[2] 这项法令为私有化提供了机会，有利于当时的企业领导人以及与之相关的人。

1989 年 3 月 31 日，政府通过《关于国家专业银行转向完全经济核算和自负盈亏》的决定，提出到年底建成新的银行体系，以适应深化经济改革的需要。结果，苏联在很短的时间里建立起了缺少管理的银行，如 1989 年 1 月 1 日苏联有银行 43 家，到 1990 年 1 月 1 日达到了 224 家，1991 年 1 月 1 日达到了 1357 家。[3] 这些银行成了变现和逃避国家监督、抽逃企业资金的工具。他们逃避国家监管，政府要对之进行管理，他们就宣称政府在动用行政手段。

在进行经济体制改革的同时，苏联也对外贸体制进行了改革。苏联开始朝融入世界经济体系的方向发展，"苏联开始表现出对现行国际经济组织——国际货币基金组织、世界银行等等的兴趣。可以说，戈尔巴乔夫拒绝在对外政策中奉行对抗政策，在很大程度上促进了行政命令体制的崩溃。"[4]1986 年 8 月 19

[1] 苏联国家统计局资料，转引自《苏联东欧问题译丛》1990 年第 4 期，第 127 页。

[2] *Тимошина Т.М.* Экономческая история России. М., 2000. С.358.

[3] РГАЭ.Ф.2324.Оп.32.Д.3996А.Л.93. 转引自：*Гайдар Е.Т.* Гибель империи. Уроки для современной России. 2-е изд. С.278.

[4] *Тимошина Т.М.* Экономческая история России. М., 2000. С.362.

日，苏共中央和部长会议通过“关于完善对外经济联系的措施”，这是战后第一个旨在确立对外贸易原则的官方文件，破除了外贸垄断，20 个部和 70 来个大型经济联合体实行了经济核算，得到了独立走向国外市场的权力。部长会议成立了一个部门——国家对外经济委员会，由部长会议副主席弗拉基米尔·卡缅采夫领导，负责制定对外经济联系的共同政策，协调已经拥有对外经济联系的各单位（外贸部、对外经济银行、贸易局、国际旅行社）的活动。把企业不愿承担的出口变成了愿意承担并有利可图的事，外汇收入在扣除国家税收后企业可自行支配，可以用来购买设备，也可以用来购买日用品，开始可用 10% 的外汇利润，后来增至 25%。1988 年 12 月政府通过《关于进一步发展国营、合作社及其他组织和企业对外经济活动》的决议，1990 年 4 月生效。建立了自愿贸易注册制度。截至 1991 年全国有 3.5 万家企业获得了在国外销售的权力。[1] 但存在着审批机构过多，竞相压价等问题。

在经济改革中，戈尔巴乔夫没有注意调整苏联极不合理的经济结构，苏联解体后，他曾后悔地说：“由于不合理地将结构改革的期限拖延了 3—4 年，结果在经济和政治方面丧失了 1987—1988 年这个改革的最佳时机。这是一个战略性的失误，国内局势从此迅速尖锐化，成功实现改革的条件变得越来越不利了，需要寻求另外一些更具根本性的方法将其继续进行下去。”[2]

三、难以触动的价格体制

实践证明，不改革价格体制，苏联的经济体制改革不可能有效果。戈尔巴乔夫也认为苏联经济最不合理之处是价格的扭曲，他承认“单是国家补贴就高达 560 亿卢布，亦即超过其销售额的 45%，这难道能认为是正常的吗？同时我也坚决反对企图以提高价格来减少预算赤字的做法。”[3]1987 年再次提出了改革价格的问题，梅德韦杰夫曾坚持应该不仅改革批发价格，也改革零售价格，1987 年 8 月，戈尔巴乔夫委托他征求经济学家们的意见，但是大多数人

[1] ［俄］尼古拉·雷日科夫著：《背叛的历史——苏联改革秘录》，第 225 页。

[2] ［俄］米·谢·戈尔巴乔夫著：《戈尔巴乔夫回忆录》上册，第 428—429 页。

[3] 同上书，第 414—415 页。

反对在近期内进行价格改革。11 月 6 日在与阿巴尔金、彼特拉科夫、沙塔林、库利科夫和奥日列利耶夫所进行的最后一次讨论中，梅德韦杰夫陷于孤立，只有彼特拉科夫一定程度上接受他关于改革价格体制的立场。[1] 当时的总理雷日科夫回忆说，1987 年秋，“我们坚持提出了价格改革的问题：让我们过渡到新的价格吧——批发价、零售价、采购价。已经考虑好了补偿措施体系，让我们付诸实践，不要空谈改革，空谈即将进入市场经济的问题。我指的是进入可调节的市场经济，正像文明世界的全部经济实践一样，别的市场经济是不可取的。然而，给我们的回答是：请等一等吧，别着急，现在还不是时候，人民还不理解我们。不仅政治家这么说，而且连经济学家也这么说，可是正是他们以前曾说明我们只有进行价格改革，才能真正进行经济改革。”[2]1988 年 4 月政治局会议审议了有关价格改革的意见，讨论了政府自 1987 年六月全会以来制订的规划，这一规划的核心是分阶段、分部门地进行价格改革。但是，这一计划受到批评，戈尔巴乔夫固执地认为这破坏了改革的综合配套措施，也反对改革价格。在这里反映了戈尔巴乔夫经济知识的缺乏，明显不合理的价格不改革，必然制约整个经济改革。

物价问题成了政治斗争的一个领域，报刊上掀起了反对价格改革的运动，在“不许动物价！”这个口号下形成了激进民主主义反对派，“短短几个星期内，社会舆论就转向了坚决不同意对价格和价格形成进行改革。几乎所有经济学家，甚至包括那些曾参与酝酿经济改革设想的人，竟然也受其影响。”[3] 实际上也存在要求改革物价的经济学家，扎斯拉夫斯卡娅就指出：“在实行以经济管理方法为方针的情况下，必须使零售价格接近消费品的社会费用，其中包括提高肉、奶和粮食制成品的国营价格。”[4]1988 年 10 月 29 日，政治局通过了关于零售价格和服务性收费状况的决定，谴责毫无道理大肆涨价的做法，实践

[1] *Медведев В.А.* В команде Горбачева: взгляд изнутри. М., Былина,1994. www.lib.ru/MEMUARY/GORBACHEV/medvedev.txt.

[2] ［俄］尼古拉 · 雷日科夫著：《背叛的历史——苏联改革秘录》，第 217 页。

[3] ［俄］米 · 谢 · 戈尔巴乔夫著：《戈尔巴乔夫回忆录》上册，第 427 页。

[4] 扎斯拉夫斯卡娅：《论改革的社会管理战略》，转引自《别无选择——社会主义的经验教训和未来》，第 8 页。

证明这是错误的，错过了改革的时机。在物价问题上，戈尔巴乔夫越来越固执，1989 年春，戈尔巴乔夫与美国国务卿贝克会谈时谈到了经济问题，作为金融专家的贝克建议开始价格改革，并且认为这样的改革早该开始了，戈尔巴乔夫对此强烈反驳道："我想，如果我们当时开始价格改革，人们很快就会不相信那把手伸到他们口袋里去的政策……反正价格改革我们已经迟误了 20 年，因而 2—3 年也就成不了气候。"[1] 由此可见，苏联的改革并不是迎合美国人的，也可以看到，戈尔巴乔夫受人民的生活靠不断降低价格来实现的苏联传统理论的影响多么大，他不明白不纠正严重背离价值的价格，苏联经济难以走出困境。

民众的货币收入增加而商品的价格没有相应上涨，导致了消费品销售体制的崩溃，商品一上市，就被抢购一空。在商品短缺的情况下，走"后门"或者通过高于官方价格的秘密渠道获得商品的现象加重，消费品越来越脱离公开的销售市场；空空的货架又促使人们储藏商品，这种行为更加剧了商品的短缺。

总的来看，戈尔巴乔夫的经济体制改革是充满矛盾的，其思路仍然是加强公有制，改革措施不配套和相互矛盾，使之难以取得成效。雷日科夫却认为："第十二个五年计划的头三年（1986—1988 年）国民收入增长了 11.6%，这个数字低于五年计划中计划增长的 12.8%，但以前我们甚至从未像现在这样接近过计划的要求。况且，与过去相比第十二个五年计划制订得十分严格。1988 年的工业生产总值增长 13.3%，基本建设总额与上一个五年计划相比增长了 36%。我已讲过：第一部类产品（为生产所需）和第二部类产品（为人民生活所需）的区别。如果就五年计划的头两年是第一部类增长额超过第二部类的话，那么 1988 年第二部类增长额则超过第一部类整整 2%！初看起来似乎差别不大，但它说明我们的经济已开始转向人民的需求，这一趋势令人鼓舞。"[2] 阿甘别吉扬在总结改革前三年时称："改革以来，我们已经抛弃了旧的原则，即对社会领域划拨的只是剩余资料；同时，对经济发展的方向做了大调整，转到满足人民需求这一方面。我们已经设法克服了建筑行业、食品生产、

---

[1] ［俄］阿·切尔尼亚耶夫著：《在戈尔巴乔夫身边的六年》，第 347 页。

[2] ［俄］尼古拉·雷日科夫著：《背叛的历史——苏联改革秘录》，第 202 页。

人寿保健和社会服务诸方面的停滞状态，但是尚未赢得根本性转变。苏联绝大多数家庭并未感觉到改革带来了什么实质性变化。人们感到实惠，看到真正变化的时刻，距离现在还有一段相当长的距离。尤其是种种短缺现象依然存在。然而这只是说物质方面。在精神领域，亦即透明度、公开性方面，我们已能感到出现了根本变化，尽管目前这里那里尚有许多难以处理的问题。”[1]经济学家谢柳宁认为，经济改革、调整经济结构，停止生产没有人使用的生产资料，转向消费品生产将需要一个相当长的时期，其间发展的速度会降低，甚至可能是负值，“我的预测不幸而言中了：1987年国民收入的增长率只有2.3%（一年以前是4.1%），工业生产增长3.8%，而上一年是4.9%。我的正确自然不会使我感到高兴，不过也没有理由惊惶失措：速度并不等于一切，经济有它更有价值的数据。”[2]而在普通百姓眼里，生活不仅没有好转，日用消费品的短缺反而加重了。

经济体制改革效果不佳有多方面的原因。从主观上看，经历了70年的社会主义建设，无论是领导人还是民众都不懂市场经济为何物，经济改革措施不配套，不能根本解决问题，反而造成了经济的混乱，国家不得不面临尖锐的经济问题，如外汇储备减少、财政危机、消费市场崩溃等。这些问题没有得到解决，人民生活日益恶化，拿到钱什么都买不到，对政府的信任度在不断下降。还有一系列不利的客观因素，如国际石油市场疲软，苏联又发生了天灾，1988年12月7日11时41分，亚美尼亚发生大地震，10级地震造成了很大损失，有4座城市遭破坏，其中一座被彻底毁灭，5万人丧生，20多万人无家可归，经济损失也是巨大的。到1988年年底，亚美尼亚到本共和国以外的疗养院、休养所去居住的难民人数共有6万多人，苏联投入重建工作的人力达到7万人，建设工作的投资总价值为85亿卢布。“所有这一切给我国国民经济计划工作带来了巨大的打击，简直使国民经济处于停滞状态。”[3]苏联还继续进行外援，1989年3月28日，戈尔巴乔夫在政治局会议上说：“古巴没有支付石油费

[1] ［俄］阿贝尔·阿甘别吉扬著：《苏联改革内幕》，第9页。

[2] B.谢柳宁：《官僚主义的报复》，转引自《别无选择——社会主义的经验教训和未来》，第259页。

[3] ［俄］尼古拉·雷日科夫著：《背叛的历史——苏联改革秘录》，第170—171页。

用，使我们损失了几十亿美元。用这些钱我们可以购买 200 亿卢布的商品。切尔诺贝利、亚美尼亚和阿富汗也耗费了大量资金。”[1]

第二节　政治体制改革的启动

一、改革干部制度，实行民主选举

改革的过程也是利益调整的过程，原体制下掌握权力的既得利益者并不愿改革，经济体制改革遇到了经济管理机关的抵制，国家计划、物资供应、财政等部门，虽然不能公开反对，但对明显削弱其权力的改革措施暗中作梗。如当时轻工业确定的计划是 750 亿卢布，但与商品生产者达成的协议只有 720 亿卢布，国家计划委员会和政府要求向轻工企业“施加压力”，使它们按照国家计划的定货额提供商品。农机部门也遇到了类似问题，计划生产 10.8 万台联合收割机，但国家农工综合体只要 10 万台。农业机械部要求政治局敦促党委使集体农庄和国营农场订购“所需”的数量。[2]

戈尔巴乔夫把社会主义与民主联系在一起，认为民主是关键，没有政治体制改革，经济体制改革也无法进行，他希望通过政治体制改革促进经济体制改革。不过此时他理解的政治体制改革还主要限于差额选举和工人直接参加管理，试图把列宁关于社会主义民主的设想付诸实践。

苏共中央于 1987 年 1 月 27—28 日召开了中央全会，全会着重讨论了改革和党的干部政策，并根据戈尔巴乔夫的报告通过了《苏共中央关于改革和党的干部政策的决定》。戈尔巴乔夫在全会上提出，20 世纪 80 年代中期以前形成的“阻塞机制”阻碍了社会经济的发展，妨碍了社会主义优越性的发挥。加强社会主义民主和发展人民自治，是克服阻塞机制的主要手段。戈尔巴乔夫对改革的含义做了系统的阐述，并指出改革的最终目的是，“要深入地革新国家生活的各个方面，使社会主义具有最现代化的社会组织形式，最充分揭示我们

---

[1] В Политбюро ЦК КПСС… По записям Анатолия Черняева, Вадима Медведева, Георгия Шахназарова (1985–1991), 2-е изд., исправ. и доп. М., Горбачев-Фонд, 2008. С.475.

[2] *КацваЛ. А.* История России. Советский период (1917–1991) . http://it-n.ru.

的制度的各个决定性方面——经济、社会政治和道德方面的人道主义性质。"[1] 戈尔巴乔夫认为，改革的成败在决定性程度上取决于"我们的干部如何迅速和深刻地认识到改革的必要性，如何创造性地和目标明确地贯彻执行党的方针。"[2] 他指出最近几年的干部政策存在许多严重问题，"一方面，干部队伍表现出相当严重的停滞现象。一系列党委会的书记成员中，地方、共和国和全苏一级的苏维埃和经济机关的工作人员中，往往好几十年没有发生必要的干部变动，没有增添新人。""另一方面，在干部工作中，特别是在国民经济的基层一级，还存在着另一种同样令人担忧的倾向。这指的是工业企业、工地、农庄农场和其他组织中的领导干部变换过多，过于频繁。"[3] 干部中还存在责任心不强、不能胜任工作等问题，对于造成这些问题的原因，"政治局认为，主要原因是干部工作中的民主基础被削弱。"[4] 解决的办法是加深社会主义民主，发展党内民主，"有必要考虑修改区党委、自治专区党委、市党委、州党委、边疆区党委以及加盟共和国党中央书记的选举办法。如同志们建议的那样，这里可以这样做：书记，包括第一书记在相应的党委会的全体会议上以无记名投票的方式产生。党委成员有权在选票上加上任何数量的候选人。"[5]

1987 年一月中央全会的核心是发展民主和公开性，戈尔巴乔夫认为，"民主化，再民主化，它正是改革的意义之所在，也是解决已出现的种种尖锐矛盾和问题最有效的手段。管理的行政命令方式正在阻碍我们前进。惰性和消极被动状况的保护伞依然存在。"[6] 他在中央全会的闭幕词中宣布，改革已经成为一种现实，"苏联人把改革同自己的生活计划、国家的命运、国家的国际威望和威信联系起来。"为此，加强苏联社会的民主被放到首位，"我们需要民主就像需要空气一样……苏联共产党坚决主张让人民知道一切。公开性、批评与自我批评以及群众的监督——这是苏联社会健康发展的保障……今天在全会上我们

[1] *Горбачев М.С.* Избранные речи и статьи. Т.4. М., Политиздат, 1987, С.309.

[2] *Горбачев М.С.* Избранные речи и статьи. Т.4. М., Политиздат, 1987, С.332.

[3] *Горбачев М.С.* Избранные речи и статьи. Т.4. М., Политиздат, 1987, С.335.

[4] *Горбачев М.С.* Избранные речи и статьи. Т.4. М., Политиздат,1987, С.337.

[5] *Горбачев М.С.* Избранные речи и статьи. Т.4. М., Политиздат,1987, С.323.

[6] ［俄］米・谢・戈尔巴乔夫著：《戈尔巴乔夫回忆录》上册，第 418 页。

横亘在街头的标语：改革、民主化、公开性

大家得出一致的结论：我们需要公开性，我们需要批评和自我批评，并把它们作为发扬社会主义民主的有效形式。”[1]

这是一次具有一定转折意义的全会，全会提出了使苏联社会进一步民主化的任务，全会提议修改选举法，加盟共和国的各级干部均在党委会的全体会议上用无记名投票方式产生，企业各级领导的选拔与更换也必须通过选举。全会提出必须制定保障公开性的法律。在这次中央全会上，高层再次发生变动，库纳耶夫离开政治局、齐米亚宁离开书记处，雅科夫列夫成了政治局候补委员，卢基扬诺夫和斯柳尼科夫成了中央书记。

面对人们对没有享受到改革实惠的抱怨，戈尔巴乔夫认为主要是干部之过，在 1987 年 4 月 24 日政治局会议上，戈尔巴乔夫气愤地谈到了他的不满，他说：“空转最严重的是机关。区党委、州党委都不愿吸收人民参与事业。到处都是这样。这是最危险的。人们直截了当地说：你们上面发布好的决议，通过正确的决定，但到不了我们这里。”[2]“在我国，在苏维埃国家有一批大首长，

---

[1] *Горбачев М.С.* Избранные речи и статьи. Т.4. М., Политиздат, 1987, С.356,357–358.

[2] 转引自［俄］阿·切尔尼亚耶夫著：《在戈尔巴乔夫身边的六年》，第 159 页。

他们享受着一切福利，他们的住宅由专门部门来修理。他们藐视人民。所有人都这样——中央委员们、部长们、政府成员们！这一切我们要容忍到什么时候?！我提出警告：关于这些问题和其他类似问题这样的谈话这是最后一次。如果毫无改变，下一次我们将同另外一些人谈话了。”[1]但他除了有限地撤换干部，并没有从体制机制上进行改革，像葛罗米柯这样不认同其改革措施的人继续留在高位上，干部工作成绩的好坏与其享受的待遇并无直接关系。

1987 年 5 月 28 日，联邦德国青年鲁斯特驾驶小型体育飞机降落在莫斯科红场，这一事件震惊了苏联和世界，被认为是苏联武装力量的耻辱，也成为戈尔巴乔夫撤换军队干部和进行军事改革的契机。在长期和平的条件下，苏联军队存在着种种问题，成了批评的禁区。在 5 月 30 日政治局会议上，大家都异口同声地谴责军队领导人，认为此事反映了苏联军队的不堪现状，使人们对苏联军队的能力表示怀疑。[2] 国防部长索科洛夫提出辞职，由亚佐夫取而代之，还有 150 名将军和军官被解职。在 1987 年 6 月中央全会上，原国防部长索科洛夫元帅被解除政治局候补委员职务，由亚佐夫接任。到 1987 年年底，70% 的政治局委员、40% 的苏共中央委员和 60% 的区委书记被撤换。[3] 但是，这并不能解决问题，换上来的人只是年轻些，但他们的工作作风和方法一如既往。

1987 年夏天在地方人民代表苏维埃选举中，按照一月中央全会的决议举行几十年来首次差额选举，允许几个候选人竞争一个位置。结果选民对州、边疆区代表投反对票的人数是以往选举的 9 倍，当局第一次遇到许多选民不来投票站，其中包括“无故”不到投票站参加选举的情况。9 个选区第一次没有搞成选举。[4] 从中也可以看到苏共在选民中的威信不高。

戈尔巴乔夫没有加强党内民主机制的建设，他所谓通过民主化来促进改革，实际上是实行社会大民主，一步到位地让民众掌权：“民主的实质就在于劳动者掌权，是实现劳动者的广泛的政治与劳动权利的形式，是他们关心改革

[1] 转引自［俄］阿·切尔尼亚耶夫著：《在戈尔巴乔夫身边的六年》，第 192 页。

[2] В Политбюро ЦК КПСС… По записям Анатолия Черняева, Вадима Медведева, Георгия Шахназарова (1985 – 1991). С.189.

[3] *КацваЛ. А.* История России. Советский период (1917 – 1991) . http://it-n.ru.

[4] Отечественная история:Учебник. Под общ.ред. *Р.Г.Пихои*. М., Изд. РАГС, 2005. С.669.

并实际参与改革的形式。”他提出：“苏联社会的进一步民主化成了党的紧迫任务。”[1]由工厂选举企业的领导人，由党员差额选举各级领导是戈尔巴乔夫民主化的重要措施，但实际效果并不如人意。

二、以公开性促进改革

公开性也是政治体制改革的重要组成部分，苏联模式靠思想文化和舆论打造的神圣光环所维持，不去掉这层光环，没办法进行改革。公开性，解放思想，实际上是改革必须先迈出的一步。对此，戈尔巴乔夫有深刻的认识，他认为：“我们的败落是从什么地方开始的？是从理论和思想的空洞无物、从粉饰开始的。不正视现实。你们看，在克里姆林宫召开的社会科学教研室主任会议上的发言是什么样的水平——这简直是贫乏可怜！”[2]在1987年1月中央全会结束两周后，戈尔巴乔夫召集大众媒体和宣传工作的领导人开会，他在讲话中强调，一月全会的主要思想是发扬民主，但是是“在社会主义的基础上发扬民主”。“报刊有自己的潜力，对新的先进的事物十分敏感，并拥有批评、公开性和宣传好经验这样一些强有力的手段，因而在这方面可以而且应当做许多事情。”“我同意，无论是在历史上还是在文学中都不应该有被遗忘的名字和空白点。否则就不是历史，不是文学，而是人为的应景之作。”“还是让所有的东西都各就各位吧。”[3]这一讲话后来被称为“公开性宣言”。从理论上说，戈尔巴乔夫的公开性鼓励思想言论的自由和真实地反映历史，并不违反马克思主义，也可以说是恢复了被歪曲的马克思主义。1842年马克思在《评普鲁士最近的书报检查令》中说：“你们赞美大自然悦人心目的千变万化和无尽宝藏，你们并不要求玫瑰花和紫罗兰散发出同样的芳香，但你们为什么却要求世界上最丰

---

[1] *Горбачев М.С.* Избранные речи и статьи. Т.4. М., Политиздат, 1987, С.317.

[2] ［俄］阿·切尔尼亚耶夫著：《在戈尔巴乔夫身边六年》，第138—139页。

[3] *Горбачев М.С.* Избранные речи и статьи. Т.4. М., Политиздат, 1987. С.370,373.《戈尔巴乔夫关于改革的讲话（1986年6月—1987年6月）》，人民出版社1987年版，所收录的《信念是改革的支柱》就是这篇讲话，但它把时间搞错了，本是2月11日的讲话被说成了2月13日。

请打开话筒——民主的最初尝试

富的东西——精神只能有一种存在形式呢?”[1]1889 年恩格斯在批评丹麦工人党将持有不同观点的党员开除的做法时，曾经指出:“工人运动的基础是最尖锐地批判现存社会。批评是工人运动生命的要素，工人运动本身怎么能避免批评，想要禁止争论呢？难道我们要求别人给自己以言论自由，仅仅是为了在我们自己队伍中又消灭言论自由吗?”[2]但在苏共长期掩盖历史、粉饰现实的背景下，一步到位地过渡到没有限制的公开性是矫枉过正，其对社会的冲击力无疑是巨大的，也是苏共领导人始料不及的。

在推动公开性的发展上，雅科夫列夫[3]起了决定性的作用。亚历山

[1] 《马克思恩格斯全集》，中文第 1 版，第 1 卷，第 7 页。

[2] 同上书，第 37 卷，第 324 页。

[3] 雅科夫列夫于 2005 年 10 月 18 日在莫斯科去世。对雅科夫列夫，俄各界评价不一。反对者将其斥为“苏联掘墓人”，“苏共政治局中的反共产主义者”；自由派对他大加赞誉，并在其 80 岁生日时为他献书《雅科夫列夫：自由——我的宗教》。戈尔巴乔夫说，雅科夫列夫的去世对于曾经为（苏联的）自由和民主而战斗的人来说是一个巨大的损失；俄罗斯前总统叶利钦也称赞雅科夫列夫生前为俄罗斯的民主发展作出了巨大的历史贡献。

大·尼古拉耶维奇·雅科夫列夫于1923年12月2日出生在雅罗斯拉夫州一个普通农民家庭，1943年参加卫国战争，并在战争中加入苏联共产党，战后作为伤残军人复员。复员后，雅科夫列夫继续回大学学习，1944年毕业于雅罗斯拉夫国立乌申斯基教育学院历史系。后来从事党的基层工作，在家乡雅罗斯拉夫州当过州委学校工作部长和州机关党委书记。1956—1960年间，雅科夫列夫被送到苏共中央社会科学院研究生部学习，其间于1958—1959年到美国哥伦比亚大学进修，毕业后进入苏共中央宣传部。在勃列日涅夫时期他在苏共党内达到了很高的地位，1965年任苏共中央宣传部副部长，从1969年起任代理部长，1972年底，雅科夫列夫因为在《文学报》上发表了一篇名为《反对反历史主义》的文章，批评大国沙文主义、地方民族主义和反犹太主义的思想，1973年被贬为苏联驻加拿大大使，直到1983年，时任苏共中央书记的戈尔巴乔夫访问加拿大，与雅科夫列夫长谈，两人谈得十分投机，雅科夫列夫的命运才发生了转机。在戈尔巴乔夫坚决要求下，他被调回莫斯科，出任苏联科学院世界经济和国际关系研究所所长。戈尔巴乔夫当上苏共中央总书记后，迅速提升雅科夫列夫，1985年他担任了苏共中央宣传部长，1986年进入苏共中央政治局。在雅科夫列夫成长的过程中，赫鲁晓夫时期和在西方的10年起了很重要的作用，在思想认识上，他早就不认同斯大林模式了。他自己说："在国外生活的11年，使我增加了一定数量的理论知识和实际知识。我亲眼看到竞争也就是市场是如何有效地推动经济向前发展的。""从我个人方面来说，我的世界观改革早在社会改革之前很久就开始了，尽管还不是彻底的改革，但我已做好了进行彻底改的准备。"[1] 从1987年开始，雅科夫列夫担任了苏共中央主管意识形态工作的书记，成了苏联"公开性运动"的指挥者与急先锋，被称为"公开性之父"。雅科夫列夫上任后，苏联的报刊舆论越来越勇敢和激进，《星火》杂志和《莫斯科新闻》起了先锋作用，其他报刊也努力成为公开性的领头羊。雅科夫列夫自己也发表文章宣传西方的民主社会主义。他坚持社会主义有多种形式，各种模式都是平等的，他抛弃了勃列日涅夫的"发达的社会主义"，宣传全人类的价值观，认为道德与民主一样都有重要意义，他写了《改革与道德》

[1] ［俄］亚·尼·雅科夫列夫著：《一杯苦酒——俄罗斯的布尔什维主义和改革运动》，徐葵等译，新华出版社1999年版，第20、22页。

一文，证明道德在今天具有政治意义，应该成为评价一切工作的重要标准。[1]“在破坏传统的苏联社会主义的教条的同时，新的苏共中央书记显示出自己是在苏联实行完全的商品货币关系、市场、租赁和合作社，也就是所有反映激进经济改革实质的东西的热情捍卫者。”[2] 公开性的成果之一是唤醒了相当大部分居民的社会意识，“人们对政治的兴趣极高，已经成为当时人们生活不可分割的一部分。”[3]

“公开性”成为时髦

戈尔巴乔夫把公开性作为推动改革的手段，“戈尔巴乔夫从一开始就谈论公开性，但他在执政的头一年却把精力集中在实行改革的经济战略上。是他对这个要么不愿、要么不能实行哪怕是有限的变革的党所产生的失望使他挥舞起公开性这面大旗。”[4] 戈尔巴乔夫想通过公开性，让民众向不愿改革的官僚施压。1987 年 6 月 30 日，苏联最高苏维埃通过了《全民讨论国家生活重要问题法》和《对公职人员损害公民权利的不合法行为向法院起诉法》，旨在促进公民参与解决有关国家和社会生活的重要问题，公民有权要求法院保护他们的个人、财产、家

[1] Советская культура. 21 июня. 1987.

[2] *В.В.Согрин*. Политическая история современной Россию(1985-2001: от Горбачёва до Путина). М., 2001. С.37.

[3] История России. XX век. Отв. Редактор *В.П. Дмитренко*. М., 1998. С.586.

[4] ［美］达斯科·多德尔、路易斯·布兰森著：《戈尔巴乔夫：克里姆林宫的异教徒》，隋丽君、施鲁佳译，新华出版社 1991 年版，第 127 页。

庭、劳动、住房及其他权利与自由，可以起诉损害其利益的公职人员。

公开性促进了各种改革论坛、俱乐部和报刊的出现，激发了群众的政治热情。从 1987 年开始，数以百计的组织开始出现，其主要职能是表示抗议、进行批评和提出改革的建议。1987 年莫斯科出现了设有借书处和阅览室的独立图书馆。第一个大规模的讨论是“改革”组织于 1987 年 3 月进行的，其讨论的主题与《国营企业法》相关，在俱乐部的会议上许多知名的经济学家发表演讲，如波波夫作了题为“以经济学家的视角”的报告，达尼洛夫-达尼里扬作了题为“改革的经济问题”的报告，彼特拉科夫作了“经济管理和民主化”的报告，在很大程度上由于可以自由参加俱乐部的各种改革倡议，“改革”在知识分子阶层获得了广泛共鸣。社会倡议俱乐部、改革社会倡议俱乐部等都集中了许多知名的知识分子，对苏联的现实与历史问题提出了许多看法与主张。丘拜斯、盖达尔等年轻的经济学家日益活跃。

鼓吹改革的刊物发行量激增，表 3—1 反映了改革年代报刊发行份数增长的情况 [1]。

表 3—1

单位：千份

报纸类	1985	1986	1987	1988	1989
《真理报》	9525	10035	10191	9850	9664
《消息报》	5750	6100	7130	9560	10138
《共青团真理报》	12865	14466	16785	16797	17585
《苏维埃俄罗斯》	2960	3062	3931	4613	4221
《论据与事实》	1424	1946	3165	9136	20458
杂志类					
《各民族友谊》	119	118	111	775	1095
《新世界》	379	367	457	1095	1556
《旗帜》	151	222	247	460	955
《星火》	596	568	565	1295	3083
《青年近卫军》	594	614	609	677	628

[1] *Кацва Л. А.* История России. Советский период (1917–1991) . http://it-n.ru.

从表 3—1 中可以看到，思想激进的报刊，如《共青团真理报》、《论据与事实》、《新世界》、《旗帜》和《星火》等在 1988—1989 年间有了跃进式的发展，它们揭露苏联历史的真相、宣传自由民主思想，越来越受读者的欢迎，在社会上占优势。与此相对立的是保守的、又被称为民族爱国取向的报刊，如《我们的同代人》、《小说报》、《青年近卫军》和党报《真理报》、《苏维埃俄罗斯》等，它们的影响呈下降趋势。

1987—1989 年在民主化和公开性政策下，被封存多年的文学作品得以问世，有普拉托诺夫的《地槽》、布尔加科夫的《狗心》、比托夫的《普希金之家》、世界闻名的帕斯捷尔纳克的《日瓦格医生》、扎米亚金的《我们》、特利弗诺夫的《消逝》、别克的《新使命》等。批判斯大林主义的作品在其中占有重要地位，如雷巴科夫的《阿尔巴特街的孩子们》、格罗斯曼的《一切都是流动的》和《生活与命运》、杜金采夫的《白衣服》、索尔仁尼琴的《古拉格群岛》等等，许多改革派报刊销量大增是因为登载了这些作品。这些作品大多反映苏联 20 世纪 30 年代的历史事件，用自然主义的方式叙述社会现实，其影响远远超过了那些政论文章。

苏联的书报检查机关曾欲阻止这一进程，但在党提出民主化政策的背景下，他们已经难以再像从前那样阻止被他们认为不健康的作品问世了，杜金采夫的《白衣服》的发表就颇具典型意义。

列宁格勒的《涅瓦》杂志准备在 1987 年第一期刊登杜金采夫的《白衣服》[1]，1986 年 12 月 23 日，列宁格勒州出版保密局局长查列夫给该杂志主编尼科利斯基写信，认为刊登杜金采夫的《白衣服》破坏了“非秘密出版物统一规范”第 215 章第 1、2、3 款和备注清单 1，要求用别的内容替换这篇小说，以免影响该杂志正常出版。在 11 月 24 日、12 月 12 日和 22 日又口头提醒。[2]《涅瓦》杂志主编尼科利斯基在 12 月 26 日的回信中说，编辑部认为杜金采夫的《白衣服》不受第 215 章第 1、2、3 款和清单的限制，况且小说揭露的是破坏法制的现象，现时期已经提出公开性，破坏法制现象受到党的谴责，小说的命

[1] 小说写的是被斯大林重用的李森科当权时一个苏联遗传学家的命运。

[2] Цензура в Советском Союзе. 1917–1991. Документы. Сост. *А.В.Блют*. М., РОССПЭН, 2004. С.530 .

运应该而且只能由党的机关决定。已经清楚，这一立场苏共州委宣传部也是同意的。尼科利斯基强硬地写道："我提醒您，《涅瓦》杂志第一期从今年11月18日起就报送了列宁格勒州出版保密局。我提醒您，在此期间我不只一次地得到口头承诺，关于出版的问题很快会得到解决。鉴于出版杂志的期限被破坏，我坚持按原来的版面出版这期杂志。如果不允许杂志刊登杜金采夫的小说，我不得不把这看成是对苏联宪法第47章和第50章的破坏，是与党的第二十七次代表大会全面发展社会主义民主方针相对抗。"[1]1986年12月30日，苏联出版保密总局副局长佐林通过电话通知列宁格勒州出版保密局，苏联克格勃出版局允许杜金采夫的小说《白衣服》出版。12月31日早，《涅瓦》杂志1987年第一期被允许付印。翌年1月6日，他们正式得到了苏联出版保密总局副局长科诺年科签名的文件。[2]在出版者的抗争下，杜金采夫的《白衣服》得以问世。

作为总书记的戈尔巴乔夫强调公开性是社会主义民主化必不可少的条件，是我们生活的准则，"在历史和文学中都不应有被忘却的名字和空白点。"他反对克格勃干涉意识形态，1987年4月23日，在政治局会议上，戈尔巴乔夫在谈到赫鲁晓夫的儿子谢尔盖请求加工完成其父亲的回忆录时说："该到了客观评价赫鲁晓夫和整个苏共中央活动的时候了。不要混淆中央委员会和克格勃的职能！意识形态和政治工作这是中央委员会的事，而克格勃管的是国家安全。我们不需要意识形态宪兵。"[3]公开性实际上在向新闻自由的方向发展，"虽然领导人不断接见各大媒体负责人，试图对报刊登载的内容加以控制，但实际上到1987年底和1988年初已经难以控制。再加上1988年废除了实行达半个多世纪的书报检查制度（1990年苏联颁布《出版和大众媒体法》，正式取消书报检查制度——引者），取消了报刊保密检查总局的检查职能，这样，大众媒体

---

[1] Цензура в Советском Союзе. 1917–1991. Документы. Сост. *А.В.Блют*. М., РОССПЭН, 2004. С.530–531 .

[2] Цензура в Советском Союзе. 1917–1991. Документы. С.533.

[3] В Политбюро ЦК КПСС… По записям Анатолия Черняева, Вадима Медведева, Георгия Шахназарова (1985–1991), 2-е изд., исправ. и доп. М., Горбачев-Фонд, 2008. С.167.

便完全失去了控制。”[1] 客观地看，在公开性的条件下很难限制新闻自由。

民主化和“公开性”的提出，首先受到了知识分子的普遍欢迎，最先对戈尔巴乔夫改革政策产生共鸣的是知识分子，他们利用党的新方针争取自身的权益。1987 年苏联的知识分子人数已达 4300 万人，仅次于工人，多于农民。他们的政治经济地位没有随着人数的增加而提高，如工程技术人员与产业工人的工资比例 1940 年是 2.15 : 1，20 世纪 80 年代初则降至 1.1 : 1，大多数设计师和工艺师的平均报酬低于大多数职业工人的平均报酬。[2] 更重要的是他们没有政治地位，特别是对于从事创造性劳动的文学和社会科学界的知识分子来说更是如此，在党的文件中，知识分子总是被排在次要地位，“通常在讲到工人阶级和农民之后也从正面提一下知识分子。然而在提到知识分子的时候总是带有某种从宽处理或甚至有所保留的味道，有时是拍拍肩膀予以鼓励；有时则还要数落几句，而当官员们‘在自己圈内’交谈时，他们心目中的‘知识分子’几乎仍然是个贬义词。”[3] 对知识分子入党要求严格，对知识分子加强思想控制。这引起了知识分子的不满，拉大了知识分子与政权间的距离。这种状况给知识分子阶层的健康发展带来影响，使其政治立场被扭曲，一旦局势松动，他们长期受压抑的情绪就像开闸的江水汹涌而出。

知识分子成为戈尔巴乔夫公开性和民主化政策的积极响应者和宣传者。苏联改革的智囊人物之一、经济学家扎斯拉夫斯卡娅认为在改革中首先必须“增强社会生活的公开性和使舆论工具活跃起来，逐步拆除社会壁障，首先拆除把社会的领导干部同劳动群众截然分开的社会壁障。与此相关的是，管理劳动的条例过分复杂，应加以修改。”[4] 卡普斯京认为：“已经实行的公开性原则，在 60 年历史中是没有先例的创举，它是真正的批评与自我批评的可靠保

[1] 马龙闪：《苏联文化政策：从列宁到戈尔巴乔夫》，载沈志华主编：《一个大国的崛起与崩溃》下册，社会科学文献出版社 2009 年版，第 1117—1118 页。

[2] *Журавлев В.В.* На пороге кризиса: нарастание застойных явлений в партии и обществе. M.,1990. C.320.

[3] ［俄］戈·阿·阿尔巴托夫著：《苏联政治内幕：知情者的见证》，第 382 页。

[4] ［俄］扎斯拉夫斯卡娅：《论改革的社会管理战略》，转引自《别无选择——社会主义的经验教训和未来》，第 6—7 页。

证……只有公开性才能打开从前不准批评的禁区。它唤醒了患有嗜睡症的社会自我意识，首先是艺术的自我意识——先进的文学作品、电影和戏剧，它把从生者名单中罪恶地划掉了的名字和作品，又还给了生活。”[1]1988 年 9 月，苏联著名的经济学家、经济改革的主要设计师阿甘别吉扬认为：“三年来最主要的变化是意识变了，精神变了，这是公开性方针的结果；它使每个人都了解改革的任务和进一步改革的方向，从而制定了改革的政策和措施。总的看，人们变成了另一个样子。”[2] 苏联的意识形态和思想领域在发生变化，“在党的思想工作和社会意识中逐渐确立了全人类价值的优先地位，以取代狭隘的阶级利益观，确立了对不同思想的尊重以及观点的多元化。可以证明这一点的，是对罗斯接受基督教 1000 周年的广泛庆祝，罗斯对基督教的接受，被视为一件对于人类的文化发展具有巨大意义的事件。”[3] 但反对派认为这还远远不够，索布恰克认为：“公开性还不是言论自由，这只是俄语‘огласка（扩散、张扬）’一词的同义词，也就是说，可以把秘密公开，扩散某些事实。言论自由从公开性开始，但绝不限于此。言论自由不仅要求取消新闻检查，而且让每个人都有权创办大众传播工具，要求实行多党制，以及其他诸多内容。确实，公开性从一开始就结出了硕果：人们有生以来首次把藏在心底的话公开说出来。”[4] 知识界利用民主化与公开性想办法逃避实行了几十年的书报检查制，社会舆论也对书报检查制不满，把一些书的延误出版归咎于书报检查制，“对‘检查清单’的知识甚至帮助一些出版社的社长逃避书报检查，从 1986—1987 年‘苏共列宁格勒州委出版社’有 100 本书，‘苏维埃作家出版社’有 50 本，‘儿童文学出版社’有 7 本，‘科学出版社’有 9 本书逃避了书报检查制的干涉。总之，有 170 多本涉及公务和国家机密的书被限量出版。”[5]

---

[1] ［俄］M. 卡普斯京：《我们拒绝什么遗产?》，载［俄］《十月》1988 年第 4、5 期。转引自《在改革浪潮中重评斯大林》，第 82—83 页。

[2] 罗肇鸿等：《赴苏考察纪要》，载《世界经济与政治》1989 年第 1 期第 1 页。

[3] ［俄］泽齐娜等著：《俄罗斯文化史》，刘文飞等译，上海译文出版社 2005 年版，第 331 页。

[4] *Собчак А. А.* Хождение во власть. Рассказ о рождении парламента. М., Изд-во “Новости”, 1991. http://soveticus5.narod.ru/85/ansob.htm.

[5] Цензура в Советском Союзе. 1917–1991. Документы. С.537.

戈尔巴乔夫把批评和公开性当成群众监督的手段，他在 1988 年 1 月 8 日对媒体负责人说："至于说到批评，这是正常现象。我们应该学会在公开性的、经常批评性地分析我们工作中的成功和所犯错误的环境下生活。公开性和批评，这是群众监督的手段，人民对整个进程的监督。这是总结经验，掌握社会发展主要趋势，预防犯错误的方法。"[1] 戈尔巴乔夫后来说："正如改革本身一样，公开性也是经过很大的困难才为自己打开道路的。各级官僚权势分子，一直把领导的、不受下面批评的、严格的保密性和封闭性，看作是这种体制的神圣的东西，极力抵制公开性，在地方报刊上公开地和不声不响地压制最初的公开性的浪花。甚至改革的最真诚的支持者也受到了多年来一切都保密的传统的影响。但正是公开性把人们从普遍的沉睡状态中唤醒过来了，帮助大家克服了漠不关心和对一切都消极的态度，感受到变革对自己的切身利益，自己与改革的切身关系。公开性有助于弄清和思考新的现实和新的政治方针的实质。简言

改革是全体人民和每一个人的事业

[1] *Горбачев М.С.* Избранные речи и статьи. Т.6. М., Политиздат, 1987. С.27.

之，没有公开性，也就没有改革。”[1]应该承认戈尔巴乔夫对原有体制弊端的分析是有道理的，他认为“公开性也就成了吸引人们参与政治和使他们参与建设新生活的手段，他们的参与完全符合改革的实质。公开性不仅创造了实现已确定的改革的条件，而且有助于克服对改革政策的抵制。由于公开性，我们得以在社会意识中实现有利于民主、自由文明的人道主义价值的深刻的心理上转变。对于那个时期的基本成就不可逆转的保障之一就在这里。”

戈尔巴乔夫关于公开性的初衷和实行可以说是符合社会主义原则的，作为一个人民的国家，民众有知情权和参与权，不知情也就谈不上参与。但是，苏联没有在相应的法律建设上下工夫，苏联人也缺乏法律意识，公开性并没有真正起到促进改革、提高全民共识的作用，正如沃尔科戈诺夫所说：“戈尔巴乔夫开始了这一进程，但这一进程后来的发展并不是由他的决议所决定的。事实上公开性从内部破坏了建立在阶级谎言基础上的体制。”[2]公开性是一把双刃剑，思想的自由碰撞是社会进步的必要条件和克服停滞、探索新的改革之路的保证；但是一旦公开性发展起来，苏共领导层便很难再加以控制。正如中国记者在莫斯科观察到的：“起初，戈尔巴乔夫试图把公开性领域限制在勃列日涅夫时期，把当前的困难都归咎到‘停滞时期’的政策。但不久批评的范围就扩大到斯大林时期，认为现在需要改革的经济管理体制正是在那个时期形成的，‘拔草要除根’，于是，苏联社会上再次出现全盘否定斯大林的思潮。”[3]在舆论被禁止几十年后开放言论，在大众媒体上找到的“为了人民”的信息基本上充斥的都是在整个社会主义社会发展阶段积累起来的消极因素和趋势，这股信息巨流导致很大一部分国民休克。正如美国学者所评价的：“关于苏联过去阴暗面的铺天盖地的公开讨论不仅没有带来有关改革的新乐观精神，反而引发了对社会主义计划全部构想的嘲笑。事实是到处都充满了不切实际的理想主义情绪和更多的个人高谈阔论的机会，只有日常物质生活的每况愈下才是这段漫长而悲惨的苏联历史情景部分的真实写照。不管在媒体上还是在日常交谈中，公开性没有带来对改革这一伟大事业的乐观和责任感，只带来了对现在和过去不断

[1] ［俄］米・戈尔巴乔夫著：《对过去与未来的思考》，第 76—77 页。

[2] *Волкогонов Д.А.* Семь вождей. В 2 кн. Кн.2. М., Фирма издательство АСТ, 1999, С.315.

[3] 王宪举：《我在莫斯科当外国记协主席》，新华出版社 2008 年版，第 27 页。

堆积的愤怒和冷言嘲讽，尤其是对领导的人政治辞令和允诺的不满。”[1]

公开性政策受到了原持不同政见者的欢迎，著名的“持不同政见者”萨哈罗夫表示：“首先，我关心公开性。正是公开性应当在国内创造出新的道德气候！众所公认，在这一领域我们的步子迈得比任何人都大。禁忌的题目越来越少。我们开始看得到自己的社会主义过去是什么样子，现在又是什么样子。人们应当知道实情，应当有可能毫无顾忌地表达自己的思想。腐蚀人的谎言、缄口回避和口是心非，都应该从我们生活当中永远清除出去，再也不让它们重演。只有内心自由的人才可能具有社会所必需的首创精神。”[2] 在官方出版物公开性发展的情况下，自行出版物不仅没有消失，而且还在发展。1986 年全国有 10 份自行出版的杂志，1987 年达到 30 份，1988 年 100 份，1989 年 7 月 323 份，其中 208 份是属于某个组织的，115 份是独立的。[3]1987 年 7 月，格里戈里扬茨创办了一本刊物，名为《公开性》。从 1987 年 8 月 1 日起，报纸《特快纪事报》（或《特快新闻报》）（《Экспресс-хроника》）开始发行，这是当时最有影响的自行出版物，经常登载有关非正式出版的活动消息，它还与对苏联进行干扰的境外广播站，甚至是西方的出版机构建立了紧密的联系。

随着非正式出版物的发展，1987 年夏天出现了一个劳动者自由的跨行业的统一体的信息联盟，其目的是通报独立性的活动信息，甚至系统地搜集苏联的非正式出版物，到 1987 年 10 月对当局持消极态度的出版物达到数百个，有 17 名非正式出版物的领导人在列宁格勒举行了第一次会晤，在这次会议上提出了建立独立机构的问题。[4]

由于缺少相应的法律制约，公开性的发展呈现的是无序性，并不能真正

---

[1] ［美］尼古拉·梁赞诺夫斯基、马克·斯坦伯格著：《俄罗斯史》，杨烨等译，上海人民出版社 2007 年版，第 587 页。

[2] ［俄］尤·阿法纳西耶夫编：《别无选择——社会主义的经验教训和未来》，王复士等译，辽宁大学出版社 1989 年版，第 155—156 页。

[3] *Кацва Л. А.* История России. Советский период (1917 – 1991) . http://it-n.ru.

[4] *Барсенков А.С.* Реформы Горбачева и судьба союзного государства 1985-1991. М., Изд-во МГУ, 2001. С.88.

形成帮助改革的力量，人们的政治兴趣被唤起了，但人们就各种各样的问题争论不休，很难达成共识，实际上又干扰了改革。正如俄国学者后来总结的那样："被解放出来的社会政治力量没有变成社会政治生活的积极因素，而成了社会制度的破坏者，变成了反体制的因素。"[1]"在推行言论自由的那几年中，人们不是寻找建设性的办法来医治社会疾病，而是利用言论自由来毁灭这个社会。"[2]他们不仅激烈地批评过去，也主张进行激进的改革，特别是政治体制改革。公开性政策使人们可以就政治和经济领域尖锐的问题进行公开讨论，几十年社会主义建设中积累的矛盾与问题被揭露出来，谴责传统的斯大林体制对人权的侵犯，民主社会主义的人权观被接受。西方学者认为："如此之多的苏联媒体越来越激烈地批判苏联体制，并且即使在领导层作出了将该体制引向民主社会主义形式的努力也无济于事，根本原因并不在于亚历山大·雅科夫列夫有一项破坏社会主义的阴谋。媒体作出这种转变的真正的原因，在于它们反映了苏联知识分子在意识形态上的巨大变化。"[3]苏联知识分子长期没有表达意见的自由，"共产党对知识分子的严格监督，与独立发展和表达观念、知识、价值和想象的知识分子的本质要求相冲突……知识分子们被迫戴上紧箍，而施法的人却是那些对他们的专业知之甚少的党委领导，因此，他们只有怨恨。""作为一个社会群体，知识分子的另一个特征也开始起作用。凡是在发生社会危机、暴动和改革的年代里，知识分子特别是年轻的知识分子，都是最先走向激进的人……在社会改革和变迁时期，许多年轻知识分子都喜欢放弃折中性的改革，而宣扬革命性的观念。"[4]可以说，公开性政策使戈尔巴乔夫和苏共尝到了几十年政策失误结出的苦果，人们把不满和怨恨都发泄到了要改变这一体制者的身上，没有给他们时间来修正历史的错误。

---

[1] ［俄］安德兰尼克·米格拉尼扬著：《俄罗斯现代化之路——为何如此曲折》，徐葵等译，社会科学文献出版社 2002 年版，第 157 页。

[2] ［俄］尼·伊·雷日科夫著：《大国悲剧——苏联解体的前因后果》，徐昌翰等译，新华出版社 2008 年版，第 15 页。

[3] ［美］大卫·科兹、弗雷德·威尔著：《来自上层的革命——苏联体制的终结》，曹荣湘等译，中国人民大学出版社 2002 年版，第 88 页。

[4] 同上书，第 89 页。

公开性政策并不仅限于舆论的放开，其内容也是广泛的。1988 年以后，苏联与西方国家的文化、科学、教育交流迅速发展起来了，长期以来苏联公民与世界其他地区相隔绝的状况被打破了，西方大量文化产品也渗入苏联。“从 1988 年开始，书报检查制实际上不存在了，在科学文化和艺术领域，党的意识形态操纵逐渐由市场决定，起作用的是需求而不是其科学性或者艺术质量。”[1] 从 1987 年 3 月到 1988 年 12 月，7930 种以前被禁止阅读的书籍又回到了公共图书馆，只有 462 种具有明显反苏性质的出版物还留在特藏书库中。与此同时，苏联出版保密总局还把 28 名流亡者的作品也返还给了公共图书馆。根据苏联作家协会第一书记卡尔波夫的建议，同意把 1918—1988 年期间到国外的侨民作者的作品从特藏书库移交公共图书馆，这涉及大概 600 名作者，其中有许多有名的作家，如：蒲宁、纳巴科夫、古米廖夫、扎米亚金、布罗茨基，哲学家和政论家别尔嘉耶夫、哈达谢维奇、扎伊切夫等。[2]

公开性政策没有真正实现其倡导者的初衷，没有达到形成改革共识的目的，没有与实行改革政策的当局紧密配合、推动改革的发展，这主要是因为苏联的历史包袱太沉重了，人民中积聚了太多的不满需要释放。这一政策当时受到了普遍欢迎，被认为是社会进步的表现。在事过 20 多年后，仍有人对公开性给予了高度评价：“公开性这是那个时代百分之一百的成就。改革的意识形态虽慢，但日益打乱了我们的生活，尤其是我们的经济生活：从救世幻想和市侩习气到正常的农民的健康思维，几个世纪来支配人们的就是这种思维，但遗憾的是我们在某个时候忘记了。我们为此付出了昂贵的代价。”[3]

第三节　纠正历史的错误与重评历史

历史问题成了苏联改革中绕不过去的一个重要问题，这里既有需要解决

---

[1] История России. Для технических вузов. Под ред.*М.Н. Зуева, А.А. Чернобаева.* М., Высш.Шк. 2004. С.539.

[2] Цензура в Советском Союзе. 1917–1991. Документы. С.542–543.

[3] *Шмелев Н. П.* Страна к Горбачеву несправедлива. www.ng.ru/ng_politics/2010-04-20/10_unfair.html.

历史遗留的问题，特别是为斯大林时期受害者平反的问题，也有如何认识苏联所走过道路的问题。几十年来，苏联的历史并没有成为一门学问，其宗旨不是探索历史的真相，而成了政治的工具，成了任人打扮的小姑娘。改革需要重新审视苏联走过的道路，总结历史的成败得失，从而确定前进的方向与目标。

一、纠正历史错误，为受害者平反

戈尔巴乔夫上任后，人们对年轻的新总书记寄予厚望，希望戈尔巴乔夫能给苏共党内被错误镇压的人平反，还他们历史的清白。赫鲁晓夫时期曾经做过一些为斯大林时期受迫害者平反的工作，但没有完成，勃列日涅夫执政时期，苏联开始了新斯大林主义化的进程，平反工作被搁置，但民众，特别是受害者家属要求平反的呼声并没有停止，他们不断向苏共领导人申诉。在民主化、公开性发展起来后，人们已经十分清楚，斯大林时期的大镇压是毫无道理的，戈尔巴乔夫必须纠正历史的错误，这一工作不能再拖延了。在公开性政策下，苏联的过去被推到公众面前，苏联再次开始了被勃列日涅夫中断的为受害者平反的进程，这一运动具有全民的性质。

在新闻界的压力、公众对事件的关注下，苏共中央政治局于 1987 年 9 月 28 日成立了政治镇压受害者平反委员会，复核有关 20 世纪 30—40 年代和 50 年代初镇压材料，先是由索洛缅采夫领导，后来由雅科夫列夫领导。俄国学者认为："委员会的活动既有政治意义，也有道义意义。从政治上说，这意味着与最坏的传统，即过去的镇压制度决裂，道义上的意义在于恢复正义和无辜获罪的人的权利，表明现政治局成员的活动与二十大的思想之间存在着继承性。"[1] 纠正历史的错误，有利于苏共重新确立自己的威信。

关于为被害者平反的问题，在苏共二十大后已经做过，但很不彻底，当时并没有为布哈林、李可夫、托洛茨基、季诺维也夫、加米涅夫等被斯大林镇压的政治局委员们平反，受他们案件牵连的大批人，以及其他许多人，也未被恢复名誉。这一工作在勃列日涅夫时期被中止。在改革的背景下，这些问题是必须解决的。那些被非执法机关判决的受害者自动恢复名誉（卫国战争期间的

[1] ［俄］鲁·格·皮霍亚著：《苏联政权史（1945—1991》，第 554—555 页。

抢劫、掠夺、强盗袭击行为以及其他刑事犯罪案件除外)。平反委员会多次召开会议，讨论中央监察委员会、苏共中央马列主义研究院、检察院、国家安全委员会提交的关于“托洛茨基反苏军事组织”、“马克思列宁主义者联盟”、“莫斯科总部”、“托洛茨基—季诺维也夫反苏联合总部”、“托洛茨基反苏平行总部”等案件的材料。经过审议，认为当年的判决是毫无根据的，决定为有关人员平反昭雪。1988 年 2 月 4 日，苏联最高法院撤销了对布哈林、李可夫和其他所谓“托派和右派反苏联盟”参加者的判决，认定他们无罪，确认这一案件的诉讼程序违反了法律，查明强加给他们的反人民、反国家的罪名完全不能成立。1988 年 6 月 21 日，苏共中央监察委员会恢复了布哈林、李可夫等人的党籍，苏共中央政治局通过了这个决议。

1988 年 6 月 8 日，苏联最高法院刑事审判庭撤销国家政治保卫总局审判庭 1932 年 10 月 11 日对“马克思列宁主义者联盟”案所作判决。1988 年 6 月 13 日，苏联最高法院全体会议决定，因所谓“马克思列宁主义者联盟”案件中由于各种凭空捏造的指控而被重新追究刑事责任的被判刑人缺乏犯罪要素，撤销刑事判决。[1]1988 年苏联最高法院撤销了对列·波·加米涅夫、塔·伊·格列博娃—加米涅娃—阿夫列莫娃和谢·利·谢多夫的判决。1988 年 6 月，苏联最高法院全体会议撤销苏联最高法院军事审判庭 1936 年 8 月 24 日对所谓“托洛茨基—季诺维也夫反苏联合总部”案件的判决，为所有被判刑人平反并因其行为缺乏犯罪要素而终止诉讼。[2]撤销对季诺维也夫、皮达可夫、索柯里尼科夫、拉狄克等人的判决，为这些人平反。

1988 年 12 月 25 日，苏共中央政治局政治镇压受害者平反委员会研究 20 世纪 30—40 年代和 50 年代初镇压材料所提交的秘密报告[3]说：现在已经重新审查了 1002617 个镇压性质的刑事案件，涉及 1586104 人，平反了 1354902 人，其中 1182825 人是非司法机关判决的。[4]与此相关还需要对以下四组问题进行

---

[1] 沈志华总主编：《苏联历史档案选编》，第 12 卷，第 677 页。

[2] 同上书，第 754 页。

[3] 在这份报告上签名的有：雅科夫列夫、梅德韦杰夫、切布里科夫、卢基扬诺夫、拉祖莫夫斯基、普戈、克留奇科夫、博尔金、斯米尔诺夫。

[4] Хрестоматия по отечественной истории (1946 – 1995). М., 1996. С.311.

特别研究和评价：

第一，关于“三人小组”、“二人小组”、特别会议、名册等反宪法性和反法律性，研究1930—1953年期间安全部门（国家政治保卫局、内务人民委员部、国家安全人民委员部—国家安全部）的材料涉及2578592个刑事案件，被镇压者有3778234人，其中被判极刑（枪决）者786098人。这些被镇压者中由司法机关判决的1299828人（枪决129550人），非执法机关判决2478406人（枪决656548人）。现在还有待审查的案件1575975件，涉及2192130人，其中738866件是非司法机关审判的，被判刑1097293人，其中339125人被枪毙。[1]

第二，关于斯大林及其周围的人在组织和实施违反宪法和法律的大镇压中的个人责任问题。如：把富农从欧洲地区驱逐到北部和西伯利亚，1930—1931年国家政治保卫总局迫迁了35.65万个富农家庭总计168万人，一些人被监禁，另一部分人驱逐到专门的移民点。1929—1933年国家政治保卫总局逮捕和追究刑事责任的有51.9万人，他们被列为富农。这里还未包括被没收了财产的成千上万的富农和流放者。[2] 卡冈诺维奇建议成立“三人小组”，简化审判程序。斯大林是未经侦查和审判的大规模逮捕、枪决的倡导者与组织者，成千上万人被驱逐出境。内务人民委员会编有特别名册，他们的案件由苏联最高法院军事庭或者内务人民委员部“特别会议”审理和定罪，这些名单直接报送斯大林本人审批。列入名单的有三种惩罚方案：一是枪决；二是处8—25年监禁；三是处8年以下监禁及流放。现在发现了内务人民委员部提交斯大林的部分名单，1937—1938年的383份名单涉及4.4万人，包括党的著名工作者、军事活动家和经济工作者。其中3.9万人受第一种方式惩罚、5000人受第二种惩罚、102人受第三种惩罚。[3] 莫洛托夫1930—1941年担任人民委员会主席，是大镇压的积极参加者和组织者，1935年进入人民委员会担任人民委员的人中有20人在大镇压中丧生，只剩下米高扬、伏罗希洛夫、卡冈诺维奇、安德列耶夫、李维诺夫和莫洛托夫。1938年初进入人民委员会的28名成员中有

---

[1] Хрестоматия по отечественной истории (1946–1995). М., 1996. С.311–312.

[2] Хрестоматия по отечественной истории (1946–1995). М., 1996. С. 312.

[3] Хрестоматия по отечественной истории (1946–1995). М., 1996. С. 313.

20人被镇压。从1936年10月到1937年3月，苏联各人民委员部有2000名工作人员被捕（不包括国防、内务、外交人民委员部）。[1] 伏罗希洛夫对军队指挥员和政治工作者进行镇压，5名元帅中的3人被害，16名集团军司令员中有15名被害，67名军长中60名被害，199名师长中有136人被害，4名舰队司令全部被害，6名一级分舰队指挥员全部被害，15名二级分舰队级海军指挥员中有9名被害，17名一二级集团军政委全部被害，29名军政委级政工干部中有25名被害。1936—1940年在伏罗希洛夫领导国防人民委员会期间，红军中有3.6万多人被镇压，在克格勃档案中有300多份由伏罗希洛夫签署的逮捕军队著名将领的批准书。[2] 基洛夫被暗杀后，日丹诺夫成了列宁格勒市委书记，1936年11月，他跟斯大林一起致信政治局要求加强镇压，在他的建议下叶若夫成为内务人民委员部的头，他直接组织了许多地方的镇压，特别是在列宁格勒。1935—1940年列宁格勒有680880人被镇压，单是日丹诺夫个人签署的批准书就使879人被镇压。[3] 文件还列举了卡冈诺维奇、赫鲁晓夫、马林科夫、加里宁、苏斯洛夫等人参与大镇压的情况和他们应负的责任。

第三，关于大规模镇压受害者的埋葬地和对他们进行永久纪念。

第四，为被驱逐的无辜者恢复历史公正的问题。立陶宛、拉脱维亚、爱沙尼亚共产党在给中央委员会的信中提出关于联共（布）中央委员会和苏联人民委员会在20世纪40年代末和50年代初从三国领土上驱逐公民的问题，当时波罗的海三国、乌克兰、白俄罗斯、摩尔达维亚、塔吉克斯坦和俄罗斯联邦一些民族州、自治共和国的一些公民被行政驱逐，总数达230万的不同民族被驱逐到国家的东部地区。[4]

到1990年初，为斯大林时期大镇压受害者平反的工作基本完成，总共为根据"三人小组"、"二人小组"和"特别会议"的决定被镇压的80.7万人平反，还为根据法院和检察机关决定而被镇压的31342人恢复了名誉，为在卫国战争

[1] Хрестоматия по отечественной истории (1946–1995). М., 1996. С. 314.

[2] Хрестоматия по отечественной истории(1946–1995). М., 1996. С. 315.

[3] Хрестоматия по отечественной истории(1946–1995). М., 1996. С. 316–317.

[4] Хрестоматия по отечественной истории(1946–1995). М., 1996. С. 320–321.

时期和其他罪行受惩罚的 21333 人恢复名誉。在 5 年的时间里为 737182 人平反，但当时审查的主要是还活着的人的案件。而在 1917—1990 年间因犯危害国家罪被惩罚的有 3085.39 万人，其中 827995 人被处死，还应加上 200.3 万人被驱逐出境，更不用说还有因饥饿和其他原因损失的人。[1] 重新审视苏联历史中这沉重的一页，为受害者平反，实是苏共争取民心之举，但镇压规模如此之大，出乎当政者的预料，更让许多民众无法接受。

二、苏共试图客观地评价历史

为了统一人们对十月革命以来苏联历史的认识，1987 年 11 月 2 日十月革命节前夕，即戈尔巴乔夫担任总书记两年半以后，他利用纪念十月革命 70 周年之机，精心准备了题为《十月与改革——革命在继续》的讲话，对十月革命以来 70 年来的历史及重要的历史事件和历史人物，如工业化、农业集体化、托洛茨基、布哈林、季诺维也夫、加米涅夫、斯大林、赫鲁晓夫、勃列日涅夫等进行了评价，其总的基调是肯定 70 年来所取得的成绩，强调辩证地看问题。

戈尔巴乔夫充分肯定了十月革命对社会主义选择的正确性，肯定了列宁的作用，特别强调了新经济政策的作用，“我们现在越来越经常地重温列宁的最后几篇著作，重温列宁关于新经济政策的思想，力求从这一经验中得到我们今天所需要的一切宝贵的东西。”[2]

在谈到 20 世纪 20—30 年代苏联社会主义建设时，戈尔巴乔夫仍在重复苏共党史上现成的结论，完全否定托洛茨基，称托洛茨基追求权力，全面地向列宁主义发动攻势，“以约·维·斯大林为首的党的领导核心在思想斗争中维护了列宁主义，制定了社会主义建设最初阶段的战略和策略。党的政策得到了大多数党员和劳动者的赞成。”[3] 他肯定了斯大林埋葬新经济政策的农业集体

[1] *Медведев В.А.* В команде Горбачева:взгляд изнутри. М., Былина,1994. www.lib.ru/MEMUARY/GORBACHEV/medvedev.txt.

[2] [俄] 米·谢·戈尔巴乔夫著：《十月与改革：革命在继续》，莫斯科新闻出版社 1987 年版，第 11 页。

[3] 同上书，第 15 页。

化政策，认为“布哈林和他的拥护者在自己的筹划中、在理论观点上实际上都对在 30 年代社会主义建设中的时间因素估计不足。他们的立场在很大程度上取决于教条式的思维，取决于对具体情况的不合乎辩证法的评价。”[1] 戈尔巴乔夫还不公正地指责布哈林不懂辩证法。戈尔巴乔夫认为斯大林所选择的工业化和农业集体化模式是唯一正确的选择，但他批评了斯大林时期形成的靠行政命令领导国家的体制、个人崇拜、破坏法制、大肆镇压、官僚主义等现象，戈尔巴乔夫不明白，这二者之间存在必然的联系。在对斯大林个人的评价上，他认为斯大林“是一个极其矛盾的人物。我们站在历史真理的立场上既要看到斯大林在争取社会主义和捍卫社会主义成果的斗争中所作的贡献，也要看到他和他周围的一些人所犯的严重政治错误与横行霸道。我国人民为这种错误付出了昂贵的代价。这些错误还给我们社会的生活造成了严重后果。”造成严重后果的原因是：“缺乏应有的苏维埃社会民主，才有可能出现个人崇拜、违反法制和三十年代的专横及镇压行为。坦率地说，那是基于滥用权力的不折不扣的犯罪行为。”[2] 从这一讲话中我们看到，此时戈尔巴乔夫还认为斯大林所建立的体制模式是社会主义的，是正确的。他改变对斯大林个人及苏联体制的看法经历了艰难的过程，1988 年以后他才改变了对斯大林的看法，不再把他当成列宁的继承者和列宁思想的捍卫者。沃尔科戈诺夫早在 1984 年就写完了两卷本的斯大林，但直到 1988 年才被允许出版，是对此的最好说明。但戈尔巴乔夫对斯大林破坏法制、偏离列宁农民政策的批评也为给布哈林等人的平反埋下了伏笔。

戈尔巴乔夫肯定了赫鲁晓夫时期给社会带来的良好变化，批评了他用老一套政治经济办法解决问题，没有广泛发展民主化进程。他肯定了勃列日涅夫前期的改革，树立起苏联的国际威望，保障了同美国的军事战略均势；批评了勃列日涅夫晚年的消极现象。

戈尔巴乔夫提出改革是提高社会主义的质量，体现社会主义的人道主义性质，“改革的目的，是在理论上和实践上完全恢复列宁的社会主义概念，而在其中占据不容争议的优先地位的，是人及其劳动、理想和利益，是经济中、

---

[1] ［俄］米·谢·戈尔巴乔夫著：《十月与改革：革命在继续》，莫斯科新闻出版社 1987 年版，第 15—16 页。

[2] 同上书，第 19 页。

社会和政治关系和文化中的人道主义价值。”[1]强调社会生活的民主化和彻底改革经济体制，吸引劳动者参加国家的管理。

在这一讲话中，人们所期待的戈尔巴乔夫对历史重新作出评价的愿望，只是部分实现了。戈尔巴乔夫引用列宁的话称布哈林是党内重要的理论家，是受全党爱戴的人，这在当时还未给布哈林平反的情况下，实际上打开了重新审视以《联共（布）党史简明教程》为基础的斯大林所灌输的苏联意识形态的闸门。戈尔巴乔夫对斯大林时期行政命令体制、滥杀无辜和勃列日涅夫时期停滞的批评有利于推进改革。但是，戈尔巴乔夫的报告许多结论维持原来的看法，不符合历史实际，很难把人们的思想统一起来，这一认识并未被苏联理论文化界人士广泛接受。在民主化、公开性的舆论环境下，苏联知识界比戈尔巴乔夫的认识大大前进了一步，开始重新评价斯大林体制及其作用。

三、为改革造势的重评历史运动

在公开性背景下，一向为政治服务的社会科学领域首先面临严重危机。人们开始激烈讨论苏联的道路问题，重新出版十月革命前一些学者，如卡拉姆津、索洛维约夫、克留切夫斯基、普拉多诺夫等人的作品，人们要重新认识苏联历史问题。以前在厨房中谈论的事务现在成了广播电视公开讨论的话题。人们对“历史空白点”的兴趣空前提高，“根据阿法纳西耶夫的建议，莫斯科历史档案馆在 1987 年开始举办‘在新的亮光下’的苏联历史讲座。首先曝光的就是斯大林，在课程开始前一小时，十月革命二十五周年大街（现在的尼科林大街）上，那里是档案馆所在地，已经聚集了许多人，以至于演讲人鲍里索夫本人要费很大劲穿过人群进入大楼。”[2]苏联要改革，离不开对以往道路的评价，“改革和历史科学是相互必需的。”[3]

---

[1] ［俄］米·谢·戈尔巴乔夫著：《十月与改革：革命在继续》，莫斯科新闻出版社 1987 年版，第 28 页。

[2] *Кацва Л. А.* История России. Советский период (1917–1991) . http://it-n.ru.

[3] ［俄］阿法纳西耶夫：《改革和历史知识》，见《别无选择——社会主义的经验教训和未来》，第 699 页。

戈尔巴乔夫强调要告诉人们一个真实的历史，其原则立场在戈尔巴乔夫纪念十月革命70周年的讲话中已经阐明，但随着为斯大林时期受害者平反和许多鲜为人知的事实被揭露，长期建立在《联共（布）党史简明教程》、《苏联共产党历史》隐瞒历史真相和伪造历史事实之上的历史教科书受到质疑，苏共中央划定的原则与结论被突破，苏共中央不得不决定组织专家重写《苏共简史》。在1988年1月8日对媒体负责人发表的讲话中，戈尔巴乔夫强调："这一工作是繁重和负责任的。要知道我们的历史既有成功也有失败，我们在世界上既在物质方面，也在精神方面第一次掌握了新的社会主义的价值观，推动社会朝进步的方向发展。""对我们来说，任何把历史看成是坦途的做法都是不能接受的。历史就是它本来的样子。问题在于要真实地反映历史。我们要以诚实的、负责任的和科学的态度对待历史。对我们历史中那些业绩我们要赞颂，但不能原谅违法的，特别是犯罪的人。""我们的历史是充满经验的历史，越是对之进行研究，越能更好地明白，我们现在和将来要做什么。"[1]1988年6月，苏联教育部决定取消各级学校的历史考试，新的较为真实的历史课本编写出来以后再恢复这门课的考试。

不可否认的是，苏联经过几十年的建设，并没有实现十月革命提出的理想，"现实的苏联社会主义不能保障人权和自由，没有使人成为国家的真正主人。"[2]正确总结历史，从中找出问题的症结，吸取教训，确定未来的前进方向，是改革所需要的。所谓重评历史和"消除历史空白点"主要涉及斯大林时期。历史上，苏共第一次重新评价斯大林发生在赫鲁晓夫时期，但那时主要限于斯大林的个人品格和20世纪30年代的大清洗、战后的无理镇压，对斯大林的体制模式基本还是肯定的。这次重新评价历史，则主要是从评价苏联20世纪30年代形成的政治经济体制开始的，涉及了半个世纪以来苏联的意识形态、价值观念和道德观念。核心是重新认识斯大林主义、大镇压和苏联的政治史，重评者重新审视了斯大林所建立的政权体制，产生于经济领域的行政命令体制，认为停滞与危机正是源于这一体制，必须对这一体制进行根本改革。

在"公开性"的鼓励下，重评历史首先发轫于文学界。由于史学的缺

[1] *Горбачев М.С.* Избранные речи и статьи. Т.6. М., Политиздат,1987. С.38.

[2] Перестройка: Двадцать лет спустя. Составитель *В.И.Толстых*. М., 2005. С.36.

位，文学界首先担当起了本该由史学界承担的职责，许多小说和电影更像是叙事史诗或政论作品。这一时期出版了许多有影响的文学作品，如：《阿尔巴特街的孩子们》、《古拉格群岛》、《白衣服》等，还有《悔悟》、《我们已经失去的俄罗斯》等影片，它们对人们的影响超过了政论家和史学家的作品。早在 1983—1984 年已经拍摄好的阿布拉泽的电影《悔悟》（影射斯大林专制主义的作品）在 1987 年放映，这成了苏联电影艺术界的一件大事，“半年之内，有近 400 万人观看了这部影片。”[1] 俄总统梅德韦杰夫在谈到当年看了这部电影的感受时说：“我看完以后，感情上大受冲击。我和一个朋友边走边聊了两个小时。这就像吸入了一大口清新的俄罗斯空气。影片的魅力不光在于其内容涉及禁忌话题，剧情和表达方式也很突出，寓意相当深刻。”[2] 在要求探寻真实历史的气氛下，史学界和政治界也有越来越多的人参与到重评历史之中。

在重新评价斯大林的问题上，当时学者们的重点是批评和分析斯大林的体制和模式。这一时期对列宁的社会主义思想基本持肯定的态度，主要是批判斯大林体制对社会主义的歪曲，反思社会主义的实质、目标和原则，探讨人民需要什么样的社会主义。[3]1988 年苏共十九次代表会议前夕出版了著名历史学家尤里·阿法纳西耶夫主编的《别无选择——社会主义的经验教训和未来》，初版就发行了 5 万多册，数日内被抢购一空。该文集集中了苏联国内有影响的 34 位学者的文章，涉及党内当时争论的热点问题，核心是如何看待苏联过去走过的道路，通过改革在苏联建立什么样的社会制度。

政论家费多尔·布尔拉茨基指出：现在辩论的主题不是斯大林在我国历史上的地位问题，关于这一问题在苏共二十大以后实际上已经解决了，“事实上 60 年代没有回答的另一个问题是现在的主要问题。这就是斯大林时代形成

[1] ［俄］泽齐娜等著：《俄罗斯文化史》，第 330 页。

[2] ［俄］斯瓦尼热著：《大国思维：梅德韦杰夫总统访谈录》，外交学院俄罗斯研究中心译，法律出版社 2010 年版，第 197 页。

[3] 有关情况在《在改革浪潮中重评斯大林》（林利、姜长斌编，求实出版社 1989 年版）和《国外学者论斯大林模式》（李宗禹主编，中央编译出版社 1995 年版）两本书中有详细的反映。Урок дает история. Под общ. ред. *В.Г.Афанасьева, Г.Л.Смирнова*.М., Политиздат,1989. 该书的基调也是纠正斯大林对列宁思想的歪曲。

的管理体制的问题。”在历史上出现过两种社会主义观念和两种社会主义模式，即军事共产主义和新经济政策，“正是斯大林一步步地，开始是不自觉地，后来越来越公开地改变腔调，篡改了列宁主张的核心”。“最重要的理论和政治任务是回到列宁的轨道上来，回到马克思的轨道上来，回到社会主义的正本之源。”他认为，比较有效率的、民主的、人道的社会主义的崭新模式是：“建立在经济核算和多种形式社会所有制基础上的有计划的商品经济，即把国家所有制发展到全体人民所有制的高度，发展合作制、家庭和个体的形式；这就是经济上的竞赛（社会主义的竞争）；这就是公民社会的发展和国家服从于社会；这就是恩格斯称之为生产者联合体的诞生；这就是在党、国家和社会组织之间的权力、职能和责任的分散；这就是克服起码是最不文明的官僚主义形式，并根据‘宁肯少些，但要好些’的原则建立国家管理机构；这就是发展自治，使公众舆论成为政策制定过程中的一个动因，发展选举制、干部轮换制、工会化；这就是文化派别的竞争、培养社会主义的个性、克服盲从守旧文化的遗产和造就社会主义的文化。所有这些改革都是旨在巩固社会主义、共产党的权威和全民的政权。”[1] 阿法纳西耶夫指出：“斯大林式的集体化一笔勾销了列宁的合作社计划，它成了斯大林制度第一次大规模的犯罪行为。在集体化的过程中，第一次采用了大规模镇压手段。这种行动造成的1932年饥荒剥夺了几百万人的生命。在集体化过程中，第一次，又是最大限度地曲解了列宁的社会主义建设原则：终结了新经济政策——社会主义建设的原始基础。”[2] 他认为不能从个人的精神道德品质方面去解释斯大林犯的错误，这离开了问题的实质，这不能摆脱斯大林的遗产。“我们应该求助于列宁，依据他所制定的建设社会主义的原则，来分析当代实际情况并制定现代的社会主义建设理论和一般社会主义理论。”[3] 齐普科认为，斯大林所犯错误的根源在于那个时代的信念：“建立无阶级社会的利益高于一切，革命本身就是法令和法律。”俄国知识分子的浪漫主

[1]　[俄] 费多尔·布尔拉茨基：《人民需要什么样的社会主义?》，载《文学报》1988年4月20日，见《在改革浪潮中重评斯大林》，第3—17页。

[2]　[俄] 阿法纳西耶夫：《改革和历史知识》，载《别无选择——社会主义的经验教训和未来》，第684页。

[3]　同上书，第689页。

义、空想主义和极端主义在其中也起了重要作用，他们追求建立纯粹的社会主义，忽视人民群众的现实利益和需要。“改革的时代把现实的、今天活着的人们的利益和关心的问题放在最重要的位置。”“永远摆脱一切形式的异化，成为全人类最幸福的公民，这才是人道主义(包括马克思、恩格斯和现实人道主义)的理想。自由人的尊严、自主，首先是个人的精神自主、发表自己意见的权利、犯错误的权利、自由选择职业和居住地的权利、交际的权利、享用过去和现在文化的权利，也就是说，在改革条件下所有归还给我们的东西，过去和现在都是理想。在这些人道主义价值融为一体的地方，在不可能牺牲这些人道主义价值的地方，任何斯大林主义也不可能存在。”[1] 类似的文章还有发表在《苏共历史问题》1989 年第 6 期上的科洛斯科娃的文章《论斯大林主义产生的思想心理前提》、《科学共产主义》1989 年第 6—7 期上刊载的瓦・扎・罗戈温的文章《斯大林主义的起源》、《科学与生活》1989 年第 12 期发表的阿・帕・布坚科的文章《苏联历史的现实悲剧》等。与赫鲁晓夫时期相比，人们的认识前进了一大步，不再只把历史的错误与斯大林个人性格联系在一起，而是综合分析了当时主客观因素，试图找到斯大林对社会主义的歪曲之处和纠正之策，当时找到的路是回到列宁所设想的社会主义。

在 20 世纪 80 年代后半期这次重评苏联历史中主要涉及两大方面的问题。

第一，改革的对象是什么？人民需要什么样的社会主义？

大多数人认为改革的对象是斯大林体制，特别是斯大林时期的政治体制，缺少民主与法制，滥用职权。“不难追寻，正是斯大林一步步地，开始是不自觉地，后来越来越公开地改变腔调，篡改了列宁主张的核心。这些篡改的方向是一目了然的：逐步而又不可动摇地表现为主要一点，即强制的偶像崇拜。革命、经济的公有化、对文化的管理与所有一切其他改革，在斯大林看来就是强制暴力的同义语。这给集体化、工业化实现的方法，党内斗争的形式，总之给社会改革的整个进程都留下了黑暗的、无情的印痕。”[2] 斯大林“在列宁人民

---

[1] ［俄］亚・齐普科：《斯大林主义的根源》，载《国外学者论斯大林模式》上册，第 309、354、359 页。

[2] ［俄］费多尔・布尔拉茨基：《人民需要什么样的社会主义》，载 1988 年 4 月 20 日《文学报》，转引自《在改革浪潮中重评斯大林》，第 11 页。

社会主义的基础上，开始逐步形成一种封闭式的、花岗岩一般死硬的、金字塔形状的、顶部直耸云端的所谓民主集中制。以后的岁月表明，这种玩意儿绝不是民主的，而是一种最原始的暴君式的集中制，只是外表蒙上了一层民主的外衣而已。这是一种远在建造金字塔的时代就曾经采用过的最古老的模式。这种独裁、专断、严酷的机器，无论是在什么时候出现，都必然要建立在剥夺公开性、思维单一、顶礼膜拜的群氓基础上，并靠此来维系下层支撑上层、上层压抑下层的官僚等级阶梯。这一阶梯愈往上愈狭窄，最终形成一个光彩夺目的顶端，上面只坐着一位大慈大悲、呼风唤雨式的人物。"[1]斯大林的社会主义具有极权的性质，是半封建的。斯大林背离了列宁所制定的社会主义理论模式，抛弃了新经济政策，消灭了个体农民，背离了列宁所指出的通过全面发扬社会主义民主和人民自治的思想。也有人提出，斯大林在短时间内使苏联摆脱了落后，奠定了现代工业的基础，打败了法西斯，需要作出牺牲，但是，他消灭一大批忠于列宁事业的光辉的革命者，并非客观条件所迫，也不是必需的。"是否可以认为斯大林是历史上的大活动家？我认为，是的，可以。但他是否是社会主义大活动家，我是深有怀疑的。"[2]

改革就是要纠正斯大林对社会主义的歪曲。卡普斯京说："我们今天是两种遗产——列宁主义和斯大林主义的继承人……改革，是列宁主义的新生，是清除斯大林主义、后斯大林主义留给列宁主义的厚厚的积污。从根本上放弃第二种遗产，也就是向原初的列宁主义意识形态的回归。"[3]"改革的实质就是保证社会主义向崭新状态过渡。而改革不仅仅是消除停滞，根除保守主义和因循守旧，纠正所犯错误。摒弃过去的领导和管理形式和方法。就其实质来说，就人道主义和民主方面来说，改革的方针就是有规律地继续和发展列宁的社会主义建设思想和原则，改革的基本环节乃是恢复列宁的社会主义概念。其内容可

---

[1] ［俄］叶夫根尼·诺索夫：《我们究竟改革什么》，载［俄］《文学报》1988 年 4 月 20 日，转引自《在改革浪潮中重评斯大林》，第 157—158 页。

[2] ［俄］A. 鲍文：《改革：社会主义的真情实况和社会主义的命运》，转引自《别无选择——社会主义的经验教训和未来》，第 727 页。

[3] ［俄］M. 卡普斯京：《我们拒绝什么遗产？》，载［俄］《十月》1988 年第 5 期。转引自《在改革浪潮中重评斯大林》，第 91 页。

用三句话表述：人道主义、人、民主。”[1]“改革纲领就是执行列宁的遗训。它在新时期的精髓是进一步发展社会民主和根本改革经济。由党和政府所提出的这两项根本改革方针是相互作用、相互依赖的。这两项任务的顺利完成在许多方面都依赖于反对官僚主义的斗争，实质上就是进行思想领域和精神领域的改革。”[2]“当前改革的实质就是从‘斯大林的’全面歪曲的独裁动员性社会主义（赫鲁晓夫时期做了部分改正尝试）、从‘勃列日涅夫的’独裁官僚社会主义转向将在许多方面体现出新社会主义理想的民主社会主义。”[3] 从这些言论中我们看到，他们试图找到摆脱斯大林社会主义的新路，这种新社会主义要纠正斯大林主义不人道、不民主、不考虑人的利益的弊端。进而有人提出：“社会主义、人道主义和民主乃是并列而相互制约的概念。马克思称共产主义为‘现实的人道主义’。在该社会经济形态的第一阶段就是在实践中开始实现这样一个主要特征：社会主义宣告自己的最高目的是全面地和协调地发展人。实现这一目的的一个极为重要的前提则是在人从事积极活动的经济领域、社会领域和精神、思想领域全面发扬民主，进而在所有这些领域实行和扩大自治原则。民主是实现社会关系和人际关系人道主义化的根基。”[4] 对社会主义必须实现民主、必须考虑现实的人的利益，大家是有共识的。这一时期人们对斯大林体制模式的批评还主要停留在政治层面上，对其经济体制的弊端分析不充分，还没有认识到市场经济的作用，更没有确定必须走向市场经济。

第二，斯大林与重大历史事件的关系。

有许多文章探讨曾被掩盖的一些历史事实，让人们了解历史真相。《真理

[1] ［俄］C. 奥杜耶夫：《社会主义、人道主义、民主》，载［俄］《哲学科学》1988 年第 5 期，转引自《在改革浪潮中重评斯大林》，第 104 页。

[2] ［俄］谢尔盖 · 尼科利斯基：《官僚机构现象》，载［俄］《社会科学》1988 年第 2 期，转引自《在改革浪潮中重评斯大林》，第 126—127 页。

[3] ［俄］波 · 帕 · 库拉什维里：《斯大林主义的政治学说》，载《苏联历史》1989 年第 5 期，转引自《国外学者论斯大林模式》上册，第 459 页。

[4] ［俄］C. 奥杜耶夫：《社会主义、人道主义、民主》，载《哲学科学》1988 年第 5 期，转引自《在改革浪潮中重评斯大林》，第 92 页。

报》1988年2月26日和3月25日连续发表两篇访问苏共中央马列学院历史学博士瑙莫夫的文章《列宁的遗嘱》。瑙莫夫介绍了列宁口授《给代表大会的信》及其晚期著作，被称为列宁遗嘱的文件产生的背景、主要内容和宗旨，列宁遗嘱的命运，强调要从列宁的晚年思想中汲取营养。[1] 在经历过曲折和失败后，人们重温列宁晚年的思想，对之有了更深刻的体会。

有人揭露斯大林信任学术骗子李森科，全面禁止遗传学。[2] 有人探讨了个人崇拜对党史科学的影响，文章指出，在20世纪二三十年代之交，有两件事特别明显地反映了党史科学传播个人崇拜的开始。一是对斯大林50寿辰的祝贺文章；二是斯大林致《无产阶级革命》杂志编辑部的信。作者认为，1938年出版的《联共（布）党史简明教程》一书给党史科学的发展带来了最大的损害。文章的最后落脚点是："我们可以从许多方面吸取斯大林个人崇拜对党史科学影响的反面教训。首先是，只有在民主化和公开性、有原则的党内批评、列宁式的关心科学干部，关心他们的成长的环境下，真正的科学才能得到发展并达到最高峰。个人垄断是科学的灭亡。创造、探索、试验、假设、讨论——这是真正科学的生气勃勃的道路。"[3] 这些说法是符合当时实际的。

有文章开始探讨苏联对外政策的失误，如第二次世界大战结束后，苏联明显采取了将自己的势力范围推向欧洲中部和东南部的强硬立场，破坏了欧洲形势的均衡，"斯大林及其亲信的对外政策实践的基础是与社会主义的本质格格不入的布朗基主义和托洛茨基主义极左思想。特别是第二次世界大战以后，首先在一切可能的地方实行斯大林模式的社会主义，并在各国推行这个统一的模式，而无视它们的民族特点。对内政策中实行高度集中化，在对外政策上

[1] Урок дает история. Под общ.ред.*В.Г.Афанасьева, Г.Л.Смирнова*. М., Политиздат, 1989. С.7–55.

[2] ［俄］瓦列里·索费尔：《苦果——现代史实》，载《星火》1988年第1、2期。

[3] ［俄］伊·曼科夫斯卡娅、尤·沙拉波夫：《个人崇拜和党史科学》，载《苏共历史问题》1988年第5期。1990年第6期《苏共历史问题》发表了Л.Г.巴比钦科根据档案资料写成的《斯大林给〈无产阶级革命〉杂志的信及其后果》一文，进一步揭示此举的消极影响。见《国外学者论斯大林模式》下册，第728页。

必然产生霸权主义和大国主义。”[1] 外交部长谢瓦尔德纳泽并不同意对历史进行这样简单化的理解，1988 年 7 月 25 日，他在苏联外交部科学实践讨论会上说：“历史好似浮雕，如果像看平面图一样去认识它，像看‘壁画’似地看待过去，必将孕育着对今天极为危险的错误。让我们从各个角度去看待历史吧，既看到它的阴暗面，也看到它的光明面，正面和反面。我们在审理罪行、迫害、滥用权力的现象时将毫不留情，这一切无可辩解。但也有一些决定同滥用职权无关。在这种情况下，必须要理解我们前辈在作出这个或那个对外政策决定时的动机。”[2] 他列举了苏联所取得的外交成绩：建立和加强反法西斯同盟、解决战后世界的安排、限制军备、与联邦德国签署莫斯科条约、关于西柏林问题的四方协议，为全欧进程奠定基础的赫尔辛基最后文件，等等。他强调：“在分析过去时，我们想从这样的立场出发，即我国整个外交的原则路线遵循了社会主义本质和社会主义的和平方针所要求的总方向。”[3]

斯大林与 20 世纪 30 年代的大清洗是人们谈论最多的问题，有许多谈斯大林大清洗的文章，但大体上还都局限于个案，如布哈林、李可夫、图哈切夫斯基、列宁格勒案、克里姆林宫医生案等，那时人们需要知道一个个具体的案件到底是怎么回事，为什么当时党的高层领导会被无端镇压。

人们最关心的是布哈林问题，《真理永远不会迟到》一文发表了布哈林催人泪下的信：《致未来一代党的领导人》（《星火》1988 年第 17 期），《他想改造生活，因为他热爱生活》（《星火》杂志 1987 年第 48 期），该文是该周刊记者同布哈林的妻子拉林娜谈布哈林。编辑部收到了大量读者来信。布哈林的一些著作重见天日，1988 年 2 月 12 日《真理报》发表了布哈林的《纪念列宁》一文。“与讨论行政命令体制的替代选择相联系，人们对布哈林的经济观点特别有感

[1] ［俄］维・达希切夫：《探索东西方之间的新关系——论苏维埃国家对外政策的首要问题》，见谢瓦尔德纳泽等著《苏联外交反思》，宋以敏选编，世界知识出版社 1989 年版，第 104 页。

[2] ［俄］爱・阿・谢瓦尔德纳泽：《我们需要什么样的外交和外交政策》，载《苏联外交反思》，第 48—49 页。

[3] 同上书，第 50—51 页。

兴趣。”[1]

与布哈林一起被处决的李可夫也是党的著名活动家，他 1898 年入党，1923—1930 年任联共（布）中央政治局委员，1924 年列宁逝世后他接替列宁任人民委员会主席，直到1930年他都是苏联政府的首脑。1988 年 3 月 5 日的《消息报》介绍了李可夫的生平与事迹，重点阐述了李可夫的新经济政策思想，“可以确信，李可夫并非为保护富农而反对集体化，他并非提倡以爬行速度进行工业化，他是在保护经济，在坚持经济规律和经济方法，反对在经济体制中实行主观臆断的方法和行政命令方法。”

斯大林与军队的大清洗，斯大林在苏联卫国战争中的地位和作用，都是人们关心的问题。1987 年《科学与生活》第 6 期发表了作家西蒙诺夫的文章《历史的教训与作家的责任》及萨姆诺夫院士的评论文章《历史的要义是真实性》，引起了读者很大的兴趣，历史学博士库利什在同年《科学与生活》1987 年第 12 期上发表《关于历史的教训与真实性问题》一文指出，斯大林的镇压削弱了苏军的战斗力，斯大林在判断德国入侵时间上发生了失误，当然不能把一切错误都推给斯大林一个人，军事指挥员们同样对希特勒的闪电战没有准备。文章指出，斯大林过分集权，妨碍了党组织、苏维埃机关、经济机关和军事机关直至个人发挥主动精神，对苏军的作战产生过消极影响，如 1941 年 6 月 22 日斯大林发布第 3 号指示，命令部分转入反攻；禁止基辅军队撤离，使苏军遭受重大损失；1942 年几次不顾条件地反攻也不合时宜，都失败了。只是在斯大林格勒战役开始，斯大林不再个人武断决定，发挥了其他指挥人员的作用，保证了胜利。影响很大的是沃尔科戈诺夫——苏联著名的军史专家不断发表的《胜利与悲剧》一书的摘录，其观点与上述作者的看法基本吻合，说明他们对此进行了严肃的科学研究，并非妄加评论。

斯大林与战后苏联的新一轮大镇压的问题也是人们关注的对象，库兹涅佐夫和沃兹涅先斯基是这次清洗的主要受害者，这个问题在苏共二十大后，特别是在 1957 年已经解决了。但人们仍在关注这些问题，《共青团真理报》1988 年 1 月 15 日发表了 A. 阿法纳西耶夫的文章《胜利者》，讲的就是列宁格勒案件及其受害者家人的遭遇。作者认为案件的深层原因是斯大林想向人民隐瞒

[1] *Соколов А.К.* Курс советской истории. 1941 – 1991. М., Высшая школа, 1999. С.350.

1941年的军事失败，隐瞒农业过火行为，隐瞒无法无天和肆意暴政，为此，才制造了“列宁格勒案件”、“医生案件”和很多其他案件。1988年5月21日，《消息报》上发表了特约记者A. 叶烈列夫的文章《1946年沉闷的夏天——关于〈星〉和〈列宁格勒〉两杂志的决议是怎样作出的》，作者认为这是斯大林为了维护和巩固独裁制度而蓄意谋划的一整套步骤。

总之，这一时期批评所指主要是针对斯大林体制弊端的，并不是否定社会主义制度，正如保加利亚领导人日夫科夫所说：“从苏联、我国和其他社会主义国家进行改革的第一天起，改革实际上就被理解为否定新斯大林主义和它所带来的一切。我想，这样理解是正确的。阻碍社会主义的发展和使它发生实质性变形的就是在当时体制中的新斯大林主义。”[1] 但是，对斯大林时期大镇压的揭露的结果是震撼性的，不仅对民众，对改革倡导者也产生了很大影响。戈尔巴乔夫在一次党内座谈会上说：“当我们不知道过去发生了什么事情的时候还情有可原。当我们得知的情况越来越多时，那就不能有两种意见。斯大林是丧失了一切道德的罪人。我可以对你们说：有100万党的积极分子遭枪杀，300万人被关进集中营。而这还没有算上因集体化而遇害的人数，要是也算上，那就还得增加100万。如果按照安德列耶娃的逻辑，他要把我们引到又一个1937年去。你们这些中央委员们愿意这样吗？我们应该考虑国家的命运。赞成社会主义吗？赞成！但赞成什么样的社会主义呢？像斯大林当政时的那种社会主义，我们不要。”[2] 斯大林无法无天的大清洗成了苏联历史上难以愈合的伤口，人们对20世纪二三十年代的事情了解越多，越感到震惊和愤怒，苏共不可能永远掩盖历史的真相，只能想办法承受由此带来的冲击。苏共和社会主流认识到了斯大林体制的一些弊端，也确定了要摆脱斯大林模式的方针，但遗憾的是他们并没有足够的时间从这一模式中走出来。

应该看到，在这股重评历史，消除历史空白点的浪潮中，人们在揭示斯大林现象的同时，也联想到20世纪20—50年代国家发生的所有事情，苏联社

---

[1] ［保］托多尔·日夫科夫著：《日夫科夫回忆录》，吴锡俊等，新华出版社1999年版，第252页。

[2] ［俄］米·谢·戈尔巴乔夫著：《戈尔巴乔夫回忆录》上册，第461页。

会也出现了对在苏联建设社会主义思想价值的怀疑。[1] 但这种倾向在 1989 年前并不占主流，这一时期人们更多地是想从探究历史的真相中找到解决现实问题的办法。

第四节　苏共对改革理论的探索与党内的分歧与斗争

戈尔巴乔夫要完善社会主义，建设真正的、没有被个人崇拜和停滞变形的社会主义，那么戈尔巴乔夫要建立的社会主义是什么样的？苏联的改革要改什么？要达到什么目标？这些都是人民所关心的。为了回答这些问题，戈尔巴乔夫撰写了《改革与新思维》一书。应该看到，在建设和改革的问题上，苏共党内并没有达成一致，存在分歧。在改革的步骤和方法上、在改革要达到的目标上，苏共党内存在着尖锐的斗争。戈尔巴乔夫在推进改革的过程中，阻力重重，并没有建立起领导和推动改革的核心力量，苏共高层领导彼此差异过大，难以形成团结的集体，出现了著名的叶利钦事件，给改革带来了不小的损害。

在提出改革的任务时，戈尔巴乔夫把党视为改革的先锋，进行“来自上层的革命”，“那时戈尔巴乔夫已开始发现，党准备完成这一使命并非一切都顺利，察觉到抵抗与不满的最初征兆。但是晚些时候——在 1987 年，他才对这个党在新思维的基础上改造国家的能力产生了怀疑。不过，到了这年夏天，他开始更加坚决地要求更新党的队伍，暂时还可以通过干部政策这样做。”[2]“1985—1987 年戈尔巴乔夫完成了安德罗波夫开始的干部清洗。在 3 年的时间里 85% 的中央委员被更新，比 1934—1938 年将近 77% 的更新比率还要高一些。”[3] 在进行干部更新的同时，社会政治生活也发生了变化。代替格里申担任莫斯科市委书记的叶利钦宣布：“我们莫斯科进行这样的改革，在监狱中安排他们的位置都不够了。”莫斯科 33 个区委书记换了 23 个，有的还几次

[1] Власть и оппозиция . Российский политический процесс XX столетия. М., РОССПЭН. 1995. С.291.

[2] ［俄］阿・切尔尼亚耶夫著：《在戈尔巴乔夫身边的六年》，第 97 页。

[3] Новейшая история России 1914–2005. Под редакцией М.В.Ходякова. 2-е издание. М., Высшее образование. 2007.С.389.

更换。在叶利钦担任莫斯科党组织书记期间有800多名商业工作者因为各种犯罪行为被投入监狱。[1]

苏联走上改革道路是全党的共识，随着改革的进行，苏共内部在改革的方针、政策、步骤等问题上开始出现矛盾和分歧，争夺权力的斗争也夹杂其中，使问题越来越复杂化，苏共和苏联国家的解体都与此相关。在改革开始之初，党的高层领导就有冲突，在党的总书记戈尔巴乔夫和部长会议主席雷日科夫之间、雷日科夫与利加乔夫之间有分歧，用戈尔巴乔夫的话说，雷日科夫经常向经理阶层做不必要的让步，他对书记处、中央委员会各部，尤其是利加乔夫干涉政府职能的做法的反应过分。[2] 戈尔巴乔夫强调民主化是改革的保障，利加乔夫则认为民主化只是手段，目的是巩固社会主义；在对什么是社会主义的理解上，戈尔巴乔夫与利加乔夫显然也是不同的。1987年秋天发生了叶利钦事件，这一事件既涉及改革的步骤与方法，也涉及权力斗争。1988年春天，围绕安德列耶娃的信，苏共党内在雅科夫列夫和利加乔夫之间又进行了激烈争论。从中可以看到，当时的党政主要领导人——戈尔巴乔夫、利加乔夫、雷日科夫、雅科夫列夫、叶利钦都是性格不同、主张各异的人。

一、叶利钦事件

1987年苏共中央一月全会以后，苏共党内危机日益加剧，在苏共党内逐渐形成了以叶利钦为首的激进改革派、以利加乔夫为代表的所谓“保守派”、以戈尔巴乔夫为首的主流派，由于改革事业本身的复杂性，存在着矛盾与分歧本来是正常现象，但因为苏共没有相应的机制来化解这种矛盾与危机，三派之间的斗争分化削弱了党的力量，对苏联的改革产生了极为不利的影响。

叶利钦担任莫斯科市委第一书记后，深入市民群众，反对特权，打击黑社会，赢得了居民的普遍好评。从性格上看，叶利钦是个急躁激进、缺少耐心的人，权力欲、自尊心都很强，容不得别人的轻视。从1987年春天起，叶利

---

[1] Новейшая история России 1914–2005. Под редакцией *М.В.Ходякова.* 2-е издание. М., Высшее образование 2007.С.389.

[2] ［俄］米·谢·戈尔巴乔夫著：《戈尔巴乔夫回忆录》上册，第410页。

钦在政治局中不时与利加乔夫、索洛缅采夫发生冲突，争论的焦点是改革问题。叶利钦认为大家都在喊改革，但实际上并没有多大效果，除了公开性外，没有什么变化。他认为戈尔巴乔夫的改革速度太慢，没有去碰官僚机构这个最“神圣”的东西，叶利钦公开宣传“批评无禁区，公开无限制”，这不仅引起了利加乔夫，也引起了戈尔巴乔夫的不安。当利加乔夫在戈尔巴乔夫的支持下，在全国搞反酗酒运动，要求叶利钦关闭莫斯科的酒厂并停止出售酒类产品时，叶利钦与利加乔夫间发生了公开分歧。戈尔巴乔夫没有支持叶利钦，而是静观他们二人在政治局会议上争吵，叶利钦感到工作没有得到强有力的支持。

叶利钦

在 1987 年苏共中央六月全会上，刚刚当上政治局候补委员的雅科夫列夫升为政治局委员，当了一年政治局候补委员的斯柳尼科夫也晋升为政治局委员，主管农业的中央书记尼科洛夫则越过了候补阶段，直接升为政治局委员，而身为首都莫斯科第一书记的叶利钦仍然是政治局候补委员，没有得到晋升。这对于自尊心很强的叶利钦来说，是个很大的伤害，他自然心怀不满。他在六月全会上直接批评书记处：“什么也没有改变，还是公文泛滥，高高在上发号施令。”[1] 此后，在工作上叶利钦与利加乔夫间冲突增多，于是，1987 年 9 月 12 日，叶利钦给正在休假的戈尔巴乔夫写信，指出中央对他的工作不够支持，对他个人也较冷淡，特别是利加乔夫的作风让人难以忍受，让他感到压抑，他请求解除其莫斯科市委第一书记和政治局候补委员的职务。实际上叶利钦是想

[1] [俄] 米·谢·戈尔巴乔夫著：《戈尔巴乔夫回忆录》上册，第 420 页。

得到戈尔巴乔夫坚定的支持，劝他收回辞呈，他也希望戈尔巴乔夫能接受他的改革主张，对利加乔夫施加压力，使他对叶利钦的态度有所改变。“叶利钦内心相信，戈尔巴乔夫一定会回信，对他的正确立场加以肯定。但是，戈尔巴乔夫却一言不发。”[1]戈尔巴乔夫并没有立即找叶利钦谈话，只给他打了一个电话，说过些时候再谈，先把纪念十月革命70周年的工作做好，这使叶利钦十分失望，此事再一次伤害了叶利钦的自尊心。

在1987年10月21日召开的苏共中央全会上，叶利钦向利加乔夫和戈尔巴乔夫公开提出了挑战。这次会议由利加乔夫主持，主要议题是讨论戈尔巴乔夫在即将召开的纪念十月革命70周年庆祝大会上的讲话，在当时的条件下，需要对苏联70年的社会主义革命与建设的历史作出应有的评价。戈尔巴乔夫读完报告，请大家提意见，叶利钦要求发言，利加乔夫本不想让他第一个发言，但戈尔巴乔夫坚持让叶利钦说说，利加乔夫只好宣布请中央政治局候补委员叶利钦发言。叶利钦说：戈尔巴乔夫的报告他已经看过了，也提了意见，他不再提意见了。接着，他话锋一转，离开了大会的主题，谈到了书记处工作及改革的问题。叶利钦在六月中央全会上曾批评过书记处的工作，“我应该说，自那次会议后虽然已经过去5个月之久，但是党中央书记处的工作作风，利加乔夫同志的工作作风丝毫没有改变”。叶利钦感觉得不到中央对地方党委会的支持。对于改革，叶利钦认为进展太慢，他说：“我想，代表大会（指党的二十七大）上谈到了2—3年之内完成改革，两年已经过去了，或者正在过去，现在重新又说，还需要2—3年时间。这使人们感到大惑不解，使党、全体群众迷惑不解。因为我们了解群众的情绪，我们感到群众对改革的态度是波浪式的。起初热情很高，是一种高涨，这种情绪一直是热烈的，处于高峰，包括一月中央全会。此后，在六月全会之后，人们的信心开始低落，这使我们非常不安。当然，问题在于这两年时间主要都用在制定所有这些文件上面了，而这些文件又没有传达到老百姓那里。当然，这使他们很不安，因为实际上他们在这一段时间里什么都没有得到。”叶利钦也谈到了党的问题，认为整个党在群众中的威信可能要降低，“我应该指出，70年来的教训是沉重的教训。曾经有过

[1] ［俄］科尔扎柯夫著：《我所知道的叶利钦：俄总统安全局前局长回忆录》，杨藻镜等译，外文出版社1999年版，第52页。

胜利，这米哈伊尔·谢尔盖耶维奇已经讲过了，但是也有教训。沉重的、极为沉重的教训。这些失败是逐渐形成的，是由于缺乏集体领导、有派别，由于党的权力集中在一个人手里，由于他一个人绝对不允许批评而形成的。”“我感到很不安的是：我们政治局尚未出现这种情况，但最近某些政治局委员，某些政治局常委越来越多地向总书记唱赞歌。我认为，恰好在目前，这种情况简直是不可容忍的。现在当开始形成最民主的形式、形成彼此间的原则性关系和相互的同志关系的时候，这种情况是不能容许的。当面批评，面对面地批评——这很好，这是必要的。但不应该热衷于唱赞歌，否则这又会逐渐地形成一种‘准则’。我们简直不能容忍这种情况，不能容忍。”最后叶利钦说：“看来，我在政治局内工作干得不好。有各种原因。可能是由于经验不足，还有别的，也可能是由于缺少支持，特别是利加乔夫同志的支持。这使我想到应该在你们面前提出辞职的问题，请求解除我的政治局候补委员的职务。关于党的莫斯科市委第一书记职务，我也递交了相应的声明，这个问题看来要在党的市委全体会议上去解决。”[1]

叶利钦的讲话不仅涉及利加乔夫，实际上也批评了戈尔巴乔夫，谁也没有料到叶利钦会讲这么严重的问题，一些中央委员纷纷要求发言批驳叶利钦，戈尔巴乔夫更是愤怒，他从利加乔夫手里夺过话筒，开始主持会议。他说：

“同志们，我想，叶利钦同志把问题讲得很严重。我并不想发起辩论，然而不得不就他所说的进行讨论。”

戈尔巴乔夫先是归纳了叶利钦的主要观点，强调中央并没有为改革规定过期限，他说：“我们这里出现了某种新鲜事儿。是否莫斯科党组织要独立出去呢？还是说，叶利钦同志决定在中央全会上提出自己退出政治局的问题，而同时却想留任莫斯科市委第一书记呢？似乎他想同中央较量一番。我是这样认为的，不过也许我看得过于严重了。”叶利钦怒不可遏，站起来提出抗议，戈尔巴乔夫说：“请坐下，请坐下，你没有提出辞去市委第一书记的问题，你说这是市委的事。”

---

[1] Известия ЦК КПСС, 1989, №2, 参见俄罗斯社会与民族问题独立研究所、俄罗斯政治与经济历史中心：《戈尔巴乔夫——叶利钦政治对抗 1500 天》，王南枝等译，新华出版社 1993 年版，第 13—15 页。

戈尔巴乔夫与叶利钦

戈尔巴乔夫显然在很情绪化地对待叶利钦，他的态度已经很明显了，接着他让与会者对此事表态。[1]

利加乔夫第一个发言，他指责叶利钦在政治局工作消极，说叶利钦在政治局会议上很少发表意见，政治局内根本就没有吹捧戈尔巴乔夫之事，他请叶利钦具体指出来。利加乔夫指出叶利钦的政治声明有严重的原则性的错误，“这实际上是怀疑我们党的全部政策。我要着重指出，党制定的方针得到了强有力的支持，我们完全有可能实现它。”利加乔夫的发言得到了与会者的支持，雷日科夫、谢瓦尔德纳泽、雅科夫列夫等 26 人相继发言，一致谴责叶利钦，其中包括叶利钦的老上级、老熟人。叶利钦的老相识、人民监察委员会主席马里亚金说叶利钦提升较快，政治不够成熟；莫斯科州委第一书记麦西亚茨说：“叶利钦同志总是希望自己的行动别出心裁。这正是他的主要错误。”曾是叶利钦前任州委第一书记、并提拔过叶利钦的里亚博夫说：“在他的性格中有一些消极的东西，如与群众、与干部的相互关系方面等。”“鲍里斯·尼古拉耶维奇的声明使我感到惊讶和震惊，我认为，他的发言表明的不是别的，正是他作为共产党人、领导者的党性和政治性不成熟。在这里，很明显的是他的消极因素的流露，这些因素一直在他的性格中存在着，他没有得出自我更新的结论。事实上，他很傲慢，有时候粗暴地对待朋友和同志，他什么时候也没有改正过他

[1] 参见《戈尔巴乔夫——叶利钦政治对抗 1500 天》，第 15—17 页。

的急躁病。”

只有莫斯科市苏维埃执行委员会主席在发言中对叶利钦的工作给予了肯定，他说：“两年来莫斯科也有成就，如果说，没有叶利钦同志的参与，这大概是不公正的。他作为一位共产党员，有知识的人，十分积极、勤奋地工作，在市里日夜奔忙，这些对莫斯科的成就来说，体现在执行了建设、工业计划，商业的许多问题有所好转，这是不容抹杀的。但是，莫斯科人不能同意叶利钦今天的发言，我们完全赞成党和政府通过的方针。”

叶利钦对人们的指责进行了辩解，在叶利钦发言的过程中，戈尔巴乔夫不断打断他，与之进行争论，最后叶利钦表示要辞职。

在总结发言中，戈尔巴乔夫指出叶利钦的发言在政治上是不负责任的，他对改革两年半以来的否定评价是错误的，政治局和书记处都在全力工作。在谈到利加乔夫时，戈尔巴乔夫说：“他一切都表现在外面。此人的特点就是如此：完全的外露。这是一个坦诚的、有着战斗性格的、感情充沛的人。然而他又是一个有丰富经验的人，对改革事业是忠诚的。为了这一事业，可以说，他连自己的骨头都在所不惜。”戈尔巴乔夫建议：

第一，苏共中央全会认为叶利钦的发言在政治上是错误的，这个发言的每一点在政治上都是错误的。

第二，委托苏共中央政治局和党的莫斯科市委会研究叶利钦同志关于解除他苏共莫斯科市委第一书记职务的申请，研究此问题时应该考虑到中央全会上所交换的意见。

应该说戈尔巴乔夫对叶利钦发言的评价不够客观，尽管叶利钦情绪激动，说了一些过激的话，但他关于要改进党的领导的建议，认为党的威信可能下降，需要防止的看法还是正确的。正如普里马科夫在评论此事所说：“叶利钦对待党在社会中的作用和地位这一问题的态度，起初同戈尔巴乔夫的立场总体上没有根本的区别。作为苏联共产党莫斯科市委第一书记和政治局候补委员，叶利钦根本没有反对党的领导作用。然而，就是在那个阶段——我出席了中央全会，鲍里斯·尼古拉耶维奇令大厅里的多数与会者始料不及地申请辞去政治局候补委员的职务——他公开反对存在于党的最高机关里的制度和程序。实际上，他的发言是为党的民主化思想服务的。叶利钦非常激动。很显然，他的这个史无前例的发言耗费了其很多精力。但是，想要指出的是：他没有请求辞去莫斯科党组织第一书记的职务。”[1] 全会通过《苏共中央全会关于叶利钦在中央全会上发言的决议》，指出：苏共中央全会认为叶利钦在 1987 年十月全会上的发言在政治上是错误的。委托苏共中央政治局和党的莫斯科市委会研究叶利钦同志关于解除他苏共莫斯科市委第一书记职务的申请，研究此问题时应该考虑到中央全会上所交换的意见。[2]

这次中央全会给叶利钦留下了痛苦的记忆，他在回忆此事时说：“甚至现在，虽已过去很长时间了，但当时那些巧妙的、难听的话我仍记忆犹新，我忘记不了。它们老是留在你的脑海里，伤口还在流血。这一点大概我自己也难以理解。”[3]

1987 年 11 月 9 日，叶利钦自杀未遂，1987 年 11 月 11 日，病中的叶利钦被戈尔巴乔夫拉到了莫斯科市委会上，对此，叶利钦一直耿耿于怀，把一个病人从病床上拉来接受“审判”，不合情理。据叶利钦的卫士和助手科尔扎柯夫说：当时叶利钦身体状况极坏，被搀扶着走上汽车，出发之前医生给他注射了一种抑制神经功能的镇静药“巴拉金”，使叶利钦就像一个经过催眠的梦游病人，后来叶利钦“在报纸上看到自己在莫斯科全会上的发言全文时目瞪口呆。叶利钦不相信这篇胡言乱语是在没有旁人提示的情况下由他亲口说出的。”[4]这次会议是为了执行十月全会的决议而召开的，讨论解除叶利钦职务的问题，戈尔巴乔夫和会议的参加者一致谴责叶利钦的立场，指责他怀疑改革；他攻击政治局和书记处是犯了严重的政治错误，这一立场是“政治冒险”，“是蓄意在党中央委员会和政治局的背后插一刀”；叶利钦在政治上不称职，工作中有严重失误，他的工作作风和所作所为是反民主的和独裁的。

在这次会议上，叶利钦被解除了莫斯科市委第一书记，由扎伊科夫取而代之。1988 年 2 月，中央全会解除了叶利钦政治局候补委员的职务，但是戈尔巴乔夫并没有把他赶出莫斯科，在叶利钦等待戈尔巴乔夫的电话时，戈尔巴

---

[1] *ПримаковЕ.М.* Годы в большой политики. М., Коллекция“Совершенно секретно”.1999. С.70–71.

[2] Известия ЦК КПСС, 1989, №2, С.287.

[3] [俄]鲍利斯·叶利钦著：《叶利钦自传》，朱启会等译，东方出版社 1991 年版，第 162 页。

[4] [俄] 科尔扎柯夫著：《我所知道的叶利钦：俄总统安全局前局长回忆录》，第 52—53 页。

乔夫给他打来了电话，让他担任苏联国家建设部第一副部长的职务，叶利钦毫不犹豫地接受了。但戈尔巴乔夫又补充了一句：“我不会再让你从政了。”叶利钦在谈到此事时说：“人们常常问我，后来我也自问：他到底为什么决定不把我彻底搞掉？一般说来，我们这儿要搞政治敌人是很方便的。本来可以让我退休，或者送到某一边远国家去当大使。戈尔巴乔夫把我留在了莫斯科，还给了一个较高的职务。实际上把一个反对派留在了他的身边……我觉得，如果戈尔巴乔夫没有叶利钦，他也会想办法制造出一个叶利钦来的。尽管最近他对我的态度很不好，然而他明白，像我这样一个尖锐的人，一个不让官僚主义化的党的机关过安稳日子的刺儿头，是需要的，应该把这个刺儿头留在身边，留在附近。在这出活生生的戏里，所有的角色都是安排好了的，就像一出导演得极好的话剧一样：利加乔夫是保守主义者，反面人物；叶利钦是爱闹事的莽汉，极左分子；而英明的、无所不包、无所不晓的主角则是戈尔巴乔夫本人。看来，他正是这样设计的。此外，我想，他决定不让我退休，也不让我去当大使，还因为他害怕强有力的社会舆论。当时，抗议全会决议的信件如潮水般涌向《真理报》编辑部和所有中央报刊的编辑部。对此自然要加以考虑。”[1]

在处理叶利钦的问题上戈尔巴乔夫过于情绪化，他反感的是叶利钦对中央工作，特别是对他本人的批评，而在对戈尔巴乔夫纪念十月革命70周年报告的看法上双方是一致的，戈尔巴乔夫承认：“他无论是对报告，还是对我在报告中阐述的思想都没有产生任何影响。不仅如此，他在全会上还发言，表示自己拥护报告，尽管当时并没有建议大家发言表态。”[2]切尔尼亚耶夫曾给戈尔巴乔夫写报告，说尽管叶利钦有缺点，但劝戈尔巴乔夫不要解除他的职务，叶利钦在全国知名，在莫斯科很受欢迎，“叶利钦的去职，将被看作是保守势力的胜利……人们将根据该事件的结局来判断您拥有多大的威望和您推行‘戈尔巴乔夫路线’有多大的能力。”[3]但戈尔巴乔夫缺乏雅量，他同意和接受了叶利钦的许多看法，在组织上却排除了叶利钦，仍重用利加乔夫等人。在叶利钦离

[1] ［俄］鲍利斯·叶利钦著：《叶利钦自传》，第172页。

[2] ［俄］戈尔巴乔夫、斯拉文合著：《尚未结束的历史——戈尔巴乔夫访谈录》，第18页。

[3] ［俄］阿·切尔尼亚耶夫著：《在戈尔巴乔夫身边的六年》，第200页。

开高级领导层后，戈尔巴乔夫跟叶利钦的关系时合时分，当他需要对付正统派或保守派时，往往与叶利钦形成一种联合或同盟关系。

喜欢搞折中的戈尔巴乔夫没有打垮叶利钦，而是放虎归山。叶利钦像古希腊神话中的安泰一样，当他得到合适的土壤时，便又变得强大了，重新站起来投入战斗，成为把戈尔巴乔夫赶下台的主要人物。“把叶利钦开除出党的最高领导班子所产生的效应完全不是这场运动的组织者所希望的那样。如果说以前这种惩治确实会使一个人从政界消失，现在的情况则不然。被罢官的叶利钦马上变成了一个游离于有70年历史的国家政治生活规则之外的政治人物，他成了国内所有不满者的领袖，成了前不久还是其领导成员的那个党的政治反对者。在一个没有反对党的国家，叶利钦成了未来运动的领头人。反对派的领袖人物出现了，许多原先只有不满情绪的人做好了成为反对派的准备，为未来年代的激烈政治斗争和政治对抗创造了重要前提条件。”[1]叶利钦从一个正统的共产党员、马克思主义者，逐渐变成了党内反对派，后来又发展成为苏共的政治反对派。

“叶利钦事件”在苏联引起了轩然大波，人们对戈尔巴乔夫用苏共惯用的手段处理叶利钦十分不满。由于当时十月全会的发言并未见诸报端，社会上传言很多，为叶利钦蒙上了一层神秘的色彩，在苏共威信下降、社会问题突出的情况下，这成为叶利钦巨大的政治资本。叶利钦后来被老百姓看成是反特权的“英雄”，是敢于向党内巨大的官僚主义机构宣战的“英雄”，是反对党内保守派的斗士，叶利钦获得了许多人的同情。“戈尔巴乔夫漫不经心地对叶利钦在辞职报告中所述的委屈不以为然，从而唤醒了叶利钦身上未得到满足的虚荣心这一沉睡的核反应堆，在中央全会及后来的莫斯科市委全会上受到有损尊严的讨伐后，这种虚荣心具有政治的形式。”[2]把叶利钦推到了对立的阵营，也使苏联付出了巨大的代价，纳扎尔巴耶夫后来说：“如果戈尔巴乔夫开始让叶利钦对他产生好感后马上安排他当中央政治局正式委员，苏联之命运可以有完全不同的发展。”[3]戈尔巴乔夫当时的重要顾问阿尔巴托夫

[1] ［俄］鲁·格·皮霍亚著：《苏联政权史》，第574页。

[2] ［俄］安德烈·格拉乔夫著：《戈尔巴乔夫之谜》，第146页。

[3] ［哈］努·纳扎尔巴耶夫著：《时代　命运　个人》，第79页。

也认为，“叶利钦的行动是对改革的缓慢和以利加乔夫为首的中央书记处的保守作风的抗议。这次全会还有一个意义，就是它把戈尔巴乔夫的新的、并不令人很满意的一面给曝了光，他在全会上组织了对叶利钦的强大攻击。这是第一个证明，说明戈尔巴乔夫是一个为了权力斗争准备在原则问题上作妥协的那种政治家。”[1] 对叶利钦不恰当的处理，大大损害了戈尔巴乔夫的威信。

叶利钦事件是党内危机的一个信号，此后党内的矛盾与冲突逐渐向党与党外反对派的矛盾转化。雅科夫列夫在评论此事时说：“整个事件不是个别的偶然事件，它反映了由潜在的意见分歧走向公开的意见分歧。正像我已经说过的，正是在这个时候在权力的最高层开始以较为明确的形式表明各自的立场。”[2] 利加乔夫作为当时党内的二号人物，不仅反对叶利钦的激进改革，也明显不赞同戈尔巴乔夫、雅科夫列夫等人所倡导的民主化、公开性。

二、围绕安德列耶娃信件的斗争

叶利钦事件有利于利加乔夫等政治局内认为应该加强社会主义信念的一派，利加乔夫与雅科夫列夫、戈尔巴乔夫之间的分歧也日益呈现。利加乔夫在回忆录中说：“大约是 1987 年下半年，我与高层政治领导人的意见分歧开始显现出来。有时是个人的，有时则触及根本原则问题，但越来越多地涉及对现实和未来社会经济进程的评价。”[3] 利加乔夫并不反对批判斯大林个人崇拜和滥用职权，但反对否定整个苏联时期的历史，反对夸大苏联的失误，他说：“我与戈尔巴乔夫在如何看待历史这一问题上在那时就有了严重的分歧……我没有发现总书记对歪曲我们的历史表示过愤慨，在他的观点中表现出某种两面性。从一方面而言，他提倡对我们的历史要有负责任的态度，而另一方面而言，他自

[1] [俄] 格·阿·阿尔巴托夫著：《苏联政治内幕：知情者的见证》，第 429 页。

[2] [俄] 亚·尼·雅科夫列夫著：《一杯苦酒——俄罗斯的布尔什维主义和改革运动》，第 186 页。

[3] [俄] 叶·库·利加乔夫著：《警示》，第 83 页。

身就表现出相反的看法。”[1] 在 1987 年秋政治局通过《关于改革的速度与范围》的决议时，雅科夫列夫从草案中删除了对右翼激进派新闻媒体的批评，删除了对诬蔑历史的批判。

1988 年 3 月 13 日，苏共中央机关报《苏维埃俄罗斯报》“争论”栏内发表了列宁格勒工学院教师安德列耶娃《我不能放弃原则》一文，作者反对苏联社会出现的对历史消极现象的揭露，呼吁承认斯大林在苏联历史上的作用，她说：“我反复读过不少轰动一时的文章，除了教人迷失方向外，这些文章能告诉青年什么呢？”“就拿约·维·斯大林在我国历史上的地位作为例子。据我的意见，正是和他的名字相联系的所有批判性攻击的狂症，与其说是关系到历史人物本人，倒不如说关系到所有最复杂的过渡时代。在这个与整个一代苏联人的史无前例功绩相联系的时代里，今天这些人逐步放弃积极的活动，强行把工业化、集体化、文化革命这些把我们国家引向世界伟大强国的概念塞入‘个人崇拜’的公式。所有这一切都令人怀疑。”她强调：“我们应该从这些党的、阶级的立场出发来评价所有党和国家领导人，其中包括斯大林的历史作用。”她批评“左派自由社会主义”的追随者们只谈过去的错误不谈成就的做法，她得出的结论是：“现在，在全国范围内正在进行的这些讨论的主要和最最基本的问题是承认还是不承认党和工人阶级在社会主义建设和改革中的领导作用。”[2] 这篇文章在苏共党内引起轩然大波，改革派认为，“这是一篇真正的新斯大林主义的宣言，是在政治局中的强硬路线派的领导人叶戈尔·利加乔夫的授权下发表的。”[3]“如果说‘叶利钦的反抗’反映的是还不十分清晰的激进民主派的情绪，那么这篇文章则是右倾保守力量的某种宣言，是他们团结和积极行动的信号。”[4]“党内反对改革的一派，受到了十月全会的结果以及随之而来的叶利钦被解除职务的鼓舞，对改革发起新的攻击。这是指机关权势分子随着 1988

---

[1] ［俄］叶·库·利加乔夫著：《警示》，第 143 页。

[2] 《安德列耶娃谈坚持社会主义原则》，《苏联历史档案选编》，第 30 卷，第 510—511 页。

[3] ［俄］格·阿·阿尔巴托夫著：《苏联政治内幕：知情者的见证》，第 428 页。

[4] *Медведев В.А.* В команде Горбачева: взгляд изнутри.-М., Былина,1994. www.lib.ru/MEMUARY/GORBACHEV/medvedev.txt.

年 3 月 13 日《苏维埃俄罗斯报》上发表安德列耶娃的文章而企图东山再起。”[1]他们认为这篇文章是利加乔夫指使发表的，利加乔夫本人说：“正像所有读者一样，我只是在《我不能放弃原则》一文发表在《苏维埃俄罗斯报》上的时候，才第一次看到它。”[2]但这篇文章显然与利加乔夫的观点相近，在之后召开的一次编辑会议上，利加乔夫谈到了安德列耶娃的文章，认为这是对“反历史和反苏浪潮的反击”，他建议大家读一读这篇文章，于是，“一场大规模的思想运动开始了：列宁格勒和莫斯科举行了讨论并支持这篇文章的‘读者代表会议’，在一些州，党的地方报刊转载了安德列耶娃的文章。这种做法——转载中央报刊上的文章，只适用于非常重要的党的文件。转载这一事实本身证明，这篇文章被视同这样的文件。”[3]

利加乔夫是主管意识形态工作的中央第二书记，他本是戈尔巴乔夫的坚定支持者，但两人对改革方针的分歧日大，戈尔巴乔夫也越来越感觉利加乔夫权势日重，便提拔雅科夫列夫也来主管宣传和社会舆论工作。这样利加乔夫和雅科夫列夫之间的工作便有了交叉，他们对历史、对党、对民主进程的观点常常背道而驰，经常发生争吵，戈尔巴乔夫又常常偏袒雅科夫列夫。当时戈尔巴乔夫在国外访问，回国后他也没在意，戈尔巴乔夫不想在叶利钦事件后再出现一个利加乔夫事件。但是，局势的发展让戈尔巴乔夫不安，没有人谴责这篇文章，利加乔夫利用这篇文章推行自己的、与戈尔巴乔夫不同的改革纲领，雅科夫列夫组织人调查，得出的结论是安德列耶娃的文章事先得到了利加乔夫的加工和推荐,3 月 23 日，在集体农庄代表会议休息时谈到了安德列耶娃这篇文章，利加乔夫、沃罗特尼科夫、葛罗米柯等都说这是一篇好文章，有些人则沉默不语，戈尔巴乔夫说：“既然这样，让我们在政治局讨论一下。我认为，事情没有朝应去的方向发展，有些分裂的味道。什么好，好?! 这篇文章是反对改革

[1] ［俄］亚·尼·雅科夫列夫著：《一杯苦酒——俄罗斯的布尔什维主义和改革运动》，第 189 页。

[2] ［俄］叶·库·利加乔夫著：《警示》，第 146 页。有历史学者认为这篇文章是利加乔夫“定制的”，他喜欢安德列耶娃写给中央的短信。见 *КацваЛ. А.* История России. Советский период. (1917 – 1991) . http://it-n.ru.

[3] ［俄］鲁·格·皮霍亚著：《苏联政权史（1945—1991）》，第 589 页。

的，反对二月全会的。我任何时候都不反对有谁说出自己的观点，不管什么观点，在报刊上发表文章写信都行。但是我猜测这篇文章是奉上级指示写成的。在党的组织内部已经把它作为规定文件来讨论的，禁止登载反驳文章……这则是另一回事了。在二月全会上我作的不是'自己'的个人报告，报告是我们集体讨论和确定的。这是政治局的报告，中央全会也通过了，而现在，则好像要奉行另一条路线了……我不想占住自己的交椅不放，但是只要我还在这里，只要我还在这把交椅上，我将捍卫改革思想……不！不能这样。我们要在政治局讨论。"[1] 戈尔巴乔夫认为："这篇文章发表在二月全会之后，是企图修正总书记的讲话，修正中央全会的决议的一次尝试。《真理报》会作出答复的，一份严肃而有原则的答复。"[2] 鉴于苏共最高层对这篇文章看法不同，3 月 24—25 日召开政治局会议专门讨论此事。

在 3 月 24 日政治局会议上，利加乔夫第一个发言，他说："是的，奇金（《苏维埃俄罗斯报》主编）到我这儿来过。我喜欢这篇文章，但我与这篇文章没有更多的关系。"[3] 在接下来的发言中，沃罗特尼科夫说他又重新研究了这篇文章，认为其确实有政治立场的问题，不承认改革，不同意国家政治领导的方针。[4] 雅科夫列夫尖锐地批评安德列耶娃的观点和《苏维埃俄罗斯报》，认为这是对改革的攻击，"在该文章中可以看到企图在保卫'社会主义理想'的幌子下贴上尽可能多的、人们非常熟悉的吓唬人的标签，而实质上是通过不正当的途径用有些故弄玄虚的形式，塞进了众所周知的在建设社会主义过程中阶级斗争将尖锐化的令人伤心的'理论'。"[5] 安德列耶娃的文章是复仇势力东

---

[1] В Политбюро ЦК КПСС… По записям Анатолия Черняева, Вадима Медведева, Георгия Шахназарова (1985–1991), 2-е изд., исправ. и доп. М., Горбачев-Фонд, 2008. С.305–306.

[2] ［俄］米·谢·戈尔巴乔夫著：《戈尔巴乔夫回忆录》上册，第 457 页。

[3] В Политбюро ЦК КПСС… По записям Анатолия Черняева, Вадима Медведева, Георгия Шахназарова (1985–1991), 2-е изд., исправ. и доп. М., Горбачев-Фонд, 2008. С.306.

[4] В Политбюро ЦК КПСС… По записям Анатолия Черняева, Вадима Медведева, Георгия Шахназарова (1985–1991), 2-е изд., исправ. и доп. М., Горбачев-Фонд, 2008. С.299.

[5] ［俄］亚·尼·雅科夫列夫著：《一杯苦酒——俄罗斯的布尔什维主义和改革运动》，第 191—192 页。

山再起的纲领，并没有什么新东西，“问题不在于这篇文章本身，而在于对这篇文章人为的重视，而且这是党的机关，其中包括苏共中央机关所为。”[1]他要求在《真理报》上发表反驳安德列耶娃的文章。葛罗米柯则认为斯大林的犯罪程度无法与彼得大帝和伊凡雷帝的暴行相比；利加乔夫则避重就轻，没有谈安德列耶娃文章本身；雷日科夫对由两个人领导意识形态工作不理解；切布里科夫则认为只要大家团结一致，不怕有反对者；扎伊科夫则说他不清楚，强调要团结；梅德韦杰夫认为安德列耶娃的文章是反对改革的，对历史的评价与戈尔巴乔夫纪念十月革命70周年报告不同，他担心知识分子中的反对派；谢瓦尔德纳泽认为文章是有害的。索洛维也夫赞同雅科夫列夫和梅德韦杰夫对文章的分析；多尔基赫认为安德列耶娃的文章提醒对消极言论的注意；多数人发言都强调要团结。[2]在25日会议上“雷日科夫第一个发言，他严厉、无情地批判了这篇文章。他的发言大概是最有力、最富有感情的发言。发言结束时他甚至提议解除利加乔夫主管意识形态工作的职务（那时他和雅科夫列夫两人主管意识形态工作）。他说：‘我也有这样的印象：作者们好像在提一个问题：为什么需要这种改革?！但是既然发生了这样的不幸，那么应该尽可能地消除这种不幸。’”[3]戈尔巴乔夫最后总结说：“安德列耶娃自己写不出这样的文章，谁唆使的？还不清楚。但是报纸的主编是中央候补委员，这不是一份普通的文学报……如何解决改革的任务？过去的尝试没有取得成果，因为没有民众的参与。而这只能通过公开性、通过精神的领域。谁反对公开性，那就是改革的倒退，是害怕人民。还有迷恋靠严厉的行政方法的人……除了民主化之外，没有其他的改革和其他的方法。掌握政治领导方法比闭上眼睛发号施令更困难……在这条轨道上我们应该准备第十九次代表会议，准备进行政治体制改革。提出关于任职期限的问题，也包括总书记。总会有政治失算之处，当然，有的多

[1] ［俄］亚·尼·雅科夫列夫著：《一杯苦酒——俄罗斯的布尔什维主义和改革运动》，第195页。

[2] В Политбюро ЦК КПСС… По записям Анатолия Черняева, Вадима Медведева, Георгия Шахназарова (1985–1991), 2-е изд., исправ. и доп. М., Горбачев-Фонд, 2008. С.299–304.

[3] ［俄］阿·切尔尼亚耶夫著：《在戈尔巴乔夫身边的六年》，第235页。

些，有的少些。谁感到不能工作，就请说出来。”[1] 政治局委员们同意在《真理报》上发表雅科夫列夫的文章，对反改革势力进行反击。

1989 年 4 月 5 日，《真理报》刊登了雅科夫列夫、梅德韦杰夫、博尔金会同该报工作人员写的反驳文章《改革的原则：思维和行动的革命性》，对安德列耶娃逐条进行反驳，认为安德列耶娃的文章是反改革势力的一篇“宣言”，目的是使改革停顿下来，或走回头路。提出“改革是回到列宁的原则上去，其实质是民主，社会公正、经济核算，对人的荣誉、生命、尊严的尊敬。”文章也指出，“党实际上分裂成改革派和正统派，但是在群众意识中还没有发生急剧的转变。社会还只是刚刚开始承认了政治、经济、文化的多样性是自然而然的事，承认这种多样性具有生命力。”此后，苏联舆论界掀起了一场猛烈的批判浪潮，这为苏共第十九次代表会议进行政治体制改革提供了有利条件。

戈尔巴乔夫并没有果断地让与之改革思想明显不同的利加乔夫去职，但利加乔夫的影响力下降了，戈尔巴乔夫不再委托利加乔夫主持苏共中央书记处会议了，由他亲自主持。在苏共第十九次代表会议后，利加乔夫逐渐失去了影响力。在 1988 年 9 月 30 日举行的中央非常全会上，利加乔夫成了农业政策委员会的主席，失去了党内第二把手的地位，在领导层中的影响大大降低了。

围绕安德列耶娃信件的斗争，实质上是苏共党内对于改革路线的分歧，使党内改革派与保守派阵线分明，也在社会上暴露了党内的分歧。“以纯洁的、但保守的利加乔夫为代表的党的机关的一部分人，实质上是主张不改变斯大林—勃列日涅夫的社会主义模式，这种体制已注定会遭受历史性的失败。他们（现在仍然坚持）把戈尔巴乔夫看成是敌对的力量，其目的是破坏社会主义，这是严重的错误。事实上，戈尔巴乔夫是尽力想通过更新挽救社会主义。对戈尔巴乔夫而言不可能有别的改革目的。”[2] 另一部分官僚阶层，先是雅科夫列夫，后来是以叶利钦为代表，实质上是社会主义的敌对力量。“戈尔巴乔夫则与雅科夫列夫不同，这段时间他始终不停地试图赋予他认为十分珍贵的社会

[1] В Политбюро ЦК КПСС… По записям Анатолия Черняева, Вадима Медведева, Георгия Шахназарова (1985 – 1991), 2-е изд., исправ. и доп. М., Горбачев-Фонд, 2008. С.304 – 305.

[2] Перестройка: Двадцать лет спустя. Составитель *В.И.Толстых*. М., 2005. С.39.

主义理想以现代的外貌，他真诚地相信只要去掉苏维埃社会机体上的斯大林主义毒瘤，再对其余的恶性细胞施行大剂量的民主放疗，还是可以治愈的。"[1]在党内围绕改革路线的斗争中，并没有形成领导和推动改革的核心力量。有人认为，反对安德列耶娃的斗争是一个转折点，实际上这一斗争不仅仅是揭露斯大林主义，而且也揭开了对马克思列宁主义作为一种空想的、有缺陷的学说的批评，这后来导致了对社会主义思想的否定，其最终导致了对戈尔巴乔夫本身这一合法政权的怀疑。[2]

三、戈尔巴乔夫对改革的理论探索

戈尔巴乔夫一面清理斯大林时代的案件，为无辜者平反，一面忙于构建新的社会主义理论。针对斯大林体制的不人道与不民主，他把人作为社会主义的核心，强调"通过改革，社会主义能够，而且必定能够充分发挥自己作为一个为人谋利和使人变得更高尚的现实人道主义制度的一切可能性。它是个一切为了人的社会——为了使人的劳动富有创造性，为了他的幸福、健康、身心发育。在这个社会里，人人有主人翁感，而且实际上是主人翁。"[3]对此有切身体会的俄政论家鲍里斯·斯拉文说："把戈尔巴乔夫改革看作苏联社会彻底摆脱斯大林威权主义的任何表现和坚决向人道的、民主的社会主义过渡的过程，是最客观最符合历史事实的。社会主义的这些特点成了苏共中央向党的第二十八次代表大会提出的纲领的基础也就不足为奇了。这样看待戈尔巴乔夫改革的观点与当今新自由主义和强权共产主义的解释是截然相反的。按照我们的观点，戈尔巴乔夫改革既不是资产阶级自由主义革命，也不是反社会主义的反革命。这一改革就其实质来说是对苏联社会的革命革新，它要实现自由、公正、团结和人道的民主和社会主义理想。简言之，戈尔巴乔夫改革是世界上建设社会主

[1] ［俄］安德烈·格拉乔夫著：《戈尔巴乔夫之谜》，述弢译，中央编译出版社 2005 年版，第 118 页。

[2] *Барсенков А.С.* Реформы Горбачева и судьба союзного государства. 1985 – 1991. С.97 – 98.

[3] ［俄］米·谢·戈尔巴乔夫著：《十月与改革：革命在继续》，莫斯科新闻社出版社 1987 年版，第 29 页。

义的社会中的第一次反威权主义政治革命。”[1]我们看到，戈尔巴乔夫的改革和社会主义理论有着强烈的道德色彩。

戈尔巴乔夫执政后，感觉到苏联社会需要改革，但对如何改革并不明确。但他有一个思想是明确的，即社会主义遭到了歪曲，要重新认识马克思列宁主义，从列宁晚年思想中汲取营养，用新的思维代替原陈旧观念。在1985年4月苏共中央全会上，戈尔巴乔夫就强调要解放思想，在1986年2月苏共二十七大上和1986年7月31日视察哈巴罗夫斯克时，戈尔巴乔夫都提出了政治体制改革的任务，他强调：目前正进行的改革不仅包括经济方面，也涉及社会生活其他领域：社会关系、政治体制、思想意识形态等等。在1987年1月和6月中央全会上、在1987年11月纪念十月革命的讲话中，戈尔巴乔夫都在理论上提出了一些与以前不同的看法，他强调“社会发展的两个关键问题决定着改革的命运。这就是整个社会生活的民主化和经济的根本改革。”“为了继续十月革命的事业，改革把进一步深化和发展社会主义民主作为首要任务提了出来。社会民主化是改革的灵魂，民主化的程度如何将决定改革的成败，也可以毫不夸张地说，将决定整个社会主义的未来。”[2]1987年11月，戈尔巴乔夫的名著《改革与新思维》[3]一书问世，全面系统地阐述了他的思想。戈尔巴乔夫的“新思维”思想主要着重于两个方面，一个是苏联国内的改革；另一个是苏联与世界的关系，即对外政策的新思维。第一部分全面分析了苏联为什么进行改革，改革的宗旨和原则，已经采取了哪些措施；第二部分着眼于苏联与世界的关系，谈了苏联对外政策的新思维，苏联与中国、美国、欧洲、亚洲、中东、拉美等国家和地区的关系。在国内改革问题上，《改革与新思维》一个突出的特点是重视政治体制问题，并提出了一些新看法，这本书实际上为1988年苏共第十九次代表会议转向政治体制改革做了理论上的准备。

---

[1] 俄罗斯戈尔巴乔夫基金会编：《奔向自由——戈尔巴乔夫改革二十年后的评说》，第120页。

[2] Правда. 3 ноября.1989.

[3] 这本书是戈尔巴乔夫应美国出版商之约而写的，全名为《*Перестройка и новое мышление для нашей страны и для* всего *mира*》（准确的译名应是《改革与对我国和世界的新思维》），1987年11月由苏联政治书籍出版社、美国哈泼—罗公司分别用俄文和英文出版。

在苏联原有的体制下，人民处于无权的地位，对于国家的政治生活没有什么影响，这是客观现实。戈尔巴乔夫认为苏联的许多困难、对社会主义的扭曲正是民主发展不够造成的，是歪曲了列宁关于社会主义与民主密不可分的思想，他强调要扩大民主基础，发挥群众的参与作用，“不活跃人的因素，即不考虑人、劳动集体、社会团体、不同社会集团的各种不同的利益，不依靠他们，不把他们吸引到积极的创造活动中来，就不可能完成任何一项任务，就不可能改变国内环境。”[1]戈尔巴乔夫强调改革的基础是民主化，改革的重心是使全部社会生活的广泛的民主化，这是使改革不发生逆转的主要保证，“只有通过始终如一地发展社会主义固有的民主形式，扩大自治，我们才可能在生产、科学技术、文化艺术以及社会生活的各个领域不断前进。只有这样，才能保证自觉的纪律。只有通过民主和依靠民主，改革本身才有可能。既然我们认为，我们的任务是通过加强人的因素来发现和发挥社会主义的潜力，那么就只能走民主化这条道路，经济机制和经济管理的改革也是如此，因为这种改革的关键是提高劳动集体的作用。”[2]他认为改革就是“把社会主义与民主结合起来，在理论和实践上完全恢复列宁关于社会主义建设的构想。”[3]苏联的困难和问题不是社会主义政治制度的危机，而是由于没有贯彻社会主义的原则，背离和歪曲了社会主义的原则，因此，其改革的目标是“更多的社会主义，更多的民主”。

戈尔巴乔夫把改革的目标设定为是使社会主义具有新的面貌、消除社会主义发展道路上的一切障碍，使整个社会机体得到改善和更新。戈尔巴乔夫认为，“有关社会主义和社会主义经济的概念要根据历史经验和客观条件不断丰富和发展。”“社会主义理论和实践的主要问题是：如何在社会主义的基础上建立起一个比资本主义更强有力的促进经济、科技和社会进步的因素，如何最有效地把计划领导同个人利益和集体利益结合在一起。这是一个复杂的问题，社会主义的思想和社会实践过去和现在都在寻找这一问题的答案。在社会主义

[1] [俄] 米·谢·戈尔巴乔夫著：《改革与新思维》，第18页。

[2] 同上书，第21页。

[3] 同上书，第24页。

的现阶段，这一问题的意义正在不可估量地增长。”[1]戈尔巴乔夫没有给出具体的答案，他在对苏联社会主义建设史进行分析时，完全肯定了工业化和农业集体化，没有看到在此基础上建立起来的指令性计划经济是不讲经济效益的，苏联经济增长受阻，生产效益差，产品质量低，科学技术落后，不是生产者“讨好”消费者，而是生产者决定消费者，这些现象正说明苏联的经济体制存在问题。苏联的经济体制不是为提高人民的生活水平服务的，而是为国家的富强服务的，其最大的问题是不能发挥人的主观能动性，没有市场这个重要的调节杠杆。这也说明戈尔巴乔夫不懂经济，他没有看到市场经济的作用，对于苏联经济体制存在的问题与解决途径他完全是外行，《改革与新思维》一书根本就没有提到市场经济。

戈尔巴乔夫把改革看成是革命，而且主要是政治革命，他认为：“在革命过程中，政治无疑是第一位的。改革中也是如此。具有优先意义的，是政治性质的措施，是在行动上而不是口头上实行广泛民主化的任务，是同官僚主义和违法行为做无情斗争，是积极吸引群众参加国家事务的管理。这一切同任何革命的根本问题——政权问题有直接关系。”[2]“我们不打算改变苏维埃政权，不会背离苏维埃政权的根本原则。但是，必须做一些改变，而且是能够巩固社会主义，使社会主义政治上更丰富，更有活力的改变。就这一点来说，我们有理由从大的方面，在原则上把我们的苏联社会全面民主化的纲领看作是现行政治体制的变革纲领。”[3]戈尔巴乔夫专门用一节的篇幅来谈民主化道路的问题，提出要活跃人的因素，加强法制，特别强调要创新苏维埃。苏维埃是在1905年革命中由群众直接创造的，由群众自主选举代表组成，自己制定法律和执行法律，其力量在于直接代表和捍卫劳动者的利益，是直接民主和代议制民主相结合的有效形式，但是，后来苏维埃没有得到应有的尊重，没有发挥积极的作用，出现了以党代政，党的机关取代了苏维埃，这对党本身也产生了消极影响。所以，戈尔巴乔夫提出，“在改革过程中，我们面临的一项极其巨大的任

---

[1] 《戈尔巴乔夫在苏共中央6月全会上的报告》，转引自《戈尔巴乔夫关于改革的讲话》，第369页。

[2] ［俄］米·谢·戈尔巴乔夫著：《改革与新思维》，第41—42页。

[3] 同上书，第42页。

务：充分恢复苏维埃作为政权机关、作为社会主义民主的体现者和强大因素的作用。”[1] 他的设想是：“第一，建立一个真正吸收所有劳动人民参与解决国家和社会事务的可靠的、灵活的机制；第二，真正教会人们在深刻的民主条件下生活，扩大和巩固人的权利，培养群众现代的政治素养。”[2]戈尔巴乔夫要改变党的机关取代苏维埃的做法，“充分恢复苏维埃作为政权机关、作为社会主义民主的体现者和强大因素的作用。”[3]1988 年苏联启动的政治体制改革正是戈尔巴乔夫这一思想的实践。

戈尔巴乔夫特别强调发扬公开性，从党的角度讲，他认为应该对人民说真话，也就是向人民公开。他认为“我们需要公开性就像需要空气一样。”“扩大公开性、开展批评和自我批评，不是玩弄民主的把戏，而是党的原则立场。”[4] 公开性也意味着人民群众能够真实地表达自己的意见，“没有公开性，就没有也不可能有民主。而没有民主，就没有也不可能有现代社会主义。”[5]社会主义意味着自由，自由的保障就是公开性。“苏维埃生活方式最大的特征就是将个人贬低为程序化了的巨流中最微不足道的一个个体。基本群众实际上根本没有经济、政治、精神等方面的选择余地，一切都被限定和‘安排’在现行制度的框子里。人们不能决定任何事情，一切都需要由当局代他决定，这种情况到头来就转化为社会性的依赖心理和社会性的冷漠态度”。[6]“没有公开性就不会有民主，必须使公开性成为不停顿地发挥效力的一种制度。”[7]社会主义者有责任让全国甚至全世界知道事情的全部经过，了解党的领导层内部“各种力量的分布情况”，让人们知道那些所谓的“内幕”，不加评论，不加任何引导，把思考权还给人民。戈尔巴乔夫认为书报检查制度是公开性的最大障碍，书报检查机关，在“捍卫”旧体制方面发挥了巨大作用，“正式讲来，这个机关被

[1] ［俄］米·谢·戈尔巴乔夫著：《改革与新思维》，第 95 页。

[2] Правда.3 ноября. 1989.

[3] ［俄］米·谢·戈尔巴乔夫著：《改革与新思维》，第 95 页。

[4] 同上书，第 63 页。

[5] 同上书，第 65 页。

[6] ［俄］米·谢·戈尔巴乔夫著：《戈尔巴乔夫回忆录》上册，第 345 页。

[7] 同上书，第 342 页。

客客气气地称为书报保密检查总局，它应监视是否有人泄漏国家机密。事实上这是特殊类型的意识形态‘克格勃’，编辑和出版者们面对他真的是战战兢兢。在该局的职能中还有一项就是监督各种期刊，特别是监督图书馆和档案馆。必须按照它的旨意确定禁书的目录，听它指示什么应该在特藏书库保藏，什么属于‘秘密’、‘绝密’、‘仅供公务使用’。”[1]“应当保证有一种有利于改革的气氛，使人成为有社会积极性、有责任心的人的气氛。”[2]1988 年苏联废止了这种做法，戈尔巴乔夫把它称为是公开性的成果之一。

关于党在改革中的作用，戈尔巴乔夫明确表示，党的机关正设法不承担经济和行政主管部门的职能，党的任务是“首先在理论上认识各种过程的意义，及时地把握住矛盾发展中的临界点，校正战略和策略，制定政策和规定实施政策的方式方法，挑选和分配干部，从组织上和思想上保证改革的进行。”[3]

戈尔巴乔夫强调理论观念的作用，他认为，“改革道路上最大的困难就在于我们在以往年代里形成的思维。我们大家——从总书记到工人，都应当改变这种思维。”[4]他要求大家必须克服自己头脑中的保守思想，用新的思维取代旧观念。戈尔巴乔夫这样来描述社会主义的概念：社会主义是追求这样一种社会制度，“这种制度能够最大限度地保证社会公正，保障公民的政治自由和社会权利，人人都有可能表现自己的才干、能力和事业进取心，与此同时，国家关心居民中社会弱势群体能够过上体面的生活。您可能还会加上可靠的民主制度、法制、自由选举、和平的外交政策等，——这大概就是今天每个思想健全的人所能够同意的那个最大限度。他们希望自己生活幸福，也希望自己的同胞和全世界生活幸福。”[5]人道的、民主的社会主义此时实际上已经成了戈尔巴乔夫社会主义思想的核心，这明显受到欧洲民主社会主义的影响，他试图以此来克服斯大林体制的负面影响。

---

[1] ［俄］米·谢·戈尔巴乔夫著:《戈尔巴乔夫回忆录》上册，第 380 页。

[2] ［俄］米·谢·戈尔巴乔夫著:《改革与新思维》，第 82 页。

[3] 同上书，第 104 页。

[4] 同上书，第 52 页。

[5] ［俄］米·谢·戈尔巴乔夫著:《戈尔巴乔夫回忆录》下册，第 1242 页。

从戈尔巴乔夫的理论探索和他所重用的人看，戈尔巴乔夫实际上把苏联体制的主要问题归于没有民主，民主成了戈尔巴乔夫改革与新思维的灵魂，人是戈尔巴乔夫新思维的“核心”，但戈尔巴乔夫并不清楚什么是现代民主，人人都参与国家的管理是不可能的，无政府状态、不负责任地高谈阔论并不是民主。民主制的实现也不可能一蹴而就，应该首先改革党，使苏共重新成为一个有威信的执政党，但戈尔巴乔夫并没有这么做。

从戈尔巴乔夫政治经济体制改革的初步实践来看，其改革措施还基本停留在纠正对列宁社会主义观念的歪曲上，这一时期主要在探索如何进行改革，在理论和舆论上为下一阶段的改革做准备。

第四章　改革的重心转向政治体制

在苏共第十九次代表会议前，苏联社会舆论中心曾进行一次民意调查：对戈尔巴乔夫国内政策的态度：78% 完全拥护，19% 部分拥护，反对者只有 3%；关于公开性原则对发展社会主义是否有好处的看法：86% 认为有好处，否定者只有 1.5%；对一党能否发挥民主的看法：51% 认为可以，28% 认为不可以；对少数民族利益是否遭到损害的看法：66% 认为没有遭到损害，20% 认为有部分损害，2% 的人认为有严重损害；对选举企业领导人的结果的看法：68% 认为是好的，15% 认为不好；对当前改革的态度：赞成的占 74%，有保留的占 23%，反对的占 1%；对改革对生活的影响的看法：44% 认为在向好的方向发展，5% 认为在向坏的方向发展，43% 认为没有变化；对三年来家庭收入状况的看法：认为好转的占 33%，认为变坏的占 12%，认为没有改变的占 53%。[1] 从这一数据中我们看到，人们拥护戈尔巴乔夫的改革，对他倡导的公开性、选举企业领导人的做法，大多数人都是认同的，尽管不少人认为自己目前的生活、家庭收入都没有大的变化，但人们对未来还是充满希望的。

转向政治体制改革后，1989 年举行了竞争性选举，召开了苏联人民代表大会，这一年可看成是苏联转折性的一年。从这一年起经济中的消极趋势发展起来了；激进反对派开始形成；民族主义运动迅速发展并开始干扰改革；叶利钦重新在政治舞台上崛起，俄罗斯因素在改革中的作用日益显现。这些新因素在以后的时间里起的作用越来越大，使苏联朝着与改革者初衷相反的方向发展。

第一节　根本改革政治体制方针的确定

在改革进行了三年后，经济状况并没有根本好转，改革成效不大，这种情况使政治体制改革的问题被提了出来。“‘加速战略’的破产明显地表明，问题堆积如山的根源在于体制本身，而不在于这种体制的一些工作机制。”[2] 持

---

[1] 《纽约时报》1988 年 5 月 27 日，转引自罗肇鸿等：《赴苏考察纪要》，载《世界经济与政治》1989 年第 2 期，第 23 页。

[2] ［俄］亚·尼·雅科夫列夫著：《一杯苦酒——俄罗斯的布尔什维主义和改革运动》，徐葵等译，新华出版社 1998 年版，第 183 页。

这种看法的人不在少数。从政治体制开始改革“首先是因为这意味着从主要的——权力的掌握开始改革；其次是因为在苏维埃体制下除了政治问题没有别的问题：政治是一切，一切都是政治；再次是因为在新的总书记及其持相同观点者看来，从20世纪70年代末开始国家经受的严重危机是政治危机。”[1]戈尔巴乔夫把民主化、公开性和政治体制改革提到首位，开始转向政治体制改革。此时戈尔巴乔夫政治体制改革的指导原则并不是西方的三权分立制，而是列宁的“一切权力归苏维埃”思想，目的是让人民群众享有民主权利，提高民众对国家政治的参与程度，他的政治体制改革得到了大多数知识分子的支持。

改革既是为了解放和发展生产力，也是对原来利益格局的重新调整，在苏联原有体制中的受益者并不欢迎改革，据苏联学者的研究，“制造改革障碍机制的不止是官僚主义者，我们社会的主导力量——工人阶级的代表，也在相当程度上参与了障碍机制的形成。譬如，据苏共中央社会科学学院1988年年初进行的社会学调查资料表明，在普通工作人员中仅有五分之一至四分之一的人无保留地支持经济改革，并期望能在最近2—3年取得好的效果。其余的人对改革的成功表示怀疑并认为要在遥远的未来才能见到成效。在被调查的人中仅有四分之一的人认为重新调整自己的工作是必要的。”[2]改革主要触及经济界领导层、商业、公共饮食业、生活服务业、管理机关工作人员等阶层的利益，他们的生活条件要比大多数居民好，有一定的特权，对改革并不热心；集体农庄农民、合作社社员和个体劳动者大多数人支持改革；对改革最积极的是人文社会科学的知识分子，“在我们社会缺乏公开性、精神停滞和开始腐败的时期，社会—人文知识分子的地位，无论是物质方面，还是精神道德方面，都是低下的。其特点是，有损尊严的低工资，非常有限的额外收入，很低的社会威望，最后，无论在教育、医学、文化、艺术，还是在科学方面，都不可能进行个人创造性活动。”[3]因此，“大多数社会—人文知识分子拥护改革，首先拥护大大

[1] *Геллер М., Некрич А.* История России(1917–1995) .Т.3. М., Издательство “МИК”, Издательство “Агар”, 1996. С.242.

[2] 转引自［俄］尤·阿法纳西耶夫编：《别无选择——社会主义的经验教训和未来》，王复士等译，辽宁大学出版社1989年版，第18页。

[3] 同上书，第27页。

提高精神创作的自由，发展公开性和民主，能够公开讨论和加速实际解决最紧迫的社会问题。这一集团支持改革的倡导者并为净化道德和社会而进行积极斗争。”[1] 人们期待苏联的政治体制能发生根本改变，“只有建立新机制和新制度，才能确保强有力的人物，源源不断地进入领导层。只有发展民主制度才能纠正或防止错误决策，并在必要时通过合法的和平途径更换领导人。我国在 80 年代后期开始的政治改革，其历史意义也正在于此。”[2] 遗憾的是，戈尔巴乔夫的改革并没有完成这个任务。

一、改革的重心从经济转向政治

苏联历史上经历过几次改革，可惜都没有持续下去。新经济政策、赫鲁晓夫的改革和柯西金的改革，虽然都在促进经济发展上起过一定的作用，但最终都向行政管理方面倒退，行政命令体制不断得到加强。戈尔巴乔夫的经济改革，既没有实现“加速战略”的目标，也没有让民众得到多少经济实惠，引起了许多人的不满和不安。戈尔巴乔夫的顾问认为：“由于管理者的消极怠工，由于拒绝‘民主地’投票赞成提价的社会不够‘觉悟’，经济改革受阻，戈尔巴乔夫便只剩下唯一的推进改革的办法：加大政治攻势。”[3] 苏联科学院院士莫伊谢耶夫说：“我曾反复考虑过，现今究竟什么是可以成为把社会联合起来的基础。我觉得当前首要的是同官僚主义、官僚机构及其传统作斗争。还有就是所有的人都能享受的真正民主，没有这种民主，其余一切都是毫无意义的。”[4] 改革方针的设计者之一阿甘别吉扬说：“正如每一个参与改革的人那样，我曾思考过，为确保改革过程的不可逆转，我们必须做些什么……自从米哈伊尔·戈尔巴乔夫在苏共中央四月全会上宣布新经济战略之后，三年过去了，我

[1] ［俄］尤·阿法纳西耶夫编：《别无选择——社会主义的经验教训和未来》，第 28 页。

[2] ［俄］格·阿·阿尔巴托夫著：《苏联政治内幕：知情者的见证》，第 164 页。

[3] ［俄］安德烈·格拉乔夫著：《戈尔巴乔夫之谜》，述弢译，中央编译出版社 2005 年版，第 144—145 页。

[4] ［俄］莫伊谢耶夫：《如果此路不通殿堂，还要它做什么》，转引自《别无选择——社会主义的经验教训和未来》，第 89 页。

们还没能达到可以说改革已不可逆转的阶段。这一点在 1988 年 6 月召开的党的第十九次代表会议上也坦率地承认了。说到底，这次会议的主要目的是，制定一系列进一步的措施，以保证改革的不可逆转。”[1]也有学者指出，由于苏联社会颠倒了政治与经济的关系，政权机构变成了命运的主宰，“因此一开始就必须实现政治改革，也就是必须把政权从政府机构的手中拿过来归还社会，即改变现今的基础。这同时也意味着生产关系的改革，即现今的上层建筑的改革，也就是恢复它们（整个经营活动，还有一切其他活动，精神和实践活动、科学和技术活动、医学医疗活动、教育活动等）应有的独立性、第一性、基础性。”[2]当时参与改革的知识分子，都把进行政治体制改革看成是使改革不发生逆转的保证，也认为政治体制改革可以满足人们的利益需求，是争取民众支持，克服改革阻力的重要手段。

戈尔巴乔夫也赞同并鼓励这种看法，他说：“当我独自一个人的时候，我开始意识到，这个机制就在党内，党不仅落后了，而且还在抵制将会触及体制的变革。因为党正是这个体制的支柱。”[3]他认为只有两种办法能保证这一改革成功：“组织社会上大多数坚决主张彻底变革的力量，对党政官僚阶层施加强大的压力；另一方面，运用策略手段削弱上层的抵制，孤立其中最保守的部分，广招具有新思维的人士一起参与改革。不采取策略手段，已经形成总体系的强大的官僚阶层是永远不会拱手让出权力的。”[4]后来的实践证明，这种完全抛弃原有体制中当权者的做法是不明智的，也是改革失败的一个重要原因。把群众吸引到社会政治生活中来，切实落实民众的民主权利，这一思路并不错，错在戈尔巴乔夫不是从基层做起，没有真正落实苏共提出的实现人民自治的目标，而是从中央一级做起，摊子铺得过大，难与人民的切身利益结合，实际上为平民主义的政客们提供了舞台。

---

[1] ［俄］阿贝尔·阿甘别吉扬著：《苏联改革内幕》，中国对外经济贸易出版社 1990 年版，第 114 页。

[2] ［俄］巴特金：《恢复历史的本来面目》，转引自《别无选择——社会主义的经验教训和未来》，第 222—223 页。

[3] ［俄］米·谢·戈尔巴乔夫著：《戈尔巴乔夫回忆录》上册，第 492 页。

[4] 同上书，第 506 页。

苏共二十七大后，戈尔巴乔夫提出的民主化、公开性取得了一定成效，“首先，国内的形势和我们社会的环境都发生了根本性变化。它已开始变得生机勃勃、自由和民主了，总之，它已变成社会主义社会中应有的那种样子了，在这方面，公开性、党的领导以及相信改革并积极投身于改革的所有公民的坚决转向公开性起了决定性的解冻作用。”[1]但是，苏联的政治体制结构、组织形式和工作方法并没有发生根本变化，雷日科夫认为：“党的领导核心已经逐渐清醒地认识到：这样下去不行！——这句话后来也成为一句时髦的口号。在进行经济改革的情况下，原先那种畸形的政治体制成了拦路虎，使人生畏，尤其是使我们这些经济学家和实业家生畏。我们很清楚，党的高层领导对经济改革的必要性既没有彻底理解，也没有接受。党（主要指高层领导）一方面拥有至高无上的权力，另一方面又不对全国发生的大事负任何责任。合法的权力机构——最高苏维埃以及各级地方苏维埃则徒有虚名，什么事也解决不了。选举制度越来越成为一种摆设。”[2]克格勃主席克留奇科夫也认为：苏联的“社会政治体制显得有点太受条条框框的约束，它的巨大潜力丧失自我发挥、自我调节、自我发展的能力。社会主义，作为本质上最需要发扬民主、同时也需要讲法制的社会，却没有使这两方面和谐地结合和有机地统一起来。”[3]进行政治体制改革是许多苏共高级领导人的共识，在 1988 年苏共中央二月全会上讨论政治体制改革问题时，苏共中央就达成了共识，即改革不是改善现有的体制，而是使这个体制有崭新的结构和成分，赋予它新的内容和活力，也就是进行根本性的变革。

党内、社会上各种意见的交锋也是促使戈尔巴乔夫加快政治体制改革的重要因素，改革的理论家阿甘别吉扬认为：“民主化并不简单地是一个工人参加管理、成为改革的一部分以增加其劳动与社会活动的过程。在真正的、充分民主条件下，不考虑社会的整体利益和人民的利益，秘密而单方面地作出决定

[1] ［俄］安巴尔楚莫夫：《论完善社会主义政治体制的途径》，转引自《别无选择——社会主义的经验教训和未来》，第 92 页。

[2] ［俄］尼古拉·雷日科夫著：《背叛的历史——苏联改革秘录》，第 239 页。

[3] ［俄］克留奇科夫著：《个人档案（1941—1994）——苏联克格勃主席弗·亚·克留奇科夫狱中自述》，第 736 页。

将成为不可能。实行公开性—民主的时候，所有重大的决定都是向全社会公开的。社会参与每一决定的讨论、评价和制定，这就保证了这些决定具有良好的基础，更加符合人民的需要。而且，集体作出一项决定能为决定的执行创造一个有利的气氛，因为正是在讨论期间，人民了解了它的重要性和紧迫性，并且发现了执行它的最佳途径。有时候，甚至在决定真正作出之前，人民就采取了实际行动，这就保证了一个好决定的最佳实施。我们实行公开性和民主的经历还比较短，只有几年的时间，但是，它已十分清楚地表明，这一过程对我国的发展至关重要。"[1] 在这里，阿甘别吉扬忽视了一个问题：民众是不是都有较高的专业水平，完全依靠民众决策是不是还有一个效率的问题。经济学家扎斯拉夫斯卡娅提出："党、国家和经济管理的职能彻底分工，取消政治机关对企业经济活动的不必要和有害的监督。党的机关要集中解决社会的政治发展的战略问题，深入研究和宣传马克思主义思想，选拔、教育干部和评价干部工作。苏维埃管理机关要集中加强法律秩序和社会主义法制，保证各区域的综合社会经济发展，满足居民的物质和社会需求。" [2] 历史学家安巴尔楚莫夫认为："民主化的实质可以简单地概括为几个字：由形式上的民主转变为实际上的民主。然而这几个字所包含的理论任务和实际任务就其革命的深刻性而言是极其巨大的……资产阶级当时提出与封建的政治制度相抗衡的那些原则（分权制、普选制、言论、出版、政治结社自由等）是没有任何阶级局限性的。这些原则具有进步的性质，包含着一股社会文明的强大力量……资产阶级有历史局限性只是因为它不彻底。因为它没有把政治权利的平等扩大到生产资料方面的平等，因此，资产阶级民主化必然成为经济上占统治地位的阶级手中的政治工具。"[3] 米格拉尼扬认为："在我国的政治体制中，由于缺乏经常起作用的、职业的立法权力领域，缺乏分权和遏制与平衡机制，权力都集中于一个中心，集中于各级

[1] ［俄］阿贝尔·阿甘别吉扬著：《苏联改革内幕》，中国对外经济贸易出版社 1990 年版，第 169 页。

[2] ［俄］扎斯拉夫斯卡娅：《论改革的社会管理战略》，载《别无选择——社会主义的经验教训和未来》，第 6 页。

[3] ［俄］安巴尔楚莫夫：《论完善社会主义政治体制的途径》，载《别无选择——社会主义的经验教训和未来》，第 111—112 页。

党的机关，存在着管理过程组织的官僚主义等级制结构，我们的社会所面临的是，在政权的每一级，其最高领导人都在利用集中于他手里的、集权制和等级制的权力，而且不受任何来自公众的监督。他们实际上都变成了政权每一级的、社会或大或小各个等级的专制君主。”[1]从这些有代表性的言论中我们可以看到，他们普遍认为苏联现有的政治体制是不民主、不科学的，应该建立有监督制衡的民主的政治体制，让公民对社会的发展和决策负责任。

戈尔巴乔夫本人的思想和认识也在发生变化，他认为把共产党员和共产主义与斯大林制度相连接的想法是没有道理的，也是不妥当的。1953 年 3 月斯大林逝世时，作为大学生的戈尔巴乔夫也曾为了与斯大林告别而排一昼夜的队，“现在在许多事情变得清楚明了之后，我对斯大林的看法自然改变了。如果我的看法不改变的话，我就不会开始改革。走向改革，这首先就意味着我在自己身上克服了斯大林。但不仅是斯大林，还有以后的停滞的经验。”[2]共产党员和党的领袖的职责促使戈尔巴乔夫清醒地意识到必须对政治体制进行改革，不改革就会丧失阵地。戈尔巴乔夫想依靠人民群众的积极性同党的障碍机制进行斗争，像列宁所设想的那样，让人民来决定国家的政策。因此，“如果想简要地说明政治改革的意义，它是怎样构思的，又是怎样实施的，可以说，就是把权力从独家操纵的共产党手中交到按宪法本应属于通过自由选举产生的人民代表的苏维埃手里。”[3]他说共产党“要赢得人民的支持，已经不能靠吃十月革命和卫国战争的老本了，而是要靠能够保障民主、公民权、高水平和高质量的生活的有效政策。”[4]这样说理论上并没错，但是让一个持续执政了 70 多年，惯于发号施令的党一朝就变成一个议会式政党是不现实的，奴颜婢膝、溜须拍马、拉帮结派、排斥异己的风气不是一下子就能改正过来的，再加上沉重的历史包袱，苏共在选举中的命运并非确定无疑的。

不管怎样，戈尔巴乔夫及其理论家已经达成共识：“如果让现存体制继续

[1] ［俄］A. 米格拉尼扬：《政治体制的障碍机制及其克服途径》，载《别无选择——社会主义的经验教训和未来》，第 127 页。

[2] ［俄］米哈伊尔·戈尔巴乔夫著：《对过去与未来的思考》，第 43 页。

[3] ［俄］米·谢·戈尔巴乔夫著：《戈尔巴乔夫回忆录》上册，第 506 页。

[4] 同上书，第 511 页。

存在下去，我们实质上就不是在捍卫社会主义，而是在捍卫斯大林及其追随者强加给我们的模式，把它变成现实制度。这哪里是社会主义？这只是口号！只不过是有一些社会主义成分而已。”[1]“事实是：危机的一个明显的征兆是到处要求在社会主义世界进行激进的改革。在此，主观因素起很大的作用。”[2]于是，苏共第十九次代表会议向否定斯大林的体制模式，建立新的政治体制模式迈出了决定性的一步。

二、苏共第十九次代表会议——根本改革政治体制方针的确定

1987年苏共中央一月全会决定在党内实行差额选举，实际上开始了政治体制改革的重要一步。戈尔巴乔夫决定把政治体制改革具体化，恢复列宁所提出的真正的苏维埃制，他把苏共第十九次代表会议看成是具有里程碑意义的会议，他对身边的人讲：“我们将最终剪掉了行政命令体制及一切斯大林主义的遗产的脐带。考虑到‘安德列耶娃’的文章及其后果，指出这一点特别重要。尼娜及其同伙正是应该从这个讲坛上听到这一点。‘不可逆转性’这个词正在过时。改革的婴儿已经诞生。改革的孕育已经结束。至于婴儿将如何成长，这将取决于襁褓的清洁、饮食的质量和玩具的新颖。”[3]会议的“具体筹备工作是由雅科夫列夫、卢基扬诺夫、沙赫纳扎罗夫、弗拉洛夫、切尔尼亚耶夫、博尔金、西塔良、莫任、比克宁和梅德韦杰夫进行的。对于新的和重大的问题首先进行准备并把提纲予以公布供全党讨论，参加讨论的无疑包括最广泛的社会阶层。”“报告第一阶段的准备工作是在沃伦斯克耶进行的，形成了报告的主要部分，戈尔巴乔夫有时来，第二阶段在新奥加廖沃，在这里报告的准备工作是在小圈子里进行的，成员有雅科夫列夫、博尔金、我和总书记的助手们。讨论报告的第二部分关于政治体制改革和第三部分关于党的民主化问题时争论特别激

[1] ［俄］戈尔巴乔夫、斯拉文著：《尚未结束的历史——戈尔巴乔夫访谈录》，第37页。

[2] *Шахназаров Г.* Цена свободы. Реформация Горбачева глазами его помощиника. Москва, 1993. C.368.

[3] ［俄］阿·切尔尼亚耶夫著：《在戈尔巴乔夫身边的六年》，第243页。

烈。”[1]

对于确定第十九次代表会议的方针，苏共内部也进行了比较充分的协商，1988 年 4 月 11 日、15 日、18 日，戈尔巴乔夫分三批会见了共和国、区委和边疆区委第一书记，谈苏联国内的状况和未来改革的方向。1988 年 5 月 19 日，政治局会议讨论第十九次代表会议提纲草案，雷日科夫提出，“在提纲中应该触及国内出现的、被忽视的问题，包括政治体制的问题，在三年的时间里不可能使国家摆脱这种状况。应该更确切地说明前景和当前的任务，目前应该尽快制定党的综合性措施并坚定不移地执行。应该更明确地划分苏维埃与执行权力机构的界限。提纲总体可以赞成。”利加乔夫指出：“直接选举党委书记会导致失去党委的监督。因选举他们失去职务怎么办？提出了一系列问题，培养和监督干部的工作，关于建议劳动集体参加党的工作。不应该写让他们起决定性作用，因为党组织起决定作用。关于提出代表候选人应该着重指出他们履行自己义务的积极工作。”索洛维约夫强调在表述一党制时不要躲躲闪闪，而要公开讲出来。巴克拉诺夫和葛罗米柯也强调要加强党的领导作用。谢尔比茨基提出，“在连肉都没有的情况下党将怎么起领导作用？与新的经济领导体系相适应，取消一些局的部门。为什么不考虑设立总统职位，应该与民族主义和沙文主义进行不妥协的斗争。党的机关削减 30%，工会机关削减 40%。”[2]1988 年 5 月 23 日召开了苏共中央全会，主题是讨论向第十九次代表会议提出的提纲草案，听到的基本都是赞同声。

1988 年 6 月 22 日，政治局会议讨论了戈尔巴乔夫在苏共第十九次代表会议上的报告稿，政治局委员们对之给予了高度评价，认为这一报告很深刻，回答了人民关心的问题，也有人提出了一些建议。雷日科夫提出在经济改革方面还有一个工人自身的改革问题，在党的部分没有明确回答党怎样听取社会意见的问题，关于媒体，他认为应该保证每个人都有表达意见的自由，不能用一种垄断代替另一种垄断。利加乔夫说，关于苏维埃主席，在最高层我赞成由总书记

---

[1] *Медведев В.А.* В команде Горбачева: взгляд изнутри. М., Былина, 1994. www.lib.ru/MEMUARY/GORBACHEV/medvedev.txt.

[2] В Политбюро ЦК КПСС… По записям Анатолия Черняева, Вадима Медведева, Георгия Шахназарова (1985 – 1991) . 2-е изд., исправ. и доп. М., Горбачев-Фонд, 2008. С.376 – 377.

兼任，但是对在州里这么做表示怀疑。我们党改变了权力结构，但从另一方面党的书记又是苏维埃的头，这意味着什么？这说明党承担了苏维埃工作的一切职责。这与职能分开相协调吗？利加乔夫也对媒体没有法律监督表示忧虑。切布里科夫建议加强关于党的领导的内容。谢瓦尔德纳泽说："在原则计划中我们最中心的任务是上面的政治体制的改组，这让许多人不安，在实践中如何把民主、公开性与强有力的中央权力结合起来，对于我们这么大的国家，对于多民族国家来说，需要强有力的中央权力。"多尔基赫提出两条意见：一是最高苏维埃主席应该由全体劳动者选举，应该确定新的选举原则；州的书记，也是苏维埃主席，这是党领导作用这一决定性问题的关键。索洛维约夫说，企业法执行得不好，来自各部的指挥在继续，谁也不想放弃权力。需要进行价格改革。扎伊科夫说，工人阶级主张秩序。应该处理好媒体，《消息报》上刊登公开反宪法的文章。[1]

在准备召开苏共第十九次代表会议的过程中，社会政治气氛空前活跃，1988 年年中出版了《别无选择》一书，这本书可以看成是改革力量的宣言，书中收录了阿法纳西耶夫、扎斯拉夫斯卡娅、萨哈罗夫、波波夫、谢柳宁等几十位知名学者的文章。在向苏共第十九次代表会议提交的提纲公布后社会政治运动的活动活跃起来了，1988 年春宣布建立跨俱乐部政治团体，有"纪念碑"、"民主改革"、"改革—1988"和"人民协商"等组织参加。跨俱乐部政治团体的领导人丘拜斯、古谢夫、雷先科成为准备向党的第十九次代表会议提交共同委托书的倡议者。参加非官方俱乐部的共产党员有 50 多人：苏共成员的身份已经不是参加独立活动的组织的障碍。1988 年 6 月 12 日 18 个俱乐部通过莫斯科人民阵线创办文件，其目的是在争取社会的社会主义革新的斗争中促进民主的群众性的独立组织的发展。6 月，在代表会议前夕，许多城市举行群众集会。一些集会支持的不是当选代表，而是另一些人，还有一些城市打出"改革在危急中"的口号。[2]

1988 年 6 月 28 日至 7 月 1 日召开了苏共第十九次代表会议，把苏共党内干部体制改革的原则应用于全社会，成为苏联历史发展和戈尔巴乔夫改革的一

[1] В Политбюро ЦК КПСС… По записям Анатолия Черняева, Вадима Медведева, Георгия Шахназарова (1985 – 1991) . С.391 – 398.

[2] *Барсенков А.С.* Реформы Горбачева и судьба союзного государства. 1985 – 1991. С.98 – 99.

个新的转折点，苏联开始根本改革政治体制。

戈尔巴乔夫在报告中认为根本改革政治体制的原因在于：第一，由于十月革命胜利后形成的政治体制发生了严重的变形，形成的行政命令的管理方法对苏联社会的各个方面发展产生了有害的影响，现在的许多困难就根源于这一体制；第二，目前的政治体制不能使我们防止最近几十年经济和社会生活中停滞现象的增多，并且注定会使当前进行的改革归于失败，经济管理职能越来越集中在党政领导人手中，这已成为突出的现象；第三，社会生活的过分国家化，国家的调节职能扩大到社会生活的广泛领域，力图用详细的集中计划和监督扩及生活各个角落、所有角落，成为人们、社会组织和集体积极性发挥的严重障碍，由此产生了国家机关无力及时和完全满足居民的物质和精神需求而出现的"影子经济"和"影子文化"之类的东西；第四，国家结构的官僚化和群众的社会创造精神的下降使社会的思维单一化和静止不前，已形成了简单化的、不完整的社会主义人民政权的形象，即政权的实际出发点同劳动者的积极政治活动相背离，而首先同执行机关相一致，这个形象仍对人们的意识产生影响；第五，现行的政治体制几十年来不是在法律范围内组织社会生活，而主要是执行强制命令和指示。口头上宣扬民主原则，实际上却是独断专行，在讲台上宣扬人民政权，实际上是唯意志论和主观主义，大谈民主制度，实际上是践踏社会主义生活方式准则，缺乏批评和公开性，这一切广为传播，并且在社会生活中扎了根。"所遇到的障碍正是僵化的权力体制，这个体制的行政强制结构。"[1]戈尔巴乔夫的这一分析应该说是中肯的，如前所述，当时的社会舆论界、知识界普遍认为苏联所建立的不是真正的社会主义，而是伪社会主义、极权主义，斯大林模式的社会主义是变形的社会主义，改革的目标是恢复社会主义的本来面目，摆脱斯大林模式，塑造社会主义的新形象。

戈尔巴乔夫在党的第十九次代表会议上提出政治体制改革的任务共有七个方面：让千百万劳动人民真正参与国家的管理；为社会自我调节和自治过程开辟最大的空间，为充分发挥公民、权力代表机关、党组织和社会组织、劳动集体的主动性创造条件；自由形成和表现各阶级和社会集团的利益和意志，由他们商定和实现苏维埃国家的对内对外政策；为各大小民族的进一步自由发

[1] *Горбачев М.С.* Избранные речи и статьи. Т.6. М.,.Политиздат,.1989. С.351–353.

展、在族际主义原则上加强他们的友好和平等合作保障条件；根本加强社会主义法律和法治；明确区分党政部门的职能；建立有效的机制，以保障政治体制能根据国内外形势的变化而自我革新，而政治体制要能在一切生活领域越来越积极地发展和实行社会主义民主与自治原则。[1]戈尔巴乔夫强调改革的目标是多一些民主，多一些社会主义，使劳动者过上美好生活，国家强盛。

对于评定政治体制改革的标准，戈尔巴乔夫认为，"政治体制改革的最终目的和我们能在多大程度上实现改革的主要标准是，全面充实人权，提高苏联人的社会积极性。"强调"我们在社会制度的这个关键问题上的哲学根据是《共产党宣言》的著名公式：每个人的自由发展是一切人的自由发展的条件。"[2]在此，民主不再只是手段，实际上也是社会主义的主要目的。戈尔巴乔夫认为，苏联在个人的社会权利方面，虽然也存在一些不足，但总的情况较好；而在人的政治权利方面做得不好，没有克服人与政权、与政治疏远的状况，应该通过改革吸收人民参与管理国家事务，应该提供让公民对任何问题发表自己意见的机会和政治自由。"改革的核心是让人作为主角回到政治进程中去，回到经济中去，回到社会精神领域的发展中去。把业已开始的为克服使人失去生产资料、失去权力、失去文化的变革工作继续下去并进行到底。"[3]道理没错，但人民长期没有政治民主的训练，一步到位由民众全面参与国家各个层面的决策显然是不现实的。

戈尔巴乔夫提出改革的具体任务是完善权力组织，核心是恢复苏维埃的职能，恢复列宁时代的"一切权力归苏维埃"的原则，任何一个问题，无论是经济的还是社会的问题，不能越过苏维埃加以解决，党的政策——经济政策、社会政策、民族政策——都应当首先经过人民代表苏维埃这个人民政权机构来执行。"政治改革的实质是明确划分党的机关和苏维埃的职权，把权力从共产党的手中转到苏维埃的手中。"[4]大多数代表支持戈尔巴乔夫的主张，但这种把

---

[1] *Горбачев М.С.* Избранные речи и статьи. Т.6. М.,.Политиздат,.1989. С.353–354.

[2] *Горбачев М.С.* Избранные речи и статьи. Т.6. М.,.Политиздат,.1989. С.354.

[3] [俄] 米·谢·戈尔巴乔夫著：《戈尔巴乔夫回忆录》上册，第477页。

[4] *ОрловА.С., Георгиев В.А, Георгиева Н.Г,Сивохина Т.А.* История России. Учебник.2-е изд., М., ТК Велби, Изд. Проспект, 2003. С.453.

"一切权力"从党的机关又全部转向苏维埃的做法，显然很片面。现代社会政治体制的原则是分权与制衡，应该把行政权与立法权分开。现在的做法并没有改变苏联政治体制的弊端，正如米格拉尼扬所说："在我国政治体制中回复到苏维埃代表大会这样的制度，只不过是对我们过去历史的一种浪漫的崇敬罢了。"[1]

苏联共产党第十九次代表会议通过了戈尔巴乔夫的报告，作出了相应的决议。代表会议通过了六个决议：《关于落实苏共二十七大的决议的进程和深入改革的任务》、《关于同官僚主义作斗争》、《关于族际关系》、《关于公开性》、《关于法律改革》、《关于苏联社会的民主化和政治体制改革》和《关于国家政治体制改革实施的若干措施》，最后两项决议规定了对苏联宪法进行修改和补充的原则，从而开始对苏联的政治体制进行根本改革。这一改革一开始，就打破了1977年苏联宪法规定的以民主集中制为原则的苏联政治体制框架。

苏联新政治体制的核心内容有两条：一是改变苏联的政治结构，把党的机关排除出经济管理领域，改变党直接管理和指挥国家机关的做法，巩固苏维埃体制，改革的政治目的首先是把直接管理的权力从党转给由各级人民代表组成的苏维埃。国家最高权力机关是人民代表大会，其常设性机构是最高苏维埃。苏共中央政治局和中央委员会不再承担国家最高权力机关的职责。二是让人民享有政治权利，让人民更加广泛地参与国家管理，有表达自己意见的自由，克服人与政权疏远的现象，实行差额选举，给人民真正的选举权。

苏维埃的地位提高了，如何处理党和国家关系的问题被提了出来，以往是党直接下命令解决国家的政治经济文化等问题，现在这一权力要转给苏维埃，那么党与苏维埃应该是什么关系？戈尔巴乔夫强调要坚持党的领导，他在会议上说："如果没有党的指导，如果不实现党的政治方针，改革的任务就不可能得到解决。改革在政治上、意识形态上和组织上都注定要失败。"但领导方式变了，不是党直接而是党通过苏维埃起领导作用，他要用党的威信来加强作为人民代表机关的苏维埃的作用，"在这方面最现实的办法就是通常所做的把同级党委会的第一书记推荐到苏维埃主席的岗位上，他们由于同时也领导苏

---

[1] ［俄］安德兰尼克·米格拉尼扬著：《俄罗斯现代化与公民社会》，徐葵等译，新华出版社2003年版，第75页。

维埃及其主席团，便会以最积极的方式协助改进人民代表机关各个方面的活动。”“如果党委第一书记将被选为苏维埃主席，那么这将会提高苏维埃的威信，加强对执行委员会及其主席的活动的监督，在管理工作的重心转移到苏维埃的情况下，将能更准确地区分党和苏维埃机关的职能。”“能把他们置于劳动人民的更加有效的监督之下，因为选举将在会议上用无记名投票方式进行。这就是说，共产党员交给党的领导人的当选证书每次都好像要受到苏维埃系统各级人民代表的检查和认可。”[1]他认为，这样还可以把党置于人民的监督之下，实际上这又是另一种方式的党政不分。如果人民代表不选党委第一书记当苏维埃主席怎么办？党的领导如何体现？他并没有回答这个问题。后来的实践证明，这种做法是不妥的，既没有提高苏维埃的威信，也影响了党的工作。作为党的总书记的戈尔巴乔夫兼任了最高苏维埃主席，陷入到政策辩论之中，并没有提高他的权威和党的威信。1989 年 6 月至 1990 年 4 月任苏联最高苏维埃联盟院主席的普里马科夫在评价此事时说，“赋予党在社会和选拔与培养干部方面的政治先锋作用。经济和社会领域的工作似乎归各级苏维埃负责。但是，此处提出一项建议：选举有关党委第一书记来主持这些苏维埃的工作。”“这样做的目的也许不是与党的领导人作对。但是，这种乍一看折中的立场绝对不会使社会团结，不会为摆脱行政指挥体制、为改革的发展创造良好的条件，因为在这种立场上形成的执政力量的重新组合，既未强调党派政治多元化，也未强调苏共自身内部的民主化。”[2]学者米格拉尼扬认为：“我们将党的机构的第一书记选为相应级别的苏维埃主席，也就等于将党和国家的全部权力都集中到他一人手里去了。在政治体制中仍然见不到本身具有合法性基础的机构，可使它起到制衡苏维埃的作用。”[3]党和苏维埃的关系问题实际上并未解决，实践并没有像戈尔巴乔夫设想的那样发展。

政府和苏维埃的关系问题也很现实地提了出来。对于苏共第十九次代表会议把立法权和行政权都归人民代表大会和最高苏维埃的做法，无论是社会上还是党内都有不同意见，争论很激烈。在政治局讨论戈尔巴乔夫的报告时，雷

---

[1] *Горбачев М.С.* Избранные речи и статьи. Т.6. М., Политиздат, 1989. С.360.

[2] ［俄］普里马科夫著：《大政治年代》，第 56 页。

[3] ［俄］安德兰尼克·米格拉尼扬著：《俄罗斯现代化与公民社会》，第 75 页。

日科夫认为："我觉得这个报告有削弱政府权力的明显倾向。这是不能允许的！我们应该明确区分立法、司法和行政机构三者的各自的职责，还应该明确区分三者的活动范围。如果你们大家都认为苏维埃无所不能，那就让苏维埃把所有权力都拿去好了，至于苏维埃能否担负得起，那就是另外一码事了。反正我怀疑。那样做，国家有可能失控"[1]。卢基扬诺夫坚持"苏维埃的共和国"，雅科夫列夫和沙赫纳扎罗夫倾向于建立总统制，梅德韦杰夫原则上不反对总统制，他赞成这样的政治体制模式：政党作为政治组织为在苏维埃选举中获得多数而斗争，依靠这一多数组成政府，政府作为最高行政机关对代表机关负责，党的领导人成为政府首脑。[2] 但戈尔巴乔夫坚持"一切权力归苏维埃"的原则，后来的实践证明最高苏维埃通过了许多迎合和讨好选民的法律，却无力解决国家的经济危机。在国家经济发生危机的情况下，政府权力和权威的削弱自然不利于克服危机。苏联的政治体制确实存在许多问题，但戈尔巴乔夫盲目轻信民众、轻率地对国家政治体制进行根本性改革，是不成功的，原因有以下几方面：

第一，苏联政治体制改革是在各种矛盾尖锐、经济形势不好、族际冲突的背景下进行的。当时中央与地方矛盾突出，如爱沙尼亚宣布共和国法律高于苏联法律；亚美尼亚与阿塞拜疆在纳卡州归属问题上的流血冲突，并发生了战争，在费尔干纳谷地和吉尔吉斯奥什州的流血事件，1991 年在外高加索地区有格鲁吉亚与阿布哈兹、南奥塞梯的领土争端。在这种情况下需要保持中央的权威，而不是各自为政。

第二，苏共转向全面的政治体制改革时机过早，因为苏联的经济结构并没有发生变化，没有形成促进民主的力量，民主转型没有可靠的社会结构基础。因此，党的第十九次代表会议提出的改革方案的核心，仍是保持苏共一党领导、议行合一的权力结构。正如雷日科夫所说："1988 年召开党的第十九次代表会议，决定进行政治体制改革。党的州委第一书记应该是苏维埃主席等等。我认为，这是我们结局的开始。不应该这么做……这是主要的错误，我们

---

[1] ［俄］尼古拉·雷日科夫著：《背叛的历史——苏联改革秘录》，第 242 页。

[2] *Медведев В.А.* В команде Горбачева:взгляд изнутри. М., Былина, 1994. www.lib.ru/MEMUARY/GORBACHEV/medvedev.txt.

没有结束经济体制改革，就同时开始了政治体制改革。"[1]政治民主原则有其自身的发展逻辑，一旦启动，其逻辑的内在力量将为自己开辟道路，形成多米诺骨牌效应。美国驻苏大使马特洛克当时向美国总统汇报苏联政治形势时说："尽管这些'议题'离我们的民主标准还欠缺一些，但却孕育着这个国家自由的种子。如果言论、新闻、集会的自由得到了保障，如果多党选举和无记名投票得以进行，如果司法独立原则得到了合法的确立，那么我敢说共产党一党专政将会很快寿终正寝。""主要的是，代表会议永远结束了所谓苏共队伍铁板一块的神话，揭示了实际上的多元化以及苏联政治精英出人意料的多党制——此前政治精英均被送入一党体制的狭小的罐头式空间。"[2]后来事态的发展正是如此，一党制很快被多党制所取代，社会政治力量出现了多元化，社会也随之出现了无序化。

第三，戈尔巴乔夫的方针违背了现代政治的原则。戈尔巴乔夫教条主义、理想化把列宁"一切权力归苏维埃"的原则运用到苏联的政治体制改革中，实践证明是不成功的。现代社会是分工明确的复杂系统，苏维埃不可能承担一切全权。列宁时期的苏维埃强调的是议行合一，而在现代政治中，立法和行政、司法是各自独立、各有分工、互相监督的，戈尔巴乔夫坚持"一切权力归苏维埃"的做法显然是不妥的，党集中了一切权力有弊端，苏维埃也不能集中一切权力。此外，为什么需要2000多名代表，而最高苏维埃又不是直接由民众选举产生的，而是由人民代表选举的，仍是间接产生的，人民并不能直接监督他们，他们也不能直接反映民意。最高苏维埃虽然变成了常设制，但也只是机构的常设制，而不是人员的常设制，承担着行政或党的领导职责者每年要花几个月的时间来参加最高苏维埃的会议，自然影响到其他工作。事实证明行不通。

第四，忽视了法制建设。现代社会是一个法治社会，苏共政治体制改革方针的失误在于其重心没有放到法制化上，而是放在了公开性上。党的第十九次代表会议《关于公开性》的决议指出："苏联共产党全苏代表会议从社会主义和改革的利益出发，认为继续发展公开性是最重要的政治任务之一。代表会

---

[1] *Рыжков Н.* Инициативам Горбачева предшествовала огромная работа. www.ng.ru/ng_politics/2010-04-20/9_ryzhkov.html.

[2] ［俄］安德烈·格拉乔夫著：《戈尔巴乔夫之谜》，第188页。

议把公开性作为一个已在发展的过程来分析，并强调指出，始终一贯地扩大公开性是反映社会主义制度民主实质的必要条件；也是动员人民，吸引每个人参加到所有社会、国家、集体事业的必要条件，使之成为在全民监督所有社会机关、权力和管理机构活动的基础上反对社会主义蜕变的有效保证。代表大会将公开性视为实现人民的社会主义自治和实现公民的宪法权力、自由和职责的必要条件。所有领域里的公开性是继续深化改革及其不可逆转过程的最重要条件之一。”“代表大会认为，制止报刊发表批评文章，以及刊登有损公民名誉和人格的非客观报道文章都是不允许的。公开性要求大众信息媒体担负起社会、法律和道德责任。”“不容许利用公开性损害苏维埃国家、社会的利益，损害个人权利；不容许宣传战争和暴力，反动的种族主义、民族和宗教偏执性，以及宣传残暴行为，传布淫秽作品，不容许利用公开性行骗。”[1]苏共第十九次代表会议后成立了公开性委员会，由雅科夫列夫任主席。但是，苏共的公开性没有相应的法律规范，有人在党的第十九次代表会议上提出应该制定出版法，出版物应该对自己不负责的言论负责，“不负责任的自由是没有的也不可能有”，“公开性和民主化，这首先是公民纪律，而不是恣意妄为。”[2]但戈尔巴乔夫却在用几乎是搞政治运动的方式来倡导公开性，把新闻媒介引向了毫无限制、毫无法度的境界。在局面不可收拾的情况下，才于 1990 年 6 月 12 日颁布《苏联新闻出版法》，实际上已经晚了，十几个月后苏联宣告解体。

第五，戈尔巴乔夫的政治体制改革把党与苏维埃对立起来，实行全民直接民主，在苏联这么大的国家行不通，造成了社会的无序化和无政府状态；戈尔巴乔夫把党和党的干部看成是改革的主要障碍和改革对象，而不是着眼于党的民主化，实际上使改革失去了支撑力量。长期以来，苏联共产党一直是国家机器的核心部分，虽然戈尔巴乔夫要求党放弃对国家的行政领导，但在当时的条件下苏共又不能不起领导作用，戈尔巴乔夫通过让各级第一书记兼苏维埃主席的做法也恰恰反映了这一现实，这种做法在法理上又是不合法的，后来的实践证明也行不通。此后苏联的重要方针政策仍是在苏共中央政治局里决定的。

---

[1] 沈志华总主编：《苏联历史档案选编》，第 30 卷，第 512 页。

[2] 作家邦达列夫在党的第十九次代表会议上的发言，转引自 *Кацва Л. А.* История России. Советский период (1917 – 1991) . http://it-n.ru.

在此，戈尔巴乔夫没有解决党如何领导改革的问题，没有处理好党和苏维埃的关系，党要放弃行政领导，而苏维埃又不可能承担起行政职责，在国家需要处理大量尖锐复杂问题的时刻，却失去了强有力的行政领导。

苏联的体制是由中央书记处和政治局担负着领导国家的重任，决定国家的内外政策，部长会议、各个部及各地的党和苏维埃机构控制着国民经济。书记处每周二开会，一般由党的第二把手主持，讨论的主要问题并不是党的建设本身的问题，实际上起着第二部长会议的作用。它还有一项部长会议没有的职能，即撤换和任命干部。苏共中央政治局是苏共和整个国家的主要政治机构和中枢神经，政治局每周四上午开会，决定国家的大政方针和一些急需处理的问题。因此，苏共并不是严格意义上的政党，而是管理国家的机构。戈尔巴乔夫想把这个机构抛开，另建一套机构，这在当时是很不现实的。“戈尔巴乔夫在这次会议上号召划分党和苏维埃的职能，说明他不了解政治局势，苏维埃在瘫痪了半个世纪之后，绝对不可能马上成为权力的继承者。”[1] 戈尔巴乔夫进行政治体制改革是必要的，但他所选择的路径是不科学的，并没有进行科学的论证和实验，一步到位、匆忙进行的政治体制改革，是充满矛盾和不符合现代政治发展实际的。在苏共第十九次代表会议后开始了各种改变的竞赛，让人来不及喘息，一项政策未及看到效果，就又发生了变化，群众的情绪也随之越来越激进。

三、苏共自身的变革被忽视

既然苏共自己提出改变政权的结构，党需要通过苏维埃来领导国家，需要全党统一思想，集思广益，达成共识，以便在新的条件下坚守阵地。这就需要解决一个重要问题，即党如何在新的形势下工作，如何实现革新，这个问题却迟迟没有提上日程。苏共给人的印象是一个辩论俱乐部，在代表会议上近 5000 名代表很难认真讨论问题。

在举行苏共第十九次代表会议的 4 天时间里，共有 65 人发言，代表们就改革触及的关键性问题直抒己见，会上争论十分激烈，特别是叶利钦和利加乔夫面对面的交锋，这次会议确实出现了前所未有的新气象。

---

[1] *Оников Л.* КПСС: анатомия распада. Взгляд изнутри аппарата ЦК. М., 1996. С.83.

戈尔巴乔夫在推行民主化政策，进行国家政治体制的根本改革时，忽视了对权力的核心——苏共进行改革，在苏联，党是国家的化身，如果绕开苏联共产党的民主化而直接建立新的政治制度，必然带来混乱。戈尔巴乔夫显然对此认识不足，只有叶利钦在苏共二十七大上提出过对党的组织部门进行改革的问题，在 1987 年十月全会上叶利钦退出政治局，他公开声明："我认为首先必须改革的正是党委的工作，整个党的工作，从中央书记处开始。"在第十九次代表会议上，他继续坚持这一原则立场，他说："改革正是应该从党开始，然后随之而来的，正如通常做的那样，扩展到其余方面。而恰恰是党，从改革的观点看，落后了。"[1]苏联的政治体制改革是在党之外进行的，在苏共第十九次代表会议上，戈尔巴乔夫号召千百万群众参与国家的管理，开始社会自治，为公民倡议的充分发展创造条件，而没有注意改革党自身。

在 20 世纪 80 年代中期，苏共有党员约 1900 万人，可以分成四部分。一是人数最多的普通党员，约 1870 万人；二是各级党的领导机关成员——从村委会的委员到共和国中央委员会的委员，约 43.9 万人；三是各级领导机关的第一书记及机关干部，共 8.6 万人；四是苏共中央委员与候补委员（党的二十七大后为 477 人），苏共中央政治局委员与候补委员(32 人)，党中央机关干部(到 1990 年 1 月 1 日为 1363 人)，总共 1812 人。构成总数 97.4% 的普通党员在确定党的方针中不起任何作用，他们的任务就是无条件地执行中央的指示；占总数 2.3% 的各级党委会成员(从区委委员到中央委员)，实际上也处于无权状态。从 30 年代初开始，斯大林把党的常设机关与代表大会、代表会议和中央全会的关系倒置，这些名义上的最高权力机关只起开会举手的作用。剩下的人是党的机关工作人员的小集团——占 0.3%。地方党委机关有权，但只在自己的主管地区和中央允许的范围内。党内实际掌权的是政治局和书记处成员（30—32 人）和中央组织部和办公厅的领导（15—20 人），他们集中了党内一切大权。也就是说，占党员总数不到 0.3% 的人具有实际权力，而 99.7% 的党员只是执行领导机关的决定。[2] 如果戈尔巴乔夫改革的重心先放在让这 1900 万党员发

[1] *Оников Л.* КПСС:анатомия распада. Взгляд изнутри аппарата ЦК. М.,Республика. 1996. С.76－77.

[2] *Оников Л.* КПСС:анатомия распада. Взгляд изнутри аппарата ЦК. М., 1996. С.75－76.

挥作用，参与国家管理上，实际效果可能会好得多。

人们对苏共的不满首先在于其集权和不容异见，这个问题并没有根本解决，对于叶利钦事件的处理就说明了这一点。叶利钦并不反对改革，他希望党的第十九次代表会议能对他进行重新评价，他在代表会议的最后一天被允许发言，他首先回答了人们对他指责的几个问题，然后转入正题，他说："这次会议在筹备阶段就已经引起了共产党员和全体苏联人民非同寻常的兴趣和希望，改革使人们振奋起来。显然，改革应该从党开始，然后像以往一样，她便带动起所有其他的人。可恰恰从改革的观点看，党落伍了。因此我认为，我们今天的会议应该很早以前就召开的。"[1]他认为会议的准备工作有些仓促，没有广泛吸收大家的意见，选举工作在一些组织里也是按老框框进行的，而且高层机构没有改组，但他对会议的气氛表示满意。他谈的主要问题还是政治体制问题。

他认为"应该在党内和社会内部实行这样一种机制，它可以防止错误，即是过去那一类让国家倒退了数十年的重大错误；不制造'领袖人物'和搞'领袖制'；真正创造出人民的权力，并为此给予可靠的保证。我认为这才是问题的关键所在。"他提出两条建议：一是反对戈尔巴乔夫报告中提出的第一书记兼任苏维埃主席的内容，建议就此举行全民投票；二是必须实行党内的真正的民主选举制和干部的任期制，"选举应当是普遍的、直接的和无记名的，其中包括中央书记、总书记，自下而上的，由各州常委或在政治局成员中，由全体党员通过这种方式来选举（似乎要进行两级选举）。这也应当适用于最高苏维埃、工会和共青团。毫无例外地，尤其是对于最高层，限定任职两期。只能在前期工作有实际成果时才选举连任第二期。对这些机关领导的任职年龄有明确的限制，其中政治局成员不得超过 65 岁。关于任期从上届选举算起，年龄从当年算起。"[2]应该学习那种领导人离职，整个领导层也下台的制度，我们习惯于把一切都归罪于死者，归罪于一个人，"可在政治局里待了 10 年、15—20 年，乃至今日还待在政治局里的人当时干什么去了？……我认为，政治局的某些成员作为集体机构的成员是有罪的，他们骗取了中央委员和党的信任，他

[1] ［俄］鲍里斯·叶利钦著：《叶利钦自传》，朱启会等译，东方出版社 1991 年版，第 192—193 页。

[2] 同上书，第 193—194 页。

们应该回答这个问题：为什么把党和国家弄到了这种地步？在回答了这一问题之后，应得出这样的结论：把他们开除出政治局。”[1]叶利钦指出，虽然总书记说批评无禁区，但总书记实际上不受批评，连中央委员也不敢讲出对领导层的意见。改革没有取得实际成果，改革具有表面性，没有解决一个让人感觉实际的问题，尤其是没有实现革命性改造。叶利钦认为党内舆论多样性应该是正常的，存在少数派的高见，应该有领导人的工作汇报制度。他强调党的经费的使用应该透明，不能用之修建大量的豪华寓所。他再次打出了反对官僚主义和反特权的旗号，他强调要取消给官员的“特供”制度，废除等级制度，他还指责了党内存在的贪污受贿现象，说在莫斯科存在黑手党。他建议大刀阔斧地裁减党的机关，把州党委机关精减 1/2—2/3，把党中央机构裁减 1/6—1/10，同时取消党中央的各专业部。最后，叶利钦要求恢复他在 1987 年中央十月全会之后的政治名誉问题。他说自己在十月全会上提出的问题，报刊上不止一次地讲过，他的唯一错误就是讲的不是时候，即在十月革命 70 周年之前。他说：“我们大家都该掌握政治辩论的规则，允许不同意见者讲话，应该像列宁所做的那样，不要立刻给人扣帽子，视为叛逆者……我请求代表会议撤销那次全会就这一问题所作出的决议。如果你们认为可以撤销，那也就在共产党的心目中恢复了我的名誉。这不仅仅是我个人的事，这符合改革的精神的，是民主的具体体现，我想它会促进改革，增强人民的信心。”[2]叶利钦提出了许多党应该解决的问题，如取消特权、总书记也要接受批评、允许党内有不同意见、干部要有任期和年龄限制等，虽然有些看法有些激进，如一下子把党的机关裁减过多，但他此时还是出于对党负责的角度提出问题的，应该对他的建议认真讨论。

但是，叶利钦的发言受到了代表们的抨击，乌斯马诺夫认为不应该支持叶利钦政治平反的要求，他认为：“叶利钦的所作所为不利于我们党和国家的声望，他有倾向性地向外国通讯社发表谈话，他们发表他的谈话，他在为扩大自己的威望而工作。”[3]人们关注利加乔夫的反应，利加乔夫在发言中先说

---

[1] ［俄］鲍里斯·叶利钦著：《叶利钦自传》，第 195 页。

[2] 同上书，第 195—199 页。

[3] 苏共第十九次全国代表会议速记稿，转引自［俄］维克托·安德里亚诺夫、亚历山大·切尔尼亚克著：《叶利钦传》，周荣仁等译，辽宁人民出版社 2001 年版，第 139 页。

是他把叶利钦提拔到中央来的，但叶利钦的表现让人失望，他不能再沉默了，他说：

“共产党员叶利钦走上了一条不正确的路，看来，他拥有的不是一种创造力，而是一种破坏力。他对改革进程的评价，对党所认可的工作态度和工作方法所做的评价都是站不住脚的，是错误的……当然，在他的发言中也有合乎情理的地方。但是，他的整个发言表明，他没有得出正确的政治结论。”利加乔夫反对全面否定历史，反对否定人民的劳动成果，声称党务工作者的工资与流行的说法不同，工资并不高，“党务工作人员只有一种特权，那就是永远走在最前头，为实现党的政策而战斗，全心全意为人民服务。”[1]在发言的最后，利加乔夫反驳叶利钦对葛罗米柯等人的攻击，很不策略地提到了1985年三月全会的情况，提到正是他们的支持才使戈尔巴乔夫坐上了总书记的宝座。其用意是要戈尔巴乔夫不忘旧情，在他与叶利钦之间作出正确的选择。利加乔夫不承认叶利钦指出的问题，其明显带有个人恩怨情绪的发言使不少人反感。

戈尔巴乔夫在总结发言中，肯定了这次会议畅所欲言的气氛，肯定了代表们的积极参与，能够提出许多尖锐的、带有原则性的问题。他也用了比较长的篇幅对叶利钦的发言进行评论，他对叶利钦支持改革的态度表示肯定，但对叶利钦关于改革3年来没有什么成果的说法表示反对，他批评了叶利钦在担任莫斯科市委第一书记期间工作方式的缺欠，谈了叶利钦1987年8月给他的信和十月全会的情况，并引用了当时的速记记录：当时戈尔巴乔夫问叶利钦：“请说说，你是怎样对待中央委员会同志们的意见的，他们说了对你的许多意见，你应该认真考虑。他们将作出决定。”叶利钦回答说：“除了个别的意见，我总体上同意。我今天在发言后向中央委员会和莫斯科党组织提要求，这是错误的。”戈尔巴乔夫问叶利钦是否还有力量继续改革事业，有人插话说他不能，不要让叶利钦留在现在的岗位上。戈尔巴乔夫制止了这种说法，他要叶利钦在决议作出前表态，叶利钦说：“我说了，已经向中央委员会和政治局、莫斯科党组织提出……现在再重复一次：‘请求解除我政治局候补委员和莫斯科市党组织领导的职务。’”“这就是当时的情景，此后叶利钦发表谈话承认了自己的政治错误，他自己承认了。我还建议中央委员们：让我们现在不要决定是否解

[1] ［俄］维克托·安德里亚诺夫、亚历山大·切尔尼亚克著：《叶利钦传》，第140、142页。

除叶利钦政治局候补委员职务的问题，委托中央政治局讨论这个问题。但是，此事已经引起了反响，无法再保持原状。我们已经在莫斯科市委全会上通报了这一情况，同志们在发言中谈到叶利钦的工作时十分尖锐的，这你们都知道。”最后戈尔巴乔夫说叶利钦事件是个教训，“我们应当根据列宁主义原则，在广泛民主的基础上，依靠基层党组织、干部、选举产生的机构，坚定地走复兴我们党的道路。”[1]戈尔巴乔夫没有说叶利钦在战略上是否犯有错误，更没有对利加乔夫的发言表态。

叶利钦并没有达到恢复名誉的目的，他感到无处为自己辩护，十分痛苦。代表会议拒绝为叶利钦恢复名誉，实际上把叶利钦推出了党的大门。普里马科夫评论说：“只是在这次党‘没有听到’他的讲话之后，叶利钦才开始在政治上偏航，站到拒绝党的领导模式方面，认为此乃社会民主化的条件；而在国家紧急状态委员会叛乱之后，他就转到了反共的立场一边了。”[2]全国都知道了叶利钦在会上的发言，他对差额选举的要求、对官场特权的批评、想得到平反的愿望得到了人们的同情和支持，党内对他的批评声音越高，他在社会上的声望也越高。波波夫回忆说：“正是叶利钦参加代表会议和在会议上的发言吸引了激进派改革拥护者的注意，并使他们对叶利钦在改革中成为民主力量的领袖的可能性作出严肃评估。” [3]

戈尔巴乔夫没有对人们极其不满的苏共特权进行改革，他虽然说过：“在改革的第一阶段，可能所有人都不得不牺牲些什么。但是，都必须永远放弃通过非法手段取得的不应有的种种特权，放弃为障碍机制效劳的种种权利。”[4]但是，戈尔巴乔夫并没有采取措施削减高级领导人，包括他自己不应该享有的特权。对于高级领导人的特权，叶利钦有过精彩的描述：苏联的高级领导人有自己专门的医院、专门的疗养院、漂亮的餐厅和精美的食品，克格勃第九局专门

---

[1] *Горбачев М.С.* Избранные речи и статьи. Т.6. М., Политиздат, 1989. С. 415–416.

[2] *Примаков Е.М.* Годы в большой политике. М., Колекция “Совершенно секретно” . 1999. С.71.

[3] 转引自：*Барсенков А.С.* Реформы Горбачева и судьба союзного государства. 1985–1991. С.102.

[4] ［俄］米·谢·戈尔巴乔夫著：《改革与新思维》，第 59 页。

负责这一工作，一名政治局候补委员，“都配有3个厨师、3个服务员、1个清洁工，还有1个花匠。”“医疗设施是最现代的。所有设备都是从国外进口的最先进的设备。医院的病房像是一个庞大的机构，也同样很豪华气派：有精美的茶具、精制的玻璃器皿、漂亮的地毯，还有枝形吊灯。”“购买‘克里姆林宫贡品’只需花它的一半钱就行了，送到这儿来的都是精选过的商品。全莫斯科享受各种特供商品的人总共有4万。国营百货大楼有一些柜台是专为上流社会服务的。而那些级别稍稍低一点的头头们，则有另外的专门商店为他们服务。一切都取决于官级高低。”[1]高级领导出门会有车队跟随，一路绿灯，他们还可以免费去风景名胜地去休假，每个人还配有专门的别墅，叶利钦一家第一次来看给他配的别墅时，“我的一家人基本上是被惊呆了”，没有想到其规模那么大，其豪华程度令人惊叹，服务是那么周到，当然浪费也是惊人的。[2]戈尔巴乔夫理所当然地享受这些特权，而且还不满足于这些特权。叶利钦感慨道：“若戈尔巴乔夫亲自制止自己享受特权，那么即便在战略上有失误的情况下，改革也不会停止，尽管这些失误确确实实发生过。如果他本人拒绝接受那根本不需要的、但已习惯了的、并且是舒适的特权的话；如果他不为自己在列宁山上修建新的住宅，在莫斯科郊外建新的别墅，在皮聪达建新的别墅，以及后来又在福罗斯建超级现代化别墅的话……当人们了解到这令人愤怒的社会不公，并看到党的领袖不采取任何措施以制止党的高层人物对财富的这种不知羞耻的掠夺，就会失去最后一点的信任。”[3]1988年以后，小白桦“特供商店”虽然取消了，但它仍变相存在，享受特供者所需的东西被直接送至家中。在安德罗波夫时期开始的侦办腐败案件的工作也基本停止了。在政治体制改革和人民直接选举代表的背景下，叶利钦高举反特权的大旗，赢得了许多民众的支持。

在党的思想建设上，戈尔巴乔夫也未能把大家的思想统一到改革上来，苏共第十九次代表会议后，作为党的第二把手的利加乔夫在关于全人类价值、关于选举自由、关于社会主义与资本主义之间关系的思想等，明显与戈尔巴乔

---

[1] ［俄］鲍里斯·叶利钦著：《叶利钦自传》，第141—142页。

[2] 同上书，第146页。

[3] 同上书，第147页。

夫新思维思想相抵触。[1] 西方认为苏联改变的只是策略，显然也不利于戈尔巴乔夫。1988 年 9 月中央全会后，利加乔夫不再管意识形态，被打发去管农业，但他同样也没管好农业。

第二节　政治体制的根本变革

苏共第十九次代表会议为政治体制改革开辟了道路，通过选举产生代表机构，开始根据列宁设想的原则对苏联的政治体制进行改革，以恢复被歪曲的社会主义的本来面目。

一、人民代表的选举及对苏共的冲击

1988 年 10 月 1 日，戈尔巴乔夫兼任苏联最高苏维埃主席团主席。1988 年 11 月 29 日苏联最高苏维埃第十二次非常会议第十一次会议，根据戈尔巴乔夫的建议通过了两个法令：《关于苏联宪法（根本法）的修改和补充》和《关于苏联人民代表的选举》。规定国家权力机关是各级苏维埃，国家最高权力机关是人民代表大会，由 2250 名代表组成，他们再选举其中 544 人组成常设的最高苏维埃。最高苏维埃由权力相等、人数相同的两院（联盟院和民族院）组成。"各级人民代表按单名选区或多名选区、普遍、平等、直接选举制，采用无记名投票方法选举产生。加盟共和国和自治共和国的部分人民代表可根据共和国的宪法规定由社会团体选举。"2250 名代表的产生方式是：750 名代表从地区选区选举；750 名代表从民族地区选举（每个加盟共和国 32 名，每个自治共和国 11 名，每个自治州 5 名，每个自治区 1 名）；750 名来自全苏的社会团体（苏共推荐 100 人，代表 1900 万党员；共青团推荐 100 人，代表 2600 万团员；工会推荐 100 人，代表工会会员），也就是说 2/3 的代表在居民中通过差额选举产生，1/3 的代表由社会组织推荐。与以往的徒具形式的选举相比，这是一大进步，但是这种做法仍然存在许多缺点。有 1/3 的代表不是选举，而是来自于社会组织，显然违反民主原则。规定要选举数目如此众多的人民代表也缺

[1] ［俄］阿·切尔尼亚耶夫著：《在戈尔巴乔夫身边的六年》，第 267—268 页。

乏根据，如此众多的人民代表难以达成共识，这显然继承了苏共代表大会的传统，代表们与其说来开会，不如说更像来参加庆典。

1989 年 3 月从上到下进行了新的国家权力机构——人民代表大会代表的选举。这次人民代表选举同以往的选举相比有两个根本变化：其一，当选的人民代表将拥有独立的政治权力。其二，摒弃了由上级指定候选人进行等额选举的方法，规定实行不受限制的差额选举。苏联历史上第一次差额竞选人民代表的活动刚刚拉开帷幕，就吸引了社会各阶层人士以前所未有的热情积极参与。一方面，参加竞选的不仅有共产党人，而且有主张激进改革的“民主派”及其他形形色色观点的人士；另一方面，选民拥有在代表不同政治观点的候选人之间进行选择的权利。因而，竞选实际上成为各种经济、政治改革主张的竞争，选举实际上成为在各种经济、政治改革路线中进行选择。从当时的政治力量看，尽管参与竞选者形形色色，但竞争和选择主要在苏共和“民主派”之间展开。当选者除“在册权贵”（номенклатура）外，主要是激进派和知识分子的代表，他们的竞选口号主要是号召“建立民主的社会、实现社会公正、有保障、清洁环境等等。在许多情况下，这样的候选人都在选举中战胜了‘官方’的竞争者，这反映了政权的严重危机。”[1] 在俄罗斯联邦有 232 人参与竞选（俄罗斯选举代表总数是 645 人），结果有 78%的高层领导在选举中落选，有 47%的中层领导落选，相反，有 72%的知识分子却在这场选举中获胜。[2] 在俄罗斯的 645 名代表中，知识分子占 28%，党和政府官员占 21%，工人占 16%，企业管理人员占 14%，农民领袖占 13%，农民占 8%。而在城市地区知识分子占当选代表的 37%。[3]

根据新选举法规定的竞选程序，首先要在基层单位进行人民代表候选人的提名，通过竞选决出选区人民代表候选人提名，再通过竞选决出选区人民代表候选人，而后这些候选人正式参加人民代表的差额选举。由于提名候选人往往超过规定候选人人数一倍至数倍，决胜者须过五关斩六将，竞争极为激烈。

[1] *Козодой В.И.* Становление оппозиционных организаций в Сибири(1989–август 1991г.) //Вопросы истории. 2008. №5. С.82.

[2] ［美］大卫·科兹、弗雷德·威尔著：《来自上层的革命》，第 133 页。

[3] 同上书，第 134 页。

但是，苏共推荐的100名代表是在1989年3月15—16日的苏共中央全会上确定的，其中包括戈尔巴乔夫、利加乔夫、雅科夫列夫等苏共高级领导人。在选举人民代表时苏共领导层实际上开始形成界限分明的两派，有59票反对雅科夫列夫（47票反对乌里扬诺夫），这些投反对票的人无疑属于党的保守派的核心；反对利加乔夫的有78票，这些反对利加乔夫的人是苏共中央赞成改革的部分。由各社会组织选举750名人民代表的做法受到攻击，许多人认为他们是“非人民选举”的代表，是人代会中的保守派，事实并非如此，其中有很多是很有社会威望的人，也包括反对派人士，其中有：萨哈罗夫、利哈乔夫、扎雷金、拉夫罗夫、格拉宁、波波夫等。

仍是苏共党员的叶利钦在选举过程中公开批评苏共，向苏共提出挑战。面对苏共内部对立的状况，苏共中央并没有很好地研究和采取对策，戈尔巴乔夫声明他还需要对这些问题进一步思考，1989年苏共中央三月全会最后建议建立由苏共中央委员组成的委员会，研究这个问题并向苏共中央非常全会提出结论。戈尔巴乔夫点名让梅德韦杰夫（有可能的话作为主席）、拉祖莫夫斯基、普戈、扎特沃尔尼茨基等人组成这个委员会，但决议未被全体人员所采纳，委员会的最后确定是在几天以后，但没有公布。“委员会最后完成了其任务，其成员详细研究了叶利钦发表的许多讲话并形成了一个不长的文件（4页纸），得出了一致的结论：尽管有一些主观的评价，但总体上这些讲话与选举前党的宣言、党的政治路线不矛盾。”[1] 叶利钦成了让戈尔巴乔夫等人头疼的人物，在1989年5月20日，即苏联第一次人代会前夕，苏共中央政治局讨论人代会前政治局势时，专门讨论了叶利钦的问题，戈尔巴乔夫提出要不要跟叶利钦进行一次电话交谈，雷日科夫强调不要跟他发生对抗，利加乔夫表示要在这次或下次中央全会上反对叶利钦。梅德韦杰夫也反对对抗，强调不能再犯以前的错误。扎伊科夫反对这么做，提出应该给叶利钦工作。切布里科夫也反对跟叶利钦对抗。谢瓦尔德纳泽认为现在没必要与叶利钦直接接触。最后戈尔巴乔夫让拉祖莫夫斯基和弗拉索夫跟叶利钦见一面，并建议他担任俄罗斯联邦部长会议第一副主席的职务。如果叶利钦要求就说，中央委员会没想“摆脱”

[1] *Медведев В.А.* В команде Горбачева:взгляд изнутри. М., Былина,1994. www.lib.ru/MEMUARY/GORBACHEV/medvedev.txt.

叶利钦。[1]

戈尔巴乔夫想通过人民代表的选举使共产党通过选举重新获得人民的认同，希望通过差额竞选吸纳社会上支持“改革”的力量进入政权机关。但选举证明社会上潜藏着对苏共极大的不满，作为知识分子代表参加竞选的索布恰克深有感触地说：“最令我始料不及的，是人们的普遍的不满情绪——对生活、对工作，对领袖人物，对医院，对空空如也的商店，对无所不在的谎言，对一切的一切。这种辛酸的眼泪汇成的痛苦海洋，无论是在两个月前还是在两个月后，都是我根本没想到的。”[2]受欢迎的是敢于诋毁苏共的激进民主派，出现了所谓的“叶利钦现象”，即党委支持的候选人得不到群众的认可，党的机关没有好感的人却变成了得到人民强有力支持的人。叶利钦批评改革在空转，没有让群众得到实惠，他号召反对腐败和特权，同保守势力作斗争，加快改革，叶利钦的主张得到了许多人拥护。

长期以来，苏共地区、基层组织只对上级负责，习惯于传达、贯彻中央的各种指示，政治主动性和应变能力都比较差，地区和基层党组织开始不知所措，不知如何分析竞选的形势和参加竞选，仍然停留在等额选举的思维惯性中，沿用过去现成的做法：有些地区党组织精心策划等额选举，预先规定候选人；有些党组织以为其下属党员会无条件地投本地区领导人的票，没有认真地对待竞选；有些党组织负责人畏葸不前，不敢面对面地同自己的竞选对手辩论……这些做法无一不引起群众极大的反感，得到事与愿违的结果。

苏共不知道如何应对选举，早已忘记了革命前的竞选手段，激进派却对选举做了精心准备。激进派人士周围聚集起强大的竞选班子，对竞选演说进行了精心设计。他们从分析民众的心理入手，挑选了民众最关心、也是对苏共领导最不满意的问题，制定和阐述“改革”的主张。主要包括反对苏共特权，实现社会公正；进行激进经济改革、迅速提高生活不平以及建立法制国家等内容。激进派利用苏共在历史上犯过的错误、改革迟迟不见成效、经济困难加

[1] В Политбюро ЦК КПСС… По записям Анатолия Черняева, Вадима Медведева, Георгия Шахназарова (1985–1991), 2-е изд., исправ. и доп. М., Горбачев-Фонд, 2008. С.495–496.

[2] ［俄］阿·亚·索布恰克著：《苏联政局演变中的一次重要转折》，徐小海等编译，吉林人民出版社 1992 年版，第 12—13 页。

剧、消费市场短缺现象加深等赢得民心。在苏联大中城市尤其是一些重要大中城市的选举中，苏共失去了对社会政治意识和政治选择取向的控制。人民代表选举的结果表明，苏共在人民眼中总体上没有威信。正如阿卡耶夫在评索布恰克的行为时所说的，“他用内容深刻、形式鲜明的演讲摧毁了几十年形成的和建立在对苏共惟命是从基础上的苏维埃议会体制。”[1] 由于苏联当权阶层与民众的距离越来越远，苏联社会又具有单一性特点，“这种单一性具有危险的政治潜力。在出现危机的情况下，这意味着‘所有人都反对当局’。鲍·叶利钦以罕见的高得票率当选为苏联人民代表大会代表的谜底也就在这里，当时，他获得了莫斯科民众 89%的支持率。”[2] 索布恰克在其所在的选区得到 76.5% 的选票。叶利钦、索布恰克等人是以党内持不同政见者的面貌出现而获得支持的。“对于党的工作者来说选举的结果在伏尔加河沿岸、乌拉尔、西伯利亚、远东、南方、乌克兰东部等大工业区和科研中心是不利的，在波罗的海三国、亚美尼

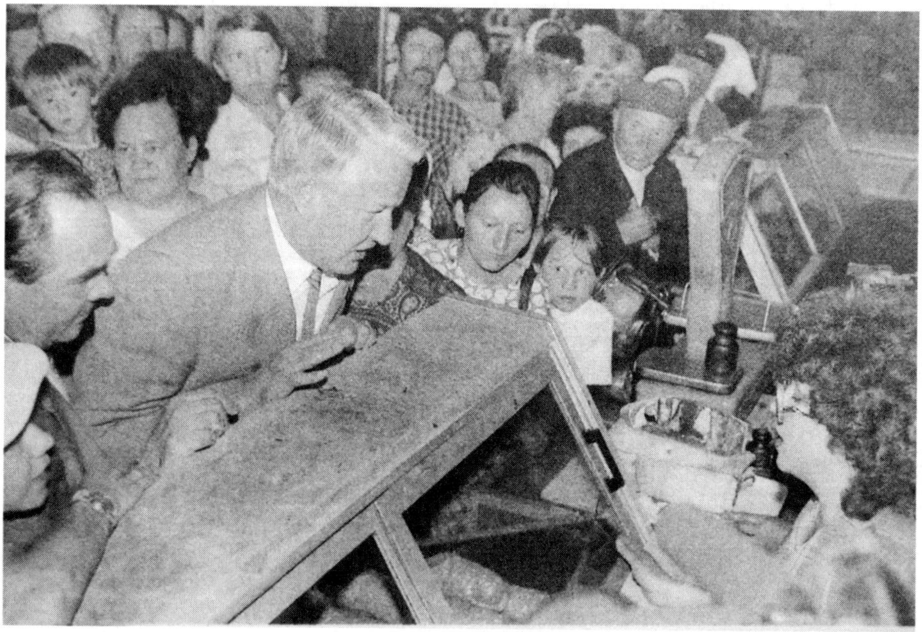

叶利钦在民间

[1] ［吉］阿斯卡尔·阿卡耶夫著：《难忘的十年》，第 65 页。

[2] ［俄］鲁·格·皮霍亚著：《苏联政权史（1945—1991）》，第 798 页。

亚以及格鲁吉亚党的候选人遭到了很大失败，选举结果对党比较有利的地区是中央黑土区、北高加索、白俄罗斯、哈萨克斯坦和中亚。"[1]人民代表的选举实际上表明人们既对过去不满，也对改革失望，把希望寄托在了反体制者的身上了。

1989年4月4日，选举结果公布，在2250名代表中苏联共产党党员有1957名，占87%，党员的比例甚至高于此前的71.5%，但这并不表明苏共的胜利，只是说明苏联的社会精英在苏共党内。对于苏共这个政党而言，失败多于胜利。这次选举有三个现象值得注意：

第一，在当选代表中，知识分子占到了20%，有88.1%的代表是首次进入国家最高权力机关的。

第二，参加竞选的党员干部，约有20%落选，有三十多名的苏共州委书记与市委书记未能当选，莫斯科市长塞金、市委书记普罗科菲耶夫落选。在列宁格勒州，州委第一书记索洛维耶夫、市委第一书记格拉希莫夫都未被选上，州第二书记、苏维埃执行委员会主席和市计委主席全部落马。苏共中央书记梅德韦杰夫在描述这次选举后果时说："在苏联人代会代表选举中，在160名党委第一书记中有32人落选……在列宁格勒，没有一名市、州两级党和苏维埃的领导人当选，没有一名州党委委员当选，包括第一书记甚至军区司令员在内。在莫斯科，党的干部基本上也同样遭遇失败，90%的莫斯科人投了叶利钦的赞成票。" [2]

第三，苏共的失败不仅表现在一批高中级干部落选上，更重要的在于一批激进民主派代表进入了国家最高权力机关。叶利钦没有被列入苏共的100名候选人中，他面临抉择：继续当部长还是竞选人民代表，不甘放弃政治前途的叶利钦选择了后者。党不要人民要，叶利钦成了莫斯科人的偶像，在选举时他得了破纪录的90%的选票。[3] 在第二大城市列宁格勒，一些持激进纲领的候

---

[1] *Медведев В.А.* В команде Горбачева:взгляд изнутри. М., Былина, 1994. www.lib.ru/MEMUARY/GORBACHEV/medvedev.txt.

[2] *Медведев В.А.* В команде Горбачева:взгляд изнутри. М., Былина,1994. С.85,86.

[3] *Согрин В.В.* Политическая история современной России(1985－2001:от Горбачёва до Путина).М., Издательство "Весь Мир", 2001. С.50.

选人，如索布恰克、勃尔德列夫、伊万诺夫、德尼索夫等当选。丘拜斯在谈到 1988 年列宁格勒的选举时说：“民主派在彼得堡选举中的胜利让人震惊。民主派击败了党的州委的第一、第二及第三书记！击败了党的市委第一、第二书记！总之，他们击败了所有共产党员。”[1] 新当选的人民代表、时任苏联东欧问题研究所所长的奥·博格莫洛夫在与自己选区一位共产党组织的负责人竞选中获得了 60% 的选票，他感慨地说：“我没想到与共产党竞选竟有这么大的优势！”美国驻苏联大使马特洛克在其回忆录中这样描述了选举以后民众心态的变化：“有为数不少甚为独断的共产党领导人在大选中惨败……它传给广大公众信息是，只要你认真尝试，你就能够在选举中击败官方提名的候选人……突然间，人们不再惧怕直抒胸臆了。”“似乎是一夜之间，每个人都开始对共产党的统治进行最毫不留情的抨击。”[2] 叶利钦当选为人民代表，不仅为自己在政治上平了反，而且也使他成了能向戈尔巴乔夫直接提出挑战的人物。他与苏共逐渐拉开了距离，成了反对派的领袖，苏共的历史也因此发生了巨大转折。

选举结果公布以后，苏共高层对选举结果出现大相径庭的评价。在 1989 年 3 月 28 日召开的政治局会议上，“大多数人的情绪很压抑，一派天快塌下来的气氛。”戈尔巴乔夫却不以为然，他认为“这次选举是政治改革和社会继续民主化迈出的极其重大的一步。我们完全有理由说要继续改革，怎样进行改革——即以选举为中心。”“这是第一次差额选举！这是第一次民主的选举！可以说，将在所有的选举中这样做。人们应该明白，现在除了行动没有别的。工人阶级错过了选举自己的代表，我们也忽视了，没有帮助他们获得代表职位。在莫斯科，每六个代表候选人中只有一名工人，那是个区委书记，出身于工人。”[3] 从中可以看到，戈尔巴乔夫并没有认识到这种选举的真正问题。“通过选举，社会将上一个新的层次，会消除宪法规范和改革实践之间的脱节。政

---

[1] ［俄］阿纳托利·丘拜斯主编：《俄罗斯式的私有化》，乔木森等译，新华出版社 2004 年版，第 10 页。

[2] ［美］小杰克·F. 马特洛克著：《苏联解体亲历记》上卷，吴乃华等译，世界知识出版社 1996 年版，第 245、251 页。

[3] В Политбюро ЦК КПСС… По записям Анатолия Черняева, Вадима Медведева, Георгия Шахназарова (1985–1991). С.474.

权将获得充分的合法性，这本身便是巨大的成就。”[1]他认为代表中共产党员占87.6%的比例显示了党在人民群众中的威信，在北高加索、斯塔夫罗波尔和中央黑土地区 90% 的选民支持由地区党组织提出的候选人。但是，总理雷日科夫对此进行了反驳，他认为党在选举中失败了，按民族地域选区推举的地方组织的 30 名候选人，很不光彩地落马了，输给了资历不深、名气不大、但却更加“令人信服”的竞争对手。他指出许多共产党员之所以当选，是由于他们“在任何场合都没有强调自己是共产党员。”表面上，30 个重要地区党的领导人落选，实际上落选的是整个苏共，党在选举中实际上失败了。[2] 利加乔夫、扎伊科夫、梅德韦杰夫等人认为媒体对苏共的攻击和一些共产党员公开批评党，使党在选举中失利，应该采取措施。沃罗特尼科夫、索洛维约夫、普戈、拉祖莫夫斯基、斯柳尼科夫、卢基扬诺夫等人认为党的威信在下降，许多党的干部落选，表明党的失败，应该研究为什么人民不满意。但谢瓦尔德纳泽、雅科夫列夫等认为情况正常，党要与过去划清界限，人民反对的是停滞、反对行政命令体制，而不是反对党。[3] 戈尔巴乔夫很乐观，他认为党的统一应该建立在改革基础上，建立在新的方法的基础上。“党通过政治改革培植自己的威信，不是用威胁和恐吓，而是采取公开贴近人民而且号召大家对自己提出批评的方法。这是第一阶段的威信。现在应当去争取下一个阶段的威信了，这是一个办实事的阶段。不能堵住人家的嘴巴，这样得不到威信，威信需要通过积极和靠近民众来获得。捍卫改革的主要办法是继续改革，用办实事，首先是在经济领域，通过与民众一起工作，通过干部……我们这个中心现在有很大责任，许多事取决于我们，政治的方向应该是面向人。让我们满怀信心地、平稳地行动起来。代表大会（苏联人民代表大会）5 月 24 日或 25 日召开。”[4] 戈尔巴乔夫并没有认识到党的领导面临危机，要改正以往的缺点错误不是短期内能做到了，

[1] ［俄］米·谢·戈尔巴乔夫著：《戈尔巴乔夫回忆录》上册，第 510 页。

[2] ［俄］尼·雷日科夫著：《大动荡的十年》，第 519 页。

[3] В Политбюро ЦК КПСС… По записям Анатолия Черняева, Вадима Медведева, Георгия Шахназарова (1985–1991) .С.477–479.

[4] В Политбюро ЦК КПСС… По записям Анатолия Черняева, Вадима Медведева, Георгия Шахназарова(1985–1991).С.479–480.

越来越激进的民众没有耐心等待，改革又没有让民众得到物质实惠，这很容易让民众利用这种民主把不满发泄到苏共身上。戈尔巴乔夫后来不得不承认，从1989年的人民代表选举的结果看到："只要人不再害怕党，并且相信党的统治再也无法用暴力来维持，党的威望就马上会一落千丈。"[1]

人民代表的选举给苏联带来了意想不到的后果。苏共中央办公厅主任博尔金说："无论是党的中央委员，还是参加第十九次代表会议的代表，在通过各项决定和决议时，都没有意识到他们是在为自己下台打基础。几十年形成的社会发展基础受到了改革尝试的冲击。"[2]戈尔巴乔夫想通过让群众享有民主政治权利，参与和推动改革，但其结果是培养了反自己的力量。"民主派"进入苏联人代会以后，他们在人民代表中虽然是少数，但是代表了与苏共不同的政治力量，这些人便咄咄逼人地向苏共的决策地位发起挑战。选举结束后不久，人民代表被请到列宁格勒州党委会，当时的州委第一书记开始给新当选的人民代表交代如何召开人民代表大会的方案。代表们不客气地打断第一书记的话，说：召开人民代表大会的方案应该由我们这些人民代表来制定。会见结束后，在"民主派"代表索布恰克的提议下，列宁格勒的人民代表自行召开了会议，商讨组成人代会列宁格勒议会团的有关事宜。新当选的人民代表还向苏共干部制度的核心——任命制发起了冲击。5月23日，即大会召开前两天，政治局全体成员会见俄罗斯联邦的人民代表，向他们通报刚刚结束的中央全会的内容和国家重要职务人选提名。以往，这些提名肯定会得到批准，但是这次，俄罗斯联邦人民代表中的专家以被提名干部缺乏专业水平为由，否决了中央全会提出的除雷日科夫外其他所有的国家重要干部人选，迫使政治局史无前例地决定再召开一次中央全会，重新提出候选人名单。

二、"一切权力归苏维埃"——苏维埃难当重任

1988年12月，苏联最高苏维埃非常会议通过的苏联宪法修正案规定，苏联人民代表大会是苏联最高国家权力机关，任期为5年，一年召开两次例会，

---

[1] ［俄］米·谢·戈尔巴乔夫著：《戈尔巴乔夫回忆录》上册，第516页。

[2] ［俄］瓦·博尔金著：《戈尔巴乔夫沉浮录》，第318页。

享有国家全部权力：通过和修改苏联宪法，确定国家结构、苏联国界和批准各共和国之间的疆界变更，确定国家的内外政策方针，批准国家计划和发展纲领，选举最高苏维埃成员等。

苏联最高苏维埃，由苏联人民代表大会从苏联人民代表中选举产生，并向苏联人民代表大会报告工作，这是苏联历史上第一个专职的议会。它仍由人数相等、权利平等的联盟院和民族院组成（各为 271 人）。联盟院从按地区划分的选区的人民代表和社会团体的人民代表中，根据加盟共和国或地区的选民人数选举产生。民族院从民族地区选区的人民代表和社会团体的人民代表中，按下述名额选举产生：每个加盟共和国 11 名代表、每个自治共和国 4 名代表、每个自治州 2 名代表、每个自治专区 1 名代表。这种名额分配法并不符合苏联这个联邦制国家的要求，不能体现 15 个加盟共和国权利的平等。普里马科夫院士被选为联盟院主席；乌兹别克斯坦国务活动家拉·尼沙诺夫为民族院主席。代表大会从代表中选举苏联最高苏维埃主席和第一副主席，他们是苏联最高苏维埃成员，但不参加两院。最高苏维埃每年春季和秋季的会议为 3—4 个月，最高苏维埃代表在此期间不履行生产任务或工作职务，由于许多行政官员同时也是人民代表，这就意味着像雷日科夫这样的人在此期间无法从事行政工作。最高苏维埃享有立法权，规定苏联人民代表的选举，任命苏联部长会议主席，批准政府组成人员，任命最高法院院长、人民监察委员会主席、苏联总检察长等重要公职人员。苏联最高苏维埃成立 14 个专门委员会，涉及国家内政外交各个方面，联盟院和民族院下共设置了 8 个委员会，这样苏联最高苏维埃总共有 22 个委员会。法律规定这些委员会享有重要职权：一切国家机关和社会机关、组织和公职人员必须完成这两类委员会提出的要求，向他们提供必要的资料和文件。苏联最高苏维埃每年有 1/5 的成员要更新，也就是说在 5 年任期内全部轮换完，最高苏维埃成员的这种非常任性与其承担的无限职能显然是不相称的，破坏了政策的稳定性与连续性，这种做法极不科学。

苏联最高苏维埃主席团不再像以前那样由最高苏维埃选举产生，而是由国家的高级公职人员组成，他们是：苏联最高苏维埃主席、第一副主席、15 名副主席（即各加盟共和国最高苏维埃主席）、联盟院和民族院的主席、苏联人民监察委员会主席、两院常设委员会主席。它没有权力通过法律，其主要权限是：召集苏联最高苏维埃会议、筹备代表大会和最高苏维埃会议、协调两院常设委员会和最高苏维埃委员会的活动、协助苏联人民代表行使其职权并保障向他们提供必要信息，监督苏联宪法的执行并保障各加盟共和国宪法和法律与苏联宪法和法律的一致性，筹备和组织进行全民投票和公决以及全民讨论苏联法律草案和国家生活的其他重要问题。最高苏维埃主席团没有立法权。

苏联最高苏维埃主席是苏联最高公职人员，即国家元首，它由苏联人民代表大会从人民代表中通过无记名投票产生，任期 5 年。其职权是领导研究应由代表大会和最高苏维埃审议的问题；签署苏联法令，向代表大会和最高苏维埃提出关于国内状况和内外政策的重要问题，以及保障苏联国防能力和安全的报告。提出需要由代表大会和最高苏维埃选举或批准的国家重要领导人的人选。

新设置了宪法监督委员会，委员会由代表大会从政治和法律专家中选举组成，其成员有主席 1 人，副主席 1 人，委员 21 人，委员会在履行自己职责时完全独立，只服从于苏联宪法。但是，人民代表大会通过的法律不受其监督，该委员会也无权废除这些法律。委员会任期 10 年，其成员不能当选为人民代表，一定意义上体现了分权思想。

从以上规定可以看出，在新的政治体制中，戈尔巴乔夫并没有调整好立法、司法、行政三者的关系，苏联原来体制中缺少制约和监督的问题并没有解决。戈尔巴乔夫兼任最高苏维埃主席，在自己的手中集中了党和国家的最高权力。这样做的结果是作为党和国家最高领导人的戈尔巴乔夫陷于繁杂的议会事务中，把越来越多的精力放在了苏维埃，党的决策体系被架空和削弱。苏维埃取代苏共成了新的立法与行政合一的机构，这与原来的体制并无大的区别。苏维埃成了无所不管的职能部门，内设了五花八门的委员会，极大地制约了行政权力，使许多问题议而不决，难以达成一致。总理雷日科夫不理解："为什么最高苏维埃的成员们包揽了那么多权力，居然能研究和决定所有问题——从法律的制定，到国民经济的管理，一会儿行使政府职能，一会儿又行使立法职能。我同样不明白，为什么最高苏维埃几乎完全模仿苏共中央的机构设置来设立内部的部门和机构，只不过不叫部或局，而是叫委员会。这些机构所发挥的作用比党的机构更积极，更富有热情。他们使用的也是行政命令手段，而且往往更强硬。遗憾的是，他们的工作远不是那么在行。"[1]

---

[1] ［俄］尼古拉·雷日科夫著：《背叛的历史——苏联改革秘录》，第 246 页。

1989 年 5 月 25 日，第一届苏联人民代表大会正式开幕。大会是实现“还权于苏维埃”的政治体制改革的一个重要步骤。会议的主要议题是组建最高苏维埃领导机构，启动人民代表大会制度。但代表大会实际上变成了真正的群众大会，代表大会上集合了各种各样的人，提出了各式各样的观点，2200 多名代表各抒己见，发表议论、大喊大叫。会议伊始，审议会议议程时，一位里加代表出人意料地要求追查第比利斯事件的责任，并提议为死难者致哀，全场哗然。紧接着，在中央、当地政府和军队何者该为第比利斯事件承担责任的问题上，展开了激烈的舌战。苏共中央对此缺乏思想准备，大会马上失去控制。

卢基扬诺夫与戈尔巴乔夫

第一届苏联人民代表大会的召开，破坏了苏联的原有的权力结构。“代表大会上争论证实：相当一部分居民早在选举期间就不支持党了。这是一个更重要的原因，而苏共中央对此却没有予以应有的注意。此外，人民代表大会扩大了苏共与全体居民之间的裂痕，鼓舞了那些曾对政治斗争漠不关心的人。”[1]在人代会上，来自社会各个群体的代表依然带着竞选时的政治激情，自动聚集，研究斗争策略，并争相在麦克风前表达自己的观点，因而使会议的每一个议程都充满着紧张对抗。在这次人代会上，不少发言都是攻击苏共和军队的，但也

[1] ［俄］安德烈·格拉乔夫著：《戈尔巴乔夫沉浮录》，第 334 页。

萨哈罗夫在第一届苏联人民代表大会上

有不少代表对这些发言提出了指责，也对戈尔巴乔夫的放任表示了不满，乌克兰的一位代表、残废退伍军人切尔沃诺皮斯基说："在这里就座的有80%多的人是共产党员。很多人都已经发过言了。但无论谁，包括向大会所做的报告，都没有提到一个词——共产主义。我本人坚决反对空喊大口号和表面文章。但是我认为我们大家毕生都应该为三个字眼而奋斗，我大声说出来，这就是：强国、祖国、共产主义！"[1] 代表们纷纷起立，对他的发言报以长时间热烈掌声。

代表大会成了没有明确目的和方向的集会，而且这种集会还要向全国进行直播，有的代表为了向自己的候选人表明自己工作积极，长时间地占着麦克风，不知何去何从的人代会也让群众觉得不知所措。戈尔巴乔夫把代表们的唇枪舌战看成是民主化的体现，听任局势发展。当有人问他如何理解党和人民代表的关系时，戈尔巴乔夫说："一切问题由大会来决定。同志们，我们不准备代替你们解决问题，更不会对你们施加压力。"[2] 总理雷日科夫对人代会会议的情况表示忧虑，他在一次会议上说："代表们纷纷涌向讲台上去，提出他们的纲领、计划、建议和指责，但政治局却被孤立地撇在一边，好像他患了某种瘫痪症似的……一股真正的和强大的力量已经崛起，这就是人民代表大会和最高苏维埃，我们不能不认真应付这种局面。"苏联共产党被苏维埃的独立性打乱了阵脚，它要应付苏维埃向

[1] [俄] 阿·亚·索布恰克著：《苏联政局演变中的一次重要转折》，第38页。

[2] 同上书，第24页。

其领导地位提出的挑战已经不容易了。俄国历史学家在写这段历史时描写道："1989 年 5 月 25 日到 6 月 9 日，全国实际上都在电视机前'凝固'了，生怕错过对第一届人代会会议情况直播的每一分钟。人们亲眼看到，与几十年来的实践相反，事态的发展第一次不是根据中央预先写好的脚本来进行的。"[1]普里马科夫说："这个时候全国简直是以召开一次又一次最高苏维埃的会议打发日子。与会者发言个个振振有词，理由激烈尖锐。意见的抵牾转而变成不讲情面的争吵。而主要的是：所有这一切不做任何删节地全部作现场直播。后来才知道，人们聚集在电视机前，干脆停止了工作，就决定每天晚上播放最高苏维埃会议的录像，直到深夜。"[2]政治体制改革启动的进程迅速脱离了改革倡导者的控制。一些代表在发言中提出了修改宪法，改变共产党在社会中地位的问题，要求实行广泛的民主化和公开性，党的机构不能干涉舆论；实行国家重要领导人由人代会选举的制度，选举应该是差额选举；加大改革力度，给共和国以更多的独立性和主权，打破行政命令体制，解决社会公正问题，消除少数人的特权；甚至还有人直接攻击戈尔巴乔夫，说他受周围溜须拍马者和夫人的影响。

戈尔巴乔夫在报告中分析了苏联的国民经济、社会环境和财政状况等问题，提出了必须彻底更新社会主义所有制和形成活跃的市场之间的关系，他再次重申政治体制改革的主要内容是兑现重新提出的"一切权力归苏维埃"这个历史性口号，把政权和管理的实权归还苏维埃的首要条件是改组代表制机构，尽一切努力扩大其权力和职能。在民族关系方面，提出了扩大加盟共和国和民族共和国的权利，协调它们与联盟之间的关系，在对外政策方面，重申了新思维的原则。

这次会议发生的最有影响的事件是居于少数地位的激进民主派代表在会议最后阶段成立了跨地区议员团，这是苏联自 20 世纪 20 年代党内斗争结束后，出现的第一个合法的政治反对派，它有纲领，其领导机构是由 25 名委员和 5 名主席组成的协调委员会。起初跨地区议员团有 150 人，1989 年夏天发展到 388 人，其中 286 人来自俄罗斯联邦。1989 年 7 月 29—30 日，他们在莫斯科电影工作者之家举行了人民代表跨地区议员团第一次会议，选举叶利钦、波波

[1] *Соколов А.К.* Курс советской истории 1941 – 1991. Москва, Высшая школа, 1999. С.353.

[2] ［俄］普里马科夫著：《大政治年代》，第 54 页。

夫、萨哈罗夫、阿法纳西耶夫、维克多·帕尔姆为主席，叶利钦和萨哈罗夫实际上是这一组织的主要领袖。这一组织是反对派逐步夺取政权的前沿阵地。

萨哈罗夫系统地提出了他的主张，他要求废止保障苏共执政地位的苏联宪法第六条。他认为，根据人民主权原则，苏联宪法第六条作废；通过各种法律是苏联人民代表大会独有的权利；苏联法律在加盟共和国境内需经其最高法律机关批准方具有法律效力；选举和罢免苏联最高公职人员，即苏联最高苏维埃主席、苏联最高苏维埃副主席、苏联部长会议主席、宪法监督委员会主席和委员、苏联最高法院院长、苏联总检察长、苏联最高仲裁长、中央银行行长，以及苏联国家安全委员会主席、苏联国家广播电视委员会主席、《消息报》总编——为代表大会的独有权利。上述官员有义务向代表大会报告工作，并且不受苏联共产党及其机关决定的约束；国家安全委员会的职能仅限于担负保卫苏联国际安全的任务。他请求成立一个决议起草委员会，在代表大会特别会议上审定这一法令。他还提出，苏联遭军事进攻的危险早已消失。他建议成立一个起草缩短服役期决议的委员会。大体上士兵和军士缩短 1/2，同时相应缩减所有种类的军事装备。但要少缩减军官人数，以便过渡为职业化军队。他还提出改变从斯大林主义那里继承来的民族—宪法制度，这种制度具有“分割、控制”这样的帝国思维和帝国政策的印记。他建议讨论向民族—宪法体制的联邦横向制度过渡的问题。这一制度规定赋予所有现存民族—领土国家平等的政治、法律和经济权利，不论其大小和现有制度如何，并保留现有边界。[1] 在大会主席的极力干涉下，萨哈罗夫才不得不中止发言，萨哈罗夫的建议没有被通过。但是，“萨哈罗夫的发言，其力量在于从整个理论的角度动摇了专制制度的根基，这也就等于动摇了每一位具体官员的权力。”[2]

在选举最高苏维埃主席团主席时，戈尔巴乔夫得到了包括民主派在内的广泛支持，以 2123 票赞成、87 票反对当选为最高苏维埃主席，但是，许多人在支持戈尔巴乔夫的同时，也批评他，建议他放弃苏共中央总书记的职务。苏共向人代会提出的国家重要领导职务的人选有：总理雷日科夫、宪法监督委员会主席洛马金、最高法院院长列别杰夫、人民监察委员会主席马尼亚金等，除

---

[1] 沈志华总主编：《苏联历史档案选编》，第 30 卷，第 516 页。

[2] ［俄］阿·亚·索布恰克著：《苏联政局演变中的一次重要转折》，第 29 页。

雷日科夫被人代会顺利通过外，其余均被否决，表明苏共的权威、苏共的干部任命制受到了挑战。代表们要求任命知名的法律专家而不是官员担任宪法监督委员会主席和最高法院院长等职务，苏共不得不向人民代表大会提出新的候选人：叶夫根尼·斯莫连采夫担任最高法院院长，弗拉基米尔·库德里亚夫采夫担任宪法监督委员会主席，根纳季·科尔宾担任人民监察委员会主席。

在选举苏联最高苏维埃成员时，各派代表也进行了激烈的争夺。苏共领导虽然控制住了大会的局势，但已十分吃力。542名最高苏维埃成员是从2250名代表中差额选举产生的，叶利钦、萨哈罗夫、波波夫等激进派候选人落选，这一结果激起了激进派的反对，“这使民主派发狂了，他们说代表大会上有一个富于挑衅性的和被操纵的多数，说中亚代表在表决时总是轻率地协同一致。为了对付对苏共路线的这种强大支持，反对派甘愿支持主张加盟共和国退出苏联的民族主义势力，不时有人叫嚷要求主权、成立独立国家。对此谈论最多的是莫斯科代表和波罗的海三国代表。大会上的分裂日益迫近，因此相当一部分代表准备退出会场。于是再次进行说服和劝导。”[1]莫斯科有十万人集会，抗议戈尔巴乔夫当选为最高苏维埃主席，要求提名叶利钦为副主席，叶利钦也不甘示弱，他表示要奋斗到底，不会放弃任何机会。面对这种爆炸性局势，戈尔巴乔夫很为难。在这种情况下，已当

戈尔巴乔夫

[1] ［俄］瓦·博尔金著：《戈尔巴乔夫沉浮录》，第332页。

选苏联最高苏维埃民族院代表的鄂木斯克大学副教授卡赞尼克主动把自己的位置让给了叶利钦，戈尔巴乔夫在原则上表示支持，大会举手表决同意卡赞尼克放弃民族院席位的要求，由叶利钦自动递补。

人代会第一次会议通过了《关于内外政策的基本方针》和《关于建立宪法委员会》的决议，提出一个重要任务：立即开始起草新宪法的工作，宪法起草委员会由戈尔巴乔夫和卢基扬诺夫领导，共有107名成员，其中55%的成员都是党的高级领导人——苏共中央、共和国中央、州委、边区的书记们，苏共中央及其机关的成员。将近44%是从事科研和创造性劳动的知识分子，其中有一些著名人物，如苏联科学院副院长库德里亚夫切夫教授，苏联科学院国家与法研究所所长、通信院士多波尔宁。还有四个反对派、跨地区议员团的成员：叶利钦、波波夫、萨哈罗夫和索布恰克。[1]

尽管戈尔巴乔夫把选举产生的苏维埃看成是最高权力机关，设想“一切权力归苏维埃”，实质上它只能履行立法机关的职能，人数众多的苏维埃是一个无效率的机构，其内部矛盾重重，难以作出建设性决定，不可能有效领导国家。在最高苏维埃的活动开始后，戈尔巴乔夫也体会到了这一点，“批准雷日科夫出任苏联部长会议主席一职，演变成了一场就经济战略问题展开的长时间的很有内容的辩论。”“与此同时，开始了对政府组成的漫长的马拉松式的讨论。先讨论的是部长会议副主席的人选，有：马斯柳科夫、沃罗宁、阿巴尔金、比留科娃、古比雪夫、多古日耶夫、卡缅采夫、拉韦罗夫。随后，谢瓦尔德纳泽公布了一张长长的各部部长、检察院、最高法院各院务委员会委员，以及其他苏联最高苏维埃所属各部门的高级负责人员的名单。”“这项议程从6月底一直延续到8月的最后几天，坦率地说，真把大家弄得精疲力竭。雷日科夫在政治局里抱怨，说他根本无法办公，不得不日复一日地干坐在议会的会议上。”[2]实践证明，戈尔巴乔夫这种大民主并没有起到促进改革的作用，也引起了许多人的不安，科诺托普1989年6月15日写给戈尔巴乔夫和政治局委员的信就很有代表性，他在信中列举了社会上出现的民族主义、歪曲历史、诋毁列宁、攻击强力部门等许多现象，他认为戈尔巴乔夫的政治体制改革是错误的：“我认为，

---

[1] Российское государство и общество. XX век. М., Изд-во Моск.ун-та.1999. С.238.

[2] ［俄］米·谢·戈尔巴乔夫著：《戈尔巴乔夫回忆录》上册，第548、549页。

我们不可饶恕地、过早地在计划体系尚未完善的时候就将其摒弃，转而依靠‘超资本主义自我调节的经济’理论，我们过早地抛弃了党的领导作用，首先是党的干部政策，转而依靠缺乏应有纪律和严格秩序的、虚构的自愿人民政权制，将我们的‘议会’变成资产阶级的议会更是灭顶之灾，因为在那里，任何时候、任何地方都只有‘美元’和富商们才能行使真正的权力。也可以这样形象地说，他们愿意饶恕谁就饶恕谁，愿意将谁处死就处死谁。人民代表中出现了如此之多的蛊惑人心者，而人代会有时就像是个大戏台，并非偶然。”[1]正如其顾问所说：“苏联人民代表大会之后，改革开始滑坡，而且呈现出不可逆转的形势，它的标志完全是破坏性的。”[2]

苏维埃是选举产生的机关，而且其代表要经差额选举产生，这就有可能使非共产党人当选代表，“一切权力归苏维埃”事实上意味着在政治上取消了宪法第六条。十月革命时期列宁提出的“一切权力归苏维埃”的口号也是承认多党制的。戈尔巴乔夫要效仿十月革命胜利初期的苏维埃，使它集立法、管理和监督于一身。与前不同的是，苏共现在是让权而不是争权，苏共原来事实上掌握的立法和干部任命权转归了最高苏维埃。由于苏维埃组成的复杂性和人数众多，难以形成共识，造成了改革没有领导核心。实践证明，这一改革是失败的。

三、苏联人代会第二次会议召开，修宪问题被提出

1989 年秋天，东欧各国发生剧变，这次变化又被称为“天鹅绒革命”，东欧大多数国家通过和平方式完成了政权的更迭，结束了原来斯大林模式的社会主义，建立了多党制、多元化、三权分立的政治体制。苏联国内的激进派受到鼓励，政治积极性增强。

1989 年秋，经济形势进一步恶化，商店里空空如也，有时连续几天香烟、糖等完全脱销，1989 年 12 月，人民代表大会第二次会议正是在这一背景下召开了。

---

[1] 《科诺托普就民主化与公开性问题致信戈尔巴乔夫》，见《苏联历史档案选编》，第 30 卷，第 521 页。

[2] ［俄］阿·切尔尼亚耶夫著：《在戈尔巴乔夫身边的六年》，第 352 页。

代表大会的一个中心议题是稳定社会经济形势，雷日科夫作了题为《论整顿经济的措施，经济改革的步骤和制定第十三个五年计划的根本方法》的报告，雷日科夫政府提出的“经济复兴计划”，其要点是把经济健康化时期分成两个阶段：第一阶段从 1990 年到 1992 年，采取非常措施克服已形成的经济状况，克服预算赤字和市场失衡的状况，在这方面既要有严厉的指令性措施，也要不断强化经济杠杆和进入生活的市场关系；第二阶段从 1990 年到 1995 年，领导经济的纯经济手段将最大限度地发挥作用，市场将在所有制基础变革的情况下，越来越积极地发挥调节经济的职能作用。从 1996 年到 2000 年才真正实施新经济体制。雷日科夫的报告，经过 6 天激烈的辩论，会议勉强通过了政府提出的经济改革方案。在对政府经济方案进行表决时，1532 名代表赞成，419 票反对，44 票弃权。但是，莫斯科和列宁格勒的代表反对者多，莫斯科的代表只有 7 人赞成，而有 19 人反对；列宁格勒的代表 3 人赞成，10 人反对。[1] 实际上这一方案根本没有实施。

激进派更关注的是政治问题，而不是经济问题。激进派公开指责戈尔巴乔夫，如果他原地踏步，那么会重蹈昂纳克或齐奥塞斯库的覆辙。在第二次人代会召开前夕，“跨地区议员团”发表声明，认为苏联的改革已经停滞，苏共并不是一个群众性组织，仍是一个居于政权体系之上的机关，声明要求取消宪法第六条，苏联已经产生了现实的多党，苏共现行的结构、秩序、组成和名称本身都不会长期存在，最终苏共会解体，出现两个、三个或更多的政党。“没有反对派就不可能有正常的政治存在。”[2] 实际上他们的目标就是使苏共让出政权，实行多党制。第二次人代会会议一开始，萨哈罗夫就以跨地区议员团的名义提出要求：取消苏联宪法第六条以及相关的对苏共不仅是政治组织，还是苏联领导力量的规定。作为主席的戈尔巴乔夫与萨哈罗夫有个简短、但狂怒的对话：

> 萨哈罗夫：至于说到第六条，我可以转给您我收到的电报。
>
> 戈尔巴乔夫：到我这里来，我给您三个文件夹，里面有几千封

---

[1] *Кацва Л. А.* История России. Советский период (1917–1991) . http://it-n.ru.

[2] Россия, которую мы не знали. 1939–1993. Хрестоматия. Под ред. *М.Е.Главацкого*. Челябинск южно-уральское издательство. 1995. С.354–355.

这样的电报。

萨哈罗夫：我有 6 封。我将把它们给您，5000 封是复印件。

戈尔巴乔夫：所以我们不要互相“赠送”了，不要再操纵民意了，不需要，我请求您。[1]

两天后，即 12 月 14 日萨哈罗夫突然去世。此后，叶利钦成了激进运动的领导人。叶利钦坚决反对政府提出的六年经济改革纲领，叶利钦认为现在就需要改革和市场，而不是 6 年以后。叶利钦还提出了土地法案，“土地应该分给农民，而经济组织——集体农庄、国营农场、农场主的、个体的经济形式——让农民自己决定。”[2]改革应该打破经济中的垄断，形成竞争。不是人为地划小国家的企业，而是建立在多种所有制结构的基础上，也就是混合经济和各种形式的所有制：国家的、合作社的、私人的、建立在劳动集体掌握生产资料基础上的和其他形式的所有制。叶利钦要求取消维护苏共对权力垄断的宪法第六条。激进派在大会上提出要拆散“单一制帝国”，建立新的自愿的联邦。对于取消宪法第六条的主张，就当时的民意而言，要求删除宪法第六条关于苏共领导地位条款的呼声很高，全国半数以上的居民要求这么做，这一比例在莫斯科和列宁格勒超过 70%。[3]1990 年年初，删除宪法第六条成了罢工矿工的主要政治口号。[4] 在这个问题上，戈尔巴乔夫再次落在了民众后边。

1989 年 12 月部分人民代表在关于苏联政治体制改革的声明中提出：

“改革的进程已到了原则的边缘，各机构反动头目的对抗在增长，戈尔巴乔夫领导的犹豫更一目了然。但是，错了。东欧发生的大好事就是例子，对于那些打算在不确定的时期内保持强行的“苏联共产党的先锋队和领导作用”，对于那些打算保留经济部门、指令

[1] 转引自：*В.В.Согрин*. Политическая история современной Россиию (1985–2001:от Горбачёва до Путина). М., 2001. С.56.

[2] 转引自：*В.В.Согрин*. Политическая история современной Россиию (1985–2001:от Горбачёва до Путина). М., 2001. С.56.

[3] 转引自：*В.В.Согрин*. Политическая история современной Россиию (1985–2001:от Горбачёва до Путина). М., 2001. С.57.

[4] *КацваЛ. А.* История России. Советский период (1917–1991) . http://it-n.ru.

性计划、国营集体农庄系统的垄断权的人是足够清晰的警告。必须在一定时候开始拆除这一切。

……这首先涉及苏联共产党的状况和作用。作为积极的群众性政治组织的苏联共产党，一般说来已不存在。大家都知道，这是宣传职能。像从前一样，它只是一个自我产生的机构。在这个机构中加入了许多努力工作的人和有理智的人，但是他们不占大多数，而主要的是作为一个拥有至高无上权力系统的机关，其中包括国家机关，按起源和职能而言属于极权机构，与真正的改革并不相容。

……从宪法中取消可耻的第六条，拒绝承认苏联共产党这支后卫先锋队成为永恒的官方指导者和社会监督者，但丝毫不意味着要求从国家政治生活中取消共产党。”[1]

这份声明反映了激进派的主张与看法，但他们提出的问题确实是需要解决的问题，既然有了自由选举，多党制和各政党自由竞争便是不可避免的了，戈尔巴乔夫和苏共显然对此还没有做好准备。

本届人代会讨论了苏联宪法的补充和修改问题，通过了“关于准确解释苏联宪法（基本法）关于人民代表大会、苏联最高苏维埃及其机构的活动制度的问题”、“关于苏联宪法选举制问题的修改和补充”、“关于对宪法第 125 条的修改和补充”，以及“关于就某些宪法问题授权苏联最高苏维埃和宪法委员会”等决议。规定国家权力代表机关体制是各级人民代表苏维埃，人民代表苏维埃直接地或通过它所建立的机关来领导国家建设、经济建设和社会文化建设的各个领域，通过决议，保障这些决议的执行，对决议实施进行监督。根据这些法律，各加盟共和国有权自行解决成立人民代表大会问题，苏联最高苏维埃有权对苏联政府表示不信任；中专学校和高等院校的集体有权提出人民代表候选人；社会组织无权直接选举人民代表；宪法监督不仅涉及法律，还包括人民代表大会通过的法规和决定。[2] 这次人代会对宪法的补充和修改，为地方苏维埃选举打

---

[1] 《苏联人民代表关于政治改革的声明（摘录）》，见《苏联历史档案选编》第 30 卷，第 528—529 页。

[2] *Филиппов А. В.* Новейшая история России(1945－2006 гг.). Книга для учителя. www.prosv.ru/umk/istoriya/index.html.

开了大门，在各共和国民选的人民代表大会组成后，中央的权威进一步削弱了。

第三节 日益严重的经济与社会问题

1988 年夏天以后，苏联社会的政治气候过热，戈尔巴乔夫本来希望通过公开性使民众参与和支持改革，但是，“关于苏联过去阴暗面的铺天盖地的公开讨论不仅没有带来有关改革的新乐观精神，反而引发了对社会主义计划全部构想的嘲笑。事实是到处都充满了不切实际的理想主义情结和更多的个人高谈阔论的机会，只有日常物质生活的每况愈下才是这段漫长而悲惨的苏联历史情景部分的真实写照。”[1]1988 年苏联农业生产开始下降，1990 年工业生产也开始减少，1987 年苏联花在进口粮食上的费用为 27 亿美元，到 1988 年增加到 41 亿美元，1989 年底，989 种日常消费品中，只有 11% 的商品基本上能买到。[2]苏共党内激进改革派、保守派、中间派的分野越来越明显，社会上出现了政治力量的多元化，各种政治性组织日益发展，而经济状况不容乐观，民众关心的民生问题难以解决。

一、政治激进情绪迅速发展

1988 年国家与宗教的关系开始发生了转折性变化，6 月，俄罗斯皈依基督教 1000 周年纪念，成为苏联盛大的民族节日，苏联举办了隆重的庆祝活动，在大剧院举行了隆重的典礼，赖莎 · 戈尔巴乔娃出席了典礼。许多古老的教堂和修道院再次归属教会掌管，报纸、杂志和电视台也开始谈论宗教对人们道德和精神生活的良好影响。1990 年最高苏维埃通过了一项新的法律：《关于信仰和宗教组织自由的决议》，宗教信仰自由得到尊重。

在苏联改革的进程中，历史问题不断影响着社会舆论和改革的道路选择，1988 年 10 月在白俄罗斯的明斯克附近发现了 102000 具尸体；基辅郊外发现

---

[1] ［美］尼古拉 · 梁赞诺夫斯基、马克 · 斯坦伯格著：《俄罗斯史》，上海人民出版社 2007 年版，第 587 页。

[2] 王宪举：《我在莫斯科当外国记协主席》，新华出版社 2008 年版，第 107 页。

20万—30万个墓地，为调查此事而成立的一个专家委员会于1989年3月认定：这些死者是斯大林体制的受害者，而不是纳粹的受害者；1989年10月2日，乌拉尔地区的车里雅宾斯克和斯维尔德洛夫斯克附近发现30多万具尸体。类似的群葬墓地别的地方也有发现。[1]公开性要求公布的这些消息，这一方面促使一些受害者得到平反，另一方面也严重影响了苏共的威信，加深了人们对苏联体制的怀疑。

与此同时，群众的政治行为方式发生了很大变化，在支持、参与民主派的活动方面由在激进派宣传鼓动下的被动参与开始变为主动参与；由个体参与变为群体参与，集中表现为观点相近的人们开始联合，组成了非正式组织，尝试着行动起来。在苏联第一次人民代表大会上，来自各个城市互不相识的民主派为了协调行动，壮大力量，形成了“跨地区议员团”。大会结束以后，“跨地区议员团”继续活动，成为苏联第一批重要的非正式组织之一。到1989年年底，“跨地区议员团”连同其他非正式组织达到了6万多个，这些组织多数是社会激进力量的代表，大多打出了批判苏共，甚至反对苏共，要求实行多党制的旗号。在东欧剧变、共产党纷纷落马的影响下，这些组织动辄举行盛大的游行示威活动，向苏共施加政治压力。

激进派加强了对大众传媒的影响，《莫斯科新闻》、《论据与事实》、《莫斯科共青团员报》、《星火》、《十月》以及一些电视频道，公开要求发展民主的社会主义，但其理解与戈尔巴乔夫显然不同。戈尔巴乔夫要对原来的体制进行改革，实现真正的社会主义，民主派则要求拆掉苏联的体制。人民代表尤·阿法纳西耶夫说：“这个体制不可能进行修正。它有三个支柱：苏联作为一个集权的、单一的国家的帝国性，国家的自治性枯萎了；没有市场经济的国家社会主义；党的垄断。这三个支柱应该被拆掉，是的，逐渐地，是的，不流血地，通过达成协议的方式，不是通过激烈的暴力之路。”[2]如果说前一阶段人们批评斯大林，是想找到更好的建设社会主义之路，1989年年中以后，越来越多的人开始怀疑苏联的社会主义选择。如：1989年6月《十月》发表的格罗斯曼的小

---

[1] ［美］尼古拉·梁赞诺夫斯基、马克·斯坦伯格著：《俄罗斯史》，第588页。

[2] 转引自：*Согрин. В.В.* Политическая история современной России (1985–2001: от Горбачёва до Путина). М., 2001. С.55.

说《一切都是流动的》，通过一位20世纪30年代大清洗受害者的回忆与思考，表达了作者对俄国的历史发展道路的思考。小说中渲染列宁性格的“两重性”，认为政治生活中的列宁主要目的是夺权，为此可以牺牲一切，列宁的悲剧不仅是俄国的悲剧，也是世界的悲剧。历史学者马斯洛夫在1990年出版的《斯大林主义意识形态的形成过程及其实质》一书中认为，斯大林主义和斯大林现象是对马克思列宁主义的背离，“产生斯大林现象和斯大林主义的极重要条件是一党制，这种制度保证俄共（布）——联共（布）在国内的权力垄断以及长期限制党内民主直至使党内民主化为乌有。”只有抛弃透过斯大林主义的玫瑰色眼镜看待历史，只有抛弃这种观念，“相信几十年确是一场骗局，他们才能取得现实的视角，才能成为革新我国社会，建立真正人道的社会主义而奋斗的积极战士。”[1]哲学家齐普科在《科学与生活》1988年第11期至1989年第2期上发表了《斯大林主义的根源》，这篇长文章主要思想是认为斯大林主义“正是老近卫军建立的那个政治机制、绝对独裁的工具后来被斯大林用于自己的利己主义目的，首先是用来消灭能看清他的人和那些只不过比他更善于思考的人。”[2]这篇文章影响很大，因为齐普科不仅是个学者，他还是苏共中央机关的工作人员。在这种气氛下，人们开始重新审视十月革命的选择和苏联的整个体制，要求改变原来体制的呼声日益强烈。

1989年人民代表选举后，社会激进情绪迅速发展，并且极端化。1989年1—7月，500多个劳动集体举行了罢工，1989年7月开始，罢工潮蔓延到一些重要的煤矿——库兹涅茨克、顿涅茨克、伯朝拉煤矿，雷日科夫政府满足了他们的经济要求后，罢工运动又扩展到其他部门、社会保障和文化教育领域。到1990年春，政治要求成为主要的要求。1990年6月顿涅茨克成立了“矿山工人独立工会”，并决定宣布政治总罢工，要求切实把权力交给苏维埃，把土地交给农民，把工厂交给工人。以“跨地区议员团”为核心的激进派与矿工和其他罢工运动的领袖进行了接触，号召他们在1990年的共和国选举和地方选举中争取胜利。

1989年，取消对订阅报刊的限制成为意识形态革新的重要一步，在此之

[1] 转引自《国外学者论斯大林模式》下册，第844、886页。

[2] 亚·齐普科：《斯大林主义的根源》，转引自《国外学者论斯大林模式》上册，第348页。

索尔仁尼琴

前只有订阅苏共出版的报刊无限制，主要限制非党的、非政治性的，又受到大众喜爱的报刊。苏联公民第一次可以“根据自己的口味”自由地选择订阅的报纸和刊物。这是摆脱用行政手段调节信息领域的重大步骤。报刊为了吸引读者，不得不花力气关心人们的需求，报道发生的丑事、填补历史空白点，这比政治性宣传更吸引人。1988 年 10 月中旬，苏联最高苏维埃收到苏联电影协会要求取消对索尔仁尼琴不公正的措施，作家团体甚至提出恢复索尔仁尼琴的会员资格，一些人把索尔仁尼琴看成是爱国运动的旗帜，在给戈尔巴乔夫的信中，要求出版索尔仁尼琴的《古拉格群岛》。12 月 12 日，恰逢索尔仁尼琴生日之际在电影之家举行了会议，会上说了许多夸赞索尔仁尼琴的话，批评政权机关，还谈到索尔仁尼琴不接受十月革命、苏维埃政权和社会主义。[1]1989 年 6 月底恢复了索尔仁尼琴的国籍。

苏联社会的政治气氛空前活跃，造成了戈尔巴乔夫始料不及的后果：国内的民族情绪发展，民族矛盾公开化，中央政权难以应付危机；舆论多元化发展成政治多元化，各种非正式组织如雨后春笋般出现，如拉脱维亚有“人民阵线”，乌克兰有“乌克兰拥护改造人民运动”，1988 年 6—7 月几乎所有加盟共

---

[1] *Барсенков А.С.* Реформы Горбачева и судьба союзного государства. 1985 – 1991. С.114.

和国都建立了“人民阵线”。苏共面临着前所未有的压力，苏共一党的执政地位被看成是与民主不相容的现象。面对种种问题与危机，戈尔巴乔夫越来越丧失前进的方向与动力。

围绕以计划经济还是市场经济为指导，在所有制上实行公有还是私有等问题，苏共内部和社会上开始对经济改革进行争论。1987 年企业法提出的在计划经济框架下发挥市场作用的观点从 1989 年开始受到批判。但是，无论是戈尔巴乔夫、雷日科夫，还是副总理阿巴尔金都没有接受“自由市场”的理论，他们仍强调要把计划经济与市场结合起来，更反对私有化，坚持大型企业必须控制在国家手中。当时很多人，包括著名专家都反对进行价格改革，坚守斯大林的低价政策，1989 年 8 月 1 日阿甘别吉扬院士在接受记者采访时坚持：“我认为坚决不能提高价格，这会降低大多数人本来就低的生活水平。而且还会出现通货膨胀——货币贬值。去年，通货膨胀率为 8% 至 9%，其中 5% 是没有经过国家的直接涨价所造成的，而 4% 则是由于没有商品作保障的货币数量增多引起货币贬值造成的。”他提出的办法是减少生产投资，把住房出售给居民，提高汽车销量，扩大消费品的生产和进口。[1] 在经济方面，戈尔巴乔夫“担忧市场过分膨胀，害怕价格放开，害怕瓦解集体农庄和国营农场，虽然也看到真正的租赁非此莫属。”[2]1989 年 11 月戈尔巴乔夫和雷日科夫在电视讲话中都表示反对实行资本主义，防止出现剥削。

二、经济危机加深

苏联的政治体制改革是在经济形势越来越糟的情况下进行的，1989 年度总结报告显示，1989 年国民生产总值的增长为 1.7%，物资生产企业的产品增长仅为 1.3%，预算赤字达到历史最高值——920 亿卢布，国家内债高达 4000 亿卢布，外债和货币发行量都明显增长，十年期间外贸首次出现逆差——20 亿卢布。[3] 政治体制改革并没有促进经济情况的好转，反而加剧了

[1] 《消息报》1989 年 8 月 1 日。

[2] ［俄］阿·切尔尼亚耶夫著：《在戈尔巴乔夫身边的六年》，第 351 页。

[3] ［俄］罗伊·麦德维杰夫著：《苏联的最后一年》，第 3 页。

经济的困难。

1988 年 6 月，苏共第十九次代表会议后，苏联改革的重心虽然转向了政治体制，但经济体制改革并没有停步，仍然强调把计划经济与市场结合起来。此时戈尔巴乔夫开始注意调整不适应生产力的生产关系，特别是提出了要重视所有制的调整。1988 年 7 月 1 日生效的《苏联合作社法》规定，集体承包制和家庭承包制是农业企业内部生产的主要形式。戈尔巴乔夫希望通过鼓励发展合作社解决苏联日益尖锐的粮食问题。1988 年 7 月 26 日，他在政治局会议上说：无论是 1965 年关于农业问题的中央全会，还是 1982 年通过的关于粮食问题的纲要，国家对农业进行了大量投入，苏联在农业中用的拖拉机和联合收割机比所有资本主义国家都多，但都没有根本解决粮食问题。关键在于生产关系。我们多年致力于消灭商品货币关系，有 6000 家集体农庄（占总数的 13%）处于亏损状态，有的整个区都没有人了，找不到干活的人。应该建立新型合作社。应该把给它们的土地期限延长至 50 年，出售农村空置的房屋，有 80 万这样的房屋，现在可能有 90 万。1985 年 4 月以后我们通过了 60 多个有关农业的决定，但民众不相信这些决议。现在全国有 200 个合作社，而我们需要 20 万个。现在不要怕说“非集体化”。应该创造一种相信租赁的氛围。现在应该解决改变生产关系的问题了。在两年内应该改变经济关系。[1]1988 年 8 月，决定集体农庄和国营农场可将土地出租给家庭和个人，租期可达 50 年，承租土地者在农忙时可以雇佣劳动力。1989 年 4 月通过租借法，劳动集体可以租借国家的企业。10 月，根据《苏联合作社法》确定的《集体农庄示范章程》公布。这是苏联继 1935 年、1965 年之后确定的第三个集体农庄章程，1988 年 3 月，在全苏集体农庄庄员代表大会上通过，后又根据合作社法进行了修改。这一章程把几年来苏联农业改革的措施进一步系统化和法律化。该章程完全恢复了集体农庄的合作社性质，排除了国家对集体农庄的行政干预。规定“集体农庄是在完全独立自主、自我管理、实行经济核算和自筹资金条件下，在民主的经济管理原则的基础上和在国家的协助下运营的社会主义农业企业。”集体农庄庄员有权“同集体农庄建立承包、租赁和其他合同关系”，“除从事农业生

[1] В Политбюро ЦК КПСС… По записям Анатолия Черняева, Вадима Медведева, Георгия Шахназарова (1985－1991). С.403－405.

产外，集体农庄有权无限制地从事法律所不禁止的其他任何种类的活动：农产品加工、食品和消费品生产、生产技术性产品的生产、商业活动、修理和建筑活动，向本农庄和农庄以外的企业、组织和居民提供服务。”[1]尽管土地仍归国家所有，但经营方式已经很灵活了，庄员可以承包土地自主经营。但是，这些并不能改变农业的状况，苏联的集体农庄庄员在苏联的体制下已经失去了独立经营的能力，他们对承包、承租的热情并不像中国农民那么高，集体农庄庄员基本满足于耕种宅旁园地。合作社已经不能像20世纪20年代那样得到快速发展了，农产品也没有像20年代那样因为体制的转换而迅速丰富起来。

政治领域的激烈斗争，严重影响了经济领域的改革，经济状况日益恶化。日用消费品短缺的现象日益严重，肥皂、盐、洗衣粉、面包、牛奶、鞋、床单这些日常必需品经常买不到。在许多城市举行的群众集会上，人们打出了这样的标语牌：“谢谢您，雷日科夫总理，我们没吃没穿”，“没有短袜我不能参加改革”，人民不再信任以总书记为首的苏共。[2]居民的肉食和奶产品供应的问题日趋严重、到处排长队。社会调查表明，1989年末在989种大众消费品中，在某种程度上敞开出售、未严重断货的仅占11%，商店中已看不见电视机、电冰箱、洗衣机、洗涤剂、大部分日用化学品、许多种家具、电熨斗、刮脸刀片、化妆品，1987年还不间断出售的诸如洗涤剂、练习本、铅笔、漆布之类的商品，也都成了脱销商品。[3]1989—1990年苏联大部分地区实行凭证供应，定量供应的食品达15—20种，供应额：面包每个家庭成员一天250—300克，每月供应黄油和人造奶油100—500克、米300克、糖1公斤。居民的现金收入在1989年增长了13%，而劳动生产率只增长了2.3%。[4]明知民众对经济状况不满，戈尔巴乔夫却找不到摆脱危机的出路，他的看法是：“事业开头很困难，但别无选择，我们只好继续前进。谁开始按新方法工作，他已经

[1] 参见《苏联东欧问题译丛》，1989年第6期，第119—134页。

[2] 转引自：*В.В.Согрин*. Политическая история современной России (1985–2001: от Горбачёва до Путина). М., 2001. С.58–59 .

[3] *Воронов А.* О проблемах преодоления дефицита и методах регулирования потребительского рынка.//Вопросы экономики. 1990. №1. С.26–32.

[4] *Кацва Л. А.* История России. Советский период (1917–1991) . http://it-n.ru.

有了成绩。别问我如何进行改革。这事我该问你们。我给了你们充分的自由，去按你们认为应该做的那样去做。这样行动吧！自己养活自己和自己人，自己给自己和自己人衣服穿，自己给自己和自己人解决住房。”“如果你们，‘什么都向我要求’和指望莫斯科准许和拨给，这就说明你们根本不理解改革的这种实质。”[1]这完全是一种推卸责任的说法，如果老百姓什么都靠自己解决，还要政府何用？

在消费品供应日益紧张的情况下，粮食又出现了危机。“根据 1989 年 1 月 1 日的情况，共有 6130 万吨粮食进入国家储备，而原计划为 8570 万吨。国家计划的近 30% 未能完成，其中俄罗斯苏维埃联邦社会主义共和国未完成额为 40%，哈萨克苏维埃社会主义共和国为 42%，爱沙尼亚苏维埃社会主义共和国为 52%，与 1987 年的水平相比，储备量减少 1190 万吨或 16%，其中小麦储备量减少 21.7 万吨，豆类储备量减少 45.8 万吨，荞麦储备量减少 718.6 万吨，燕麦储备量减少 92.8 万吨……许多州的生产单位还有大量已经脱粒的谷物，却发生了不肯出售给国家的事情。”[2]1989 年世界谷物收获量也很低，小麦平均价格从 1988 年的每吨 176 美元涨至 207 美元，加剧了苏联的困难。

前一阶段经济改革措施不当的后果开始显现，“1986 年—1988 年粮食产品的年平均增长额为 3.7%。经济学上有这样一个概念，被称作‘未满足的需求’为 175 亿卢布，1988 年生产这些新产品的资金总额达到 1360 亿，未满足的需求为 210 亿。”[3] 在过去的 3 年间，居民收入增长了 2130 亿卢布，而支出仅增加了 1940 亿，回笼货币差额为 190 亿，未进入流通，因为没有补充这一数额的物质。[4] 收入的增长超过了大众消费品的增长，导致通货膨胀和卢布贬值。

---

[1] ［俄］阿·切尔尼亚耶夫著：《在戈尔巴乔夫身边的六年》，第 265 页。

[2] *Шелудько М.Г.* Об итогах выполнения плана экономического и социального развития Министерства хлебопродуктов СССР в 1988 году и за 3 года XII пятилетики. 26 января 1989. РГАЭ.Ф.8084.оп.19.Д.4393.Л.252. См. *Гайдар Е.Т.* Гибель империи. Уроки для современной России. 2-е изд. М., РОССПЭН, 2007. С.252.

[3] ［俄］尼古拉·雷日科夫著：《背叛的历史——苏联改革秘录》，第 212 页。

[4] 同上书，第 216 页。

国家的财政状况也在恶化，1989 年 12 月政府向苏联人代会第二次会议提交的报告指出："所有这一切都转化为国家财政、货币流通和消费市场的严重混乱。本五年计划的前三年期间预算资金的增长主要依靠贷款来保证。1988 年的预算在总支出较 1985 年增加 730 亿卢布的情况下，其收入实际上固定未变。1989 年的国家预算赤字为 920 亿卢布，达到国内生产总值的 10%。货币发行量猛增，本年度为 180 亿卢布，相比之下，1985 年则仅为 40 亿卢布。越来越多的商品出现了短缺。卢布贬值，已无法发挥流通手段的功能，无法正常地为社会主义市场的发展进程服务。通货膨胀日益加剧。外债不断增加，尤其是硬通货的债务，本五年计划期间共增加了将近 180 亿卢布。"[1] 第三世界国家，特别是社会主义国家欠苏联的债务也不少，到 1989 年 1 月 1 日达到 610 多亿卢布，如果这些钱能收回来自然会减轻苏联的经济困难，但是，出于意识形态的考虑和那些国家的实际能力，苏联无法收回这些欠款。由于国家保持食品的低价，不断扩大补贴规模，1989 年用于食品需求的补贴金在国家预算中占到支出部分的 1/3 左右，主要食品零售价的补贴份额已高达 80%：面包 20%、牛肉 74%、猪肉 60%、羊肉 79%、家禽 36%、牛奶 61%、奶油 72%、乳酪 48%。[2] 这又反过来加剧了国家财政的紧张。

在经济发生严重危机的情况下，政府找不到摆脱危机的措施，经济改革方案仍迟迟无法出台，改革的主要设计者阿甘别吉扬说："目前我们正在讨论并制定一系列的相应措施，目的在于更好地运用鼓励方式，调动厂矿企业的兴趣和积极性，让他们生产人民欢迎的消费品。但这已经有点晚了，这种正在拟定的措施，应该早在 1985 年或者最迟在 1986 年就颁布实施。然而眼下已经是 1989 年了，我们还处于讨论阶段。"[3] 政治体制改革造成的国家管理职能的

---

[1] См. *Гайдар Е.Т.* Гибель империи. Уроки для современной России. 2-е изд. М., РОССПЭН, 2007. С.255.

[2] 《前苏联在食品和农业经济成分中的改革战略》，华盛顿：世界银行，1993 年，第 253 页。转引自：*Гайдар Е.Т.* Гибель империи. Уроки для современной России. 2-е изд. М., РОССПЭН, 2007. С.212.

[3] ［俄］阿贝尔·阿甘别吉扬著：《苏联改革内幕》，常玉田等译，中国对外经济贸易出版社 1990 年版，第 20 页。

削弱，实际上又使戈尔巴乔夫失去了贯彻和执行决定的机制，正如切尔尼亚耶夫所说："人们已经不承认党能够发挥这种作用，而且它也不会搞改革。各级苏维埃照旧不中用。经济管理人员无所适从：既没有上头下达的指示，又没有自行其是的自由；不知道跑去找谁来保持与协调企业的联系。各级政府机关不是纪律涣散，就是又叉起了双手，得意地微笑着等待一切崩溃。'让每个人都投入改革'的口号无人响应。我们的人没有了引路人而感到自己已被抛弃，于是痛恨地说：现在什么也没有了，也没人可找了，没人可要求了，只有呐喊和痛骂。"[1]

三、苏联共产党的危机与戈尔巴乔夫思想的变化

完善社会主义民主应该从发扬苏共党内民主做起，当时许多人认为："社会主义民主真正得到完善，还是徒有虚名，这首先决定于党内的状况，决定于党内民主发扬的程度及其效果。在一切领域，正是党和党员理应率先以自己的生活方式来体现社会主义的理想。这是他们光荣的义务，但也是重大责任。党的领导人和机关负责干部必须放弃物质特权，或者至少使他们的待遇取决于归他们管辖的机构的劳动成果。"[2]应该从党的机关的民主化开始改革，然后是党的民主化，最后是社会的民主化，事实上，戈尔巴乔夫是头脚倒置，他先从社会开始民主化，然后再试图转向党的民主化，而在转到党的机关民主化之前就走不下去了。

苏共第十九次代表会议表明，苏共自己主动地放弃了不受监督的权力，并准备与其他政治组织和运动分享政权。但戈尔巴乔夫不明白，不依赖政治组织，什么政策也实行不了。政治体制改革的重心应该是党的民主化，改变党员与党的政策无关的状况，以焕发党的生机与活力。在改革的六年时间里，戈尔巴乔夫一次都没有会见过苏共中央委员会的机关干部，以讨论机关的问题。在他演讲的词汇中，找不到"机关内部民主化"这样的词。[3]他所作的不是改变机关的职能和领导方法，而是换干部，据久加诺夫的统计，"1986—1989 年，

[1] ［俄］阿·切尔尼亚耶夫著：《在戈尔巴乔夫身边的六年》，第 372 页。

[2] 安巴尔楚莫夫：《论完善社会主义政治体制的途径》，转引自［俄］尤·阿法纳西耶夫编：《别无选择——社会主义的经验教训和未来》，第 112—113 页。

[3] *Ониковъ Л.* КПСС: анатомия распада. Взгляд изнутри аппарата ЦК. М., 1996. С.71–72.

82.2% 的区和市委书记易人，90.8% 的州委、边疆区委和共和国书记易人。”[1] 实践表明，只撤换干部于事无补。

1987 年 1 月中央全会提出书记通过无记名投票选举产生，但直到 1989 年 7 月省级书记通过这种方式产生的不到 1%，党内权力仍来自上层的任命。戈尔巴乔夫及各共和国的第一书记仍然掌握着干部的任命大权，党员和民众对干部的任命影响并不大。如：1988 年 9 月 30 日，拉脱维亚共产党第一书记普戈被选为苏共中央监察委员会主席，10 月 4 日，拉脱维亚共产党中央召开全会选举新的第一书记，其程序与以前并无实质区别，先是普戈谈形势和对第一书记职务的要求，然后他推荐拉脱维亚最高苏维埃主席亚・瓦戈利斯为候选人，并强调戈尔巴乔夫和苏共中央政治局成员已经跟瓦戈利斯谈过话，政治局同意拉脱维亚共产党中央推举瓦戈利斯为第一书记候选人。推荐阿・戈尔布诺夫为拉脱维亚最高苏维埃主席。[2] 绝大多数人的发言都支持普戈的动议，但也有人提议应该举行秘密投票，把阿・戈尔布诺夫也列入第一书记候选人名单，最后还是把亚・瓦戈利斯一人列为秘密投票的候选人，他也高票当选（117 票），没有人投反对票，有 2 票弃权。

1988 年 9 月 8 日政治局会议讨论戈尔巴乔夫提出的“关于党的机关的改革问题”，戈尔巴乔夫尽管不是很坚决，但支持只保留与党的政治作用相适应的组织机构，“废除经济部门，意味着不再使党和国家领导经济的机关重复，这是一个重要的主意。中央委员会只保留国防工业和农业委员会。这也是暂时的。”应该结束一切由中央委员会和政治局发布决议，没有决议什么也不会做的状况了，需要根本改革党的机关及其工作作风。“改组机关与建立法制国家相联系。我们社会和国家的一切机构都应该在合法基础上，也就是在法律框架内工作。谁也没有权力超越法律的界限，谁也不能破坏法律。最主要的破坏者，我不止一次地说过，是我们在座的政治局，还有中央书记处。”[3] 雅科夫列

[1] 王宪举：《我在莫斯科当外国记协主席》，新华出版社 2008 年版，第 98 页。

[2] 拉脱维亚共产党中央第八次全会记录（1988 年 10 月 4 日），沈志华收集和整理：《苏联历史：俄国档案原文复印件汇编》第 25 卷（下），华东师范大学冷战国际史研究中心藏。

[3] В Политбюро ЦК КПСС… По записям Анатолия Черняева, Вадима Медведева, Георгия Шахназарова (1985–1991). С.415–416.

夫、谢瓦尔德纳泽和梅德韦杰夫支持他，雷日科夫实际上也支持这么做，他厌烦中央机关对其工作的干涉。另外一些政治局委员和中央书记则反对，结果什么措施也没采取。[1]他们认为改组会产生大量复杂问题，据利加乔夫测算："我们应当裁减70万至80万人。仅州、共和国、区和市机关就要裁减55万人。"精减造成机关人心动荡，官员纪律松弛，导致了本位主义情绪。雷日科夫认为利加乔夫说得有理，此事说起来容易做起来复杂，沃罗尼科夫担心国家机关不能行使以往由党机关行使的一些职能。[2]1988年9月27日政治局会议最终决定对党的机关进行改革，戈尔巴乔夫在发言中建议成立下列委员会：党的建设和干部政策委员会，拉祖莫夫斯基任主席；意识形态委员会，梅德韦杰夫任主席；社会经济政策委员会，斯柳尼科夫任主席；农业问题委员会，利加乔夫和尼科诺夫任主席；对外政策委员会，雅科夫列夫任主席；此外中央委员会有国防局（巴克拉诺夫负责）、法律局（切布里科夫负责）、总务局（博尔金负责）、管理局（克鲁奇纳负责）。[3]

1988年9月30日召开苏共中央全会通过了改组苏共中央机关的决定。该决定取消了苏共中央下设与政府平行的23个部，代之以6个委员会，使苏共领导机构大为削减。除了农业部门，所有与经济有关的部门都被撤销了。意识形态、组织、经济、国际事务等部门分别委托给一名政治局委员领导，书记处不再总是举行会议。"取消书记处这一真正的'苏联影子政府'，此举自然不仅仅是为了将利加乔夫推向次要地位。这一看似纯机关的革命具有极其重要的政治寓意：自斯大林时代以来中央委员会第一次不再充当发号施令的机关，苏联共产党本身也不再充当苏维埃国家实际上的'最高权力机构'。总书记肯定也意识到了一旦打掉党内官僚手中的这个工具，他也就砍掉了自己所栖身的树枝。"[4]全会再次进行了人事变动，政治局委员葛罗米柯、索洛缅采夫，政治局

---

[1] *Медведев В.А.* В команде Горбачева: взгляд изнутри. М., Былина, 1994. www.lib.ru/MEMUARY/GORBACHEV/medvedev.tx.t

[2] ［俄］鲁·格·皮霍亚著：《苏联政权史（1945—1991）》，第595页。

[3] В Политбюро ЦК КПСС… По записям Анатолия Черняева, Вадима Медведева, Георгия Шахназарова (1985 – 1991). С.420.

[4] ［俄］安德烈·格拉乔夫著：《戈尔巴乔夫之谜》，第198页。

候补委员杰米契夫和多尔基赫退休，弗拉索夫、比留科娃和卢基扬诺夫成为政治局候补委员，梅德韦杰夫成为政治局委员（没有经过候补阶段），选举政治局委员切布里科夫为中央书记。普戈担任党的中央监察委员会主席。新成立的6个隶属于苏共中央的委员会是：党的建设和干部政策委员会（主席为拉祖莫夫斯基）、意识形态委员会（主席是梅德韦杰夫）、社会经济政策委员会（主席是斯柳尼科夫）、农业政策委员会（主席是利加乔夫）、国际政策委员会（主席是雅科夫列夫）、法律政策委员会（主席是切布里科夫）。通过这一变动，原来由利加乔夫主持的书记处实际上被取消了，此后，书记处就没再开过会，直到苏共二十八大书记处的职能才恢复，利加乔夫主管的意识形态工作由梅德韦杰夫取代，切布里科夫克格勃主席的职务由克留奇科夫取而代之。在第二天举行的最高苏维埃非常会议上，戈尔巴乔夫当上了最高苏维埃主席，他的同学卢基扬诺夫成了最高苏维埃第一副主席。戈尔巴乔夫成功地消除了利加乔夫和切布里科夫的威胁，把党政军大权都抓到了自己的手中。

戈尔巴乔夫精减了机构，破坏了官僚阶层的稳定，在过去的几十年中，这个由上级任命的党政官僚管理着“全民财产”。历史学家皮霍亚在评论此事时说：“戈尔巴乔夫不信任机关，不信任任命制，这让人惊讶。他本人与任命制血肉相连……他走到这个阶梯的顶端后，打破了任命制，其后果比他预料的要严重得多，使人联想到如同儿童想用火柴为黑暗的干草棚照明。似乎注定支持戈尔巴乔夫的那个阶层与他分道扬镳。”[1]“官场私有化”使官僚把自己管理的东西据为己有，现在他们的地位被动摇，戈尔巴乔夫破坏了这个阶层的稳定，引起了他们的不满。在1989年苏共四月全会之前，莫斯科到处流传要撤换戈尔巴乔夫的传闻，“在中央四月全会上，改革政策头一回遭到了粗暴的斥责，许多人竟敢攻击并粗暴地责骂总书记，这是有史以来第一次出现的情景，不久以前甚至是不可想象的。”[2]既然党内如此多的高级领导人都不认同总书记的路线，改革的命运可想而知。

1989年第一届人代会代表的选举表明，苏共的威信进一步下降，“在此之前一年在社会调查中有10%—15%的被调查者对党领导改革的能力失望，那

[1] ［俄］鲁·格·皮霍亚著：《苏联政权史（1945—1991）》，第597页。

[2] ［俄］阿·切尔尼亚耶夫著：《在戈尔巴乔夫身边的六年》，第343页。

么现在如此回答者已占到了35%。对于共和国党的中央委员会、边疆区和州委、市委和区委的工作给予否定评价的人更多——将近被调查者的60%。这种情绪自然不能不在舆论界有所反应。”[1]选举一结束便出现了政治局应该集体辞职的问题，雷日科夫谈到这个问题：总书记应该考虑这个方案。我补充说我们每一个人都应该考虑这个问题。谢瓦尔德纳泽说政治局集体辞职的目的是让总书记放手去做，斯柳尼科夫提出个人辞职的动议。但是戈尔巴乔夫都没有采纳，他提出了革新中央委员会和中央监察委员会的方案，这种革新主要是因为有许多人退休（301人中有83人退休）。社会舆论把党的领导机关的构成与教条保守的力量占主导联系起来了。[2]对于苏共面临的危机，戈尔巴乔夫没有采取什么得力的措施，他把一切责任都归咎于历史。

1989年7月8日，苏共召开各州和边疆区党委第一书记会议，讨论人代会选举和党在新形势下活动的问题。戈尔巴乔夫在会议上认为，党受到批评，主要原因是党的改革落后于社会民主化，他认为这“不是党的危机，而是其原有的职能、陈旧的工作方法和工作作风造成的危机。党已嵌入管理社会的行政指挥体制，并按这一体制的规律来生活……凌驾于一切之上，监控国家生活、经济生活和意识形态中的一切过程，包办一切，压倒一切，给国家机关和经济部门、社会团体下达不容争议的指令和命令。”[3]戈尔巴乔夫一步到位地让党放弃这些权力，让党到群众中去做工作，允许党内有不同意见，关于党委书记兼苏维埃主席的问题，戈尔巴乔夫“请大家在各自的共和国、州、城市、区里面自己去解决这些问题。苏维埃主席可以是拥有社会公认的威望的任何一位代表，无论其现在的职务如何，也无论他属于哪个党。”[4]地方苏维埃的选举使苏共失去了对苏维埃的控制，它导致政治家和党员不再对苏共中央负责，而是对选民负责，导致地方主义发展，联盟中央失去权威。苏共的联邦化显然不利于

---

[1] *Медведев В.А.* В команде Горбачева:взгляд изнутри. М., Былина, 1994. www.lib.ru/MEMUARY/GORBACHEV/medvedev.txt.

[2] *Медведев В.А.* В команде Горбачева:взгляд изнутри. М., Былина, 1994. www.lib.ru/MEMUARY/GORBACHEV/medvedev.txt.

[3] ［俄］米·谢·戈尔巴乔夫著：《戈尔巴乔夫回忆录》上册，第542页。

[4] 同上书，第543页。

苏共自身的发展，更不利于维护国家的团结与统一。

1989 年苏联的经济困难加剧，苏共威信迅速下降，许多党员退党，特别是知识分子党员。在新西伯利亚，每一次苏共区委（科学城）会议上都会有数十起退出苏共的事件。“如果说在 1988 年伊尔库斯克州接收的苏共预备党员中工人占 41.7%，那么到 1989 年工人的比重下降了 14.8%，只占 26.9%。”[1] 在克拉斯诺亚尔斯克边疆区，1989 年入党人数减少了 46%，而根据个人意愿有近 3000 人退出了苏共。[2] 对参加俄共成立代表大会的代表进行一项调查，要求他们回答：您认为党员退党的原因是什么？结果显示：不想执行党的决定、履行党员义务和缴纳党费占 39%，对共产主义思想失望占 37%，不信任作为政治力量的苏共占 36%，不想对苏共过去承担罪责的占 33%，担心作为苏共成员受迫害的占 29%，由于党员优先晋升特权已经丧失的占 29%，不同意苏共政治路线的占 25%，不满意党组织内部关系的占 25%，在调查表上填其他原因的占 7%。[3] 苏共内部的危机在加深。

苏共内部对戈尔巴乔夫的指责声也越来越高。纳扎尔巴耶夫回忆道：“1989 年 7 月在苏共中央会议上，戈尔巴乔夫宣布其欲用强硬方针使追随者们脱离领导层，吸收新鲜力量管理党和国家。论敌作出回答对戈尔巴乔夫进行诽谤，指责他面临四面楚歌，公开声明，国家正在体验灾难，攻击他想象出的改革。党的第二书记叶戈尔·利加乔夫的发言尤其让我震惊，他让我们制止‘开诚布公’的新闻媒体并降服那些被他称作反共产主义团伙的社会运动。我怀着对保守派的异常不满，利用全会讲坛指责他们热衷于停滞，害怕民主制，并无能力摆脱传统对待持不同政见者的消极关系。”[4]

戈尔巴乔夫及苏共领导层并没有为苏共制定出适合新形势的可行之策，在许多人看来，“苏联共产党已经分裂，很多带有最明显政治色彩的人，极端仇视运动的人徒具形式地加入苏联共产党。我们认为在真真假假的‘苏联共产

---

[1] *Козодой В.И.* Становление оппозиционных организаций в Сибири (1989–август 1991г.) //Вопросы истории. 2008. №5. С.83.

[2] Известия ЦК КПСС. 1990. №5. С.28.

[3] Диалог, 1990, №5. С.3.

[4] ［哈］努·纳扎尔巴耶夫著：《时代、命运、个人》，第 57 页。

党'的最终公开分裂和在此基础上出现2—3个现实的俄罗斯群众性党是不可避免的，更不用说几个共产党的分支了。"[1]这样的党很难继续起改革领导者的作用，所以一些人提出未来的改革取决于不依附于苏共的激进民主力量。普里马科夫认为："第一个没有克服的、决定了改革进程不成功的矛盾，在于经济改革和社会的民主化不能在保持只是略有改变的苏共中央委员会和整个党的领导作用的情况下实现。"[2]"通过的决议的模棱两可导致了党内事实上的分裂，人们担心这种分裂得到组织上的巩固。一方面，党的领导人，特别是地方的领导人，极力反对贬低他们的作用。他们在全苏性的集体上发言激烈批评改革的'反社会主义'实质。在多数情况下，在这种批评的背后隐藏着个人的种种动机或者是纯粹教条的社会主义观念，但是，部分发言者也表达了真诚的不同意见，改革路线并没有经受住检验，特别是在经济方面，没有同业已抬头的犯罪现象和动摇整个国家的分离主义现象进行必要的斗争……另一方面，指望党的健康部分和已经离开党并正在积蓄力量的阶层（这一阶层主要是知识分子的代表，他们开始激烈批评戈尔巴乔夫在改革和国家民主化方面的犹豫不决）。可以指望的正是这些已经脱离了党的人，而不是那些一开始就置身党外、憋足了劲的人。"[3]戈尔巴乔夫并没有明确指望或依靠哪部分人，他极力维护党的统一，长期容忍利加乔夫占据第二书记的职位，两边都讨好，结果两边都不买账。

戈尔巴乔夫的思想也越来越激进，越来越偏向民主社会主义，他放弃了对过去体制的修补，而是要重建新的体制。戈尔巴乔夫在1989年11月26日《真理报》上发表题为《社会主义思想与革命性改革》的长篇文章，尖锐批评正统的马克思主义，他提出有三种选择：共产主义者的、民主社会主义者的和自由主义者的。他首次承认马克思有理论错误，包括没有预计到资本主义自我

---

[1] 《苏联人民代表关于政治改革的声明（摘录）》，见沈志华总主编：《苏联历史档案选编》第30卷，第529页。

[2] *Примаков Е.М.* Годы в большой политике. М., Колекция "Совершенно секретно". 1999. С.67.

[3] *Примаков Е.М.* Годы в большой политике. М., Колекция "Совершенно секретно". 1999. С.67–68.

发展的可能性，承认利用民主社会主义的经验，宣布自由民主的价值观是全人类的。如果说改革初期戈尔巴乔夫主要着眼于纠正社会的扭曲现象，完善过去几十年间形成的制度，那么此时戈尔巴乔夫则强调："必须根本改造我们的整个社会大厦：从经济基础到上层建筑。不仅是说，而且要在改革所有制关系、经济机制和政治体制，改变社会上的精神和道德气候等方面实际实行步骤。"戈尔巴乔夫强调苏联的改革既不是保存行政命令体制，也不是推翻十月革命的选择而走资本主义，而是恢复马克思主义思想权威和马克思主义对待现实的态度，"要依靠建设一个人道的、自由的、理智的社会的社会主义思想的巨大智慧和道德潜力"。[1] 从此，改革发生根本性转折，不仅改革的目标改变了，政治体制也开始按照西方国家的模式发展：实行总统制、取消宪法第 6 条、制定新党纲，提出发展市场经济等。

对于戈尔巴乔夫"人道的、民主的社会主义"思想，学术界有不同评价，有人认为这是对马克思主义的背叛，也有人不同意这种看法："我们说戈尔巴乔夫的人道的民主的社会主义在理论上如何错，在实践上导致如何严重的后果，但不可否认，他作为斯大林背离民主法制的专制极权的对立物，作为斯大林背离以人的需要为发展目标的社会主义这一模式的对立物，是斯大林模式的社会主义的逆反效应的产物。"[2] 这种说法有一定的道理，戈尔巴乔夫这一思想的形成有一个过程，对斯大林时期阴暗面的揭露和社会舆论对斯大林式社会主义的否定无疑在其中起了重要作用。同时，戈尔巴乔夫在与西方打交道时，深受民主社会主义思想的影响，他认为不同于资本主义的民主社会主义能够克服资本主义的不公平，是苏联应该学习的榜样。

总之，戈尔巴乔夫转向政治体制改革的一个重要出发点是"如何深化革命性的改革，并使这一改革不可逆转"。苏共第十九次代表会议把民主化与根本性的经济改革同政治体制改革结合起来，通过政治体制改革来保障民主化和经济改革的成功。但是，在新制度的设计上存在着许多问题，党、政府与苏维埃的关系没有理顺，职责不清。考虑不周、仓促上马的政治体制改革导致了国

[1] ［俄］米·谢·戈尔巴乔夫：《社会主义思想和革命性改革》，载《苏联东欧问题译丛》，1990 年第 1 期，第 2、3 页。

[2] 马龙闪：《苏联剧变的文化透视》，中国社会科学出版社 2005 年版，第 404 页。

家政权的削弱，民众的不满情绪变成了针对戈尔巴乔夫和苏共领导的批评。到1989年底，戈尔巴乔夫成了民主派批评的主要对象，动摇了其作为领袖的地位和权威。在真正需要的经济市场化改革的问题上，戈尔巴乔夫却少有突破，用其办公厅主任博尔金的话说，他不敢这么做，“他既没有勇气前进，也没有勇气后退。党的各级领导者看不到实现转变的道路上的明确目标，也看不出进展，他们已不再相信戈尔巴乔夫。他们知道，和他一起会走上死路。有民主意识的人也一下子都离开了总书记。这是戈尔巴乔夫的悲剧，但也是党的悲剧，是我们全民族的悲剧。”[1]

[1] ［俄］瓦·博尔金著：《戈尔巴乔夫沉浮录》，第99页。

第五章　1990 年：改革战略的再转变

1990年是强硬路线派与改革派（又有人称保守派与改革派）之间斗争迅速发展的一年，改革的前景被弃之不顾。如果说此前的改革还是完善社会主义，此后则改变了方向，美国学者大卫·科兹认为：1990—1991年"亲资本主义联盟获得了足够的政治力量，使经济体制的变化超出了社会主义改革的范围。"[1]苏联社会发生这种全面转向源于苏联内外环境的变化以及国内力量对比的变化。从外部环境看，东欧国家内部的反对派力量迅速发展，1989年下半年先后在波兰、匈牙利、捷克斯洛伐克、民主德国、罗马尼亚击败共产党上台执政，这对苏联冲击很大，鼓舞了苏联反对派的士气，刺激了他们的政治胃口。在苏联国内，戈尔巴乔夫的威信日益下降，地方选举增强了反对派的力量，从1990年初开始，反对派把夺取政权提上了日程，从前的反对派在一些共和国掌权，但权力是不完全的，反对中央集权和反对社会主义的斗争交织在一起，苏联国内的政治气氛更加紧张。

在内外压力下，戈尔巴乔夫为了应付面临的种种危机，再次调整了改革战略，从完善苏联模式的社会主义走上了彻底告别这种模式之路，要建设"人道的、民主的社会主义"，这种"一步到位的、全面的"改革使国家更加混乱和无序，街头政治不断发展，民族矛盾日益尖锐，经济危机加重，人民的不满更加突出。戈尔巴乔夫的犹豫不决对此起了推波助澜的作用，对此，纳扎尔巴耶夫不无遗憾地说："戈尔巴乔夫怎么硬是没意识到，国家亟需和平和稳定，这样做可以喘口气、校正方向并团结社会，满怀信心迈向选定目标。他有时显出不果断和犹豫不定，他只能破坏局面。改革错误数量每年按几何代数发展。最不稳定的1990年在国内各个地区开始爆发民族冲突。但就在当时仍可以改变局势并恢复原来状态。需要采取决定性措施，应当在法律范围内有所作为，戈尔巴乔夫当时有足够的宪法确定的全权。然而他像往常一样，持观望态度，并称一切都在自我改进完善之中。"[2]

---

[1] ［美］大卫·科兹、弗雷德·威尔著：《来自上层的革命——苏联体制的终结》，第100页。

[2] ［哈］努·纳扎尔巴耶夫著：《时代、命运、个人》，第60页。

第一节　苏联社会的巨大变化

1990年的地方苏维埃选举在苏联的政治发展中起了很大作用，如果说在此之前联盟中央尚能控制国内局势，那么在地方选举之后，全国不少地方都出现了“双重政权”：一个是人民代表大会和苏维埃；另一个是党的地方委员会。大多数加盟共和国最高苏维埃建立后通过的第一个文件都是独立宣言或主权宣言，中央与地方之间展开了“法律战”、“主权战”。在激烈的政治斗争中，苏共的反对派与民族主义势力结成了同盟，共同削弱联盟中央，苏共中央与反对派的斗争、联盟中央与民族分离主义的斗争交织在一起，苏共与联盟中央明显处于守势。

一、多党成为现实，激进派开始夺权

戈尔巴乔夫本想在一党制下进行“多一些民主、多一些社会主义”的改革，但公开性与民主化必然导致社会的多元化与多党制。1988年苏联结束了书报检查制，人民的政治热情和积极性空前高涨，从而在苏联历史上第一次出现了言论自由和社会舆论多元化。随之社会组织也如雨后春笋般出现，如拉脱维亚有“人民阵线”，乌克兰有“乌克兰拥护改造人民运动”，各加盟共和国都建立了“人民阵线”，其代表于1988年8月13日在雅尔塔举行工作会晤。1989年10月30日，苏联民主组织跨地区协会在车里雅宾斯克宣布成立，参加会议的有来自12个加盟共和国的数百名代表，代表30多万名成员和92个非正式组织和运动，提出建设开放的民主社会，使立法、行政和司法权力分立。1989年7月29—30日，400多名苏联人民代表自行串联，在莫斯科电影工作者之家举行了人民代表跨地区代表小组第一次会议，成立了变相的反对派议会集团，选举叶利钦、萨哈罗夫、阿法纳西耶夫、波波夫和帕尔姆为小组主席。到1990年初，非正式组织发展到了几万个。[1] 这一时期主张激进改革的力量得

[1] 详细情况参见黄立茀著：《苏联社会阶层与苏联剧变研究》，社会科学文献出版社2006年版，第526—531、560—566页。

到加强，他们主要由三部分人组成：一是“影子经济”的经营者，保守的估计其规模有 1500 亿卢布，相当于国民收入的 1/4[1]；二是 1988 年合作社法通过后出现的数量众多的、向往自由经济的社会阶层；三是从 1988 年起，虽不是公开的私有化，但事实上肢解国营经济，利用国家资源为自己谋利的官员。这一社会基础成为激进反对派建立组织，发动社会运动和获得选票的重要力量。

戈尔巴乔夫主动放弃了东欧这块苏联与美国抗衡的阵地，东欧国家内部的反对派力量迅速发展，于 1989 年下半年先后在波兰、匈牙利、捷克斯洛伐克、民主德国、罗马尼亚击败共产党上台执政。对此，苏共中央没有心理准备，但从改革的理念上看，苏共也没有理由对此进行指责。人们关心东欧国家向哪里去？苏联与之合作的前景如何？苏联可以从中吸取哪些教训？为此，1990 年 5 月 14 日《真理报》发表了苏共中央国际部副部长穆萨托夫的文章《东欧的变化和我国的改革》，可以说是苏联官方对东欧事态的评价。该文认为：“从全球意义上来说，如果我们舍弃意识形态公式，有理由认为，东欧盟国发生的变化是世界性民主趋势的反映，其实质就是从极权主义向议会多元化、向公民社会、向法制国家的过渡。如果对东欧国家的变化作更具体深入的探讨，其性质可以说是一个建立在‘以党治国’的行政命令体制基础上的社会制度被取代的过程，是‘现实社会主义’意识形态概念威信扫地，而在对外政策方面，则是对战后欧洲分裂状态的放弃，是我们联盟体系的转变。”认为东欧发生变化的基本原因是“国家社会主义概念及其专制官僚主义体制和教条主义意识形态立场的危机。”[2] 作者坚信，苏共应当仍然是一个选择社会主义的、具有灵活的组织结构、能够解决议会内外斗争任务的、群众性的、民主的政党。苏共内的反对派从东欧的变化中看到了希望。

从 1990 年初开始，反对派把夺取政权提上了日程。1 月，在俄罗斯联邦进行人代会和地方政权机关的选举前夕，激进运动的战略发生变化。他们要自行其是，借助选举获得苏维埃的多数夺取俄罗斯联邦的政权，宣布俄罗斯联邦主权，借助俄罗斯联邦的民主情绪进行改革。为了达到这一目的，1990 年 1

---

[1] *Барсенков А.С.* Реформы Горбачева и судьба союзного государства 1985 – 1991. С.121.

[2] ［苏］ В. 穆萨托夫：《东欧的变化和我国的改革》，载《苏联东欧译丛》1990 年第 4 期，第 67 页。

月 20—21 日在莫斯科建立了选举前的联盟——“民主俄罗斯”，确定了参加竞争俄罗斯联邦 22 个选区代表的候选人，主要都是跨地区议员团的代表。“民主俄罗斯”的政治要求包括：取消宪法第六条，消除党的机关对企业、机关任何形式的监督，禁止他们在军队、护法机关、外交机关中的活动，把俄联邦最高苏维埃变成经常性的职能机构，开辟电视频道和报纸专栏。在经济改革领域，反对用社会主义或资本主义这种意识形态的词汇，提出把市场作为调节经济的手段，建立在民主基础上的国家利用经济杠杆调节经济。必须实行有效的反垄断政策，各种所有制形式平等。

1990 年 1 月 20—21 日，与“民主俄罗斯”几乎同时，建立了另一个激进组织——“苏共民主纲领派”，莫斯科高级党校的校长弗·绍斯塔科夫斯基和某高校科学共产主义教研室的副教授弗·雷先科是直接组织者，其中的主要人物也包括跨地区议员团的代表——叶利钦、H. 特拉夫金、格德良。建立“苏共民主纲领派”也是激进派的一个新战略，是为了从内部摧毁苏共，许多占据关键岗位的苏共成员被联合到这一派别中。“苏共民主纲领派”宣布苏共党内并不像戈尔巴乔夫说的那样存在着保守派和改革派两派，而是存在着三派：第一派是保守的斯大林主义派；第二派是以戈尔巴乔夫为首的改革派；第三派是激进的改革派。

“民主俄罗斯”和“苏共民主纲领派”以坚持社会主义、坚持带有人的面孔的社会主义的面目出现，给人的感觉是，他们比戈尔巴乔夫更能使经济、社会政治关系民主化。在地方选举中他们提出的口号是：“从苏联人民代表大会上民主的少数变成俄联邦苏维埃中民主的多数！”有些地方在纲领中明确提出：“苏共应该成为平等的一员，权力归苏维埃而不是归党。在向市场关系过渡的基础上提出使劳动集体独立。”[1] 这股力量发展迅速。

1990 年 2 月苏共中央二月全会召开前一天，在莫斯科举行了由“莫斯科选民协会”、“莫斯科人民阵线”等激进派组织召集的规模空前的集会，集会的讲坛就在中央委员们所驻的莫斯科饭店外的一辆卡车上，集会打出的标语口号有：“把多党制写进苏联宪法”、“取消宪法第六条”、“权力不能垄断”、“不要

[1] *Козодой В.И.* Становление оппозиционных организаций в Сибири (1989–август 1991г.) //Вопросы истории. 2008. №5. С.85.

专制独裁者”、“政治局辞职”、“中央委员会辞职”等等，叶利钦等激进派首领在集会上发表演说，称苏共已经没有能力对本身进行根本改革，必须彻底改革党的机构，取消宪法第六条。这次集会的目的，显然是向中央全会施加压力，戈尔巴乔夫没有对集会进行干涉，他也想借此向苏共党内的传统派施压，迫使他们接受自己的主张。2 月 25 日在全国各地都出现了类似的集会，人数超过 90 万。民主派力量在全国开始明确提出谋求权力，提出：召开“圆桌会议”以解决政权问题，提出的口号是“打倒苏共!”“政治局和政府辞职!”，号召“向冬宫或者卢比扬卡发起进攻!”建立了反抗现存制度的集团，制造大规模的无政府状态、恐怖行动和破坏活动，因为按照最激进的纲领，政权的不稳定、制造出不能有效管理的状况对他们都是有利的。[1]

叶利钦则在加紧埋葬苏共，他开始公开谈论要在苏联实行多党制，他表示，如果党的第二十八次代表大会不接受他的纲领，他将另组新党。在谈到自己的思想时，他说：“问题不在于什么主义——民主社会主义、人道社会主义，以及一般的社会主义，问题在于实质：在于人权、在于选举自由。这是为了让人有保障，真正自由地、安定地、充足地并且舒适地生活，在民主法制国家生活。”他公开表示不支持戈尔巴乔夫，认为：“现在需要一个不同于戈尔巴乔夫的人。”反对派利用俄罗斯联邦选举前的选举活动让集会实际控制了全国，在 1990 年 2 月，有 750 万人参加过超过 2000 场的集会、示威、抗议和游行。[2]

1990 年 3 月，俄联邦人民代表的选举没有为共产党及其附属的组织预留席位，所有代表都是通过单一选举制选出的，公民只需要达到 300 人就可以提名候选人。经历过 1989 年的选举，反对派候选人及其组织有了更充分的准备，民众的参与热情也更高。1989 年全部选区有 49% 的席位是竞选的，到了 1990 年，有 97% 的选区至少有两个候选人。[3] 苏共没有对这一选举工作给予足够

[1] Власть и оппозиция . Российский политический процесс XX столетия. М., РОССПЭН. 1995.С.315.

[2] Власть и оппозиция . Российский политический процесс XX столетия. М., РОССПЭН. 1995. С.315.

[3] [美] 迈克尔 · 麦克福尔著：《俄罗斯未竟的革命——从戈尔巴乔夫到普京的政治变迁》，唐贤兴等译，上海人民出版社 2010 年版，第 83 页。

的重视，许多党的工作者并没有参加选举，苏共 86 个区和边疆区的第一书记参加选举的只有 16 人，10 人获胜。苏共这种奇怪的做法帮助了反对派，激进势力取得了成功，虽然“民主俄罗斯”的代表只占代表总数的 20%，但在莫斯科和列宁格勒他们的支持率达 90%。[1] 叶利钦、波波夫、索布恰克分别在俄罗斯联邦、莫斯科和列宁格勒取得胜利。

1990 年 5 月，一些民主派人士谋求建立民主派政党，作为苏共的反对党，开始建立了以奥·鲁缅切夫、阿·奥勃列恩斯基、波·库秋根为首的俄罗斯社会民主党。社会民主党宣布自己的意识形态不是社会主义的，而是自由主义加上对社会问题的人道解决，俄罗斯社会民主党的领导人加尔答伊利斯基说，我们面临的任务与西方社会民主党面临的任务是对立的，他们是使资本主义社会主义化，我们是使社会主义资本主义化。该政党的另一位领导人奥·鲁缅切夫说，“我们拒绝‘社会主义’这个词，目的是不碍任何人的眼。这将给我们带来更多的在未来选举中获胜的可能，因为‘民主社会主义’将会使许多选民联想起苏联共产党的诡计。”[2]

莫斯科市长波波夫

1990 年 5 月在莫斯科成立了俄罗斯民主党，其前身是苏共民主纲领派中的激进派和莫斯科选民协会。该党宣布自己是议会党，反对苏共的思想是其主要任务。其领导机构是党的理事会，党的主席是苏联共产党中央委员、苏联人

[1] *Кацва Л. А.* История России. Советский период (1917 – 1991) . http://it-n.ru.

[2] Коммерсант. 18 мая. 1990.

民代表尼·特拉夫金。他生于 1946 年，当过建筑工、队长、公司主任，曾任苏联最高苏维埃自治委员会主席，不久前被开除出苏共。俄罗斯民主党宣布奉行纯粹的自由主义，特拉夫金宣布资本主义和社会民主主义是一种秩序的两种模式，其代表是美国和瑞典，“我们的政党是民主型党派的一种，它完全不同于共产主义、社会民主主义取向的政党。他们把坚持社会公正作为自己的目的，而达到这一目标的手段首先是分配。这条路在我国已经走到了尽头，在引证瑞典的经验时，我回答说，它也刚走到半路。公正的分配将走进死胡同。”[1]特拉夫金更推崇美国的经验。

此外，还出现了宪政民主党、基督教民主党、社会主义党、共和国党，以及其他政党，其中大多数参加了“民主俄罗斯”运动。他们提出的策略是苏共内的民主派加上苏共外的民主派，反对苏共内的保守派。这一运动实质上是排除苏共一党掌权，多党制已经成为现实。[2]新的政党不仅反对共产主义，还反对社会主义原则，他们提出的口号是：不要共产主义，不要社会主义，多一些自由主义！新的政治力量正是在这一口号下进行竞争的。

在 1990 年几个月的时间里，激进派的选择都转向了反共产主义，他们不仅抛弃了社会主义，还主张纯粹的自由主义原则。崇拜西方文明的自由主义，同时否定现实的社会主义。民意测验显示，32%的人认为应该选择以美国为榜样（1989 年是 28%，1991 年是 25%，1992 年是 13%），32%的人选择日本为榜样(1991 年是 28%,1992 年是 12%),17%以德国为榜样,11%以瑞典为榜样，选择中国为榜样的只占 4%。国家想按照西方的自由方式实现现代化，而不是按中国的模式。激进派听到了国家的声音。[3]

对于具有重要意义的俄罗斯联邦最高苏维埃主席的选举，戈尔巴乔夫并不想让叶利钦担任，他也做了一些工作，但做得很不够。苏共没有重视俄联邦人民代表的选举，没有什么重量级的人物出来与叶利钦竞争，当然苏共可选

---

[1] *Согрин В.В.* Политическая история современной России (1985–2001: от Горбачёва до Путина). М., 2001. С.65.

[2] Огонек. 1990. №38.

[3] *Согрин В.В.* Политическая история современной России (1985–2001: от Горбачёва до Путина). С.67.

择的人物很有限，波洛兹科夫得到不少人的支持，但戈尔巴乔夫等人并不喜欢他，认为他太保守。在第一轮投票中，叶利钦得了497票，波洛兹科夫得了473票，都没到法定的半数。在第二轮选举中叶利钦增加了6票，而波洛兹科夫减少了15票。波洛兹科夫要当选的难度很大，而此时自动宣布退出的弗拉索夫得到了更多的支持，于是苏共决定支持弗拉索夫。1990年5月29日在进行第三轮投票时，戈尔巴乔夫正离开莫斯科飞往大洋彼岸的美国，最后的选举结果是：弗拉索夫虽然比波洛兹科夫增加了一些票，但还是输了。叶利钦得到了535票，只比法定当选票多了4票。保守的俄罗斯共产党与戈尔巴乔夫处于对立状态，俄罗斯的最高权力机关现在又掌握在了激进派手中，戈尔巴乔夫面临着严峻的挑战。梅德韦杰夫在反思时认为："党的领导人，政治局委员，包括我本人在内，在对待俄罗斯的问题上存在明显的失算和错误。俄罗斯联邦的国家机关掌握在反对派手里，而俄罗斯共产党又在右倾保守力量的影响下。冲突和不稳定的强有力的根源出现了，这在很大程度上加深了国内的社会政治危机。"[1]

激进派的夺权斗争和联盟中央的软弱无力，使国家保护社会秩序的能力在丧失，犯罪率急剧提高，1990年上半年苏联记录在案的犯罪达151.4万起，这比前一年同期多了25.1万起，使用武器犯罪的数量增加了近1/3。袭击公民住所进行抢劫的数量迅速增长。[2]这种情况显然也对激进派有利，人们指责的是掌权者而不是挑战者。

二、苏共组织涣散，失去民众支持

苏共开始失去工人共产党员的支持，他们不明白：为什么在没有战争以及其他客观原因的情况下，国家各方面的状况日益恶化，工人党员开始退党。"如果说1988年有1.8万党员交出了党证，1989年则有13.66万。而且半数以上的退党者都是工人。"[3]人们不耐烦和不满的情绪在增长，"人们不耐烦了，失

[1] *Медведев В.А.* В команде Горбачева: взгляд изнутри. М., Былина,1994. www.lib.ru/MEMUARY/GORBACHEV/medvedev.txt.

[2] Известия. 5 января. 1991.

[3] Известия ЦК КПСС.1990. №3. С.124.

去了信心，他们感到，留给历史的只是空话而没有行动。过去的五年在很大程度上是空白的，而对人民来说是希望落空、幻想破灭的五年，是实际生活下降的五年。全社会都愤怒了。共产党员受到排挤，甚至那些在平炉旁、在田野或农场工作的共产党员也不能幸免。关于这一点，寄给总统和苏共中央的大量信件可以作证。”[1] 苏共的威信在不断下降，在 1991 年 3 月的全民公决中大多数人对保留统一国家说了“是”，但反对保留旧的国家政权。

不断发展的工人运动急剧政治化了，1990 年 4 月 30 日—5 月 2 日，新库兹涅茨克市举行了独立工人运动和组织第一次代表大会。来自俄罗斯联邦、乌克兰、白俄罗斯、亚美尼亚、阿塞拜疆、拉脱维亚、立陶宛、爱沙尼亚等 46 座城市、17 个州的 58 个不同组织的代表参加了这次大会。英国和波兰的工人组织代表和外国记者应邀参加了本次大会。苏共中央委员会、苏联部长会议、全苏工会中央理事会的工作人员，地方党的、苏维埃的机关工作人员，苏维埃和俄罗斯联邦的人民代表，中央报纸、广播、电视台的记者出席了代表大会。莫斯科组织委员会（召集、起草文件）和新库兹涅茨克组织委员会（组织总务问题）进行了代表大会的筹备工作。莫斯科的科学家（苏联科学院世界经济和国际关系研究所，苏联科学院国际工人运动研究所）、克麦罗沃和新库兹涅茨克市高等学校的学者们参加了会议的组织委员会和文件起草委员会。代表大会《关于苏联工人运动的现状和前景》的报告主要思想是建立工人联合会，这一联合会要能够一致拥护加快进行经济和政治改革，拥护在向市场经济过渡的条件下健全劳动者的社会保障，拥护在加快改革进程中对官方机构施加压力。会议通过了关于建立“劳动者代表会议”的决议，其目的在于把国内独立的工人团体联合起来，一致行动。确定了代表会议宣言和章程，成立了由 58 人组成的代表委员会和由顿涅茨克、克麦罗沃、莫斯科和斯维尔德洛夫斯克各出一人参加的协调委员会。领导机关最终将于 1990 年 6 月 20 日在顿涅茨克召开的代表大会上成立。[2]

---

[1] [俄] 瓦·博尔金著：《戈尔巴乔夫沉浮录》，第 339 页。

[2] 1990 年 5 月 8 日，《梅利尼科夫就新库兹涅茨克独立工人运动和组织第一次代表大会结果致戈尔巴乔夫的信》，见沈志华总主编：《苏联历史档案选编》，第 30 卷，第 535—537 页。

工人阶级无疑是共产党的重要社会基础，在任何情况下，共产党员都应该积极参加各种形式的工人运动，掌握群众，但是，苏联的工人运动却是以共产党对立面的面目出现的，工人退出苏联共产党的现象日益增多，青年实际上也不再大批入党。1990年的实际情况表明，苏共并不善于做工人的工作，失去了工人的支持。1990年6月11—15日，苏联矿工第一次代表大会召开，通过的决议说："反映代表们意志的苏联矿工第一次代表大会，强调煤矿工业的工人组织脱离任何政治组织的独立性。劳动者独立的工人运动与组织只服从于自己成员的愿望，认为任何政治力量和政党都不能领导它，我们致力于处理与苏共关系时的独立性。""尽管苏共经历着严重危机，它的领导机关仍试图垄断权力，仍强调只有共产党才能团结社会。我们坚决不同意这一立场。诚然，五年前党的一些领导开始了改革，推进了改革。近几个月来苏共保守力量加强了。苏共领导，党的机关失去了威信，人们对政府建议的回答不仅表明对政府缺乏信任，也不信任党的领导。苏共认定自己是工人阶级的政党，是先锋队，但是我们工人不认为共产党是反映自己意志的政党。""正在准备召开的苏共二十八大不会对促进苏共的革新有切实的希望。"[1]

据苏共中央社会科学院社会学研究中心在1990年10月24日—11月5日在党员中进行的社会调查显示，21%的被调查者认为党组织已经没有任何政治威信，67%的被调查者认为它残存的一点威信也正在丧失；20%的共产党员对自己的党员身份持动摇、中立、漠不关心的态度，他们虽然表面上没有退出苏共，实际上已不参加党的政治生活，不参加会议，也不交党费。半数以上的党员拥护取消企业、军队、法院、检察院、内务机关中的党组织。[2]共产党员对党的态度尚且如此，党在普通民众的威信和地位可想而知。许多党员宣布退党，"苏共党员在改革的最后一年从2000万下降到1500万，波罗的海三国带头宣布独立。"[3]

苏共内部组织涣散，"相当大一部分党的机关工作人员意识到改革并未带

---

[1] Хрестоматия по отечественной истории (1946–1995). М., 1996 г. С.336–337.

[2] 陈爱茹编译：《苏共解散前夕共产党员的情绪》，www.globalview.cn/readnews.asp.

[3] Новейшая история России 1914–2005. Под редакцией *М.В.Ходякова*. 2-е издание."Высшее образование" 2007. С.391.

来习惯性的干部更新，却对他们的平静生活构成威胁，便投奔俄罗斯联邦共产党内的斯大林主义者，并开始形成好斗的反改革势力。大多数普通党员则类似解除战时状态的军队，他们丢掉装具和军服，纷纷交出党证或者只是停止交纳党费，成批地离开党的多面堡。共和国的精英们失去了加入联盟官僚行列的前程，也摆脱了先前对发怒的莫斯科的恐惧感，掉头加入如今已是安全的民族主义运动和分离主义运动。”[1] 叶利钦身边的人，70%以上都是原来的党—国精英。如：阿法纳西耶夫（1987 年起任历史档案馆馆长，1989 年加入跨地区议员团，1990 年成为民主俄罗斯运动的主要领袖）、西拉耶夫（长期主管航空工业，1981 年成为中央委员，1985 年被任命为部长会议副主席，1990 年 6 月被叶利钦拉来做俄罗斯联邦的总理）、阿·沃尔斯基（1988 年担任过中央委员会的发言人，1989 年任纳戈尔诺—卡拉巴赫地区特使，“8·19”事变时站到叶利钦一边，之后明确反对戈尔巴乔夫）等等。

苏共党内戈尔巴乔夫的拥护者们也出现了分歧，1990 年 1 月在新奥加廖沃戈尔巴乔夫的团队就向代表大会提交的纲领交换意见时，梅德韦杰夫和雅科夫列夫之间出现分歧，在讨论向苏共二十八提交的纲领时发生了激烈争论，雅科夫列夫等人主张纲领先从政治自由谈起，梅德韦杰夫坚持从社会经济问题谈起，戈尔巴乔夫对方案进行调和，被梅德韦杰夫拒绝。“在我们的集体工作中从未有过的令人难过的时刻来临了。”[2]

在 1990 年 2 月苏共中央全会上，“我们每个人都有自己对局势的评价，对所讨论的纲领态度不同，都有对其不满意之处，但还是应该在原则上支持它，因为正在迎接自己的代表大会的党的命运取决于此。”[3] 叶利钦对苏共新的行动纲领提出了十点修改意见：一是放弃民主集中制原则，代之以普遍民主原则；放弃作为权力工具的机构，通过选举产生的机构和基层党组织书记委员会的力量来改行党内民主自治的原则；从坚持一党制的党过渡到允许多党制并准

[1] ［俄］安德烈·格拉乔夫著：《戈尔巴乔夫之谜》，述弢译，第 205 页。

[2] *Медведев В.А.* В команде Горбачева: взгляд изнутри. М., Былина, 1994. www.lib.ru/MEMUARY/GORBACHEV/medvedev.tx.

[3] *Медведев В.А.* В команде Горбачева: взгляд изнутри. М., Былина, 1994. www.lib.ru/MEMUARY/GORBACHEV/medvedev.tx.

备在政党和社会组织法的基础上同其他政党共同行动的党；放弃形式主义的一致原则，承认立场、流派、纲领的多样性和派别的自主性；明确阐明苏共中央自动放弃苏联宪法第六条；在建立地方自治机构的同时逐步向党内横向结构过渡；所有选举都从基层开始；党的舆论工具只服从代表大会或党的代表会议；党的预算形式和开支只能自下而上决定，由基层党组织进行监督；从国家结构和相应的苏共结构的单一制原则向各共和国人民的自愿联盟和各共和国共产党包括俄罗斯共产党的自愿联盟过渡，撤销苏共中央俄罗斯局。[1] 叶利钦的十点要求有些是当时现实提出来的，如取消宪法第六条和进行直接选举等，有些可以讨论，如允许派别活动等，但有些明显行不通，实际上完全剥夺了苏共中央的权力和权威。苏共中央二月全会通过了向苏共二十八大提交的《走向人道的、民主的社会主义》的纲领草案，公布在《苏共中央通报》1990 年第 3 期上，供全党讨论。

苏共党内以叶利钦、波波夫、索布恰克、李森科、绍斯塔科夫斯基等为代表的反对派于 1990 年 2 月在莫斯科举行了全苏党的俱乐部和组织代表会议，在会议上也通过了一个《向苏共二十八大提出的民主纲领》。这一纲领是由某高校科学共产主义教研室的副教授弗・雷先科和莫斯科高级党校校长弗・绍斯塔科夫斯基起草的，发表在 1990 年 3 月 3 日的《真理报》上。赞同这一纲领的人由此形成苏共民主纲领派。苏共民主纲领派的成员分布在苏联 102 个城市和 13 个加盟共和国，有 162 个党员的俱乐部和党员的各种组织，由该派协调委员会协调各组织的活动。苏共民主纲领派认为，整个苏联社会和苏共本身都已处于危机状态，党的威信在下降，危机正把社会引向危险边缘。苏共应对危机负责。根本的危机是共产主义思想的危机，已宣布的目标和实现的手段是不道德的；关于无产阶级专政、共产党的领导作用、社会利益高于个人利益、没有市场的社会主义等教条主义认识要根本修改。苏共正处于思想、政治、组织和道德的危机之中。危机的根源从社会主义制度形成时已存在。苏共早已不是本来意义上的作为社会运动、群众民主组织的政党了。民主集中制原则是造成党本身以及整个政治体制的非民主性的主要环节。必须对苏共进行彻底改革。这一过程分两阶段。第一阶段是把政权从执政党手中转到苏维埃，实行党内民

[1] 《苏共中央二月全会文件选编（1990 年 2 月 5—7 日）》，第 87—88 页。

主化。为此要修改规定苏共领导作用的宪法第六条；抛弃对马克思主义的教条解释；党应对历史承担后果，坚决谴责国家社会主义模式；向民主的社会主义过渡，它建立在全人类利益和价值观优先的基础上；用基本的民主原则取代民主集中制，完全抛弃委任制，实行直接选举、派别自由、党内联邦化。第二阶段应使苏共变为在多党制、法制和议会制国家条件下发挥作用的议会党。党的领导权只应在选举中获得。党应集中精力完成纲领、政治、意识形态、组织等四种职能，应最大限度地取消中间环节、简化党的机构；上级党的机构无权撤销下级组织在权限范围内的决议；建立就根本问题举行投票的机制；议会党团应拥有自主权并只服从党的代表大会；党内保守派、激进派应彻底划清组织界限，各个党内派别可以成为产生若干个不同的社会主义模式和建设途径的政党的基础。

另一部分党员和党的俱乐部拟定了另外一个纲领草案，因纲领草案名为"马克思主义纲领"，因此被称为马克思主义纲领派。该派的代表人物有莫斯科大学经济系高级研究员安德烈·卡尔加诺夫等。1990 年 4 月 14—15 日，苏联共产党马克思主义党俱乐部联合会在莫斯科召开会议，正式决定并组织成立了苏联共产党"马克思主义纲领派"，参加成立大会的有来自苏联全国 54 个城市的 308 名代表。16 日，苏共中央机关报《真理报》刊登了他们提出的纲领草案。该草案中强调："我们赞成恢复经典的马克思主义"，主张对马克思主义"奠基人及其继承人的理论遗产采取批判态度，随着世界的变化，不断使科学社会主义的理论基础革命化"。该草案在谈到政治体制时说："必须消除把苏共作为'兵营式共产主义'党的现行模式，但不是取消共产党本身"；"社会主义政治体制并不一定导致多党制、议会民主甚至苏维埃体制"，而要求"真正的人民政权"。该派反对戈尔巴乔夫、雅科夫列夫所奉行的路线，并与"苏共民主纲领派"进行激烈斗争。

该派认为，摆脱苏联社会危机有两条路，一是现代资本主义，二是民主与社会主义的道路。过去的社会主义模式导致社会主义理想不得人心。因此必须恢复经典的马克思主义，要求科学社会主义的理论基础与变化了的世界一道不断革命化。社会主义是社会发展的客观结果，十月革命是世界和俄罗斯社会各种矛盾发展的必然结果，但列宁去世后教条主义在党内占优势造成了可悲后果。资产阶级自由化的领导人利用社会危机，企图彻底打碎现有社会制度，在苏联建立资本主义，这只能给一小撮暴发户和上层自由职业者带来好处，不能确保经济现代化。社会民主派的左翼口头上不放弃社会主义，但却希望照搬西方的社会经济结构。他们希望在向市场经济过渡之前建立防止向私营轨道全面过渡的社会保障体系。社会民主派的右翼常常决定着社会民主派的政治路线，他们所坚持的实际上是自由化立场。政治现实必然使这两翼要么与自由派站在一起，要么站在社会主义一边。只有马克思主义的以社会主义选择为方向的民主运动才符合社会的根本利益。马克思主义纲领派的主要任务，是走上使大多数人创造共同的自由劳动的道路。苏共领导不惜任何代价追求统一，正导致危机的加深，他们将逐步从官僚主义立场演变到社会民主主义立场。只有社会主义才能摆脱危机。这种社会主义不是多党制、议会民主、苏维埃制，而是自治制。苏联只能是在自由、主权、自愿基础上的社会主义国家。实行以公有制占主要的多种所有制，个人所有制必须在国家监督之下；实行集中、分权的多种形式的管理制度；反对特权制，监督产品的分配，与"影子经济"作斗争，实行价格改革，建立居民的社会保障制度。应放弃党的特权，把权力完全交给国家机关；在思想上划清党与其他政党的界限；进行清党，把腐败分子清除出党；实行党内民主化，允许不同派别表达自己的观点，党员可自由建立各种组织。

从两派的纲领看，在建设民主的社会和民主的政党上是有共识的，但在是否搞市场经济和实行私有制方面分歧较大。在 1990 年 6 月 11 日召开的加盟共和国、边疆区和州委第一书记会议上，在讨论雷日科夫关于向市场过渡问题的报告时气氛很紧张，他们还不能正视现实，不理解走向市场是必需的和不可避免的。政府的措施也不够坚定，对于改革价格体制还没有考虑成熟，担心导致无序和混乱，实际上早在一年半以前就应该这么做。

从表面上看，戈尔巴乔夫的改革使苏共比以前民主了，但是这种民主只是形式上的，每次开会大家都能畅所欲言，代表也是差额选举产生的，这种形式上的民主并不能解决任何问题。党内常常因意见分歧难以形成决议，形成了决议也无法执行；领导层之间的意见分歧、矛盾得不到化解，对于改革引发的矛盾与危机没有加以解决的切实措施，广大党员和干部仍在受少数领袖的左右，对于发生的一切无能为力。正如博尔金所描述的："最近一年半以来，在全会大厅里坐着的是过去伟大时代的影子，他们是否感觉到党和国家的崩溃已近在眼前？我想，大多数人是感觉到了。但是，在现任总书记领导下，他们已无力改变任何东西了，很多人只是在等待他们时代的结束。”[1]

面对日益严峻的危机形势，苏共内部分歧增大，对戈尔巴乔夫的不满增强。尽管苏共内部出现了多个派别，但苏共此时在组织上并未分裂。对苏共打击最大的是俄罗斯联邦的保守派，他们实际上由两部分人组成：一部分是正统的共产主义者；另一部分是强国—爱国主义者。俄罗斯的保守派采取了一种迂回的手段反对改革者：由于无法解除戈尔巴乔夫的职务和把戈尔巴乔夫分子从苏共领导层中排挤出去，他们提出了建立俄罗斯联邦共产党的建议。[2] 在成立俄共的问题上，戈尔巴乔夫警惕性不足，在反对无效的情况下，他没能把党内有威望的领导人推荐到俄共的领导岗位上。

列宁格勒成为俄罗斯联邦共产党的核心。早在 1989 年 6 月列宁格勒正统的共产党员就宣布建立劳动者统一阵线（ОФТ），而在 1990 年 1 月在劳动者统一阵线第二次代表大会上宣布尽快建立俄罗斯联邦共产党组织。他们最强有力的行动发生在 1990 年 4 月，列宁格勒的保守派建立了强大的筹备俄罗斯共产党人代表大会倡议委员会，使戈尔巴乔夫措手不及：戈尔巴乔夫公开抱怨，列宁格勒人的行动没有跟苏共中央进行过任何协商。雅科夫列夫以极大的忧虑评述列宁格勒共产党员的行动：苏联共产党面临着分裂的危险，其结果是保守的危险能够变成强大的组织力量，而改革派会受到严重削弱。[3] 面对日益强烈的成立俄罗斯联邦共产党的呼声，1989 年 12 月苏共中央全会决定成立苏共中央俄罗斯局，但是在社会舆论日益强烈地要求成立俄罗斯共产党的压力下，戈尔巴乔夫未能坚持住。

俄共的建立实际上也是党内危机和斗争发展的结果，利加乔夫是成立俄共的积极支持者。1990 年 6 月 19 日俄罗斯联邦共产党代表会议召开，这次会议变成了俄共的成立大会。在会议上，改革派与保守派的辩论很激烈，戈尔巴乔夫等改革派受到了激烈攻击。戈尔巴乔夫担心俄共的成立可能带来的危险，

---

[1] ［俄］瓦·博尔金著：《戈尔巴乔夫沉浮录》，第 236 页。

[2] *Согрин В.В.* Политическая история современной России (1985–2001: от Горбачёва до Путина). М., 2001. С.69.

[3] *Согрин В.В.* Политическая история современной России(1985–2001: от Горбачёва до Путина). М., 2001. С.69.

他在发言中强调："应当杜绝俄罗斯联邦采用任何形式对抗苏联、杜绝俄罗斯联邦共产党对抗苏联共产党的事情发生。我们的一切想法和行动都应当用历史的实际来比较衡量，都应当经得起严格的考量。当我们提到'俄罗斯'这个词时，在我们的意识中始终应当有'苏联'这个满含衷情的字眼。这一点我认为有必要在我们党的代表会议工作一开始就开诚布公地讲清楚，从而也就确定了会议建设性工作的重要条件。"[1] 戈尔巴乔夫欲通过让自己推荐的候选人当选俄共领导人从而防止俄共走上分立之路，但他推荐的库普佐夫、洛博夫、舍宁在第一轮选举中都没有取胜，在第二轮选举中，利加乔夫支持的波洛兹科夫得到1396票，洛博夫得到1056票，波洛兹科夫获胜。

И.波洛兹科夫是克拉斯诺达尔边疆区的领导人，被认为是保守派人士。他提出自己的主要目的是防止改革发展到反社会主义、反人民的方向上去。他宣布头号敌人是激进派，也反对戈尔巴乔夫的全人类价值观，认为全人类的价值观首先是阶级的，是无产阶级的价值观。他强调，俄罗斯联邦共产党奉行的是阶级立场，也就是维护那些靠工资生活者的利益。俄共的理论家不是波洛兹科夫，而是A.谢尔盖耶夫，他是高级工会学校的政治经济学教授，是第一个把共产主义思想与俄罗斯乡土主义结合在一起的人，他认为俄罗斯的共产主义思想不是外来的，而是从俄罗斯自古以来的集体主义意识中产生出来的。俄罗斯人民是"天生的"社会主义者。作为一个经济学家，他认为俄罗斯现代化的实质是"经济的苏维埃化"，在劳动集体中应该建立苏维埃，承认苏维埃作为一个而且是唯一的社会主义所有制的主体，把生产的直接领导转到劳动集体的手中。他赞成建立商品市场，但反对建立资本和劳动力市场。[2] 俄共的保守派倾向与戈尔巴乔夫改革路线的对立，显然不利于苏共的统一，戈尔巴乔夫的担心变成了现实。

俄共的成立破坏了党的统一，俄共可以靠党员占多数向苏共中央施加压力，使苏共从一个统一的共产党变成了各党的联盟，苏共党内出现了第二个权力中心。俄共从一开始就没有得到广泛的支持，许多俄罗斯共产党员与之划清

---

[1] ［俄］米·谢·戈尔巴乔夫著：《戈尔巴乔夫回忆录》上册，第641页。

[2] *Согрин В.В.* Политическая история современной России(1985–2001: от Горбачёва до Путина). М., 2001. С.71.

界限，他们认为自己是戈尔巴乔夫的苏共成员，而不是波洛兹科夫的俄共成员。“甚至连莫斯科市的苏共组织都没有进入俄共。有上百份来自基层组织会议、紧急召开的区级党的会议的决议，交到苏共中央委员会，对仓促成立俄罗斯苏维埃社会主义联邦共和国共产党、组成其领导机关表示抗议。许多地方组织声称，不承认成立大会的决定，个别组织停止交纳党费，以示抗议。”[1] 许多改革的拥护者认为，戈尔巴乔夫最好公开与俄共决裂，与俄共的保守部分决裂，像立陶宛的布拉藻斯卡斯与保守派彻底决裂那样。但是，这种情况没有发生，戈尔巴乔夫没决定成为苏联的和俄罗斯的“布拉藻斯卡斯”。[2] 鉴于俄共的巨大影响力，戈尔巴乔夫采取了与俄共结盟的政策。

1990 年保守派中的强国—爱国主义的阵营也发生了很大变化，在最高苏维埃和苏联人民代表大会框架内形成的党团——“联盟（Союз）”占据主导地位，其影响日益加大，宣称得到了 500 名代表的支持。与俄罗斯联邦共产党不同，“联盟”党团主要指责戈尔巴乔夫在破坏伟大的强国，而外国干涉者从拿破仑到希特勒都没有成功，戈尔巴乔夫把它变成了二流国家，其前景是西方的殖民地。戈尔巴乔夫和外交部长谢瓦尔德纳泽应该对华约的解体负责，破坏了苏联的联盟关系，破坏了国际关系的两极体系，结果是在世界上使美国能独断专行。“联盟”党团不接受戈尔巴乔夫的对外政策观念，认为这一观念是乌托邦和必败的，戈尔巴乔夫“欧洲大厦”的念头是极其幼稚的，无论是在欧洲大厦里，还是在国际社会，苏联永远都不会被当成平等的伙伴。他们强烈谴责各共和国的去苏联化进程，认为这么做不能消除一些热点，如纳卡和其他地区的冲突，不能保护俄罗斯联邦以外的说俄语的居民，主张在发生冲突和不稳定的地区实行总统治理。为了挽救国家，可以在全苏联实行紧急状态，“联盟”党团支持动用军队、克格勃，用一切强力手段来维护苏联的统一。他们还建议解除戈尔巴乔夫的总统职务，提出进行全民公决，其领导人有代表 Н. 彼特卢先科、В. 阿尔科斯尼斯、Е. 科甘和 Ю. 勃洛新等。此外，1990 年还出现了一些

[1] ［俄］罗伊·麦德维杰夫著：《俄罗斯向何处去？——俄罗斯能搞社会主义吗?》，关贵海等译，当代世界出版社 2003 年版，第 20 页。

[2] *Согрин В.В.* Политическая история современной России(1985–2001: от Горбачёва до Путина).М., 2001. С.72.

小的保守派组织，如安德列耶娃建立的“团结—捍卫列宁和共产主义思想”，“马克思主义工人政党—无产阶级专政的党”，青年组织“共产主义倡议”等。

三、社会文化的发展变化

在戈尔巴乔夫改革与公开性政策的鼓励下，苏联文化发展空前活跃。在多年的信息饥渴后，大众媒体的数量快速增长，它们都以最尖锐的社会问题为关注的对象，揭示过去的历史，介绍其他国家人民的生活，报刊的发行量急剧增长。1989 年《论据与事实》的印数达到了 3000 万份，《劳动报》的发行量达到 2000 万份，《真理报》达到 1000 万份。电视的工作风格也发生了变化，以前很少采用的直播形式很快被使用，《观点》、《午夜之后》、《第五环》等转播节目得到了观众的好感，主持这些节目的一些不知名的人，逐渐成了公众人物。1990 年出版法通过后，使独立媒体的建立成了可能。

1990 年 6 月 12 日，戈尔巴乔夫签署苏联最高苏维埃通过的《新闻出版法》，其第 1 条宣布“出版及其他大众传媒是自由的”、“苏联宪法保证公民有言论和出版自由，意味着公民有以任何形式，包括通过报刊和其他舆论工具发表意见和见解，不能对大众传媒进行新闻检查。”第 5 条规定，不允许“利用大众传媒宣传报道国家或者专门保护的机密，号召推翻和改变现存国家和社会制度，宣传战争、暴力和仇恨，宣传种族、民族与宗教的排斥与偏执，禁止传播淫秽作品，以及应受法律制裁的其他行为。”[1]新闻法给了国家机关、政党、社会组织、宗教团体以及公民创办舆论工具、表达个人意见的自由，尽管法律对他们的行为也做了规范限制，但缺少有效的监管。新出现的许多报刊是反对共产党、反对社会主义的，反对派利用新闻媒体反对苏维埃政权。正如历史学家麦德维杰夫总结的：“取消对新闻出版原有的限定和管制引发了批判浪潮，这股浪潮反对苏联国家和苏共的所有制度，首先就是反对苏共的意识形态。苏共没有准备，也没有能力进行反击和承担责任，这使得广大人民群众对国家制度的合法性产生了普遍质疑，而这种制度正是建立在苏共具有不受监督的权力基础

[1] История советской политической цензуры. Документы и комментарии. М., РОССПЭН.1997. С.228–229.

之上的……苏共有庞大的资源和财富，但却在人民群众中丧失了应有的支持和权威。”[1]

人们表现了对历史前所未有的兴趣。在1987年到1991年间，报纸、杂志经常登载历史题材的“圆桌会议”，历史学家和评论家的看法。档案的开放揭示了许多苏共历史上的秘密。出版的《苏共中央通报》发布了一些尘封的党的决议和档案材料，赫鲁晓夫在苏共二十大上的秘密报告首次公开与读者见面。苏共的政治改革不仅导致了给那些曾被忘记的人平反，还为重写苏共历史教科书创造了条件，布哈林、李可夫、托洛茨基、加米涅夫等人又回到了历史教科书中。1990年8月13日，苏联总统戈尔巴乔夫签署命令《恢复20—50年代政治镇压的所有牺牲者的权利》，在原则上谴责大规模的镇压，认为这违反了文明准则和苏联宪法，命令指出：“在集体化期间对农民，以及20—50年代由于政治、社会、民族、宗教以及其他原因对公民的镇压是不合法的，违背了人的经济社会和公民权，现在全部恢复这些公民的权利。苏联部长会议、各加盟共和国政府，根据这一命令向司法机关下令，在1990年10月1日前恢复大镇压受害者的公民权。这一法令不适用于在卫国战争前后因反对俄罗斯和苏联人民而受到惩治者。”[2]

哲学家和文学家曾被禁止出版的著作问世，其中包括别尔嘉耶夫、索洛维约夫、索洛金等人的著作，出版了艾赫玛托夫的《断头台》，阿赫玛托娃的《安魂曲》，普拉托诺夫的《地槽》，索尔仁尼琴的《古拉格群岛》。

社会文化领域最重要的事件是被1917年打断的宗教传统的复兴，开办了许多宗教学校和神学院，1988年有176所，到1989年有460所新的东正教联合组织，到1990年初在俄罗斯联邦有3120个东正教教区。[3] 其他在俄国历史上存在过的宗教，如伊斯兰教、犹太教、佛教也都开始开办相应的机构。1990年通过了苏联和俄罗斯联邦“关于信仰和宗教组织自由”、“关于宗教自由”的法律，确定了国家与教会的新关系，承认了宗教传统在社会生活中的重要性，

---

[1] ［俄］罗伊·麦德维杰夫著：《苏联的最后一年》，社会科学文献出版社2005年版，第285页。

[2] Хрестоматия по отечественной истории (1946 – 1995). М., 1996 . С.337.

[3] *Барсенков А.С., Вдовин А.И.* История России.1938 – 2002. М., 2003. С.381.

宗教节日开始成为民族节日，1991 年 1 月 7 日第一次过东正教的圣诞节。

电影界也发生了巨大变化。谢·科瓦鲁新的半文献式的影片《不能再这样生活》和尤·波德尼耶科斯《年轻人轻松吗?》成为那个年代的经典。

大众媒体从苏共的直接控制下解放了，开始非意识形态化，对大众产生了重要影响。在人们追求新奇和探究人们以往所不知道的苏共行为的欲望下，在追求发行量和经济效益的刺激下，媒体也在传播资产阶级意识形态，影响着年轻一代。

第二节　苏联政治体制全面转向

在社会激进力量的推动下，戈尔巴乔夫只能向前走，戈尔巴乔夫仍然认为:“以前的经济改革之所以受挫，原因就在于卡得太死，实际上，是受制于僵化的政治体制。所以我们已经开始进行政治改革。现在，我们感受到来自社会舆论的强大压力，要求在经济领域进行大刀阔斧的改革。我们竭力把改革保持在文明的范围内，沿着法制的轨道，避免对抗和暴力。”[1]苏联改革合乎逻辑的结果是承认多党制已经成为不可避免的现实，相应的，苏共在政治生活中的地位被重新界定。由于“一切权力归苏维埃”不切实际，戈尔巴乔夫重又加强行政权力，打算实行总统制。在政治转向的同时，经济也不可避免地向市场经济过渡。由于行事仓促，这些措施很大程度上是为形势所迫而采取的，不可避免地带有应急的特点。

由于苏联的政治体制改革是在经济出现大幅度滑坡，商品奇缺，人民生活水平迅速下降的情况下展开的，各地罢工风潮迭起，引起了社会秩序的混乱，加剧了经济的恶化。在政治过热，政治斗争超过了一定的限度，社会脱离了法制轨道，自发势力占上风的情况下，人们往往为形势和激情所左右，身不由己被卷入政治斗争的旋涡。这种“民主”、“自由”并不是真正的民主和自由，更多情况下是无政府混乱状态，最高苏维埃关于禁止罢工的决议不能生效，群众性集会游行等所谓“街头政治”泛滥成风。民族矛盾激化，民族冲突不断。加盟共和国向联盟中央发动主权战、法律战。

---

[1] *Горбачёв М.С.* Реформы и жизнь. Воспоминания в 2-х тт. Кн.2 . М., 1995. С.452.

一、取消宪法第六条，鼓励多党竞争

政治多元化与多党并存已经成为苏共不得不承认的一个事实。同时，苏联新的政治体制也排除了一党制。虽然戈尔巴乔夫开始想在一党制下进行改革，但现代民主政治以权力制衡和政治竞争为前提，不可能建立在一党制的基础上，苏联党内的民主纲领派和激进改革派实行多党制的要求已无法拒绝。在既成的事实面前，苏共领导人的态度也开始发生变化。在1990年1月22日召开的政治局会议上，在讨论国内政治气氛时，雷日科夫就认为："我们在实践上已经转向了多党制。看不到另外的路。人民阵线发展成了政治组织。或者我们不承认这一现实，或者与其他政党一道走上广泛的民主制。需要明确作出回答：跟谁斗争和跟谁联合。"[1] 戈尔巴乔夫、雅科夫列夫、谢瓦尔德纳泽等基本同意雷日科夫的看法。利加乔夫则坚持"应该保持一党体制。建立全民族的公民阵线，把一切健康力量团结到这一阵线中。而共产党员要占据关键职位"。[2] 扎伊科夫、伊瓦什科和克留奇科夫反对，梅德韦杰夫、卢基扬诺夫等人也认为苏共的路线不是多党制。苏共的地位是靠宪法来保证，还是靠自己在与其他政党的竞争中争取，这与苏共选择的改革方向直接相关，戈尔巴乔夫最后说："最近要确定战略任务。关于多党制问题，要强调的是这不是灵丹妙药，一切在于政体。政党是纲领目的的体现。与群众的工作，干部工作等等。至于说到中央政权的弱点：那就是非集中化，缺乏平衡机制。这是不容拖延的问题。需要强有力的执行权力。如何称呼国家的首脑，是主席还是总统？也许，搞一个在经济和安全领域拥有总统职能的办公室。"[3] 此时虽然苏共备受攻击，但仍是国家重大方针政策的制定者，苏联的改革政策仍是在党的各种会议上形成的，1990年苏共中央二月全会决定放弃这一权力，开始为多党制开辟道路。

1990年2月5—7日，召开了苏共中央全会，会议的主题是讨论苏共中央向二十八大提交的纲领草案——《走向人道的民主的社会主义》，该纲领草案

---

[1] АГФ, Фонд 10, Опись 2, Союз можно было сохранить. Белая кника. М.,АСТ, 2007, С.126.

[2] АГФ, Фонд 10, Опись 2, Союз можно было сохранить. Белая кника,С.127.

[3] В Политбюро ЦК КПСС… По записям Анатолия Черняева, Вадима Медведева, Георгия Шахназарова (1985–1991) .2-е изд., исправ. и доп. М.,Горбачев-Фонд, 2008. С.578.

确定了民主化与政治多元化的原则，认为社会的发展不排除再建立若干政党的可能性，“苏共不谋求垄断权，准备同一切拥护革新社会主义社会的人进行对话和合作。”[1]“苏共同其他社会政治组织与群众运动一样参加国家和社会事务的管理，向人民代表苏维埃和其他国家机构推举自己的代表。党不攫取国家政权的全权。它的作用是成为经民主认可的和通过党员来开展活动的政治领袖。它不追求特权和在苏联宪法中规定自己的特殊地位。鉴于这一点，党认为必须通过立法动议程序，把涉及国家根本法第六条的有关建议提交苏联人民代表大会。”[2]两个月前在第二次人代会上当有人提出取消宪法第六条时，戈尔巴乔夫并不接受，但两个月后，在苏共中央二月全会上，几乎一致通过了取消宪法第六条的决定。说明苏联的形势发展很快，再坚持一党制会引起民众更激烈的反对。

戈尔巴乔夫在苏共中央全会上的报告指出：“党革新的根本问题是，必须清除一切使党同专横官僚主义体制联系在一起的东西。这种体制不仅给工作方法、党内相互关系，而且给意识形态、思维方式以及社会主义概念本身留下了烙印。行动纲领里说，我们的理想，这就是人道的、民主的社会主义。”[3]“党的革新需要对党与国家机关、经济机关的关系进行重大变更，要放弃实际上对它们发号施令和取代它们职能的做法。党只能作为民主承认的力量，才能在进行革新中的社会生存和起到自己的先锋队作用。这就是说，它的地位不应当通过宪法来强行合法化。不言而喻，苏共准备为争取执政党的地位而斗争，但这将严格在民主进程范围内进行，放弃任何法律上的和政治上的优先权，提出自己的纲领，在辩论中捍卫纲领，与其他社会政治力量合作，经常在群众中工作，反映他们的利益和要求。”[4]总理雷日科夫也说：“我们感受到一个真理，即任何一个党都不能永远垄断权力，先锋队的地位不是由宪法赐予的。因此，十分重要的是，在全会上我们应当老老实实、认真、十分负责地正视真实情况，不管它是多么痛苦。真实的情况日益强烈地证明苏共党内的危机现象在增

[1] 《苏共中央二月全会文件汇编（1990年2月5—7日）》，第31页。

[2] 同上书，第42页。

[3] 同上书，第3页。

[4] 同上书，第4页。

长。"[1]他认为多党制已经存在，苏共必须掌握同其他社会政治实体共同工作和生活的学问。但是，删除宪法第六条即取消苏联共产党对苏联社会的领导，没有同时建成管理社会的新结构，或者说新结构即苏联人民代表大会和最高苏维埃没有能力，也没有准备好管理社会。从苏共的匆忙行动中可以看出，他们的行动缺少前瞻性和主动性，基本上是被激进势力牵着鼻子走。

在会上，有人直接对戈尔巴乔夫提出了批评，并提醒全会注意反对派正在夺权。他们说：戈尔巴乔夫乐于同西方首都大街上笑容满面的人群会面，而不愿会见本国愁眉苦脸的同胞。苏联面临的危机是党和国家领导人个人犯错误的结果，"我们今天的全部悲剧在于，我们仍旧不能放弃国家和党内的一长专权。""难道能平心静气地对待昨天在所谓民主力量组织的群众大会上发生的情况吗？要知道，这是对国家领导人的直接威胁。""为什么不对恶意煽动者和弄虚作假者给予应有的回击？为什么容忍那些口袋里装着党证却反对党的路线的人？我们认为，明确地确定和说出谁是什么人的时候到了！谁真正是改革的支持者，而谁在利用公开性实现自己的小集团的政治野心，进行直接夺权的斗争?!"克格勃主席克留奇科夫则强硬地说："对极端分子不能宽容，当政治手段无济于事的时候，就可以用武力来阻止暴力。"[2]戈尔巴乔夫没有接受他们的主张。

在1990年2月22日政治局会议上讨论了二月全会的结果和苏联宪法修改与补充的问题。有人提出应该允许各政党有自己的电视节目，戈尔巴乔夫说国家每年为电视台拨款30亿卢布，但电视台却好像并不是国家的，而是反对派的，"既然我们失去了党，应该建立真正的国家电视台，我们现在还有国家。""取消宪法第六条是我们作出的巨大让步。"卢基扬诺夫提出有人认为总统不应兼任政党的领袖，现在可以提出让叶利钦担任副总统。雷日科夫提出总统及其党派性质，这是一个问题，总统是"高踞"一切之上的。既然我们是执政党，绕不过去的一个问题是关于总统与政府的关系问题。"既然党放弃了对权力的垄断，政府应该建立出版委员会、国家电视台、与其他非国家传媒并存的国家大众传媒。"谢瓦尔德纳泽认为除了实行总统制别无他途，雅科夫列夫强调总统应该保证共和国的主权。戈尔巴乔夫认为：总统制是民主进程合乎

[1] 《苏共中央二月全会文件选编（1990年2月5—7日）》，第3页。

[2] Правда. 8 февраля. 1990.

逻辑的发展，不应该再拖延了，戈尔巴乔夫反对把最高苏维埃主席改造成总统，由他来任总统的提议。“将在差额选举和秘密投票的基础上选举总统。我们说的是建立总统制，而不是简单地说的个人。让‘跨地区议员团’确定，他们现在需要谁。至于谈到总统的权力机构，梅德韦杰夫说的我可以接受。总统应该有安全和国防方面的职能。要写上：总统是实现国家内外政策的保证。总统委员会成员可在信息与文化、青年以及其他问题上发挥作用。需要强大的顾问班子。”利加乔夫提出应该由党推选总统，总统的机构很重要，但政党仍是主要的政治力量，是一切的最终保证。戈尔巴乔夫迎合说：“我们应该抓住党，实行总统制是为了加强党的立场。”普罗科菲耶夫说：“如果中央全会决定总统候选人，在人代会上肯定会被否决。”戈尔巴乔夫说：“他们会对我们说：宪法第六条废除了，而中央全会一切照旧，仍然决定一切。”[1]从中我们可以看到，对于过渡到多党制和总统制以后应该怎么办，苏共中央高层准备并不充分，党领导一切的思维仍在起作用，连戈尔巴乔夫对苏共如何在新体制下起作用的思路也不清晰。

1990 年 2 月 25 日，莫斯科出现了规模空前的示威游行，克格勃估计在祖波夫广场集会的人有 5 万—7 万人，内务部认为有 25 万—30 万人，莫斯科市委的统计数字是不超过 10 万人。俄罗斯联邦有 140 个城市发生了 220 场群众集会。他们打出的口号是：“打倒利加乔夫！”“打倒戈尔巴乔夫！”“打倒苏共！”在 3 月 2 日政治局会议讨论此事时，梅德韦杰夫说：从中得出的第一个结论是知识分子改变了立场，代表人物是波波夫；第二个结论是对群众情绪的估计，社会担忧和批评的情绪提高了，在 2 月 4 日集会时许多口号是支持改革和戈尔巴乔夫的，而在 25 日的集会上这样的口号已经没有了，很多口号是反对党和国家领导的。他认为应该采取强硬措施，整顿社会秩序和充实商店的柜台。[2] 苏共最高层感受到了来自左右两方面的批评，戈尔巴乔夫认为最高苏维埃的核心仍是健康力量，不要怕反对派领袖，苏共是团结的，他们会选出总统，反对派担心会失败……我们进入了政治改革和社会意

[1] В Политбюро ЦК КПСС… По записям Анатолия Черняева, Вадима Медведева, Георгия Шахназарова (1985–1991). С.595–597.

[2] В Политбюро ЦК КПСС… По записям Анатолия Черняева, Вадима Медведева, Георгия Шахназарова (1985–1991). С.599–600.

识新的发展阶段。[1]

在 1990 年 3 月 13—15 日召开的“非常”人民代表大会上，关于 1977 年苏联宪法第六条的存废问题被提到了议事日程。第六条的内容是：“苏联共产党是苏维埃社会的领导力量和指导力量，是苏联社会政治制度以及一切国家机关和社会团体的核心。苏共为人民而存在并为人民服务。用以马克思列宁主义武装起来的苏联共产党规定社会发展的总的前景，规定苏联的内外政策路线，领导苏联人民进行伟大的创造性活动，使苏联人民争取共产主义胜利的斗争具有规划性，并有科学根据。”

这次人代会通过的《苏联宪法修改补充法》修改了宪法第六条和第七条，规定“苏联共产党、其他政党以及工会、共青团、其他社会团体和群众运动通过自己选进人民代表苏维埃的代表并以其他形式参加制定苏维埃国家的政策，管理国家和社会事务。”“一切政党、社会团体和群众运动在履行其纲领和章程所规定的职能时，应在宪法和苏联法律范围内进行。”“苏联公民有权结成政党、社会团体，参加有助于发挥政治积极性和主动性、满足他们多种利益的群众运动。”苏共成了与其他政党和社会团体地位一样的政党，这意味着共产党放弃优势地位，承认政权将由多党进行竞争。

苏维埃政权建立之初是实行多党制的，一党制是历史形成的，勃列日涅夫时期把共产党的领导地位写入了宪法。苏联宪法第六条在 1990 年初遭到激进派的强烈反对，但传统派对修改宪法第六条也没有表示强烈反对，大会代表 87%以上都是共产党员，但以 1771 票赞成、264 票反对、74 票弃权，完成对苏联宪法第六条的修改。此举实际上只是承认了苏联社会存在的一个事实而已，“此前国家已经存在数量众多的政治组织。取消宪法第六条对产生新的政治组织和运动有刺激作用。其中以民主为导向的组织——农民党、农业党、俄罗斯人民党、俄罗斯联邦共和国党、俄罗斯民主党等占有显著地位。在自己的纲领中，它们都赞同民主国家、进行经济和政治改革。”[2]此后，苏共的重要工

[1] В Политбюро ЦК КПСС… По записям Анатолия Черняева, Вадима Медведева, Георгия Шахназарова (1985–1991). С.603.

[2] *Орлов А.С., Георгиев В.А. Георгиева Н.Г.,Сивохина Т.А.* История России. Учебник. 2-е изд., М., ТК Велби, Изд-во Проспект, 2003, С.454–455.

作是从执政党向议会党转变。

1990 年 6 月，戈尔巴乔夫在俄罗斯联邦共产党会议上表示："我们应当毫不含糊地声称，苏共将毫无保留、斩钉截铁、毫不妥协地摒弃践踏社会主义精神和道德理想的斯大林的思想和实践。党坚决支持苏维埃拥有全权，人民当家做主；党不再拥有政权职能和经济职能，不再奢望垄断地位，不再谋求意识形态上的强行一致。党将通过说服工作，通过在群众中开展政治工作，参与议会辩论，在宪法和法律允许的范围内活动，去争取社会对于实现社会主义价值的支持。"[1] 对于长期垄断政权的苏共而言，它并没有做好准备，实际上谁也不知道如何发挥一个议会党的作用，因为当时的人代会并不是按党派组成的。在新的机构没有发挥作用的情况下，放弃了党的领导，实际上不利于改革和克服危机，正如米格拉尼扬所说："取消宪法第六条，实际上也就是将苏共排挤出政权，这就摧毁了国家的权威基础。在中央新建立的政权机构已失去了本身的合法性，而在很多共和国中共产党人在大选中已丧失权力，这些都加快了国家的解体，加深了经济危机以及社会关系和族际关系的危机。" [2]

二、国家权力机构再次发生重大变化：总统制确立

苏联实行人民代表苏维埃制度，特别是戈尔巴乔夫兼任了最高苏维埃主席后，总书记的权限开始向最高苏维埃分权和转移。但是，最高苏维埃本质上的功能是议政、立法和监督，不能有效地作出决策，它也缺乏有效贯彻其决策的系统。苏联新政府缺少足够的权威和力量，无法承担起原来苏共对国家的管理职能。因此，出现了权力真空和失控的现象。设立总统，加强行政权力是实践中提出的问题，也是不得不采取的政策，正如索布恰克所说："在选举最高苏维埃主席之前谁也没有怀疑，戈尔巴乔夫应该担当此任。但是他一当选，许多代表就看到这是不合适的。一个国家的首脑不得不整天坐在议会里等着代表的问询，听取对一些不是很重要的问题的争论，甚至要听一些谬论。我很想站起来问：如果最高苏维埃的首脑整天与最高苏维埃一起忙着研究日程的细节，

---

[1] ［俄］米·谢·戈尔巴乔夫著：《戈尔巴乔夫回忆录》上册，第 642 页。

[2] ［俄］安德兰尼克·米格拉尼扬著：《俄罗斯现代化之路——为何如此曲折》，第 220 页。

那么这时谁来领导国家，谁来贯彻决定？”[1]

1990 年 2 月在苏共中央全会上，戈尔巴乔夫首次公开提出在苏联设立总统制的建议，他说：“从战略任务的观点出发并考虑到目前的现实情况，必须在最高领导层里重新进行力量调配，以便保证改革进程的活力，更牢固地保障其不可逆转性……建立总统制的问题提出来了，总统应有一切必要的权力来贯彻改革的政策。”[2] 在 1990 年 3 月 7 日苏共中央政治局例行工作会议上，讨论了苏联下一步政治体制改革等问题，在讨论关于总统选举问题时，卢基扬诺夫说有人建议在苏联宪法修改之前不选举总统，还有人说要全民普选产生总统，戈尔巴乔夫显然对此不接受，他说：“为了让他们有自知之明……顺便说说，我同加韦尔谈话的时候，他谈到总统制时说：‘这个我赞成，我赞成’。”[3] 他强调：“我们不应该动摇，应当及时转向总统制。”[4]

1990 年 3 月，苏联第三次“非常”人代会开幕，会上就要不要设立总统职务和怎样选举总统进行了辩论。1990 年 3 月 12 日，卢基扬诺夫在大会上作了题为《关于对苏联宪法进行修改和补充以及设立苏联总统职位》的报告，3 月 14 日第三次人代会以绝对多数票通过了“关于设立苏联总统职位并对苏联宪法进行修改和补充”的法律，规定：实行总统制，总统由全民选举产生（第一任苏联总统由苏联人民代表大会选举），任期 5 年，连任不得超过两届。总统是国家的元首，享有广泛的权力，包括总理、内阁成员、最高法院院长等重要公职人员的提名权，签署苏联法律、宣布实行紧急状态、解决苏联最高苏维埃两院争端等；苏联最高苏维埃只享有立法和监督职能。卢基扬诺夫被选为苏联最高苏维埃主席。苏联在法律上完成了政治体制的转变，其原则是：建立强有力的总统机构、苏共不再是政治体制的核心、实行多党制，苏维埃体制向

---

[1] *Собчак А. А.* Хождение во власть. (Рассказ о рождении парламента.) М., Изд-во “Новости”, 1991. http://soveticus5.narod.ru/85/ansob.htm.

[2] 《苏共中央二月全会文件选编（1990 年 2 月 5—7 日）》，第 13—14 页。

[3] ［俄］鲁・格・皮霍亚：《苏联政权史（1945—1991）》，第 640 页。加韦尔是持不同政见的作家。

[4] В Политбюро ЦК КПСС… По записям Анатолия Черняева, Вадима Медведева, Георгия Шахназарова (1985 – 1991). С.605.

"强总统、弱议会"的体制转变。

《苏联宪法修改补充法》还改变了苏联的经济体制，承认了公民个人所有制、承认新的集体所有制形式——租赁制和股份制，克服联盟国家在所有制关系中的垄断地位，规定"国家所有制包括全联盟所有、加盟共和国所有，自治共和国、自治州、区和其他行政区域单位所有。"取消了联盟对自然资源的独有权，规定"土地及其矿藏、水流、处于自然状态的植物界和动物界是生活在这个地区的各族人民不可剥夺的财产，由人民代表苏维埃管理和提供给公民、企业、机关和单位使用。"[1] 如果说政治体制方面的规定是规范下一步的改革，关于经济方面的修改则在很大程度上是确认了前一阶段改革的成果。

人民代表大会制度的实行，使苏共党组织机构的权威受到很大削弱，戈尔巴乔夫本人的权力和影响也在下降，党内的领导同志对他推行的民主化不满，新政权机构中的激进民主派又不满意他的保守主义，他失去了左右两派的政治支持，根本无法建立起有权威的政权中心。戈尔巴乔夫从反对到同意设立总统制，其中一个重要原因是他感到自己在党内的地位不稳，威信在下降，当了总统，便可以摆脱党的制约，不会因为党内形势的变化影响到他的权势。设立总统制，使党和国家分开，国家便不再属于任何一个政党。另外，苏联的混乱局面、日益恶化的形势，也需要有一个拥有强有力权力的国家元首。

在人代会上，代表们就两个问题进行了激烈争论：一个是选举总统的方式，是在人代会上选举还是举行全民选举？另一个是戈尔巴乔夫该不该身兼两职，既任总统又当苏共中央的总书记？跨地区议员团提出要直接选举总统，许多人也认为应该举行全民选举总统，但在当时显然不具备条件，连激进派人物索布恰克都认为："如果通过决议实行普选，那将是一场灾难。准备普选至少需要2—3个月的时间，也就是说，在这段时间里国家将没人领导。更糟的是，苏共可以重新夺回权力，民主化进程即将终结。在中央委员会中，戈尔巴乔夫本来不拥有占多数的拥护者，只是他常常能迫使多数人容忍他，同意他的主张，因此，要把戈尔巴乔夫赶出政治局并不困难。如果出现上述情况，那就

[1] Известия. 16 марта.1990.

等于发生了一场反革命政变。”[1]他曾建议先授予戈尔巴乔夫总统应有的必要权力，通过新宪法和新的联盟条约，然后再举行全民普选总统。但他的建议没有被提交表决。戈尔巴乔夫坚持第一任总统由人代会选出，他的意见占了上风。人民代表奥勃连斯基毛遂自荐要与戈尔巴乔夫竞争总统职位，只有 800 多名代表支持他，未能被列为候选人。3 月 15 日，戈尔巴乔夫在人代会上以 1329 对 495 票当选苏联第一任总统，全票应该是 2245 张，有不少人弃权。作为唯一候选人的戈尔巴乔夫得票率不到 60%，戈尔巴乔夫成了苏联历史上第一位总统。他宣誓就职：“我庄严宣誓忠于我国的人民，严格遵守苏联宪法，保障公民权利和自由，全心全意地履行我被赋予的苏联总统的崇高使命。”苏联总统的职位实际上并没有保障戈尔巴乔夫的权威和政权的权威，尽管戈尔巴乔夫没有完全理解社会内部所发生的政治事件的本质，他也感觉到了反对派的势力在不断发展，他没有把握通过全民投票能当选总统，他对自己获胜缺乏信心。事实证明，戈尔巴乔夫拒绝考虑民选是个失策。“1990 年 10 月共和国最高苏维埃会议选举产生的总统的合法性基础不充分。1991 年 8 月国家紧急状态委员会成员在莫斯科搞的叛乱失败后，这种想法变得特别强烈了。”[2]

阿法纳西耶夫反对总书记兼总统，担心戈尔巴乔夫会因此成为独裁者。这个提议正中党内传统派的下怀，戈尔巴乔夫当总统，正好给他们提供了一个选举新的总书记的机会，也许可以重新加强党的权力，与戈尔巴乔夫抗衡。人代会就“被选为苏联总统的人，不能兼任其他政治和国家职务”进行表决，结果 1303 票赞成，607 票反对，没有获得 2/3 的多数票，未获通过。但这一表决表明，党内存在强大的反对戈尔巴乔夫的势力，只有 607 人支持戈尔巴乔夫继续兼任苏共中央总书记，不到半数。

改行总统制也是匆忙进行的，在实行总统制之时，并未认真思考相应的国家管理机构问题，只是在当选总统后，戈尔巴乔夫才开始考虑管理机构的设置和人员组成。

戈尔巴乔夫建立了一个对之负责的总统委员会，这个委员会由三部分人

---

[1] *Собчак А. А.* Хождение во власть. (Рассказ о рождении парламента.) М., Изд-во “Новости”, 1991. http://soveticus5.narod.ru/85/ansob.htm.

[2] ［吉］阿斯卡尔 · 阿卡耶夫著：《难忘的十年》，第 87 页。

组成。一是政府总理和重要部长：雷日科夫、巴卡京、克留奇科夫、马斯柳科夫、谢瓦尔德纳泽、亚佐夫、古边科；二是不在政府中任职的专职人员：雅科夫列夫、普里马科夫、列文科、博尔金、梅德韦杰夫；三是一些科学家、作家和人民代表：沙塔林、奥西皮扬、拉斯普京、库尔斯、亚林。工作主要由后两部分人做。但是，总统委员会人员庞杂、职责不明，他们所负责的领域往往与政府重叠，显得多余。

行政实权落到了总统委员会的手中，总理及其领导下的部长会议只是执行总统委员会所制定的政策，但是，没有政府的配合，总统委员会不能发挥任何作用。对于总统委员会和部长会议的工作，当时任部长会议主席的雷日科夫说："当时有两个执行权力机关——总统委员会和部长会议同时产生，更主要的是都在积极地活动。而且两个机关都作出决议、决定、发布命令，这些决议和命令常常引起我和我的副手们的困惑不解。不仅如此，使我本人感到突然的是，这些重复的文件大多同时作出。在我任职的最后一年，我这个沉重痛苦的总理职位一直处于可以想象的与不可思议的、自然的与预谋的一切不幸和大难之中，一切过错都归罪于雷日科夫和他的令人厌恶的部长会议。"[1] 在改革政策上，雷日科夫与总统的分歧也越来越大。在雷日科夫看来，苏联不仅需要强有力的总统，也需要强有力的政府。到 1990 年 11 月这个委员会就被取消了。总统委员会取消后，经苏联最高苏维埃批准建立了一个安全会议。这是一个符合宪法规定的组织，参加者有巴卡京、别斯梅尔特内赫、克留奇科夫、帕夫洛夫、普戈、普里马科夫、亚佐夫、亚纳耶夫。除巴卡京和普里马科夫外，其他人也都是强力部门的领导人，但没有任何有关安全会议的条例，谁也不知道它该干什么，安全会议不定期地开会。

国家的最高权力转移到总统系统，各共和国也效仿联盟中央实行总统制，民选产生了自己的总统和苏维埃主席，他们不是对联盟中央，而是对本共和国的选民负责。1990 年 4 月 24 日，纳扎尔巴耶夫被共和国最高苏维埃选为哈萨克斯坦第一位总统，他的誓词是："我庄严宣誓忠实地为我们多民族共和国的人民服务，严格遵守哈萨克斯坦社会主义共和国宪法，保障公民的权利和自

[1] ［俄］尼古拉·雷日科夫著：《背叛的历史——苏联改革秘录》，第 9 页。

由，全心全意地履行我被赋予的哈萨克斯坦苏维埃社会主义共和国总统的崇高使命。”这种做法实际上摆脱了中央对地方权力的制约，加剧了地方的分立，加速了苏联解体的进程。正如皮霍亚所说：“联盟总统职位的出现成为各共和国效法的先例。政治主权化获得了强大的推动力。联盟解体进程被赋予了正式的法律框架。”[1]

戈尔巴乔夫这一改革并没有巩固自己的权力。苏联的总统制并非西方的三权分立。苏联最高苏维埃没有权力，其通过的法令大多成了一纸空文，关系国家命运的新联盟条约的问题不是在最高苏维埃决定的，而是由戈尔巴乔夫这个苏联总统与各加盟共和国的首脑决定的，最高苏维埃被抛在一边；总统的行政系统并没有多少权威；党的机关已经丧失了权力，政府中的重要成员都不再担任政治局委员，但苏共新领导们仍认为自己应该掌握全权，从干部的任命到政策的制定，因此，经常指责戈尔巴乔夫。1990 年 3 月苏联改行总统制后，党的权力受到进一步削弱，戈尔巴乔夫的支持率在 1990 年下降了一半，叶利钦等人的威信急剧上升。[2] 苏联的权力正被那些激进民主派人士所填充。

三、“人道的、民主的社会主义”纲领的确立与苏共的分裂

1990 年 2 月，苏共中央公开发表了马克思主义纲领派和民主纲领派的文件，承认了党内存在派别。面对党内的压力，戈尔巴乔夫又同意苏共中央发表《致全苏共产党员的公开信》。信中说，《民主纲领》的起草人和“彻底的民主派”实际上是想把党搞垮，奉行从内部分裂党、使苏共从政治舞台上消失的方针，应当与走上同党作斗争的人划清界限，同派别集团的组织者划清界限。阿尔巴托夫认为，这是对党内所持不同意见和自由派观点的人发动迫害运动的公开信号，“其结果是，准备党的二十八大的工作受到了保守官僚的控制，自由

---

[1] ［俄］鲁·格·皮霍亚著：《苏联政权史（1945—1991）》，第 642 页。

[2] 戈尔巴乔夫在 1990 年 1 月的支持率为 44%，12 月则降至 21%；73.4%的被调查者支持叶利钦在俄罗斯最高苏维埃主席职位上的工作。转引自：《戈尔巴乔夫——叶利钦政治对抗 1500 天》，新华出版社 1993 年版，第 235 页。

派和进步人士都遭到清洗，党不可逆转地被置于右翼[1]的控制之下，我认为这就决定了以后政治事件的发展发生不利于改革的转变。”[2]普里马科夫回忆道："党的第二十八次代表大会之前，戈尔巴乔夫询问我们之中谁想留在政治局里。绝大多数人（包括我在内）回答，我们认为在担任国家领导职务的情况下，不能进入党中央兼任领导职务。大家都同意这一点。然而，代表大会还是坚持把国防部长、外交部长、国家安全委员会主席选为中央委员。所有曾经担任这些职务的都接受了这种立场。”[3]

1990年7月2—13日苏共第二十八次代表大会召开，4683名代表中只有26人缺席。这次代表大会开得像个辩论会，苏共中央总书记戈尔巴乔夫作了题为《苏共中央委员会对苏共二十八大的政治报告和党的任务》的报告，苏共中央政治局委员、候补委员和中央书记作个人工作汇报，接受代表的质询。大会分“党的革新”、“意识形态工作”、“苏共经济政策”、“苏共农业政策”、“党、苏维埃和社会政治组织”、“民族问题”和“国际问题”七个小组进行专题讨论。叶利钦、绍斯塔科夫斯基、布兹加林、谢尔盖耶夫等反对派代表也在大会上作了发言。

苏共二十八大通过了《走向人道的、民主的社会主义》纲领性声明文件，声明苏共是坚持社会主义选择和共产主义前景的党，其所建立的人道的、民主的社会主义是这样的社会：人是社会发展的目标，为创造无愧于现代文明的生活条件和劳动条件，克服人与政权以及他们所创造的物质财富和精神财富的分离，确保人能积极参加社会进程；在多种所有制和经营形式的基础上，确保劳动者变成生产的主人；人民的自主意志是权力的唯一源泉，受社会监督的国家应保证维护人的权利和自由、尊严和人格。纲领提出了反危机的一些措施：尽快制定出新的联盟条约，在社会经济领域采取一些诸如使经济转向消费领域、向居民出售一些财产、向受灾地区提供援助等，加强纪律和法制等。[4]在苏共面临生存危机的背景下，“此时提政治上的生存，多于保持以往设定的航向。根本就没什么人讨论提交给代表大会的纲领性声明《走向人道的、民主的社会

[1] “右翼”在这里指的是保守派，而不是通常理解的想走资本主义道路的人。

[2] ［俄］格·阿·阿尔巴托夫著：《苏联政治内幕：知情者的见证》，第431—432页。

[3] ［俄］叶夫根尼·普里马科夫著：《大政治年代》，第59页。

[4] 《苏联共产党第二十八次代表大会主要文件资料汇编》，第117—118页。

主义》，大会没作什么大的改动就通过了它。斗争主要是围绕着个别的党领导人的命运而展开的。”[1]在这次大会上代表们迫切的任务是防止党的分裂，反映了团结的愿望，尽管对戈尔巴乔夫提出的党的纲领有不同意见，但在进行表决时气氛很好，3777 票赞成，只有 274 票反对，还有 61 票弃权。大会主席戈尔巴乔夫祝贺代表们：我们有了很重要的文献和工作的指南！[2]苏共二十八大纲领的通过更多具有象征的意义，纲领本身正如纳扎尔巴耶夫所说的：“我觉得，‘具有人的面貌的社会主义’对于它的倡议者戈尔巴乔夫本人来说，充其量不过是句口号，除此之外他既没有具体的概念，也没有发展的战略。”[3]

苏共的新党章，为全党描绘了在多党制下党的建设的新机制。这个新机制标志着对传统党建模式的彻底放弃。其主要内容包括：第一，在党对国家的领导上，强调党放弃政治垄断，放弃在宪法中的特权地位，党的作用是成为通过共产党员发挥作用的、民主承认的领袖。第二，在各加盟共和国共产党之间的关系上，强调尊重各党的独立性，并为此在中央增设了由各共和国党选送的代表的名额。第三，在干部问题上，强调决定干部的权力由上级机关转交给党组织和全体党员，强调实行选举制，实行差额选举并可更换。第四，在党员个人权利上，强调允许不同意见的自由，党内要确保意见表达自由，不同观点和纲领的对比、公开批评和自我批评。党内不允许存在派别，但允许存在各种按志趣和问题成立的横向联系组织。第五，在党内监督问题上，强调监察委员会由代表大会选举产生，监督同级党委。苏共二十八大形成的这个机制不可能在加强党的整体力量上创造奇迹。这时的苏共仍处于执政党地位，但在社会上反对派和党内反对派的内外夹攻下，苏共推行自己的改革政策日益艰难。

大会还通过了《关于农民状况和实现苏共农业政策的决议》、《关于党进行经济改革和向市场关系过渡的政策的决议》、《关于苏共舆论工具的决议》、《关于苏共青年政策的决议》、《关于民主的民族政策是通向自愿联盟》、《各族人民

---

[1] ［俄］罗伊·麦德维杰夫著：《俄罗斯向何处去——俄罗斯能搞社会主义吗?》，关贵海、王晓玉译，当代世界出版社 2003 年版，第 7 页。

[2] *Медведев В.А.* В команде Горбачева: взгляд изнутри. М., Былина,1994. www.lib.ru/MEMUARY/GORBACHEV/medvedev.txt.

[3] ［哈］奥莉加·维多娃著：《中亚铁腕：纳扎尔巴耶夫》，第 120 页。

之间和睦与和谐的途径的决议》、《关于苏共在教育、科学和文化领域政策的决议》、《关于切尔诺贝利核电站事故和消除事故后果工作情况的政治评价的决议》等文件，反映了戈尔巴乔夫的战略路线，确定了向市场关系过渡是进行彻底的经济改革和改善国民经济状况的方针，计划9月向最高苏维埃提出有关建议。

苏共二十八大是苏共最后一次代表大会，大会的声明与决议基本上确认了前一段改革的成果，但是，许多问题并没有解决。

对通货膨胀发展、日用消费品短缺严重的问题没有找到解决的办法。戈尔巴乔夫在苏共二十八大的发言中肯定了市场经济的优越性，确定要向市场经济过渡，表示拒绝一种所有制形式的垄断，各种所有制应该有经济与政治的平等权利，没有什么能阻止我们把国有企业变成股份公司，没有什么能阻止我们把股票、股份和其他同等物提升为生产手段的一部分。戈尔巴乔夫既指出了居民的商品供应状况严重，又拒绝从提高价格开始向市场经济过渡，强调在没有考虑周密而行之有效的社会保障机制产生之前，不会提高价格。他说："在走向市场的道路上，还缺乏考虑周密的逻辑、策略、顺序、连贯的步骤。结果，关于价格的问题几乎成了主要的问题，也几乎成了向市场过渡的唯一的开头措施。""向市场过渡时，需要订出一些首要的措施。任何人都不会阻碍今天就开始把国有企业股份化，创造现实的经营自由，将小企业和商店出租，把住房、股票和其他有价证券及一部分生产资料纳入买卖的领域。必须加速形成建立商品和证券交易所，改革银行体系，实行提成政策，为相互竞争的生产单位和联合公司，中、小企业——特别是消费品生产领域中——的出现创造条件。"[1]雷日科夫也反对从价格改革开始走向市场经济，主张建立灵活的、经常起作用的价格体系，为在产品生产者和消费者之间发展市场关系创造条件。因为价格严重扭曲是苏联经济的怪现象，买一双靴子的钱买肉可以吃上一年，消费的食品越多，获得的国家补贴越多，浪费现象严重，"如果说近35年来国民收入增长了5.5倍的话，那么国家对价格的补贴则增加了近29倍！在1990年，仅食品补贴就近1000亿卢布，而由于实行新的采购价，并且不改变零售价，这种补贴又增加30%，占国家预算支出的五分之一。"[2]

[1] 《苏联共产党第二十八次代表大会主要文件资料汇编》，第13—14页。

[2] ［俄］尼·雷日科夫著：《大动荡的十年》，第444页。

叶利钦在苏共二十八大上宣布退出苏共，1990 年 7 月 12 日

面对日益复杂的民族问题，苏共找不出好办法来解决。“所有共和国、各共产党组织和社会组织的领导人在代表大会上发言，表明拆除苏维埃国家制度这一过程的不可逆转性，因为他们中每个人都以各自的方式提出要扩大劳动集体的权利，实行党政分开，如果说得更确切些，那就是要取消苏联共产党直接管理生产的职能。这个问题早已提出，社会对之也已熟悉，它在大会上得到了进一步的强调，在代表大会上明显地反映出了要求建立不受党控制的多种经济，实现政治多元化和扩大联盟和自治共和国权力的趋势。”[1]

党内的团结和组织问题严重。在苏共二十八大上，斗争主要表现在选举副总书记的问题上，根据新党章的规定，苏共总书记和副总书记要在代表大会上选举产生，多数人拥护戈尔巴乔夫担任总书记，但反对者也不少，多达 1116 张票，也就是说将近 1/4 的代表反对戈尔巴乔夫。选举副总书记的斗争最为激烈。利加乔夫仍坚持参加选举，但戈尔巴乔夫并不希望他当选，他甚至对身边人说：如果利加乔夫当选，他就辞职。梅德韦杰夫建议雷日科夫去做利加

[1] ［哈］奥莉加·维多娃著：《中亚铁腕：纳扎尔巴耶夫》，第 125—126 页。

乔夫的工作，但雷日科夫没做。[1] 为了防止利加乔夫当选，戈尔巴乔夫需要找一位在党内有威信的人，直到代表大会前夕，戈尔巴乔夫才产生让伊瓦什科竞选副总书记的想法。伊瓦什科曾任乌克兰共产党第一书记，1989 年 9 月取代谢尔比茨基任乌克兰最高苏维埃主席。最后的结果是伊瓦什科当选为苏共中央副总书记，利加乔夫只得到 776 票，有 3642 票反对他。从理论素质和经历来看，伊瓦什科任第二书记或许有利于苏共，但是，此举却让乌克兰人很不高兴。在乌克兰最高苏维埃讨论伊瓦什科的辞呈时，许多代表谴责他辞职，批评他不尊重人民代表，批评苏共中央在选举伊瓦什科为党的第二号人物前没有同乌克兰的议员协商。[2] 随后乌克兰最高苏维埃选举克拉夫丘克为乌克兰最高苏维埃主席，加强了乌克兰的民族分离势力。

苏共没有形成领导改革的强有力的核心，戈尔巴乔夫最初的改革团队解体，利加乔夫、雅科夫列夫和梅德韦杰夫都离开了苏共中央政治局和书记处，雅科夫列夫和梅德韦杰夫改任苏联总统高级顾问。新政治局成员有 24 人：原来的政治局委员只剩下了戈尔巴乔夫和伊瓦什科二人，各加盟共和国的党的第一书记全部成为政治局委员，此外还有，莫斯科市委第一书记普罗科菲耶夫、克拉斯诺雅尔斯克边疆区第一书记舍宁、原《真理报》主编弗罗洛夫、《农妇》杂志主编谢苗诺娃、全苏工会主席亚纳耶夫和原中央书记斯特罗耶夫。政治局联邦化倾向明显，预示着今后的斗争将是中央与地方的斗争，也表明新政治局的作用将明显下降，不可能每周都举行会议了。新中央书记处 11 人，政治局委员中有 5 人兼任中央书记：舍宁、亚纳耶夫、斯特罗耶夫、谢苗诺娃、扎索霍夫，原中央书记留任 4 人：巴克拉诺夫、吉连科、斯特罗耶夫和马纳延科夫，还有列宁格勒州委第一书记吉达斯波夫、苏共中央社会政治组织工作部部长库普佐夫和苏共中央国际部部长法林。巴克拉诺夫主管国防工业，扎索霍夫成为负责意识形态工业的新的中央书记。进入苏共中央政治局的许多是不知名的人物，在党内没什么威信，一些新的中央书记也是如此，中央委员会 80%都是新人。许多改革派离开了，被认为思想保守者却升至高位，戈尔巴乔夫取得了

[1] *Медведев В.А.* В команде Горбачева:взгляд изнутри. М., Былина,1994. www.lib.ru/MEMUARY/GORBACHEV/medvedev.txt.

[2] 塔斯社基辅 1990 年 7 月 18 日电。

对保守派意识形态的胜利，组织上却与之结成了联盟。这让许多人对苏共“人道的、民主的社会主义”纲领表示怀疑。

7月6日，叶利钦在苏共二十八大的发言中提出民主国家的必由之路是多党制，苏共必然要进行根本性的革新，他提出的办法是：“第一，必须将苏共内现有的各种纲领派从组织上固定下来，让每个共产党员有时间自己作出政治决定。我确信，大多数普通党员会把党的前途信托于民主派的。第二，改变党的名称。应当叫民主社会主义党。第三，在大会上讨论党纲和党章为时过早。只需通过一项改造苏共的总宣言。要选出能够用大约半年或一年的时间筹备召开新的代表大会的新领导机构。第四，党应该放弃一切国家职能。在军队、国家安全系统和国家机关中应当取消基层党组织。在生产单位，基层党组织的命运应当交由劳动集体和党员自己决定。在新的党或联盟里，党员应当缴纳最低限额的党费。这样就会出现一个议会式的政党。只有这样的党在社会进行大力革新的情况下才能成为一个起领导作用的党并代表某一个派别在选举中取得胜利。”[1] 叶利钦的建议遭到多数代表的反对。7月12日，叶利钦抗议性地退党，并发表了退党声明：“鉴于我已当选俄罗斯联邦最高苏维埃主席和在俄罗斯人民面前担负重大责任，考虑到社会正过渡到多党制，我不能只履行苏共的决议。作为共和国最高立法机关的首脑，我应当服从人民及其全权代表的意志，因此，我根据在竞选期间所作的承诺，声明退出苏共，以便具有更大的可能有效地影响苏维埃的活动。我准备同共和国的所有政党和社会政治组织合作。”[2] 这个声明实际上说明苏共并不能代表人民，国家最高领导人不应该有党派。叶利钦退党造成的冲击波很大，正如博尔金所说：“无论戈尔巴乔夫同叶利钦之间、叶利钦同中央之间的冲突有多严重，这种抗议性的退党给许多代表和共产党员留下了印象，对造成党的信任危机以及后来党的瓦解起了不小的作用。当然，戈尔巴乔夫优柔寡断的行为对事情的这种结局也起了促进作用。”[3]

叶利钦退出了苏共，实际上标志着激进派开始放弃社会主义，为民众提

[1] 《苏联共产党第二十八次代表大会主要文件资料汇编》，第459—460页。

[2] Россия, которую мы не знали. 1939 – 1993. Хрестоматия. Под ред. *М.Е.Главацкого*. Челябинск южно-уральское издательство. 1995. С.353.

[3] ［俄］瓦·博尔金著：《戈尔巴乔夫沉浮录》，第342页。

供了另外一种选择，人们把对苏联制度的不满转化为对叶利钦的支持，叶利钦也巧妙地利用了这一点。继叶利钦之后，莫斯科和列宁格勒的代表波波夫、索布恰克也离开了。紧接着 54 名俄罗斯联邦的代表也宣布退出苏共，他们在集体声明中说："苏联共产党第二十八次代表大会辜负了党内和社会上民主力量的期望。把苏共改造成议会民主党是一种幻想……我们号召所有国家民主更新力量的拥护者团结到广泛的社会运动'民主俄罗斯'中来。建议在 1990 年秋举行民主代表大会以建立广泛的政治联盟，以便能更好地保护俄罗斯人民的根本利益。"[1]激进改革派正式从苏共中分裂出来，一部分人组织或参加了俄罗斯共和党、俄罗斯民主党等苏共的政治反对派组织。由 105 人组成的"苏共民主行动纲领派"于 1990 年 7 月 10 日登记注册。

1990 年 8 月 4 日，也就是苏共二十八大结束不久，"苏共民主行动纲领派"就拟定了一个关于将苏共财产移作公用的决议草案。其中指出：

"苏联共产党执政 70 多年以来，以为人民造福、为人民的利益服务作为自己的最高宗旨。在这段时间里，苏联共产党在自己手中集中了大量财产资金。在提交给代表大会代表的《关于苏联共产党预算》的资料中，列举了到 1990 年 1 月 1 日地方党的机构业务管理的固定资产总额为 23 亿卢布。苏联共产党固定资产的总价值数在资料中没有列出。储备财政资金为 49 亿卢布。提供的资料向我们公开了今天苏联共产党聚财的真正来源是独家专营的出版活动。仅在 1990 年，扣除党的出版社的利润，向苏联共产党预算数额投入了 10.76 亿卢布。由于苏联共产党的资金和限额受特权担保，因此苏联共产党卢布的实际购买力要高于国内公民其及联合公司的卢布购买力。例如，在 1989 年，苏联共产党兑换 4400 万卢布的外汇，计划在 1990 年兑换 2900 万卢布的外汇。几十年里，苏联共产党使用国家土地、房产和其他财产而没有交付任何租金。苏联共产党的收入，其中包括生产和出版业的收入，也不纳税。达到颇大规模价值的往往是建筑物和另外一些财产的历史和文化的价值，这些财产是党在执政期间以为党组建国家机构的名义，无代价地将国家财产据为己有的。在过去的年代里，党用这种方法所没收的人民钱财达几十

[1] *Согрин В.В.* Политическая история современной России (1985–2001: от Горбачёва до Путина). М., 2001. С.63–64.

亿卢布。”

“代表大会认为，对共产党员来说，从对苏联共产党负责的宣言，转到认识自己对国家和处在当前情况下的人民所犯的重大错误，转到真正悔过承担责任的时机已经来到了。代表大会认为必须将这些钱财归还给人民，应该志愿放弃苏联共产党的财产，交给人民代表苏维埃。”为此，代表大会决定：将苏联共产党的所有财产，包括楼房、建筑物、企业、出版社、财政资金（除最近三个月的党费收入以外）移交为国家和公用财产，同时向有关人民代表苏维埃移交这些财产的支配权。请求各级人民代表苏维埃、企业和组织领导、劳动集体对下岗人员的重新安排给予尽可能的协助。[1]

“由于缺乏清楚的法律规范，国家对于私有主和私有财产的立场不明晰，以由新企业家、商人、农场主和知识界组成的中产阶级为代表的改革的社会基础并未形成，改革时期的‘新经济’走入地下。”[2]

“席卷整个苏联社会的危机的基础是意识形态原因——我们关于社会主义的观念出现了危机。应该扬弃全民所有制全面统治的思想，形成新的社会主义构想，但同时要继续依靠公有制，因为苏联的整个历史证明，公有制形式潜力巨大。但是苏共即使在面临亡党亡国的时候，仍然不能克服对马克思主义理论所持的教条主义态度。始终没有作出另一种国家发展的社会主义抉择。”[3] 此举表明，从苏共分裂出来的所谓激进民主派开始公开向苏共挑战，开始动摇苏共的物质基础和支配苏联财产的权力，放弃社会主义选择，摧毁苏联的社会主义。

苏共二十八大只是延缓了苏共崩溃的进程。社会学家的调查显示，只有18% 的被调查者认为，党的代表大会对苏共有正面作用，超过半数的人没看到苏共状况好转，差不多 1/3 的人认为苏共的地位进一步削弱了。其意识形态价值观的影响急剧下降。只有 55% 的被调查者（工人中占 40%）相信社会主义选择，还有更少一些——37%（工人中占 29%）仍相信实现共产主义思想的可能性，36% 的人直接宣布他们对共产主义思想失望了。将近 20% 的人在这

---

[1] 《苏联历史档案选编》第 30 卷，第 542 页。

[2] ［俄］安德烈·格拉乔夫著：《戈尔巴乔夫之谜》，第 211 页。

[3] ［俄］尤里·亚历山德罗夫著：《苏联历史的逻辑——政治经济学分析的尝试》，载［俄］《对话》2002 年第 12 期，转引自《马克思恩格斯列宁斯大林研究》2004 年第 2 期，第 34 页。

个组织中持中立立场，他们形式上没有离开苏共，但不再参加党的生活、党的会议，不再交党费。[1]

第三节 试图向市场经济过渡

戈尔巴乔夫很晚才意识到："我国的全部历史证明，通过对指令性体制的修修补补来摆脱国家和公民所处的困境的做法是毫无成效的。如果硬要这样走下去，我们会把国家搞垮。市场经济的优越性在世界范围内得到了证明，现在的问题只是，在市场条件下能否有完备的社会保障机制，也就是说，我们的社会主义制度、保护劳动者的制度所特有的东西能否得到保障。答案是：不但可以，而且使所有人的生活水平得到提高"。[2] 以前人们总是认为市场关系和按劳分配相互矛盾，好像人对人的剥削就是建立在市场关系之上的。实际上，市场本身并不决定生产关系的性质，自古以来它就是唯一能够客观的、在某种程度上排除官僚体制干扰的、衡量每个生产者劳动贡献的机制。在1990年改革的最后阶段，苏联陷入既无市场也无计划的境地，就像在严寒的冬季来临的时候，改革的设计师和施工人员拆除了不漂亮但暖和的房子，非但没有再建起一所漂亮的好房子，甚至连地窖也没有挖。

1990年夏天，开始了经济改革的紧张准备工作，无论是联盟领导人，还是各个共和国的领导人都意识到了走向市场经济的必要性。戈尔巴乔夫与叶利钦似乎把国家利益放在了个人利益之上，人们把这一段两人的关系称为"夏日浪漫史"。但是，接踵而来的激烈的政治斗争使得经济改革计划完全落空了。

一、经济危机加深，面临经济灾难

经过五年的改革，苏联没有实现第十二个五年计划所规定的目标，不仅没有克服经济的停滞，而且经济状况还继续恶化，从下表中我们可以看到这几

[1] Известия ЦК КПСС. 1991. №1. С.59–60.

[2] ［俄］米·谢·戈尔巴乔夫著：《戈尔巴乔夫回忆录》上册，第664页。

年的经济发展情况（见表 5—1）：

表 5—1　苏联 1985—1990 年经济增长率与劳动生产率发展情况 [1]

年均增长率	1981—1985	1986	1987	1988	1989	1990	来　源
国民收入	3.5	2.3	1.6	4.4	2.5	–4.0	苏联统计局
国民收入	0.6	1.3	0.7	0.3	–4.25	–9.0	经济学家格·伊·哈宁
劳动生产率	3.4	2.1	1.6	4.8	2.2	–3.0	苏联统计局
劳动生产率	0.2	1.2	0.8	1.3	–3.95	–8.0	经济学家格·伊·哈宁

无论是哪个来源的统计都表明，开始改革后，只在 1986—1987 年经济情况稍有好转，但从进入政治体制改革后，随着社会秩序的混乱和政治家的争权夺利，经济每况愈下，经济危机日益严峻，到 1990 年，苏联的社会总产值、国民收入和社会劳动生产率分别比上年下降 2%、4%和 3%。对外贸易额为 1312 亿外汇卢布，减少 6.9%，外贸逆差为 100 亿外汇卢布。国家内债增加了 1500 多亿卢布，超过 5500 亿卢布。国家预算收入为 4520 亿卢布，支出为 5101 亿卢布。国家预算赤字为 581 亿卢布，苏联最高苏维埃批准数为 600 亿卢布。赤字比 1989 年减少 226 亿卢布，这主要是减少国家集中的基本建设投资，减少国防开支，增加了营业税和居民税收入。[2]1990 年，在 1200 多种基本消费品中有 95%以上的商品供应经常短缺，在 211 种食品中有 188 种不能自由买卖。苏联不得不开始实行票证制度，1990 年，肉、糖、伏特加酒、鸡蛋、黄油、香肠都凭票供应。正如一位加拿大学者所说："戈尔巴乔夫执政五年的后果已经显现出来，他拉开了与广大人民群众的距离，使党和政府陷入瘫痪状态，使党的先锋队体制处于全面危机。后来将用于工业现代化的资源转向生产日用消费品，但为时已晚，根本无法改变日用消费品的严重匮乏的局面。戈尔巴乔夫失去了人们对其政策的政治支持，但他又没有建立起将自己的意志

[1]　Россия, которую мы не знали. 1939–1993. Хрестоматия. Под ред. *М.Е.Главацкого*. Челябинск южно-уральское издательство. 1995.С.339.

[2]　苏联国家统计委员会：《1990 年苏联经济》，载《苏联东欧问题译丛》1991 年第 3 期，第 35 页。

强加给国家和人民的机制。在苏联政权体系中，党一直是‘苏联’这个大公司的董事会，党还像是工厂的车间主任和工会的领导。由于戈尔巴乔夫将危机的责任推托到党内干部身上，因此激起基层干部的极大愤慨，使共产党的士气一落千丈。在解决经济混乱和非市场经济机制的问题时，如果没有党的积极参与，那么苏联经济只能陷入困境。”[1]

缺少硬通货使苏联在国际贸易中不得不拖欠货款，影响了苏联购买其所需的商品。1990 年 5 月 30 日，国家粮食和采购委员会副主任鲍里索夫在发给政府的《关于进口食品的支付》中说：“最近期间发生的苏方不断拖欠已发运的进口商品货款事件，导致许多根据已签订的合同继续向苏联发货的工作已经中止。计有价值为 7440 万卢布的 21.16 万吨的植物油、价值为 1.609 亿卢布的 17.71 万吨的肉和肉制品、价值为 7870 万卢布的 6.65 万吨可可豆和可可食品、价值为 1430 万卢布的 2.04 万吨屠宰牛、价值为 2690 万卢布的 30 亿支供烟草工业用的醋酯过滤嘴——总金额达 4.783 亿卢布……只有在付清已经向苏联交付的价值为 2.37 亿卢布的食品货款的条件下，才能启运这些根据所签合同应提供的价值 4.783 亿卢布的食品，因此，总共应当支付进口食品货款 7.156 亿卢布。”[2] 中断进口合同加重了苏联消费品的短缺。

政局不稳使经济改革措施很难推行，频繁出现的罢工破坏了正常的经济秩序，也加重了经济困难。普里马科夫所说的现象证实了这一点：“在全国食品匮乏、为 1991 年元旦花外汇购买外国食品的时候，一些企业和农工联合体建筑工程的仓库里存放着 29000 部乳品和黄油奶酪制造工业设备、近 15000 部肉类加工设备、4000 部糖果点心制造设备和 11000 部果品蔬菜及罐头工业设备。结果是 1990 年在进口设备的基础上应该投入合作的 39 个投产项目中，只有 5 个项目投入使用。”[3] 从 1988 年开始，苏联的经济每况愈下，陷入了深刻的危机之中，1988 年农业生产开始下降，1990 年工业生产也开始下降，出现了和平时期经济的首次负增长。国家统计局向苏联人民代表提供的资料说：1990 年

---

[1] 转引自：[俄] 罗伊·麦德维杰夫著：《苏联的最后一年》，第 254—255 页。

[2] См.: *Гайдар Е.Т.* Гибель империи. Уроки для современной России. 2-е изд. М., РОС-СПЭН, 2007. С.257–258.

[3] [俄] 叶夫根尼·普里马科夫著：《大政治年代》，第 73 页。

上半年“未能实现财政状况的改善和稳定。在过去的整个时期里，社会生产及其效率在下降，原因是所有层次上经济管理水平的恶化、经济联系被破坏、低下的劳动和生产纪律、被迫削减各种重要原材料和零配件的进口。与上年的前半年相比，国民生产总值减少了 1%，国民收入减少了 2%，劳动生产率降低了 1.5%。半年内国家财政赤字达 110 亿卢布。7 月初国家内债超过了 4200 亿卢布。”[1] 据苏联国家统计局发表的数字，与 1989 年相比，1990 年苏联的国民收入下降 4%，国民生产总值下降 2%，劳动生产率下降 3%，对外贸易下降 6.9%，外贸逆差从 20 亿卢布增加到 100 亿卢布。财政赤字连年上升，1980 年为 200 亿卢布，1986—1988 年年均赤字为 430 亿—440 亿卢布，1989 年上升为 1200 亿卢布，1990 年为 1400 亿卢布。内债从 1989 年的 4000 亿卢布增加到 1990 年的 5500 亿卢布，几乎相当于全年的国民收入。外债由 1989 年的 550 亿美元上升到 1990 年的 700 亿美元。在此期间担任总理的雷日科夫提供的数字是：“1986 年 1 月 1 日，我任苏联部长会议主席时，国家的黄金储备是 587 吨，至 1990 年 1 月 1 日前为 784 吨。”[2]1990 年苏联经济困难，向国外出售了 250 吨黄金。1986 年外债为 270 亿卢布，1990 年上升至 350 亿卢布。[3] 预算赤字 1989 年为 810 亿卢布，1990 年为 600 亿卢布。[4] 尽管数字不尽相同，但经济形势的严峻与恶化趋势还是显而易见的。由于监管缺失，苏联灰色经济泛滥，据苏联检察院和内务部的统计数字显示，1990 年“地下经济”总额达到 3500 亿卢布，仅比当年全国商品零售额低 30%。[5]

面对经济困境，苏共党内仍达不成一致意见。在 1990 年 1 月 29 日政治局会议上，雷日科夫说局势很复杂，也很危险，而且还在继续恶化，1989 年危机的高峰并没有过去，国家有 50 万难民。斯柳尼科夫认为说局势复杂是不够的，人们对前景失去了信心，事实上也没有这样的前景了。首要原因是政府

---

[1] ［俄］罗伊·麦德维杰夫著：《俄罗斯向何处去——俄罗斯能搞社会主义吗?》，第 25 页。

[2] ［俄］尼古拉·雷日科夫著：《背叛的历史——苏联改革秘录》，第 207 页。

[3] 同上书，第 210 页。

[4] 同上书，第 217—218 页。

[5] ［俄］罗伊·麦德维杰夫著：《苏联的最后一年》，王晓玉等译，社会科学文献出版社 2009 年版，第 3 页。

不善于调节收支，也没有任何这样做的机制，甚至到1991年都不会有；次要原因是没有进行价格改革，局势表明到1991年我们都不会进行价格改革。他赞成一次性解决价格的办法，而政府主张渐进的改革，但是，就连这样的方案我们也没有。没有完成的定额达到600亿卢布，没有人为此受惩罚，政府规定企业没有完成国家订货，不能拿奖金，但30%的企业没完成国家订货，却照样发奖金。经济监督的情况比实行行政命令体制时更糟，他建议采取坚决措施：停止支付非工资收入，把货币与商品储备结合起来，缩减出口、严格使工资与生产的增长和商品的质量挂钩，改革税制。利加乔夫也主张在1990年采取激进措施：立即进行价格改革、全面的价格改革和新的税收体制，但他同时也强调不能损害低收入者的利益。梅德韦杰夫支持斯柳尼科夫，主张进行全面的价格改革，在1990年中进行批发价格改革，到1991年初进行零售价格改革。其他人也都谈了自己的看法，戈尔巴乔夫最后表示重要的在于行动。他仍然认为工作没做好是因为干部不行，认为人民支持改革，主要取决于干部，到苏共二十八大之前应该准备大换班。[1] 在危机日益加剧的时刻，苏联的高层领导人仍议而不决。

苏联领导人迟迟下不了改革价格的决心，严重制约着经济关系的正常化。1990年2月，戈尔巴乔夫在苏共中央全会上谈到价格问题时说："迄今我们在这方面的决心还不够，应当克服这一点。这指的尤其是造成整个经济改革打空转的主要的不足环节，即价格形成制度。必须加速解决这个问题。而且党依然坚持这样的原则立场：在价格形成改革的时候，应当使它不影响居民的生活水平，特别是低收入居民的生活水平。"[2]

虽然政府也采取了一些措施，扩大个体劳动、合作经营和私人贸易的范围，在城市和乡镇出现了第一批合作经营的咖啡店、小饭店，允许买卖郊区的个人住宅，城市住宅开始私有化，取消对宅旁园地经营的不合理限制等，但其效果并不明显。同时，军事开支仍是苏联经济恶化的一个原因，到1990年底

[1] В Политбюро ЦК КПСС… По записям Анатолия Черняева, Вадима Медведева, Георгия Шахназарова (1985–1991). С.583, 584–585,587,589.

[2] 戈尔巴乔夫在苏共中央全会上的报告，《苏共中央二月全会文件选编（1990年2月5—7日）》，世界知识出版社1990年版，第8页。

苏联的武装力量总计仍有 450 万—470 万人。每千人中军人的数量：苏联是 15.6 人，中国是 3.8 人，美国是 8.9 人，英国是 5.5 人。[1]

日用消费品短缺情况严重，在日常生活的基本消费品中，95%以上的商品供应经常短缺，在 211 种食品中有 188 种不能自由买卖，几乎所有的大中城市都实行凭票供应制。“1990 年春天，经过六年改革之后，实际上被迫推行票证制度。我国各族人民经历了七十多年艰辛劳作，无尽的磨难和千百万人牺牲，结局竟是如此令人失望！”[2] 人民的生活水平下降，1989 年居民的实际生活水平下降了 7%，生活在贫困线下的居民为 4100 万人，占总人口的 14%，1990 年增加到 34%，1990 年苏联失业人口达到 2000 万人。1985—1991 年，实际工资增长了 51%，但在商店里没有为这些钱提供可购买的商品，所以工资越高，商品赤字越大。[3] 斯柳尼科夫在苏共中央二月全会上说：“由于国家

宣布绝食——新的时代标志，1990 年

---

[1] *Тимошина Т.М.* Экономческая история России. М., 2000. С.360–361.

[2] ［俄］瓦列金·别列什科夫著：《斯大林私人翻译回忆录》，薛福岐译，海南出版社 2004 年版，第 168 页。

[3] *Тимошина Т.М.* Экономческая история России. М., 2000. С.358.

调节不够，4 年来货币收入超过了用于购买商品、服务、付款和缴纳支出的 1600 多亿卢布，而在这一时期商品周转额仅增长了 790 亿卢布。结果，居民在银行的存款及其手中的现金增加了 1/3。货币如此大量增加，使消费市场一片混乱，柜台和货架上的各种商品空空如也，造成了社会一定的紧张局面，甚至使人对改革产生了怀疑。1200 种商品中有 1150 种匮乏。政府所采取的措施是不充分的，收效小，也不及时。”[1]1990 年 4 月 6 日，中央银行行长格拉先科致函最高苏维埃指出：“消费品市场满足居民需求的形势仍然极为紧张。许多食品供应不足，首先是畜牧业产品、鱼类、糖果食品、茶叶、土豆、蔬菜、水果。集体农庄市场的农产品价格显著上涨：1990 年 1—2 月较 1989 年相应时期上涨 14%。”[2]经济政策应该优先解决提高人民生活水平的问题，满足民众的物质需求，苏联政府没有做到这一点。为了摆脱危机，戈尔巴乔夫试图从急速向市场经济过渡中寻求出路。

二、围绕向市场经济过渡的斗争

在经济危机日益加重的情况下，戈尔巴乔夫也逐渐从市场与计划相结合的观点转向市场经济，这既与急于摆脱经济困境相关，也有叶利钦等激进派的压力，还有国际社会的压力。由于苏联经济困难，急于得到西方的贷款，但是“据来自苏联大使们的消息，大多数西方国家提供贷款都同时指出，要尽快采取向市场经济过渡的切实可行的方案，签订明确划分中央政府和各加盟共和国权限的联盟条约。看来，在这些措施落实之前，西方对于向苏联提供新的贷款将会持冷淡态度。现在西方强硬地提出要苏联机构按已履行的合同支付所提供商品的货款问题。”[3]1990 年七国领导人责成国际货币基金组织、世界银行、

[1] 《苏共中央二月全会文件汇编（1990 年 2 月 5—7 日）》，世界知识出版社 1990 年版，第 211 页。

[2] РГАФ. Ф.2324. Оп.33. Д.741. Л.24. 转引自 *Гайдар Е.Т.* Гибель империи. Уроки для современной России. 2-е изд. М., РОССПЭН, 2007. С.262.

[3] ГАРФ Ф.5446. Оп.162. Д.1465. Л.67. 转引自 *Гайдар Е.Т.* Гибель империи. Уроки для современной России.2-е изд. М., РОССПЭН, 2007. С.268.

经济合作和发展组织、欧洲复兴开发银行对苏联的经济状况进行分析，以便决定是否向苏联提供财政援助，为此，苏联必须提出解决经济问题的措施。

1990 年 3 月 6 日，最高苏维埃通过《苏联所有制法》[1]，肯定了多种所有制形式平等的法律地位。规定："苏联的所有制形式有：苏联公民所有制、集体所有制和国家所有制。在苏联可以存在外国所有制、国际组织所有制、外国法人和外国公民所有制。""国家为各种不同所有制形式创造必要的发展条件，并保证它们受到保护。"这一法律的颁布取消了生产资料国有制的垄断地位，承认了公民个人财产所有权，确认可以通过对国有资产进行租赁、赎买、股份化改制建立集体所有制，承认国家、集体、公民私人可以组成联营、合营的集体所有制。这一法律为新经济主体财产的合法化提供了制度保障，有利于非国有经济的发展。

在此之前，苏联经济改革的主要方向是经济分权、权力下放，经济改革纲领中没有提出向市场经济过渡和非国有化的问题。此后，戈尔巴乔夫宣布改革应该激进一点，经济改革也应该进展更快些。他让阿巴尔金负责制订新的经济计划。60 名专家在阿巴尔金领导下开始拟定详细的经济改革构想。其计划包括：大部分价格逐渐放开，小企业非国有化，大型企业转变为联合股份公司，失业补偿代替就业保证制度，一些关键的部门，包括燃料、金属、运输等，仍归国家所有，价格由国家制定。这份计划朝市场经济迈了一大步，戈尔巴乔夫仍然犹豫不决。该构想交到总统委员会和联邦委员会，这两个委员会通过决定：要部长会议主席在最高苏维埃会议上作有关报告。

1990 年 5 月 24 日，苏联部长会议主席雷日科夫在第三次苏联最高苏维埃会议上作了《关于国家经济状况和向可调节市场经济过渡的构想》的报告[2]，提出了向"可调节市场经济"过渡的改革方案。向可调节的市场过渡需要创造的条件包括：必须保障企业作为自由的商品生产者的实际自主权和经济责任；必须有对供求变化作出敏锐反应的价格形成机制；像需要空气一样需要竞争，竞争可以促使降低成本和价格，促进满足消费者的需求并迫使产品生产者设法进行技术革新；生产结构应该符合购买力并且对购买力的细微变化迅速

[1] 《苏联东欧问题译丛》1990 年第 4 期，第 98—105 页。

[2] 同上书，第 2—20 页。

作出反应，不是为生产而生产，而是为消费而生产；需要经济的可靠物质财政平衡，稳定货币制度；必须有对居民进行社会援助的有效制度，特别是在生活条件将明显地和迅速地发生变化的过渡时期；有可靠的法律保障。整个过渡分为三个阶段：第一阶段（1990 年底以前），形成市场经济的法律基础。第二阶段（1991—1992 年），实行向市场经济过渡的重大步骤和措施，包括改革价格形成机制，实行社会保障体系，实行统一税收制度，进行信贷改革，发展多种所有制形式，调整生产结构，改善消费市场状况。第三阶段（1993—1995 年），加速市场机制运转。进一步减少行政限制，加强竞争，实行积极的反垄断政策，加强经济刺激因素，建立新的合理的经济结构，为经济增长和摆脱危机创造现实基础。"到 1995 年国营企业的比重占 30%（按基本财产的价值算），股份企业和其他经济体占 25%，租赁企业占 20%，合作社占 15%。"[1] 这实际上是向市场经济渐进发展的纲领，过渡期比较长，但是苏联的局势每天都有新的变化，不允许政府慢慢来。

价格改革是向可调节市场经济过渡的关键环节。雷日科夫反对一次性放开物价，其纲领的最大特点是在国家的统一调控下，首先从价格改革入手全面推进苏联经济向市场经济过渡。他提出的具体计划是从 1990 年 7 月 1 日起提高面包的价格，1991 年起集中实行整个价格领域的改革，在提高日用消费品价格的同时，对居民进行补贴。这一方案立即遭到叶利钦等激进派的攻击，他们斥责这一计划是以牺牲人民利益为代价进行经济改革，是反人民的政策。其实，苏联的价格机制长期扭曲，国家长期把大量资金花费在补贴上，生产 1 公斤肉，国家就得补贴 5 卢布 88 戈比，阿甘别吉扬指出："国营商店里一公斤肉食大约收款 1.80 卢布，而国家对这一公斤肉食的补贴多达 3.5 卢布。食品行业中仅此一项，每年的国家补贴总额就在 600 亿卢布以上，而整个国家预算也不过是 4800 亿卢布。"[2] 克留奇科夫也说："1990 年春，那时还不算太晚，雷日科夫提议在给予补贴的情况下，提高粮食及相关产品的价格。这意味着什么？众所周知，我们的粮食是世界上最便宜的。每年大约有 700 万吨面包被扔进了泔

[1] *Абалкин Л. И* .Теория социальных альтернатив неизменна.Она определяет логику общественного прогресса. www.ng.ru/ng_politics/2010－04－06/9_theory.html.

[2] ［苏］阿贝尔·阿甘别吉扬著：《苏联改革内幕》，第 26 页。

水池，1000 万—1200 万吨谷物喂了牲口，而有些年份我们却进口 4000 万—4500 万吨谷物。在哪个国家能发生这种情况？又有哪个国家能容忍这种情况。"[1]进入市场经济不能不触及价格，但要触动价格遇到的障碍实在太大，雷日科夫—阿巴尔金方案在最高苏维埃会议上没有得到支持，社会上也对此纲领进行了激烈的意见交锋，人们担心提价，开始抢购各种商品，社会更加不稳。最高苏维埃要求政府在听取各方面意见的基础上，对方案进行修改，于 9 月 1 日前再形成具体计划。

与此同时，在一些共和国，如在波罗的海三国和俄联邦，也开始制定自己的经济纲领，1990 年 5 月 29 日叶利钦当选为俄罗斯联邦最高苏维埃主席团主席后，他并不理会雷日科夫—阿巴尔金方案，而是另组班子在俄联邦政府办公大楼里拟订自己的向市场经济过渡的计划，即"沙塔林—亚夫林斯基"方案，这个被称为"500 天计划"的方案基础是在所有生产要素中确立私有制，其中包括土地，提出一些反垄断和企业私有化的措施，大幅度削减国家开支等，同时要求中央把广泛的权力交给各个共和国。"500 天计划"受到了媒体的热捧。但是该计划遭到雷日科夫—阿巴尔金政府的激烈反对，也被苏联最高苏维埃否决。

作为总统的戈尔巴乔夫，并没有完全支持政府的方案。此时戈尔巴乔夫和雷日科夫政府的威信下降。在 1990 年 1 月，主要政治家的支持率排名为：戈尔巴乔夫 54%，雷日科夫 38%，叶利钦 12%，但到 1990 年 6 月末，戈尔巴乔夫的支持率下降到 19%，雷日科夫下降到 7%，而叶利钦的支持率则上升到 40%。[2] 戈尔巴乔夫感觉到没有俄罗斯联邦的参与，苏联政府的方案只会是一纸空文。他对雷日科夫说：

"我同叶利钦谈过了。正如你所了解的，他深信政府的纲领不能运作，他赞同自己的 500 天计划。大概，不值得发生对抗吧？可能把力量联合起来一起研究向市场过渡的方案吧？"雷日科夫回答说："为什么不能呢？您是了解我的：我始终赞成理智地调解任何冲突，而今天的冲突——几乎快要动拳头了。如果

[1] [俄] 弗·亚·克留奇科夫著：《个人档案（1941—1994）——苏联克格勃主席弗·亚·克留奇科夫狱中自述》，第 244 页。

[2] 《对话》1990 年第 9 期，第 25 页，转引自 [俄] 罗伊·麦德维杰夫著：《苏联的最后一年》，第 267 页。

有合作的可能，我们应该加以利用。”[1]

1990 年 7 月 27 日，以叶利钦和西拉耶夫为一方，以戈尔巴乔夫和雷日科夫为另一方签署合作协议，共同拟定向市场经济过渡的计划。在制订向市场经济过渡的计划时以俄联邦的计划为基础，制订该计划的组成人员绝大多数都来自沙塔林小组，来自政府的只有阿巴尔金和亚辛。雷日科夫很不满意，但当时大家都认为应该妥协，如果真能组建共同的班子制定出统一的纲领，对国家也是有利的，雷日科夫签署了这份协议。

1990 年 8 月 2 日，戈尔巴乔夫颁布了苏联总统《关于制定向市场经济过渡的联盟纲领作为联盟条约的总统令》，实际上这是新联盟条约的经济部分。纲领起草委员会由沙塔林、阿巴尔金、亚夫林斯基等 13 人组成，他们拟定的向市场经济过渡的纲领旨在打破原有的经济体制，靠牺牲国家利益而不是百姓的利益向市场经济过渡，要求国家把从人民那里拿来的财产和资源转交给人民，号召每个人不等谁的指示而按自己的利益行事。方案首先要做的是实行广泛的私有化，对财产的非国家化和民营化，重新分配财产；通过价格形成的自由化使消费市场状况正常化，反对集中提价；“500 天计划”将减弱政府对经济的干涉，逐步放开价格，进行深刻的结构改革。中央和各共和国没有领导与被领导的关系，尊重各共和国通过的主权宣言，经济一体化应建立在自愿、互利和平等的伙伴关系的基础上。计划明确提出要在 500 天内分四个阶段为发展市场关系开辟道路和保证在经济和人们生活方面明显改善的改革。雷日科夫总理明确表示反对这个计划，认为“500 天计划”没有具体内容，没有整顿国民经济所需要的东西。他领导的小组所拟定的政府向市场经济过渡的方案，计划用 5 年时间完成向市场经济的过渡。政府的方案是先稳定后改革，政府在其中起很大作用。

这样就形成了两个向市场经济过渡的计划：雷日科夫—阿巴尔金政府的计划和沙塔林—亚夫林斯基纲领起草委员会的“500 天计划”。戈尔巴乔夫认为“500 天计划”“以其向市场经济转轨提出的问题之新奇性、独到性，及其具体的、实际的研究工作而受到青睐。”但这个计划不够现实。“政府方案尽管传统、平稳、表述和任务都带有不确定性，但总也有某些突出的优点：这一方案所制

[1] ［俄］尼·雷日科夫著：《大动荡的十年》，第 452 页。

定的向市场经济转轨时对居民的社会保障措施就比较可靠，而且有分量。”[1]在8月30—31日举行的总统委员会和联邦委员会会议上，代表们争吵了两天，没有解决1991年经济到底应该怎么搞的问题。出路在于相互妥协，但是叶利钦不想妥协，他决定独立行事。美国驻苏大使回忆：“在9月4日的一次会议上，叶利钦告诉我和一群美国参议员：这两个计划的合并是不可能的，他也不会接受‘协调’的结果。他认为苏联部长会议长期以来无所作为，它应该被规模较小的总统委员会代替。他补充说，自己并不寻求同苏联政府对抗，但是俄罗斯苏维埃联邦社会主义共和国和其他加盟共和国将坚持承担它们目前的许多职责，因为它们希望在经济改革方面向前迈进得更快，而不愿被顽固的中央官僚制度拖延。但是他非常愿意把国防、通信、能源分配、铁路和航空运输等职能留给中央政府。”[2]叶利钦把“500天计划”提交了俄罗斯联邦最高苏维埃，1990年9月10—11日俄罗斯最高苏维埃赞成沙塔林—雅夫林斯基的计划。

叶利钦的支持者认为政府的纲领并不想真正建立市场经济，而“亚夫林斯基的‘500天计划’没有这种含糊其辞的毛病。他制定了清晰的建立市场经济的方针，划分了阶段，规定了改革每一阶段的总体措施。按什么顺序，以何种速度实行私有化、自由化，结构、技术和管理的改组，这是最重要的问题。在我看来，‘500天计划’提出了极为明智的向市场经济过渡的步骤。先是建立市场基础设施、法律准则和制度，以及发展竞争的条件，然后再逐步实行价格自由化。”[3]“这个纲领的主要方面是，建议成立苏联各共和国的经济联盟。当时苏联国内分立主义趋势加强，各共和国都想要拥有国家主权，在相当大的程度上脱离莫斯科。防止统一的国民经济综合体分裂和各共和国经济联系的割裂，可以视为改革在当时那个紧张阶段的头等任务。”[4]盖达尔认为：“500天计划”“问题不在于经济方面，这个纲领更确切说是当时政治的需要，承诺使俄

---

[1] ［俄］米·谢·戈尔巴乔夫著：《戈尔巴乔夫回忆录》上册，第695页。

[2] ［美］小杰克·马特洛克著：《苏联解体亲历记》上册，第485页。

[3] ［俄］O.T. 博戈莫洛夫著：《俄罗斯的过渡年代》，张驰译，辽宁大学出版社2002年版，第52页。

[4] 同上书，第53页。

罗斯社会摆脱习惯的轨道和走上市场的幸福。”[1]

在这种情况下，雷日科夫也把他的方案提交苏联最高苏维埃审议，戈尔巴乔夫宣布他倾向于“500天计划”，对雷日科夫提出的纲领不置一词，雷日科夫在看了最高苏维埃决议草案后十分不满。他对戈尔巴乔夫说：“这里面一点也没提到政府计划，只说‘500天计划’。如果这个计划被通过，我就宣布辞职，而且不光是我自己……既然我们的工作白干了，既然我们所做的一切都是徒劳的，这就意味着，我们不能而且我们也无权领导部长会议。”[2]对此，现今的俄国学者认为：“阿巴尔金及支持他的雷日科夫坚决拒绝接受沙塔林—亚夫林斯基纲领作为构想的基础，实际上否定了戈尔巴乔夫和叶利钦原先达成的协议，正是这个纲领应该成为向市场过渡的全联盟纲领的基础。”[3]雷日科夫没有意识到俄联邦的力量，与叶利钦的对立使政府政策难以推行，在当时各共和国纷纷发表主权宣言的条件下，为了维系联盟，政府应该妥协。实际上这两个计划并不是截然对立的，它们的共同点都是要向市场经济过渡，不同之处在于过渡的方式和时间，特别是关于放开物价的问题，“500天计划”主张直接放开物价，由市场决定，不用规定统一的时间，政府的纲领则是从1991年1月1日统一时间开始价格自由化。就经济方案本身而言，本来是可以妥协和调和的，主要是经济背后的政治对立，叶利钦认为雷日科夫是保守分子，要求政府辞职，雷日科夫也不认同叶利钦。

戈尔巴乔夫此时对局势缺乏深刻的认识，他的顾问劝他接受“500天计划”，与雷日科夫分手。“是跟雷日科夫分手的时候了，他是那些有反对改革情绪的军工集团、国家垄断企业经理、军工厂和将军的喉舌。他‘天生’不能接受市场，何况要实现市场经济构想。他的脑筋不往那里动，雄心不在那里。”[4]但戈尔巴乔夫没有听从这个建议，在8月29—30日总统委员会会议上，许多人要求雷日科夫辞职。雷日科夫大怒：要下台，大家都下台！他转身对戈尔巴乔夫说：“大家一起搞糟了，一起把经济也搞得混乱不堪，现在的结果是大家

[1] *Гайдар Е.Т.* Дни поражений и побед. www.gaidar.org/dni.htm.

[2] ［俄］尼·雷日科夫著：《大动荡的十年》，第471—472页。

[3] ［俄］鲁·格·皮霍亚著：《苏联政权史》，第658页。

[4] ［俄］阿·切尔尼亚耶夫著：《在戈尔巴乔夫身边的六年》，第439页。

一起造成的。为什么我一个要成为替罪羊。”[1]9 月 1 日，叶利钦在新闻记者招待会上要求雷日科夫下台。

苏联最高苏维埃并没有认可其中任何一个方案，在 9 月 24 日通过的决议中委托戈尔巴乔夫在上述两个方案的基础上拟定一个向市场经济过渡的统一方案。10 月 8—9 日，苏共中央全会通过了《关于苏联国内形势和苏共向市场经济过渡时期的任务》的决定，主张建立多种所有制形式、多种经济成分的经济，形成市场的基础结构，但文件的重点并不在于向市场经济过渡，“苏共中央的立场一清二楚：需要的不是经济改革，而是政治决议，目的就是‘加强同反共产主义、极端主义势力的破坏行为作斗争’。”[2]10 月中旬，戈尔巴乔夫向总统委员会和联邦委员会递交了“向市场经济过渡的基本方针”，这是一个折中的方案。戈尔巴乔夫在就该方针致苏联最高苏维埃代表的信中说：“行政管理系统遗留下的沉重负担，贯彻经济改革措施的间断和半途而废，经济领导中犯下的错误，以及不尊重客观规律等，共同引发了国家的经济危机。国民经济形势继续恶化，生产规模降低，经济联系中断，分立主义加强，消费品市场出现空洞，预算赤字和国家支付能力接近临界点，反社会现象和犯罪行为与日俱增，人民生活越来越艰难，人们的劳动积极性下降，丧失对未来的信心，国民经济处在极其危险的境地，旧的行政管理体系已经崩溃，而新的市场条件下刺激经济手段还没有建立起来。现在需要一种建立在社会和谐基础上的、有利于稳定经济形势和加快改革进程的、沿着市场经济道路的、充满活力的新举措。”[3]戈尔巴乔夫没有接受“500 天计划”在政治上是失算的，正如切尔尼亚耶夫所说：“这个计划所创造的机会在于，可以说，这个经济宣言成了民主改革力量的旗帜。如果您抓住了这面旗帜的旗杆，那么，您就有了继续自己改革路线的‘大军’。可是，您从手中放下了它，您就从自己身边推开了社会上政治积极的那部分人中的民主一翼。此外，还有追随叶利钦的所有人。”“他也失去了把社会上一股准备重新燃起改革热情之火的、很有影响力的、积极的力量重新团结在自己周围的机会。这股力量会及时取代不再理睬他的苏共，说不定还会从中产

[1] ［俄］阿·切尔尼亚耶夫著：《在戈尔巴乔夫身边的六年》，第 441 页。

[2] ［俄］鲁·格·皮霍亚著：《苏联政权史（1945—1991）》，第 664 页。

[3] ［俄］罗伊·麦德维杰夫著：《苏联的最后一年》，第 5 页。

生新的戈尔巴乔夫的改革党。”[1]

叶利钦等人从戈尔巴乔夫这个《稳定国民经济和向市场经济过渡的基本方针的统一方案》中看到的是对“500 天计划”的否定，是戈尔巴乔夫拒绝与俄罗斯领导人一道向市场经济过渡，俄联邦政府总理西拉耶夫声明不放弃“500 天计划”。“中央放弃了起初的协定，这激怒了俄政府，它准备走自己的道路。而戈尔巴乔夫则辞掉了他的顾问——有威信的市场经济学家彼特拉科夫和沙塔林院士，以示抗议。总统着手采取紧急措施，修改宪法，加强并赋予总统机构新的职能，对经济则已无暇顾及。”[2]1990 年 10 月 16 日，叶利钦在俄联邦最高苏维埃会议上发表声明，声称共和国领导人有三个方案可供选择：第一个方案：俄宣布不参加执行总统的纲领，分割预算、财产和一切机构，独立实施自己的“500 天计划”。在这种情况下，必须建立自己的货币，在共和国的所有边境线上建立自己的海关，建立独立的银行体系和组织对外贸易活动，分割军队和武器装备……当然这是代价很大和复杂的方案。第二个方案：这一方案的基础是真正的联盟。新的内阁（联盟的执行机关）应该建立在平等的基础上，其中一部分候选人由总统推荐，另一部分则由我们激进改革的拥护者提议。第三个方案：如果联盟议会通过现在这个没有前途的纲领，那么只需要不到半年的时间，就足以证明所选择的道路是错误的……俄罗斯联邦将准备实施自己的纲领，稳定经济和准备向市场经济过渡，也许已经不是需要“500 天”了，而是人民给我们的天数。[3] 实际上叶利钦已宣布俄联邦不再服从中央了，这令戈尔巴乔夫十分气恼。在第二天举行的总统委员会会议上，克留奇科夫、雷日科夫、拉斯普京等多数人主张采取强硬措施，谢瓦尔德纳泽、梅德韦杰夫等反对与叶利钦对抗；戈尔巴乔夫甚至要取消出访计划，在电视上对叶利钦进行回击，最后在顾问的劝说下，没有采取与叶利钦对抗的方针。[4]

10 月 19 日，苏联最高苏维埃两院联席会议以 333 票赞成，12 票反对，

[1] ［俄］阿・切尔尼亚耶夫著：《在戈尔巴乔夫身边的六年》，第 448、449 页。

[2] ［俄］O.T. 博戈莫洛夫著：《俄罗斯的过渡年代》，第 63 页。

[3] *КацваЛ. А.* История России. Советский период (1917－1991) . http://it-n.ru.

[4] ［俄］阿・切尔尼亚耶夫著：《在戈尔巴乔夫身边的六年》，第 454—457 页。

34 票弃权通过了戈尔巴乔夫提交的名为《稳定国民经济和向市场经济过渡的基本方针的统一方案》，说明代表们希望迅速行动起来，采取措施。

《稳定国民经济和向市场经济过渡的基本方针的统一方案》规定：有控制地逐步放开物价；逐步实行经济的非垄断化、企业非国有化和私有化；稳定消费品、生产资料和劳动力市场，形成市场机制和市场竞争环境；进行工资改革等，但方案并未规定向市场经济过渡的具体日程和细则，实际上没有多少可操作性。戈尔巴乔夫的妥协没有招来皆大欢喜，各方都不满意。叶利钦等人认为戈尔巴乔夫应该对破坏与俄联邦领导人达成的协议负责，认为在保持苏维埃国家联盟的情况下，俄联邦的经济改革方案难以实行。

在围绕经济改革方案的斗争中，我们看到苏联要走向市场经济阻力很大，苏联原有的经济体制是建立在单一国有制基础上高度集中的计划体制，经济危机迫使苏联领导求助于市场经济因素，但是，市场本身所固有的属性——生产资料私有制、国家放弃对大多数产品的定价权，与苏联时期占据统治地位的社会主义思想与经济体制是矛盾的，苏共上层和国家安全委员会反对向市场经济过渡的纲领，反对戈尔巴乔夫与叶利钦的联盟，俄共代表大会称沙塔林—亚夫林斯基拟定的“500 天计划”是反苏的，是对资本主义的投降。他们呈报了许多有关民主派要夺权的资料，“国家安全委员会的挑拨离间行为不仅增加了惊慌不安的气氛，而且导致政治反对派代表人物不可避免采取极端主义行动。”[1] 当时苏联的掌权者们并未真正意识到叶利钦的力量所在，他们不明白：不与叶利钦妥协，失去俄罗斯联邦，苏联是无法存在的。

拟定经济改革方案过于匆忙，并未吸收广泛的社会阶层代表参加，也没吸收其他共和国的人参加，引起了其他共和国的不满。纳扎尔巴耶夫认为：“不理睬戈尔巴乔夫深化改革过程的所有言谈，高层领导中不少人继续并不无成效倾向过去独裁专制路线，似乎近些年在国家生活时里没有丝毫变化。甚至连那种最重要的文件，如国家向市场经济过渡的计划都是在小圈子中密商起草，没有吸收各加盟共和国的领导人的建议。著名学者和一连串科研单位没有参加工作，他们说为研究市场问题下了大功夫。就连苏共中央委员会——负责

[1] ［俄］鲁·格·皮霍亚著：《苏联政权史》，第 659 页。

政治改革工作的基本机关，只是到最高苏维埃会议上从部长会议报告中才获悉准备这些计划。”[1]即使俄罗斯联邦接受了这个方案，其他共和国也未必会接受。从中我们可以看到，尽管苏联的体制发生了变化，但苏共的领导人的工作方式和方法并未随之变化。

联盟中央和俄罗斯联邦没有达成向市场经济过渡的共同纲领，戈尔巴乔夫与叶利钦再次走上了对抗。在1990年10月17日总统委员会会议上，许多人要求惩治叶利钦，1990年10月20—21日，在莫斯科最大的电影院——俄罗斯电影院举行了“民主俄罗斯”运动成立大会，俄罗斯民主党、俄罗斯联邦社会民主党、苏共民主纲领派等激进组织都是其成员，在会上尖锐地批评了戈尔巴乔夫、卢基扬诺夫、克留奇科夫和亚佐夫等人。

就当时的国民心态而言，苏联人并不想走西方资本主义之路。1991年5月，在俄联邦的欧洲地区曾开展了一次大规模的民意调查，接受采访的有1123人，在回答喜欢什么样的社会体制时，10%的人选择过去的社会主义，36%的人选择更加民主的社会主义，有23%的人选择瑞典式的资本主义变形，只有17%的人选择美国和德国式的资本主义形式，14%的人选择无所谓。[2]但是，他们普遍对戈尔巴乔夫、雷日科夫等人的改革政策失望，希望改变。“叶利钦及其亲信们心里清楚，绝大多数俄罗斯公民期盼的，并不是自由市场的资本主义。但多数人对共产党领导层持毫不犹豫的批评态度，要求加快市场改革、民主化的步伐，赋予俄罗斯共和国更大的自主性。”[3]叶利钦收获的是戈尔巴乔夫政策失败带给他的果实。

三、军事工业的转产问题

戈尔巴乔夫在改革的前三年，军事工业综合体的工作实际上没有大的改变。按最保守的估计，军事工业综合体耗费了年国民收入的18%—20%，而且占用了科技、生产和干部潜力的最好部分。1987年在机械制造综合体，全

[1] ［哈］努·纳扎尔巴耶夫著：《时代、命运、个人》，第60页。

[2] ［美］大卫·科兹、弗雷德·威尔著：《来自上层的革命》，第182页。

[3] 同上书，第183页。

部生产人员1650万人中，仅有560万人，即全体人员的1/3在民用工业各部的企业中工作。[1]1987年12月28日，美苏签署全部销毁中程导弹和中短程导弹条约后，苏联开始军转民。军转民是个复杂的过程，不只限于从生产军事产品转向生产民用产品，还应该包括使军事开支和武器生产的品种合理化，包括经济管理体制与方法的改革。

1988年12月，戈尔巴乔夫在联合国大会发言，提出从武装的经济向裁军的经济转变，与此相联系，苏联准备在经济改革的框架内制订“军转民”的内部计划，在1989年拿出两三个国防企业作为实验，从中总结经验，进行推广。1988年苏联减少国防开支14.2%，武器和军技生产减少19.5%，意味着1/5的工厂应该改造成生产和平产品。在减少的军需品生产中，坦克减少52%，弹药减少20%，战斗机减少12%，军用直升机减少60%。1990年，军费开支从773亿卢布减少至710亿卢布。据苏联经济学家估计，这一措施将使国民收入增加18亿卢布；由于缩减国防开支、武装力量，经济的总效率有近120亿卢布或者差不多相当于1988年国民收入的1.9%和国内生产总值的1.4%被从军用转向社会建设。国民经济得到了本该给军工企业的180万吨钢、50万吨铝、180万吨原料，总之，军转民能解放出170亿卢布。[2]

1990年12月，苏联国家计委曾经制订并批准了《关于到1995年为止这一时期国防工业转产和军工综合体发展民用品生产的国家计划》，规定到20世纪90年代中期，在国民收入中的比重减少1/3以上，民品在国防综合体总产值中所占的比例在七年内应从转产前的1988年的40%增加到约65%。计划还规定减少坦克、战略导弹、军用飞机、步兵战车、齐射火箭炮和其他军事技术装备的生产，以便到90年代中期达到供给农工综合体的设备产量增加1.1倍，轻工设备增加80%，商业和公共饮食业设备增加60%，医疗设备增加1.3倍。这一计划仍依靠行政命令手段实现军工企业的转产，对军工企业实行的其实是突然死亡法，国家没有预先通知就一下子取消了军事订货，上面下达的许多生产民用品的任务与企业的生产技术不对口，无法完成。被宣布转产的企业仍留在军工综合体行政机构内，国防企业与国民经济其他部门相互隔绝的状况并没

---

[1] Вопросы экономики. 1990. №4.С. 4.

[2] 参见［苏］阿·基列耶夫著：《为了发展而裁军》，莫斯科1990年版，第17—18页。

有改变。同时，军工转产需要大量的资金，苏联由于经济困难，难以在这方面予以保障，直到苏联解体，苏联的军工转产，除了使大部分军工企业难以运转外，并没有取得多少积极成果。

军事工业综合体在苏联经济中起着举足轻重的巨大作用。它是个独立的体系，包括领导机关、企业和一系列部级组织。高技术及其协作部门长期集中在军事综合体里，其科技和生产潜力就其数量与质量参数而言，比民用机器制造业的能力大 1—2 倍。因此，如果方针不当，军事工业综合体崩溃，会使国家的经济走向瓦解。因为军事工业综合体不仅生产导弹、炸弹、坦克，还生产83%的医疗技术产品、92%的轻工业设备、76%的用于发展农工综合体的技术设备。1991 年军事工业综合体生产的民用品占整个民用品总量的 56.4%。电视机、缝纫机、照相机、录像机全部是军事工业综合体生产的，98%的电冰箱也是由它们提供的。[1]实践证明，戈尔巴乔夫并没有正确对待军事工业综合体，他主要是采取拒绝输血的办法使其死亡，对加剧苏联的经济危机起了一定的作用。戈尔巴乔夫天真地想摘掉苏联“世界扩散军火的罪魁祸首”的帽子。1988 年，苏联在全世界的军火贸易中所占的份额为 38%，达到 150 亿美元，美国当时所占份额为 30%。到 1992 年俄联邦的份额下降为不足 5%，不到 20 亿美元，美国则上升为 60%。这一年根据联合国的常规武器登记，美、德、法、英四国的出口加在一起为 1412 辆坦克、924 辆步兵战车、200 架战斗机，而俄国向国外提供的同类军事装备相应地为 7 辆、198 辆、26 架。仅在 1987—1991 年间美国贩卖军火的金额就高达 590 亿美元。[2] 减少军品输出，对于处于危机中的苏联经济及军事工业综合体显然是不利的。

戈尔巴乔夫努力使苏联尽快成为国际经济社会的一员。苏联长期在封闭的条件下进行社会主义建设，它对国际市场没什么影响。80 年代初，苏联产品占国际产品总数的 14%，而在全球贸易出口的份额仅占 4%；同一时期，所有发展中国家的产品也占世界总数的 14%，在出口中的份额则占 20%。[3] 戈尔巴乔夫在努力改变这种情况。戈尔巴乔夫的战略收缩，消除了许多国家对苏

[1] Экономика и жизнь. 1992. №18.

[2] ［俄］尼·雷日科夫著：《大动荡的十年》，第 283 页。

[3] 同上书，第 269 页。

联威胁的忧虑，苏联的国际环境得到了前所未有的改善，也为苏联开展经济外交创造了条件。

在苏联体制下，只有对外贸易部及其子公司有进出口权。由于出口产品质量要求高、价格补贴并不多，苏联的企业对出口并无兴趣。戈尔巴乔夫时期开始打破这种体制。1986 年 8 月，部长会议发布法令，20 个部和 60 家大型企业有了独立进入世界市场的权力。1988 年，又扩大了外贸权，到 1990 年底已有三万家企业获得了对外贸易权。[1]

苏联的战略重点一直在欧洲，戈尔巴乔夫有所改变，他积极参加亚太经济合作，也得到了亚太国家的认同。1987 年，苏联正式对外开放，相继颁布了几十个涉外经济法律和法规，正式开始兴办合资企业。在兴办合资企业中存在规模不大，结构不合理的问题，1988 年，苏有合资企业 160 多家，资金计有 10 亿卢布，其中 1/3 为外国资金，1990 年 3 月，合资企业达到 3000 家，资金达到 60 亿卢布，增长的速度应该说还是比较快的，但只有 37.8%的合资企业在生产领域。到 1991 年 1 月 1 日，苏联有 26000 家企业和单位进入国际市场，但受到苏联经济体制改革不彻底的影响，企业并不能真正自主经营，限制了企业参与国际竞争的能力。从 1986 年至 1990 年，苏联从西方引进资金约 600 亿卢布。戈尔巴乔夫提出加入世界经济一体化之中去，实行全方位的对外开放，但由于其国内局势不稳，西方国家对其仍存有疑虑，西方的老板们要研究苏联的投资环境，加之苏联人缺乏参与国际经济活动的经验与能力，卢布不可兑换，产品结构不合理，苏联商品在国际市场没有竞争力，限制了苏联对外贸易的发展。戈尔巴乔夫时期苏联的外贸额一直没有超过 1985 年，从 1989 年起外贸不断出现逆差。西方并没有像戈尔巴乔夫期望的那样向苏联提供大量的援助，也没有吸收苏联加入国际货币基金组织和世界银行等国际经济组织。

四、戈尔巴乔夫加强总统权力

经济改革不成功，前景暗淡，面对不能用统一的经济纲领把分崩离析的苏联联结在一起的实际，戈尔巴乔夫转而寻求政治因素。戈尔巴乔夫需要加强

[1] ［俄］尼·雷日科夫著:《大动荡的十年》，第 276 页。

自己的权力，要整顿纪律与秩序。党内的保守派支持这么做，希望用权力的力量把各加盟共和国拢在一起。

1990 年 9 月，戈尔巴乔夫没有完全接受“500 天计划”，被认为是向保守派靠拢。他任命了保守派人物列昂尼德·克拉夫琴科担任全联盟国家广播电视委员会的领导，加强对新闻媒体的控制，导致一些有影响的栏目停播。

保守派给戈尔巴乔夫施加压力，使其转变，在 1990 年 11 月中旬联盟和共和国最高苏维埃军事代表会议上表现出来。爱沙尼亚的 K. 阿哈拉德泽大尉对戈尔巴乔夫说：“改革给我们带来的是悲剧。在您面前的人们，从儿时起妈妈就用‘祖国、荣誉、忠诚’这些词教育他们。对于每个人来说，祖国和母亲是神圣的……我也是那些从 1985 年到 1988 年一直对您充满爱，您曾经是我的典范。我准备时刻为您摇旗呐喊。但是从 1988 年开始我逐渐离开了您，而且这样的人一天天多起来。曾夸奖过改革的人开始对这个词嫌恶。”[1]

1990 年 11 月 14 日，苏联最高苏维埃会议召开，1990 年 11 月 16 日，戈尔巴乔夫向苏联最高苏维埃代表大会作关于国内形势的报告，大会没有通过。“联盟”议员团在会上显示了相当大的影响力。会上的发言者提出了许多建议，最后决定加强总统的垂直管理体制，改组政府，撤销总统委员会，暂缓进行联盟条约的准备工作，做好在全国采取紧急措施的准备。11 月 18 日，戈尔巴乔夫发表关于摆脱政治经济危机的八点纲领。其中多数措施都是巩固、扩大联盟中央最高行政权力。他建议把联邦委员会从议事机构变为协调联盟中央和各加盟共和国行动的决策机关，变成常设机关，由各共和国的领导人组成，成为最高决策机构。以苏联安全委员会取代总统委员会，改革整个执行权力机关，使其直接归总统。成立协调司法机关活动的某种未定名称的机构，以及监督法律和命令执行情况的监察院。设立副总统职位，把部长会议改组为内阁，由他本人领导。此外，他还建议通过巩固法律秩序、保护军事设施、整顿交通秩序的措施。在与各方面领导人、代表会晤时，戈尔巴乔夫强调修改苏联宪法，目的是巩固行政权力。总理雷日科夫反对，他对戈尔巴乔夫说：“在签订联盟条约之前，对执行权力机关进行任何变更，是毫无意义的行动和只是为了变动而变

[1] *Согрин В.В.* Политическая история современной России (1985–2001: от Горбачёва до Путина). М., 2001. C.78.

动。除了无政府状态和最彻底的混乱，还会带来什么结果呢？恰好，您本人前不久说过，不能容忍政府危机。现在您却容忍了。是啊，您是总统，您可以任意采取任何决定。但是，在这种情况下，根本不考虑我的意见。我不参加这场赌博。”[1]

1990 年 12 月 5 日，戈尔巴乔夫向最高苏维埃提出改组国家权力机构的宪法修正案，与八点纲领基本一致：联邦委员会从总统的咨询机构变为国家最高权力和管理机构，负责研究全国性的重大问题，其决议 2/3 通过，总统必须执行；苏联内阁直属总统，其日常工作由总理实施；新设一名副总统；撤销总统委员会，设立安全委员会。戈尔巴乔夫要采取的这些措施没有得到他的顾问和改革拥护者的认同，从改革伊始就与戈尔巴乔夫共事的谢瓦尔德纳泽提出辞职，此事“对戈尔巴乔夫的事业和对戈尔巴乔夫的声望却造成了很大的伤害。对内来说，这将进一步把知识分子从他身边推开。对外来说，如果我的考虑不错的话，会阻碍西方‘及时’向戈尔巴乔夫提供物质和经济的支持。”[2] 不久以后，参与制定经济改革方案的彼特拉科夫也提出辞职。

1990 年 12 月 17 日，例行的苏联第四次人民代表会议开幕。在这次会议上，戈尔巴乔夫要求扩大总统权力。会议批准了戈尔巴乔夫提议，对苏联国家权力机关进行第三次重大改组，还决定 1991 年 3 月 17 日就保留联盟问题举行全民公决。

1990 年 12 月 26 日，经过激烈争吵，第四次人代会通过了“关于完善国家管理体制的苏联宪法修改和补充法”[3]，决定设立隶属于苏联总统的苏联内阁，苏联内阁对苏联总统负责。苏联内阁有权解决隶属于苏联管辖，而根据苏联宪法不属于苏联人民代表大会、苏联最高苏维埃和联邦委员会权限范围的国家管理问题。苏联最高苏维埃的作用只限于参与表决。设立副总统职位，建立隶属于总统的国家最高检察院、安全委员会、联邦委员会。至此，苏联部长会议终结。

---

[1] ［俄］尼古拉·雷日科夫著：《背叛的历史——苏联改革秘录》，第 16 页。

[2] ［俄］阿·切尔尼亚耶夫著：《在戈尔巴乔夫身边的六年》，第 474—475 页。

[3] 《消息报》，1990 年 12 月 27 日。

在威信严重下降的情况下，戈尔巴乔夫建立总统机构意在加强权力，整顿秩序，但也因承担了过多的责任而失去了减压器，他建议取消总统委员会被认为是拆自己的台。此举使“他在高层中的最后的民主力量的支柱——雅科夫列夫、梅德韦杰夫、沙塔林、普里马科夫……变得什么也不是了。”[1]如果说戈尔巴乔夫改革行政管理机构有一定合理性的话，那么他选人用人的错误使他再次失去了整顿国内秩序，保证改革和革新联盟的机会。在第四次人代会上在讨论副总统的提名时，可能的人选很多，纳扎尔巴耶夫的呼声很高，也有人提索布恰克，戈尔巴乔夫却选择了亚纳耶夫这个没有声望的政治人物。当时是人民代表的麦德维杰夫说：“苏联人民代表大会同意增设苏联副总统职务，这被认为是巩固苏联国家领导的一个机会。早在人代会召开之前几天，就有消息说，最有可能担任苏联副总统的人选是哈萨克斯坦共和国总统、哈共中央第一书记纳扎尔巴耶夫。多数人民代表对纳扎尔巴耶夫担任苏联副总统持肯定态度，并且准备在人代会上投票支持这一提名……纳扎尔巴耶夫是最有实力，也是最理性的领袖人物，就是在中央政治局内部，他也是相当出色的。就个人魅力而言，纳扎尔巴耶夫明显高于戈尔巴乔夫……如果纳扎尔巴耶夫走上苏联副总统的岗位，将有助于扩大戈尔巴乔夫的政治基础，因为哈萨克斯坦和中亚地区没有出现类似于波罗的海、外高加索地区和乌克兰的分立运动。在前期磋商这个问题的时候，我们这些人民代表被告知：纳扎尔巴耶夫没有拒绝担任苏联副总统的建议，但提出了相应的条件，他不甘心做戈尔巴乔夫的影子，有意同时兼任苏联内阁总理的职务。”[2]当时戈尔巴乔夫曾征求纳扎尔巴耶夫的意见。纳扎尔巴耶夫说：“如果你们信任我做副总统，那么我认为副总统同时应兼政府首脑。他应当被赋予所有的权力。不仅仅是当政府首脑，我还希望得到各共和国议会的信任票。我不能在这个代表大会的压力下工作，并想着代表大会在任何时候都可把我撤掉。为了推行改革，需要有这样的全权。”[3]如果当时纳扎尔巴耶夫这个强势、有很强独立性的人能当上副总统兼内阁总理，无疑有助于摆脱危机，但是，戈尔巴乔夫不喜欢比他能力强的副手。戈尔巴乔夫选中的亚纳耶

[1] ［俄］阿·切尔尼亚耶夫著：《在戈尔巴乔夫身边的六年》，第481—482页。

[2] ［俄］罗伊·麦德维杰夫著：《苏联的最后一年》，第9页。

[3] ［哈］奥莉加·维多娃著：《中亚铁腕：纳扎尔巴耶夫》，第133页。

夫，长期在苏联工会中央理事会工作，苏共二十八大上才当选为中央委员、中央书记和政治局成员。他并没有表现出什么杰出的才能，戈尔巴乔夫提名他任副总统，是个令人不解的选择，据梅德韦杰夫说：开始考虑的候选人是纳扎尔巴耶夫和谢瓦尔德纳泽，他对戈尔巴乔夫说："应该听取叶利钦的建议，这对你在任何情况下都没有损失，通过了很好，通不过将会怎样也很清楚。"在选举前夕，戈尔巴乔夫又跟他说有两个候选人：亚纳耶夫和普里马科夫，梅德韦杰夫回答说："亚纳耶夫也许会给您一些帮助，但是他不会增加您的政治资本，我建议最好是普里马科夫。"[1] 但戈尔巴乔夫还是出人意料地选择了亚纳耶夫。此举遭到了代表们的反对，但戈尔巴乔夫顽固坚持。在第二轮投票中，亚纳耶夫才以微弱多数票勉强当选。历史学家麦德维杰夫在评价此事时认为，"戈尔巴乔夫常常把个人利益放在国家利益之上，他事先没有和人民代表小组负责人商量，就在 12 月 20 日傍晚意外地向人代会提名选举大家都不熟悉的政治家亚纳耶夫为苏联副总统。"[2] 梅德韦杰夫则认为，戈尔巴乔夫坚决支持亚纳耶夫并不是因为他们在政治上是更亲近的同志，"戈尔巴乔夫无论如何都要让自己的建议被采纳，起决定作用的是他不想承认自己选择的失败。最终亚纳耶夫当选了，总统的意志和坚定性控制了上层，但这并没有给他带来成功。"[3] 后来的事实证明，戈尔巴乔夫确实选错了人，其后果是严重的。"由于他自己的内在品质，戈尔巴乔夫走上了在政治上自我毁灭的道路。他把一个在自己熟人中都不受尊敬的亚纳耶夫提到副总统的职位，这个人比戈尔巴乔夫自己还更软弱，更犹豫不决。戈尔巴乔夫就这样给自己签了宣判书。"[4]

戈尔巴乔夫在选内阁总理的问题上同样也犯了错误。1990 年 12 月，雷日科夫因病住院，他与戈尔巴乔夫在许多问题上有分歧，戈尔巴乔夫决定更换总理。戈尔巴乔夫考虑了几个候选人，但他最后选定的是财政部部长瓦连京·帕

---

[1] *Медведев В.А.* В команде Горбачева: взгляд изнутри. М., Былина, 1994. www.lib.ru/MEMUARY/GORBACHEV/medvedev.txt.

[2] [俄] 罗伊·麦德维杰夫著：《苏联的最后一年》，第 10 页。

[3] *Медведев В.А.* В команде Горбачева: взгляд изнутри. М., Былина, 1994. www.lib.ru/MEMUARY/GORBACHEV/medvedev.txt.

[4] [哈] 奥莉加·维多娃著：《中亚铁腕：纳扎尔巴耶夫》，第 134 页。

夫洛夫。曾与帕夫洛夫长期共事的雷日科夫反对戈尔巴乔夫的任命，认为帕夫洛夫虽然是一个很好的财政专家，但对工业生产不了解，更重要的是此人贪杯，控制不住自己，会失去自制。[1]戈尔巴乔夫与雷日科夫告别时说这是个"严肃问题"，要再考虑考虑，但一天后他便宣布了对帕夫洛夫的任命，雷日科夫对此评论说："'严肃的问题'原来并不需要长时间的讨论和决策。从星期六晚上总统来访到星期一早晨的会议任命新总理，其间仅仅隔一个休息日！"[2]时任美国驻苏大使的马特洛克在谈到自己的感受时说："这个任命非常奇怪：帕夫洛夫既无政绩又无能力，不可能成为一名有效率的政府首脑，特别是在这个多事之秋。我问叶利钦此事是否咨询过他。他回答说他早就听说帕夫洛夫是候选人之一，但两天前他还告诉戈尔巴乔夫，他认为帕夫洛夫不适合担任这个职务。"[3]甚至戈尔巴乔夫的顾问们也反对任命帕夫洛夫。1991 年 1 月 3 日，雅科夫列夫、梅德韦杰夫、普里马科夫、巴卡京、列文科和古边科在讨论关于建立新权力机关和总理人选时，没有人提到帕夫洛夫，倒是有人提到纳扎尔巴耶夫、古连科、阿巴尔金等。1 月 10 日，戈尔巴乔夫与雅科夫列夫、普里马科夫和梅德韦杰夫再次交谈时则说应该尽快组成新政府，从三个候选人——马斯柳科夫、帕夫洛夫和巴克拉诺夫中选一人，帕夫洛夫得到了支持。[4]1 月 14 日帕夫洛夫被正式任命为总理，戈尔巴乔夫还任命苏共中央监察委员会主席普戈为苏联内务部长，前驻阿富汗苏军总司令、基辅军区司令格罗莫夫为内务部第一副部长，意在整顿国内秩序。内阁的成立并未达到设计者的目的，正如博尔金所描述的："起初内阁是完全服从于总统并且只有 6—8 个部，但这个设想很快就与实际相脱离。我惊讶地发现成立了一个同前苏联部长会议一样的货真价实的、独立的管理机构。强大的管理机构就像生物肌体中的细胞繁殖一样不断增加。由总理瓦·谢·帕夫洛夫以及整个内阁'提出'、戈尔巴乔夫建议、苏联最高苏维埃批准，不断成立一个又一个新部，它们实际上同以前的部没有

---

[1] 参见［俄］尼古拉·雷日科夫著：《背叛的历史——苏联改革秘录》，第 5 页。

[2] ［俄］尼古拉·雷日科夫著：《大动荡的十年》，第 13 页。

[3] ［美］小杰克·F. 马特洛克著：《苏联解体亲历记》下册，第 528 页。

[4] В Политбюро ЦК КПСС… По записям Анатолия Черняева, Вадима Медведева, Георгия Шахназарова (1985–1991), 2-е изд., исправ. и доп. М., Горбачев-Фонд, 2008. С.666.

区别……内阁机构超过了 2000 人，为它以及各部服务的经济和技术人员约有 16000 人。”[1]

取消了总统委员会，设立了安全委员会，其成员有巴卡京、别斯梅尔特内赫、克留奇科夫、帕夫洛夫、普戈、普里马科夫、亚佐夫、亚纳耶夫。戈尔巴乔夫改革的亲密战友雅科夫列夫、梅德韦杰夫等没有进入这个机关。

戈尔巴乔夫在苏联第四次人代会上呼吁采取坚决措施制止分离主义势力和民族主义势力的破坏活动，整顿国内秩序。这又激化了戈尔巴乔夫与激进派的矛盾。叶利钦宣布俄联邦不同意恢复克里姆林宫的专制；谢瓦尔德纳泽发出了苏联即将实行独裁的警告，宣布辞去外交部长的职务，他说：“专政正在来临，我宣布这一点完全是出于责任。谁也不知道，这将是一个什么样的专政，谁来行使这一专政，将有怎样的秩序。”[2]谢瓦尔德纳泽的突然辞职对戈尔巴乔夫是个打击，“戈尔巴乔夫被谢瓦尔德纳泽搞得不知所措，他不知道在此情况下该说点什么。不论是在议会里，还是在大街上，批评都是冲着戈尔巴乔夫去的，谢瓦尔德纳泽意外辞职给戈尔巴乔夫和苏联在国际舞台上的声誉造成很大损失。谢瓦尔德纳泽不仅辞去了外长职务，而且同时离开了苏共中央政治局。”[3] 别斯梅尔特内赫取代谢瓦尔德纳泽成为外交部长。有人认为：“戈尔巴乔夫向反革命势力作了妥协，而这在客观上导致了他在 1990 年秋就丧失了权力。”[4]

总之，1990 年苏联在政治和经济上都发生了转向，但苏联并没有从中获得新生，具有决定意义的 1990 年又白白地流逝了，正如苏联克格勃的最后一任主席巴卡京所总结的：“改革我们制度的最高任务在于改造它的基础，也就是改造它的经济。在于确定由高度集中的计划经济向企业家自由活动过渡的最佳途径。解决这一极其复杂的任务，是解决一切问题的钥匙。其余的一切——

---

[1] ［俄］瓦·博尔金著：《戈尔巴乔夫沉浮录》，第 350 页。

[2] *Согрин В.В.* Политическая история современной России (1985–2001: от Горбачёва до Путина). М., 2001. С.79.

[3] ［俄］罗伊·麦德维杰夫著：《苏联的最后一年》，第 8 页。

[4] ［俄］亚·尼·雅科夫列夫著：《一杯苦酒——俄罗斯的布尔什维主义和改革运动》，第 186 页。

改革国家制度、政治结构等等，都是次要的。更确切地说，其重要程度从属于解决向市场过渡这一关键性的任务。”1990 年至少有两次错过了向市场经济过渡的机会。“第一次是在 4 月，结果发现，尼古拉·伊万诺维奇·雷日科夫内阁不能摆脱正统共产主义的思想束缚，不能提出一个真正有控制地向正常市场经济过渡的纲领。第二次已经是戈尔巴乔夫阉割了众所周知的沙塔林—亚夫林斯基‘500 天计划’的精髓。”[1] 对此，戈尔巴乔夫的犹豫不决起了很坏的作用。

[1] ［俄］瓦·巴卡京著：《摆脱克格勃——克格勃最后一任主席回忆录》，第 2 页。

第六章　越来越尖锐的民族问题

随着20世纪80年代中期苏联改革的进行，长期被掩盖的民族问题也浮出了水面，从80年代末期开始愈演愈烈，从要求本民族权利的民族主义发展成民族分离主义，这一问题的恶性发展直接导致了苏联这个联盟国家的解体。

苏联的民族问题一直是学术界关注的焦点之一。苏联官方宣称民族问题早就解决了，实际上这个问题一直存在。法国学者埃莱娜·卡·唐科斯在1978年出版的《分崩离析的帝国》一书中，详细分析了苏联的民族问题，他认为，“六十年中，苏联政府完成了一些巨大的社会改革工作。无疑它遇到过许多问题。但在它面临的所有问题中，最急需解决而又最难解决的显然是民族问题。像它所继承的沙俄帝国一样，苏维埃国家似乎也无法走出民族问题的死胡同。”[1]该书分析了苏联存在的大量民族问题，认为“苏联不是一个消除了一切差别的完全统一的大家庭，各民族对自己领土和文化的感情并不只是对往事的回忆……这些大小不同、情况各异的民族之间的共同之处，就是它们都与中央政权发生了明显的危机”。[2]伦敦大学历史系教授休·塞顿—沃森认为，“苏维埃时代，俄罗斯化重于俄罗斯民族主义。俄罗斯化并不是一种有意识的政策，而是苏维埃帝国政治、经济集中化政策的意外结果。苏维埃自1917年至今，苏联领导人从来没有因为俄罗斯民族主义而狂热过，其言辞恭维了俄罗斯民族，而其行为却在清除俄罗斯的文化遗产”。[3]萨哈拉姆·阿卡巴扎德则指出，苏联相信它拥有对它的成员国和土地的全部主权。因此在苏联统治的近70年里，俄罗斯人在全苏联占据支配地位。这就使苏联境内各民族产生了一种侮辱感，于是想恢复他们的民族自信心和民族自豪感及民族文化，而当戈尔巴乔夫推行改革之时，非俄罗斯人尤其是在波罗的海和高加索地区各国便向统一的苏联民族的神话发起挑战。他们拒绝接受他们是自愿加入苏联这一官方说法。他们要求复兴他们的民族文化和历史，直至真正的自治，

---

[1] [美] 埃莱娜·卡·唐科斯著:《分崩离析的帝国》，郗文译，新华出版社1982年版，第271页。

[2] 同上书，第215页。

[3] [美] 罗伯特·康奎斯特主编:《最后的帝国——民族问题与苏联的前途》，刘靖北等译，华东师范大学出版社1993年版，第9页。

甚至独立。[1]

由于民族政策上的偏差和失误，美国学者大卫·安兹和米切尔·科兰明确指出，在勃列日涅夫时代民族主义已经在全国各个部分复兴，以至海伦·凯勒预言“莫斯科面对的所有问题中最紧迫的和最顽固的就是由少数民族提出的”。[2] 斯坦福大学高级研究员邓洛普认为，“如果将来的领导人中包括一些民族主义者或俄罗斯民族主义的同情者，那么他们就会采取有力的措施改善苏联俄罗斯人民的条件，其产生的副作用很可能是俄罗斯民族撤离边境，放松对非俄罗斯地区的控制。这种让步减轻了压力，从而促进了真正的联邦制的产生，甚至导致某些边境共和国脱离联盟”。[3] 西方学者还注意到了国际的影响，在20世纪更加广阔的世界范围内，民族主义是重要的政治话语，而苏联的民族群体自然不能不受其影响。因此，正是长期被苏联政府和戈尔巴乔夫所忽视的“民族的叛乱”最终毁坏了这个社会主义国家。[4] 现今俄国学者也深刻认识到苏共民族政策的弊端，季什科夫指出：“通过赋予各共和国所谓主体民族以优越地位，通过在受教育，成为职业和行政管理人员方面实行优惠和配额制度，民族一致性被固定下来。共和国宪法、国徽和国歌、管理制度、创造性联邦，甚至以共和国科学院为代表的学术机构，变成了民族国家体制威严的象征。通过在身份证上反映民族成分的制度，民族性成了一种社会特征。按这种特征划分各共和国的社会阶层，‘双重少数民族’处在最底层……在口头宣言和精心选择的情况下，鼓励民族主义，赞美‘民族和人民性’；而在日常生活现实中，则摧残独立性，铲除那些相信这些宣言的人。”[5]

---

[1] Shahram Akbarzadeh, *The Soviet Union: Collapse of the USSR and Formation of the Independent Republics, History Behind the Headlines: The Origins Of Conflicts Worldwide,* Michigan: The Gale Group, 2001, pp.252–265.

[2] David MacKenzie and Michael W. Curran, *A History of Russia, the Soviet Union and Beyond*, Belmont, Calif.: Wadsworth Pub., 1993, p.734.

[3] [美]罗伯特·康奎斯特主编：《最后的帝国——民族问题与苏联的前途》，第201—202页。

[4] Robert Strayer, *Why Did the Soviet Union Collapse? Understanding Historical Change*, New York: M.E. Sharpe, 1998, p.36.

[5] [俄]B.A.季什科夫著：《民族政治学论集》，高永久等译，民族出版社2008年版，第23页。

戈尔巴乔夫在改革伊始并没有意识到民族问题的严重性，他接受的是苏联民族问题已经解决的观念。事实是苏联的民族问题并没有真正解决，民族问题是苏联长期积累的问题，这里既有民族理论本身的欠缺和民族政策的失误，也有外部世界的影响，更有国家体制不合理带来的问题。在改革年代民族问题的出现是正常的，戈尔巴乔夫的失误在于没有正视这一问题和及时化解出现的矛盾与冲突，在革新联盟的问题上缺乏远见。民族问题的爆发引发了苏联的解体，也葬送了苏联的改革，但苏联的解体是许多政策失误的结果。

第一节　被忽视的民族问题

民族问题是一个复杂的问题，对于苏联这个世界上民族最多的国家来说，民族问题更不应忽视，随着民族地区文化水平的提高和各民族自主意识的增强，解决民族问题的方式方法也需要不断更新，苏联政府在这一问题上过于盲目乐观，对存在的问题视而不见。

一、苏联存在的民族问题

苏联是一个多民族国家，由于不断向外扩张，俄国吞并了周边大大小小许多民族，形成了多民族国家。在苏联时期，虽然出现过许多侵害少数民族的事件，但成就也是不容否认的，少数民族地区有了很大发展，少数民族的科学文化水平也得到了很大提高，民族融合的趋势也在发展，形成了许多由不同民族成员组成的家庭。据统计，不同民族成员组合成的家庭在 1979 年占家庭总数的 14.9%，1989 年占 17.5%（在 7710 万家庭中合成家庭有 1280 万），如果加上这种家庭的双方父母家，其数目更大。用俄语作为交际语言的非俄罗斯族人在 1926 年是 640 万人，而到 1989 年已经达到 1870 万人。[1] 到 1989 年苏联有 2.867 亿人，其中俄罗斯族有 1.452 亿人（占 50.6%）。在俄罗斯联邦俄罗斯族占 1.474 亿人的 81.5%，81.4%的苏联居民，88%的俄罗斯联邦居民认为俄

[1]　*Барсенков А.С., Вдовин А.И.* История России.1938－2002. М., Аспект Пресс, 2003, С.307.

语是自己的民族语言并能自由掌握。[1] 苏联领导人很得意，认为苏联已经成功解决了民族问题，形成了“苏联人民”共同体，实际上苏联的民族问题并没有解决，这表现在许多方面。

第一，苏联按民族划分行政区域，带来了许多问题

苏联的国家结构是按民族属性划分的，结构特别复杂，苏联包括 15 个加盟共和国、20 个自治共和国、8 个自治州和 10 个民族区，共有 53 个之多。在俄罗斯联邦社会主义共和国，有 16 个民族自治共和国，5 个民族自治州和 10 个民族自治区，其中有 4 个是两个民族共同自治的。据 1989 年的调查，在俄罗斯联邦 16 个民族自治共和国中，多数的冠名民族人口都不占多数，如巴什基尔自治共和国，巴什基尔人只占 21.9%，俄罗斯族人占 30.3%；布里亚特自治共和国，布里亚特人只占 24%，俄罗斯族人占 70%；卡尔梅克自治共和国，卡尔梅克人占 45.4%，俄罗斯族人占 37.7%；卡累利阿自治共和国，卡累利阿人占 10.0%，俄罗斯族人占到了 73.6%；科米自治共和国，科米人占 23.3%，俄罗斯族人占 57.7%；马里自治共和国，马里人占 43.3%，俄罗斯族人占 47.5%；摩尔多瓦自治共和国，摩尔多瓦人占 32.5%，俄罗斯族人占 60.8%；乌德穆尔特自治共和国，乌德穆尔特人占 30.9%，俄罗斯族人占 58.9%。民族人口占多数的自治共和国只有：北奥塞梯苏维埃社会主义自治共和国，奥塞梯人占 53.0%，鞑靼苏维埃社会主义自治共和国，鞑靼人占 48.5%，俄罗斯族人占 43.3%；图瓦苏维埃社会主义自治共和国，图瓦人占 64.3%；楚瓦什苏维埃社会主义自治共和国，楚瓦什人占 67.8%。由两个民族共治的自治共和国，力量也是不均衡的：车臣—印古什苏维埃社会主义自治共和国，车臣人占 57.8%，印古什人只占 12.9%，俄罗斯族人占 26.7%；卡巴尔达—巴尔卡尔苏维埃社会主义自治共和国，卡巴尔达人占 48.2%，巴尔卡尔人只占 9.4%，俄罗斯族人占 32%。在 5 个民族自治州中，没有一个民族人口占多数的，如犹太自治州犹太人只占 4.2%，俄罗斯族人的比例高达 83.2%。在 10 个民族自治区中，只有阿加布里亚特自治区、科米—彼尔米亚克自治区的冠名民族的人口占了多数，其余都是俄罗斯人居多，

[1] *Барсенков А.С., Вдовин А.И.* История России.1938–2002. С.308.

超过半数。[1]"在这种结构下，有一些民族自然产生了拉平和提高自己的'国家'的地位或者获得这种地位的想法。"[2]

苏联这种以民族属性划分国家行政区划的做法是不科学的，为什么有的民族可以建立共和国、自治共和国，有的只能建立自治区，有的还没有这样的权利；有的自治共和国建立了又被随意取消，如伏尔加河日耳曼人共和国和克里木鞑靼人自治共和国；有的民族自治地区显然名实不符，冠名民族并不占多数。这一方面造成了对民族属性的强化，苏联国民首先认同的是民族属性，而不是国家属性；另一方面造成国中有国，各行政区之间人口、面积、经济实力极不平衡。

第二，法律上的联邦制与实际上的单一制之间存在矛盾

俄罗斯帝国解体后，在后来苏联领土的范围内，在法律地位上与俄罗斯联邦并列的还有乌克兰、白俄罗斯、格鲁吉亚、阿塞拜疆、亚美尼亚，它们各有自己的行政建制——苏维埃代表大会、中央执行委员会和人民委员会，有自己的军队和货币。在国内战争时期，在统一的布尔什维克党组织的领导下，各共和国通过与俄罗斯联邦签订双边条约这一形式，结成同盟，采取协调一致的行动，在俄罗斯联邦人民委员会下，成立了联合的人民委员部（包括军事、财政、劳动、交通、邮电等），这些委员部在各共和国驻有全权代表。国内战争结束后，如何处理俄罗斯联邦和其他各共和国的关系问题被提上了日程，在成立国家联盟的问题上，列宁与斯大林发生了严重的分歧。

斯大林当时是民族事务人民委员，负责民族事务，他拟定了《关于俄罗斯联邦和各独立共和国的相互关系》的决议草案（称为"自治化"方案），要求其他民族国家作为自治共和国加入俄罗斯联邦。阿塞拜疆、亚美尼亚赞成，白俄罗斯主张维持现状，实际上反对这样做，乌克兰干脆不予理睬，格鲁吉亚坚决反对。列宁认为，这个"自治化"方案是"根本不对的"，"是根本不合时宜的"。他主张："我们承认自己同乌克兰社会主义苏维埃共和国以及其他共和国是平等的，将同他们一起平等地加入新的联盟，新的联邦。""重要的是我们

---

[1] 沈志华总主编：《苏联历史档案选编》，第 30 卷，社会科学文献出版社 2002 年版，第 546—547 页。

[2] *Барсенков А.С., Вдовин А.И.* История России.1938 – 2002. С.309.

不去助长‘独立分子’，也不取消他们的独立性，而是再建一层新楼——平等的共和国联邦。”[1]

列宁与斯大林的分歧并不在于要不要建立强大、统一的多民族国家，列宁也不赞成国家分裂成许多小国。斯大林与列宁分歧的根本点在于：斯大林没有完全理解俄罗斯民族问题的特殊复杂性，想用行政压制的办法解决问题，而列宁认为通向这一联盟的道路是自愿的，不能靠暴力，他反对大俄罗斯沙文主义。早在 1917 年 10 月列宁就说过：“我们希望俄罗斯（我甚至想说大俄罗斯，因为这样更正确）人民的共和国能把其他民族吸引到自己方面来，但用什么方法呢？不是用暴力，而是完全靠自愿的协议。否则就要破坏各国工人的团结和兄弟般的联盟。”“‘自决’一词曾多次引起曲解，因此我改用了一个十分确切的概念‘自由分离的权利’”，“我们尤其必须承认分离的自由，因为沙皇制度和大俄罗斯资产阶级的压迫在邻近的民族里留下了对所有大俄罗斯人的极深的仇恨和不信任；必须用行动而不是用言论来消除这种不信任。”[2] 这里体现了列宁的辩证法思想，承认分离的自由，并不等于鼓励分离。

列宁与斯大林的分歧还表现在国家体制上。斯大林坚持把苏联建成一个中央高度集权的单一制国家，列宁则主张建立名副其实的联邦制国家，在这个联盟国家里，首先要同大俄罗斯沙文主义传统决裂。列宁强调尊重少数民族共和国的权利，他说：“在加入我们联盟的其他各民族共和国中使用民族语言这个方面应制定极严格的规章”，“这里要有一个详细的法典，这个法典只有居住在该共和国内的本民族的人才能够比较成功地拟定出来”。在苏联成立之际，列宁甚至作退回去的准备，“只在军事和外交方面保留苏维埃社会主义共和国联盟，而在其他方面恢复各个人民委员部的完全独立”。[3] 列宁主张，不是靠强制，而是靠联盟内各成员国间的平等，靠联盟增进各民族的发展与进步，来巩固和发展苏维埃社会主义共和国联盟。当时正是新经济政策时期，列宁的政策主张是给地方更多的自主权，让他们放开手脚因地制宜地发展经济，改善人民生活。

[1] 《列宁全集》中文第 2 版，第 43 卷，第 213、214 页。

[2] 同上书，第 32 卷，第 369、370 页。

[3] 同上书，第 43 卷，第 355 页。

1922年12月30日，苏维埃社会主义共和国联盟成立，并得到各民族的接受与认同，主要原因在于：虽然当时存在独立的民族国家，但这些国家都是由俄国共产党（布）领导的，俄共是统一的；乌克兰等少数民族为能与大俄罗斯民族在联盟中拥有平等的权利而感到满足；面临着共同的来自资本主义方面的外部压力。在苏联成立之时，斯大林虽然接受了列宁的建议，收起了“自治化”方案，但列宁的设想并未完全变成现实。在实际执行过程中，斯大林仍按自己的意愿行事，他没有让格鲁吉亚、阿塞拜疆、亚美尼亚作为平等的成员直接加入联盟（它们以外高加索联邦的名义加入，1936年他们才各自成为加盟共和国），主要原因在于格鲁吉亚是“自治化”方案的坚决反对者。虽然宪法规定苏联是联邦制国家，但随着斯大林模式的形成，苏联实际上变成了单一制国家。苏联成立时，全联盟和联盟兼共和国的部级机关只有10个，到1947年，部长会议下设的部已达到58个，到1982年，苏联有33个全联盟的部和31个联盟兼共和国的部，6个全苏国家委员会和14个联盟兼共和国的国家委员会，总计84个。再加上其他中央直属机关26个，总数已达110个。在苏联高度集中的政治经济体制下，中央集中了大量的权力，地方权限很少，各加盟共和国根本就没有自主权，它们支配的工业产品还不到全苏工业总产值的10%。苏联长期排斥市场经济，用行政手段管理国家，人为地在全国搞分工，常常违反经济发展规律，如乌兹别克斯坦生产棉花，棉布却不能自己生产；土库曼斯坦产天然气，这里90%的居民用不上天然气；哈萨克斯坦是畜牧业基地，肉的供应却很紧张。中央迫使中亚国家向单一经济发展，把哈萨克斯坦适宜种棉花的土地划给乌兹别克斯坦，又把乌兹别克斯坦适宜种粮食的土地划给哈萨克斯坦，把乌兹别克斯坦适宜放牧的土地划给塔吉克斯坦。这些共和国感觉没有平等地位，他们只是中央命令的执行者，根本就谈不上有自己的经济自主权。这种单一性体制造成的权力不平衡潜藏着严重的中央与地方的矛盾。

在宪法体制上，苏联一直保持联邦制，每个加盟共和国都有自己的宪法和国语，在1924年宪法中规定了每个加盟共和国有“自由退出联盟的权利”，载有“共和国主权”的提法，规定“各加盟共和国的疆域，非经该共和国的同意，不得变更”。1936年宪法甚至规定各加盟共和国有权同外国发生外交关系、签订协定和互派外交代表和领事，每一个加盟共和国都有本共和国军队的编制。1977年宪法中也明文规定各加盟共和国有退出联盟的权利，只是没有具体细则，因为根本没打算实行。既然宪法规定了各民族国家有退出联盟的“自由”，所以当各民族国家纷纷宣布独立于苏联之时，许多人认为他们这样做并没有违背宪法。

既然苏联是个多民族的联邦制国家，那么在中央权力机关中应该注意各民族代表比例的平衡，事实上这个问题并未被重视，1987 年，苏共中央机关成员的民族成分显示，在机关工作人员中没有阿塞拜疆人、吉尔吉斯人、塔吉克人，只有一名乌兹别克人、两名摩尔达维亚人、一名爱沙尼亚人。民族共和国的代表只在党的组织、宣传和农业三个局中有。[1]

第三，斯大林民族政策留下的隐患

在 70 多年的社会主义建设中，苏联的民族地区得到了较快发展，但也出现了大量问题，这些问题主要是斯大林时期造成的，后来的领导人又没有很好地解决。戈尔巴乔夫当政后，仍然面临着这些问题，民族问题的突然爆发，严重干扰了戈尔巴乔夫的改革。

斯大林片面地执行民族区域自治政策，1924 年 1 月颁布第一部苏联宪法后，苏联开始重划民族区域，把斯摩棱斯克、维帖布斯克、戈梅利省等以白俄罗斯人为主的县从俄联邦划入白俄罗斯，使白俄罗斯面积增一倍，人口增两倍多。在乌克兰境内建立摩尔达维亚自治共和国。中亚原来有土耳其斯坦苏维埃自治共和国、花拉子模苏维埃人民共和国和布哈拉苏维埃人民共和国，1924 年实施民族划界，分割成土库曼苏维埃社会主义共和国、乌兹别克苏维埃社会主义共和国、塔吉克苏维埃自治共和国（归乌兹别克）、卡拉—吉尔吉斯自治州（1925 年改名吉尔吉斯自治州，加入俄联邦），哈萨克人多的地区并入哈萨克苏维埃自治共和国。1925 年，土库曼苏维埃社会主义共和国、乌兹别克苏维埃社会主义共和国成为苏联的加盟共和国。1936 年，苏联宪法通过后，苏联的成员增至 11 个：三个斯拉夫国家，由外高加索联邦分解成的阿塞拜疆、亚美尼亚、格鲁吉亚三个加盟共和国，土库曼、乌兹别克、哈萨克、吉尔吉斯、塔吉克。苏联宣布形成了新的社会主义民族。1940 年 8 月，苏联吞并波罗的海地区的立陶宛、拉脱维亚、爱沙尼亚三国，这三国成了苏联新的加盟共

[1] В Политбюро ЦК КПСС… По записям Анатолия Черняева, Вадима Медведева, Георгия Шахназарова (1985–1991), 2-е изд., исправ. и доп. М., Горбачев-Фонд, 2008. С.226.

和国。苏芬战争后，苏联在新兼并的芬兰领土上于1940年3月建立卡累利阿—芬兰苏维埃社会主义共和国。1940年8月又把并入了比萨拉比亚地区的摩尔达维亚升格为加盟共和国（1946年摩尔达维亚2085名在册负责干部中只有285名是摩尔达维亚人[1]）。至此，苏联有16个加盟共和国。1956年7月，卡累利阿—芬兰苏维埃社会主义降为自治共和国并入俄联邦。为了分而治之，斯大林在划分各地区疆界、分配自然资源和土地时，并没有完全按民族来划分，几乎各共和国都有其他民族的聚居地，各加盟共和国之间的边界也是犬牙交错，留下了许多隐患。如中亚的费尔干纳峡谷是人口的中心，吉尔吉斯得到了这个地区的丘陵地带，即该地区的水源所在地，乌兹别克斯坦得到了峡谷富饶的盆地，塔吉克则得到了通向这个峡谷的唯一像样的道路，三国经常发生矛盾。

在确立苏联高度集中的社会主义模式的过程中，斯大林实行的是全国统一的政策，对少数民族地区，包括落后的中亚地区，强行实行全盘农业集体化，严重破坏了这一地区的生产力，造成了严重的饥荒。在30年代大清洗的过程中，许多民族地区的领导人被扣上民族主义的帽子，被处死或关押。

在第二次世界大战前，斯大林对少数民族不信任，以维护国家安全为由，把居住在苏联西部的波兰人、居住在远东的10多万朝鲜人、居住在伏尔加河流域和散居在各地的近80万日耳曼人等，从他们的居住地强行迁至中亚和西伯利亚。第二次世界大战后期，斯大林又以与德军勾结为名，把卡拉恰耶夫人、卡尔梅克人、车臣人、印古什人、麦斯赫特土耳其人等整个民族驱逐到中亚，许多人在迁移中死亡，新居住地实际上成了他们的劳改营，斯大林不分青红皂白地对整个民族进行惩罚给这些民族造成了极大的痛苦。苏共二十大后，苏共为一些少数民族平反，并允许他们返回原驻地，但还有一些少数民族，如伏尔加河流域的日耳曼人、克里木鞑靼人等虽然得到平反，但不允许他们返回原驻地，也没有恢复他们的民族自治实体。1987年7月9日，戈尔巴乔夫在政治局会议上说："44年来我们积累了250卷要求恢复公正的签名和声明。"[2]

---

[1] *Кодин М.И.* Трагедия Старой площади. М., Фонд содействия развития социальных и олитических наук.1999. С.184.

[2] ［俄］米・谢・戈尔巴乔夫著：《对过去与未来的思考》，徐葵等译，新华出版社2002年版，第108页。

斯大林在语言文化上推行俄罗斯化政策，20 世纪 30 年代哈萨克人通常使用的阿拉伯字母被拉丁字母所取代，后来又被基里尔字母所代替。1929 年以前，鞑靼人采用以阿拉伯字母为基础的文字，1929—1939 年进行文字改革，拉丁字母代替了阿拉伯字母，1939 年以后，又改成以基里尔字母为基础的文字。摩尔达维亚的文字也从拉丁字母改用斯拉夫字母，1990 年 8 月底 9 月初，摩尔达维亚最高苏维埃通过法律，重新改用拉丁字母。纳扎尔巴耶夫深有感触地说："苏联的民族政策是从俄罗斯帝国那里继承下来的。布尔什维克的所作所为不管用怎样响亮的意识形态口号来加以掩饰，他们总是在继续，时常以更残酷和反常的形式继续沙皇制度下开始做的事情。这个制度也好，那个制度也好，为了自身的利益，在对待民族边区方面都推行一种强硬的政策。无论是这个，还是那个制度，从来和在任何情况下都不注意地方居民的利益，对他们的所有抗议行动一律残酷地进行压制。"[1]

斯大林成为党和国家最高领导人后，逐渐放弃了列宁关于大俄罗斯沙文主义是俄国民族关系的主要问题的传统提法，把反对所谓地方主义倾向放在首位，地方上的一些合理要求往往被他当成地方民族主义进行反对。在卫国战争期间，各民族的人里都有投敌行为，如弗拉索夫率领的"俄罗斯解放军"大部分是俄罗斯人，斯大林对此却闭口不言，在 1945 年 5 月 24 日招待红军将领的讲话中，他说：俄罗斯民族是苏联各民族中最杰出的民族，是公认的苏联各民族的领导力量，是打败人类公敌法西斯主义而取得历史性胜利的决定性力量。俄罗斯民族并没有因为有人投敌而受到惩罚。

斯大林极力扩大苏联的势力范围，欲把十月革命后失去的沙俄旧有领土收回，斯大林利用第二次世界大战前后的有利时机，吞并了波罗的海三国（爱沙尼亚、立陶宛和拉脱维亚）、比萨拉比亚、北布科维纳、西白俄罗斯和西乌克兰，于 1944 年 10 月 10 日，从中国吞并了唐努乌梁海地区。苏联在第二次世界大战中共得到了 687707 平方公里的土地。莫洛托夫对此做了生动的描述："作为外交部长，我认为自己的任务是尽量扩大我们祖国的版图。看起来，这个任务我和斯大林完成得并不坏……战后一份标明苏联新疆界的地图被送到了斯大林的别墅。那地图并不大，只有小学生教科书那么大。斯大林用按钉把

[1]　[哈] 努·纳扎尔巴耶夫著：《时代、命运、个人》，第 130 页。

它钉在墙上，说：'咱们来看看，我们都得到了什么……北方一切都好，正常。芬兰对我们是犯有严重罪过的，所以我们把国界从列宁格勒向前推进了。波罗的海沿岸，自古以来就是俄罗斯的土地！现在重归我们所有。咱们的白俄罗斯人现在都集中居住在一起，乌克兰人居住在一起了，摩尔达维亚人也集中住在一起。西方的情况正常。'说着，他转而指向东方边界：'这生的情况如何呢？千岛群岛现已归我们，萨哈林岛完全属于我们所有，你们看吧，这有多么好！旅顺港是我们的，大连也是我们的，'斯大林边说边用烟斗在地图上的中国一带画了一圈，'中东铁路也是我们的，中国、蒙古——这都没问题……可这儿的边界我不喜欢！'斯大林说着指向了高加索以南的地方（指土耳其海峡——引注）”。[1] 在日本投降时，斯大林发表的《告人民书》中，把苏联对日本的胜利看成是对 1904—1905 年日俄战争的报复，是为战败的沙俄雪耻。他说：“1904 年日俄战争时期俄军的失败，给人民留下了沉痛的回忆。那次失败是我国的一个污点。我国人民相信，总有一天日本会被打败，污点会被洗清，并且等待这一天的到来。我们这些老一辈的人等待这一天，已经等了 40 年。而这一天终于来到了。今天，日本承认自己已被战败，并在无条件投降书上签字了。”“这就是说，萨哈林群岛和千岛群岛将归苏联所有，从此以后，这些地方不再是使苏联同大洋隔绝的工具，不再是日本侵犯我国远东的基地，而是苏联同大洋直接联系的工具，是我国防御日本侵略的基地。”[2]

斯大林对波罗的海三国的吞并成为影响苏联稳定的重要问题。1939 年 8 月 23 日，在签订《苏德互不侵犯条约》时所附加的秘密议定书及 1939 年 8 月 28 日签署的苏德秘密议定书，把波罗的海三国划归了苏联。1939 年 9、10 月间，苏联又分别与波罗的海沿岸的爱沙尼亚、拉脱维亚、立陶宛等国签订互助条约，规定苏联在三国境内有驻军、建筑军港和空军基地的权利，但是，斯大林并不以此为满足，1940 年 6 月，苏联照会三国政府，指责他们对苏联不友好，提出三国应该改组政府，8 月初苏联正式吞并波罗的海三国。苏联此举超出了苏德秘密协议的范围，希特勒十分不悦，苏德就此举行了会谈，并于 1941 年

---

[1] [俄] 费・丘耶夫著：《同莫洛托夫的 140 次谈话》，王南枝等译，新华出版社 1992 年版，第 15—16 页。

[2] 《斯大林文集》，第 470 页。

1月10日签署秘密议定书，为了补偿德国的损失，苏联政府向德国支付750万美元，相当于3150万马克。三国加入苏联后，斯大林把数以十万计的当地居民迫迁至苏联内地或驱逐出国。波罗的海三国始终存在着要求独立的势力，当地的反抗从未停止过。

第四，苏联各民族经济文化和社会发展的一个重要结果是各民族自我意识的提高

苏联在促进民族地区文化教育事业的发展方面取得了长足进步。各加盟共和国扫除了文盲，各类教育事业也迅速发展。据统计，1984—1985学年，在14个非俄罗斯民族共和国中有普通中小学6.84万所，在校学生2430万，占全苏54%；中等专业学校1924所，在校学生201.84万，占全苏45%；高等专业学校392所，在校学生223.89万，占全苏42%[1]。外高加索和中亚地区8个加盟共和国每万名居民中拥有大学生数已超过英、法、德、意、日等发达资本主义国家。“苏联的文化和教育产品、保持民族多样性是20世纪人类最显著的成就之一。”[2]随着各民族文化水平的提高，各民族知识分子的增多，他们的民族意识觉醒了，于是各民族要求享有平等的政治权利，民族地区要求有促进本民族和本地区发展的更大的自治权。但是，苏联政府实行的却是政治上的钳制与经济上的收买并行的政策。只要你在政治上听话，别的什么唱歌跳舞、传统民俗、年节礼仪乃至语言文字之类的“民族特色”，不仅可以保留，而且往往还大力提倡。政治上不许有“异端”，文化上却提倡有“特性”，这一政策满足不了民族的要求。

戈尔巴乔夫对斯大林时期形成的政治体制进行改革，奉行民主化与公开性政策，这为长期被压制的民族问题的浮出提供了条件，民族问题出现了愈演愈烈的趋势，其表现也多种多样：有以立陶宛、格鲁吉亚为代表的反抗联盟政权的民族分离主义；有少数民族反抗共和国主体民族的运动，以纳—卡地区为代表；有俄罗斯民族主义者支持俄罗斯脱离苏联的运动；有受到斯大林不公正待遇的民族要求返回家园的斗争。在这里，地方领导人的自私行为和权欲起了很大作用。

---

[1] 参见《苏联东欧问题》1987年第3期，第41页。

[2] 瓦·季什科夫教授访谈录，载季什科夫著：《民族政治学论集》，第20页。

社会急剧变革和转型时期往往是民族问题凸显时期，这需要党和国家领导人有预见性，研究并制订出相应的预案。但是受历史惯性的影响，戈尔巴乔夫和苏共领导人却没有注意到这个爆炸性问题，1988 年初在规划下一步的改革步骤时，民族问题这个半路杀出来的程咬金挡住了去路。纳戈尔诺—卡拉巴赫问题以及随之而来的苏姆盖特市对亚美尼亚人的大屠杀、第比利斯事件、波罗的海三国的民族运动等接踵而至，这些民族冲突各有各的原因。但是，戈尔巴乔夫及苏共领导对许多突发的民族冲突事件处理失当，民族冲突的战火没有被熄灭，最后烧掉了苏联这个多民族联盟的大厦，也终结了戈尔巴乔夫的改革。

二、戈尔巴乔夫对民族问题估计不足

苏联共产党长期把民族问题等同于阶级问题，认为苏联已经消灭了阶级，民族问题也解决了，对民族问题的评价一直都比较乐观，认为苏联各族人民的利益是完全一致的，“各族人民新的历史共同体——苏联人民”已经形成了。戈尔巴乔夫也深信这一点，对民族问题估计不足。他后来承认：“民族问题中的许多损失是与我们的拖拉作风乃至错误决策分不开的。”[1]

20 世纪 80 年代中期改革开始时，并没有涉及任何民族问题方面，在 1986 年 2 月苏共第二十七次代表大会上通过的新苏共纲领中，声称过去遗留下来的民族问题在苏联已得到顺利解决。在 1987 年纪念十月革命 70 周年的讲话中，戈尔巴乔夫宣布：“民族问题，我们已经解决了。革命不仅在法律上，而且在社会经济上为民族平等铺平了道路，为拉齐所有共和国、所有区域和所有民族的经济、社会和文化水平做了特别多的工作。苏联各族人民的友谊是十月革命的最伟大的成果之一。”[2] 在 1987 年 11 月出版的《改革与新思维》一书中，戈尔巴乔夫还盛赞苏联民族问题的解决，他认为，“在连世界上最发达的国家也没有消除族际怨仇这个背景的衬托下，苏联是人类文明史上真正独一无二的典

---

[1] ［俄］米·谢·戈尔巴乔夫著：《戈尔巴乔夫回忆录》上册，第 595 页。

[2] ［俄］米·谢·戈尔巴乔夫著：《十月与改革：革命在继续》，莫斯科：新闻出版社 1987 年版，第 32 页。

范”。“如果我国没有从根本上解决民族问题，那就不会有今天的苏联，它在社会、文化、经济和国防方面就不会像今天所看到的这个样子。如果没有使各共和国在事实上日益平等，如果没有在兄弟情谊和合作，互相尊重和互相帮助的基础上结成共同体，我们的国家就不能存在下去。”[1]戈尔巴乔夫看不到苏联在民族政策上长期积累的问题。在改革的开始阶段，他认为苏联在民族方面存在的一些矛盾是理所当然的，如民族自我意识提高，表现出一些民族主义倾向，不尊重其他民族的情绪，他要反对民族局限性和沙文主义、地方主义、犹太复国主义、反犹主义的任何表现，加强族际教育，加强爱国主义教育，实际上并没有抓住问题的实质。

苏共的公开性、民主化政策，为民族主义的全面爆发提供了条件，给他们提供了公开要求自己的权利，解决历史遗留问题的绝好机会。在改革的气氛下，长期被压抑的民族问题开始浮出水面。在民族问题上首先敲响警钟的是1986年3—4月间发生在雅库茨克大学一批俄罗斯族青年和雅库特族大学生之间的冲突。接着是阿拉木图事件，1986年12月16日，苏共中央在未与哈萨克当地领导人商量的情况下，任命非哈萨克族出身的科尔宾取代库纳耶夫，引发民族骚乱。苏联当局把这看成是民族主义抬头，采取了强力手段进行镇压。戈尔巴乔夫后来反思说：“12月25日，政治局通过一份十足传统的决议，目的并不是分析事态发生的原因，从中吸取教训，而是要给点颜色让哈萨克斯坦，同时也让其他地方瞧瞧。人们遵循着这么一个业已形成的概念：一切都应当本着统一和友谊的轨道办，唯一的危险便是民族主义的本能暴动。这种暴动并非由于存在实际问题，而是历史遗祸，是外部力量的影响所致。”[2]此事实际上是已经复兴的民族主义在苏联改革时期的第一次公开表现，其警示作用本应该受到苏联领导人的重视，但戈尔巴乔夫却未予以重视，中央各机关的行为仍一如既往，失去了在民族问题尚未转化成危机前调整民族政策的机会。正如纳扎尔巴耶夫所说：“戈尔巴乔夫已经开始掌权，吹起了改革之风，而中央的国防主管部门却怎么也不能放弃自己拥有无限权力的想法。有一回，苏联部长会议一

[1]［苏］米·谢·戈尔巴乔夫著：《改革与新思维》，岑鼎山等译，世界知识出版社1988年版，第101页。

[2]［俄］米·谢·戈尔巴乔夫著：《戈尔巴乔夫回忆录》上册，第507—508页。

位领导人从莫斯科打电话给我说：‘努尔苏里坦·阿比舍维奇，根据国防部门人员的建议决定在塔尔迪库什干州修建一座新试验场。同哈萨克斯坦党中央已经谈妥了。您要马上安排划出 1 万—1.2 万顷土地，同时要接待由将军和专家组成的小组，您同他们一起就地商定实际步骤。’”[1] 后来，纳扎尔巴耶夫通过动员民众，把此事给搅黄了。

戈尔巴乔夫的盲目乐观并不能消除民族问题，从 1987 年开始，民族运动具有了有组织的特点，首先是鞑靼人要求返回克里木，接着是 1988 年 2 月，纳—卡问题尖锐化。2 月 18 日，戈尔巴乔夫提出在二月中央全会上专门讨论族际关系问题，“只有在尊重各民族的成就、荣誉、文化、语言和历史时，在尊重各民族间广泛的共同性时，才可能有真正的族际主义和各族间真正的友谊。苏维埃爱国主义是我们最伟大的价值观。与此同时，任何民族主义和沙文主义都是与之不相容的。民族主义的任何形式都是盲目无知的。”[2] 他强调按列宁的理论与实践原则处理民族问题。在 2 月 28 日政治局会议上，戈尔巴乔夫才真正认识到民族问题的严重性，他说：“应该给这些问题排排队。现在应该首先结束亚美尼亚混乱的局势，我们已授权（中央）书记处：着手研究导致这一事件的原因。心平气和地研究，也不要弄明白多少就公布多少。在此要让他们的人也参加，我们的知识分子也参加。应该成立一个代表委员会：由学者、知识分子组成，而不要只让党务和政工工作者参加。政工人员总是过多地束缚于分析事实的工作上：肯定的还是否定的。现在应该组建一个更加民主的委员会，指定领导人，让他们去考察、访问、讨论。”[3]

鉴于第比利斯事件，1989 年 4 月 10 日，苏共意识形态部部长、法制部部长、党的建设与干部部第一副部长向苏共中央提交给各加盟共和国共产党中央委员会、边疆区委员会、州委员会关于维护法制的报告，要求转给各地方党委，他们指出：“今年 4 月 10 日塔斯社报道的关于格鲁吉亚苏维埃社会主义共和国政治局势的尖锐化情况，又一次表明了各地方党、苏维埃和维护法律各机关适时地采取预防措施的全部必要性。苏联共产党中央委员会提请各加盟共和国党中央

[1] ［哈］努·纳扎尔巴耶夫著：《时代、命运、个人》，第 159 页。

[2] Союз можно было сохранить. Белая книга. М., АСТ, 2007.С.23.

[3] 沈志华总主编：《苏联历史档案选编》，第 30 卷，第 600 页。

委员会和各边疆区及各州党组织注意，必须对每个地区正在形成的局势进行深入而全面的分析，必须进行有效的、杜绝各种反社会现象的工作。党的委员会和基层党组织应保持高度警惕，在对极端主义和民族主义的评价中不允许温情主义和无原则性，坚决杜绝任何旨在动摇国家基础的谰言，不放过任何一次违背法律的行为……建议各党委会仔细研究执委会关于竭尽一切努力巩固每个地区的纪律、秩序和组织性的补充措施。”[1] 但没有见到苏共中央下发了这个通知。

民族问题日益尖锐，戈尔巴乔夫的反应明显滞后，苏共中央终于决定于1989年9月召开专门讨论民族问题的中央全会，各地代表不同要求的信件寄到了苏共中央，有的说：“今天我们国家民族团结已经动摇了，在一些加盟共和国里发生了一些不健康的、导致民族关系紧张的事件。极端主义分子成了民族运动的领导人。他们一开始就没有受到坚决抵制。在许多情况下共产党领导人给了他们主动权，而且佯装没有发生什么可怕的事情。”有的说：“只有把阿布哈兹苏维埃社会主义自治共和国变成苏维埃社会主义共和国，它的国民经济才有可能完全按全苏劳动分工的原则发展。只有这样，才能保证合理地综合利用独一无二的自然、气候条件，物质和劳动资源。”有的说：“拉脱维亚民族被逐渐淹没在外来人的海洋里。由此产生了民族摩擦和共和国改革力量分裂的现实威胁。”还有的说：“我们，俄罗斯人已经为民族间的实际平等工作了70年。因此，我们长期观察了至今仍没有正常生活条件的非黑土地带。俄罗斯人散居在各民族边疆区，而在那里他们经常被提醒，当地居民应当有特权。苏维埃政权教导我们所有公民不分民族，在法律面前一律平等是不可动摇的公理。但是现在的情况是，这一原则不适用于俄罗斯人。在波罗的海沿岸地区我接受的是明显歧视俄语居民的法律。”[2] 从这些信件看，普遍存在着不满，苏联的民族关系确实到了该重新研究和解决的时候了。

1989年9月19—20日，终于召开了专门讨论民族问题的中央全会，戈尔巴乔夫在讲话中强调：苏共的民族政策取得了很大成就，当然也存在一些问题，但出路只有一条，“寻找大家都能接受的、考虑到复杂现实情况的解决办法。”关键的问题“是在当前条件下实现列宁的民族自治原则的道路”。现阶段

[1] 沈志华总主编：《苏联历史档案选编》，第30卷，第647—648页。

[2] 同上书，第522—525页。

实现民族自决是扩大共和国的权利，明确划分联盟和共和国的权利。扩大自治共和国在国家建设、经济建设和文化建设以及经济自主权等方面的权利。[1]通过了《党在当前条件下的民族政策（苏共纲领）》的决议，提出的基本任务是：对苏维埃体制加以改造，用现实的政治和经济内容加以充实；扩大各种不同形式的民族自治的权利和机会；保证每个民族的平等权利；为自由发展民族文化和语言创造条件；加强各种保障，以杜绝根据民族特征限制公民权利。[2]但这个决议为时已晚，各地的民族主义已经发展起来，这个决议的针对性不强，满足不了他们的要求，戈尔巴乔夫强调不能允许无政府状态，不许流血，但没有什么有效措施。针对“纳—卡”这样的民族冲突，戈尔巴乔夫明确反对改变行政区划，“现在就开始走上改变我国行政区划图的道路，只能意味着使本来就已不一般的局势更加复杂化，实际上会把取得旨在改善全体苏联人和各族人民生活的改革实际目标推迟到一个不明确的时间。”[3]这次中央全会并没有解决问题，很少有人对其决议感兴趣，民族分离主义之火没被扑灭，反而加强了。9月23日，阿塞拜疆最高苏维埃通过了共和国主权宣言，9月25日，立陶宛最高苏维埃宣布1940年并入苏联不合法，对于这种向中央示威的行为，苏共并没有办法制止。在民族分离主义迅速发展的背景下，1990年2月苏共中央全会向苏共二十八大提交的行动纲领草案还在强调列宁的民族自决权，“党重申自己忠实于列宁的民族自决权直至分离权的原则，赞成通过关于实现这个权利的机制的法律。与此同时，我们相信，削弱，尤其是割断相互间的多种形式的和互相渗透的联系会给各族人民带来难以预料的消极后果，更不用说人们的命运了。因此，我们坚决反对导致摧毁巨大的多民族的民主国家的分立主义口号和运动。”[4]苏共采取这种盲目乐观的态度是毫无根据的，教条主义地对待列宁

---

[1] [俄] 米·谢·戈尔巴乔夫：《党在当前条件下的民族政策》（1989年9月19日），载《参考资料》1989年10月6日。

[2] [俄] 米·谢·戈尔巴乔夫著：《对过去与未来的思考》，第122—123页。

[3] [俄] 米·谢·戈尔巴乔夫：《党在当前条件下的民族政策》（1989年9月19日），载《参考资料》1989年10月6日。

[4] 中共中央对外联络部资料编辑中心编：《苏共中央二月全会文件汇编（1990年2月5—7日）》，世界知识出版社1990年版，第36页。

关于民族自决权的理论更是不正确的。

改革联盟体制，从实际上的单一制向联邦制过渡，扩大共和国和自治体的权力，扩大地方的管理职能，本是当务之急。但是，戈尔巴乔夫在改革之初根本没意识到这一问题，没有对联盟体制及时作出修改，没有想到改组联盟。1989 年 5 月 11 日，在讨论波罗的海问题的政治局会议上，戈尔巴乔夫曾提出，“如何实实在在地改造我国的联邦制要思考、再思考。否则真的要全部完蛋。”[1] 在 1989 年 5 月第一次人民代表大会上，戈尔巴乔夫在报告中提出，要划分联盟、共和国、自治区的权限。1989 年九月全会首次提出了制定并签订联盟条约的问题，但直到 1990 年苏共中央二月全会后才把这一问题提上日程，戈尔巴乔夫本人则直到 1991 年春天才积极加入制定新联盟条约的进程中来。纳扎尔巴耶夫认为，“戈尔巴乔夫的基本错误在于，他没有倾听加盟共和国要求赋予他们经济独立的呼声。除波罗的海诸国外，大多数加盟共和国含哈萨克斯坦在内，并没有追求分离、完全和盲目的独立。我们想到一点——可能会自我掌握本身的命运。戈尔巴乔夫及其同伙应及时向各共和国提供在联盟框架中最大的独立。我相信，国家可以避开以后很多动荡。”他认为，“如果哈萨克斯坦 90%的工业置于莫斯科各部的监控之下，怎么可能独立地整顿经济局势呢？遗憾的是，我多次有关提供更多的经济独立的要求成了旷野呼声。”[2] 戈尔巴乔夫后来也承认，“给改革造成威胁的另一个因素，是提出和解决民族问题，把苏联从事实上的单一制国家变成真正的多民族的联邦制国家（归根到底就是使情况符合于宪法的规定）迟了。这一点被民族主义分子和共和国中的领导集团利用了，他们认为削弱中央的时刻到了。在叶利钦集团取得了政权并通过了俄罗斯主权宣言之后，消极进程愈益发展了。通过主权宣言的用意（虽然这一点没有说出来）事实上就是在废除苏联这个国家。这条破坏性的路线却得以挡住了保留苏联并对其进行深刻改革的路线。”[3] 历史不会给戈尔巴乔夫改正错误的机会，正是他的迟缓，使苏联丧失了更新联盟的时机。

[1]　[俄] 米・谢・戈尔巴乔夫著：《对过去与未来的思考》，第 121 页。

[2]　[哈] 努・纳扎尔巴耶夫著：《时代、命运、个人》，第 60 页。

[3]　[俄] 米・谢・戈尔巴乔夫著：《对过去与未来的思考》，第 79 页。

1989—1990 年，苏联最高苏维埃通过了扩大加盟共和国和自治共和国权限的《关于苏联地方自治和地方经济的基本原则法》；明确保障民族语言自由发展和使用的《苏联民族语言法》,《苏联和联邦各主体成员间权限划分法》等，但都满足不了要求。面对有些加盟共和国要退出苏联，[1]1990 年 4 月 3 日，苏联最高苏维埃匆忙通过了《关于解决加盟共和国退出苏联有关问题的程序法》。规定退出苏联的共和国要得到国民不少于 2/3 的赞成票之后才能宣布进入过渡期；其内部有自治实体的，投票要在自治实体中单独进行，这些自治实体有权决定留在苏联还是留在独立的共和国内。加盟共和国在退出苏联的决议通过后，要有一个过渡期，不超过 5 年，在过渡期内解决“要求退出的共和国在加入苏联时不属于该共和国的领土的地位”问题。但是，这个法令没人执行，没有一个共和国宣布独立和退出苏联时走了这个程序，而面对各加盟共和国的独立，联盟中央没有任何办法。由于中央行动迟缓、措施不得力，民族冲突屡屡发生，根据不同估计，从 1987 年起在苏联疆界内发生的族际冲突达 100—150 起，其中武装冲突超过 20 起。

第二节　处理失当的民族问题

民族问题呈现的是越来越尖锐化的趋势，但当时并没有马上提出脱离苏联而独立的问题。在波罗的海三国、格鲁吉亚、乌克兰西部民族主义比较强烈，波罗的海三国和乌克兰存在着很强的反俄情绪，格鲁吉亚的民族主义主要是针对奥塞梯人和阿布哈兹人的，亚美尼亚和阿塞拜疆主要是争夺纳卡州的归属。然而，由于苏共领导人处置失当，使得这些矛盾不仅没有得到解决，反而更加激化。

一、“纳—卡”冲突发展成民族仇杀

纳戈尔诺—卡拉巴赫自治州在苏联外高加索阿塞拜疆共和国境内，面积

[1] *Паин Э.А.* Этнополитические конфликты и их причины\\ Россия и современный мир. 1994. №1. С.8.

4400 多平方公里，20 世纪 80 年代末的人口约 18 万，80% 左右是亚美尼亚人，信奉基督教。纳戈尔诺—卡拉巴赫自治州行政中心是斯捷潘纳克特。1923 年 7 月，在成立自治州之前，该地区属亚美尼亚管辖，叫汉肯德村。1923 年 7 月 7 日成立自治州，由联盟中央政府决定，划归阿塞拜疆管辖，当时该州居民 90% 为亚美尼亚人。这是斯大林作出的决策，完全违背了该地区人民的愿望。对此，亚美尼亚一直十分不满，一有机会就要求联盟中央“纠正”错误。自 1987 年 10 月开始，纳戈尔诺—卡拉巴赫自治州的民族主义运动发展起来，他们希望在宪法和法律的范围内解决这一问题，由此使亚美尼亚和阿塞拜疆两国、两族之间的关系也紧张起来。

1987 年，纳—卡州有 7.5 万人签名的信寄给戈尔巴乔夫，要求将之与亚美尼亚合并，戈尔巴乔夫没有答复。1988 年 2 月，冲突开始，亚美尼亚人开始游行和罢工，2 月 20 日，纳卡州州委会以亚美尼亚代表 110 票对缺席的阿塞拜疆代表 30 票通过了致苏联最高苏维埃和亚美尼亚、阿塞拜疆最高苏维埃呼吁书，要求把该州转归亚美尼亚管辖。苏共中央本应该纠正历史的错误，公正地解决这一问题。但是，苏共中央并没有立即着手解决这一问题。2 月 21 日，政治局召开会议，商讨对策，戈尔巴乔夫强调通过政治手段解决问题，反对改变疆界，他建议亚美尼亚和阿塞拜疆两个共和国的领导聚集在一起，自己解决问题，他派利加乔夫和拉祖莫夫斯基去巴库，派雅科夫列夫和多尔基赫去埃里温，分别做双方的工作。政治局要求两个共和国的领导人使局势正常化，两国领导人对此都不满意。

1988 年 2 月 26 日，戈尔巴乔夫发表告阿塞拜疆和亚美尼亚人民书，呼吁两个共和国的居民在民主进程和法制框架内行事，认为现有民族地区布局的任何更改都有损于民族之间的关系。他指出“现在最主要的事是集中克服复杂的局势，解决具体的经济、社会、生态和在阿塞拜疆和亚美尼亚积累的其他问题……我号召你们表现出公民的成熟性和自制力，回到正常的生活和工作中，维护社会秩序。”[1] 公开信的内容，立即引起亚美尼亚人的反对。当天，戈尔巴乔夫还会见了亚美尼亚创作界知识分子的代表卡普季基扬和巴拉扬，他谈了对局势发展的担忧，要求大家保持团结和友谊。但是，戈尔巴乔夫只会见冲突一

[1] Союз можно было сохранить. Белая кника.С.25.

方的代表，让阿塞拜疆人感到不安，克格勃副部长博布科夫认为，“卡普季基扬和巴拉扬从莫斯科回来之后，明确地表示，在卡拉巴赫的冲突问题上，戈尔巴乔夫站在亚美尼亚一边。如果一定要说中央是故意这样做——我没有这样的根据，但是这种‘短视’的政策加剧了冲突，而且戈尔巴乔夫要承担直接的罪责。”[1] 戈尔巴乔夫并没有把事态压下去，到 2 月 26 日，埃里温的示威人数就达到了 100 万人，并从和平示威发展到兵戎相见。那里的一切都已陷于瘫痪，一切都停滞了。附近一些村庄的居民也开始成群结队地涌向埃里温，抗议苏共中央公开信的内容。巴库也举行了示威游行，阿塞拜疆的苏姆盖特市也立即发生针对亚美尼亚人的游行和骚乱，2 月 27—28 日苏姆盖特发生了对亚美尼亚人的大屠杀，两天内有 32 人被杀，其中亚美尼亚人有 26 名，100 多人受伤，一些房屋和汽车被烧毁，许多亚美尼亚人的住宅遭洗劫，不少人遭殴打、强奸。一些 10—100 人不等的团伙在市内流窜，寻找下手的对象。当地警察没有干预，而实际上包庇暴徒，被拘留的 20 个人中 16 人被释放。[2]

面对日益尖锐的纳—卡冲突，1988 年 2 月 28 日，苏共中央政治局会议讨论这一问题。戈尔巴乔夫在会上通报当地的情况时说：“集会者在发言中谈论最多的话题是卡拉巴赫的问题，它与亚美尼亚合并的问题。他们说，斯大林时代对这一问题的决定是错误的，是在众所周知的条件下强加给人民的决定，是不正确的，因此现在应该在民主和改革的框架内解决。”[3]“现在，阿塞拜疆方面开始有反应了，首先是那里死了人，于是开始谣言四起。阿塞拜疆人由于担心遭到迫害已开始出逃，同时他们声明说，亚美尼亚人不让他们住在那里，于是导致了动荡。再说斯捷潘纳克特也不平静。现在阿塞拜疆那边也开始行动了。我似乎觉得阿塞拜疆的行动也是有组织、有预谋的。这在纳希切万表现得特别明显，那里也聚集了成群的人们。”[4]

---

[1] ［俄］菲·博布科夫著：《克格勃与政权——克格勃第一副主席的回忆》，王仲宣译，东方出版社 2008 年版，第 279 页。

[2] ［俄］鲁·格·皮霍亚著：《苏联政权史（1945—1991）》，徐锦栋等译，东方出版社 2006 年版，第 580 页。

[3] 沈志华总主编：《苏联历史档案选编》，第 30 卷，第 587 页。

[4] 同上书，第 593 页。

亚佐夫通报了来自苏姆盖特的情况，一位将军在报告中说，部队刚好碰上一群年轻人胡作非为，于是驱散了他们，但这些人仍三五成群地继续为非作歹，他们烧毁汽车，行凶杀人，已经有14人被他们打死，还有许多人被送到医院。切布里科夫补充说：110人受伤。弗拉索夫通报说：有14人被打死，其中3名妇女，3名阿塞拜疆人，6名亚美尼亚人，其余两名死者身份正在调查，另外还有71人受伤，其中亚美尼亚人48名；6辆汽车被烧毁；在13座房屋里发生19起纵火案；政治教育所、公共汽车站遭到破坏；强暴案4起；54名警务人员遭围攻；已拘捕47名闹事者，其中有5名是趁火打劫者。[1]

戈尔巴乔夫也认识到苏姆盖特动荡不安，许多人趁火打劫，他同意国防部长下达命令，迅速把军校学员和其他部队派进苏姆盖特。他还协助空运了3000多名警察到那里。他们立即展开行动，到5点钟的时候已控制住了局势。对于“纳—卡”冲突及涉及的两个共和国，戈尔巴乔夫强调要稳定局势，他批评个别领导人卷入此事，“简短地说，现在应该控制住亚美尼亚，以免他们有过激的反应。我们原打算我们派往阿塞拜疆和亚美尼亚的同志能在星期一回来，这样我们可以在星期四交换一下意见，但现在我想，目前他们还得留在那里继续这一工作，而且还要加强。这项工作在亚美尼亚已经完成，但可能不够全面，尤其是在边境地区，因此这项工作也要在这里继续。现在应该把人民群众和社会各界都动员起来。我们现在急需情报，但你就是得不到情报。总有这样或那样的人隐情不报，老是捂着盖着。阿塞拜疆共产党中央和亚美尼亚共产党中央都有个别同志卷入此事，他们不干正事，但是什么都知道。”“他们对这种情绪暗送秋波，并甘当俘虏，现在更是难以自拔。亚美尼亚共产党中央全会支持公开信，但他们却要求成立委员会。他们现在走得太远了，并且还在不断地煽动人民的情绪。这是事实。但我们还是要理解这一点，并像人们所说的，给他们一次机会。我们就做一些让步，改变一下我们对待他们的态度，但一定要保持局势的稳定。”他提出应该采取的措施：一是要大力吸收人民参与局势正常化的进程；二是采取措施解决亚美尼亚和阿塞拜疆之间积累的矛盾，防止内讧蔓延；三是要采取措施加强这两个加盟共和国间的交往。[2]

[1] 沈志华总主编：《苏联历史档案选编》，第30卷，第593—594页。

[2] 同上书，第595—596页。

这次政治局会议决定在苏姆盖特实行宵禁，戈尔巴乔夫强调不能开枪，以防伤到群众。但没有就纳—卡问题作出决议，只是要求把近三年来有关这一问题的信件整理成专辑。戈尔巴乔夫强调："我们在民族事务方面的成就是巨大的，它超过了一切，这是基础，是运用改革和民主化阶段可以解决尖锐问题的基础。很明显，我们就应该这样安排工作，现在就立即结束阿塞拜疆和亚美尼亚的事件，分析其中的原因等等，仔细讨论。如果中央必须通过一项关于卡拉巴赫的决议，那也要等到共和国自己就其社会经济问题请求我们出面时再做。"[1]在亚美尼亚和阿塞拜疆两个加盟共和国就纳—卡地区归属尖锐对立的情况下，苏共中央并没有作出裁决，没有明确的立场，戈尔巴乔夫还幻想两个共和国的领导人能达成协议，能够通过政治手段解决问题。苏共中央更换了两个共和国的领导人，在亚美尼亚，阿鲁秋尼扬取代了杰米尔强，在阿塞拜疆，韦济罗夫取代了巴吉罗夫，但起不了多大作用，因为群众性的民族运动已经渗透到共和国的各级党组织中，对共和国的党政领导形成了压力，听命于莫斯科对他们不利。

1988 年 6 月 14 日，亚美尼亚最高苏维埃同意纳戈尔诺—卡拉巴赫自治州并入亚美尼亚；6 月 17 日，阿塞拜疆最高苏维埃重申，纳戈尔诺—卡拉巴赫自治州仍旧是阿塞拜疆的一部分。纳—卡事件表明，这两个共和国的领导人不仅不阻止民族冲突，而且亲自参加和积极支持本国的民族主义者，这种倾向在其他地方也在发展，"越来越明显的是，各加盟共和国的民族主义运动越来越得到党机关的支持。在苏联解体前，早在别洛韦日协定之前，党就开始依照民族原则解体。"[2]7 月 12 日纳—卡州苏维埃通过决议，从阿塞拜疆分离出来。

苏共中央的政策是不能变更疆界，担心由此引发连锁反应，戈尔巴乔夫强调暴力不能解决民族问题。为了避免冲突演变成武装对抗，苏共中央和最高苏维埃决定自 1988 年 7 月 26 日起，在纳—卡自治州实行中央直接治理，并任命阿尔卡季·沃尔斯基为派驻斯捷潘纳科特的"全权代表"。9 月 18—21 日，纳—卡地区发生阿塞拜疆人和亚美尼亚人的武装冲突，不得不在一些地区实行

[1] 沈志华总主编：《苏联历史档案选编》第 30 卷，第 602 页。

[2] ［俄］鲁·格·皮霍亚著：《苏联政权史（1945—1991）》，第 583 页。

紧急状态。1989 年 11 月，沃尔斯基结束毫无成效的使命返回莫斯科，意味着戈尔巴乔夫政策的失败。

1988 年，亚美尼亚和阿塞拜疆两个民族间的冲突造成了数以万计的难民，从亚美尼亚迁至阿塞拜疆的难民有 16.5 万人，从阿塞拜疆迁至亚美尼亚的有 14 万人。[1] 巴库局势又激化，那里连续举行群众集会，很快蔓延到阿塞拜疆全境，苏联最高苏维埃不得不采取紧急措施，11 月 24 日，宣布在巴库、纳西切万和基罗瓦巴德实行特别治理。1989 年 12 月 31 日至 1991 年 1 月 2 日，纳西切万再次出现大规模的示威游行，1990 年 1 月 13—15 日，一股反亚美尼亚和反俄罗斯的屠杀洪流在巴库出现，有数十人被殴致死，大批亚美尼亚人开始逃亡，"整个共和国到处都是暴行。有 18 个区的政权机构被捣毁，在与伊朗接壤的 200 公里长的边境线上，边防设施被毁坏"。[2]1 月 15 日晚，苏联最高苏维埃主席团讨论巴库的问题，但没有就此问题作出决议，会议决定在纳—卡地区和阿塞拜疆、亚美尼亚的其他一些地区实行紧急状态。巴库的局势继续恶化，许多非阿塞拜疆族人开始逃亡，18 日晚，阿塞拜疆人民阵线宣布在巴库实行紧急状态，市内筑起了街垒，苏维埃和党的机构已不能控制局势，1 月 19 日，苏共中央、最高苏维埃主席团和苏联部长会议颁布《告阿塞拜疆和亚美尼亚人民书》和最高苏维埃主席团关于在巴库实行紧急状态的命令，决定从 20 日零时起在巴库实行紧急状态（一直持续到 1991 年 8 月）。1 月 19 日深夜军队开进巴库，与人民阵线的战斗队发生冲突，83 人死亡，其中有 14 名军人及家属。[3]

纳—卡冲突没有得到及时制止，阿塞拜疆人民阵线逐渐发展壮大，掀起了民族仇恨浪潮，据苏联总理雷日科夫说："在 1988 年，将近 200 万人口的巴库居住着 20 余万亚美尼亚人。这是继埃里温之后亚美尼亚居民人数最多的城市。冲突爆发之前，阿塞拜疆居住着大约 50 万亚美尼亚人。这是亚美尼亚境外该民族与其他民族混居人数最多的地方。可现在只有几千人继续住在巴库，

---

[1] Новейшая история отечества. X X век: Учеб. для студентов вузов. В 2 т. Т.2. Под ред. *А.Ф.Киселева,Э.М.Щагина*. М., 1998. С. 370.

[2] ［俄］米·谢·戈尔巴乔夫著：《戈尔巴乔夫回忆录》上册，第 623 页。

[3] АГФ, Фонд 10, Опись 2. 引自 Союз можно было сохранить. Белая книга. С.125.

主要是与民族通婚的妇女。”[1]

二、第比利斯事件无人负责

格鲁吉亚民族是苏联所有民族中民族特征保持得最完整的民族，这个外高加索民族有着热爱自由的传统，富于反抗精神，“格鲁吉亚族只要觉察到稍有损害它的民族特征，它就最公开、最猛烈地进行反抗。”[2]在苏联成立时，他们曾激烈地反对过斯大林的“自治化”方案，反对过苏联的民族一体化政策。在民主改革的气氛下，格鲁吉亚的民族主义组织发展迅速，1987年末开始成立了各种团体和组织，如“伊里亚・恰夫恰瓦泽协会”、“圣伊利亚真理会”、“格鲁吉亚民族正义联盟”等，还成立了以尚格拉亚、奇亥伊泽和其他文化活动家为首的人民阵线，他们宣传格鲁吉亚是20世纪20年代被布尔什维克占领的，出现了要求格鲁吉亚独立的口号，领导人物有加姆萨胡尔季阿、科斯塔瓦、策图里扬等。1988年11月，第比利斯局势趋于紧张，反对派在政府大楼前举行几千人的集会，要求独立。在第比利斯市检察长和戈尔巴乔夫发出呼吁后局势稳定下来，到11月末停止了集会。这次事件暴露出很多问题，正如格鲁吉亚党中央第二书记尼科利斯基所说：“在极端非常的条件下，苏维埃和党的机关、基层党组织、党的和经济工作的积极分子在劳动群众、居民、青年中的思想工作是软弱无力的。虽然后来也采取了一些措施，但正如事件进程所证明，这些措施是不够的，不彻底的。”[3]

据雷日科夫所言，格鲁吉亚后来局势的恶化与谢瓦尔德纳泽有关，在谢瓦尔德纳泽被戈尔巴乔夫调到中央后，帕季阿什维里任格鲁吉亚党中央第一书记，他在格鲁吉亚进行的反腐败斗争，牵涉一些曾与谢瓦尔德纳泽共事的高官，如格鲁吉亚负责组织工作的书记哈别伊什维利，格鲁吉亚总检察长和库塔伊斯克市党委第一书记自杀，他们都是谢瓦尔德纳泽提拔和重用的干部，案子

[1] ［俄］尼・伊・雷日科夫著：《大国悲剧——苏联解体的前因后果》，徐昌翰等译，新华出版社2008年版，第104页。

[2] ［美］埃莱娜・卡・唐科斯著：《分崩离析的帝国》，第206页。

[3] ［俄］尼・伊・雷日科夫著：《大国悲剧——苏联解体的前因后果》，第50页。

已经牵连到谢瓦尔德纳泽。1988 年 11 月，谢瓦尔德纳泽曾同人民阵线的领袖们会晤，具体谈了什么不清楚，但“事实终归是事实：他们无非是想要动摇格鲁吉亚的局势，赶走帕季阿什维里。而在这个问题上，加姆萨胡尔季阿、科斯塔瓦、策图里扬等人就成了同盟者，严格说来是成了谢瓦尔德纳泽的救星”。[1]

1989 年 4 月，第比利斯事件的导火线是“阿布哈兹问题”，在格鲁吉亚民族主义发展起来后，他们对非格鲁吉亚族进行攻击，1989 年 3 月 18 日，有阿布哈兹州委成员参加的群众集会，通过决议要求把阿布哈兹升格为加盟共和国，阿布哈兹的第一书记在决议上签了字。[2] 格鲁吉亚人对阿布哈兹人的愿望极其不满，从 4 月 4 日起，第比利斯市发生大规模示威，反对阿布哈兹族的要求，但以后运动的矛头从强烈谴责阿布哈兹自治共和国领导人的分离主义，发展成要求民族独立的游行、示威、集会，提出了“格鲁吉亚独立!”“打倒俄罗斯帝国!”规模愈来愈大，几千人在政府大楼前静坐，甚至绝食抗议。

面对群众性集会，格鲁吉亚的领导人显然没有处理这种事件的经验，帕季阿什维里向集会者发表讲话，无人理睬，反对派领导人要求格鲁吉亚独立，要求与中央直接对话，在这种背景下，格鲁吉亚领导人倾向于用强力手段驱散集会者。1989 年 4 月 7 日，帕季阿什维里就第比利斯局势致电苏共中央，在谈了格鲁吉亚的紧张局势后，请求用非常手段解决问题。电报说：“我们认为有必要：1）立即追究那些打着反苏维埃、反社会主义、反党的旗号的极端派分子的刑事和行政责任（对此有法律依据）；2）借助于内务部和荣膺红旗勋章的外高加索军区的补充力量在第比利斯实行特殊制度（宵禁）；3）依靠党、苏维埃、业务部门积极分子的力量采取一系列政治、组织和行政措施以稳定局势；4）制止以联盟和共和国的大众传播手段发表使形势复杂化的报道。第 1、2、4 条请求批准。”[3]

4 月 7 日苏共中央召开会议，当时戈尔巴乔夫在伦敦访问，会议由政治局委员利加乔夫主持，梅德韦杰夫、斯柳尼科夫、切布里科夫，政治局候补委员卢基扬诺夫、拉祖莫夫斯基、亚佐夫，以及克格勃主席克留奇科夫、内务

[1] ［俄］尼·伊·雷日科夫著：《大国悲剧——苏联解体的前因后果》，第 51 页。

[2] АГФ, Фонд 10, Опись 2, Союз можно было сохранить. Белая книга. С.60.

[3] 沈志华总主编：《苏联历史档案选编》，第 30 卷，第 639—640 页。

国防部长亚佐夫

部长特鲁申等参加了会议，会议没有做记录，只是“建议必要时在第比利斯实行宵禁并就此问题向苏共中央委员会提出请求”。[1]会议决定必须给共和国政府以帮助，运用内务部、国防部的军队维护法律秩序，但要求谨慎使用兵力。随后内务部机动部队和高加索军区的野战部队调往第比利斯。[2]

根据事后苏联人民代表大会专门委员会的调查，“在 1989 年 4 月 7 日苏联共产党中央委员会召开会议之后，苏联国防部长亚佐夫大将立即口头命令科切托夫将军和罗季奥诺夫将军赶赴第比利斯市，按照当时形势自己决定如何行动。就在那一天（1989 年 4 月 7 日 16 点 50 分），总参谋长莫伊谢耶夫大将以国防部名义发布命令，派伞兵陆战队前往第比利斯，去警戒一些最重要的目标并在进出第比利斯市的一些主要道路上组织稽查，同时命令第比利斯驻防军三支部队处于完全战备状态。按照苏联内务部副部长什洛夫的命令，还从各地区调来内勤部队小分队和特种警察分队，总人数 2000 余人”。[3]

当日晚上，科切托夫将军和罗季奥诺夫将军抵达第比利斯后会见了格鲁吉亚共产党中央委员会第一书记帕季阿什维里和第二书记尼科利斯基。在这次会见中，格鲁吉亚党的领导人又一次坚决请求实行宵禁，这一点没有得到科切托夫和罗季奥诺夫的同意，他们借口部队数量不足。

苏联最高苏维埃主席团主席戈尔巴乔夫于 1989 年 4 月 7 日晚上 11 时从

[1] АГФ, Фонд 10, Опись 2, Союз можно было сохранить. Белая книга. С.61.

[2] ［俄］尼・伊・雷日科夫著：《大国悲剧——苏联解体的前因后果》，第 57 页。

[3] 沈志华总主编：《苏联历史档案选编》，第 30 卷，第 662—663 页。

国外访问回到莫斯科，了解了格鲁吉亚的情况后，当即建议派谢瓦尔德纳泽和拉祖莫夫斯基前往格鲁吉亚。4 月 8 日，苏联共产党中央委员会召开了讨论格鲁吉亚形势的第二次会议。会议由政治局委员、苏联共产党中央委员会书记切布里科夫主持，出席会议的成员和 1989 年 4 月 7 日相同，利加乔夫休假。出席会议的还有政治局委员谢瓦尔德纳泽和苏联内务部长巴卡京。和前一天晚上一样，会议内容没做记录，且所通过的决议没有用文件形式记录下来。

同一天，收到了帕季阿什维里就第比利斯局势致苏共中央的电报，在这份报告里，帕季阿什维里一方面说第比利斯的形势仍然十分紧张，在政府大楼附近不断举行成千上万人的群众集会，主要口号仍和以前一样："退出苏维埃社会主义共和国联盟，成立独立的格鲁吉亚"；"消灭自治"等等。在阿布哈兹苏维埃社会主义自治共和国内举行了一次有 3000—5000 人参加的格鲁吉亚人的大会，反对将阿布哈兹从格鲁吉亚社会主义共和国划分出来。在一些高等院校中，部分学生为支援参加大会者宣布绝食。但是，电报又说，在总体上，共产党中央委员会、政府和各地方党和苏维埃的机关掌握着局势，正在采取一些稳定形势的必要措施，特别是在第比利斯 111 个企业和机关内建立了维持秩序和加强组织性的工人战斗队，参加人数共 4685 人。和内务部及荣膺红旗勋章的外高加索军区一起制定并正在实行一些保卫法律秩序的措施，目前苏共中央和苏联政府不需要采取另外的补充措施。[1] 有鉴于此，谢瓦尔德纳泽和拉祖莫夫斯基没有去第比利斯。利加乔夫后来认为，谢瓦尔德纳泽没有去格鲁吉亚是错误的，因为按照戈尔巴乔夫的安排，在收到帕季阿什维里这封电报前，谢瓦尔德纳泽应该在第比利斯了，"谢瓦尔德纳泽如果像戈尔巴乔夫提议的那样，于 4 月 8 日早晨去了第比利斯的话，4 月 9 日凌晨的悲剧就不会发生了"。[2]

1989 年 4 月 8 日傍晚，发布了格鲁吉亚苏维埃社会主义共和国部长会议的命令，由部长会议主席奇赫伊泽签署。"根据这一命令，格鲁吉亚苏维埃社会主义共和国内务部在动用内勤部队和苏联军队的军事服务人员情况下采取措施使集会人群离开政府大楼前的广场，这是唯一的一份不是由党的机关，而是

[1] 沈志华总主编：《苏联历史档案选编》，第 30 卷，第 641—642 页。

[2] [俄] 叶·库·利加乔夫著：《警示》，钱乃成等译，第 274 页。

由国家机关通过的有关制止第比利斯市非法群众运动的文件。”[1]4 月 9 日，苏联内务部队发布了关于驱散人群的作战命令，由 3419 部队驱散和清理小组组长巴克拉诺夫中校和参谋长克列伊梅诺夫少校签署，“集会形势急剧复杂无法控制。参加集会的 8000 多人号召罢工，号召公民不要服从政府。他们提出了民族主义和反苏性质的口号，号召推翻格鲁吉亚苏维埃政权，建立共和国临时政府，并要求脱离苏联……部队任务是：与 3219 部队协同，执行驱散参与大规模动乱人员的特殊作战任务，制止反苏、反社会团伙，清理政府办公大厦附近的广场。驱散人群的工作沿鲁斯塔维利大街到共和国广场进行。尔后切断所有通向广场的路段，禁止公民进入广场。根据上级作战首长的决定，采用 17P-73 型装备。禁止对妇女和未成年人使用橡皮棍。为了对人群施加精神影响，驱散小组使用了配备战斗技术装备（БТР-60пб）的装甲输送车。根据上级作战首长的决定，在遇到非常紧急情况时，还给驱散小组配备的消防车上安装了水龙头，但禁止向妇女和未成年人使用水龙头喷射”。“行动计划和部队行动草案由叶菲莫夫将军和格鲁吉亚内务部长戈尔戈泽签署，然后得到罗季奥诺夫将军的批准”。[2]

悲剧事件发生在 4 月 9 日凌晨，根据帕季阿什维里向苏共中央的报告，凌晨 4 时，“使用武力清除政府大楼旁广场上参加集会的群众。按照权威机关预先制定的计划，动用了共和国内务部和外高加索军区小分队的力量”。“内务部和外高加索军区部队的小分队并没有使用枪炮和冷兵器，他们严格遵守关于小心对待妇女和青少年的指令。极端派分子使用棍棒和石头进行疯狂反击，在此情况下前几排的集会参加者不停地向前逼近，于是人群失去控制，朝着已宣布绝食躺在人行道上的青年人冲去。此外，人群中还有不少挑衅者使用了白刃，在一片拥挤中有 16 人丧生（13 个年轻妇女和 3 个男人），100 多人不同程度地受了伤，其中有 22 人是军人(13 人送入医院)。对受伤者给予了急救”。[3]但是,1989 年 12 月 9 日，苏联人代会关于第比利斯事件的决议表明，在用“暴力驱赶”集会参加者时，曾使用了橡胶棒、“特殊物质”——有刺激作用的有

[1] 沈志华总主编:《苏联历史档案选编》第 30 卷，第 662 页。

[2] 同上书，第 643、664 页。

[3] 同上书，第 644、645 页。

毒物质、步兵小铁铲以及有一次还使用了火力器（根据法医鉴定）。另一方面，集会者随着反抗力越来越增加，为反对“驱逐暴力”他们也使用了顺手的工具。[1]“事件的许多参加者：普通老百姓、警察局工作人员和军人都在不同情况、不同程度地受了伤，悲惨的结局是16个集会参加者当场死亡，另有3人很快死在医院中，军人和警察局工作人员都未见死亡。准确确定游行者和军人及警察局工作人员的受伤人数遇到一定困难。但与此同时，委员会掌握足够的材料从整体上来判断4月9日事件中造成的医疗后果。根据格鲁吉亚共和国卫生部的材料，在驱逐行动进行时和行动之后几小时内，前来第比利斯医院就医者共有251人，其中183人住院治疗。之后的一些日子里，需要急救的人数呈波浪形上升（4月13日、21日、27日和5月5日）。总的来说，从4月9日到5月9日这段时间，到各医疗部门就诊的人数总共有3000—4000人。住院治疗的有近500人。到目前为止，登记防治和治疗中的人数有将近1000人。”[2]但是，雷日科夫不同意这个报告，他认为当时使用的“稠李树”和“K-51”属于警用瓦斯，并不是毒气，内务部有权使用这些特殊制剂对付犯罪分子，在这一事件中有251人就医，其中183人住院。在这些事件中有189名军人受伤。16人死在事件现场，3人死在医院。[3]

从格鲁吉亚事件的整个发展进程来看，格鲁吉亚共和国的领导人不善于处理突发事件，如此多的人参加的这种非法群众集会，肯定有深刻的社会根源，一味地迷信用暴力手段解决自然不会有好效果。在处理这一事件中也暴露出苏联体制存在的根本性问题，是政府还是党中央应该承担职责，说不清，雷日科夫抱怨身为部长会议主席，完全被排除在事件之外。第比利斯事件在苏联国内外引起了强烈反响，运用武装力量解决社会群体性事件并造成伤亡，遭到一致谴责，对此，领导人之间相互指责和推诿，无人承担责任，矛头指向了军队。

戈尔巴乔夫在回忆录中谈到第比利斯事件时说：“那里的非正式团体从1989年4月4日起在政府大厦前连日举行未经批准的集会，打出的口号是‘格

---

[1] 沈志华总主编：《苏联历史档案选编》，第30卷，第670页。

[2] 同上书，第670—671页。

[3] ［俄］尼·伊·雷日科夫著：《大国悲剧——苏联解体的前因后果》，第72页。

鲁吉亚要独立！’‘打倒俄罗斯帝国！’地方领导人认为采用政治方法以及与人们直接开展对话是软弱的表现（当时许多‘老一辈’干部都有这毛病），还是采用武力为好。4 月 7 日，他们建议第比利斯实行紧急状态。在当天的苏共中央的会议上（叶·库·利加乔夫、维·米·切布里科夫以及其他人员参加）决定派军队到那里去。但这并不是想使用武力，当时认为只要士兵一出现局势就会正常。”[1]

谢瓦尔德纳泽认为利加乔夫应该为这一悲剧负主要责任，利加乔夫则认为谢瓦尔德纳泽没有去格鲁吉亚调节冲突，应该对此负责，戈尔巴乔夫并非不知情，他同意了书记处会议的决定。戈尔巴乔夫认为书记处也没有决定使用武力。他在回忆录中认为，这是亚佐夫擅自决定的，是他赞同外高加索军区司令罗季奥诺夫采取行动。[2] 雷日科夫认为党中央采取了不一致的立场，诿过于人，“在那些日子里，政治局始终没有开过全体会议。只是几位政治局成员碰头研究一下局势。苏联部长会议根本没有被吸收参与此事”。[3] 按常理，第比利斯事件应该由政府来处理，但是作为政府首脑的雷日科夫并不清楚此事。政治领导人谁都不准备承担责任，这引起了民众对党和国家领导人的不信任。维尼科夫在《自由的代价》一书中写道：“从这时起对党的态度开始迅速改变，如果说迄今为止人民还真诚地相信戈尔巴乔夫能使党摆脱‘坏的首长’，那么现在已经清楚，事情不在于党的官僚机关，而在于党本身。”[4]

政府和军界领导人之间的关系受到了损害，军界领导人认为国家领导人不公正地将政治家挑起的危机的责任转嫁到军队身上。在第一届苏联人代会上，代表们指责军队，戈尔巴乔夫没有勇气出来承担责任，博尔金曾向戈尔巴乔夫提出建议：“您可以把全部责任承担下来。您的下属受践踏，这也不是好事。即使人们认为您对发生的事情一无所知，这仍然会影响您的总书记、武装

[1] ［俄］米哈伊尔·戈尔巴乔夫著：《对过去与未来的思考》，第 115 页。

[2] 同上书，第 116 页。

[3] ［俄］尼·伊·雷日科夫著：《大国悲剧——苏联解体的前因后果》，第 63 页。

[4] *Виников А.Я.* Цена свободы. См. *Кацва Л. А.* История России. Советский период (1917–1991) . http://it-n.ru.

力量总司令、国防委员会主席的形象。可能是下属使您不明真相。无论他们是坏人还是好人，是不中用的指挥员还是精明能干的，他们都是您任命的，不能让他们去遭受别人的感情侮辱。至于是什么人具体过错，以后再查。这样的话人们就会看到您的勇气、正直和高尚气度，从而信任您。您会使无辜的士兵免受攻击并保卫军队。”[1] 但是，戈尔巴乔夫没有承担责任，军人自然对他不满。这样的结果，使军队不愿再承担替人挨打的角色，很难在维护国家统一中起作用。

第比利斯非法群众集会的组织者并没有受到处罚，在苏联人代会专门委员会的报告中也承认：“政府大楼前非法群众集会的组织者（采列捷利、加姆萨胡尔季阿、策图里扬和非正式组织的一些其他领导人）应该为自己的行为负刑事、政治和道义上的责任，这些人在集会过程中破坏了各种社会秩序，号召群众不执行政府当局的合理要求，这样，也就没有试图阻止事件的悲惨结局发生。”[2] 无论是格鲁吉亚，还是联盟方面，都没有对这些人进行惩处，他们后来成为促使格鲁吉亚独立的重要力量。在第比利斯事件后，有一封由 60 人签名的信送交苏共中央，信中提出了同样的问题：“从去年秋天起该市居民，其中包括我们——军官、超期服役的准尉、工人和职员、外高加索军区军人家属都是煽起具有反社会主义和反俄罗斯的民族主义情绪的亲眼目睹者。我们不明白，为什么在苏维埃政权存在 70 年的这个加盟共和国的境内充满极端民族主义情绪的分子能够任意活动，不受惩罚，公然号召推翻社会主义制度，迫害共产党员，把外国军队引入加盟共和国的领土。加盟共和国政府不是采取果断的措施及时制止类似行动，而是去巴结一些青年大学生和一些知识界的小团体。我们认为，还是这种立场导致了悲惨的第比利斯四月事件。”[3]

4 月 12 日，格鲁吉亚广播和电视发布了戈尔巴乔夫告格鲁吉亚共产党员和全体劳动者书，他对第比利斯发生的事件表示痛心，他表示“相信共和国的共产党员和劳动者，能够考虑格鲁吉亚人民的人文传统，表现出理性、健康的

[1] ［俄］瓦·博尔金著：《戈尔巴乔夫沉浮录》，第 329 页。

[2] 沈志华总主编：《苏联历史档案选编》第 30 卷，第 675—676 页。

[3] 同上书，第 522 页。

思维和高度的责任心，保卫改革、我们的社会主义的共同价值，我们的兄弟情感和友谊。同志们，格鲁吉亚恢复平静取决于你们。"[1]戈尔巴乔夫除了相信格鲁吉亚人的理智之外没提出什么切实可行的措施，4 月 14 日，在格鲁吉亚共产党中央全会上帕季阿什维里、奇赫伊泽和切尔科吉亚被解除职务，贡巴里泽当选为格共中央第一书记。

第比利斯事件的悲剧性后果在苏联国内引起巨大反响，掀起了反对中央政府使用武力的浪潮。在 4 月 20 日召开的政治局会议上，戈尔巴乔夫谈到了军队的作用，他告知国防部长亚佐夫：从今以后没有政治局的决定，军队不得干预类似事项。[2]1989 年 5 月 11 日，戈尔巴乔夫在讨论波罗的海三国的政治局会议上说，"不得动用武力。在对外政策中已经放弃使用武力，那么在对待本国人民时就更不能求助武力了。"[3] 这就无异于告诉高加索的极端民族主义分子"今后中央绝对不会使用武力"。[4] 第比利斯事件使政府很难再次考虑使用军事力量惩办闹事的共和国，民族分离主义分子可以肆无忌惮了。

格鲁吉亚的民族主义势力继续发展，1989 年 6 月，建立了人民阵线，11 月 17—19 日，格鲁吉亚最高苏维埃修改宪法，确认共和国在其境内拥有土地、矿藏、河流、森林及其他自然资源的所有权；保留自由退出苏联的权利；若苏联的法律、法令不符合格的利益，格则停止这些法律、法令在境内的效力。1990 年 3 月 16 日，格鲁吉亚最高苏维埃通过保证共和国主权的法令，第一个宣布 1921 年协议和 1922 年联盟条约作废。1990 年 10 月底，在格鲁吉亚最高苏维埃选举中，格共受挫，反对党联盟"自由格鲁吉亚—圆桌会议"获胜。此后，组成新议会。"圆桌会议"领导人兹·加姆萨胡尔季阿（此人是语言学家和历史学家）出任最高苏维埃主席。新议会宣布删去了格宪法中"社会主义"、"共产主义"、"苏联"等有关条款，取消了国名中的"苏维埃"和"社会主义"字样，规定格鲁吉亚共和国法律高于苏联法律，并升起了 1921 年以前的黑、

[1] Союз можно было сохранить. Белая книга. С.63.

[2] Союз можно было сохранить. Белая книга. С.65.

[3] Союз можно было сохранить. Белая книга. С.70.

[4] ［俄］安德烈·格拉乔夫著：《戈尔巴乔夫之谜》，第 226 页。

白、深红三色旗。1990 年 12 月 8 日，格共二十八大宣布脱离苏共，其目标是使格鲁吉亚脱离联盟。

加姆萨胡尔季阿领导的非共产党政府竭力推动格鲁吉亚独立，他们不是从经济或者提高人民的生活来考虑问题，而是从民族主义出发考虑问题，1991 年 4 月 1 日，就是否应该以 1918 年 5 月 26 日制定的独立法为基础恢复国家独立进行全民公决，根据官方数据，340 万格鲁吉亚公民中有 90.53% 的人参与投票，其中 98.93% 的人投了赞成票。[1]1991 年 4 月 9 日，在格鲁吉亚议会非常会议上通过了国家独立宣言。宣言强调指出，“格鲁吉亚主权共和国的领土是统一和不可分割的”，并决定设立总统职位。同年 5 月 26 日，加姆萨胡尔季阿当选为格鲁吉亚总统。8 月 9 日，议会通过了《国营企业私有制法》，走上了独立改革的道路。在苏联解体前，格鲁吉亚已经脱离了联盟中央，事实上独立了。

三、受害民族返回家园的问题难以解决

被迫迁移的民族难以返回家园，这是斯大林民族迫害政策留下的后遗症。第二次世界大战前后，鞑靼人、日耳曼人、卡尔梅克人、车臣人、印古什人、卡拉恰耶夫人、巴尔卡尔人等，被强迫迁出祖居地。接受这些受害少数民族的哈萨克斯坦领导人说：“对主要居住在苏联边境地区一些民族的全体人民开始进行残酷的镇压。他们被不分青红皂白地指控为带有‘卖国情绪’。爱好和平的人们，大多为老弱妇孺，被紧急地（甚至不让他们收拾个人用品）装进运牲口的车厢遣送到我们的草原。仅在运转期间就有数万被驱逐出境的人由于冻饿或患病死去。当时被强行迁到哈萨克斯坦的有 1.85 万户远东朝鲜人（保存下来的统计资料中只有户数）、近 80 万伏尔加河沿岸的日耳曼人、来自苏联西部的 10.2 万波兰人以及 50.7 万北高加索居民。克里木鞑靼人、麦斯赫特土耳其人、希腊人、卡尔梅克人以及苏联的其他一些民族也遭到放逐哈萨克斯坦这样的厄运。”[2]赫鲁晓夫时期为受害民族恢复了名誉，一些民族返回了祖

[1] ［美］尼古拉·梁赞诺夫斯基、马克·斯坦伯格著：《俄罗斯史》，杨烨等译，上海人民出版社 2007 年版，第 581 页。

[2] ［哈］努·纳扎尔巴耶夫著：《时代、命运、个人》，第 127 页。

居地，但还有一些民族未能返回，其中包括克里木鞑靼人和伏尔加河沿岸的日耳曼人。

1987 年，民族主义活动接连不断，但还未形成规模，组织程度也不高。克里木鞑靼人要求重返克里木，其人数有 35 万人，1987 年夏天，数以千计的克里木鞑靼人要求获准回到克里木，他们打着"无家园，毋宁死"的标语走在莫斯科街头，在中央委员会大楼对面的花园中安营扎寨，戈尔巴乔夫承认他们的权利，但又无法满足他们的要求，因为 50 多年过去了，克里木已经发生了变化，鞑靼人被斯大林驱逐后留下的空白已经被俄罗斯人和乌克兰人所填补了。实际上关键在于乌克兰，在鞑靼人被迁出之时，这里属于俄罗斯联邦，但 1954 年赫鲁晓夫把这一地区划给了乌克兰，"鞑靼人被禁止进入克里木，甚至不许他们来这里旅游疗养。这里的学校也不招收他们。"[1] 乌克兰排斥鞑靼人的政策妨碍着克里木鞑靼人的回归。

"早已'冻结'的民族冲突和受迫害民族的痛苦遭遇就这样闯入了国家的政治生活，以自己的方式重新安排改革的日程，打乱了戈尔巴乔夫为改革规定的进度表。"[2]1987 年 7 月 9 日，政治局召开会议，讨论鞑靼人重返克里木的问题，戈尔巴乔夫认为恢复克里木自治体的想法是不现实的，应该从实际出发，他表示"应当在乌兹别克斯坦为鞑靼人创造丰富多彩的生活条件，给他们以关怀。那些已经抵达克里木的，就让住在那里好了。而且也要给予帮助。但要做鞑靼人的工作，要他们不再往克里木迁移。要号召人们从实际出发。"[3] 会议决定成立一个专门委员会研究解决这一问题，其成员有葛罗米柯、谢尔比茨基、沃罗特尼科夫、乌斯曼霍贾耶夫、杰米契夫、切布里科夫、卢基扬诺夫、拉祖莫夫斯基、雅科夫列夫。委员会与乌克兰领导决定让一部分鞑靼人返回克里木，但问题并没有解决，直到 1989 年全部鞑靼人才获得了返回克里木的权利，但不恢复克里木鞑靼自治共和国的地位。如果居住在哈萨克斯坦和中亚其他共和国的克里木鞑靼人被准许回到克里木，中央要求乌克兰领导人解决这一

[1] [俄] 菲·博布科夫著：《克格勃与政权——克格勃第一副主席的回忆》，王仲宣译，东方出版社 2008 年版，第 283 页。

[2] [俄] 安德烈·格拉乔夫著：《戈尔巴乔夫之谜》，第 221 页。

[3] [俄] 米哈伊尔·戈尔巴乔夫著：《对过去与未来的思考》，第 110 页。

问题，但他们提出要求移民迁出的共和国付给乌克兰一笔补偿费，足够移民修建住房和发给交通费用，但是哈萨克斯坦坚决反对。纳扎尔巴耶夫认为，“哈萨克斯坦给这些人提供了安身之地，提供住房和工作，又没有提出将他们强制迁出的问题，有什么理由应该支付补偿费呢？恰恰是中央应当筹措经费来安置回乡的人。”[1]

鞑靼人问题没解决，日耳曼人的问题又出现了。1988 年 2 月 28 日政治局会议上，雅科夫列夫谈到了日耳曼人的问题。日耳曼族人是在叶卡捷琳娜二世时期开始在这里定居下来的，在 100 多年的时间里，他们享有免服兵役的权利，在亚历山大二世时代这一特权被取消了。卫国战争前夕，斯大林将居住在苏联西部地区的日耳曼人、波兰人等集体强迫迁往东部地区。60 多万日耳曼人被强迫迁到库伦达大草原上，它在苏联西西伯利亚的南部，面积约 10 万平方公里，平均海拔高度在 100—250 米。境内有苦咸水湖库伦达湖，蕴藏芒硝。

一部分日耳曼人要求恢复伏尔加河区日耳曼自治共和国，他曾存在于萨拉托夫州境内。纳扎尔巴耶夫回忆说：“为放逐到哈萨克斯坦的伏尔加河区日耳曼人恢复政治名誉和公正的问题，我不得不进行无数次的谈判。事情的复杂性在于他们当中的一部分人开始了恢复伏尔加河区日耳曼人共和国的斗争，战前该共和国一直存在于俄罗斯现萨拉托夫州境内。另一部分人怀疑这一想法的现实性，便要求我们协助他们尽快移居德国。还有第三部分人，他们对生活的看法更现实一些。他们要求国家帮助他们复兴传统、语言、文化，同历史上的祖国建立更密切的文教和业务联系。”[2]

乌兹别克斯坦的费尔干纳悲剧性事件，使居住在这里的麦斯赫特土耳其人深受其害。1944 年 11 月，斯大林把居住在格鲁吉亚麦斯赫特区的全部 220 个居民点的 10 多万人迁走，到 1989 年居住在乌兹别克斯坦的麦斯赫特土耳其人有 6 万，其中有 1.2 万人生活在费尔干纳河谷地带。1989 年 5 月 23 日，一场由市场上一盘浆果而发生的斗殴，引发了种族仇杀，乌兹别克斯坦的小青年们煽动说麦斯赫特土耳其人占据了主要职位，排挤了乌兹别克人，杀害他们的孩子，强暴他们的妇女，到 6 月 3—4 日，集中了 3000 多名暴徒，打砸抢烧，

[1] ［哈］努·纳扎尔巴耶夫著：《时代、命运、个人》，第 135 页。

[2] 同上书，第 136 页。

6月4日晚上8时，内务部队出面干预，事态才平息下来。据目击者说："从空中可以看到城市、集镇和村庄中的房屋燃烧的熊熊烈焰，有时整个街区都陷入火海。州中心费尔干纳全城到处显露出刚刚经过大火焚烧的斑斑痕迹。"[1]据乌兹别克斯坦党中央委员会估计，"费尔干纳事件的结果，死亡103人，致伤致残1011人，焚毁和抢劫住宅757所、国家目标27处。"[2]6月14日，雷日科夫对此事的总结中说："烧毁的房屋有数千座，到当天为止，共发现尸体106具……以前多人受到人身伤害，其中约150人为军人。失踪者为数百人（其中有的在发现时已被悄悄掩埋）……到1989年7月1日止，迁出费尔干纳州的人数达到2.1万人，其中1.6万人是麦斯赫特土耳其人。"[3]

受第比利斯事件的影响，在当地爆发这种暴力事件时，军队迟迟没有行动，政治领导人也一再拖延，造成了更大的牺牲。在这次事件中有12人因犯谋杀罪被惩处。费尔干纳事件破坏了麦斯赫特土耳其人与乌兹别克人之间的民族关系，麦斯赫特土耳其人要求返回格鲁吉亚，但格鲁吉亚很难安置他们，因为他们曾经生活的地方早被格鲁吉亚人占据了，苏联政府不得不把1.5万麦斯赫特土耳其人分送到俄罗斯的三个州进行临时安置。

发生费尔干纳事件的背景也是极端民族主义情绪的兴起，在乌兹别克斯坦出现了民族主义情绪的组织，他们提出的口号是"乌兹别克斯坦是乌兹别克人的乌兹别克斯坦",1988年12月，在塔什干成千上万的人参加的群众大会上，有人打出了"让俄国佬滚回俄国去，让鞑靼人滚回克里木!"的标语牌，类似的事件在安集延也有，还出现了极端宗教组织，要求建立独立的伊斯兰共和国，有人公开制造武器。[4]

苏联错综复杂的民族关系和不恰当的民族政策，在1990年夏天又酿成了吉尔吉斯斯坦的奥什州的族际冲突。奥什州是多民族聚居区，较大的民族有吉尔吉斯族占60%，乌兹别克族占26%，俄罗斯族占6%，由于生产方式的不同，

---

[1] *Ардаев В.* Фергана: BBC Москва. 2005. 13 мая. См. *Гайдар Е.Т.* Гибель империи. Уроки для современной России. 2-е изд.М., РОССПЭН, 2007. С.303.

[2] Известия ЦК КПСС.1989. №10. С. 95.

[3] ［俄］尼·伊·雷日科夫著：《大国悲剧——苏联解体的前因后果》，第84页。

[4] 同上书，第87—88页。

前者大多生活在山区，后两者生活在城市和中心地区，这里工业较发达，俄罗斯族在工业中多任领导，乌兹别克人从事农业，吉尔吉斯人从事畜牧业。在行政机构中，吉尔吉斯人占有绝对优势，“1990年，在奥什州各区和各城镇的25个共产党领导人当中，只有一个是乌兹别克族，由他代表人口在该州共有50万人的少数民族乌兹别克族。奥什州的苏维埃行政机构由吉尔吉斯族主导（其中，吉尔吉斯族占66.6%、俄罗斯族占13.7%、乌兹别克族占5.8%），这些吉尔吉斯族实际上把持了当地政府的大多数高职位（在各部门和委员会主任中，有吉尔吉斯族18人，俄罗斯族仅有2人，乌兹别克族仅1人）。”[1] 改革带来的经济困难和选举制对原体制的冲击，引发了这里族际关系的紧张。1990年6月4—10日，爆发了群众性暴乱和社区之间的敌对冲突，导致120名乌兹别克族人、50名吉尔吉斯族人和1名俄罗斯族人死亡。[2] 不得不在此实行紧急状态，派驻军队才平息了事态。事后犯罪分子被送上法庭，接受审判并受到应有惩处。

四、波罗的海三国：独立倾向日益强烈

波罗的海三国的国际法地位特点与苏联其他加盟共和国是不同的，他们是在1939年苏德互不侵犯条约的基础上于1940年被苏联吞并的，但美国和其他西方国家始终不予承认。波罗的海三国人民对苏共推行的俄罗斯化政策不满，特别是拉脱维亚人和爱沙尼亚人，他们觉得自己在变成少数民族，如拉脱维亚，本民族人口占共和国人口的比例从1936年的75.5%下降到1970年的56.8%；爱沙尼亚，本民族人口占共和国人口的比例则相应从87.7%下降到68.2%。[3]1989年，在爱沙尼亚境内，爱沙尼亚人的比例减少到了61.5%，拉脱维亚人在拉脱维亚境内只占52%，只有立陶宛较好地保持了本民族的优势，

[1] ［俄］瓦列里·季什科夫著：《苏联及其解体后的族性、民族主义及冲突——炽热的头脑》，姜德顺译，中央民族大学出版社2009年版，第255—256页。

[2] 同上书，第257页。

[3] 新华社国际部编：《苏联波罗的海三个共和国民族问题资料》，1972年8月，第58—59页。

占 79.6%。[1] 由于波罗的海三国居民生活水平高于苏联其他地区，向这一地区的移民也多于其他地区。1986 年，移民所占比例在俄罗斯联邦每千人为 1.7 人，立陶宛为 3.9 人，拉脱维亚和爱沙尼亚是 5.9 人。1987 年移民数创了 20 年来的纪录，移民所占比例在立陶宛每千人为 7.1 人，拉脱维亚为 4.5 人，爱沙尼亚达到 5.1 人，而俄罗斯联邦只有 1.4 人。[2] 当地居民的比重在相应降低。在拉脱维亚俄罗斯族人的比重从 1959 年的 26.6% 上升到 1989 年的 34%；在爱沙尼亚俄罗斯族人的比重从 20.1% 上升到 26.3%；在立陶宛俄罗斯族人则从 8.5% 升至 9.4%。与此同时，白俄罗斯人、乌克兰人等其他民族移民的比例也在上升。[3] 这种民族成分的变化引起了本地民族的不满。

1987 年以前，波罗的海三国主要是要求把本民族语言变成国语，在共和国实行双语制。从 1987 年年中开始，波罗的海的民族运动进入第二阶段，开始为夺取权力进行公开斗争。1987 年 8 月，正值苏德互不侵犯条约签订的周年纪念，波罗的海三国要求公布这个条约的秘密议定书，为大批被驱逐出境的受害者恢复名誉。1987 年确定 11 月 18 日（1918 年 11 月 18 日是拉脱维亚独立的日子）为民族节日，数以千计的群众不顾当局的警告上街游行，向里加的自由纪念碑献花。1988 年 2 月 16 日，立陶宛独立 70 周年纪念也发生了类似事件。

代表民族主义情绪的运动和组织也开始发展起来，1988 年 6 月，立陶宛的激进民族团体“萨尤季斯”成立，其成员有 35 人，其中 17 人是共产党的代表，其宗旨是推进戈尔巴乔夫的改革。但“萨尤季斯”越来越具有群众性，在全立陶宛建立了网络，到 1988 年秋，参加这一运动的成员发展到 18 万人，成了立陶宛共和国最受欢迎的群众性的运动。1988 年 11 月，开始出版其第一张报纸《萨尤季斯》和《复活》。“萨尤季斯”在 1988 年 6 月 24 日和 7 月 6 日组织了两次群众集会，提出的口号支持改革和民族文化自治。在 7 月的集会上第

---

[1] Хрестоматия по отечественной истории(1946–1995). Под ред. *А.Ф. Киселева, Э.М. Щагина.* М., ВЛАДОС, 1996, С.346.

[2] *Шедрин А.Ю.* Прибалтийский сепаратизм в истории разрушения СССР. См.: Российское государство и общество. XX век. М., Изд-во Моск.ун-та.1999. С.291.

[3] *Шедрин А.Ю.* Прибалтийский сепаратизм в истории разрушения СССР. См.: Российское государство и общество. XX век. М., Изд-во Моск.ун-та.1999. С.291.

一次唱起了战前的国歌，打出了三色立陶宛旗。[1]“萨尤季斯”要求进行政治体制改革，实行更多的社会民主、独立自主、社会公平，要求知道历史真相。8 月 23 日，苏德互不侵犯条约签订周年纪念日，他们在维尔纽斯举行万人大会，说明这一运动得到了广泛的支持。会上打出了“让俄国佬滚回去!”的口号。立陶宛共产党中央委员会发生分裂，持保守立场的松盖拉等一派对改革不热心，布拉藻斯卡斯这一派认为必须进行改革。反对改革者企图阻止他们举行的未经批准的群众大会，但遭到攻击，共和国的政权因此出现危机。1988 年 9 月，“萨尤季斯”公开表示不同意立陶宛共产党的政策，要求松盖拉辞职。10 月 20 日，立陶宛共产党中央委员会选举布拉藻斯卡斯为第一书记，松盖拉被撤职。1988 年 10 月 22—23 日，“萨尤季斯”召开成立大会，苏联许多加盟共和国和城市的代表参加了大会，在其决议中提出“立陶宛苏维埃社会主义共和国的主权应该包括：支配经济的一切部门、经济、政治、预算编制以及财政、信贷、贸易、税收和海关的政策。[2] 许多经济学家发表著述，要求给予共和国以经济主权，使共和国的经济摆脱联盟的行政命令体制，其中一种观点认为共和国经济是苏联经济体不可分割的一部分，应该从族际关系原则出发解决问题；另一种观点则相反，试图证明存在共和国经济的民族基础，这种经济只是暂时丧失了，但完全可能“人为地”建立起共和国的生产综合体，其基础是农业、林业、食品工作，以及轻工领域的某些部门、港口和渔业。[3] 戈尔巴乔夫把这一组织看成是支持改革的力量，对其民族主义倾向估计不足。不久，立陶宛出现了与之相对立的国际主义者的“统一运动”，要求民族平等，使用俄语和立陶宛语两种语言作为官方语言，但得不到立陶宛共产党的支持。[4]

自 1988 年 10 月以来，爱沙尼亚和拉脱维亚也出现了许多非官方的组织和人民阵线。波罗的海三国的最高苏维埃宣布本民族语言为官方语言，当时还

[1] *Кретинин Г.В.Баторшина И.А.*Восстановление литовской государстности на рубеже 1980-х – 1990-х гг.//Вопросы истории.2010.№7.С.114、115.

[2] Союз можно было сохранить. Белая книга. С.45.

[3] *Шедрин А.Ю.* Прибалтийский сепаратизм в истории разрушения СССР. См.: Российское государство и общество. XX век. М., Изд-во Моск.ун-та.1999. С.273.

[4] ［俄］尼・伊・雷日科夫著：《大国悲剧——苏联解体的前因后果》，第 116 页。

没有提出退出苏联的问题。爱沙尼亚最高苏维埃在1988年11月16日第八次会议上通过了爱沙尼亚主权宣言，宣布在爱沙尼亚共和国内，其最高权力机关和机构的法律优先。[1]1989年5月和7月，立陶宛和拉脱维亚也都通过了类似的宣言和法律。这种做法明显违背了现行苏联宪法。

与此同时，三个共和国在经济上也开始疏远联盟，1988年，爱沙尼亚没有完成向联盟的交售义务，肉差13%，奶差5%。1989年爱沙尼亚应该提供74000吨肉，实际只提供59600吨，应该提供555000吨奶，实际只提供474000吨，提供的禽蛋也相应减少。这一年拉脱维亚向联盟提供的肉奶也减少了，未完成供肉26400吨，占计划的29%，奶76000吨，占计划的11%。立陶宛提供得更少，未完成供肉169200吨，相当于计划的86.3%。[2]

此时，波罗的海三国并没有提出政治独立，要求联盟进行非集中化改革，给予共和国相应的权益，“根据波罗的海沿岸三国的倡议，苏联最高苏维埃于1988年11月成立了一个有关中央和各加盟共和国权利和权力分配的委员会(塔拉塞维奇委员会)，由该委员会提出了一个新联盟条约的设想……到1989年初，苏联已呈现出一片大好的社会政治形势，不管是向市场的过渡，还是发展联邦制国家，形势都极为有利。当时波罗的海沿岸三个共和国所坚持的新联盟条约的签署，不仅有利于实行已经到来的政治和经济政策，而且也有利于保全一个统一的国家。”[3]但是，联盟中央并没有抓住机会，没有及时更新联盟。

在1989年3月举行的人代会选举中，“萨尤季斯”得到了立陶宛所得到的41个名额中的34个。在1989年5月第一次人民代表大会上，波罗的海沿岸各共和国代表团坚决主张实行共和国经济核算制，拟定了共和国经济独立草案，他们还坚决要求调查苏德互不侵犯条约的签订情况，并对该条约的后果进行评估。1989年中期，“萨尤季斯”事实上获得了共和国的政权后，逐渐变成

---

[1] *Шедрин А.Ю.* Прибалтийский сепаратизм в истории разрушения СССР. См. Российское государство и общество. XX век. М., Изд-во Моск.ун-та.1999. С.276.

[2] *Шедрин А.Ю.* Прибалтийский сепаратизм в истории разрушения СССР. См. Российское государство и общество. XX век. М., Изд-во Моск.ун-та.1999. С.279.

[3] ［俄］列·希·西蒙尼亚：《波罗的海国家与苏联的解体》，载《国外社会科学文摘》2003年第7期。

了主张国家脱离苏联的力量。拉脱维亚人民阵线到 1989 年 3 月发展到 23 万人（全共和国人口才 260 万），共产党员约占其成员的 30%，但起主要作用的是非党人士和普通党员，开始提出的要求是拉脱维亚人应该成为自己土地的主人，后来逐渐要求结束苏联的占领，应该脱离苏联而独立。

从 1989 年秋天开始，波罗的海三国的民族运动进入了一个新阶段，发展为政治分离运动。1989 年 8 月 23 日，苏德互不侵犯条约签订 50 周年，"萨尤季斯"组织了名为"波罗的海之路"的政治活动，三国居民组成几百公里的"波罗的海人链"把三国的首都连接起来，三国有 1/5 的居民走上街头，"几乎所有的普通劳动者都不接受斯大林于 1939 年强加的这个强制性的联盟，渴望独立。结果，在这种情况下民主已从戈尔巴乔夫保证国家统一的同盟者变成了敌人。改革首倡者面临一个两难的抉择：要么是可保证群众自由发表意见的民主的深入，要么是保住联盟。"[1] 戈尔巴乔夫选择了民主。1989 年 8 月 3 日，立陶宛最高苏维埃通过选举法和移民法，11 月通过入境法，包括在边境设立检查站对所有入境者进行登记。[2] 戈尔巴乔夫起初否认存在苏德互不侵犯条约的秘密议定书，但又在苏联第一届人代会上设立了以雅科夫列夫为主席的调查委员会。1989 年 12 月，雅科夫列夫作为苏共中央国际政策问题委员会主席在第二届苏联人代会上作了关于对 1939 年缔结苏德互不侵犯（莫洛托夫—里宾特洛甫）条约时的情况和法律后果的总结报告，这是苏联第一次承认苏德条约还有瓜分东欧和波罗的海三国的秘密附加协定，人代会就此作出决议："苏联人民代表大会谴责 1939 年 8 月 23 日签订《秘密补充议定书》的事实以及与德国签订的其他秘密协议。大会认定秘密协议自签订之时起在法律上无效，不具有约束力。这些议定书并不能为苏联同第三国的相互关系构建新的法律基础，但却被斯大林和他周围的人用来向其他国家提出最后通牒或施加压力，以破坏对它们的法律义务。"[3] 这样一个决议，证明了苏联对波罗的海三国的占领不合法，无异于鼓励波罗的海三国从苏联分离出去。

---

[1]　[俄] 安德烈·格拉乔夫著：《戈尔巴乔夫之谜》，第 233 页。

[2]　*Шедрин А.Ю.* Прибалтийский сепаратизм в истории разрушения СССР. См. Российское государство и общество. XX век. М., Изд-во Моск.ун-та.1999. С.276–277.

[3]　[俄] 尼·伊·雷日科夫著：《大国悲剧——苏联解体的前因后果》，第 122 页。

面对日益严重的波罗的海三国分离运动，联盟中央仍想用压制的办法解决问题。“在 1989 年 8 月底，中央级报纸上就曾刊登过苏共中央的一篇声明：《关于波罗的海沿岸共和国的状况》，其内容和语言都因袭了停滞时期的风格，对波罗的海沿岸地区的所有政治力量无一例外地给予了否定的评价，包括三个共和国的政府和党的领导、人民运动的领导人以及各种不同派别的社会团体。莫斯科的这份文件没有征求加盟共和国党的领导人的同意，因而在波罗的海沿岸地区引起了普遍的不满和愤慨。”[1]1989 年 9 月 13 日，戈尔巴乔夫与波罗的海三国领导人举行会晤，表示“我们完全有可能在保留但改革的联邦、保障党的统一和不分民族的所有人完全平等的条件下，讨论和解决有关共和国的所有问题。”[2] 戈尔巴乔夫指望三国领导人能够制止民族分离主义和极端行为，但是，三国强烈的独立情绪推动其领导人迎合民众，立陶宛共产党提出要召开第二十次代表大会讨论党的方针。11 月 16 日，苏共中央政治局把立陶宛领导人叫到莫斯科，说服他们不要脱离苏共。12 月 3 日，戈尔巴乔夫发布告立陶宛共产党员的呼吁书，核心思想是呼吁团结，反对分裂，“在苏联范围之外重建独立国家和在这种前景下成立独立于苏共之外的共和国共产党，将会把立陶宛真正发展的成果、他在苏维埃政权年代所取得的经济和文化成果一笔勾销。这样做将会使战后欧洲大厦，即和平大厦的重要支柱发生动摇。”“分开走，没有出路！只有共同前进才能走向人道、民主、繁荣的社会。”[3] 但这些都没有起作用，12 月 19—20 日，立陶宛共产党二十大宣布该党脱离苏共而独立，投赞成票者有 855 人，反对者有 160 人。几天后，不赞成立陶宛独立的 135 人召开了自己的代表会议，表明立陶宛共产党已经分裂成两个共产党，一个是布拉藻斯卡斯领导的独立的共产党，另一个是布罗基亚维丘斯领导的形式上接受苏共领导的立陶宛共产党。分裂后的立陶宛共产党人数从 20 万下降至 5.5 万人，1990 年在改组后只剩下 3.3 万人，1990 年 10 月改名为立陶宛劳

---

[1] ［俄］列·希·西蒙尼亚：《波罗的海国家与苏联的解体》，载《国外社会科学文摘》2003 年第 7 期。

[2] Союз можно было сохранить. Белая книга. С.91.

[3] Союз можно было сохранить. Белая книга. С.105,106.

动民主党。[1]

立陶宛共产党脱离苏共的行为威胁到了苏共的统一，苏共开始解体，只剩苏维埃组织还是统一的。对于立陶宛的分裂行为，戈尔巴乔夫不主张采取强硬措施，他相信他们会听从理智的召唤。

1990 年 1 月，立陶宛共产党决定脱离苏共而召开非常中央全会，1 月 11 日，戈尔巴乔夫携夫人到立陶宛，同各方人士进行接触，苦口婆心地劝说他们留在联盟内，“分离会损害各族人民的利益。独立自主、重新划分权限、非集中化都是对的。但是要保留合作和相互配合。批评联邦制没有意义，这一制度在我国从来没有过，我们至今一直生活在单一制的国家中。让我们先在现在的联邦制中生活吧，以后再确定去向。我们可借鉴世界联邦制国家的正面经验。”[2] 但这是无法完成的使命。“无论结局如何，失败实际上是不可避免的。1990 年 1 月，亚佐夫以军人的方式一语道破其中的实质：‘要是有一个共和国分离出去，戈尔巴乔夫就会完蛋，可他要是使用武力加以制止呢，那同样也会完蛋。’”[3] 戈尔巴乔夫的劝说没起作用，他离开立陶宛时明白，立陶宛人决心独立了。在 1990 年 2 月举行的立陶宛选举中，由于立陶宛共产党威信下降，“萨尤季斯”获胜，取得了最高苏维埃 141 席中的 96 席。3 月，在拉脱维亚和爱沙尼亚举行的选举中，拥护波罗的海国家独立的人也取得了一半以上的席位。不仅波罗的海三国的主体民族要求独立，其他民族也有这一要求，1990 年 4 月，80% 的立陶宛族人要求独立，认为独立出去生活会很快好转，51% 的波兰族人、32% 的俄罗斯族人也持这一立场。[4]

1990 年 3 月，在立陶宛举行的最高苏维埃主席的选举中，萨尤季斯领导人、维尔纽斯国立音乐学院兰茨贝基斯教授当选为最高苏维埃主席，在他的提议下，立陶宛议会于 1990 年 3 月 11 日通过了《关于恢复立陶宛独立地位的宣

[1] *Кретинин Г.В., Баторшина И.А.* Восстановление литовской государстнности на рубеже 1980-х – 1990 – х гг. //Вопросы истории. 2010. №7. С.119.

[2] ［俄］米哈伊尔・戈尔巴乔夫著：《对过去与未来的思考》，第 123 页。

[3] ［俄］安德烈・格拉乔夫著：《戈尔巴乔夫之谜》，第 230 页。

[4] *Шедрин А.Ю.* Прибалтийский сепаратизм в истории разрушения СССР. См. Российское государство и общество. XX век. М., Изд-во Моск.ун-та.1999. С.283.

言》，据此，立陶宛苏维埃社会主义共和国更名为立陶宛共和国，苏联宪法在共和国国内失效，立陶宛还把在立陶宛的所有企业收归共和国所有。

在立陶宛议会通过立陶宛独立决议前，苏共已经意识到重新当选的立陶宛苏维埃社会主义共和国最高苏维埃第一次会议上将通过建立独立自主的立陶宛国家的决议，为此，吉连科、梅德韦杰夫、马斯柳科夫、拉祖莫夫斯基[1]于 1990 年 3 月 5 日就采取紧急措施反对立陶宛脱离苏联给苏共中央提交报告，建议采取相应的措施，3 月 6 日，苏共中央通过了关于采取紧急措施反对立陶宛脱离苏联的决定，提出的措施主要有：(1) 在《消息报》上发表有关立陶宛分立主义势力的打算和决定脱离苏联可能产生的经济及别的后果的材料。(2) 通过苏联最高苏维埃就立陶宛打算脱离苏联问题发表的声明。(3)（在立陶宛苏维埃社会主义共和国第一届最高苏维埃第一次会议日程被确定的当天）通过并公布苏联部长会议关于保卫苏维埃社会主义共和国联盟（和苏联公民及联盟所属的组织）的利益的声明，即由于即将通过成立独立自主的立陶宛国家的决议，苏联政府打算在立陶宛内实施的措施。(4) 审议关于保护在立陶宛苏维埃社会主义共和国境内的苏维埃社会主义共和国联盟财产措施问题并提出相应的建议。(5) 审议关于在苏联人民代表第三次紧急人民代表大会上提出的在“各加盟共和国退出苏维埃社会主义共和国联盟程序的苏联法律”通过前，暂停执行苏联宪法第 72 条的建议问题。(6) 组织一系列大众新闻媒体的活动（举办中央电视台的“圆桌会议”并在报刊上发表一系列文章——按专门的计划），总题目是：匆忙通过这个共和国退出苏联的分立主义的决议将给立陶宛苏维埃社会主义共和国居民在经济上和其他方面带来的消极后果。(7) 补充审议在通过立陶宛退出苏联的决议的条件下，围绕苏联共产党立陶宛临时中央委员会（拥护苏共纲领派）可能复杂化的政治局势问题。[2] 这些措施基本上是政治与法律层面的，对于根本不把苏联法律放在眼里的立陶宛分离主义者难有约束力。

1990 年 3 月 15 日，苏联第三届人代会否决了立陶宛最高苏维埃的决议，

[1] 吉连科，苏共中央书记；马斯柳科夫，苏联部长会议第一副主席、苏联国家计划委员会主席、苏共中央政治局委员；梅德韦杰夫，苏共中央政治局委员、苏共中央意识形态委员会主席；拉祖莫夫斯基，苏共中央政治局候补委员、苏共中央书记。

[2] 沈志华总主编：《苏联历史档案选编》，第 30 卷，第 531—534 页。

决定委托苏联总统、苏联最高苏维埃和苏联部长会议保障立陶宛境内每一个居民的合法权利，3 月 21 日，戈尔巴乔夫颁布了一项关于在立陶宛苏维埃社会主义共和国境内保障苏联公民权利和维护苏联主权的命令，但立陶宛根本不予理睬，仍然自行其是。在 3 月 22 日讨论形势时，瓦连尼科夫将军建议对立陶宛实行紧急状态、总统治理、派遣军队等措施，戈尔巴乔夫不予以考虑，他要用法律的手段解决问题。1990 年 4 月 3 日，苏联最高苏维埃通过《关于解决加盟共和国退出苏联有关问题的程序法》，这是针对 1990 年 3 月 11 日立陶宛苏维埃通过关于恢复独立的文件的回答。规定退出苏联的共和国要得到国民不少于 2/3 的赞成票之后才能宣布进入过渡期；其内部有自治实体的，投票要在自治实体中单独进行，这些自治实体有权决定留在苏联还是留在独立的共和国内。加盟共和国在退出苏联的决议通过后，要有一个过渡期，不超过 5 年，在过渡期内解决“要求退出的共和国在加入苏联时不属于该共和国的领土的地位”问题。实质上这是一个限制加盟共和国退出的法律。但是，这个法令没人执行，没有一个共和国宣布独立和退出苏联时走了这个程序，而面对各加盟共和国的独立，联盟中央没有任何办法。

戈尔巴乔夫试图通过经济封锁迫使立陶宛屈服，1990 年 4 月 15 日，苏联政府对立陶宛实行严厉的经济制裁，提高石油天然气的价格，对许多重要商品禁运。结果却适得其反，损害了中央的形象，加剧了立陶宛反抗联盟的情绪，他们召回了苏联最高苏维埃中的立陶宛籍人民代表，并宣布建立自己的军队。立陶宛共产党发生了分裂，大部分人站到独立力量一边，小部分转入地下。戈尔巴乔夫对此没有作出任何决定，他不知道该如何维护苏联的宪法和统一。“戈尔巴乔夫的犹豫不决，促使立陶宛、拉脱维亚、爱沙尼亚三国领袖越走越远。”[1] 西方领导人要求立陶宛当局与莫斯科妥协，4 月末，立陶宛方面表示要与中央对话，“立陶宛不反对将独立宣言解释为一个视共和国地位为‘革新后苏联的参与成员’的文件。这一方案的具体实现应当与联盟商定，分阶段进行。这是寻求实际解决问题的基础。”[2] 但在立陶宛代表团与中央代表团的谈

[1] ［俄］罗伊·麦德维杰夫著：《苏联的最后一年》，王晓玉、姚强译，社会科学文献出版社 2005 年版，第 15 页。

[2] ［俄］米哈伊尔·戈尔巴乔夫著：《对过去与未来的思考》，第 125 页。

判中，双方的立场都很强硬。

爱沙尼亚最高苏维埃于1990年3月30日通过向独立过渡的决定，5月8日改国名为爱沙尼亚共和国。1989年11月16日拉脱维亚最高苏维埃决定成立准备恢复国家独立的委员会，并于1990年5月4日通过独立宣言，宣布改国名为拉脱维亚共和国，恢复1922年共和国宪法。尽管戈尔巴乔夫一再宣布他们的独立是非法的，但无法阻止他们走上独立之路，对独立的追求是波罗的海三国大多数人的愿望。只有动用武力才能阻止波罗的海三国的独立，但这不仅会损害苏联与西方国家的关系，也会断送改革，是戈尔巴乔夫不愿采用的。波罗的海三国的独立效应在苏联起了示范性作用。

1990年10月4日，立陶宛通过《叛国法》，规定立陶宛共和国公民如果主动参加“其他国家”或者“外国组织”，旨在破坏立陶宛主权的活动，将被剥夺自由15年，或被判死刑并没收个人财产。1990年11月20日，立陶宛议会通过了组建国土保卫局的决议，实际上承担国防部的职责，开始组建军队。由于商品极度短缺，立陶宛政府被迫于1991年1月6日傍晚大幅度调整商品价格，第二天街头出现了抗议活动，一些大企业宣布罢工。1月7日，苏联国防部副部长阿恰洛夫被派到立陶宛首都维尔纽斯，1月8日，维尔纽斯市街头被不满的群众挤满，形成了以“统一运动”、拥护苏共的立陶宛共产党人和工会为一方，以拥护分离的“萨尤季斯”、“立陶宛自由联盟”为另一方的对抗。为了平息事态，议会通过了撤销政府调整价格的决议，普伦斯克涅—布拉藻斯卡斯向政府辞职。当天，强力部门的领导人巴科拉诺夫、普戈、亚佐夫、克留奇科夫、舍宁等开会讨论立陶宛局势，空降兵被派到波罗的海地区。

面对波罗的海三国不断发展的独立倾向，戈尔巴乔夫在1991年新年祝词中强调，新的一年的最重要任务是保留和更新联盟。1991年1月8日，立陶宛民众为抗议当局的提价行为举行大规模示威游行，1月10日，戈尔巴乔夫向立陶宛最高苏维埃发出最后通牒，要求在立陶宛恢复苏联宪法的效力，立陶宛没有答复。国防部副部长瓦连尼科夫到了维尔纽斯。立陶宛内部要求立陶宛留在苏联的人们积极行动起来，成立了救国委员会。国防部长亚佐夫、国家安全委员会主席克留奇科夫、内务部长普戈认为局势可能失控，“萨尤季斯”与救国委员会可能发生冲突，要求实行总统治理。1991年1月11日，立陶宛“民族自救委员会”成立，他们向常驻立陶宛的维尔纽斯卫戍区和波罗的海军区求援。阿恰科夫上将指挥了这次军事行动，军队于1月12日夜至1月13日凌晨控制了维尔纽斯电视大楼，有14人死亡和500多人受伤[1]；军队在进攻议会大楼时，遭到群众阻挡而停了下来。立陶宛最高苏维埃主席兰茨贝基斯号召市民抵抗，保卫立陶宛共和国，苏联其他共和国也声援，国际社会反响强烈，美国、欧洲许多国家、日本等都发表声明，指责苏联在立陶宛用兵。在内外压力下，维尔纽斯卫戍区部队撤回了兵营。这次事件挽救了正在丧失威信的兰茨贝基斯等民族分离势力，转移了人们对他们提价政策的不满，损害了苏联的形象，给国际社会造成了民主受到暴力镇压的印象，立陶宛共产党及一切被公众认为同这次事件有关联的力量实际上被消灭了。

叶利钦等民主反对派借立陶宛事件对戈尔巴乔夫等人进行了强大的政治攻势，叶利钦飞到了爱沙尼亚首都塔林，与波罗的海三国的最高苏维埃主席一起商讨对策，1月15日，《苏维埃爱沙尼亚报》发表叶利钦和波罗的海三国领导人于1月13日共同签署的四国领导人声明：四国相互承认国家主权，准备在主权面临威胁时相互给予切实的支持和帮助；四国领导人还向联合国秘书长发出呼吁，要求他召集调节波罗的海国家问题的紧急国际会议；俄罗斯联邦与爱沙尼亚共和国就建立国家间关系的基础达成协议；叶利钦呼吁居住在波罗的海三国讲俄语的居民要保持理智；呼吁军人不要参加反人民的行动。[2]1月13日，俄罗斯与拉脱维亚建立国家间关系的协议在塔林签署。莫斯科的群众支持波罗的海三国，反对戈尔巴乔夫的倒退，1月20日，“民主俄罗斯”运动在莫斯科组织20多万人参加的游行，声援立陶宛，要求苏联总统、国防部长辞职，要求俄罗斯有自己的总统和军队。2月4日，大约有10万人参加了莫斯科市中心举行的反共示威游行，莫斯科其他地方的示威人数超过15万人。

在这一背景下，戈尔巴乔夫开始逃避责任，他声称自己对使用军队一无所知，国防部长亚佐夫、国家安全委员会主席克留奇科夫、内务部长普戈也声称没有下令动用军队。雷日科夫认为，没有戈尔巴乔夫的同意，军队不可能参

---

[1]　Союз можно было сохранить. Белая кника. С.199.

[2]　Союз можно было сохранить. Белая кника. С.199–200.

与。[1]但也有人认为戈尔巴乔夫并不知情，历史学家麦德维杰夫认为："为了控制当地局势，苏联国防部副部长瓦连尼科夫被紧急派往维尔纽斯。瓦连尼科夫将军和驻地军官进行交流之后，马上建议在立陶宛实施苏联总统直接管制，但戈尔巴乔夫否定了他的建议。"[2]戈尔巴乔夫主张在宪法和法律的范围内政治解决，在1月12日联邦会议上，决定向维尔纽斯派代表团，但没等代表团到达就发生了流血事件。不管怎样，维尔纽斯发生的流血事件表明，考虑不周和匆忙采用暴力方式只会事与愿违。

在国内外反对使用武力的压力下，戈尔巴乔夫在1月22日的讲话中说：发生在维尔纽斯和里加的事绝对不是总统的路线，他要求政治组织通过法律途径获取政权，不要使用武力。[3]

关于立陶宛事件，经过多年的调查，立陶宛法庭于1999年8月宣布对立陶宛共产党6位前共产党人士进行长期监禁，其中包括立陶宛共产党中央书记布罗基亚维丘斯和中央部长叶尔莫拉维丘斯，其罪名是参与"民族自救委员会"和领导苏联特种部队。但圣彼得堡出版的《记者调查》证实，是"萨尤季斯"的战斗队员制造了1月12日晚的流血事件，他们是从电视塔附近建筑物的顶部向人群开枪。[4]立陶宛事件，为民族主义分子制造了反对联盟的口实。法律手段不起作用，军事手段行不通，苏联政府处于困难的境地。

维尔纽斯事件的后果是严重和长远的，这一事件被叶利钦充分利用，"正是维尔纽斯事件促使叶利钦及其控制的最高苏维埃发表声明：必须建立自己的、俄罗斯的军队，这激起了'联盟中央'拥护者的营垒大发雷霆。同时应当指出的是，维尔纽斯事件还产生了另一种结果：它促使叶利钦及其他共和国的领导人签订共和国间的双边协定——顾及每个伙伴的利益、以每个共和国在其境内最大限度的主权完整为前提的协定。"[5]该事件所引起的政治共振使局势更

---

[1] ［俄］尼·伊·雷日科夫著：《大国悲剧——苏联解体的前因后果》，第148页。

[2] ［俄］罗伊·麦德维杰夫著：《苏联的最后一年》，第17页。

[3] Союз можно было сохранить. Белая книга. С.202.

[4] 《圣彼得堡消息报》2000年6月3日，转引自罗伊·麦德维杰夫著：《苏联的最后一年》，第21页。

[5] ［俄］鲁·格·皮霍亚著：《苏联政权史》，第674页。

加趋于白热化，也使联盟领导的威信日趋下降，以至于中央所发出的一切指令在全苏所有的社会阶层中都会遭到立即反对。戈尔巴乔夫的态度是，波罗的海三国要独立可以，“请先进行全民公决，让全体居民发表自己的意见，然后开始依法办事的过程……决定独立出去这是你们的事，但要求按照法律、按照宪法办事。我们要开始一个3—4年的过程，以便使所有人的利益都得到尊重。”[1]1991年2月9日，立陶宛举行全民公决，90%的公民投票支持国家独立。此后，波罗的海三国脱离苏联已成定局。

波罗的海三国脱离苏联本来也不会损害苏联，他们三国人口只占苏联总数的2.8%，也不拥有重要资源。波罗的海三国的独立进程起了示范性作用，大大鼓舞了其他共和国民族主义的发展，1989年9月乌克兰“鲁赫”（乌克兰争取改革人民运动）成立，摩尔多瓦、亚美尼亚、塔吉克、吉尔吉斯等都出现了民族冲突。1990年1月，摩尔多瓦开始大规模群众游行，1月11日，亚美尼亚也举行了游行。3月9日，格鲁吉亚最高苏维埃谴责1921年的占领和加入苏联。1990年3月，乌克兰民族主义组织“鲁赫”参加选举，9月该组织通过纲领，宣布其活动的主要目标是在乌克兰建立民主和人道的社会，实现乌克兰民族的真正复兴与繁荣，保证共和国各民族的民族文化要求，建立主权的乌克兰国家，在新联盟条约的基础上同苏联其他共和国建立关系。但一个月后，“鲁赫”第二次代表大会对纲领进行了修订，在政治上提出是苏共的一党专政把人民引向经济、生态和精神危机，不改变政治体制、不清除共产党的垄断、不确立政治和经济多元化，就不能防止全民族灾难的发生；在经济上强调向市场经济过渡，国民经济管理的非集中化，建立乌克兰自己的海关、财政、银行和货币体系。该纲领还提出把国名从“乌克兰苏维埃社会主义共和国”改为“乌克兰”，表明“鲁赫”的目标是确立乌克兰的国家独立，建立民主的议会共和国。[2]1990年以后苏联经济状况恶化，苏共和联盟中央机关的瘫痪，进一步助长了民族主义和分离主义，一些人开始认为，只要脱离苏联，人民就会过上好日子。民族主义逐渐演变成了分离主义，但这些民族分离主义并不能动摇苏

[1] ［俄］阿·切尔尼亚耶夫著：《在戈尔巴乔夫身边的六年》，第500页。

[2] 王廷玉等编译，《苏联“改革”中的各政党和政治组织》，吉林人民出版社1992年版，第115—116页。

联的根基，最后埋葬苏联的是俄罗斯的民族分离主义。

面对日益严重的民族冲突和国家分裂，戈尔巴乔夫无力应对，曾任俄罗斯联邦总理的盖达尔认为："戈尔巴乔夫唯有运用武力和进行镇压才能遏止这一进程。如果办不到这一点，民族解放运动的浪潮必将涉及其他地区，其中包括乌克兰……但是，如果苏联领导人采用使用武力的决定，则不仅会破坏戈尔巴乔夫作为民主派和解放者的威信，破坏他所获得的政治支持的基础，正是这种支持使得他能够经受住对于已启动的改革的抗拒，而且还会对西方舆论对待他的态度产生负面影响。"[1] 纳扎尔巴耶夫也认为："最不稳定的 1990 年在国内各个地区开始爆发民族冲突。但就在当时仍可以改变局势并恢复原来状态。需要采取决定性的措施，应当在法律范围内有所作为，戈尔巴乔夫当时有足够的宪法确定的全权。然而他像往常一样，持观望态度，并称一切都在自我改进完善之中。"[2]

苏联 1989 年后经济困难加重，急需西方的援助，不可能冒险。再者，随着苏联人口的变化，非斯拉夫民族青年的数量增长，军队的民族成分发生了变化，"军官仍然以斯拉夫人为主，但士兵却在越来越大的程度上由非斯拉夫民族首先是中亚各共和国的青年增补。如果考虑到精英部队（战略导弹部队、空降兵、空军、海军部队、克格勃军队）主要由斯拉夫族的士兵和军士补充，而陆军（坦克师、摩托化步兵师、炮兵师及其他部队）却在越来越大的程度上不再是斯拉夫人了，那么，很难指望有效地利用民族关系错综复杂的部队镇压骚乱，特别是在士兵们认为民族和文化方面与自己接近的那些地区。"[3]

第三节　俄罗斯民族主义和民族分离主义的发展

苏联虽然是由 15 个加盟共和国组成的联邦，但力量并不平衡。苏联的面

---

[1] *Гайдар Е.Т.* Гибель империи. Уроки для современной России. 2-е изд. М., РОССПЭН, 2007. С.301.

[2] ［哈］努·纳扎尔巴耶夫著：《时代、命运、个人》，第 60—61 页。

[3] *Гайдар Е.Т.* Гибель империи. Уроки для современной России. 2-е изд. М., РОССПЭН, 2007. С.302.

积是 2240.22 万平方公里，俄罗斯联邦的面积为 1707.54 万平方公里；1981 年苏联的人口是 2.666 亿，俄联邦的人口为 1.39165 亿。[1] 在自然资源、经济实力等各方面，俄联邦相对于其他共和国都占有绝对优势，俄联邦是苏联的支柱，苏联可以没有波罗的海三国、可以没有外高加索三国，甚至可以没有乌克兰，但不能没有俄联邦。在苏联解体的进程中，俄联邦和叶利钦起了决定性作用，正如纳扎尔巴耶夫所说："没有俄罗斯就不会有别洛韦日协定，没有俄罗斯联盟也不会解体。"[2] 俄学者切什科也认为：只要俄联邦留在联盟内联盟就会存在下去，否则即使其他共和国留在联盟内，联盟也不可能存在。"俄罗斯的'民主派'由于自己的政治利益，不仅成为要求从苏联分离的其他共和国民族分离主义者的同盟，而且成为破坏整个国家的主要力量。"[3] 米格拉尼扬也说："苏联的死亡在很大程度上是因为俄罗斯人不再想保持它了，帝国的负担消耗了俄罗斯民族的生命力，而俄罗斯民族在迎来帝国崩溃的时候不是没有痛苦的，但没有进行抵抗。"[4] 在苏联各地民族主义思潮奔涌、民族分离主义日益发展之时，作为苏联最大加盟共和国的俄联邦并没有站在联盟一边，叶利钦为了与戈尔巴乔夫争权，对民族分离主义浪潮推波助澜，是波罗的海三国与联盟争权和独立运动的积极支持者，到 1990 年 6 月，俄联邦这一全新因素加入了民族分离主义的大合唱。

在联盟的框架内，俄罗斯联邦的地位确实比较特殊，它没有其他加盟共和国那样的共和国一级的机构，也没有自己的共产党组织，实际上是由联盟机构代理其事务，俄罗斯联邦与联盟是不可分割的关系。联盟对待各共和国的态度是不一样的，实行的实际上是拉平经济发展水平、抽肥补瘦的政策。如根据

[1] 《苏联百科手册》，山东人民出版社 1988 年版，第 1、671 页。

[2] *Мунчаев Ш.М.,Устинов В.М.* История Советского государства. 2-е изд. Доп и перераб. М., Норма, 2008. С.617.

[3] *Чешко С.В.* Роль этнонацианализма в распаде СССР.См.: Трагедия великой державы: национальный вопрос и распад советского союза. Отв. редактор Академик *Г.Н. Севостьянов*. М., Изд-во Социально-политическая мысль. 2005. С.466.

[4] ［俄］安德兰尼克·米格拉尼扬著：《俄罗斯现代化与公民社会》，徐葵等译，新华出版社 2003 年版，第 220 页。

官方的统计，俄罗斯联邦在其领土内征收的销售税留给自己的比例是42.3%，乌克兰是43.3%，拉脱维亚是45.6%，摩尔多瓦是50%，爱沙尼亚是59.7%，白俄罗斯是68.2%，阿塞拜疆是69.1%，格鲁吉亚是88.5%，亚美尼亚是89.9%，塔吉克斯坦是99.1%，吉尔吉斯斯坦是93.2%，立陶宛是99.7%，乌兹别克斯坦是99.8%，哈萨克斯坦和土库曼斯坦是100%。[1] 国家对俄罗斯联邦的投资增长速度也低于其他共和国，在受教育的程度上，俄罗斯也处于中等水平，据1990年的统计，在每千人中受过高等教育的人数为：摩尔多瓦人是125，车臣人是151，乌克兰人是163，阿塞拜疆人是172，拉脱维亚人是182，吉尔吉斯人是188，俄罗斯人是190，亚美尼亚人是207，立陶宛人是208，爱沙尼亚人是213，哈萨克人是230，格鲁吉亚人是274，[2] 俄罗斯民族每千人受高等教育的人数低于许多少数民族。苏共对少数民族有许多优惠政策，其重要的理论是以大民族的不平等地位补偿历史上曾存在的民族不平等的做法，实际上导致了新的民族不平等。在苏联解体的过程中，俄罗斯的民族主义之所以迅速发展，并要求独立，一个重要原因是他们认为联盟并不代表其利益，一些俄罗斯人并没有把苏联看成是自己的民族国家。

戈尔巴乔夫受到叶利钦和利加乔夫两方面的压力，一个指责他抓住过时的联盟机构不放，目的是为了巩固自己的权力；另一个则指责他纵容民族主义，毁掉俄罗斯人民的历史遗产、数代人建立起来的联盟。在经济危机加剧的情况下，俄罗斯联邦许多政治家和知识分子抱着庸人之见，以为只要俄罗斯甩掉加盟共和国这一包袱，俄罗斯很快就会成为世界上最发达、最繁荣的国家。在联盟内吃亏成了许多俄罗斯人共同心理，认为苏联的社会主义损害了俄罗斯人的民族利益。“俄罗斯人向这种社会主义贡献了更多的劳动、资源、鲜血、痛苦和希望，以及物质和精神财富，但是从中得到的比其他民族少。这是很明

---

[1] *Пихоя Р.Г.* Почему распался советский союз? См. Трагедия великой державы: национальный вопрос и распад советского союза. Ответственный редактор Академик *Г.Н.Севостьянов*. М., Изд-во Социально-политическая мысль. 2005.С.409.

[2] *Пихоя Р.Г.* Почему распался советский союз? См.Трагедия великой державы: национальный вопрос и распад советского союза. Ответственный редактор Академик *Г.Н.Севостьянов*. М., Изд-во Социально-политическая мысль. 2005. С.409.

显的，尽管几十年来对此表示沉默。”[1]戈尔巴乔夫此时焦头烂额，疲于应付，“在此期间他所漏掉的，主要不是鬼迷心窍的各共和国分离主义分子，而是正在被唤醒的、当然也是受到他那不同倾向的政治对手鼓励的俄罗斯主权思想。原则上，民族分离主义和地区分离主义高涨，甚至某些‘成活得不好’的‘部分’的‘脱落’，苏联都经受得住，却唯独经受不了俄罗斯对于联盟思想的背叛。”[2]在一定意义上讲，苏联的解体是俄罗斯，特别是叶利钦这一政治因素造成的。

一、俄罗斯联邦发表主权宣言，开始了“主权大检阅”

苏联虽然名义上是联邦制国家，实际上是单一制国家，俄罗斯人在苏联起着决定性的作用，俄罗斯联邦的领土面积与历史上的俄罗斯帝国并不是一回事，俄罗斯要独立在许多人看来是不可思议的事，但民族利己主义的膨胀使不可能成了可能。

从 1990 年初开始，叶利钦的战略目标是扩大俄罗斯联邦的主权。为了削弱俄罗斯和叶利钦的势力，有人提出了将俄罗斯联邦内的自治单位提升到加盟共和国的地位。1990 年 4 月 26 日，苏联最高苏维埃通过相应的法律，启动了“自治化”机制。其结果是俄罗斯联邦的版图像块带着许多大窟窿的奶酪，俄罗斯也因此可能失去 51%的领土及其全部战略资源和近 2000 万人口。

1990 年 5 月末，俄联邦开始筹备选举最高苏维埃主席。尽管戈尔巴乔夫发动了一场阻挠运动，但在第三轮选举（1990 年 5 月 29 日）中，叶利钦以微弱的多数胜出，[3]当时参加竞争俄罗斯联邦最高苏维埃主席的人民代表有：亚历山大·弗拉基米罗维奇·弗拉索夫，鲍里斯·尼古拉耶维奇·叶利钦，瓦连金·佐伊。俄罗斯联邦人民代表总数为 1060 人，参加选举的人民代表数为 1038 人。选票箱开箱票数为 1038 张，无效选票 1 张。选票分布如下：同意亚

---

[1] *Оников Л.* КПСС: анатомия распада. Взгляд изнутри аппарата ЦК. М., Республика, 1996. С.115.

[2] ［俄］安德烈·格拉乔夫著：《戈尔巴乔夫之谜》，第 237 页。

[3] 沈志华总主编：《苏联历史档案选编》，第 30 卷，第 540 页。

历山大·弗拉基米罗维奇·弗拉索夫当选的467票，反对的570票；同意鲍里斯·尼古拉耶维奇·叶利钦当选的535票，反对的502票；同意瓦连金·佐伊当选的22票，反对的1015票。从这一统计数字中我们看到，叶利钦得票率并不高，只是相对多数。代表们选举叶利钦，实际上反映了对现政权的不满。

当选为俄罗斯联邦最高苏维埃主席后，叶利钦积极鼓动俄罗斯与联盟中央争夺主权。在俄联邦人代会第一次会议上，叶利钦在演说中说："许多世纪以来中央的帝国政策导致了联盟目前的状况，导致了权利、义务和责任不清。首先是对待俄罗斯的态度，给俄罗斯带来了极大的伤害，而且现在还在遭受行政命令体制之害。不能与这种情况妥协，俄罗斯的劳动生产率在联盟中处于第一位，但其社会需要所占的比重却排在最后一位，即第15位……共和国的问题得不到解决，原因是没有内容充实的主权。"[1]5月30日在记者招待会上，叶利钦宣布：以即将通过的主权宣言和一些必要的法律为依据，俄罗斯将在一切方面都是独立的，俄罗斯的决定应当高于全联盟的决定。一年后俄罗斯联邦也要实行总统制，直接选举总统，而且大小总统应该是平等的。

1990年6月12日，在俄联邦第一届人代会上，主权成为主要问题，反映选民意志的人民代表以少有的一致、以压倒多数（903票赞成，13票反对和9票弃权）票通过了俄罗斯联邦国家主权宣言。《关于俄罗斯苏维埃社会主义共和国联邦国家主权的声明》，宣布俄罗斯联邦是一个主权国家，"俄罗斯的主权是具有几百年历史、文化和传统的俄罗斯国家存在的自然和必要的条件。""除了自愿转交给苏维埃社会主义共和国联盟的权力之外，俄罗斯联邦具有解决国家和社会生活一切问题的全权；俄罗斯宪法和法律在俄罗斯全境内至高无上，苏联的法律与俄罗斯联邦主权有矛盾之处，则在俄罗斯领土上停止执行；俄罗斯与联盟发生分歧将在与联盟协议的基础上解决；俄罗斯人民拥有掌握、利用和支配俄罗斯财富的独一无二的权利；在处理与其他加盟共和国和外国的关系时，俄罗斯联邦政府拥有全权。""俄罗斯联邦保留在联盟条约及其确定的法律框架内自由退出苏联的权利。""俄罗斯联邦人民代表大会确定必须扩大自治共和国、自治州、自治区、边疆区和州的权力。"[2]正如俄罗斯历史教科书上所

[1] *Кацва Л. А.* История России. Советский период (1917–1991) . http://it-n.ru.

[2] Хрестоматия по отечественной истории(1946–1995). С.334–335.

说："它的通过成为俄罗斯联邦发展的分界线，同时也是整个苏联发展的分界线，苏联只能够存在到俄罗斯服务于联盟的终点。"[1]这表明："俄罗斯内部倾向获得主权的情绪开始迅速发展。这种情绪是渴望与努力在本国疆域内团结起来，永远摆脱这样的状况：在俄罗斯发号施令的同时，又在许多方面与苏联融为一体。在俄罗斯的许多地区——非黑土地带、外乌拉尔、远东走向经济上荒芜和衰退的同时，俄罗斯仍是输血者，这在很大程度上导致了不满。"[2]虽然俄罗斯联邦的主权声明没有任何一个字提到俄罗斯联邦脱离苏联，相反，俄罗斯联邦明确宣布准备继续成为更新后联盟的组成部分，但是，宣布俄罗斯宪法和法律高于联盟法律本身就是违反苏联宪法的，实际上已经表明了俄罗斯的独立，这一天后来成了俄罗斯的独立日。

戈尔巴乔夫后来说："1990 年 6 月 12 日，俄罗斯最高苏维埃通过了俄罗斯苏维埃社会主义共和国主权宣言。紧随这一文件之后，其他共和国也相继通过类似宣言，不仅是加盟共和国，也还有自治共和国。开始'主权国家大检阅'，结果，寻求与立陶宛调解之路告吹。"[3]但是，戈尔巴乔夫当时并没有意识到问题的严重性，在讨论俄罗斯联邦主权宣言草案时，有些代表对俄罗斯联邦的法律高于苏联法律的条款不安，认为这可能会引起国家的解体，他们找到戈尔巴乔夫，谈了自己的疑虑，但戈尔巴乔夫说：

> "我看没有什么可怕的。我们已经商量很久了。"
>
> "但是实质上这是取消苏联的权力。"我们困惑地说道。
>
> "不，这对于苏联没有威胁。如果你们不同意，可以离开会场。这样的表示是有好处的。"他像平时一样宽厚地笑了，而且很认真地补充道："我看苏联当局没有任何理由对此不安。"[4]

长期驻俄的意大利记者朱利叶托·基耶萨也认为，1990 年 6 月 12 日是苏联开始终结的准确日期，"1990 年 6 月 12 日是一个转折的日期，它对后来许

[1] История России. XX век. Отв. Ред. *В.П.Дмитренко.* М., 1998. С.587.

[2] *Примаков Е.* Годы в большой политике. М., 1999. С.76.

[3] ［俄］米哈伊尔·戈尔巴乔夫著：《对过去与未来的思考》，第 126 页。

[4] ［俄］菲·博布科夫著：《克格勃与政权——克格勃第一副主席的回忆》，王仲宣译，东方出版社 2008 年版，第 343 页。

多事件有影响，它注定了濒死期及其速度、方式，并迅速地使挑选不同抉择的可能性丧失殆尽。正是在这一天，俄联邦最高苏维埃以绝大多数的选票赞同了其主席鲍里斯·叶利钦宣布俄罗斯为主权国家的提议。这就是所有接踵而至的分立主义倾向的起点和开端，这些分立主义分子先是断送了苏联，而后是俄罗斯。"[1]主权宣言并没有在法律上划分中央和共和国的权力，俄罗斯联邦的独立意味着国家事实上的双重政权，在俄联邦发表主权宣言后，乌克兰和波罗的海沿岸的分离情绪加强。

俄联邦并没有像其他共和国那样的民族主义组织，俄罗斯的民族分离主义主要是叶利钦与联盟争权。苏联政权的政治资源已经大部分落到了戈尔巴乔夫亲自提拔的政敌——叶利钦之手。叶利钦的步步崛起带有某种传奇色彩，更确切地说，是苏联改革不断失败的结果。"叶利钦的平民出身、民主倾向、俄罗斯民族主义思想、市场改革口号，在20世纪80年代末的俄罗斯还是有着广泛吸引力的。除了这些方面以外，另一个实质性的方面则是叶利钦的反叛角色，他是摇摇欲坠的苏共领导层的最有名的反对派。尽管戈尔巴乔夫的改革方案在一开始时广受欢迎，点燃了人民心中的希望，但1988—1989年间出现的经济混乱，使得最高领导层的声望一泻千里。鲍里斯·叶利钦曾在党中央待过，后来又被赶了出来，如今正在想方设法重返权力高峰这种反叛形象吸引了许多俄罗斯人。"[2]

俄罗斯联邦开始挖苏联的墙角。1990年7月，俄罗斯最高苏维埃宣布，苏联银行在俄罗斯的一切分支机构（包括俄罗斯共和国银行）都归俄罗斯联邦所有，并"在1991年1月1日前把在各自治共和国、边疆区和州的国家专业银行机构在股份制或集体合作股份制的基础上改组为商业银行。"8月1日，俄罗斯联邦最高苏维埃主席团决定任命马丘欣（Г.Г.Матюхин）为俄罗斯联邦中央银行行长，俄罗斯中央银行将建在苏联国家银行俄罗斯共和国银行的大楼内。但是，尽管有俄最高苏维埃主席团的决议，马丘欣仍无法进入大楼。苏联

---

[1] ［意］朱利叶托·基耶萨著：《别了，俄罗斯!》，徐葵等译，新华出版社2000年版，第118页。

[2] ［美］大卫·科兹、弗雷德·威尔著：《来自上层的革命——苏联体制的终结》，曹荣湘等译，中国人民大学出版社2002年版，第178页。

叶利钦和苏联人民代表萨哈罗夫、波波夫、格德良在群众大会上

国家银行管委会主席 B.B.格拉先科声明，俄联邦共和国最高苏维埃的决定对他没有法律效力，他只听联盟机关的命令。[1]

在俄罗斯联邦的示范作用下，苏联各共和国开始了“主权大检阅”。7 月 16 日，乌克兰最高苏维埃通过主权宣言，不仅要求拥有完全的主权，而且还要求拥有独立的国家军队。7 月 27 日，白俄罗斯最高苏维埃通过主权宣言，宣布共和国法律至高无上并在对外关系中独立，共和国的自然资源都是白俄罗斯人民的财产，共和国有权拥有本国武装力量、内卫部队以及在共和国最高苏维埃监督下的国家安全和社会安全机关。北奥塞梯自治共和国、亚美尼亚共和国、土库曼共和国、塔吉克斯坦共和国、鞑靼自治共和国、科米自治共和国、卡累利阿自治共和国、加告兹自治共和国、乌德穆尔州、雅库特州、第聂伯河沿岸州、南奥塞梯州和伊尔库茨克州等也都发表了主权宣言。摩尔达维亚人民阵线提出该共和国与罗马尼亚合并，哈萨克斯坦苏维埃提出不得在谢米帕拉京斯克试验场进行核试验。在不到 5 个月的时间里，苏联的 15 个加盟共和国或

[1] *Кирсанов Р.Г.* Реформирование банковской системы СССР в годы перестройки.//Российская история. 2010. №2. С.70.

宣布独立或宣布拥有主权。在不能与中央分享经济权利的情况下，否定或搁置中央的决定成为俄联邦表明自己拥有主权的主要行为之一。1990 年 11 月 19 日，叶利钦在基辅宣称："俄国并不想成为新帝国的中心……由于俄国曾长时间充当这种角色，俄国比其他国家更懂得这种角色的可恶。俄国从中得到了什么？结果是俄国更自由了吗？更富有了吗？更幸福了吗？历史告诉我们，一个统治别的民族的民族不可能幸福。"[1] 实际上在鼓励乌克兰独立。叶利钦也鼓励一些大的自治共和国独立，他曾在喀山对鞑靼斯坦的领导人说："能吞下多少主权就拿去多少"。

1990 年 10 月 24 日，苏联最高苏维埃通过法令，重申联盟法律优先于共和国法律，但同一天俄罗斯联邦最高苏维埃通过决议，规定在俄罗斯境内共和国法律高于联盟法律。1990 年 10 月 25 日，哈萨克斯坦苏维埃社会主义共和国最高苏维埃通过了"关于哈萨克苏维埃社会主义共和国国家主权"的宣言。

在这种背景下，戈尔巴乔夫把改革联盟体制、建立新的主权共和国联盟提上了日程，1990 年 9 月 25 日，成立了包括苏联总统、最高苏维埃主席、部长会议主席、民族院主席、各共和国负责人在内的筹备委员会，起草新联盟条约。1990 年 11 月 23 日，新联盟条约草案公布，供全民讨论，波罗的海三国和格鲁吉亚明确表示不签署联盟条约，俄罗斯提出了许多保留条件，叶利钦更热衷于与其他共和国进行双边谈判和签订双边条约。"新'联盟条约'的未来被叶利钦访问基辅之后所签署的俄罗斯与乌克兰之间的一项双边条约所破坏。该双边条约的文本设计成两个主权国家之间的一项协议，根本没提到苏联或其他政治上的更上层结构。"[2] 戈尔巴乔夫为了约束他们，决定举行全民公决。

苏联依托俄罗斯联邦而存在的，所以俄罗斯没有自己的政党、军事机构、安全委员会等，只是在叶利钦当选为俄罗斯联邦最高苏维埃主席后，俄罗斯才开始加紧建立自己的权力机构和管理机构。如果俄罗斯的权力变得强大而有威信，苏联中央机构就会形同虚设。

---

[1] ［美］布热津斯基著：《大棋局》，第 130—131 页。

[2] ［俄］瓦列里·季什科夫著：《苏联及其解体后的族性、民族主义及其冲突——炽热的头脑》，姜德顺译，中央民族大学出版社 2009 年版，第 95 页。

二、俄罗斯联邦共产党成立，与俄罗斯民族主义合流

俄罗斯联邦与其他加盟共和国不同，它没有共和国的党组织，实际上苏共依托的就是俄罗斯联邦。在改革的过程中俄罗斯民族主义在发展，1989年12月，戈尔巴乔夫为了加强对俄罗斯的影响，在中央委员会内增设俄罗斯局，他亲自领导。但要求成立俄罗斯联邦共产党的呼声越来越高。

创建俄罗斯联邦共产党的运动是俄罗斯民族主义情绪的反映，俄罗斯的民族主义情绪仅次于波罗的海三国，如1989年秋在第二届人代会上表决取缔宪法第六条关于共产党领导作用的条款时，参加表决的立陶宛37名代表中有36人赞成，占97.3%；爱沙尼亚36名代表中32人赞成，占88.9%；拉脱维亚是40人中32人赞成，占80%；亚美尼亚是33人中20人赞成，占60.6%；俄罗斯是588人中319人赞成，占54.3%；格鲁吉亚是63人中34人赞成，占54%；白俄罗斯是55人中28人赞成，占50.9%；摩尔达维亚是34人中16人赞成，占47.1%；乌克兰是164人中73人赞成，占44.5%；吉尔吉斯是40人中11人赞成，占27.5%；哈萨克斯坦是70人中12人赞成，占17.1%；阿塞拜疆是46人中5人赞成，占10.9%；塔吉克斯坦是41人中4人赞成，占9.8%；土库曼斯 坦是33人中3人赞成，占9.1%；乌兹别克斯坦是77人中1人赞成，占1.3%。[1] 在已经成为既成事实的情况下，中央支持创建俄罗斯联邦共产党的意见占了上风。利加乔夫对此表示支持，戈尔巴乔夫也难顶住压力，只好放任自流。1990年6月9日，在列宁格勒召开了俄罗斯共产党倡议代表大会第二阶段会议，有来自莫斯科、俄罗斯联邦各自治共和国、边疆区和州的560名代表出席，讨论以什么样的原则重建俄罗斯共产党的问题。

1990年6月19日，俄罗斯联邦共产党代表会议开幕，这次会议变成了俄共的成立大会，其党员占苏共的62%。戈尔巴乔夫支持的库普佐夫没有被选为俄共中央第一书记，当选者是波洛兹科夫。伊万·波洛兹科夫和根纳季·久加诺夫在苏共遭到批判的时刻成立俄罗斯联邦共产党，将他同联盟的领导层相

---

[1] *Чешко С.В.* Роль этнонацианализма в распаде СССР.См.: Трагедия великой державы: национальный вопрос и распад советского союза. Отв. ред. Академик *Г.Н. Севостьянов*. М., Изд-во Социально-политическая мысль. 2005. С.478.

对抗，从而对苏联共产党的垮台起到了重要作用并进而导致苏联解体，正如米格拉尼扬所说："俄罗斯联邦共产党在正统的马克思主义基础上的建立和党的重心从联盟中央向共和国的转移，主要是向俄罗斯联邦共产党的转移，使戈尔巴乔夫无法阻止在苏共党内出现一个强大的、有组织的反对派。"[1]

这次俄罗斯联邦共产党代表大会通过了《关于目前局势和俄共的首要任务的决议》[2]，指出苏联社会面临危机，社会上各种矛盾激化，对苏共、对国家权力机关以及政治领导人的信任危机日益加剧，认为苏共落后于社会改革，应该对目前的社会状况负有政治上和道义上的责任。提出的首要任务是：坚持改革，促进社会团结以摆脱危机，支持在自愿的基础上签署新的联盟条约，协助俄罗斯联邦权力机关确立他们的充分权力，支持俄罗斯联邦权力机关和管理机关的改革措施，保护劳动者利益，改善生态环境等。

俄罗斯联邦共产党的领导者并不认同戈尔巴乔夫的政策，对戈尔巴乔夫持批评的态度，1991 年 1 月，俄罗斯联邦共产党第一书记波洛兹科夫在苏共中央委员会和中央监察委员会联席会议上的发言指出，改革发生了蜕化，"扩大民主，提高人们福利的改革都还没有实行"。"现在，自由派，如果准确地说，叫做右派或简称反动派，撕下了民主派的假面具。在宣布反共产主义是他们自己的思想体系之后，便把那些已被推翻阶级的继承人、民族主义者、影子经济的投机分子，即受到苏维埃政权限制的所有人都集合到他们的旗帜下。""现在我们再也不能谈及任何多党制，只有捍卫社会主义改革的苏联共产党。也有为数不多的政治集团的领袖，他们归根到底只有一个政治面目，那就是反共产主义。这些集团团结起来，联合起来，是为了与苏联共产党作斗争，是为了夺取政权。我们没有什么公开性。如果说从前是苏联共产党垄断公开性的话，那么现在这种垄断已归与其对抗力量的一方。正是他们在对社会意识施加自己有腐蚀作用的影响。"[3]俄罗斯联邦共产党在政治上否定戈尔巴乔夫的改革，在行动

---

[1] ［俄］安德兰尼克·米格拉尼扬著：《俄罗斯现代化之路——为何如此曲折》，新华出版社 2002 年版，第 145 页。

[2] 塔斯社莫斯科 1990 年 6 月 23 日电。

[3] 《波洛兹科夫在苏共中央委员会、中央监察委员会联席会议上的发言》，见《苏联历史档案选编》，第 30 卷，第 544—545 页。

上支持叶利钦与联盟争主权，投票赞成通过俄罗斯主权宣言。

俄罗斯联邦共产党对俄罗斯民族分离主义的发展作出了重要贡献。在1990年6月召开的俄罗斯联邦人民代表大会上，俄共议员团有300多名代表，是最大的议员团，但在通过俄罗斯主权宣言时，竟然没有一个俄共党员提出异议，在参加投票的907名代表中，只有13人投了反对票，9人投了弃权票，11人没有投票。尽管波兹别洛夫与叶利钦在政治主张上不同，但在为俄罗斯联邦争主权方面他们是一致的。当时在摩尔达维亚任职的科金深有感触地说："对在加盟共和国的我们来说，俄罗斯联邦代表大会带头通过俄罗斯联邦主权的决定是个沉重打击。同样，俄共宣布成立后对于苏联各民族友好的融合又是一个新的打击。"[1]

苏联是一个多民族国家，民族问题成了决定苏联命运的一个特殊的政治因素，在改革浪潮中兴起的民族主义和民族分离主义摧垮了联盟大厦。苏联的解体，与历史上没有很好解决民族问题直接相关，长期以来，苏联一方面宣传"民族自决原则"，按民族属性划分行政区域，另一方面又过分强调无产阶级族际主义原则，实行高度集中的政治经济管理体制，各民族的权利得不到尊重，民族文化的多样性受到国家共同性的威胁，积聚了许多不满。戈尔巴乔夫的改革，给各民族提供了表达自己要求的机会，但他对民族问题显然估计不足，既没有很好解决历史遗留问题，也没有解决好现实中出现的新问题。当问题和危机来临时，他又盲目相信人民的理性和各民族间的兄弟情谊，没有发挥联盟中央的权威作用。戈尔巴乔夫没有及时更新联盟，没有及时划分联盟中央与地方的权限，使问题像滚雪球一样越积越多。与此同时，俄罗斯联邦在叶利钦的领导下，一方面对民族分离主义浪潮推波助澜，另一方面又与联盟中央争权，让戈尔巴乔夫一次次挽救联盟的努力落空。苏联的教训说明，在一个人口文化成分复杂的国家里，要保证国家统一、领土完整和强大，应该努力建立和宣传国家的象征，强化全体公民珍惜国家政权和对国家政权的忠诚感。实现各民族的平等，发展民主和地方自治，而不是强化民族特征和强化民族差别。

[1] *Кодин М.И.* Трагедия Старой площади. М., Фонд содействия развития социальных и олитических наук.1999. С.225.

第七章　戈尔巴乔夫新思维外交的理论与实践

在对内政进行改革的同时，戈尔巴乔夫也进行了外交观念的更新和对外政策的调整，其中最突出的是提出了外交新思维。所谓新思维，就是用新的视角重新看待世界和世界面临的主要问题，找到处理国家间关系和重大国际问题的新方法。美苏两个超级大国的核军备竞赛严重威胁着人类社会的和平与生存，戈尔巴乔夫希望用新思维看待世界局势，用新的方法解决这些问题，使政治符合人类的道德原则。"新思维可以说是我们呕心沥血得来的，是用来消除政治实践与全人类道德伦理之间脱节现象的。"[1]在新思维的指导下，苏联调整了与世界上各种类型国家之间的关系，试图为改革创造有利的国际环境。戈尔巴乔夫对外政策的新思维意在改变苏联"邪恶帝国"的形象，与世界和谐相处，为苏联的改革创造良好的外部环境。

第一节　新思维外交思想与苏联对外战略的大转变

对于戈尔巴乔夫提出的新思维外交思想和以战略收缩为特征的外交政策，得到的评价是不同的，有人认为，"苏联共产党的最后一位'领袖'和他的'杰出的同志们'以自己的'英雄壮举'给原社会主义阵营、苏联和俄罗斯造成了历史上空前绝后的巨大损失：放弃了对伟大卫国战争的胜利总结和雅尔塔—波茨坦宣言体系；破坏了战略实力平衡，使其有利于西方；瓦解了华沙条约和几十年欧洲安全体系下形成的社会主义阵营；使前苏联加入了由美国发号施令的针对一些友好国家采取政治和经济制裁的国际体制；苏联军队实际上从德国的溃退最终为苏联解体创造了条件。"[2] 这种说法显然不会被许多人，特别是原东欧的人民所接受。

一、新思维外交思想的提出与发展

戈尔巴乔夫上台之时，苏联国内问题成堆，军备竞赛让苏联经济不堪重

[1] [俄] 米·谢·戈尔巴乔夫著：《为了人类文明永世长存——在"争取无核世界，争取人类生存"国际大会上的讲话》，莫斯科新闻出版社 1987 年版，第 8 页。

[2] [俄] A. 利亚霍夫斯基著：《阿富汗战争的悲剧》，刘宪平译，社会科学文献出版社 2004 年版，第 330 页。

负，里根又要加紧实施他于1983年3月提出的星球大战计划，如果苏联应战，就意味着开始新的一轮军备竞赛，这是苏联经济绝对无法承受的。面对美国的挑战，苏联需要改变传统的外交政策，为此，必须改变苏共传统的对外政策理论。在这一背景下，戈尔巴乔夫提出了新思维外交的思想，并逐步加以完善，逐渐成了指导苏联外交的理论基础。

1986年1月15日，在《苏共中央总书记戈尔巴乔夫的声明》中首次使用"新思维"这一概念，并声明："新思维是苏联外交政策的哲学"，苏联还提出到2000年完全销毁核武器。

在1986年2月苏共二十七大上，戈尔巴乔夫一如既往地强调了社会主义的优越性、进步性和资本主义的局限性、矛盾的尖锐性，强调两个体系、两种社会形态国家之间的矛盾是影响人类社会发展的最重要的矛盾，"帝国主义的内在动机、它的社会经济实质本身也迫使帝国主义将两个体系的竞赛变成了军事对抗。帝国主义由于其社会本质而不断推行侵略性冒险政策。"[1]戈尔巴乔夫批评了美国的军事对抗政策，强调苏联社会主义主张不同国家的和平共处，主张用和平手段解决问题。与此同时，戈尔巴乔夫也强调出现了涉及文明社会存在基础本身的全球范围内的矛盾和问题，如环境、大气层和海洋的污染以及自然资源的枯竭，强调"解决全人类和全球的问题光靠一个国家或几个国家的力量是不行的。这需要世界范围的合作，需要大多数国家密切的、建设性的协作。"[2]总的来看，戈尔巴乔夫对当代社会主义和资本主义的估计并未超出苏联的传统认识，但戈尔巴乔夫并不想与美国对抗，而是进行长期的和平竞赛，同时，为了解决全人类面临的共同问题而进行协作，"需要这种协作来防止核浩劫，使文明社会能够生存下去。需要进行这种协作，以便共同地和为了每个人的利益来解决全人类的其他日益尖锐的问题。"[3]戈尔巴乔夫的主要意图在于摆脱军备竞赛，为苏联的经济发展、人民生活的改善创造有利条件。

1986年7月28日，在符拉迪沃斯托克的讲话中，戈尔巴乔夫提出了苏联对外关系新的行为准则，"不是谋求某些特权和特殊地位，不是出于自私目的，

[1] 《苏联共产党第二十七次代表大会主要文件汇编》，第16页。

[2] 同上书，第26页。

[3] 同上书，第29页。

企图以牺牲他人来加强自身安全，以损害别人来寻求好处。我们认为自己的利益在于共同努力，在于在充分尊重每一国人民按照自己的选择而生活并在和平条件下独立自主地解决自身问题的情况下进行合作。”[1]他提出建立新的、公正的国际关系，“时代要求对文明、国际关系和世界发展的现阶段作出新的理解。这是一个充满矛盾、复杂而又被相互联系的纽带客观上联成一体的世界。这是由于利益上的种种差别与冲突而不能按数千年形成的‘强权’传统来生存的国际关系。”[2]在谈到亚太地区的国际关系时，戈尔巴乔夫指出：“今后这一地区的社会经济和政治将如何发展，在国与国之间的关系中什么样的进程占优势，这在很大程度上决定着全世界的命运。”[3]“历史的经验、不断增长的相互依存的规律和经济一体化的需求，都要求寻找途径来协调和安排好这一地区内外的国家之间的公开关系。”[4]戈尔巴乔夫这一讲话与其在苏共二十七大上的报告相比，显然又向前迈了一步，他更加强调世界的相互依存性和进行国际合作，强调苏联对外政策的改变。

在1987年11月出版的《改革与新思维》一书，是戈尔巴乔夫对外政策新思维形成的重要阶段。在该书中他对国际形势和苏联的外交政策进行了分析与解释，全面系统阐述其对外政策的原则，其核心思想是世界发生了很大变化，各国和各民族相互依存性提高，国家关系应该考虑利益均衡，安全应该是相互的，应给各国人民以选择的自由，各国要共同解决当代全球性问题。在核武器时代，战争已经不能被当成达成目的的手段，强调对话与合作，他认为：“为了生存和在阳光下能有一席之地而斗争的人不光是马克思主义者和非马克思主义者，还有许许多多具有其他思想观点的人。现代政治生活是极其丰富多彩的，除相似之处外，在经济关系、政治制度和文化形式的架构上，存在着各种各样的差异。最后，就我们所谈论的话题而言，最本质的问题是，资本主义和社会主义的基本概念本身需要重新考虑”。[5]

---

[1] 《戈尔巴乔夫言论选集》，苏群译，人民出版社1987年版，第428页。

[2] 同上书，第425页。

[3] 同上书，第426页。

[4] 同上书，第428页。

[5] ［俄］米·谢·戈尔巴乔夫著：《戈尔巴乔夫回忆录》下册，第1241页。

1988年12月7日，戈尔巴乔夫在联合国大会上发表经过精心准备的讲话，标志着戈尔巴乔夫新思维思想和政策的最终形成。在这一讲话中戈尔巴乔夫提出了一系列改善国际局势的具体建议，如：排除在对外政策中使用武力、奉行自由选择的原则、实现国家关系的非意识形态化、发挥联合国的新作用、重视国际法的制定与运用、实行国际关系的人道化等。戈尔巴乔夫还宣布：苏联要在两年内裁军至少50万人，削减常规武器，从民主德国、捷克斯洛伐克和匈牙利撤出部分军队等等。[1]戈尔巴乔夫对外政策的新思维是戈尔巴乔夫调整对外政策的指导思想，这一思想无论对苏联，还是对世界都产生了重大影响。其内容包括以下几方面：

第一，戈尔巴乔夫改变了对世界战争与和平的看法。他强调，人类已经进入了核时代，核战争不可能是达到任何政治的、经济的、意识形态的目的的手段，在核战争中不会有胜利者，只能导致人类文明的毁灭。戈尔巴乔夫认为，"人类进入原子能被用于军事目的的核时代之后，就可能不再是永生的了……一旦爆发核战争，一切生命都将从地球上消失。"[2]"不仅核战争本身，而且对这样的战争的准备，亦即军备竞赛和争取军事优势，客观上不会给任何人带来政治上的胜利……为了建立一个无所不包的国际安全系统，必须走合作之路。"[3]同时，"要在经济领域和政治体制中实行彻底的改革，就必须在对外政策方面进行相应的改革，创造一个有利的国际环境……作为开头，至少也得把'冷战'的积雪扫除干净，把由于我们被卷入世界各地的冲突、参加糜费精力的军备竞赛而带来的种种问题所造成的压力缓解下来。"[4]戈尔巴乔夫放弃了认为世界安全取决于两大体系力量均衡的观念。

戈尔巴乔夫认为："在军备竞赛中取胜，以致在核战争中取胜，是不可能的。在地球上继续这种竞赛，尤其是继续把这种竞赛扩展到太空，势必加快核武器积存和改进的速度，而这种速度本来就已达到疯狂的程度了。世界的局势会变得不以政治家们为转移。局势将为偶然性所左右。我们大家都必须学会在

[1] www.gorby.ru 2008.12.09.

[2] ［苏］米・谢・戈尔巴乔夫著：《改革与新思维》，第118页。

[3] ［俄］米・谢・戈尔巴乔夫著：《戈尔巴乔夫回忆录》上册，第341页。

[4] 同上书，下册，第719页。

这个世界上和平相处，树立新的政治思维。”[1]戈尔巴乔夫认为，由于核武器的出现，要求用新的眼光看待战争与革命问题，过去，革命往往与战争相联系，但核战争的结局只能是普遍毁灭，因此，苏共二十七大的新党纲删掉了“一旦帝国主义侵略者仍然敢于发动新的世界大战，各国人民就将不再容忍使他们陷入毁灭性战争的制度。他们将消灭和埋葬帝国主义。”与此相联系，戈尔巴乔夫把新思维外交的核心定为：“承认全人类价值观的优先地位，说得更确切些——承认人类的生存。”[2]

由于对现代战争看法的根本改变，戈尔巴乔夫提出了新的安全观，以“普遍安全”（或“相互安全”）取代以往的“单方面安全”来确保苏联的国家安全，不再把自己的安全建立在损害别国主权与利益的基础上，不再牺牲别国的安全，承认每个民族都有自己的自决权。他提出：“安全的唯一牢固基础，就是承认各个民族和国家的利益，承认它们在国际生活中一律平等。必须把自己的安全同国际社会各成员同样的安全结合起来……决不能靠牺牲别人的安全来求得自己的安全。”戈尔巴乔夫反对军备竞赛，宣布把军事战略建立在防御的基础上，并提出了合理、够用的原则。“新的政治思维同样不容违背地决定了军事思想的性质。军事思想应该是严格的防御性的……我们时代普遍安全的基础，就是承认每个民族都有权选择自己的社会发展道路，不干涉其他国家的内部事务，尊重别人并对自己的社会持客观的、自我批评的观点。人民可以选择资本主义，也可以选择社会主义。这是他们的主权。各国人民既不能也不应该受制于美国，既不能也不应该受制于苏联。”[3]戈尔巴乔夫认为苏联不能通过武力战胜资本主义，核时代以战争作为解决政治问题的手段无异于自杀，保障苏联安全只能通过和平手段，因此，苏联不再追求军事优势，而是争取“低水平的战略平衡”，“足够的防御”，“在我们的时代，真正的、对等的安全是以水平越来越低的战略均势来保证的，从中必须完全排除核武器及其他大规模毁灭性武器。”[4]戈尔巴乔夫认为利益的平衡才是安全的可靠保障。

---

[1] [苏] 米·谢·戈尔巴乔夫著：《改革与新思维》，第118页。

[2] 同上书，第126页。

[3] 同上书，第123页。

[4] 同上书，第121页。

戈尔巴乔夫的安全理论放弃了苏联长期奉行的霸权主义，有积极的意义，其实际内容是苏联放弃了东欧这一势力范围，以换取结束与西方的冷战和对峙。但是，在美国等西方国家的霸权主义继续存在的条件下，苏联单方面退却，是不是能真正解决问题？当苏联从传统控制区撤出后，美国等西方国家去填补真空时，苏联将怎么办？这是不是对苏联安全的威胁？戈尔巴乔夫没有回答这个问题，而这一问题在苏联解体后成为俄国面对的主要问题，至今仍困扰着俄国。这一理论的缺陷还在于，他只侧重于国家的军事安全，而没有提出国家的经济安全问题，正因为他没有这方面的意识，日后他竟天真地请美国学者帮助他拟定经济改革计划。

第二，在关于时代和苏联社会主义历史地位的问题上，戈尔巴乔夫放弃了苏共长期坚持的"帝国主义和无产阶级革命的时代"观，提出和平共处不再是"阶级斗争的一种特殊形式"，而是核时代"全人类生存的条件"。他提出重新认识现代资本主义，放弃了"资本主义总危机"理论和帝国主义就是战争的理论，指出"现在的情况不同了。资本主义不仅由于上次战争的教训，而且由于害怕自己在已成为世界体系的社会主义面前被削弱，不愿意使内部矛盾发展到极限。内部矛盾已经转化为相互间的技术竞赛，利用新殖民主义来'缓和一下'。世界发生了某种新的'和平'的重新划分——是根据列宁揭示的那种规划，即按'资本'来划分，谁更富有，谁在此时更强大，谁就拥有更多的份额。在一些国家，借口'苏联的威胁'，把资金转给军界工业界集团，以此来'消除'经济中的紧张状况。资本主义经济技术基础和组织基础也有助于调解矛盾、平衡利益。"资本主义可以在不进行军事化的情况下发展，许多国家的现代资本主义经济的迅速发展时期是在军费最低的条件下发生的。[1]

戈尔巴乔夫承认现实的社会主义并不能取代资本主义，而只是"这个世界的组成部分"。1986 年 3 月苏共二十七大提出苏联战略的主要目标是"保证使苏联人民在持久和平和自由的条件下劳动"，把和平共处作为苏联"绝对遵循的政治方针"。"党在世界舞台上的活动的主要方向，依然是为反对核危险和军备竞赛、为争取维护和加强普遍和平而斗争。""如果说到美国与苏联的关系，安全只能是相互的，而如果以整个国际关系而论，安全只能是普遍的"。"资本主

[1] [苏] 米·谢·戈尔巴乔夫著：《十月与改革：革命在继续》，第 43 页。

义和社会主义国家之间的对抗仅仅并且完全通过和平竞赛与和平竞争的方式进行”。苏共二十七大改变了苏联外交政策的方向，“它把资本主义和共产主义国家以阶级斗争为基础的思想转变成东西方在较低和较少危险的军备状况下共享安全的观念”，提出了“加强国家社会经济发展”的国家战略，将苏联的战略目标变为谋求与西方国家的和平共处，创造有利于国内进行经济建设的和平环境。[1]

第三，戈尔巴乔夫认为世界是相互联系、相互依存的一个整体，世界经济联系正日益国际化，苏联要发展，必须加入到世界经济体系中去。苏联长期受斯大林“两个平行市场”理论的影响，脱离了世界经济发展的大潮，造成了国家的封闭与落后，戈尔巴乔夫冲破了这一理论束缚，开始强调苏联与世界经济联系的重要性，提出苏联不能置身于一体化的世界经济之外。苏共二十七大提出新的对外政策构想的出发点是：尽管组成现实世界的各国之间有着巨大的差别，然而世界是相互联系的，是相互依附的，它是一个固定的整体。戈尔巴乔夫从世界是由多种类型的国家构成的这一角度出发，承认世界是多侧面、多色彩、多变化和充满矛盾的，戈尔巴乔夫强调尊重各个国家不同的利益，强调利益均衡。戈尔巴乔夫指出：“谁也不能抹煞社会主义世界、发展中的世界和发达的资本主义世界”，但“我们还看到一个主要的趋势——国际社会各国日益增长的互相依存的趋势”。他还说：“我们时代的另一个同样明显的现实，是出现了所谓的全球性问题，而且越来越尖锐，这些问题对于文明社会的命运也具有非常重要的意义。这里说的是对自然界的保护，是环境、空间和海洋的危急状态，是我们星球并非无限的传统资源。这里说的是原有的和新发现的可怕的疾病，是人类共同焦虑的问题，即如何消灭地球上广大地区的饥饿和贫困……现在看得越来越清楚，必须建立有效的、以平等为原则的国际程序和机制，以保证合理利用地球资源这些全人类的财富。”[2]

戈尔巴乔夫否定了两种社会制度完全对立的观点，提出在核武器出现使人类社会安全受到威胁的条件下，在世界经济联系扩大、相互依赖加深、全球问题突出的条件下，世界各国好比山坡上结队登山的运动员，谁也离不开谁。

---

[1] [苏] 阿纳托利·多勃雷宁著：《信赖》，肖敏等译，世界知识出版社1997年版，第679页。

[2] [苏] 米·谢·戈尔巴乔夫著：《改革与新思维》，第116、117页。

戈尔巴乔夫认识到世界是统一的，但他没有认识到资本主义国家不会轻易地接受苏联加入与它们竞争的行列，他对资本主义国家，特别是对美国抱有过分的幻想。

第四，在国家关系问题上，戈尔巴乔夫强调国家关系的非意识形态化。他认为，由于科学技术的高速发展，当前的世界已经形成了一个不可分割的多样性的统一体，人类面临着生存和发展的共同问题，因此全人类的利益高于一切，"决不能把意识形态分歧搬进国际关系的领域，让对外政策服从这些分歧，因为意识形态可能是完全对立的，而生存、防止战争的利益才是共同的和最高的。"[1]国家关系的非意识形态化是国际关系正常化的条件，国家关系不同于阶级与政党之间的关系，不能以意识形态定亲疏，这也是几十年来社会主义国家确定对外政策的主要教训。

与20世纪40年代相比，意识形态在20世纪80年代的作用与影响下降了，特别是苏联模式的吸引力下降了。第二次世界大战结束后，许多国家走上了苏联模式的社会主义建设之路，人们相信苏联式社会主义能够避免资本主义的种种社会与政治弊病，让人民过上好日子，但苏联东欧几十年的实践并没有证实这一点，西方的体制与生活方式越来越得到东欧国家人民的认同，苏联已经失去了意识形态对抗的优势。在这一背景下，为了提高苏联的国际威信，戈尔巴乔夫只能另辟蹊径。1988年戈尔巴乔夫在联合国大会提出"实现国家关系的非意识形态化"，在国际社会引起了很大反响。

但是，国家关系的非意识形态化并不意味着意识形态在国家交往中不起作用，意识形态利益也是国家利益的一个方面，戈尔巴乔夫完全否定意识形态利益，对资本主义不设防，也是片面的，并不能真正维护苏联的国家利益。

第五，在价值观方面，放弃无产阶级、社会主义的国际主义，承认全人类价值优先于民族、阶级等价值。苏联不再以阶级斗争的态度对待一切国际现象，不再把社会主义与资本主义两种制度的斗争看成是国际社会演进的动力，不再把和平共处看成是阶级斗争的特殊形式。和平共处原则不仅用于处理制度不同国家间的关系，也用于处理与社会主义国家间的关系，等于承认了曾被苏

[1] ［苏］米·谢·戈尔巴乔夫著：《改革与新思维》，第123页。

联控制的社会主义国家有权按照自己的意愿生活。外交部长谢瓦尔德纳泽解释说:“我们有充分的理由认为在和平共处时期不存在什么特殊形式的阶级斗争。所谓的共处是建立在不侵犯他国领土、尊重他国主权及国家独立、不干涉内政等等这样一些原则之上的。它不能等同于阶级斗争。两种对抗制度的斗争已不再决定当今时代的走向。现今,起决定作用的,是我们依靠先进科学、现代化设备和尖端技术来加快物质财富生产与合理分配的能力,以及我们开发和保护那些人类生存所必不可少的资源的能力。”[1]戈尔巴乔夫等人在提出这一正确的新观点的同时,却在实际上低估了西方阵营意识形态、价值观的“攻击力”。正是苏联放弃“无产阶级国际主义”的同时,美国开始大谈“推广民主自由价值观”和它的“国际主义”的。

1990 年 7 月,在苏共二十八大上,戈尔巴乔夫在总结苏联国际活动时说,苏联对外政策有三个关键性的前提:“第一,不能靠牺牲别人的安全来保证自己的安全,不能靠损害别人的利益来捍卫自己的利益,不能自以为你更了解别的人民和国家应如何安排他们自己的事务。承认每个国家人民的选择自由是建设新世界秩序的基本前提。第二,不能单独地、在把自己社会发展的道路同别人的道路对立起来的情况下走向繁荣、自由和民主的社会。时代的要求就是共同发展、共同创造和合作。第三,之所以要把我们的国民经济纳入世界经济,不仅是为了使自己的经济现代化,而且是为了同其他人民一道为历史上的一个永久和平时期创造物质基础,是为了解决人类全球性的问题。”[2]这些理论从总的方面看是适应历史发展趋势的,表明苏联放弃了与美国争霸世界的目标,促使战后持续了 40 年的“冷战”结束了,这无论对苏联自身,还是对世界都是有利的。

新思维外交的核心是“承认全人类价值观的优先地位,说得更确切些——承认人类的生存。”[3]在核战争的威胁面前,提出“全人类利益高于一切”并没有什么错,关键是不能用全人类的利益代替自己国家和民族的利益,因为当今的世界并未实现大同,国际关系的主体仍然是民族国家。

---

[1] Правда. 26 июля. 1988.

[2] 《苏联共产党第二十八次代表大会主要文件资料汇编》,人民出版社 1991 年版,第 29 页。

[3] [苏] 米·谢·戈尔巴乔夫著:《改革与新思维》,第 126 页。

在新思维外交思想的指导下，苏联对外战略发生了根本性转变。苏联外交的目标开始转为致力于为苏联的改革创造有利的外部条件。苏联放弃了冷战政策，改善了与美国的关系，实现了中苏关系的正常化，不再干涉东欧事务，为东欧剧变和德国统一提供了方便的外部条件，加强与世界各国、各地区的经济联系。应该承认，戈尔巴乔夫的外交为苏联国内的改革创造了比较有利的外部环境，消除了与世界各大国的敌对关系，遗憾的是，戈尔巴乔夫并没有能利用这一条件进行国内的改革。

二、苏联对外战略的大转变

1985 年 3 月戈尔巴乔夫上台之时，苏联处于内外交困的境地。由于勃列日涅夫时期苏联的外交过分重军事和政治，轻经济，使苏联的负担超过了国力的许可。苏联四面树敌的政策，也使它恶化了与大国的关系，损害了苏联的国际形象。戈尔巴乔夫面临着巨大的国际压力，中国提出两国关系正常化的条件是苏方消除“三大障碍”，美国利用自己的经济实力企图在军备竞赛中拖垮苏联，日本提出与苏联加强经济合作的前提是解决领土问题等等，戈尔巴乔夫别无选择，他要改善本国的国际环境，只能改变苏联外交的进攻战略，进行战略收缩：结束与美国的军备竞赛，退出阿富汗战争，与最大的邻国——中国实现关系正常化，解决越南侵略柬埔寨的问题等等。在对自身实力和国际环境进行重新认识的基础上，苏联的对外战略目标发生了根本性的转变，苏联不再谋求充当世界的发号施令者，不再与外部世界对抗，放弃实力政策和争霸政策，使苏联成为国际社会一个正常成员。苏联的对外战略也随之发生了变化，其主要表现在以下几方面：

第一，戈尔巴乔夫明确要求外交要为国内经济建设服务，苏联要改变封闭的状态，对外开放。众所周知，苏联的内政常常是为实现对外战略的宏伟目标服务的，外交不计成本与代价，到处插手支持“世界革命”，而很少考虑国内经济的承受能力。戈尔巴乔夫开始改变这种做法，1986 年 5 月 23 日，戈尔巴乔夫对苏联外交部工作人员发表讲话，阐述了外交的改革。他强调，外交应同国家利益密切配合，“外交应当有助于国家的内部发展。苏联外交的任务是保障和平，没有和平，一切就没有意义了。但是，苏联外交还要尽可能为加速苏联的社会经济发展创造最有利的外部条件。”[1]“在制定对外政策时，应当更清醒、更广泛地估价具体事实，不要光从自己的利益出发观察一切……不要把坚持某一立场的坚定性变成毫无意义的顽固，不要让人家把苏联代表叫做‘不先生’。”[2]

苏联要逐步改变闭关自守的状态，对外开放。1986 年 7 月，戈尔巴乔夫在海参崴发表讲话，要使远东地区对外开放，1988 年 9 月，他又强调让远东地区参加亚太地区国际分工和经济合作，1988 年 9 月 24 日，苏联政府宣布，废止 1933 年开始实行的苏联人进入滨海边疆区需要特殊通行证的制度，外国人也可进入，1988 年 10 月，还在这里召开了有 30 多个国家代表参加的“亚太地区对话、和平与安全”国际研讨会。

苏联开始接受国际社会通行的一些价值观，如人权问题。戈尔巴乔夫说：“我们有些外交人员一听到‘人权’这个词，就有点噤若寒蝉……我们能够，也应该自由地同西方讨论这个问题，因为我国在保障人权方面确实做了出色的工作。这不是宣传，而是客观现实。顺便说一下，甚至美国的一些政治学家也承认这一点。”[3] 苏联无法再回避人权问题了，1986 年 10 月，在雷克雅未克会晤时，里根就明确把人权，特别是自由迁出苏联的权利与美国政府提供贷款挂钩，戈尔巴乔夫在会后的记者招待会上回答关于人权问题时说：“我认为，在我们说人权的时候，应该明白，现在这个问题主要是保持和平，回答核威胁对人类的挑战，这是最主要的方面。未来的和平，也就是生存……因此，在我谈到人权的时候，首先是人的生存权，这是第一。第二，关于人的因素。在核世纪（在此我看到刚刚出现新的政治思维）战争的威胁以新的形式提出了人的因素在防止战争中的作用。核战争将终结一切，并不取决于战争从哪开始。”[4]1987 年 3 月，

[1] ［苏］谢瓦尔德纳泽等著：《苏联外交反思》，宋以敏选编，世界知识出版社 1989 年版，第 2 页。

[2] 同上书，第 6 页。

[3] 同上书，第 5—6 页。

[4] Отвечая на вызов времени. Внешняя политика перестройки: документальные свидетельства. По записям бесед М.С. Горбачева с зарубежными деятелями и другим материалам. М., Издательство “Весь Мир”, 2010. С.123 – 124.

撒切尔夫人访问苏联时，戈尔巴乔夫开始与之讨论实质性的人权问题。撒切尔夫人希望苏联“给人们以个人自由，像我们那样，包括自由迁居国外。”戈尔巴乔夫回应说：“让我们讨论一下自由，看看我们的制度给了什么？自治，这一点我已经说过了。劳动权，工作保障权，教育平等权，没有民族和种族歧视的生存权。在政府中选派代表和参加国家管理权。”撒切尔夫人又强调英国人有舆论自由权，在意识形态和人文领域有赫尔辛基协议，而苏联却把监督实行赫尔辛基宣言精神的人投入监狱。许多政治监禁者被释放，对此西方表示欢迎。她希望苏联给予犹太人和地区组织以更多权利。戈尔巴乔夫表示苏联将更多地注意解决人道问题，但反对西方借此干涉苏联的内政。苏联将遵守赫尔辛基协议，与西方加强交流，增进相互理解，苏联准备参与推动欧洲进步。[1] 在1987年4月14日与美国国务卿舒尔茨会谈时，戈尔巴乔夫说，在1987年过去的三个月中，苏联已经允许1500人移居国外，比过去一年多1355人。[2]1991年苏联签署了1966年生效的《公民与政治权利国际条约》中的《选择性协议》，苏联接受据此条约设立的人权委员会的约束。

第二，放弃与美国争霸的目标，退出与美国的军备竞赛，改善与这个世界头号强国的关系。戈尔巴乔夫和谢瓦尔德纳泽当时思考的核心问题是：军备竞赛已经成了苏联经济沉重的负担，苏联经济是不是能够长期承受军备竞赛的负担？ 1983年美国总统里根提出“星球大战”计划，有人认为里根“对结束冷战最有贡献的两个战略决定是：北约组织在欧洲部署美国中程导弹，以及美国承诺投入战略防御计划（即‘星球大战’计划）。”[3] 里根的计划给苏联领导人造成很大的心理压力，苏联如果应战，苏联经济难以承受，确实，“当戈尔巴乔夫控制了权柄和克里姆林宫的所有按钮时，苏联以其不堪重负的经济，已经既无法保持自己第二军事超级大国的地位，也无法保持最后一个世界帝国的头衔了。照彼特拉科夫院士的看法，‘我们之所以输掉第三次世界大战（指

[1] Отвечая на вызов времени. Внешняя политика перестройки: документальные свидетельства. С.125.

[2] Отвечая на вызов времени. Внешняя политика перестройки: документальные свидетельства. С.126.

[3] ［美］亨利·基辛格著：《大外交》，第718页。

冷战——引者），恰恰是因为我们开始认真地进行备战，将国民经济总值的75%—80%都用于军工企业和供养自己在东欧和第三世界的国外客户。’正因如此，要求苏联摆脱军事竞赛的重负、要求摆脱与美国战略瓜分世界这一不可避免之事的新政治思维，决不是身居‘苏联号’原子破冰船操纵台的那个天真外省人、业余政治家浪漫主义幻想的成果，而是完全清醒的、可惜并不令人宽慰的计算的结果。”[1]执政伊始，戈尔巴乔夫便把改善日益紧张的苏美关系放在十分重要的地位上。

在改善与美国的关系方面，苏联表现得更主动。据谢瓦尔德纳泽回忆，戈尔巴乔夫担任总书记后，曾两次召集苏联著名的核物理学家开会，戈尔巴乔夫提出的问题是：里根的计划是现实的还是幻想？第一次科学家们认为是不现实的，是愚蠢的计划，只是空话，目的是为了吓唬我们苏联。两个月后，在第二次会议上，这些科学家们说：我们不止一次地研究，起初得出的结论是：这是幻想，不能实现。但是，如果经济允许，虽然不是立即，但还是可能的。虽不能防御整个美国，但可以在一些地区，一些重要城市实现。苏联不能打穿美国的盾牌，美国可以打到克里姆林宫。后来再次召集包括经济学家在内的学者讨论这一问题，学者们指出：过一段时间，美国人能够建立起这样的防御体系，防御生死攸关的重要目标——大的工业中心、具有战略意义的城市，等等。[2] 在这一背景下，“我和戈尔巴乔夫决定：应该不管用什么代价也要找到与美国人的共同语言。与他们达成协议！他们也曾说这种竞赛对他们也不利。我和我的外交部、中央委员会的同事们在几周内制定了与美国人接近的政策。”[3]

由于美苏长期尖锐的对抗，苏联新领导人开始与美国人打交道很艰难，里根在与谢瓦尔德纳泽会面时，看着谢瓦尔德纳泽，然后说：“我知道，你是邪恶帝国的代表，但是我不得不跟您谈话，讨论全球问题。”他想我会立即站起来走，但我微笑着对他说：总统先生，这是您的成见，过一段时间，您会相信，我们不是什么邪恶帝国。您会与戈尔巴乔夫会面，然后会去苏联，但是，

[1] ［俄］安德烈·格拉乔夫著：《戈尔巴乔夫之谜》，第 246 页。

[2] «Международная жизнь». 2006. №12. С.143 – 144.

[3] «Международная жизнь». 2006. №12. С.144.

他回答，这只是神话，任何时候都不会发生。[1]但不久美国总统里根与戈尔巴乔夫就举行了会晤。

1985年11月19日，戈尔巴乔夫与里根的首次会晤在日内瓦举行，戈尔巴乔夫在回忆录中提到与里根的争吵，但尽量把这次会晤描写得缓和些。据谢瓦尔德纳泽说：戈尔巴乔夫与里根单独谈了两个小时，当他们从房间走出来时，看到他们的脸都是红红的，看来他们不仅相互争论，还相互抨击。戈尔巴乔夫要求立即回别墅，并要订飞机立即飞回莫斯科，当谢瓦尔德纳泽提醒他6点还有第二次会晤时，他说："没有，飞回莫斯科！跟这样的人，与他这样的领导人没办法打交道。"[2]在妻子和同事们的劝说下，戈尔巴乔夫才没有中途退场。里根要解决保护人权的问题，在处理地区性冲突方面的相互信任，而后才谈到裁减军备；戈尔巴乔夫的目的是首先推动裁减军备。双方虽然没有达成协议，但苏美两国首脑会晤本身对于缓和国际紧张局势有积极意义，日内瓦会晤成为美苏关系改善的"破冰之旅"。戈尔巴乔夫当政期间，苏美间举行了10次首脑会晤，苏美对话的广度与深度都达到了前所未有的程度，并最终签署了中导条约和削减战略核武器条约。苏美首脑所谈的议题主要有：裁军和安全、地区冲突、人权问题和双边关系。苏联主要关心的是降低军事对抗的水平，美国则更关心苏联的人权和影响，美国显示了咄咄逼人的进攻态势，正如基辛格所说："里根政府不仅拨款援助真正的民主人士（如波兰的民主人士），也援助阿富汗境内的伊斯兰原教旨主义者（这些人又与伊朗串通）、中美洲右派人士，以及非洲的部落军阀。"[3]也就是说，只要有利于削弱苏联之事，美国都不择手段地去做（苏联解体后美国尝到这种为了目的不择手段的苦果，"9·11"事件和阿富汗战争就是最好的例子），但戈尔巴乔夫却打算放弃迎战，谋求与美国改善关系，以达到最终退出冷战的目的。

第三，改变对共产党和社会主义国家的政策，放弃干涉内政和内部事务的做法，给他们以独立自主决定本党和本国事务的权利。戈尔巴乔夫谴责了苏

---

[1] «Международная жизнь». 2006. №12. С.144.

[2] «Международная жизнь». 2006. №12. С.146.

[3] ［美］亨利·基辛格著：《大外交》，第717页。

共中央国际部干涉他党内部事务的行为，“我们像对自己的州委那样对兄弟党指手画脚的时代已经过去。他们在什么方面不同意我们的观点，我们可以坚持自己的观点，而不是排斥他们，不搞阴谋活动，不干涉他们的内政。”[1]东欧一直是苏联与西方进行冷战的前沿阵地，维护东欧这个势力范围一直是战后苏联外交的重点。在努力改善与美国紧张关系的同时，戈尔巴乔夫的东欧战略也在悄然发生变化。1985年11月，在戈尔巴乔夫与华约组织和经互会国家领导人会晤时，戈尔巴乔夫传达的信息是他要放弃“勃列日涅夫主义”和把苏联社会主义模式强加于人的做法，每个党和国家的领导人要对本国所发生的事情负责。1986年5月23日，戈尔巴乔夫对苏联外交部工作人员发表讲话，虽然仍说“同社会主义国家的关系应居于优先地位”，但他更强调要用新的方法处理与东欧国家的关系，他认为：“为了保证同社会主义国家关系的新质量，重要的是要克服我们某些外交人员头脑中存在的偏见、骄傲自满和因循守旧的作风。不要认为我们可以教导所有的人。谁也没有给我们这种权力。相反，作为社会主义大家庭内最强大的国家，我们应当谦虚。”[2]在1987年11月出版的《改革与新思维》一书中，戈尔巴乔夫强调：“社会主义国家之间的政治关系的整个体系要严格建立在完全的独立自主的基础之上。这是各个兄弟国家的领导人的共同观点。每个党独立自主、每个党有权自主解决本国的问题、对本国人民负责，这是绝对的原则。”[3]各社会主义国家在政治上加强合作，在经济关系上遵循互利和互助的原则。1988年3月，戈尔巴乔夫访问南斯拉夫，会后发表的公报宣称，苏联将无条件地遵守社会主义国家间平等和互不干涉的原则，并充分尊重社会主义各党及各国独立地决定自身发展道路的权利。[4]6月28日，戈尔巴乔夫在苏共第十九次代表会议上发表的讲话，更清楚地表明了他反对军事干预东欧事务的立场。在发言中，他说道：“新思维的一个关键问题是关于选择的自由的问题。我们坚信这一原则对于国际关系具有普遍适用性……主权和独立，平等权利和不干涉，正在成为国际关系公认的准则……反对选择的自

[1] ［俄］阿·切尔尼亚耶夫著：《在戈尔巴乔夫身边的六年》，第71页。

[2] ［苏］谢瓦尔德纳泽等著：《苏联外交反思》，第3页。

[3] ［苏］米·谢·戈尔巴乔夫著：《改革与新思维》，第144页。

[4] Правда. 19 марта. 1988.

由意味着将自己置于客观历史进程的对立面。”[1]1988 年 12 月底，戈尔巴乔夫又在联合国大会的主题发言中重复了这一立场。戈尔巴乔夫政策的改变，为重新调整苏联与社会主义国家的关系创造了条件。

第四，重新调整对第三世界的政策。苏联对第三世界的政策遇到的最棘手的问题是阿富汗战争，在 1985 年 10 月 7 日政治局会议上戈尔巴乔夫提出了一项关于“阿富汗决议”的建议，其中心思想是：应该结束这场战争，让阿富汗人自己学会保卫自己的事业。“不管有还是没有卡尔迈勒，我们将坚定地执行这样的路线：在最短期间内撤出阿富汗。”[2]“现在已经到了该全面研究我们对‘第三世界’承担的经济义务的时候了。”[3] 在处理与第三世界的关系问题上，苏联也改变以往与美国对抗的政策而采取合作和共同参与的态度，并以 1989 年 2 月苏军全部撤出阿富汗为收缩力量的主要标志，减少了对第三世界的干涉和卷入。

1986 年 5 月，纳吉布拉取代卡尔迈勒成为阿富汗人民民主党中央委员会总书记，并进行了一些政策调整。在 6 月 26 日苏共中央政治局会议上，戈尔巴乔夫说：“阿富汗进入了新阶段，现在是新领导了，下一步怎么办？……我们应该让他们更多地自己承担责任。让他们自主行动的道路已经开通。新的领导也决定这么做……也许在近期内可以撤出 5000—10000 人，这一进程要进行下去，最终在 2—3 年内完成撤军。一切应该一揽子解决。大家都要应该想想并提出建议。美国、巴基斯坦肯定会随后进来。但是结果不应该看成是可耻的失败：我们损失了多少小伙子，一切都扔在那了。一句话，为了让小伙子不再牺牲，这一进程要进行下去。”戈尔巴乔夫委托外交部、国家安全委员会、国防部、多勃雷宁准备建议。[4]7 月 11 日，政治局会议听取了多勃雷宁关于从阿富汗撤出 6 个团、8000 名人员的建议，大家都表示赞同。7 月 28 日在符拉迪沃斯托克的讲话中，戈尔巴乔夫宣布：苏联愿意把在阿富汗的军队撤回国，“到

[1] 戈尔巴乔夫在苏共第十九次代表会议上的报告，见《真理报》1988 年 6 月 29 日。

[2] ［俄］阿・切尔尼亚耶夫著：《在戈尔巴乔夫身边的六年》，第 61—62 页。

[3] ［苏］谢瓦尔德纳泽等著：《苏联外交反思》，第 5 页。

[4] Отвечая на вызов времени. Внешняя политика перестройки: документальные свидетельства. 2010. С.601.

1986年年底，将有六个团——一个坦克团、两个摩托化步兵团和三个高射炮团——连同它们编制内的技术装备和武器从阿富汗回国。”但他又警告说：“那些鼓励和资助对阿富汗进行不宣而战的战争，而且还从自己境内进行这种战争的人应当明白：如果继续对阿富汗民主共和国进行干涉，苏联是不会置邻国于灾难而不顾的。我们对阿富汗人民的国际主义声援以及苏联的安全利益，都将把这种情况绝对排除掉。”[1]11月6日，苏联国防部宣布从阿富汗撤出6个团的任务已经完成。

阿富汗战争使苏联付出了沉重的代价。戈尔巴乔夫已经认识到派军队到阿富汗是个错误，11月13日，戈尔巴乔夫在苏共中央政治局会议上说：“我们在阿富汗已经打了6年了。如不改变态度，我们还得打20—30年。这给我们影响事态发展的能力罩上了阴影。”戈尔巴乔夫继续说：“一般来说，我们没有解决这一问题的办法。我们为什么一方面承认我们的部队没能力控制形势，而另一方面又要无休止地打下去呢？在近期我们要结束这一过程。”[2]葛罗米柯建议：“应当确定一个战略目标。在不很遥远的过去我们还谈论过要封锁阿巴边界和阿伊边界。经验表明，由于当地地形地势的复杂和山区数以百计的通道，使我们无法完全做到这一点。今天要明确指出，这个战略任务就是要把战争结束。”戈尔巴乔夫表示赞同：“必须积极行动起来。有两个问题要确定下来。第一，在两年时间内全部完成我们从阿富汗的撤军。1987年要撤出50%，下一年再撤出50%；第二，应当从阿富汗政治力量的现实分布情况出发，扩大政权的社会基础。”[3]

1988年2月，戈尔巴乔夫宣布苏联将从阿富汗撤军，这是苏联早该采取的行动，但由于戈尔巴乔夫没有弄清阿富汗问题的实质，还想从中得到好处而延误下来了。戈尔巴乔夫在1987年2月23日政治局会议上说：“局势很复杂，可以很快撤离阿富汗，什么也不加考虑，派兵行为是前领导作出的。但我们不能这么做，印度会不安，非洲会不安。我们将无法向本国人民交代。我们上百万士兵去过阿富汗，原来一切都是徒劳。人们为什么去那里？目的是保住

[1] 《戈尔巴乔夫言论选集》，第437页。

[2] 沈志华总主编：《苏联历史档案选编》，第32卷下册，第812、813页。

[3] ［俄］A. 利亚霍夫斯基著：《阿富汗战争的悲剧》，第286页。

纳吉布拉的制度，这是必需的任务。”[1]戈尔巴乔夫的助手切尔尼亚耶夫的记录更详细些，戈尔巴乔夫在谈到不能立即撤军的理由时说：“如果我们一走了之，而那里将开始屠杀并将建立一个敌视苏联的基地，那我们将无法向本国人民交代。人们会说我们忘记了我们所作的牺牲，忘记了国家的威望。更使我们痛苦的是，我们损失了那么多人，而自己的义务却没有彻底履行。”[2]延缓从阿富汗撤军并没有让苏联得到它想得到的东西。1987 年 12 月，戈尔巴乔夫在华盛顿与里根会谈时还坚持，苏联撤军的一个条件是美国先断绝对阿富汗抵抗战士，也就是对圣战者的援助。直到 1988 年 4 月 14 日，阿富汗纳吉布拉政府与巴基斯坦签订了由苏联、美国予以保证的，解决阿富汗问题的日内瓦协议。苏联国防部长亚佐夫签署命令：1988 年 5 月 15 日—1989 年 2 月 15 日，撤回驻扎在阿富汗领土上的全部 100300 名苏军官兵。阿富汗战争是苏联国内经济困难加剧，社会矛盾激化，苏联在国际上陷于孤立的重要因素，苏联从阿富汗脱身是势所必然，正如当年美国不得不从越南撤军一样。但是，苏联从阿富汗撤军在西方被解释成苏联没有能力在其他地区保证自己的存在。

在军费开支和援助第三世界盟国的问题上，戈尔巴乔夫在很长时间内也继续着以前的政策。1988 年 11 月，在一次政治局会议上，戈尔巴乔夫坦言：“我们宣布的军事学说与我们在军事建设中所做的不一致。要知道，如果我们公布实情：我们在军事需要上花的钱比美国多 1.5 倍。世界上没有一个国家为军事目的花的钱按人均计算比我们多，而我们把武器大批提供给‘不发达国家’，却得不到任何回报。如果我们把这一情况公之于众，那么所有我们的新思维和我们整个新的对外政策就会完蛋”[3]。

对于苏联到处支持“世界革命”，雷日科夫说：“我还记得激动的安德罗波夫曾气愤地说：‘我们将大家紧紧抓在周围干什么？只要人家高喊一声：我们在建设社会主义！我们就会飞也似的跑过去。这样毫无选择地乱跑为什么？也许应该等一等、想一想、看一看：是我们比别人更需要？还是我们比别人更富

[1] В Политбюро ЦК КПСС… По записям Анатолия Черняева, Вадима Медведева, Георгия Шахназарова (1985 – 1991) .2-е изд., исправ. и доп. М., Горбачев-Фонд, 2008. С.145.

[2] ［俄］阿·切尔尼亚耶夫著：《在戈尔巴乔夫身边六年》，第 158 页。

[3] 转引自［俄］阿·切尔尼亚耶夫著：《在戈尔巴乔夫身边六年》，第 298—299 页。

有？'"[1] 苏联长期支持尼加拉瓜、利比亚、伊拉克等国，戈尔巴乔夫当政后对第三世界的援助减少了，据雷日科夫说：1986—1989年，苏联对外援助总额为600亿外汇卢布，即占国民生产总值的1.1%。仅古巴就"吃"掉了220亿外汇卢布。1986年向第三世界国家提供的援助为165亿外汇卢布，1989年为126亿，减少近30亿。1985年在阿富汗进行的战争耗资26亿卢布，即每昼夜720万卢布；1987年为54亿卢布，每昼夜消耗为1470万卢布。[2] 曾任克格勃主席的巴卡京证实："最近25年期间，中央委员会有一笔左翼政党和工人政党的基金，苏共每年存入2200万美元，最后一次存款是1989年存入的。1990年有大约1100万美元分给了许多政党。"[3] 由此可见，惯性的力量多么强，戈尔巴乔夫的战略转变不是一下子完成的。

第二节　苏联与西方国家关系的改善与发展

为了减弱东西方对抗的形势，1985年8月，在纪念广岛核轰炸40周年之际，苏联宣布暂停核试验，1986年1月15日，戈尔巴乔夫声明，建议分阶段全部销毁核武器，希望于1999年底前销毁地球上的所有核武器。1986年5月9日，苏联国防部声明："不仅在核战争中，而且在军备竞赛中都不能取胜。"从苏联的这些声明中我们看到，戈尔巴乔夫强烈希望退出与美国的军备竞赛，而要做到这一点，就必须首先改善与美国的关系。

一、苏美削减核武器谈判取得进展，苏美关系缓和

从1979年起，美苏两国领导人就没有举行过最高级会晤，美国强烈反对苏联入侵阿富汗，采取了一系列旨在迫使苏联从阿富汗撤军的措施，在两伊战争、马岛战争、黎以战争等问题上，苏联与美国均支持对立的双方，实际上开始了新的对抗。戈尔巴乔夫上台后，面临着改善国内经济状况的巨大压力，他

[1] ［俄］尼古拉·雷日科夫著：《背叛的历史——苏联改革秘录》，第205页。

[2] ［俄］尼·雷日科夫著：《大动荡的十年》，第245、246页。

[3] ［俄］瓦·巴卡京著：《摆脱克格勃——克格勃最后一任主席回忆录》，第53页。

不得不努力谋求改善日益恶化的国际环境。由于美国在世界上处于特殊的地位，苏联要改善自己的国际环境，就不能不从改善与美国的关系入手。戈尔巴乔夫把裁军作为改善美苏关系的突破口，争取与美国在裁军领域取得突破，以求退出军备竞赛，集中精力发展经济。

缓和美苏关系、停止两家间的军备竞赛是戈尔巴乔夫外交的战略重点，戈尔巴乔夫在讲话中多次强调苏美关系是国际政治中特别重要的因素，没有苏美关系的正常化，就很难指望国际局势的健康化，其实这并不奇怪，对于苏美之间的缓和，邓小平在1989年5月16日会见戈尔巴乔夫时说："长期以来，我们面临的国际形势是非常严峻的。冷战和对抗的局面一直没有得到缓和。坦率地说，世界的中心问题是美苏关系问题。长期以来，总的局势是军备竞赛，水涨船高。戈尔巴乔夫同志在海参崴的讲话全世界人民都看到了，有新内容。""当时我们看到，美苏军备竞赛可能有一个转折，有一个解决的途径，美苏关系可能由对抗转向对话，这是全人类的希望。"[1]

改变进攻性的军事战略是苏联走上与美国缓和与裁军之路的基本条件。戈尔巴乔夫新思维指导下的苏联军事战略主要内容是：通过政治手段解决安全问题；安全对所有国家只能是普遍的、平等的、同等的；安全不能用高水平的、而是要用低水平的战略均势来保障；排除核武器及其他大规模毁灭性武器，把军事力量限制在合理、够用的水平上。戈尔巴乔夫以"合理够用"作为建军方针，谋求与美保持低水平均势，放弃了夺取军事优势的目标。

戈尔巴乔夫率先提出苏联在任何时候对任何人也不首先使用核武器，致力于裁减核军备。苏共二十七大改变了苏联在以往裁军谈判中不接受国际监督的顽固立场，指出："苏联是接受监督的，我们对监督感兴趣的程度并不亚于其他人。无所不包的、极其严格的检查也许是裁军过程最重要的因素。在我们看来，事情的实质是：没有监督就不可能有裁军，而没有裁军，监督也就没有意义。""不能允许'星球大战'计划被用来作为刺激进一步开展军备竞赛的因素和彻底裁军道路上的障碍。在大幅度削减核潜力方面的显著进展是可以有效地帮助克服这一障碍的。因此苏联准备朝这个方向迈出现实的一步，单独地解决欧洲地区的中程导弹问题，而不把它与战略军备问题及太空问题直接联系起

---

[1] 《人民日报》1989年5月17日。

来。”[1]从此，苏美间才开始真正核裁军，在此之前他们签署的协议只是在限制军备发展的规模与程度。

1977 年前，美国在西欧中导力量占优势，从 1977 年起苏联在本国和东欧部署 SS—20 导弹，以对付美国的潜射弹道导弹。据联邦德国总理 H. 施密特的倡议，1979 年 12 月，北大西洋公约组织理事会通过“双重决议”，敦促美国尽快同苏联举行中程核武器谈判；如不能达成协议，北约将从 1983 年起在西欧部署 572 枚新式美制导弹。1981 年 9 月 24 日，美、苏达成举行欧洲中导问题正式谈判的协议，从同年 11 月 30 日起，谈判在日内瓦开始，先后进行过 6 轮谈判，共 110 次会议。双方立场相距甚远，谈判陷入僵局。1983 年 11 月，美国开始在英国、意大利和联邦德国部署新式“潘兴Ⅱ”导弹，苏联借此中断了关于中导、中欧裁军、美苏战略核武器等一系列谈判，东西方关系一度紧张。根据 1985 年 1 月 8 日美、苏外长在日内瓦达成的协议，同年 3 月，美、苏举行了包括战略武器、中导和太空武器在内的一揽子裁军谈判。戈尔巴乔夫改变了苏联以往的政策立场，积极推动裁军谈判的进程，“他敢于冒那个‘险’，这是因为他勇敢地看到，这不会有危险，因为即使我们彻底裁军，也不会有人来进攻我们。为了将国家引上路面坚实的道路，必须抛弃沉重的、耗尽经济实力的军备负担。”[2]

日内瓦会晤后，苏联在削减和销毁核武器问题上提出了许多建议，如 1986 年 1 月 15 日苏联发表声明，提议从 1986 年开始实行使人类摆脱面临核浩劫的恐惧的计划，建议分三个阶段销毁核武器。第一个阶段，在 5—8 年内苏联和美国把可以到达彼此领土的核武器减少一半，即各不超过 6000 枚弹头；第二阶段，在不迟于 1990 年开始的为期 5—7 年内，其他核大国开始参加核裁军；第三阶段，不迟于 1995 年开始，结束销毁剩余的一切核武器的工作，到 1999 年底，世界将不再存在核武器。[3]苏联需要立即解脱，不仅是从紧张局势中解脱，还需要摆脱经济压力，尤其是跳出军备竞赛的怪圈。苏联此举在于谋求道义的优势，获得国际舆论的支持，但西方没有反应。1986 年 7 月 28

---

[1] 《苏联共产党第二十七次代表大会主要文件汇编》，第 89—90 页。

[2] ［俄］阿·切尔尼亚耶夫著：《在戈尔巴乔夫身边六年》，第 67 页。

[3] Правда. 16 января.1986.

日，戈尔巴乔夫在符拉迪沃斯托克发表讲话，公开表示："为了打破僵局，我们作出了更大的让步：我在六月间致美国总统的信里提出了新的重大折中建议。""我们建议在欧洲既取消美国的中程导弹，也取消苏联的中程导弹。正是取消，而不是把中程导弹调往任何地方。"[1]"我们知道，正在加紧进行的军备竞赛不仅是为了获得超额利润和准备战争，而且——这远不是无关紧要的——也是为了其他不道德的目的，这种目的的实质是从经济上拖垮苏联，打乱我们党进一步提高人民生活水平的方针和阻挠社会纲领的实现。我们知道，是谁在继续希望对苏联和社会主义国家进行有计划的和有步骤的破坏，并为此使用了经济、精神心理、宣传、政治和军事手段。"[2]

1986 年 10 月，戈尔巴乔夫与里根在冰岛的雷克雅未克会晤，这是应戈尔巴乔夫要求举行的，戈尔巴乔夫目的是停止军备竞赛，防止战争。里根起初不同意，在舒尔茨等人的劝说下同意了。由于苏美关系还未解冻，戈尔巴乔夫不会来华盛顿，里根也不可能去莫斯科，戈尔巴乔夫想出把会晤地点放在雷克雅未克。[3] 在会晤中，戈尔巴乔夫同意接受美国的建议，即两国拥有同等数量的中程导弹，其余全部销毁；里根保证十年内不退出《反弹道导弹条约》，并在该条约允许的范围内从事导弹防御系统的研究与实验。戈尔巴乔夫还提出销毁 50%的战略核武器，里根同意了这一原则，苏联同意了美国提出的进行现场核查的要求，但美国拒绝了苏联提出的停止核试验的建议。戈尔巴乔夫在评价雷克雅未克会晤时说："双方曾在某一刻同意大量缩减自己的核武库并继而完全销毁核武器，这意味着双方实际上承认核手段已不能可靠地保障安全。"[4]普里马科夫在谈到这次美苏最高级会晤时说："我能够证明，当时已经是完全另外一种气氛了：所要讨论的问题范围宽泛，谈判激烈，但不排除妥协。"[5]1987 年

[1] 《戈尔巴乔夫言论选集》，第 433 页。

[2] 同上书，第 424 页。

[3] ［俄］阿・切尔尼亚耶夫著：《在戈尔巴乔夫身边六年》，第 110 页。

[4] ［俄］米・谢・戈尔巴乔夫著：《为了人类文明永世长存——在"争取无核世界，争取人类生存"国际大会上的讲话》，莫斯科新闻出版社 1987 年中文版，第 11 页。

[5] ［俄］叶夫根尼・普里马科夫著：《大政治年代》，焦广田等译，东方出版社 2001 年版，第 39 页。

2月，戈尔巴乔夫同意中导与太空武器问题分开解决，7月，他又表示接受“全球双零点”方案，苏联不仅同意销毁部署在欧洲的全部中短程和中程导弹，还同意销毁苏联部署在亚洲的这种导弹，此举受到欧洲和亚洲国家的普遍欢迎，使中导问题谈判出现了转机。11月中旬，美、苏两国外长在日内瓦拟定了中导条约草案。

1987年12月，戈尔巴乔夫第一次出访美国，这也是1974年以来苏联最高领导人首次访问美国。他在访问美国时说：“随着20世纪的结束，文明正在接近这样一条分界线，这条分界线与其说是各种制度、各种意识形态的分界线，不如说是以健全的头脑、人类自我保护意识为一方和以不负责任、民族自私主义、种种偏见为另一方的分界线。人类开始意识到他们仗已经打够了，应该一劳永逸地消除战争了。两次世界大战，耗费人力物力的‘冷战’，再加上已经夺去和正在夺走千百万条生命的小规模战争，是因为冒险、野心、藐视他人权益而付出的极其高昂的代价。”“人类多少个世纪以来不得不容忍这个糟糕透顶的世界。我们不能再这样下去了。”[1]1987年12月8日，苏美领导人在华盛顿签署了《苏美关于消除两国中程和中短程导弹条约》(简称《中导条约》，英文缩写INF)，1988年6月1日，苏美两国互换条约批准书，该条约正式生效。

《中导条约》共17条，规定双方在条约生效后的3年内，须全部销毁所拥有的中程导弹及其发射装置和辅助设施，在条约生效18个月内全部销毁中短程导弹及其发射装置和辅助设施。条约生效后任何一方不得再生产和试验中程导弹和中短程导弹。条约还规定，为监督条约的实施，缔约每一方都拥有就地核查的权利。根据条约，美苏双方将销毁2611枚已部署和未部署的中程导弹，其中美国为859枚，苏联为1752枚。条约规定：在条约正式生效后，立即禁止所有射程500—5500公里中短程和中程导弹的生产和试验；三年内将全部消除双方的中程导弹，其中双方的中短程导弹应在18个月内全部消除；销毁实现之后则将禁止一切有关这种导弹的部署、储存、修理和生产的所有设施的使用；双方可进行严格的相互核查，包括在对方领土上，特别是在生产或装配导弹的工厂，派驻常设核查小组，对原部署、储存、生产的场所以及销毁情

[1] [俄] 米·谢·戈尔巴乔夫著：《戈尔巴乔夫回忆录》下册，第791、792页。

戈尔巴乔夫与里根签署消除中短程导弹条约

况均可进行就地核查，也可突击核查。这是自核武器出现后第一个真正裁减军备的条约，它突破了过去双方一直坚持的均衡裁减的原则，开创了谁多有谁多裁的先例。《中导条约》所规定销毁的两国中程和中短程导弹的数量，虽然只占美苏所拥有的全部核武器实力的3%—4%，并未触及根本，但是，它是战后美苏裁军谈判历史上达成的第一个真正减少核武器数量的条约，并彻底销毁了一个类别的核武器。该条约减轻了欧洲面临的核压力，有利于欧洲与世界的和平，实际上也有利于苏联的和平。1991 年 5 月苏联全部销毁了中短程导弹，并向西方公开基地和武器装备情况，以加强相互信任。

这一条约的签署，主要是戈尔巴乔夫作出了主动让步的结果，苏方放弃了以往苏联领导人所坚持的对等原则，而同意了西方提出的多有多裁的原则；戈尔巴乔夫放弃了最初提出的把中导问题与禁止太空武器挂钩，企图迫使美国取消或延缓实施“战略防御计划”。戈尔巴乔夫在政治局会议上对其立场的解释是：“如果我们依旧想征服全世界，那么，让我们一起来讨论我们如何进一步扩充军备，并在这方面赶过美国人。但那时就得彻底抛弃我们关于新政策的言论。”“无论如何我们所说的不是要削弱我们的安全程度。但同时我们的出发点应该是：如果我们的建议将意味着削弱美国安全的话，那么它们是通不过的，而且用这样的态度不可能达成任何协议。现在我们的主要目的是破坏新的一轮军备竞赛。如果我们不这样做，我们的危险就会增加。而在某些具体的、但非常重要的问题上不从早先坚持的立场后退的话，我们就会丢掉主要的东西。我们将被拖进我们力所不及的军备竞赛中去。我们会输掉，因为现在对于我们来说，这种竞赛已经超过了能力的极限。”[1]苏联实际上已经开始承认自己的一些错误，其中包括在欧洲部署 SS—20 导弹，这在一定程度上促进了苏美关系的改善与发展。美苏签订销毁中程和短程导弹条约，也有利于苏联，因为美国对应苏联在欧洲部署的导弹 6—8 分钟就可以飞到莫斯科，而苏联在欧洲部署的导弹无论如何也飞不到美国。

苏美关系的缓和促进了世界地区热点问题的解决。1988 年 4 月 14 日，巴基斯坦、阿富汗喀布尔政权、苏联和美国的外交部长签署了政治解决阿富汗问题的日内瓦协议。南部非洲的不稳定与美苏直接相关，非法占领纳米比亚的南非，百般阻挠纳米比亚的独立，南非的行动受到美国的纵容和支持。苏联势力在安哥拉、莫桑比克的存在和古巴在安哥拉的驻军，一直是南非和美国的心腹之患，也是它们阻挠纳米比亚独立的借口。1988 年 5 月，里根访问莫斯科时，苏美两国元首达成协议：双方将在现实主义和利益均衡原则的基础上，按照解决阿富汗问题的基本模式解决西南非洲的问题。此后，安哥拉、古巴、南非在美国的斡旋下就外国军队撤出安哥拉和纳米比亚独立问题进行了历时七个多月的谈判，到 12 月下旬签署和平协议。规定 1989 年 4 月 1 日为实现纳米比亚独立的日期，驻扎在纳米比亚的 5 万南非军队应在七个月内撤出，一年后实现纳米比亚独立。在 1989 年 4 月 1 日前，古巴从安哥拉撤走军队 3000 人，在此日期之后，古巴军队余下的 5 万人要在 27 个月内撤完。苏美关系的缓和为实现西南非洲的和平与稳定提供了可能，这一协议为此奠定了一个良好的基础。

“在考虑对外政策方面的轻重缓急次序时，苏联领导人把裁军放在首位：核武器、化学武器、常规武器的裁军。”[2] 戈尔巴乔夫想通过裁军，促进发展，

[1] 转引自［俄］阿·切尔尼亚耶夫著：《在戈尔巴乔夫身边六年》，第 124、125 页。

[2] ［苏］谢瓦尔德纳泽等著：《苏联外交反思》，第 68 页。

1987年8月26日，戈尔巴乔夫参加联合国裁军与发展国际会议，他在发言中说："每一个国家准备制定自己的广泛的军转民计划是在这一道路上加强国际信任的重要的一步。"1988年12月，戈尔巴乔夫在联合国宣布单方面裁军50万人，占苏军总兵力425.8万人（这个数字没有包括50万的克格勃边防部队和后备役官兵）的12%，苏军计划裁至300万—320万人。至1990年7月，苏联裁减了30万人，还裁减了1.5万辆坦克、2.1万门火炮、860架战斗机、28艘水面舰艇、12艘潜艇，从华沙条约缔约国撤出500枚核弹头。[1]苏联的军队过于庞大，按每千人中的武装服务人员计算，1990年苏联为15.6人，中国为3.8人，美国为8.9人，英国为5.5人。[2]军力部署上从进攻态势转入防御态势。1988年2月8日，苏联宣布从5月15日起从阿富汗撤军，并在10个月内完成任务。1989年3月，侵略阿富汗的苏军全部撤回国内。1987—1990年驻蒙古的5.5万人撤回国内，1991年上半年把驻匈牙利、捷克斯洛伐克的12万苏军撤回国内。海军从能完成大型战略进攻任务的远洋海军，转变为以近海防御为主的海上力量，正在建造的第一艘大型核动力航空母舰已更改为反潜巡洋舰。

在苏美关系缓和的问题上，美苏的侧重点是不同的，里根要改变苏联的制度，戈尔巴乔夫要摆脱军备竞赛的拖累。1988年5月29日至6月2日，里根访问莫斯科，这是美国国家元首时隔14年后对苏联的访问。在访问期间里根多次就民主、自由、人权发表措辞强硬的演说，指导苏联如何行事。在莫斯科大学演讲时，里根就用了很长的篇幅解释什么是民主自由，美国的民主和自由表现在哪里，他说："自由是这种认识，即没有任何一个人，没有任何一个权威或政府能垄断真理，而每一个人的生命都是无比珍贵的，我们每一个降临到这个世界上的人都是为某种原因而来，要作出某种贡献。民主与其说是一个政府体制，不如说是一个限制政府，使其不能侵犯人权的制度。"[3]戈尔巴乔夫则把重点放在裁减军备和退出军备竞赛上，希望美国放弃战略防御计划。在莫斯科，里根表示不再把苏联看成是"邪恶帝国"。在苏美首脑会晤的联合声

---

[1] Правда. 5 июля. 1990.

[2] *Тимошина Т.М.* Экономческая история России. М., 2000. С.361.

[3] 《里根在莫斯科大学的演说》，usinfo.org/zhcn/GB/PUBS/AmReader/p846.htm.

明中，双方重申核战争中不会有胜利者，永远不应该发动核战争，双方决心防止两国间发生战争，不谋求军事优势。美苏签署了《关于两国进行联合核查试验的协定》、《关于发射洲际弹道导弹和潜射弹道导弹相互通报的协定》，以及1989—1991年科技文化教育交流的计划等。

二、苏美达成共识与冷战的结束

1989年苏联的对外政策发生了转折性变化，与美国关系出现的实质性缓和以及苏联放弃干涉东欧内政，促使冷战走向结束。美国学者梅尔文·莱夫勒教授认为，"在冷战走向结束的历史进程中，如同冷战发生发展时的情形一样，领导人所起的作用依然是相当重要的。其中，尤其值得关注的，是苏联领导人戈尔巴乔夫所起的作用——从某种意义上来说，如果没有戈尔巴乔夫，也许便不会有冷战在20世纪80年代末90年代初结束的历史大事变。"[1]"根据最新的档案资料，我可以肯定地说，美国的军事压力政策并不是导致冷战终结的关键性因素。上世纪70—80年代，美国的军事压力政策并没有对苏联造成真正的威胁。相形之下，更重要的是，当时整个核军备竞赛所形成的条件，改变了人们对于核武器的看法。换言之，当戈尔巴乔夫对苏联以核威慑力量为中心的大战略作出重大调整时，他并不是对美国的压力作出反应，而是顺应人们对核武器看法的变化而采取的行动。根据传统的看法，握有核武器，便能增加国家在国际外交中的实力地位。但是戈尔巴乔夫和他的顾问们则认为，在一个核武器已经过剩的世界里，核武器不再能起到压服对手的目的了。"[2]莱夫勒教授的看法代表了许多西方人的看法，也比较符合实际，在冷战结束的问题上，戈尔巴乔夫起了重要作用，他主动放弃了与美国的冷战政策，放弃了维护势力范围的勃列日涅夫主义，在德国统一和东欧政权更迭的问题上，没有进行干涉，促使冷战在事实上走向了终结。但是，俄国人的评论却有所不同，多勃雷宁认为："戈尔巴乔夫和他忠实的副手谢瓦尔德纳泽

[1] [美] 梅尔文·莱夫勒：《冷战如何走向终结》，见华东师范大学国际冷战史研究中心编：《冷战国际史研究》Ⅱ，世界知识出版社2006年版，第110页。

[2] 同上书，第111页。

向西方作出了慷慨的让步，本来作为回报，他们可以得到使苏联在欧洲安全方面发挥更为重要的作用以及苏联在欧洲事务中有更大的发言权，但是他们并没有得到……有时他们作出的让步远远超出了必需，像在签署关于军备控制、东欧、德国统一、海湾危机等协议中就是如此，即使在苏联分裂之后他们还继续这样做……自 1989 年起，苏联外交变得愈加乏力，原因是由于戈尔巴乔夫国内政治的迫切压力和他极力支撑他越来越低的威信造成的。结果是我们适应迅速变化的国际环境的能力明显下降了，这在不少程度上是由戈尔巴乔夫本人造成的。”[1]

冷战的结束实际上也是苏联国内政治体制改革的直接后果，苏联的政治体制改革对外交方针的制定和实施产生了重要影响，戈尔巴乔夫强调使国际关系民主化、非军事化和人道主义化，越来越多地把安全保障从军事政治领域转向政治领域的相互配合。“第十九次全苏党代表会议作出的关于建立宪法授权讨论和通过最重大的外交决议的机制的建议，是我们人民饱经痛苦之后得来的，它是我们饱尝了阿富汗的沉痛教训和生活水平下降之苦，由于损害社会主义良好声誉及其本身所固有的理想之苦后得来的。代表会议所作出的关于在民主程序的基础上由人民选举的机构进行监督的决议也是我们的外交饱经痛苦的结果。”[2]在外交决策机制方面，改变了国家安全部门、军队侵犯外交部门职权的状况，人代会对重大的外交行动作出决策，并进行监督。过去军事领域是不受监督的，现在要求国防与外交紧密配合，“对于国防建设中原则上的革新主张都应在外交部进行验证，检验其是否同现行的国际条约和我们所宣布的政治立场保持法律上的一致。”[3]“现实主义、利益均衡，全人类价值观念的优先地位，有利于所有人的同等安全思想以及同所有的人平等对话，国际法的领导地位，在处理国际事务中政治手段同所有其他手段相比应绝对处于优先地位——这一切已成为制定对外政策战略的组成部分。”[4]在苏联的外交新方针和新行动的作用下，冷战以及与之相伴的军备竞赛、重整军备和危险的战争边缘政策，

[1] ［俄］阿纳托利·多勃雷宁著：《信赖》，第 710 页。

[2] ［苏］谢瓦尔德纳泽等著：《苏联外交反思》，第 55 页。

[3] 同上书，第 67 页。

[4] 同上书，第 56 页。

在这一时期结束了。

1989 年 1 月，布什就任美国总统，对苏奉行“超越遏制”战略，加强与苏联的对话和建立更加广泛的政治经济关系。1989 年 4 月，美国国务卿贝克访问莫斯科，此时苏联改革的消极后果日益显现，戈尔巴乔夫希望美国支持他的改革。他在会见贝克时说：“我想保证：为了使我们的社会获得新的生命力、为了使我们的国家变得更强大、为了使我们的国家面向人民，我们在改革过程中所做的一切不仅有利于苏联，而且有利于美国。您在这方面听到了不少不同的意见、建议、忠告，其中也有这样的忠告：何必操之过急呢，苏联的一切本来就都朝着混乱和瓦解的方向发展着，让这个苹果成熟了，然后自动地掉下来吧。这种态度必须摒弃。”[1] 贝克回应说：“的确，美国有少数人认为如果苏联改革失败，它将变得比较软弱，美国将从中获得好处。但政府内部没有人同意这个观点。我们的意见与此不同：改革成功会使苏联变成一个更加强大、更加稳定、更加开放、更加安全的国家。只不过在我们中间对你们成功的机遇的看法上有分歧。我们还认为，改革是否成功，取决于苏联，取决于苏联的领导，取决于苏联人民，而不取决于西方做了什么或没有做什么。”[2] 双方商定于 1989 年 6 月上旬恢复中断了半年之久的削减进攻性战略武器谈判，戈尔巴乔夫还表达了苏联在削减欧洲常规武器谈判中的立场。

1989 年 12 月，苏美首脑在马耳他会晤，这是布什上任以来与戈尔巴乔夫的第一次会晤，这次会晤被戈尔巴乔夫认为是“冷战”终结的开始。[3] 苏美两国元首所谈的话题是广泛的，包括裁军问题，苏联对古巴和中美洲的政策，美国与巴拿马、哥伦比亚和菲律宾等国的关系，中东局势，阿富汗问题，东欧正在发生的变化及其影响等。让戈尔巴乔夫感到满意的是，布什表示美国支持苏联的改革，鉴于苏联发生的变化，美国打算与苏联就签订新的贸易条约进行磋商，美国政府打算采取措施终止杰克逊—瓦尼克修正案的效力，决定废除限制向苏联贷款的史蒂文森—伯德修正案，重新考虑对苏联要求加入《关税与贸易总协定》的立场。马耳他会晤确认两国关系中的对抗时期结束，不再视对方为

[1] ［俄］米·谢·戈尔巴乔夫著：《戈尔巴乔夫回忆录》下册，第 877 页。

[2] 同上书，第 878 页。

[3] 同上书，第 881 页。

敌人；苏方重申新的政治思维是尊重每个国家人民在没有外来干涉的情况下作出自由选择，实际上表明苏联不再干涉东欧国家的内政。为响应苏联的裁军建议，美国宣布削减在亚太地区驻军的15%，撤销在菲律宾的军事基地，销毁在欧洲的战术核武器等。

在马耳他会晤后美苏关系良好的气氛下，两国关于削减和限制进攻性战略武器的谈判也在加速进行，在1990年2月9日美国国务卿贝克访问莫斯科时，戈尔巴乔夫在会见贝克时表示，两国关系的事态发展应该与两国关系的水平相适应，加强相互理解，对于双方在削减和限制战略进攻性武器谈判中卡壳的海基有翼战略导弹的问题，戈尔巴乔夫强调："我们不能接受你们关于保留任何射程的海基有翼战略导弹的立场，这里也只谈射程为600公里的，至于射程在70或25公里的导弹，从战略角度看，是废物。这些废物应该抛弃。""在限制武器的所有领域重要的是监督……在海基有翼战略导弹方面也需要监督。"[1]

1990年5月，戈尔巴乔夫访问美国，削减核武器和常规武器是此次苏美

戈尔巴乔夫与布什总统在戴维营，1990年

[1] 《1990年2月9日戈尔巴乔夫与贝克会谈记录》，沈志华收集和整理：《苏联历史：俄国档案原文复印件汇编》第25卷（下），华东师范大学冷战国际史研究中心藏。

首脑会谈的重要内容，双方就进攻性战略武器条约达成协议，对于有分歧的海基有翼导弹问题将通过单独的文件予以规定，把空基有翼导弹的射程限制在600公里；美苏还签署了贸易协定。

1991年7月31日，苏美首脑终于在莫斯科签署了《美苏关于削减和限制进攻性战略武器条约》，简称《第一阶段削减战略武器条约》（英文缩写START Ⅰ），为长达9年的苏美削减战略核武器谈判画上了句号。根据这一条约，苏美两国射程在4800公里以上的远程核导弹及弹头：苏联从现有的11000枚减少到7000多枚；美国从12000多枚削减到10500枚。这一条约的签署，标志着苏美两国开始实际削减战略核武器。整个削减任务必须在7年内完成，条约有效期为15年。这是美苏继1987年12月签署的《中导条约》后在裁军领域迈出的又一重大步伐，条约的签署和实施降低了两国核武库的杀伤力，缓和了两国关系并增强了互信，为两国后来达成更广泛的裁军协议奠定了基础。表7—1反映了两国核武库的削减额度。[1]

表7—1　依据START Ⅰ美苏两国核武库的削减额度[2]

涉及的系统类别	条约规定上限	美国战略核力量总数	削减比例	苏联战略核力量总数	削减比例
战略运载工具的数量	1600	2246	29%	2500	36%
陆基导弹与潜射导弹头数量	4900	8210	40%	9416	48%
战略核弹头总数	6000	10563	43%	10271	42%
重型陆基弹道导弹的弹头数量	1540	0	0	3080	50%
机动陆基洲际导弹的弹头数量	1100	0	0	618	0
战略导弹的总投掷重量（吨）	3600	2361.3	0	6626.3	46%

许多苏联人认为，戈尔巴乔夫在与美国达成裁军协议时让步过多，没

[1] 到2001年12月5日俄美两国履行完条约时，实际削减量大于条约的规定，削减后美国战略运载工具的数量为1237，俄罗斯为1136；陆基导弹与潜射导弹头数量美国为4821，俄罗斯为4894；所有战略核弹头的数量美国为5948，俄罗斯为5518。

[2] 转引自吴大辉：《防范与合作：苏联解体后的俄美核安全关系（1991—2005）》，人民出版社2005年版，第132页。

有利用自己的军事资源争取更多的利益，或许他们的说法不无道理，但是，戈尔巴乔夫考虑的则是要不惜代价地退出军备竞赛。“假如不是戈尔巴乔夫坚毅地、毫不妥协地竭力向大家证明核武器是绝对的灾难，所以绝不能再把世界政策建立在核武器的基础上，那么，‘裁军过程就根本不会启动’，军备竞赛中的那次真正历史性的转折至今还不会发生。”[1] 这种说法符合实际。俄罗斯总统普京在谈到冷战结束时也强调：“不要忘记，柏林墙的倒塌成为可能是由于作出了历史性的选择，其中包括我国人民——俄国人民的选择，由于选择了民主和自由，选择了公开性和与欧洲大家庭全体成员建立真诚的伙伴关系。”[2]

美苏关系的缓和，也使这两个超级大国在世界一些地区的对抗降温，促进了地区热点问题发生变化。尼加拉瓜是中美洲最大的国家。1979 年 7 月 19 日，桑地诺民族解放阵线领导的武装力量，联合了资产阶级和其他爱国民主力量，在拉美一些国家支持下，终于推翻了统治尼加拉瓜长达 43 年之久的索摩查独裁政权。苏联企图通过古巴、尼加拉瓜和格林纳达等国，逐步扩大影响，从后院威胁美国。苏联的这个企图，遭到了美国里根政府的反击。在美国武装干涉格林纳达得逞后，进一步威胁尼加拉瓜，孤立古巴，对中美洲亲美政府加强援助，在军事上消灭各国游击队和革命武装，以确保美国在拉丁美洲的利益。1990 年 2 月 17 日，也就是尼加拉瓜大选前夕，苏共中央政治局召开会议，讨论通过了谢瓦尔德纳泽和雅科夫列夫提交的关于对尼大选立场的报告。他们在报告中认为桑地诺民族解放阵线占有优势，“在美苏对话的框架内力争使美国公开声明准备承认桑地诺分子在大选中胜利，如果他们得到国际观察员承认的话。”“苏联要采取的原则立场是尊重人民自由选举的权利，这可能不取决于华盛顿的愿望，不管谁在选举中胜利，苏联都承认尼加拉瓜大选的结果。”2 月 25 日之后苏联与尼加拉瓜的关系无疑将进入新的发展阶段，苏联的原则立场是：我们与尼加拉瓜的关系将具有务实的、非意识形态的性质，尼加拉瓜作为对我们友好非结盟的、奉行和平与国际合作政策的国家符合苏联的利益；继续积极与尼加拉瓜合作促进中美洲冲突的尽快解决，实现这一地区稳固的和平；

[1]　［俄］阿·切尔尼亚耶夫著：《在戈尔巴乔夫身边六年》，第 154 页。

[2]　www.president.kremlin.ru/appears/2007/02/10/.

发展平衡互利的双边经贸关系；在军事合作方面，鉴于美国的立场和局势的变化，延期支付向尼加拉瓜提供的苏联武器；继续发展与桑地诺民族解放阵线的党际关系，同时在他们同意的情况下发展与尼加拉瓜其他政治组织的关系；反对干涉尼加拉瓜的内政。[1]2 月 25 日尼加拉瓜大选揭晓，执政的桑地诺民族解放阵线的候选人奥尔特加失败，全国反对派联盟候选人奥莱塔·查莫罗夫人获胜。

阿富汗是美苏对抗的重要场所，1988 年 4 月 14 日，在日内瓦签署了政治解决阿富汗问题的协议，规定苏军撤军进程，不干涉阿富汗内政，为此提供相应的国际保障。协议于同年 5 月 15 日生效，苏联开始撤军，到 1989 年 2 月 15 日苏军全部撤出。1989 年 12 月，苏联第二次人代会通过了《关于对 1979 年 12 月苏军进入阿富汗的决定的政治评价》的决议，谴责出兵阿富汗，认为这是愚蠢的错误决定。在阿富汗战场，苏军有 1.3 万人阵亡、数万人受伤，几百人被俘。[2] 在阿富汗问题上，苏联反对把纳吉布拉政权完全排除在和平进程之外，1990 年阿富汗政府向苏联提出要求，在 1990 年向其提供以下特种器材：150 枚用于 р —17э 火箭复合体的火箭、2 个“Луна—М”火箭发射装置、380 辆坦克、1925 辆战车和装甲运输车、2382 门炮和迫击炮、700 门高射炮、12800 个火箭筒、109000 支枪、2 个团的 С125М1А 对空火箭的全套装置，3 个大队的 С—75 型对空火箭、109 架飞机、48 架直升机，以及弹药、工程机械、交通和通信工具、后方器材、医疗器械、日用品，总额将近 64 亿卢布。同时提供 8000 万卢布贷款用以维修从前由苏联提供的器材。苏联政府有关部门讨论建议提供：150 枚用于 р—17э 火箭复合体的火箭、2 个“Луна—М”火箭发射装置、380 辆坦克、865 辆战车和装甲运输车、195 门炮和迫击炮、680 门高射炮、1000 个火箭筒、将近 96000 支枪、54 架飞机、6 架直升机、弹药、工程机械、交通和通信工具、超过 1500 批次空运各种日用品、后方用的器材和其他器械，以及在 1990 年在苏联境内修理从苏联提供给阿富汗的特种器械，

[1] 《我们在即将举行的尼加拉瓜选举中的立场》，沈志华收集和整理：《苏联历史：俄国档案原文复印件汇编》第 25 卷（下），华东师范大学冷战国际史研究中心藏。

[2] *Филиппов А. В.* Новейшая история России(1945－2006 гг.). Книга для учителя. *www.prosv.ru/umk/istoriya/index.html.*

总额将近18亿卢布。[1]

尽管苏美关系中仍存在争夺的成分，但总体上已经互不为敌了，美苏关系的缓和是冷战结束的重要条件。东欧剧变、两德统一和经互会、华沙条约组织相继解散，标志着冷战正式结束了。

三、共建欧洲大厦的设想与谋求西方国家的援助

戈尔巴乔夫重视欧洲，他认为“没有欧洲，任何一个问题都不可能解决，这是很明显的。还有欧洲的经验……甚至在内部事务中，我们也需要欧洲，为的是进行改革。至于在对外政策中，欧洲更是无人可替代的。”[2]戈尔巴乔夫努力消除欧洲国家对苏联的恐惧和误解，尽量减少军事对抗，从欧洲国家的成功中学习可资借鉴的经验，苏联与欧洲国家的关系也进入了一个新阶段，西欧国家和苏联的领导人互访频繁，东西欧交往活跃。

苏联改善和发展了与法国、英国、德国等欧洲大国的关系，戈尔巴乔夫首先与法国、英国领导人建立了良好的关系，与德国的关系由于科尔对戈尔巴乔夫政策的不认同而搁置起来了，但戈尔巴乔夫重视德国，“他不止一次地说过，没有德国，我们就谈不上任何真正的欧洲政策。”[3]1988年10月28日科尔访苏，与戈尔巴乔夫会谈，两位领导人建立起了良好的个人关系，苏德关系也随之有了很大发展。

从1986年11月起，欧安会第三次续会开始在维也纳举行。东欧国家的领导人对苏联与美国进行的军控谈判普遍持欢迎的态度，“东欧政权中不管是保守派还是改革派，一开始都对莫斯科吹来的这股新风表示欢迎。甚至罗马尼亚人也变得比往常较为合作了，现在戈尔巴乔夫正在采取某些他们以前曾经徒劳无益地提出过的建议——与盟国一起进入裁军谈判、削减国防预算、急

[1] 《苏共中央关于阿富汗共和国特种器材的决议》，沈志华收集和整理：《苏联历史：俄国档案原文复印件汇编》第25卷（下），华东师范大学冷战国际史研究中心藏。

[2] ［俄］阿·切尔尼亚耶夫著：《在戈尔巴乔夫身边六年》，第157页。

[3] 同上书，第305页。

剧减少常规力量、取缔核武器”。[1]1987 年 4 月，戈尔巴乔夫在访问捷克斯洛伐克时提出了“欧洲共同家园”的思想。为了推动建立共同的欧洲共同家园，1987 年 5 月，华约组织政治协商委员会会议正式抛弃了长期奉行的进攻战略，通过《柏林宣言》，建议解散华约和北约这两大军事集团组织。柏林会议通过《关于华沙条约国军事学说》，宣布奉行“充分防御”和“非进攻性防御”的原则，苏联国防部长亚佐夫把华约新的军事学说的内容归纳为：(1) 不对任何没有对华约某个国家或该联盟发动军事攻击的国家采取军事行动；(2) 不会首先使用核武器；(3) 没有领土要求，不会把任何一国、一个民族作为自己的敌人看待，相反，考虑对方的安全利益，和平共处；(4) 尊重民族独立和国家主权，不施加压力，不以武力相威胁，不破坏边界与领土完整，和平解决冲突，不干涉内政，相互平等，尊重联合国宪章和赫尔辛基协定的原则与宗旨。

经济合作进一步发展起来了。1988 年 6 月，经互会与欧洲共同体在卢森堡签订了一项条约，决定建立外交关系，结束了欧洲两大经济组织多年来相互排斥的局面。同年 10 月，联邦德国、意大利、法国、英国、荷兰五国银行与苏联达成协议，向苏联提供 64 亿美元贷款的协议。美国宣布取消对波兰的经济制裁，恢复了给波兰的最惠国待遇。

在戈尔巴乔夫的推动下，欧安会第三次续会取得了明显的成果。1989 年 1 月，与会国签署了《维也纳最后文件》，对裁军、经济、科技和人权等作出了详尽规定，受到了与会 35 国外长的好评。该文件规定：华约和北约两大军事集团应放弃彼此抗衡和力图削弱对方的立场，谋求在低水平的均势中维护欧洲的和平与稳定；从 1989 年 3 月起开始举行由欧安会 35 国参加的欧洲建立信任和安全措施谈判，以及由华约和北约 23 国参加的欧洲常规裁军谈判。1990 年 4 月，美苏两国在欧洲常规力量裁减问题上达成原则性协议，11 月 19 日，在巴黎正式签署了《欧洲常规武装力量条约》(英文缩写 CFE)。这是历史上最大的武器控制条约，这一条约对坦克、装甲运兵车、大炮、重型直升机和固定翼军用飞机等常规武器数量作出了限制，要求签约国销毁数万门榴弹炮、坦

[1] [美] 沃伊泰克·马斯特尼著：《纸板城堡？——华沙条约组织秘史》，李锐等译，见华东师范大学国际冷战史研究中心：《冷战国际史研究》第 8 辑，世界知识出版社 2009 年版，第 123 页。

克和其他常规武器。详细情况见表 7—2：

表 7—2 《欧洲常规武装力量条约》前后华约、北约及苏联武装力量变化情况[1]

组织	武器种类	裁减前	允许保留数	裁减数
华约	坦克（辆）	52200	20000	32200
北约	坦克（辆）	22200	20000	2200
苏联	坦克（辆）	63900	13300	50600
华约	火炮（门）	37100	20000	17100
北约	火炮（门）	11100	20000	
苏联	火炮（门）	66880	13700	53180
华约	装甲车（辆）		30000	
北约	装甲车（辆）		30000	
苏联	装甲车（辆）	765200	20000	745200
华约	战斗机（架）	7263	6800	463
北约	战斗机（架）	3500	6800	
苏联	战斗机（架）	8207	5150	3057
华约	直升机（架）	1630	2000	
北约	直升机（架）	780	2000	
苏联	直升机（架）	4014	1500	2514

从中我们看到，苏联曾经多么疯狂地制造武器，社会的财富被大量浪费在制造这些不曾使用的杀人武器上了。这个裁军条约奉行的同样是多有多裁的原则，苏联和华约国家裁减的数量高于北约。

随着东西方关系进一步缓和，在戈尔巴乔夫的倡议下，欧安会第二次首脑会议于 1990 年 11 月 19—21 日在巴黎举行。欧洲 32 国和美国、加拿大签署了《新欧洲巴黎宪章》，对 1990 年 10 月两德统一表示满意，宣布“欧洲对抗和分裂的时代已经结束”，并成为整个欧洲走向对话与合作道路的新起点。有人认为这一文件的签署“正式标志着冷战的结束”。[2] 会议决定通过部长理事会每年至少举行一次外长会议，在维也纳设立防止冲突中心。这些文件之所以能够签署，欧洲局势能够缓和，一个重要原因是戈尔巴乔夫放弃了勃列日涅夫

[1] 桂立：《苏美关系 70 年》，第 471—472 页。

[2] ［美］熊玠著：《无政府状态与世界秩序》，余逊达、张铁军译，浙江人民出版社 2001 年版，第 51 页。

主义，放弃了对东欧事务的干涉。

1991年10月、11月戈尔巴乔夫给作为七大国首脑会议协调人的梅杰写了两封信，他写道："您作为七大国首脑会议的协调人，我向您提出关于财政援助的紧急请求。尽管已采取了一切措施，可是外汇情况仍有崩溃的危险。到11月中旬，我们缺乏清偿苏联外债的外汇资金约为3.2亿美元，到今年年底可达36亿美元。全部必要的计算数据10月27—28日已交给'七国集团小组'的专家们。为了避免事态恶化，约翰，我请求您以你们可以接受的任何方式向我们提供15亿美元的清偿资金，其中3.2亿美元希望在11月中旬以前提供。""我想趁我国新大使（潘金）抵达伦敦之际……现在对我们来说，最主要的是在粮食供应和财政方面再支持几个月，以待市场机制带来比较明显的效果。这就是贵国和七国集团其他成员国在此时此刻的支持和帮助特别重要的原因。"[1] 由于苏联的迅速解体和戈尔巴乔夫的下台，西方的援助也与戈尔巴乔夫无关了。

戈尔巴乔夫执政的最后阶段，苏联缺乏连贯的、平稳的和坚定的外交政策，不平等、不体面，仓促行动。他批评过去苏联对外政策决策中的行政命令主义，少数人不经过集体的、全面的讨论和分析就作出决定，但在他当政的年代，戈尔巴乔夫本人也渐渐地垄断了对外政策的决策权，对外政策领域成了他独自决策、独自执行的领域。阿赫罗梅耶夫元帅说："根据我的记忆，戈尔巴乔夫在1986—1988年，没有同军队领导人讨论过欧洲的军事政治形势和发展前景。"[2] 苏联解体前夕他所奉行的"乞讨外交"使他失去了在国内外的威信。

四、苏日关系与"北方领土"问题

苏联与日本是海上邻国，两国间长期存在"北方领土"、军事威胁、渔业纠纷等问题，其中最重要的是领土问题，即国后、择捉、齿舞、色丹四个岛屿的归属问题。这四个岛屿总面积4996平方公里，属于千岛群岛之列，第二次

---

[1] 转引自［俄］阿·切尔尼亚耶夫著：《在戈尔巴乔夫身边的六年》，第596—597页。

[2] *Ахромеев С.Ф. и Корниенко Г.М.* Глазами маршала и дипломата: критический взгляд на внешнюю плитику СССР до и после 1985 г. М., 1992. С.70.

世界大战前归日本管辖，第二次世界大战后根据《雅尔塔协定》“千岛群岛须交予苏联”的规定，划归苏联，但日本一直坚持这四个岛屿是日本的固有领土，坚持索还。在苏联入侵阿富汗以后，日本积极参加对苏联的制裁，苏日关系严重恶化了。

1985 年 3 月，戈尔巴乔夫一上任，就开始谋求改善苏日关系。戈尔巴乔夫对前来参加契尔年科葬礼的中曾根康弘表示了改善两国关系的愿望。此后，戈尔巴乔夫多次会见并致函日本领导人，希望苏日关系能有较大的发展。苏联方面主动恢复了中断 10 年之久的外长访问，并确定两国外长每年定期磋商两次。1986 年 7 月，戈尔巴乔夫在海参崴发表讲话，对日本发动和平攻势。随后苏日两国签订了若干经济贸易协定，停顿多年的西伯利亚大型项目谈判也重新开始。同年 7 月，戈尔巴乔夫还接受了访日邀请。

1986 年 1 月 15—19 日苏联外长谢瓦尔德纳泽访问日本，这是苏联外长相隔 10 年后对日本的访问，标志苏日关系转暖。但是，双方在北方领土问题上的立场仍尖锐对立，苏联坚持对千岛群岛及库页岛南部拥有主权，日本坚持双方未解决的问题包括领土问题。

日本期待戈尔巴乔夫访日能促进这一问题的解决，但苏联以时机不成熟为由，一再推迟戈尔巴乔夫访日。苏日关系发展并不顺利，1987 年 8 月发生了双方互相驱逐外交官的事件。戈尔巴乔夫转而重视与韩国的关系，1988 年 9 月，戈尔巴乔夫在视察西西伯利亚时表示，希望与韩国建立经济关系，苏联对韩国经济的高速发展很感兴趣，两国于 1990 年建立了外交关系。

改善和发展苏日关系是双方的需要，与西方频发贸易摩擦的日本需要苏联这个大市场，苏联也需要日本的资金与技术，更希望牵制日本与美国不断加强的战略合作。1988 年 7 月，日本首相中曾根康弘访问苏联，1988 年 12 月 18—19 日，苏联外长谢瓦尔德纳泽访问了日本。但逐渐转暖的苏日关系再次遭遇领土问题这股寒流，1989 年 1 月，日方再次提出，如果苏联不在领土问题上改变立场的话，日本不同意在戈尔巴乔夫访问日本时签署几项协定。在苏日关系上，日本坚持政经不可分，戈尔巴乔夫主张搁置领土问题，“日本与中国、韩国之间虽然存在领土问题，但是却能够发展两国关系，希望日本也能够像对待中国、韩国那样，对待苏联。同时也希望能够像钓鱼岛、独岛搁置起来那样来对待北方领土问题。”[1]但日本方面显然并不想搁置北方领土问题，仍把这一问题的解决作为戈尔巴乔夫访问日本的先决条件，苏日关系进展缓慢。安倍晋三首相1990年1月访问苏联，在1月15日与戈尔巴乔夫会谈时提出发展经济和科技文化交流的八项计划，推动了两国关系的发展。1990年9月，谢瓦尔德纳泽访问日本，终于确定了戈尔巴乔夫访问日本的行程。

1991年4月16—19日，苏联总统戈尔巴乔夫访问日本，这是苏日关系史上苏联国家元首第一次出访日本。双方发表《苏日联合声明》，对于苏日之间的焦点问题，声明说：“海部俊树首相与戈尔巴乔夫总统，考虑到双方就齿舞群岛、色丹岛、国后岛及择捉岛的归属问题立场，就日苏两国之间包括领土划定问题在内的有关和平条约诸问题进行详细认真会谈。双方对过去进行的联合工作，特别是高水平的交涉，一系列概念性观点，即包括解决领土问题在内的和平条约作为最终解决战后问题的文件，在友好的基础上发展日苏关系，以及不伤害对方的安全保障得以确认。”这说明：苏联正式承认存在领土问题，领土问题具体指北方四岛，领土问题在缔结和平条约前应该解决。[2]

在戈尔巴乔夫时期，苏日两国出现了关系和解的气氛，与勃列日涅夫时期相比，苏日关系有了很大进展。日本的第一位宇航员乘坐苏联宇航船实现了太空旅行；日本政府向苏联提供了数额不小的经济援助，开始实现两军的军事交流，增强政治互信。但苏日之间仍有一些难以解决的问题，分歧主要集中在：第一，是渔业问题，两国经常因为日本渔民到千岛群岛南端捕鱼一事发生争端；第二，是第二次世界大战结束时，苏军所拘留的日本战俘死亡埋葬地的问题；第三，也是最重要的，是北方领土问题。这些问题长期存在，至今也没有完全解决，一直影响着两国关系。

第三节　苏联调整对东欧国家的政策

东欧是美苏对抗的前沿，苏联长期在东欧驻军，在经济上支持东欧国家，

[1] 《戈尔巴乔夫与宇野宗佑的谈话》，转引自李凡：《日苏关系史（1917—1991）》，人民出版社2005年版，第369页。

[2] 李凡：《日苏关系史（1917—1991）》，第393页。

但是，随着苏联的衰落，其对东欧的政策越来越难以为继，调整和改变对东欧的政策也是势所必然。

一、不再领导和干涉东欧各国

戈尔巴乔夫上台之初，努力加强华沙条约组织，1985 年 4 月 26 日签署了华约组织期限延长 20 年的协议。但戈尔巴乔夫决定加强东欧各国党的独立性，在同年 10 月 22 日华约组织成员国政治协商会议上，戈尔巴乔夫提出："要用理解的态度对待共产党的困难，这种困难很多，还有许多新问题，不管各国共产党情况怎样，要尊重它们的独立性。"[1] 在美苏关系明显改善的同时，戈尔巴乔夫努力改善与东欧社会主义国家的关系，在 1985 年 7 月 29 日政治局会议上，戈尔巴乔夫批评 7 月 21 日《真理报》上发表的署名弗拉基米罗夫关于"社会主义大家庭"的文章，因为文中重弹"勃列日涅夫主义"的老调。[2] 苏联开始承认在历史上对东欧国家的政策存在一系列严重错误，宣布不再干涉，特别是不再用武力干涉东欧的事务，并陆续从东欧撤军，鼓励和支持东欧的改革和与西方的对话，并使经互会和欧共体实现了关系正常化。与以往相比，苏联对东欧的政策有了实质性变化。1988 年 12 月 7 日，戈尔巴乔夫在联合国发表讲话，宣布放弃勃列日涅夫主义，他对东欧地区的改革既不鼓励，也不反对，让他们自己决定自己的命运。

苏联经济困境对东欧有很大的影响，打击了东欧国家的经济。保加利亚领导人说，"1985 年以后，我们同苏联的贸易额减少了 40%左右。这深刻地反映在保加利亚的经济和市场上。从 1985 年开始，我国市场开始日趋萧条，整个部门和生产行业失去了自己的原料来源，也失去了自己长期以来的市场。"[3] 受美国制裁的波兰经济状况严重，由于无法向西方出口，波兰也得不到贷款，到了 1986 年夏天，结束美国的制裁成了波兰雅鲁泽尔斯基政权生存的关键因

[1] ［俄］阿·切尔尼亚耶夫著：《在戈尔巴乔夫身边的六年》，第 63 页。

[2] 同上书，第 51—52 页。

[3] ［保］托多尔·日夫科夫著：《日夫科夫回忆录》，吴锡俊等译，新华出版社 1999 年版，第 290 页。

素，7 月 22 日，雅鲁泽尔斯基宣布实行大赦，政治犯都获得了自由，可以自由加入团结工会了。

1987 年 4 月 21 日，雅鲁泽尔斯基访问莫斯科，与戈尔巴乔夫签署《苏波意识形态、科学和文化领域合作宣言》，表示“苏波两党极为重视研究我们两国、两党和两国人民之间关系的历史，不能让其存在任何‘空白点’。（两国历史上）所有事情，包括那些悲剧性事件，都应当本着马克思列宁主义立场，根据现有的认识，作出客观而明确的解释。”[1]1988 年 7 月，戈尔巴乔夫访问波兰，表示要查清卡廷森林事件真相，并同意波兰派人为死难者扫墓。1989 年 3 月 22 日，谢瓦尔德纳泽、克留奇科夫、法林联名报告苏共中央，称卡廷森林事件系斯大林的内务人民委员部所为。

1989 年 7 月 6 日，戈尔巴乔夫在欧洲议会发表演讲，抱怨北约对社会主义国家内部事务的干涉是新的冷战思维，西方把克服欧洲的分裂当成是战胜社会主义。但是，戈尔巴乔夫没有能力采取相应的反击行动。他指望东欧国家能够效仿苏联进行改革，以增强社会主义的活力，但不是强迫，而是自由选择。

东欧是美苏对抗的前沿阵地，苏联对东欧的控制是以无产阶级国际主义的意识形态为基础和以军事实力作后盾的，戈尔巴乔夫的新思维外交放弃了苏共对共产主义的垄断，也就使苏联控制东欧失去了理由和基础；放弃了以军事实力为支柱，苏联也就失去了支柱。苏联逐步改变以往对东欧政策的霸道行径，是局势发展的必然要求。戈尔巴乔夫要在国内进行改革，要改善与西方国家，特别是与美国的关系，得到西方国家的贷款和技术，必须放弃在国外进行扩张的政策，必须改变苏联长期奉行的控制东欧的政策，苏联需要把与东欧国家的关系建立在真正尊重独立和主权、平等的基础上。

1989 年早春，戈尔巴乔夫及其亲密顾问已经决定，放开东欧，给它们以选择的自由。1989 年 1 月 1 日，苏联签署了《维也纳宣言》，意味着苏联的行为要符合国际惯例，尊重人权和基本自由权，包括言论和宗教信仰的自由，这也意味着苏联不能随意干涉东欧国家的内政。1989 年 2 月，戈尔巴乔夫明确宣称，苏联新的对外政策将建立在独立、平等、不干涉他国内政以及纠正以往错误的基础之上。在与到访的匈牙利总理内梅特会谈时，戈尔巴乔夫明确地告

[1] 《今日苏联东欧》1989 年第 5 期，第 11 页。

诉对方，包括匈党在内的各国共产党“都有权制定自己的政策”，苏联对于匈牙利正在和将要发生的事务将不予以干涉。戈尔巴乔夫认为，“每个民族都有独立自主决定自己未来的不容剥夺的权利。当然，我们耐心地、坚持不懈地对我们所设想的改革的含义和意义一再进行解释，和盟友们就社会主义问题进行讨论；愿意的话——可以通过自己的例子，以身作则，但决不会把自己的选择强加于人。”[1]“新思维”外交和新的国际形势也决定了苏联不能再对东欧进行军事干涉，只能放任东欧自主行动。实际上，东欧的变化也是这些国家战后历史发展的必然结果，东欧国家的共产党在几十年的执政中，并没有找到使本国振兴之路，人民中早已积聚了不满，一旦苏联放松对它们的控制，它们就会发生变化，这种变化在 1956 年、1968 年都曾发生过，因为苏联的军事干预而没有成功，现在苏联放弃了军事干涉，它们便成功地摆脱了苏联模式。戈尔巴乔夫显然对东欧国家存在的问题估计不足，对东欧国家共产党的威信估计过高，为了推动国内改革，他积极推动东欧国家的改革，而这种改革促使东欧国家共产党政权瓦解。

1989 年 3 月 18 日，在美国国务卿贝克和谢瓦尔德纳泽私人会晤 20 天后，雅科夫列夫向新闻界发表讲话，谴责斯大林 1939 年与希特勒达成的协定和把波罗的海三国并入苏联。1989 年 12 月 24 日，苏联第二次人代会通过关于对 1939 年 8 月 23 日《苏德互不侵犯条约》及其附属的秘密协定进行政治和法律评价的决议，称之违背了苏联对外政策的原则。1989 年 10 月 23 日，谢瓦尔德纳泽在莫斯科声明，1979 年苏联进军阿富汗是对人类普遍价值的践踏，匈牙利总统则说，苏军 1956 年进入匈牙利是违法的。1989 年 12 月 5 日，保加利亚、匈牙利、民主德国、波兰和苏联的领导人发表联合声明：“1968 年派他们国家的军队去捷克斯洛伐克社会主义苏维埃共和国是对主权的捷克斯洛伐克内政的干涉，应该受到谴责。”同时，苏联政府也发表声明，承认当时苏联政府介入捷内部争论，干涉捷内政是没有根据的，是错误的。[2] 从 1987 年起，苏联答应努力消除苏波关系史上的空白点，1990 年 4 月 3 日，苏联正式承认对造成两万多名波兰军官死亡的卡廷森林事件负责。由于东欧共产党与苏联共

---

[1] ［俄］米·谢·戈尔巴乔夫著：《戈尔巴乔夫回忆录》下册，第 1085 页。

[2] Правда. 5 дек.1989.

产党的特殊关系，苏共的错误成了东欧反共产党势力能够利用的绝好工具。

1989 年 4 月 6 日，雅科夫列夫在英国下院发表演说时公开说，勃列日涅夫主义不再执行了，东欧国家可以“走向它们愿意走的方向，这是它们自己的事。关于选择的自由，我们是完全当真的。这不是说大话。如果是那样的话，我们的军队会仍在阿富汗，对于东欧国家出现多党制，我们现在就会作出反应。因此，这是一个它们自己选择的问题……让每一个国家作出它自己的选择。”[1]1989 年 7 月 7 日，戈尔巴乔夫在伊斯坦布尔欧洲委员会会议上发表讲话，直接反对勃列日涅夫学说，承认东欧人民有“选择的自由”。

要求苏联放弃东欧是美国的明确政策，美国总统安全事务顾问斯考克罗夫特说：我们的建议将是什么，这一建议应该把注意力集中在这一问题上：冷战是从苏联占领东欧开始的，西方的新建议应该强调无论是美国，还是苏联的军队都要撤出，而不只是北约和华约的武装力量。[2] 针对戈尔巴乔夫提出的建立欧洲大厦的构想，布什表示：“在每一个居民没有得到从一个房间搬到另一个房间的自由时，不可能有‘共同的欧洲大厦。’”[3] 与苏联不干涉东欧不同，美国则积极干预东欧，在财力、舆论上支持东欧的变化。1989 年 5 月，布什提出改善苏美关系的先决条件之一就有要求苏联“支持东欧自决”的内容。

戈尔巴乔夫改变了对东欧和社会主义国家的政策，这种改变有迎合美国的一面，他要改善与美国的关系，不能不改变对东欧的政策，但也有主动改变的一面。戈尔巴乔夫激烈批评苏联曾经扮演的全球真理的唯一捍卫者的角色，不考虑各个社会主义国家的新问题和新特点，不允许这些国家进行新探索的做法，他提出要确立社会主义国家之间的新关系。这种新关系的基础是把社会主义国家间的关系建立在完全独立自主的基础之上，“每个党独立自主、每个党

---

[1] [俄] 伊戈尔·科尔奇洛夫著：《首席翻译眼中的首脑外交》，世界知识出版社 2000 年版，第 185 页。

[2] *Бешлосе М.Р. и Тэлботт С.* На самом высоком уровне: закулисная история окончания “холодной войны”. М., 1994. С.71.

[3] *Бешлосе М.Р. и Тэлботт С.* На самом высоком уровне: закулисная история окончания “холодной войны”. М., 1994 . С.76.

有权自主解决本国的问题、对本国人民负责，这是绝对的原则。”[1]“不择手段地（更不用说军事方式了）把社会制度、生活方式和政策从外部强加于人——这是过去年代所采用的最危险的做法。主权与独立、平等与不干涉原则成了公认的国际关系准则，这本身是20世纪取得的一个重大成果。”[2]苏联对东欧的政策是对戈尔巴乔夫新思维外交的一次考验，戈尔巴乔夫的行为表现了他言行的一致性。

对东欧内部事务进行干涉、出兵镇压，与戈尔巴乔夫的新思维外交是不一致的，将意味着苏联自身改革停止，意味着与西方重新进行对抗，同时，苏联自身矛盾重重，也没有能力再次干预东欧，苏联只能接受现实。1989年在华沙条约国政治协商会议上，“雅鲁泽尔斯基在陈述波兰统一工人党已经瓦解、反对党眼看就要上台时，差点儿没有哭出声来。他已经支撑不住了。他已经被烧焦了，不是由于别的什么东西，而是由于波兰反对党巧妙利用了‘温和革命’。面对这一切，他从苏联领导人那里得到的只是同情。而且，这是包含着许多主意的同情，说事件的这种进程是改革的正常发展。”[3]面对东欧剧变，戈尔巴乔夫束手无策，苏共党内对他有批评，戈尔巴乔夫在苏共二十八大上辩解说：“东欧正在发生深刻变革。当有人说这是‘社会主义的破产’时，我们则反问，是什么样的‘社会主义’？是实质上已成为斯大林官僚专制体制（我们自己抛弃这一体制）模式那样的社会主义吗？有人甚至责怪我们，说‘我们不战而退’。这是在出主意让我们采用以前我们采用过的和我们已经坚决不再使用，现在坚决予以谴责的办法。确实存在着这些国家在自己的社会经济发展中朝何处去的问题。但是，这是这些国家人民自己作出选择的问题，而我们过去和将来都严格遵循自由选择原则，这一原则是进步的必备条件和整个现代文明自我保全的条件。”[4]与其一起受到批评的谢瓦尔德纳泽也说：“即使东欧发生的事情不符合我们的利益，我们也绝不能考虑对它们国家的事务进行任何干涉。这样的干涉是不可取的，因为今天我们不是在口头上，而是在行动上承认

---

[1] ［苏］米·谢·戈尔巴乔夫著：《改革与新思维》，第144页。

[2] 戈尔巴乔夫在苏共第十九次代表会议上的报告。

[3] ［保］托多尔·日夫科夫著：《日夫科夫回忆录》，新华出版社1999年版，第306页。

[4] Правда. 3 июля. 1990.

国家平等、人民主权、不干涉它们的事务，承认有自由选择的权利。否则，将会使我们回到全面的沙文主义和傲慢的大国心理。”[1]然而，戈尔巴乔夫没有料到东欧国家会在几个月内就迅速脱离苏联的轨道，也没有料到苏联经营了几十年的政治经济集团会瓦解得如此之快。

戈尔巴乔夫改变对东欧政策也有想尽快甩掉东欧这个包袱的意图，苏联为了控制东欧，与西方对抗了 40 年，给苏联经济带来了沉重的负担，据统计，1972—1981 年，东欧得到的苏联贸易补贴总额达 1019 亿美元。1989 年，苏联决定不再在经互会搞内部结算，而是按照国际市场价格，用可自由兑换的硬通货结算，这影响了卢布的稳定，也使这些东欧国家经济困难加剧，反共和反苏的情绪发展。

在改变对东欧政策的同时，苏联开始从东欧撤军。第二次世界大战后，苏联一直在东欧驻有大量军队，在东欧的驻军是苏联控制东欧国家，也是保证东欧按苏联模式进行社会主义建设的重要条件。到 20 世纪 80 年代末，苏联在盟国的驻军情况如下：在民主德国有 54.6 万人，包括士兵、军官及其家属；在捷克有 8.7 万人，在波兰有 6.7 万人，在匈牙利有 6.5 万人。[2]戈尔巴乔夫认为，苏联不能再在国外驻军，开始从东欧撤军。1989 年，苏联从东德、匈牙利撤出 2.7 万人，撤出 2700 辆坦克，310 架飞机。根据与捷、匈达成的协议，到 1991 年中，苏军将从这些国家全部撤出。1990 年从捷、匈、波兰撤出 4.3 万人，以及 900 辆坦克、1000 多辆战车、680 门炮、52 架战斗机。此外，还从蒙古撤军 1.6 万人，470 辆坦克、360 门炮、121 架飞机。[3]

由于撤军过于匆忙，解决撤回军人的住房问题成了一大难题。本来苏联的住房就很紧张，许多人在等待分配房子，军人的加入更加剧了这种困难。国防部长亚佐夫在苏共二十八大上说：保证军人及其家属的住房问题十分尖锐，目前，苏联有 17.3 万名军人没有住房，如果加上从捷克斯洛伐克、匈牙利撤回的军人，无房军人将增至 20 万人。[4]大批从德国和东欧撤回的军人无法安

[1] Правда. 5 июля. 1990.

[2] Кентавр. №12. 1995. С.6.

[3] ［苏］亚佐夫著：《军事改革》，莫斯科 1990 年，第 74 页。

[4] Правда. 5 июля. 1990.

置，引起了军人的不满，动摇了戈尔巴乔夫的权力。

东欧剧变给苏联造成了强烈的反弹效应，鼓舞了苏联国内反共反社会主义势力的士气，对加剧苏联的演变起了不小的作用，这是戈尔巴乔夫等人始料不及的。东欧剧变，给苏联人造成了严重的心理失衡，前苏驻美大使多勃雷宁评价说："面对东欧的剧变，苏联人民得不到政府对这些变化作出清楚的解释，最初感到迷惑不解，后来就变得愤怒起来。部队的士气削弱了，军队和老百姓都弄不明白苏联的军队到底是怎么啦，不仍然是第二次世界大战欧洲战区的胜利者吗？怎么就像被抛弃掉一样一下子被遣送回家了呢？这就是戈尔巴乔夫时代不光彩的一幕。"[1] 现实地看，东欧的剧变，卸掉了苏联身上的一个大包袱，也没有改变战后欧洲边界的总体现状，这并非完全不符合苏联的利益。当然，从国家安全的角度看，苏联失去了东欧这一人为的盟友，失去了在欧洲的战略地位，在欧洲的影响下降，是个损失。

总之，戈尔巴乔夫在东欧问题上存在三个难以解决的问题：第一，公开揭示苏联所犯的历史错误，这就使东欧国家的共产党处于不利境地，也更加剧了东欧人民对苏联、对共产党的反感。第二，虽然宣称不干涉东欧的内政，但他在苏联搞改革的同时，也希望东欧国家改革，1987 年他遍访东欧各国，向东欧各国领导人推销他的改革方针，对不情愿改革的东欧国家施加影响。针对民主德国领导人昂纳克对苏联改革的消极态度，1989 年 10 月，戈尔巴乔夫参加民主德国成立 40 周年纪念活动时对德国朋友说："谁在政治上落伍，生活会严厉惩罚他。""我认为，生活也在要求你们作出勇敢的决定。"[2] 对于昂纳克来说，再不进行改革局面将难以控制。他还致函保加利亚、罗马尼亚领导人，希望尽快改革。但是，在公开性、民主化发展起来以后，东欧国家是不是还坚持走社会主义道路、共产党还能不能继续执政，如果东欧离社会主义大家庭而去，结果会怎样，会给苏联带来什么影响，戈尔巴乔夫并没有应对的措施。第三，戈尔巴乔夫把苏联以往对东欧的政策完全归之为受意识形态制约，并以此为出发点重塑苏联与东欧的关系，有片面性。第二次世界大战后，苏联虽然是以意识形态的名义与借口在东欧行事，但是，这里面也有深刻的地缘政治利益，在战

[1] ［俄］多勃雷宁著：《信赖》，第 709 页。

[2] ［俄］米·谢·戈尔巴乔夫著：《戈尔巴乔夫回忆录》下册，第 1198 页。

后40多年里，苏联对东欧投入不少，从苏联国家利益的角度看，苏联在给予东欧人民以选择的自由时仓促撤退，这里存在如何恰当保护自己的国家利益的问题，这使戈尔巴乔夫受到许多人的指责。

二、由反对到认可德国统一

德国问题不是孤立的，它属于东西方关系的一部分，冷战年代，先后出现的几次柏林危机，险些把世界拖入第三次世界大战。德国统一问题，既涉及苏联对东欧的政策，也涉及与联邦德国的关系，而德国是一个西欧大国，苏联在资金和技术上对它有很大需求。戈尔巴乔夫自己说，他把搞好与德国的关系看成是缓和与美国关系的突破口。戈尔巴乔夫缓和与联邦德国的关系的结果，是认可了德国走向统一。德国统一问题与东欧其他国家剧变的影响不同，对苏联民众来说，德国分裂和苏联在德国驻军是苏联打赢苏德战争的最好证明，也是苏联免除德国威胁的主要保证，虽然第二次世界大战后，西德发生了很大变化，它彻底检讨了错误，已经不再走军国主义道路，苏联却一直过分宣传德国的侵略性。戈尔巴乔夫没有阻挠德国的统一，遭受国内很多人的攻击，人们指责他允许德国统一使苏联失去了1945年的胜利，是为了不存在的"欧洲大厦"而出卖了苏联的利益。戈尔巴乔夫对德国统一的政策成为一个有争议的问题。

德国统一进程之快是出乎人们意料的，开始时各方都没有什么计划。戈尔巴乔夫在改革之初并没有考虑到德国会统一，在《改革与新思维》一书中，他反对说"德国问题"悬而未决，"东部领土"尚未确定，他认为，关于恢复"德国统一"的声明根本不是什么"现实政治"。[1] 当戈尔巴乔夫敦促昂纳克进行改革时，他想到的也还是德意志民主共和国能长期存在下去。"苏联在1988年就已经准备允许保加利亚、捷克斯洛伐克、波兰、匈牙利和罗马尼亚享有完全的独立自主的国家主权，除去民主德国……与别人不同的是，在戈尔巴乔夫的眼里，民主德国更是苏联军队的一个组成部分，是苏联人用生命和鲜血换来的国家。"[2]1987年德国统一社会党和德国社民党准备搞一个关于共同安全和

---

[1] ［苏］米·谢·戈尔巴乔夫著：《改革与新思维》，第177页。

[2] ［德］埃贡·克伦茨著：《89年的秋天》，第23—24页。

意识形态斗争的战略合作计划，受到苏共中央的批评。

关于戈尔巴乔夫何时明确同意德国统一，没有明确日期。在苏联改革初期，苏联的外交重点是美国，与德国的关系发展比较缓慢，直到1988年10月24日，戈尔巴乔夫才与来莫斯科访问的联邦德国总理科尔举行首次会晤，他们达成了要把双边关系提高到新阶段的共识。1989年6月，戈尔巴乔夫访问西德，看到德国人已经从希特勒的失败中吸取了教训，他表示要在建立共同的欧洲大厦过程中解决许多问题，柏林墙的出现有特定的历史环境，当其存在的前提不再起作用时，柏林墙也会消失。[1]1989年6月底，民主德国领导人收到苏联的通知，事先并没有与民主德国领导人商量，“苏联军队驻扎在德国的部队改名为苏联武装力量西部集团军。这个集团军的地位与1955年9月20日签订的苏联和民主德国友好条约，以及其他双边条约中所规定的一样，具有相同的权利与责任。这些权利与责任是与战争和战后时期的状态相一致的，是由苏联、美国、英国和法国等国家共同制定的，是不可更改的。”[2]

1989年10月7日，在民主德国成立40周年之际，戈尔巴乔夫参加了德国统一社会党中央政治局会议，戈尔巴乔夫从匈牙利和波兰的变化中得出结论，“如果党不能指导现实生活的话，那它就丧失了领导力。我们和你们要共同努力，支持国内的健康力量。虽然这不是一件很简单的工作”。他还介绍了苏联国内正在进行的改革，向德国同志发出呼吁提高生活水平，对子孙后代负责，他希望德国统一社会党1990年召开的第十二次代表大会能与“国家发展的变化”联系起来。他还表示苏联严守1975年10月7日签订的苏德合作与互助友好条约。[3] 戈尔巴乔夫回忆说：“在柏林我切身感受到了形势的紧张和对现存制度的不满，特别是我站在庆祝活动的主席台上，成千上万的柏林人和从其他城市赶来的人们从台前通过的时候。群众对改革显示的高涨热情和拥护以及对站在我身边的昂纳克所表现出的明显蔑视，都令我大为震惊……执政党德国统一社会党眼看着在土崩瓦解。大量的政治要求日益尖锐——从出境自由、

---

[1] *Горбачев М.С.* Как это было. Москва, 1999. С.79.

[2] ［德］埃贡·克伦茨著：《89年的秋天》，第28页。

[3] 同上书，第64—66页。

言论自由、惩治当权派、解散其机关，到立即恢复德国统一。”[1]

对于昂纳克拒绝改革，民主德国有识之士也表示反对，“我当时清楚地意识到，没有彻底的民主化，没有精神方面的开放，不克服与西方世界老死不相往来的状况，不从根本上大大地推动和发展生产率，那么社会主义不久就要达到极限了！……德意志民主共和国的领导集团却极端狂妄自大地置时代的这些特征于不顾，甚至还加以诽谤！当然人们可以并且必须就这种政策的做法进行争论，但是这丝毫不能改变这样一点：新思维的基本要求是改革与公开化，对这种基本要求，是别无选择的。”[2]

1989 年 10 月 18 日，昂纳克被解职，11 月 9 日，柏林墙倒塌，在此之前一周，戈尔巴乔夫对来访的德国新领导人克伦茨说：“民主德国在它与联邦德国的关系中必须注意，不要被国家之间的关系改善所迷惑。没有必要去鼓励解决所谓的德国问题。德国的统一问题还没有被列上现实政策的日程表上。对此，苏联与它早期在反希特勒联盟时的同盟者们的看法是一致的。克伦茨同志，关于这一点，请你转告给德国统一社会党政治局的同志们。”[3]但是，民众情绪激烈，越来越多的人跑到西德，群众性的示威游行不断，向当局施加压力，德国统一成了不可避免之事。

美国担心戈尔巴乔夫会阻挠德国统一，“我们意识到合并东德会加剧苏联的政治问题，并诱发保守主义的反攻和危及戈尔巴乔夫的改革，甚至波及他所掌握的权力。到目前为止，戈尔巴乔夫已经认可了东欧的变革，并压制了党内和军队中对东欧变革的抵触情绪。我们关心的是，他是否愿意、或能否忍受失去他们最为重要的盟友——东德。我们估计，他直接的对立反应，会是竭尽全力地反对德国重新统一，以此来保卫苏联在东欧所剩无几的安全堡垒。”[4]1989 年 12 月在中央全会上，戈尔巴乔夫强硬地说：“我们毅然决然地强调，我们不

---

[1] *Горбачев М.С.* Как это было. Москва, 1999. С.83 – 84.

[2] ［德］克里斯塔·卢夫特著：《最后的华尔兹——德国统一的回顾与反思》，朱章才译，中央编译出版社 1995 年版，第 57 页。

[3] ［德］埃贡·克伦茨著：《89 年的秋天》，第 174 页。

[4] ［美］乔治·布什、布伦特·斯考克罗夫特著：《重组的世界——1989—1991 年世界重大事件的回忆》，江苏人民出版社 2000 年版，第 177 页。

能让民主德国受到欺负，它是我们的战略盟国和华沙条约成员。必须从战后形成的现实出发——存在两个主权的德意志国家、两个联合国会员国，背离这一点将会导致欧洲的不稳定。”但在戈尔巴乔夫的内心深处，他已经意识到德国统一不可避免。

1990 年 1 月 26 日，戈尔巴乔夫在苏共中央主持召开了一个小范围的会议，专门讨论德国问题的会议，参加者有雷日科夫、谢瓦尔德纳泽、雅科夫列夫、阿赫罗梅耶夫、克留奇科夫、法林，他的重要顾问、苏共中央国际部的成员、德国问题专家费奥多罗夫，争论了 4 个小时。参加会议的人并未讨论同意或者反对德国统一，这已不是问题，“首先关心的是：将进程维持在和平的轨道上，保障自己的和所有将被其触及者的利益。为此首先需要让各战胜国参与，按照战争结局它们都对德国的命运担负着一定责任”。戈尔巴乔夫吩咐阿赫罗梅耶夫元帅，准备把军队从东德撤出。[1]

1990 年 1 月 30 日，民主德国领导人莫德罗访问莫斯科，他向戈尔巴乔夫介绍了民主德国的危机情况，人民要求提高生活水平，而政府却力所不及，国内出现骚动，1 月有将近 5 万人出走，如果这一速度保持下去，到年底会有 50 万人出走，德国统一社会党已难以控制局面，他说：“从这一切可以得出一个结论：越来越多的德意志民主共和国公民已经不支持存在两个德国的思想。看来，这种想法已经无法坚持下去了。”[2] 莫德罗要求苏联减缓德国统一进程。

1990 年 2 月 9 日，戈尔巴乔夫与来访的美国国务卿贝克进行会谈。贝克对戈尔巴乔夫声明，“绝对不会发生北约的管辖范围和军事存在向东扩展……我们认为，在 2+4 机制的框架内协商和讨论应该保证，德国的统一不会导致北约军事组织东扩。”[3] 同一天，联邦德国总理科尔访问莫斯科，2 月 10 日，戈尔巴乔夫在莫斯科与来访的联邦德国总理科尔举行会谈，讨论了统一后的德国是成为北约成员，还是中立，统一后的德国边界，与波兰、捷克斯洛伐克的关系等问题，戈尔巴乔夫明确表示：“在苏联、联邦德国和民主德国之间就关于两个德国统一的问题没有分歧，这一问题应该由德国人民自己来解决，简单地

[1] *Горбачев М.С.* Как это было. Москва, 1999. С.95.

[2] *Горбачев М.С.* Как это было. Москва, 1999. С.96.

[3] *Горбачев М.С.* Как это было. Москва, 1999. С.101.

说，主要出发点就是德国人自己应该作出自己的选择，他们应该知道这是我们的立场。”[1] 第二天的《真理报》宣布，戈尔巴乔夫与联邦德国总理已达成一致，只要德国人愿意，便可在民族自决的基础上实现国家统一。

对统一后德国的地位，苏联开始说根据联邦德国基本法第 23 条实现统一是危险之路，统一后的德国成为北约成员不符合苏联的利益。1990 年 3 月 18 日，在民主德国大选中上台的德国同盟的竞选口号就是根据宪法第 23 条实现统一。1990 年 5 月，苏共政治局授权参加在波恩召开的“2+4”会议的谢瓦尔德纳泽，在任何情况下，都不要同意统一后的德国成为北约的成员。但是，谢瓦尔德纳泽没有成功。戈尔巴乔夫后来承认：“1990 年春天在所有公开讲话和与外国活动家们会谈时，我都坚持一个观点：统一后的德国留在北约是令人不能接受的。我曾指望其他欧洲国家能支持我的立场。然而除了莫德罗政府同意我的意见之外，我未能得到任何人的支持，甚至包括波兰在内的华沙条约成员国也是如此。”[2] 既然德国是一个完全的主权国家，它有权决定参加还是不参加某一集团。

促使戈尔巴乔夫立场变化的一个重要事件是 1990 年 5 月 18 日美国国务卿贝克对莫斯科的访问。双方商定，统一后的德国将大规模削减武装力量，在 3—5 年的过渡期内，苏联军队将留驻原民主德国地区，而西方军队不会进入原民主德国地区和东柏林。德国永远拒绝拥有核武器和其他大规模杀伤性武器。北约开始从以军事为主向政治性组织发展。北约建议缔结北约与华约间互不侵犯条约。[3] 这一会谈在一定程度上消除了戈尔巴乔夫的疑虑。同年 5 月 31 日，戈尔巴乔夫在华盛顿与布什会谈时，要求德国既加入北约，也加入华约，美国不同意，经过长时间的争论，最后戈尔巴乔夫建议：“就是说，我们就这样来表述吧：美国和苏联主张统一的德国在考虑了第二次世界大战的结果并作出最终的安排，自己决定，成为哪一个组织的成员。”布什建议用另一种说法：“美国始终主张统一的德国成为北约成员，但是，如果它作出另一种选择，我们将不提出异议，尊重这种选择。”戈尔巴乔夫表示接受布什的表述方

---

[1] *Горбачев М.С.* Как это было. Москва, 1999. С.107.

[2] *Горбачев М.С.* Как это было. Москва, 1999. С.119.

[3] 转引自［俄］Новая и новейшая история. 2000.№2. С.114.

式。[1]1990 年 7 月，戈尔巴乔夫与来访的科尔一行会谈，同意了统一后的德国成为北约的成员。

毫无疑问，苏联是促进德国统一的重要因素，没有苏联的许可，德国统一之路将是艰难的，德国也不可能顺利成为北约的成员国，正如前美国驻苏大使在评论这一事件时所说，当时苏联对德国并不是无力反对的："虽然冷战结束后苏联不再能够在国外运用武力或以武力相威胁，但戈尔巴乔夫在德国统一的谈判中仍可扮演捣乱者的角色，从而提高他在国内的政治地位。虽然他不能关闭德意志民主共和国的边境并在东德重新强加一个傀儡政权，但他也无需为统一唱赞歌。他在东德有 37 万军队，德国和北约其他国家都不能使用武力驱逐他们。统一后的德国要想保持稳定，至关重要的是苏联同意这种统一的安排，同意从东德撤出苏联军队。在德国和北约盟国看来，至关重要的是苏联取消其对德国领土的所有特权要求，并承认德国有权自由选择其盟友。戈尔巴乔夫本来完全可以拒绝参与这种统一的安排。如果是这样的话，德国人会面临这样一种困境：他们或是成为北约成员国，或是统一，但不会同时得到二者——至少当时不会。总有一天，要求接受中立的舆论压力将会增长。"[2]苏联并没有这么做。

苏联领导人之所以迅速改变立场，原因是多方面的：首先，苏联国内的困难使苏联急于取得德国的好感，从而获得经济援助。其次，苏联把与美国、欧洲的关系理想化，以为已与美国成了伙伴、欧洲已经开始向新的民主与集体安全的结构过渡，并很快会变成现实，各国间的关系不是相互对抗，而是相互合作。华约解散，北约犹存并向东扩展，是戈尔巴乔夫不曾料到的。更深层的原因在于戈尔巴乔夫想在欧洲创造一种政治上合作的气氛，以结束冷战和消除军备竞赛，他确信分裂的德国走向统一，是不可抗拒的。德国统一 10 周年之际，戈尔巴乔夫在接受《纽约时报》记者采访时，回答他为什么没有预见到民主德国制度崩溃并采取相应的措施，为什么不反对德国统一时，戈尔巴乔夫说："第一，对于我而言，挽救注定失败的昂纳克的制度意味着反对强大的人民的意志；第二，与我自己作为一个国家首脑的活动的政治哲学原则相矛盾；第三，

[1] *Горбачев М.С.* Как это было. Москва, 1999. С.139.

[2] ［美］小杰克・F. 马特洛克著：《苏联解体亲历记》上，第 451 页。

干涉与我的道德不相容，因为这不得不允许向人民开枪，武力的干涉将导致大规模的流血。要知道 1989 年秋就有上百万德国人要求从分裂走向统一……第四，干涉将损害我的整个政策。干涉会破坏已开始出现在与西方、与美国关系中的信任，中断消除‘冷战’的进程，从而使对外经济和对外政策方针的决定性改革成为不可能。”[1]1990 年 9 月 12 日，在莫斯科召开的“4+2”外长会谈(苏、美、英、法和联邦德国、民主德国）达成协议，最终签署《彻底调整对德关系条约》，10 月 3 日，两德统一的条约生效，民主德国被并入德意志联邦共和国，分离了近半个世纪的德意志民族实现了统一，统一后的德国成为完全主权的国家。9 月 13 日，德国与苏联草签两国《关于睦邻、伙伴关系和合作条约》，11 月 9 日，在戈尔巴乔夫访问德国时正式签署。

《彻底调整对德关系条约》[2] 确定尊重战后边界，统一后的德国没有任何领土要求，今后也不会提出这样的要求；统一后的德国将奉行和平政策，“拒绝生产、拥有和使用核子、生物和化学武器”；统一后的德国保证在 3—4 年内将武装力量减至 37 万人，陆军和空军不超过 34.5 万人，苏军在 1994 年底前撤出，外国军队和核武器及其运载工具不能部署在原苏军驻扎地区。

当时苏联的外交部长谢瓦尔德纳泽说他最早产生德国统一不可避免的想法是在 1986 年，谢瓦尔德纳泽认为德国的剧变并不出乎意料，苏联没有促进统一，是德国人民自己选择的结果。[3] 戈尔巴乔夫认为，“东欧各国摆脱苏联的监护，使德意志民主共和国居民得以发泄民族情感并在西德得到了相应的回应。对德意志民主共和国面临的国内及其周边地区的尖锐危机，我们不能用老办法解决。强硬路线的拥护者有用武力维护德意志民主共和国现在制度的想法。这种力量确实有：在德意志民主共和国驻扎着差不多 50 万的苏联军队。然而采取这样的行动无异于犯罪，既违反德国人和我们本国人的意愿，也违背整个国际社会的愿望。两边的德国人对恢复统一的激情是坚定不移的。这事实上是一场有基础的人民民主运动，而不是什么人的政治阴谋。历史加快了自身

---

[1] 转引自［俄］Новая и новейшая история. 2000. №2. С.112.

[2] 参见［俄］米·谢·戈尔巴乔夫著：《我与东西德统一》，王尊贤等译，中央编译出版社 2006 年版，第 147—152 页。

[3] *Шеварднадза Э.* Мой выбор в защиту демократии и свободы . М., 1991 . С.244–245.

的进程，应当使之通过和平的方式来实现。”[1]

实际上，德国统一进程进展之快，超出了所有人的预料。在这一进程中起作用的主要因素是多方面的。

第一，缘起于东德的经济困难和柏林墙倒塌后的混乱局面。东德人民的生活水平低，而西德经济实力雄厚，人民的生活水平高于东德人许多倍，东德人向往西德也就不难理解了。在东欧其他国家发生剧变后，民主德国许多地区的居民走上街头，举行示威，反对德国统一社会党，要求改革。1989年10月，戈尔巴乔夫为出席民主德国建国40周年庆典来到东柏林，人们把希望寄托在他身上，戈尔巴乔夫在讲话中说：如果行动迟缓，必将受到生活的惩罚。东德人看到苏联不会干预，便加大了对当局的压力，参加游行的人数在增加。10月18日，昂纳克下台，克伦茨取而代之，但他仍不能阻止大批民众逃往西德，也不能解决日益恶化的经济问题，已难以控制局势。1989年11月9日，德国统一社会党迫于群众的压力，下令开放民主德国和联邦德国、民主德国和西柏林间的边境，柏林墙倒塌，大批人涌向西柏林，人们像过节一样庆祝这一天。当时的德国统一社会党领导人克伦茨描写自己当时的感受时说：“我几乎掩饰不住紧张不安的心情，在我们国家经历了所有这些不流血的革命的日日夜夜之后，现在决不能再出现对立！何况是在这一敏感的两个世界的分界线上。”[2]1990年1月，有75000名东德人移居西德。这种不可阻挡的移民潮冲垮了两德间的隔阂，苏共国际部负责人和苏联德国问题专家瓦伦丁·法林说：“我们一直希望德国统一是未来的一个问题，但现在很清楚，事已临头。”[3]1990年3月18日，民主德国大选，德国同盟获胜，原民德地区的共产党失去了执政地位，反映了民主德国民众要求与联邦德国合并的情绪，德国统一更是不可逆转，统一的步伐加快，5月18日两德在波恩签署《德意志联邦共和国和德意志民主共和国关于建立货币、经济、社会联盟的条约》（统一条约），用法律与条约框架保障了德国统一的内部整合。

[1] *Горбачев М.С.* Как это было. Москва, 1999. С.171.

[2] 《大墙倾倒之际——克伦茨回忆录》，世界知识出版社1991年版，第162页。

[3] 转引自［美］小杰克·F. 马特洛克著：《苏联解体亲历记》上，第303页。

曾任德国统一社会党领导人的克伦茨说："我们失败的起源要早得多，它在于我们不能赋予社会主义以民主的内容和民主的结构，这种存在的社会主义不能表明是令人信服的、真正有价值的取代资本主义社会逻辑的选择。"[1]

第二，东欧国家对德国问题的态度发生变化。东欧剧变后，一些国家与联邦德国交好，拆了昂纳克的台。科尔在谈到德国统一时说："1989 年 5 月 2 日，匈牙利和奥地利两国开始在边境地区拆除障碍设施；同年的 7 月 28 日，匈牙利外交部长格乌拉·霍恩和他的奥地利同僚阿罗依斯·穆克在世人的注视下象征性地剪断了铁丝网。这两件事大大地推动了匈牙利的改革进程——正是这个改革进程的最终结果导致德国的统一。"[2]匈牙利不顾民主德国的抗议开放边界，引发了成千上万的东德居民越过匈牙利边境逃往西德，与此同时，还有大批民主德国居民聚集在德国驻捷克大使馆，要求出境。这对德国统一社会党是个沉重打击，促使德国迅速走向统一。

第三，苏联的首肯是德国顺利实现统一的最重要因素。作为第二次世界大战的战胜国，苏联长期把控制东德看成是其胜利的一部分，在东德驻有 50 多万军队，因此苏联有条件和能力为德国统一设置障碍，如果苏联这样做，无疑会影响它与西德、美国的关系。苏联开始坚持统一后的德国不能留在北约内，但美国和西德并不让步。在戈尔巴乔夫与布什马耳他会晤时，戈尔巴乔夫还想通过保留华约组织，阻止德国统一。柏林墙倒塌后，德国统一的步伐加快，必须尽快确定统一后的德国在政治、经济、法律等方面的未来。戈尔巴乔夫已看到，他不能阻止德国统一，他出乎其对手的预料，同意德国作为统一的国家成为北约的成员，此举令苏联其他领导人和德国、美国的政界要员们吃惊。苏联此举主要是从经济利益出发的，他想借此换取德国的经济援助，因为当时苏联的经济在恶化，城市供应相当紧张。

苏联不是无条件地为两德统一提供方便，戈尔巴乔夫从联邦德国也得到了一些他想要的东西：为了解除苏联对其安全的担忧，统一后的德国虽然留在北约内，但其军队要裁掉一半（剩 37 万人），拒绝制造和拥有核武器、生物武

[1] 《大墙倾倒之际——克伦茨回忆录》，第 176 页。

[2] ［德］迪阿曼著：《我要的是德国统一——科尔自述》，葛放译，辽宁人民出版社 1999 年版，第 46 页。

器和化学武器，并不扩散这些武器，在过渡期内苏军留驻民主德国，北约军队不向民德地区扩展，奥得—尼斯河为德波永久边界，承认了战后的边界变动。苏联从中还得到了不少经济实惠，西德在1990年2月向苏联无偿提供2.2亿马克的食品援助，同年6月向苏联提供50亿马克的优惠贷款，另外还提供10亿马克的农产品。《关于某些过渡性措施的协定》规定，德国应为苏军驻留和撤出拨款150亿马克：120亿无偿支付，30亿为5年后偿还的无息贷款。同时也应看到，强大的德国不仅是苏联的对手，也是对美国霸权的一种制约，苏联放弃在世界范围内与美国争霸和支持德国统一有利于推动国际局势朝多极化发展。苏联解体后，俄德关系发展顺利，德国是对俄投资和援助最多的国家，这说明，德国对苏联没有妨碍其民族统一是感激的，并愿意给予回报。

德国的统一是冷战结束的重要标志性事件之一，“德国的统一，对于世界格局来讲，比东欧其他国家的急剧变化远为重要。仅有匈牙利、波兰等国的转向，恐怕还不足以导致全局性的变动。只有德国的变化，才从根本上促成了改变欧洲乃至世界的政治地图。”[1] 德国的统一使已经分崩离析的“东方集团”再也维持不下去了，面对欧洲政治、经济、军事格局的实质性变化，原来作为东部德国和东部欧洲支柱的华沙条约组织和经互会已失去其存在的意义。

苏联在德国统一和欧洲安全方面的重大让步，是不是损害了苏联的安全利益，这个问题值得探讨。战后，苏联安全的基础是欧洲的分裂，是苏联对东欧的控制。戈尔巴乔夫时期苏联在欧洲安全中追求的目标是：在全球范围内的联合国、在欧洲应该是在欧洲安全与合作会议的框架下的地区安全体系。戈尔巴乔夫把欧洲想象成一个“共同的欧洲之家”，大家都和平地住在一幢大楼里，但美国没有对此作出直接的反应，而是坚持自己的政策目标。过去40年的安全与稳定是靠相互对立的两大军事集团组织的力量均势来保障的；应该建立欧洲安全的新体制，改变欧洲的政治气候，把两大军事集团的大方向从军事逐渐转向政治，并最终解散这两个组织。开始苏联坚持把德国统一问题与欧洲安全问题联系在一起，事实证明这是不现实的。戈尔巴乔夫认为德国的价值观已经发生了变化，一个民主的德国不是苏联安全的威胁，欧洲的机制能够保障德国不会再次成为欧洲安全的威胁。

[1] 连玉如：《新世界政治与德国外交政策》，北京大学出版社2003年版，第350页。

新思维指导下的苏联对外政策，确实为德国问题的最终解决敞开了大门。德国统一是消除“冷战”政策的结果，德国统一，未必完全不符合苏联的利益，包括安全利益，能与地处欧洲腹地、经济发达的强国建立长期的伙伴关系，消除两国历史上造成的不信任，对两国都是重要的。

三、经互会与华约解体

经互会的活动从 1987 年起已明显收缩，成员国之间的换货额逐年下降，协调国民经济计划、共同实施大型建设项目等工作陷于停顿，同时各国间的矛盾则日趋表面化。1990 年 1 月召开的经互会第 45 次会议，针对东欧变化的形势，提出革新这一组织并改变彼此的经济关系，但没有就新的协作关系制定任何切实可行的方针，只是宣告了旧的协作关系的终结。正如苏联报刊所说：“这次会议是迅速毁掉几十年形成的经济协作方式的开始。”此后，匈牙利、捷克斯洛伐克和波兰主张建立一个新的地区性经济组织来取代经互会。于是，从 1991 年 2 月经互会第 46 次会议起，各成员国实际上都在为“分家”而清算账目。6 月 28 日，经互会 9 个成员国的代表在布达佩斯签署了解散经互会的议定书，规定 90 天后经互会章程失效，届时即告正式解散。

1988 年 7 月举行的华约首脑会议是将苏联“新思维”外交贯彻于华约行动路线的开端，在这次会议上提出了进行欧洲常规裁军谈判的建议，此后苏联和东欧各国都宣布了单方面的裁军措施。在 1989 年 7 月华约首脑会议上，戈尔巴乔夫提出，华约应该从“军事政治组织转变为政治军事组织”。在这次会议的公报中还明确承认，“各国有权独立地制定自己的政治路线，不受任何外来干涉。”会议以加强社会主义大家庭的统一而结束。在这次会议上，匈牙利领导人认为冷战已经结束了，戈尔巴乔夫不同意，他强调：“华沙条约是共同的财富”。对于戈尔巴乔夫“欧洲大厦”概念，齐奥塞斯库提出质疑，他认为有许多不清楚的东西：“欧洲将成为什么样的欧洲，谁来管理这个欧洲，我们将按照什么原则来建设这座大厦。我们希望看到一个统一的欧洲，但它将是一个由不同的、单个的房子组成的欧洲。每个房子里的人都可以根据自己的意愿，就是按照他自己认为是最好的办法，去建立自己的生活方式和选择发展道路。所以，我们要解决自己的课题，甚至可以重新研究戴高乐曾经提出来的建立一个由自由和独立的民主国家组成的统一的欧洲。”[1]“保加利亚领导人日夫科夫恳求戈尔巴乔夫，把重新确认所有成员国的‘国际主义义务’以及许诺保持它们的政治体制不受破坏这两点，列入议事日程。但是，戈尔巴乔夫重申，他认为这是每个成员国自己的事务。”[2]随着东欧局势的发展和德国统一进程的加速，按“新思维”路线改造华约的企图很快也显得过时了。

1989 年 12 月 4 日，在华约组织成员国首脑会议上，苏、保、匈、波和民主德国 5 国领导人宣布，1968 年他们的国家出兵捷克斯洛伐克是“对捷内政的干涉，应当受到谴责”。以此为契机，捷、匈、波等国纷纷要求苏联从这些国家撤走驻军。经过谈判，1990 年 2 月 26 日，苏联与捷克斯洛伐克达成协议，分三阶段至 1991 年底前撤走驻捷全部苏军。3 月 10 日，苏、匈两国也签署协议，确定驻匈苏军于 1991 年 6 月 30 日前撤完。波兰没有急于让苏军撤出，“出于对德国重新统一后果的担心，他们相信北约和华约对于欧洲的稳定是不可缺少的，并且将继续保留下来直到一个全面的欧洲安全体系最终建立起来。”[3]在统一后的德国明确表示承认与波兰的西部边界后，波兰也同苏联进行了撤军谈判。德国统一后，苏联驻德军队的撤离也有了明确的日程表。这样，苏联维系与东欧同盟关系的最后一手实际上已经失去作用，苏军从东欧国家的离去使华约无法再作为昔日的军事同盟而存在。1990 年 6 月，华约政治协商委员会莫斯科会议提出：必须“重新研究华约的性质、职能和活动，并把它改造成主权的、平等的国家建立在民主原则基础上的条约”。匈牙利率先表示，它打算完全退出华约，因为华约——尤其是其军事方面，变得过时了。匈牙利的立场代表了东欧国家的共同想法。在这种情况下，未等拿出改造方案，华约实际已经开始走向解体。1991 年 1 月立陶宛事件发生后，捷克、匈牙利、波兰等国领导人很愤怒，2 月 2 日，三国总统在匈牙利的维塞格拉德镇会晤，宣布成立他

[1] ［德］埃贡·克伦茨著：《89 年的秋天》，孙劲松译，中共中央党校出版社 2005 年版，第 9 页。

[2] ［美］沃伊泰克·马斯特尼著：《纸板城堡？——华沙条约组织秘史》，李锐等译，见华东师范大学国际冷战史研究中心：《冷战国际史研究》第 8 辑，世界知识出版社 2009 年版，第 133 页。

[3] 同上书，第 137 页。

们自己的团体。2 月 25 日，华约组织的外交部长和国防部长们在布达佩斯举行会议，宣布："华沙条约缔约国注意到欧洲发生的深刻变化，为贯彻实施政治协商委员会 1990 年 6 月 7 日莫斯科会议的决议，他们作为平等主权国家决定在 1991 年 3 月前取消它的军事组织机构。会议代表指出，这一决议定将有助于进一步降低欧洲军事潜力，并根据欧安会巴黎高级会晤时达成的各项协议的精神，进一步促进实现由集团安全机构向全欧安全机构的转变。"[1]4 月 1 日，华约组织宣布解散其军事机构。7 月 1 日，华约 6 个成员国领导人在布拉格签署《关于废除华沙条约的议定书》，该议定书只有两个条款："第一条，自本协定书生效之日起，1955 年 5 月 14 日在华沙签署的《友好合作互助条约》（简称《华沙条约》）及 1985 年 4 月 26 日签署的《关于延长（华沙条约）期限议定书》予以废除。第二条，本议定书签署国声明，他们彼此间不相互提出因《华沙条约》所引发的财产要求。"[2] 华约的有效期提前结束，华沙条约组织至此正式解散。冷战时期形成的两大政治军事集团之一就这样宣告崩溃，不复存在了。

苏东集团的瓦解是东欧剧变的必然结果，同时也是集团内部长期积累的矛盾发展的结果，正如克伦茨所说："我一直感到，在我们的联盟中缺少一种共同利益，还有就是各国之间表现出的傲慢和互不信任。我们相互称之为兄弟国家，但是我们几乎不能坦诚地、平心静气地相互交谈，更不用说富有建设性地合作了。"[3]这一集团是为了对抗西方国家而建立的，随着东西方的缓和，其不复存在也是合乎逻辑的。

第四节　实现苏中关系正常化

中苏两大邻国长期处于对立状态，是不正常的，对双方都不利。在 1969 年珍宝岛武装冲突后苏联明显加强了对华军事力量，成立了新的军区，加强了太平洋舰队的力量，改善了边防部队的装备，开始修建贝加尔—阿穆尔铁路干

---

[1] 沈志华总主编：《苏联历史档案选编》，第 33 卷，第 693 页。

[2] 同上书，第 695—696 页。

[3] ［德］埃贡·克伦茨著：《89 年的秋天》，第 6 页。

线。与此同时，向蒙古增派了军队。中国方面为了对付苏联的威胁，也把许多精力放在发展国防力量上，影响了人民生活水平的提高。

一、戈尔巴乔夫的对华政策新方针

随着苏联对外部世界认识的改变，苏联大幅度地调整了国家的对外政策。在这一背景下，如何改善和发展与中国——苏联最大的邻国之间的关系也成了苏联外交的一个重点。中苏两国关系的正常化经历了复杂曲折的过程，早在1982年勃列日涅夫塔什干讲话后，邓小平就提出了改善中苏关系的三个条件：要求苏联主动解决“三大障碍”，即从中苏边境地区和蒙古人民共和国撤军；从阿富汗撤军；劝说越南从柬埔寨撤军。中苏双方都做了缓和姿态，从1982年10月5日开始就实现国家关系正常化问题举行副外长级政治磋商。在中苏副外长级磋商的同时，两国在其他领域中的关系逐渐活跃起来。1982年11月10日，苏共中央总书记勃列日涅夫逝世。中国派国务委员兼外交部长黄华作为中国政府特使前往苏联参加葬礼。1984年2月9日，苏共中央总书记安德罗波夫逝世，中国国务院副总理万里前往参加葬礼。1985年3月10日，苏共中央总书记契尔年科逝世，中国国务院副总理李鹏前往参加葬礼。“葬礼外交”促进了中苏高层领导的沟通和相互了解。李鹏在同新任总书记戈尔巴乔夫会晤时，对苏联人民“在社会主义建设中取得的成就”表示祝贺，结束了中方自20世纪60年代后期一直不承认苏联是社会主义国家的历史。与此同时，中苏经贸和文化交流取得了进展，1982年，两国恢复了边境贸易，1984年12月，两国签署经济技术和科学技术合作协定，并建立了经济、贸易、科技合作委员会，双边贸易额逐年增长。

1985年10月9日，邓小平在会见罗马尼亚总统齐奥塞斯库时，请他给戈尔巴乔夫带个口信：如果苏联同我们达成谅解，越南从柬埔寨撤军，我愿意跟戈尔巴乔夫会见。我出访的历史任务已经完成了，但是如果同苏联能够达成这样一个谅解，我可以破一次例。[1] 实际上告诉苏联人，解决中苏关系正常化问题、消除“三大障碍”，首先应从越南从柬埔寨撤军这件事做起。只要这个问题解决了，其他问题都好解决。为推动中苏关系取得突破，邓小平首次提出中

[1] 中共中央文献研究室编：《邓小平思想年谱》，中央文献出版社1998年版，第340页。

苏举行高级会晤的设想。但直到 1986 年 4 月在莫斯科结束第八轮政治磋商，双方仍没有在“三大障碍”问题上取得任何实质性进展。苏方反复重申改善两国关系的愿望，但对中方所提出的“三大障碍”则尽力回避，拼命反驳。苏方的论点也主要有三个：一是指责中方为磋商设置“先决条件”；二是提出中苏关系正常化，应当“不损害第三国利益”；三是宣称苏方“从不威胁中国”。苏方建议共同制定苏中关系基础文件，先就促进经贸、科技、文化等各个领域关系的改善和发展达成协议。[1]

中苏早日实现关系正常化是大势所趋，是两国的共同要求。1986 年 3 月，在苏共二十七大上，当戈尔巴乔夫在中央委员会的政治报告中讲到与中国的关系有了一定程度的改善时，代表们鼓掌欢迎，在代表大会通过的决议中说：“苏联同伟大的邻邦——社会主义中国的相互关系有了一定程度的改善，尽管在对待一些国际问题的态度上还存在着差别，但是在平等和不涉及第三国的基础上发展合作是可能的。代表大会深信，这种合作的潜力是巨大的，因为它符合两国的根本利益，对两国人民来说，最珍贵的东西——社会主义与和平是不可分的。”[2]在中苏长期对峙中苏联方面占有优势，因此，实现中苏关系正常化的主动权在苏联方面。戈尔巴乔夫作为苏联党和国家领导人，对推动中苏关系的正常化起了关键性的作用。戈尔巴乔夫也深刻体会到：“几十年形成的对抗的惯性封闭了转弯子的可能性。双方头脑冷静的政治家、外交家和专家学者，只要他们稍稍做一点缓和紧张局势的努力，几乎就会被人说成是出卖民族利益。需要强有力的人物从‘上面’推动一下。”[3]

1986 年 7 月 28 日，戈尔巴乔夫在苏联远东城市海参崴发表长篇讲话，在谈到与中国的关系时，戈尔巴乔夫指出，中苏两国有世界上最长的陆地边界，两国关系很重要，他表示：“苏联准备在任何时候和任何级别上同中国最认真地讨论关于创造睦邻气氛的补充措施问题。我们希望，在不久的将来，把我们隔开的（我想说是把我们联结起来的）边界，将变成和平与友好的地带。”两

[1] 钱其琛：《外交十记》，世界知识出版社 2003 年版，第 11 页。

[2] 辛华编译：《苏联共产党第二十七次代表大会主要文件汇编》，第 149 页。

[3] *Горбачев М.С.* Жизнь и реформы. Воспоминания в 2-х тт. Кн.2 . М., 1995 . С.433.

国都在考虑加速社会经济发展的问题，应该加强合作和交流。[1] 在“三大障碍”问题上，戈尔巴乔夫没有重弹“不设先决条件”、“不损害第三国利益”、“从不威胁中国”等老调，他透露苏联正同蒙古领导人研究把相当大一部分苏联军队从蒙古撤出的问题；他不再回避阿富汗问题，宣布当年年底前从阿富汗撤出苏军6个团，苏联全部撤军则取决于外部干涉是否继续下去；关于柬埔寨问题，戈尔巴乔夫语气也比较平和，说现在是解决问题的有利时机，他认为这个问题的解决取决于中越关系正常化，是中越双方的事，苏联希望中越恢复对话，消除不必要的怀疑和不信任。他说，苏联准备同中华人民共和国讨论旨在相应地降低陆军水平的具体步骤。最值得注意的是，戈尔巴乔夫接受了中国在中苏边界谈判中所持的立场，表示“边界线的正式走向可以以主航道为界”，希望中苏界河阿穆尔河（黑龙江）流域成为联合中苏两国人民为了共同利益利用这里拥有的丰富资源和进行水利建设而作出努力的地区。[2] 戈尔巴乔夫在回忆这次讲话时说：“1986年7月我在符拉迪沃斯托克的讲话中阐述了我们对亚太地区国家关系的看法。这些观点的实质如下。远东、整个亚洲及其附近的海洋空间——我们是这里的常住居民和航海者——是我们的民族和国家的利益所在。这里将来如何发展，在各国关系中居于主导地位的进程如何——这在很大程度上将决定整个世界的命运。我说，我们主张在这个地区共同创建一种新的公正的关系。在这一讲话中关于中苏关系的话题占有重要地位，‘苏联准备在任何时候，任何层面上，以最认真严肃的态度，同中国方面讨论发展睦邻关系应该采取进一步措施的问题。我们希望，在不远的将来，把我们分开（而我则想说——把我们连接起来）的边界将变成和平和友谊的疆界。’”[3] 时任驻华大使的特罗扬诺夫斯基说：“米哈伊尔·戈尔巴乔夫1986年7月28日在海参崴的讲话，成了同中国关系正常化道路上的重要时刻。”[4]

1986年8月13日，吴学谦外长约见苏联驻华使馆临时代办费多托夫，做

[1] Правда. 29 июля.1986.

[2] Правда. 29 июля.1986.

[3] *Горбачев М.С.* Жизнь и реформы. Воспоминания в 2-х тт. Кн.2 . М.,1995 . С.433.

[4] ［俄］奥·特罗扬诺夫斯基著：《跨越时空——苏联驻华大使回忆录》，张达楠、徐葵译，世界知识出版社1999年版，第325页。

了如下表态：戈尔巴乔夫总书记7月28日海参崴讲话中对中国和就中苏关系所表述的意见，我们予以认真的评价和重视。中方注意到其中有些过去没有说过的话，对此我们表示欢迎。苏联方面清楚地知道中国方面关于消除“三大障碍”以实现两国关系正常化的原则立场和具体主张，而戈尔巴乔夫这篇讲话与消除“三大障碍”距离尚远，特别是没有提到越南从柬埔寨撤军问题，我们是不满意的。越南从柬埔寨撤军，公正合理地解决柬埔寨问题是中国方面最感关切的问题，也是1985年邓小平通过齐奥塞斯库传话的核心。中方真诚地希望早日实现中苏关系正常化，希望苏方认真考虑中方的意见。对戈尔巴乔夫总书记宣布中苏东段边界以界江主航道中心线为界，中方表示欢迎。据此，中方认为，在适当时候恢复中苏边界谈判是适宜的。[1]1986年9月2日，邓小平在接受美国记者华莱士电视采访时，又一次谈到了中苏关系，强调指出让越南从柬埔寨撤军问题是改善中苏关系的关键，“如果戈尔巴乔夫在消除中苏间三大障碍，特别是在促使越南停止侵略柬埔寨和从柬埔寨撤军问题上走出扎扎实实的一步，我本人愿意跟他见面。”[2]

二、“三大障碍”的逐渐消除与戈尔巴乔夫访华

戈尔巴乔夫在消除“三大障碍”方面作出了切实的努力，只是速度不够快。1988年2月8日，戈尔巴乔夫宣布苏联从当年5月15日起从阿富汗撤军，10个月完成，结束阿富汗战争成为改善中苏关系的重要因素。根据同蒙古领导人达成的协议，苏联从1989年5月开始从这个国家撤回自己的军队。在最大的障碍——柬埔寨冲突问题上，双方进行了艰苦的谈判工作，直至中苏高层会晤前夕，双方在这个问题上仍然存在分歧。

改变支持越南侵略柬埔寨的政策，是中方的要求，也是苏联本身的需要。据戈尔巴乔夫的顾问说：“同越南的关系是个负担，首先是经济关系，但又不得不（‘为了不使朋友们受委屈’）去适应当时越南领导人扩张主义的习气和他们的固执的反华思想。戈尔巴乔夫没有对当时越南领导人的对外政策方针和实

[1] 钱其琛：《外交十记》，第25页。

[2] 《邓小平文选》，第3卷，第167—168页。

践表示过真诚的同意和支持。”[1]1987 年 4 月，苏联副外长罗高寿遍访东南亚各国，解释苏联对柬和谈的设想。在苏联立场改变的情况下，1987 年 5 月 26 日，越南宣布开始从柬埔寨撤军，当年撤出 5 万人，越南同意政治解决柬埔寨问题。1988 年 6 月，在莫斯科举行的中苏特使第 12 轮磋商中，着重讨论了柬埔寨问题。同年 8 月 27 日—9 月 1 日，田曾佩与罗高寿两位副外长在北京就柬埔寨问题举行会晤，双方虽然有分歧，但也达成了许多共识。9 月 16 日，戈尔巴乔夫在视察克拉斯诺亚尔斯克边疆区时说：“在两个社会主义大国巨大的复兴过程中，苏联和中国之间的共同点在增长。两个社会主义国家内部都在发生着深刻的变化，我们可以相信，我们两国人民之间的友好信任关系在日益增长，双方彼此巨大的吸引力在逐步加强。不久前在北京举行的协调柬埔寨问题工作会谈在一定程度上扩展了就这个问题相互谅解的视野，同时也促进了苏中关系的改善。我们赞成与中华人民共和国关系的完全正常化，使之发展到符合两国为世界政治问题负责任的水平。我们准备马上开始苏中最高级会晤的筹备工作。”[2]9 月 28 日，中苏两国外长在第 43 届联大期间在纽约会晤时，苏方表示愿促进柬埔寨问题尽快解决。影响中苏关系正常化的“三大障碍”都基本解决了。

1988 年 11 月 5 日，戈尔巴乔夫在接见使节时，对中国临时代办李凤林格外亲热，谈话时间超过了 3 分钟，他意味深长地表示：看来两国关系已经到了上一个更高台阶的时候了。[3]

1988 年 12 月 1—3 日，中华人民共和国外交部长钱其琛，应苏联外长谢瓦尔德纳泽的邀请，对苏联进行正式访问。这是自 1957 年之后，30 多年来中国外长第一次正式访问苏联，主要任务是为中苏首脑会晤做准备。12 月 2 日，戈尔巴乔夫接见了钱其琛外长，请他转告中国领导人，就说我们主张两国关系正常化的条件现在已经具备。我们坦率地向钱其琛部长介绍了我们国内的情

---

[1]　［俄］阿·切尔尼亚耶夫著：《在戈尔巴乔夫身边的六年》，第 89 页。

[2]　*Горбачев М.С.* Избранные речи и статьи. Т.6. М., Политиздат, 1989. С.558.

[3]　外交部《当代中国使节外交生涯》编委会：《当代中国使节外交生涯》第四辑，世界知识出版社 1996 年版，第 311 页。

况和我们在对外政策方面的新的态度。[1] 这次访问被钱其琛称为“破冰之旅”，在中苏关系正常化的道路上具有决定性意义：“戈尔巴乔夫主动表示，对过去发生的事情苏联也有过错。在谈及中苏高级会晤时，他主动提出，考虑到各种情况，他准备到北京去。我向他转达了中国领导人欢迎他于1989年访华的邀请，并表示，对于两国关系，中方主张着眼于未来，不纠缠历史的旧账，向前看，探讨建立新的关系。”[2] 在访问期间，中苏两国外长指派的工作小组经过反复磋商，双方就柬埔寨问题以《共同记录》方式达成内部谅解。其核心内容是：中苏双方主张尽早公正合理地政治解决柬埔寨问题，双方希望越南军队在尽可能短的时间内，例如在1989年下半年，最迟在1989年底之前，从柬埔寨全部撤出；中苏双方表示愿意作出自己的贡献，以促使上述目标的实现。[3]

1989年2月，谢瓦尔德纳泽外长访华，此行是为即将举行的中苏最高级会晤做准备，谢瓦尔德纳泽同李鹏总理、钱其琛外长举行了会谈，又去上海会见邓小平。邓小平强调：“中苏两国领导人的任务是结束过去，开辟未来。这个任务相当繁重，两国之间存在的问题太多，牵扯面太广，而且都不是小问题。为了开辟未来，也需要了解过去。不过有个限度，只是了解，不予纠缠，重点在于开辟未来。”[4] 会谈气氛很好，但在最后出现了一些不愉快。据钱其琛回忆，苏方本来同意发表关于柬埔寨问题的联合声明，但在2月3日深夜又变卦了，中方表示鉴于双方分歧较大，同意暂不发表关于柬埔寨问题的联合声明，也先不公布已经商定的5月中旬举行高级会晤的日期。[5] 苏联驻华大使则认为“中国对手是故意在柬埔寨问题上以极端强硬的立场进行谈判，企图从我们身上榨取出只有在最高级会晤前的终点冲刺时才能弄到的全部信息。”[6] 2月4日，在记者招待会上，谢瓦尔德纳泽宣布苏联领导人将在5月中旬访问中华

---

[1] *Горбачёв М.С.* Реформы и жизнь. Воспоминания в 2-х тт. Кн.2 . М., 1995. С.433.

[2] 钱其琛：《外交十记》，第30—31页。

[3] 同上书，第32—33页。

[4] 中共中央文献研究室编：《邓小平年谱（1975—1997）》下，中央文献出版社2004年版，第1264页。

[5] 钱其琛：《外交十记》，第34页。

[6] ［俄］奥·特罗扬诺夫斯基著：《跨越时空——苏联驻华大使回忆录》，第332页。

人民共和国，田曾佩副外长在记者招待会上则说："杨尚昆主席向戈尔巴乔夫主席发出了邀请。苏方接受了邀请。访问的具体时间有待商定，中国方面准备研究苏方的建议，并同苏方进行协商，找到一个对双方都适合的时间。"[1]经过双方工作组的继续谈判，很快达成了协议。

1989 年 2 月 6 日，中苏双方同时发表了关于柬埔寨问题的联合声明和戈尔巴乔夫的访华日期。在《关于柬埔寨问题的联合声明》中，双方达成了九点共识，中苏双方致力于柬埔寨问题的政治解决，希望越南能够在 1989 年 9 月底前完成撤军，在外国军队从柬埔寨撤出后，在这个国家不出现危险局势和发生内战，中苏双方认为，建立有效的国际监督机制，对越南撤军、外国停止军事援助、维持柬埔寨和平以及进行自由选举实行严格的国际监督是必要的和重要的。但双方的分歧仍然存在，"中国方面主张建立以西哈努克亲王为首的有四方代表参加的柬埔寨临时联合政府。""苏联方面将支持柬埔寨四方就建立西哈努克主持下的有四方代表参加的临时机构达成一致，该机构不从属于柬埔寨任何一方，其任务是实施柬埔寨各方达成的各项协议和举行自由选举。""双方同意就解决柬埔寨问题的某些方面尚存的分歧继续进行讨论"，[2]柬埔寨问题确实比较复杂，后来事态的发展证明，这一问题不是由中苏双方所能完全决定的。

1989 年 5 月 14 日，戈尔巴乔夫启程飞往北京。戈尔巴乔夫在推动中苏关系正常化这一问题上，功不可没。在会见邓小平前，戈尔巴乔夫对身边的陪同人员说："我们的举止应该像年轻的活动家去拜访老一辈活动家那样。这在东方会产生好印象。"[3]

1989 年 5 月 16 日上午 10 时整，戈尔巴乔夫来到等候在人民大会堂的邓小平跟前，中苏两国最高领导人的手握在了一起。在与戈尔巴乔夫的会谈中，邓小平一开始就表示，中国人民真诚地希望中苏关系能够得到改善，他建议利用这个机会宣布两国关系从此实现正常化。戈尔巴乔夫在回忆与邓小平会见时记述道：邓小平一开始就问我记不记得 3 年前罗马尼亚总统齐奥塞斯库转

[1]　《人民日报》1989 年 2 月 5 日。

[2]　《人民日报》1989 年 2 月 6 日。

[3]　［俄］奥·特罗扬诺夫斯基著：《跨越时空——苏联驻华大使回忆录》，第 330 页。

戈尔巴乔夫会见邓小平，1989 年，北京

交的他的一封信。当时邓小平建议说，如果能够消除“三个障碍”，为了实现中苏关系正常化，邓小平愿意和他见面。邓小平对戈尔巴乔夫说：我从您在符拉迪沃斯托克的讲话中看出在苏美关系方面有可能出现转机。从对抗走向对话有了明显的可能。世界紧张局势出现了“降温”的可能。这是符合全人类的愿望的。中国人民面对的问题是：中苏关系能不能改善？出于这种考虑，我才转给您那封信。3 年后我们终于见面了。戈尔巴乔夫回应说：您提出了“三个障碍”，所以需要 3 年时间，即一年消除一个障碍。邓小平表示：现在我们可以正式宣布中苏关系已经正常化了(这时我们互相握了握手)。今天您将和中共中央总书记赵紫阳会谈。这意味着我们两党的关系也正常化了。戈尔巴乔夫说：我想，我们可以互相祝贺我们两国关系正常化了。我赞同您对世界形势的看法。苏美关系，苏中关系，大国与大国之间的关系，加上整个国际形势都走上了新的轨道。在研究当代的关键问题和世界社会主义问题的时候，我和您发现我们有许多相吻合的地方，所以我们才能够开始相互接近。[1]

在谈及中苏关系破裂和 20 世纪 60 年代的中苏论战时，邓小平说自己是“那场争论的当事人之一，扮演了不是无足轻重的角色。经过 20 多年的实践，回过头来看，双方都讲了许多空话。”[2]“现在我们也不认为自己当时说的

---

[1] *Горбачёв М.С.* Реформы и жизнь. Воспоминания в 2-х тт. Кн.2 . М., 1995. С.435–436.

[2] 《邓小平文选》，第 3 卷，第 291 页。

都是对的”。[1] 对于这场大论战的是非，中国政府从未有过正式表态，在会见中，邓小平代表中方首次作出了这样的评价。对邓小平的这些看法，戈尔巴乔夫表示：“我不想说什么。同意您的评价，也赞成您的想法，但是30年并没有白过——我们弄明白了许多问题。而且没有因此降低我们对社会主义理想的信心，相反，我们对社会主义的理解上升到了一个新的水平。”[2] 在会见中，邓小平专门谈发展马克思主义和建设社会主义两大问题。他指出：“马克思去世以后一百多年，究竟发生了什么变化，在变化的条件下，如何认识和发展马克思主义，没有搞清楚。”[3] 他强调必须用新的思想、观点去继承和发展马克思主义，“各国必须根据自己的条件建设社会主义。固定的模式是没有的，也不可能有。墨守成规的观点只能导致落后，甚至失败。”[4] 表明邓小平期盼苏联作为第一个社会主义国家能不断发展，“十月革命”这面旗帜能在十月革命故乡的上空继续飘扬下去。邓小平特别强调：“我们这次会见的目的是八个字：结束过去，开辟未来。结束一下过去，就可以不谈过去了，重点放在开辟未来的事情上。但是，过去的事情完全不讲恐怕也不好，总得有个交待。”[5] 对于中方的看法，“不要求回答，也不要辩论，可以各讲各的。”邓小平“列举了给中国带来最大损害的列强的名字，首先是英国和葡萄牙，因为他们最早霸占中国的领土，强租澳门。他讲了许多日本、沙俄给中国带来的损害，他们从中国得利最大，还讲到了苏联。同时他指出，直到十月革命前俄国在中国东北都有势力范围，哈尔滨是它的中心。我的交谈者认为，俄国通过不平等条约侵占中国的领土超过150万平方公里。而且延续到十月革命后，1929年，苏联从中国占去了哈巴罗夫斯克附近黑龙江和乌苏里江交汇处的岛屿（即黑瞎子岛——译者）。”[6] 邓小平认为中苏关系“真正的实质问题是不平等”，“中国人感到受屈辱”。[7] 邓小

[1] 《邓小平文选》，第3卷，第294页。

[2] *Горбачёв М.С.* Реформы и жизнь. Воспоминания в 2-х тт. Кн.2 . М., 1995. С. 436.

[3] 《邓小平文选》，第3卷，第291页。

[4] 同上书，第292页。

[5] 同上。

[6] *Горбачёв М.С.* Реформы и жизнь. Воспоминания в 2-х тт. Кн.2 . М., 1995. С.438.

[7] 《邓小平文选》，第3卷，第295页。

平强调，“历史帐讲了，这些问题就一风吹”。重点在于未来，中苏关系正常化以后，要“多做实事，少说空话。”[1]

这次持续了两个半小时的中苏最高领导人的会谈，标志着中苏两国关系正常化进程的完成。5 月 16 日晚，苏共中央总书记戈尔巴乔夫与中共中央总书记赵紫阳会见，标志着两党关系实现正常化。中苏结束了对抗，双边关系步入正常化轨道，使得中国以经济建设为中心的改革开放事业，有了和平稳定的北方边界，也使苏联有了稳定的南部边界。

在中苏关系正常化的过程中，苏联因素是主要的，正如钱其琛所写的：“作为历史人物，戈尔巴乔夫的功过，自有后人去评说，但他的北京之行所完成的重大历史使命，在中苏关系史上，应当被浓墨重彩地记上一笔。”[2] 俄国学者加列诺维奇虽然认为戈尔巴乔夫的作用是被动的，但也承认：“戈尔巴乔夫功劳不仅仅在于准备实现关系正常化，准备采取实现正常化的具体步骤，还在于他敦促解决了邓小平提出的一系列条件。这包括他完成了从阿富汗和蒙古的撤军，削减了对越南的援助。”[3] 当然，国际形势的变化和中国对外政策的调整也是一个不容忽视的因素，时任驻华大使的特罗扬诺夫斯基认为：“从 1986 年到 1989 年这段时间里，主动权一直在莫斯科一边。但是可以相信，到 80 年代中期，特别是由于苏美紧张关系得到缓和，中国领导人开始认识到，中国的国际地位已不太有利。随着‘冷战’走向结束，所谓‘中国牌’已不再是国际舞台上的重要因素。”[4]

中苏关系正常化能够实现，还与两国的改革密不可分。随着改革的深入，社会主义观念发生了变化，中苏两党之间的分歧越来越少，中苏两党在许多问题上达成了共识，如对什么是社会主义的看法、对资本主义的认识、对国家利益的定位等等。正如戈尔巴乔夫所说：“在我当上苏共中央总书记之后，我饶有兴趣地阅读了中共十三大的文件，文件确立了现代化和经济体制改革

[1] 《邓小平文选》，第 3 卷，第 295 页。

[2] 钱其琛著：《外交十记》，世界知识出版社 2003 年版，第 37 页。

[3] ［俄］尤·尤·加列诺维奇著：《勃列日涅夫与毛泽东　戈尔巴乔夫与邓小平》，孙黎明等译，四川人民出版社 1999 年版，第 163 页。

[4] ［俄］奥·特罗扬诺夫斯基著：《跨越时空——苏联驻华大使回忆录》，第 327 页。

的方针，通过了把中国建成现代化的高度发达的社会主义国家的长期纲领。这些决定在很多方面和我们二十七大的思想是相呼应的。当我们还在寻找如何走出两国关系死胡同的途径时，我们的距离仿佛重新又拉近了。”[1]1986 年 7 月 28 日，戈尔巴乔夫在海参崴讲话中，第一次公开肯定了中国进行现代化建设的方针。

中苏关系正常化，在社会主义国家关系史上具有重要意义。众所周知，中国共产党从 20 世纪 50 年代起就倡导社会主义国家关系也应该遵循和平共处五项原则，但在实践中，社会主义国家在处理相互关系时，并没有遵循这一原则，直到 1989 年中苏关系的正常化，如何处理社会主义国家之间关系的问题才最终解决。

第一，确立了社会主义国家之间的关系要遵循和平共处五项原则。战后几十年国际关系的实践证明，和平共处五项原则是处理国与国之间关系行之有效的准则，既适用于不同社会制度的国家，也适用于社会制度相同国家之间的相互关系。双方宣布：“中华人民共和国和苏维埃社会主义共和国联盟将在互相尊重主权和领土完整、互不侵犯、互不干涉内政、平等互利、和平共处的国与国之间关系的普遍原则基础上发展相互关系。”[2] 戈尔巴乔夫在记者招待会上说：过去的教训使我们“懂得了必须对彼此在政治和行动上的不一致表现谅解。很自然，苏联和中国对各种问题和现象都有自己的立场和态度。不应把这点看成是合作的绊脚石。努力寻找互相可以接受的解决办法，同时相互尊重对方的观点和立场，这是唯一合理的态度。”[3] 建立在和平共处五项原则基础上的中苏关系经受住了历史风云的考验，意识形态的不同看法、改革的不同道路选择没有影响中苏关系的顺利发展，苏联解体后，中苏关系平稳地过渡到了中俄关系。

第二，确立了和平解决争端的原则。在联合公报中声明：“中苏双方愿意通过和平谈判解决两国之间的一切争端，相互不以任何形式，包括不利用同对方接壤的第三国的领土、领水和领空使用武力或以武力相威胁。”[4]

---

[1] *Горбачев М.С.* Жизнь и реформы. Воспоминания в 2-х тт. Кн.2 . М., 1995 . С. 432.

[2] 《人民日报》1989 年 5 月 19 日。

[3] 《人民日报》1989 年 5 月 18 日。

[4] 《人民日报》1989 年 5 月 19 日。

第三，确立了加强边界信任，协商解决边界问题的原则。“双方同意采取措施将中苏两国边境地区的军事力量裁减到与两国正常睦邻关系相适应的最低水平，并为在边境地区加强信任、保持安宁作出努力。”“双方主张以有关目前中苏边界的条约为基础，根据公认的国际法准则，本着平等协商、互谅互让的精神，公正合理地解决历史遗留下来的中苏边界问题。”[1]戈尔巴乔夫在记者招待会上宣布：“根据苏美协议将在苏联东部销毁436枚中短程导弹。1989年到1990年部署在这一地区的苏军集群将要裁减20万人，其中在远东区的12万人。我可以通告，陆军要裁减12个师，空军要解散11个团，太平洋舰队要削减16只军舰。”[2]中苏边界非军事化，把它变成一个和平友好的边界成为两国政治家和人民共同努力的目标。

第四，确立了促进国际关系的根本健康化的原则。双方宣布奉行和平政策，不谋求霸权，主张提高联合国的威望，支持联合国在国际事务、裁军、解决全球性问题以及地区冲突方面发挥更大的作用。提倡世界所有国家，不论大小和强弱，都有权平等参与国际生活。双方认为迫切的是，在考虑各国人民利益和平等互利的基础上建立国际经济新秩序。

中苏（俄）是世界上两个边界线最长、最大的邻国，在新中国成立后，无论是两国的结盟，还是敌对，对于两个大国的关系来说，都不是正常的国家关系。直到1989年5月中苏两国关系实现正常化，把两国关系建立在和平共处五项原则的基础上，确立了两国关系中应遵循的普遍性原则，才使两国关系建立在扎实的基础上，为中苏（俄）关系的发展奠定了坚实的基础。在中苏关系正常化的问题上，戈尔巴乔夫对苏联外交传统的改变起了至关重要的作用，对此，我们应该予以肯定。

三、中苏关系快速发展，边界问题基本解决

中苏边界问题是沙俄侵略中国遗留的问题。从1964年2月起，中苏两国就解决边界问题开始谈判。1964年2—7月和1969年10月—1978年6月中苏

[1] 《人民日报》1989年5月19日。

[2] 《人民日报》1989年5月18日。

先后举行过边界谈判，然而，由于苏联一直站在当年沙俄蛮横的立场上，坚持中苏边界应当划在界江界河的中国方面的沿岸一侧，如果这样，江中的岛屿自然就划归了苏联，而黑龙江和乌苏里江成了苏联的内河，中国自然不会同意。中方主张，按国际法准则及国际实践，应当以界江界河的主航道中心线为两国国界。为此，两国曾于1969年在珍宝岛发生过流血冲突，并开始了长达十多年的边境武装对峙。中苏边界谈判取得进展是从戈尔巴乔夫海参崴讲话以后开始的，戈尔巴乔夫接受了国际通行的规则，同意了以界江界河主航道中心线划界的办法，促使中苏边界谈判取得了突破性进展。正如当时任中方边界谈判代表团团长的钱其琛所说："戈尔巴乔夫的海参崴讲话，公开宣布以界江主航道中心线作为苏中东段边界，接受了中方的立场，使谈判有了基础，得以在比较好的气氛中进行。"[1]1987年2月中苏两国边界谈判在莫斯科重新开启，钱其琛出任中方代表团团长，苏方代表团团长是副外长罗高寿。这次谈判因为有了戈尔巴乔夫讲话做基础，谈判进行得比较顺利，在中苏举行高级会晤前，双方就东段边界走向大部分达成了原则协议。

中苏关系正常化后，两国在各个领域的合作迅速发展，各个层次的人员往来增多，1989年中国国务院副总理田纪云访苏，同年9月苏联最高苏维埃副主席卢基扬诺夫访华，中共中央对外联络部部长朱良和苏共中央国际部部长法林实现互访。两国贸易额增加，边贸开始活跃起来。1990年4月23—26日中国总理李鹏访苏，受到苏方的高度重视和欢迎，与雷日科夫总理、戈尔巴乔夫总统等举行了会谈，中苏双方签署了一系列文件：两国总理签署了《中苏关于经济、科学技术长期合作发展纲要》和《中国政府和苏联政府在和平利用与研究宇宙空间方面进行合作的协定》，两国外长签署了《中国政府和苏联政府关于在中苏边境地区裁减军事力量和加强军事领域信任的指导原则协定》和《中国外交部和苏联外交部磋商议定书》，两国对外经济贸易部间签署了《中国政府和苏联政府关于中国向苏联提供日用消费品的政府贷款协定》和《中国政府和苏联政府关于在中国合作建设核电站和苏联向中国提供政府贷款的备忘录》。这些文件为两国经贸科技领域的合作交流、加强信任提供了法律保障，推动了两国关系的发展和最高领导人所达成的共

[1] 钱其琛：《外交十记》，第27页。

识的落实。

1991 年 5 月 15—19 日中共中央总书记江泽民对苏联进行了正式访问，这是继 1957 年以后中国最高领导人对苏联的首次访问，也是对戈尔巴乔夫访华的回访。戈尔巴乔夫在回忆江泽民总书记访苏时说："苏中关系各个方面都在顺利地发展。这里，中共中央总书记江泽民 1991 年 5 月中旬的访问是一个重要的分界线，他是在我访问北京整整两年后访问莫斯科的。我和江泽民这次见面已经是老朋友了。看得出，他很高兴再次来到莫斯科。他访问了 35 年前曾在这里实习过的利哈乔夫汽车制造厂。工厂的工人、工程师、生产管理人员亲切地接待了这位尊贵的中国客人。"[1]江泽民与苏联总统戈尔巴乔夫、最高苏维埃主席卢基扬诺夫和政府总理帕夫洛夫分别举行了会谈。江泽民在与戈尔巴乔夫会谈时指出，中苏关系正常化两年多来，两国关系能够健康稳定地发展，主要归功于邓小平与戈尔巴乔夫总书记 1989 年 5 月的那次会见，实践证明，建立在和平共处五项原则基础上的睦邻友好关系，是中苏两国人民的最佳选择。戈尔巴乔夫表示，苏中关系的发展符合两国人民的根本利益，苏联方面愿意加强同中国在各个领域的合作。江泽民这次访问苏联的一个重要成果是双方签署了边界协定。1991 年 5 月 16 日，中苏两国外长正式签署了《关于中苏国界东段协定》，1992 年 2 月，中俄两国最高立法机构分别批准了这个协定。这一协定解决了中苏间大部分边界问题。1991 年 5 月 19 日，《中苏联合公报》发表，这是中苏关系正常化以来又一重要文件，是两国高层领导人会谈的重要成果。

从中苏关系正常化以来，两国关系的发展是平稳的，解决了许多历史遗留问题，确立了发展两国关系的行为准则，中苏两个社会主义大国间已建立起睦邻友好合作关系。

纵观戈尔巴乔夫时期的对外战略与外交政策，应该说有得有失。戈尔巴乔夫的新思维外交所倡导的不同制度国家从对抗走向合作、给各国人民以选择的自由、尊重各方利益、确立新的安全观、裁减军备、防止核战争等在理论上都是正确的。戈尔巴乔夫的妥协与退让，对减轻苏联经济的负担也是有利的，但对俄罗斯民族的大国沙文主义心理是个冲击，裁减下来的军人的安置成了经

---

[1] *Горбачёв М.С.* Реформы и жизнь. Воспоминания в 2-х тт. Кн.2 . М., 1995. С.454.

济的重负，而且裁军也得罪了军人，这对巩固戈尔巴乔夫的个人权力是不利的。苏联改善了与世界上所有大国间的关系，改变了自己的霸主形象，为国家的改革与发展创造了良好条件，使苏联在世界上不再有敌国。戈尔巴乔夫的外交新思维过于理想化，现实的世界完全是另一种样子，国家和民族的利益都是每个国家制定外交政策最先考虑的问题，现实世界的规则也是靠实力说话的。从战略上看，戈尔巴乔夫改变了与美国等西方国家的争夺，致力于与其建立正常的国家关系，走出冷战，是一种现实的选择，结束苏美全球性对抗，让世界免除核大战的恐惧，是有利于世界和平发展的。但在具体的对外政策上，戈尔巴乔夫存在行动迟缓、维护自身利益不够、对西方国家抱有不切实际的幻想等问题。在外交布局上，戈尔巴乔夫过于重视对美关系，轻视了对华关系，对发展对华关系重视不够，当政四年后才实现中苏关系的正常化。中苏是近邻，中国在改革开放中发展很快，中国的商品和市场对苏联很重要，中国成功的经验对苏联有更重要的意义，但戈尔巴乔夫把外交的重心主要放在对美关系上了，寄希望于美国的援助，而美援并未如愿而来。

第八章　戈尔巴乔夫革新联盟的努力与“8·19”事变的冲击

1991年是苏联历史的最后一年，也是戈尔巴乔夫改革的第七个年头。在过去几年的改革中，苏联潜藏的问题都暴露出来了，但什么问题也没有彻底解决：建立一个什么样的经济体制，是否要以市场经济为导向的问题没有解决；政治上虽然开始实行总统制、引入三权分立，但体制很不健全，戈尔巴乔夫并不是全民选举的总统，其权力受到多方制约；国家联盟体制问题也没有解决，面对加盟共和国纷纷要求拥有自己的主权，联盟中央领导层态度不一。在苏联存在的最后阶段，建立什么样的经济体制、如何改革联盟体制，以及政权的组织形式一下子都变成了急需解决的焦点问题。在1991年6月12日举行的俄联邦总统选举中，叶利钦在第一轮就取得了胜利，战胜了前总理雷日科夫等人，自由民主派力量增强，他们提出了自己的改革主张，许多是与戈尔巴乔夫相对立的：戈尔巴乔夫想引入市场来改革社会主义，叶利钦和他的盟友则主张转向完全的资本主义；戈尔巴乔夫试图改革苏维埃联邦制，而叶利钦及其追随者则要求完全的主权，苏联的最后命运在很大程度上取决于戈尔巴乔夫与叶利钦的关系。戈尔巴乔夫为了保住联盟，不得不与叶利钦合作，开始了新奥加廖沃进程，但此举遭到了苏共党内强硬派的反对，他们试图“拯救”祖国。强硬派发动的“8·19”事变成了压死骆驼的最后一根稻草，加剧了苏联的解体。

第一节　苏联社会陷入全面危机

到1991年，苏联的经济、政治和民族危机都空前尖锐起来，3月发生了规模空前的矿工罢工运动，一些加盟共和国的民族独立运动如火如荼地发展着，政治的不稳定进一步加剧了经济困难。经济、政治和民族危机相交织，使苏联政权受到严峻考验。在改革进行的六年时间里，与苏联政治气氛活跃相对应的是经济的日益困难。到1991年夏天，社会生活各个领域都复杂化了，苏联出现了政治经济社会的全面危机。在日益复杂的政治经济形势下，戈尔巴乔夫没有明确的方针，他处于动摇和矛盾的状态，无论是左派还是右派，他都控制不了。其周围的人建议他整顿国内秩序，加强同犯罪的斗争，赶快行动，向市场经济过渡。“总统曾委托季贾科夫、巴克拉诺夫和政府中其他负责经济事务的人及经济学家制定解决问题的方案。但形势依然如故。总统始终没能果断地采纳改善经济状况、向市场经济过渡的纲领，不论是三百天计划，还是五百天计划。他的意志已经垮了。戈尔巴乔夫已经没有能力采取重大决策了，他的精力只够应付同西方政治活动家频繁会见、写文章、准备答记者问。”[1]苏联的命运将取决于各派的斗争。

一、经济困难加剧，陷入危机

苏联的主要贸易伙伴是东欧国家，经互会把苏联同东欧国家的经济绑在一起，经互会的解体打乱了苏联经济。东欧剧变，东欧经济下滑导致减少与苏联的贸易往来，这些国家新政权上台后普遍奉行亲西方的政策，把贸易重心转向西方。苏联与东欧国家的进出口均下降。苏联各加盟共和国争主权的政治斗争僵持不下，不仅乌克兰和波罗的海三国宣布境内的苏联企业为本国所有，俄联邦内部的雅库特和鞑靼自治共和国也宣布境内的企业归本共和国所有，哈萨克斯坦禁止粮食外运，乌克兰停止向联盟提供资金，俄联邦也削减了提供资金的数量，俄政府和议会宣布把石油和天然气划归自己管辖。地方各自为政，加剧了经济的危机，经济形势急剧恶化。

1990 年苏联出现战后第一次衰退性经济危机，1991 年第一季度经济危机向全面化和深刻化发展，危机覆盖了国民经济所有部门，生产负增长幅度急剧加深。同时，族际冲突、工人罢工加剧了社会经济的紊乱。根据苏联国家统计委员会的资料，与上一年同期相比，1991 年的头 4 个月内生产下降 35.5%，其中 4 月份下降了 6.6%，是一年半以来创纪录的下降，在统计报表的 156 种产品中有 115 种产品的生产可能减少。[2]市场供应更加紧张。最尖锐最现实的问题是粮食问题，1991 年 1 月 19 日，帕夫洛夫总理在最高苏维埃主席团会议上说：“1990 年我们获得了最大的丰收：谷物产量是 2.37 亿吨，入库粮食 2.18 亿吨。这的确是最好的丰收年景之一。与此同时，进入国家粮食储备的则仅 6680 万吨，比国家订购量数少 1800 万吨，比获得同样收成的 1978 年的储备少 2800 万吨。这就是说，粮食到哪里去了的问题答案已经很清楚：它留在了生产部门手里，而为居民供应操心的则是国家。原因就在于‘过渡时期的花

[1] ［俄］瓦·博尔金著：《戈尔巴乔夫沉浮录》，第 5 页。

[2] 《消息报》1991 年 5 月 14 日。

费'，总而言之，交售的纪律极差。如今粮食已经变成了货币，被用来作为施加压力和进行交易的手段……现在有些城市只剩下两三天的口粮，而且这条'线'随时都可能断掉，国家这样过日子是不行的。"[1]1991年4月，苏联部长会议农工部门负责人阿库利宁向帕夫洛夫提供的一份报告说："国内近期居民的谷物产品供应和畜牧业的精饲料供应可能会出现紧急情况。为此每月消耗将近800万吨粮食用于加工食品和饲料。根据今年3月1日的情况，国家余粮（不算种子）的数量专家估计约为1300万吨，其中将近一半在哈萨克斯坦苏维埃社会主义共和国。这就意味着，食用粮储备（哈萨克斯坦除外，那里的粮食足够用到下一次收获之前）至3月底即将告罄。面粉的供应状况眼下已令人极度不安……在莫斯科、伊万诺沃、图拉、下诺夫哥罗德、秋明、斯维尔德洛夫、赤塔、堪察加和其他一些州，面粉的储备不足10天之需。它们都无法通过进口解决粮食的来源问题。今年1—3月份，预计供应的1240万吨粮食中，到货的进口粮食仅为370万吨。"[2]一些地方领导人利用粮食问题向中央施加压力，盖达尔指出："中央和各共和国机关的领导人任意决定变更粮食产品供给计划数量、随心所欲地改变收货部门地址，已开始具有普遍的性质。这就更加破坏了局势的稳定。在面粉生产所需的小麦资源不足的同时，迫于地方机关的压力，小麦却被用来加工配制饲料。"[3]在商品奇缺、通货膨胀加剧的背景下，政府不得不下决心调整价格，1991年3月19日政府发布命令，从4月2日起实行新的价格，政府规定的零售价格预计上涨60%，实际上涨90%，肉和家禽上涨1.6倍，香肠制品上涨2.1倍，面包上涨2倍。[4]但是，此时提价并不能解决商品短缺的问题，商店前依然排队。苏联开始接受世界多个国家和国际组

[1] *Гайдар Е.Т.* Гибель империи. Уроки для современной России. 2-е изд. М., РОССПЭН, 2007. С.352–353.

[2] ГАРФ.Ф.5446.Оп.163.Д.560.Л16,17. См.: *Гайдар Е.Т.* Гибель империи. Уроки для современной России.2-е изд. М., РОССПЭН, 2007. С.353–354.

[3] *Гайдар Е.Т.* Гибель империи. Уроки для современной России. 2-е изд. М., РОССПЭН, 2007. С.356.

[4] *Гайдар Е.Т.* Гибель империи. Уроки для современной России. 2-е изд. М., РОССПЭН, 2007. С.362.

织的食品救助。

在经济、财政、社会政治全面危机的情况下，帕夫洛夫临危受命担任了内阁总理，此时苏联需要一个有威望、能力强的总理，帕夫洛夫不是这样的人。在最高苏维埃会议上他仅以279票的微弱多数当选。新内阁采取的第一个行动却是进行了一次意想不到的货币改革。根据1991年1月22日苏联总统令，规定从1月23日零时起，1961年版的50和100面值的卢布禁止流通，三天内兑换成1991年版的50和100卢布的货币。居民存款被冻结，每人每月最多可以从账户上支走500卢布。总统令宣布这一命令是根据新近组成的内阁提出的建议发布的，目的是加强同投机、舞弊、走私、伪造纸币和非劳动收入等行为作斗争，促使货币流通和消费市场正常化。实际的结果是"影子经济"没受多大打击，损害了广大民众的利益，特别是退休者的利益，他们为兑换货币备受排队之苦，辛苦一辈子积蓄了一笔养老金，现在却无法使用，正在执行任务的军人、外交官、出差者也不可能在三天之内把钱兑换出来。这一举措加剧了人们的不满，是给反对派送去的一份厚礼。

面对国家的深刻危机和解体的危险，戈尔巴乔夫在1991年4月9日联邦会议上提出反危机纲领，提出要对不执行上级机关决定的行政机关和官员追究法律责任，不允许打着民主的旗号打击联盟国家。4月22日，帕夫洛夫在最高苏维埃作反危机纲领的报告，认为苏联不能很快从中央计划转入市场经济，只能走渐进的道路。4月23日，最高苏维埃通过关于支持政府摆脱经济危机行动纲领的决定。《苏联内阁和各主权共和国政府在向市场经济过渡条件下使国家经济摆脱危机的联合行动纲领》，简称《反危机纲领》，提出的反危机措施分为两大类。一类是稳定政治局势的措施，包括：维护和革新联盟，恢复行政权力，严格行政纵向隶属关系，制止和解决民族冲突，暂时禁止罢工、集会和其他不利于国家局势稳定的政治行动；另一类是稳定经济形势和继续进行经济改革的措施，要求各共和国无条件履行与联盟签订的1991年经济协定，取消妨碍商品流通的行政决定，保证无条件完成国家订货，保证基础工业部门、动力系统、邮电和运输部门不间断地工作，努力克服食品危机，稳定消费市场，实现财政和货币流通健康化，改革价格形成机制，实行所有制非国家化、经济民主化和发展企业家活动，等等。这一反危机纲领遭到沙塔林和彼特拉科夫等经济学家的批评，叶利钦更是指责其与500天计划没有任何共同之处。更重要的是帕夫洛夫政府威信不高，在各共和国已经攫取很大权力的情况下，这一纲领很难落实。苏联经济实际上仍处于无人管理的状态。大家都热心于从政治斗争中寻找解决问题的办法，经济困难加剧了各共和国的离心倾向，更加剧了民众对当局的不满。

二、戈尔巴乔夫威信下降，政权面临严重的政治危机

在经济困难面前，苏共已经丧失了动员民众克服困难的能力，群众的政治斗争把矛头指向了戈尔巴乔夫，1991 年 3、4 月间俄罗斯发生了第二次矿工大罢工，这不仅对采煤业，对其他相关部门也是一种打击，给本来就不好的经济雪上加霜。“从 1989 年到 1991 年，苏联煤矿工人经常举行大罢工。1991 年 3 月的罢工使钢厂造成直接经济损失相当于卫国战争给国家造成的损失。钢铁生产减少了 30%。由于煤不足，下一步将影响机器制造业。国家距经济危机只有一步之遥。”[1] 苏联社会危机明显，对于总统的指示、内阁的决定，无人理睬，强硬派要求建立基本秩序、恢复法制、保护公民免受侵害的呼声很高。

波罗的海三国日益自行其是，戈尔巴乔夫还想在原苏联的法律框架下维持国家的稳定，面对立陶宛危机，戈尔巴乔夫与叶利钦在 1991 年 1 月 12 日的联邦委员会会议上公开对立，戈尔巴乔夫建议派杰缅捷伊和尼沙诺夫去波罗的海三国，强调要维护宪法秩序，但叶利钦认为：戈尔巴乔夫等人掌握的信息是片面的，“俄罗斯代表从维尔纽斯提供的信息是另一种情况，联盟机关的人员也参加了示威游行，总统给立陶宛最高苏维埃的信件并没有反映要求，既不是最后通牒，也没有号召和解。拖延与立陶宛达成协议的责任主要在联盟方面，其中也包括总统。应该找到相互接近的途径，而不是对抗。如果派军队到那里去，对全国都将是灾难。应该对话而不是施加压力。在代表团里不应该包括尼沙诺夫。在第一阶段应该排除任何炫耀武力，俄罗斯联邦最高苏维埃已经就此问题作出了专门的决议。”戈尔巴乔夫在发言中则强调要尊重苏联的宪法和法律，指责叶利钦发表的声明，鼓动波罗的海国家绕过中央而与俄罗斯打交

[1] 《普罗科菲耶夫论苏联的改革》，项国兰译，www.cctb.net/xszm/200902050011.htm.

道，立陶宛事件的起因“不能归结为价格，而是人们——当地土生土长的居民、俄罗斯人、波兰人的自我意识。他们不应该感觉自己是局外人。应该在宪法的基础上行事。鲍里斯·尼古拉耶维奇持的是对抗的架势，而我赞成理性解决。”[1]1991 年 1 月 12—13 日在立陶宛首都维尔纽斯发生流血事件，加剧了苏联政治力量的极化。

叶利钦等激进派坚定地站在波罗的海三国一边，1991 年 1 月 13 日，叶利钦到塔林与波罗的海三国的代表举行会晤，15 日，《苏维埃爱沙尼亚报》发表了 13 日俄联邦与波罗的海三国领导人签署的四国领导人声明：各国相互承认国家主权，并在主权面临威胁时互相给予具体的支持和援助；四国领导人向联合国秘书长建议召开独立的国际会议调节波罗的海问题；俄罗斯与爱沙尼亚共和国在国际关系的基础上达成协议；叶利钦呼吁生活在波罗的海国家讲俄语的居民“你们要表现出理智”；叶利钦呼吁在波罗的海国家服役的军人不要参加反人民的行动。[2]

一些政治上亲近戈尔巴乔夫的人也谴责苏共中央和戈尔巴乔夫的立场。叶戈尔·雅科夫列夫为首的《莫斯科新闻》编辑部全体成员退出苏共。《莫斯科新闻》刊登了以《血腥的星期天》为题的文章，签名的有阿布拉泽、卡里亚京、鲍文、格尔曼、彼特拉科夫、沙塔林等 30 人，大多是接近戈尔巴乔夫并受他青睐的人。世界经济与国际政治研究所是科学院中最接近苏共中央的研究所，集体决定不再“同国家领导人合作”。[3]三位有名的政治家和学者阿列克谢耶夫、布尔拉茨基、沙塔林（当时还是苏共党员）声明要结束破坏性的共产主义意识形态和必须把苏联共产党的一翼改造成社会民主政党。院士沙塔林在 1990 年曾是总统委员会成员，他向戈尔巴乔夫提出最后通牒，要么与保守分子决裂转到激进经济改革的立场上，要么与其同僚一起辞职。[4] 表明原来与戈尔巴乔夫

[1] В Политбюро ЦК КПСС… По записям Анатолия Черняева, Вадима Медведева, Георгия Шахназарова (1985–1991), 2-е изд., исправ. и доп. М., Горбачев-Фонд, 2008. С.669, 670.

[2] Союз можно было сохранить. Белая кника. С.199-200.

[3] 参见［俄］阿·切尔尼亚耶夫著：《在戈尔巴乔夫身边的六年》，第 484—485 页。

[4] *Согрин. В.В.* Политическая история современной Россиию. 1985–2001: от Горбачёва до Путина. М., 2001. С.80.

一道进行改革的许多人不再认同戈尔巴乔夫的做法，开始离他而去，他的国际问题顾问切尔尼亚耶夫甚至也写好了辞职信。[1]

在外部世界，苏联则面临着美国、日本、西欧等许多国家的压力，1991年1月24日，美国大使马特洛克带着布什的信来见戈尔巴乔夫，戈尔巴乔夫要求美国理解苏联所发生的事情，他抱怨说："西方完全站在立陶宛人、拉脱维亚人一边，对他们备加关怀。至于在波罗的海沿岸地区对俄罗斯人、波兰人、乌克兰人、白俄罗斯人发生了什么，你们毫不关心。"[2]

面对日益严重的社会经济危机，戈尔巴乔夫想要整顿秩序，于1991年1月26日和29日分别签署了《关于在经济领域与经济怠工和其他犯罪行为进行斗争的保障措施》和《关于维护法制和在与犯罪现象作斗争中警察与苏联武装力量分队的相互配合》的命令，扩大内务部和克格勃工作人员的权限，允许内务部和克格勃的工作人员进入除外交机构以外的企业机关和个体劳动场所，检查生产和办公用房与交通工具，必要时可在主人缺席的情况下执行检查任务。这为非经济机关干涉企业经营活动提供了方便。戈尔巴乔夫想加强安全部门和军队在维护和整顿社会政治经济秩序中的作用，但遭到了反对派的猛烈攻击和抵制，根本无法实行。强硬手段行不通，他就只能劝说，戈尔巴乔夫呼吁人们理智地对待所发生的一切，理智地解决问题，不要走极端，更要防止分离主义的危险。1991年2月，戈尔巴乔夫在考察白俄罗斯时，反复强调："我们正在放弃苏共对权力的垄断，欢迎政治多元化，在这样的条件下各种社会阶层和集团可以通过政党、工会和其他组织表达和维护自己的利益。不过，这必须在法律程序范围内，在宪法范围内进行。这是起码的民主常识。""如果国家没有秩序和法制，缺乏稳定，货架上是不可能有货物的……我们希望走向一种新的生活方式，保证国家沿着改革所有制关系、通向市场和发展联盟的道路前进时会出现另一种变化。没有团结，没有大多数人民目标明确的意志，我们将无法胜任这些任务。这就是当前局势复杂和紧张的实质。"[3]但是，打着民主旗号的激

[1] ［俄］阿·切尔尼亚耶夫著：《在戈尔巴乔夫身边的六年》，第486—492页。

[2] 同上书，第500页。

[3] ［俄］米·谢·戈尔巴乔夫：《不要对抗和社会分裂，要建设性的合作》，载《苏联东欧问题译丛》1991年第3期，第3、4页。

进分子，“破坏国家机构，把斗争引上街头，组织游行示威，召开群众大会，发动罢工，进行绝食，造成一种心理氛围，使其他的政治运动失去常态……他们歪曲地解释波罗的海沿岸地区发生的悲剧性事件，然后又歪曲联盟各政府机构加强法制的行动……他们大喊大叫说要实行专政了，要求总统下台，号召不必通过宪法的形式进行政治斗争。”[1] 戈尔巴乔夫呼吁放弃“谁战胜谁”的思维，在法制、政治文化、对比各种观点的范围内进行政治斗争，但他的呼吁并没有起作用。3 月 1 日，民主俄罗斯鼓动的矿工大罢工开始，并明确提出了政治要求：苏联总统下台、内阁总理下台、从企业中驱逐党委。

右翼激进派加紧了向现政权的进攻，3 月 2 日，“民主俄罗斯”在苏联议员中散发由苏联人民代表、跨地区议员团秘书长阿尔卡季·穆拉舍夫起草的文件《如何参加“民主俄罗斯”运动》，号召民主派公开明确地宣布抗议戈尔巴乔夫为首的领导，建立有组织的反对派，准备夺取政权。民主派公开反对全民公决，抵制签署新的联盟条约。

在右翼激进派向戈尔巴乔夫进攻，努力瓦解联盟和国家政权的同时，苏共党内的极端派也积极活动，他们既反对叶利钦，也反对戈尔巴乔夫。阿尔克斯尼科斯和乌马拉托娃领导的“联盟”派提出了让戈尔巴乔夫辞职的问题。1991 年 1 月，俄罗斯联邦共产党中央委员会第一书记波洛兹科夫在苏共中央委员会、中央监察委员会联席会议上的发言指出：

“第一，现在大家都很清楚，党和人民打算在 1985 年开始的革新社会主义……扩大民主，提高人们福利的改革都还没有实行。所谓的民主分子偷换了改革的宗旨，歪曲我党的首创精神。社会陷入了混乱之中。人民丧失了过去，现实遭到破坏，而且谁也说不明白，未来等待他们的又将是什么？应该承认，苏联共产党没有能够及时地看出改革的蜕化，以至允许这个过程加剧。党也没有能立即明白，它已脱离了自己的历史使命，即首先是保护劳动人民的利益，只习惯于平静地对待劳动人民的人为栽培的企业主阶级，这就为政党和运动远离社会主义目的的活动建立社会基础。在使全人类利益与阶级利益相对立，将世界的价值观置于优先地位的同时，对社会主义思想起了不好的作用，这种思想的正确性在苏联共产党第二十八次代表大会上得到了重申。阶级和全人类利

[1] ［俄］米·谢·戈尔巴乔夫著：《戈尔巴乔夫回忆录》下册，第 1297 页。

益之间的辩证统一遭到破坏。我们大家都知道，任何时候，也没有任何人认为全人类的利益要高于工人阶级的利益。

第二，现在，自由派，如果准确地说，叫做右派或简称反动派，撕下了民主派的假面具。在宣布反共产主义是他们自己的思想体系之后，便把那些已被推翻阶级的继承人、民族主义者、影子经济的投机分子，即受到苏维埃政权限制的所有人都集合到他们的旗帜下。我们的假民主主义者在践踏宪法，挑起族际冲突，破坏民主和道德的基本准则。国际资本心甘情愿地支持反共运动，千方百计促使其扩大政治阵地，帮助其巩固物质基础，以各种手段向其主子恭维。正如前面已说过的那样，所有这一切都是在拯救改革，保护其免受保守分子侵害，而现在已经是在保护其免受总统及其不久前新组建的内阁的侵害的旗帜下进行的。民主派使用他们最爱用的手段，诬蔑、中伤、造谣、恫吓——所有这些全是用来反对那些力图对抗他们或者讲真话的人……

第三，现在我们再也不能谈及任何多党制，只有捍卫社会主义改革的苏联共产党。也有为数不多的政治集团的领袖，他们归根到底只有一个政治面目，那就是反共产主义。这些集团团结起来，联合起来，是为了与苏联共产党作斗争，是为了夺取政权。”[1]

苏共已经从一个垄断一切权力的政党变成了一个议会党，但惯于领导一切的苏共领导人显然还不习惯，他们把苏联改革带来的一切问题都归咎于戈尔巴乔夫的民主化改革，实际上要求苏共收回权力，这显然也行不通。

戈尔巴乔夫的处境的确十分艰难，俄国学者描述道：“戈尔巴乔夫的地位迫使他于虎穴狼窝之间，在两种威胁之间搞平衡，在寻求未来的俄罗斯联邦共产党机构作为自己避难所的苏共保守派，与以叶利钦为首的指望得到俄罗斯联邦最高苏维埃中关键位置的激进民主派之间搞平衡。”[2]1991 年 4 月，戈尔巴乔夫感到斗不过叶利钦，再次改变策略，又把矛头从民主派转向了强硬派。

通过几年的改革，苏联社会发生了很大变化，随着私有经济的出现，许多原来掌握国有资产的党政官员变成了有产者。1986—1989 年在俄罗斯，区

[1] 沈志华总主编：《苏联历史档案选编》，第 30 卷，第 544—545 页。

[2] ［俄］鲁·格·皮霍亚著：《苏联政权史（1945—1991）》，第 648 页。

委书记和市委书记更换了 82.2%，而州委书记、边疆区委书记和共和国党委书记被更换了 90.8%。这些被解职的官员转向了经济领域，从 1988 年 5 月《合作社法》通过后，开始出现商业银行制度，全国到处出现了把党的资金大规模地投入商业银行的风潮。“1989 年 1 月 1 日，商业银行有 41 家，到了 1989 年 7 月 1 日，商业银行的数量达到了 143 家，而到了 1991 年中，商业银行的数量达到了 1500 家。许多银行是在大的工厂企业的名下成立的，在许多情况下，建立商业银行的倡导者就是党的机关。”[1] 国有资产和党的资产开始实行股份制，一些人依靠旧的官职成了掌握财富的“新俄罗斯人”。正如美国学者所说：“到 1990 年和 1991 年，一个新的私人资本主义集团形成了，他们主要通过和外面世界的联系逐渐富裕起来。他们对亲资本主义联盟饶有兴趣。与正在形成的亲资本主义改革方向的任何偏离，不管是转向改革的社会主义，还是企图回到改革前的体制，都将威胁到他们有利可图的经济活动的根本。走向资本主义对他们的新兴交易的存在是必需的。”[2] 苏联的上层精英发生了严重分化，戈尔巴乔夫所坚持的民主社会主义思想与目标并没有被多数人所接受，1991 年 6 月，美国苏联问题专家对苏联精英的意识形态进行研究，在对中上层官员 73 人，包括军官、企业领导、莫斯科地区党组织的领导、外交官、经济学家、知识分子、新闻记者和独立党领导人所作的调查显示，赞成资本主义者占 76.6%，赞成民主社会主义者占 12.3%，共产主义者或国家主义者占 9.6%，其他占 1.4%。[3] 尽管这一调查存在片面性，但也很说明问题。调查者得出的结论是：“亲资本主义联盟是从四个主要团体中获得支持的——知识分子、经济学家、没有精英背景的私人业主、党—国精英。事实证明，尽管知识分子的主张、经济学家的设计、私人业主的金钱，通通对亲资本主义联盟的强盛作出了贡献，但只有党—国精英们的制度立场才是最关键的。”[4] 苏联党—国精英的大多数已经放弃了社会主义理想，他们不再依靠苏共生活，也不再需要社会主义制度了。

[1]　[俄] 鲁·格·皮霍亚著：《苏联政权史（1945—1991）》，第 796 页。

[2]　[美] 大卫·科兹，弗雷德·威尔著：《来自上层的革命——苏联体制的终结》，第 121 页。

[3]　同上书，第 151 页。

[4]　同上书，第 168 页。

三、向外部世界求援，希望渺茫

戈尔巴乔夫提出新思维外交，排除意识形态在国际关系中的作用，希望西方国家帮助他在国内进行成功的改革，但西方国家的领导者们并未忘记意识形态，没有忘记苏联是个社会主义国家。尼克松在 1988 年出版的一本书中说："一些所谓苏联问题专家总是从克里姆林宫的言论中捕风捉影，认为苏联对外已有软化的迹象。对于这些人的建议，我们应不予理会。当戈尔巴乔夫回忆起在赫鲁晓夫时代'一股改革之风曾吹遍祖国大地'时，他们立即得出结论说，戈尔巴乔夫要搞个莫斯科之春。我们应经常提醒自己，戈尔巴乔夫改革的目的不是使国内有更多的自由，或者使在国外实行的对外政策威胁性有所减少，而是要使共产主义制度运转得更好。如果他的改革取得成功，而他的对外政策依然如故，那时戈尔巴乔夫就会有更大的力量来加强和扩展苏联帝国。在任何情况下，我们都不应该让苏联国内政策的变化影响我们的对外政策。有人认为我们应在军控谈判中作出让步，以'帮助'戈尔巴乔夫在国内取得成功。照这些人的话办将是愚不可及。"[1] 戈尔巴乔夫放弃了与美国对抗的政策，没有干涉东欧的变化，努力改善与美国的关系，他真诚地想与西方合作，希望美国能够支持他在苏联进行的改革，但是，美国并不相信他。布什的国家安全事务顾问斯考克罗夫特 1989 年 1 月 22 日在一个电台节目中说：戈尔巴乔夫"感兴趣的是给西方联盟带来纷争。在我看来，他认为，实现这一目的的最好方式是和平攻势，而不是像他的前任们那样进行威胁。"他认为，戈尔巴乔夫是指望通过使西方丧失警惕，给苏联以取胜的时间，以恢复经济、创建新的向世界进行共产主义进攻的军事思想，"我们暂时还不能证明与此相反的结论……我认为，'冷战'并没有结束。正如所说的那样，隧道的尽头是曙光，但是要想一想，一切将取决于（这曙光）是太阳还是开近的火车头的前灯。"[2]

布什反对给苏联以广泛的财政援助，他认为，美国的帮助，在缺乏苏联

[1] ［美］理查德・尼克松著：《1999：不战而胜》，王观声等译，世界知识出版社 1997 年版，第 40—41 页。

[2] *Бешлосе М.Р. и Тэлботт С.* На самом высоком уровне: закулисная история окончания "холодной войны". М., 1994. С.24–25.

改革的可信赖的计划的条件下，只能是帮助其共产主义延期垮台。美国认为，苏联在做损害美国利益的事，如在波罗的海三国的镇压，把国内总产值的很大一部分用于军需，支持安哥拉、古巴等。斯考克罗夫特认为，美国应该帮助东欧新兴的脆弱的民主成长，而不是帮助苏联改革。[1] 在苏联局势明朗前，布什希望等待。

在经济严重恶化的情况下，戈尔巴乔夫想从美国等西方国家那里“乞讨”到财政和道义上的支持，以此来支撑他在国内日益丧失的声望，摆脱经济困境。于是苏联领导人开始了和西方领袖之间拖延不决的对话。对话的实质，从苏联方面说——急需要钱，否则我们将面临灾难，就西方而言——请制定出可以让国家摆脱危机的明确的行动计划，届时才可以讨论财政援助的问题。[2]1991 年 3 月底，戈尔巴乔夫写信给布什要求提供 15 亿美元的贷款，用于购买美国谷物，戈尔巴乔夫以为美国很快会答应他的请求，但他没有等到。在 4 月底白宫讨论戈尔巴乔夫这一请求的会议上，布什说：“他显然认为，我们一定会给他经济援助，因为我们在政治上支持他。应该在经济方面给他一个教训。商业就是商业，提供借款必须是在精明的财政和商业基础上。”[3] 到何处搞到购买粮食的外汇几乎成了戈尔巴乔夫的第一要务。在韩国方面准备为苏联改革提供 20 亿美元捐助后，苏联与韩国建立了外交关系，戈尔巴乔夫访问了韩国。戈尔巴乔夫 1991 年 5 月访问意大利和法国，受到欢迎。1991 年 6 月，戈尔巴乔夫到奥斯陆领取诺贝尔和平奖，他在 6 月 5 日的演讲中表示：“我们希望成为当代文明的有机组成部分，我们同意全人类共同的价值观，遵守国际法准则，在与外部世界的经济关系中遵守‘游戏规则’。与各国人民一道对我们共同大厦的命运承担责任。”“不是力量而是利益的平衡，不是指望别人寻找对己有利之处，而是寻求妥协与协商，不是觊觎领导地位，

[1] *Бешлосе М.Р. и Тэлботт С.* На самом высоком уровне: закулисная история окончания “холодной войны”. М., 1994. С.313,314.

[2] *Черняев А.С.* 1991 год: Дневник помощника президента СССР. – М., ТЕРРА; Республика, 1997. С.125.

[3] *Бешлосе М.Р. и Тэлботт С.* На самом высоком уровне: закулисная история окончания “холодной войны”. М., 1994. С.315.

而是尊重平等，这是20世纪的人们向理性和智慧者提供的主要经验，以这些经验为基础我们能够推动世界向前进。真正和平的世界政治的未来前景是通过共同努力创造统一的民主空间，在这个空间里，各国优先考虑的是人权、本国国民生活的富裕和促进人权与增进福祉。这是日益相互依赖的现代世界日益发展的文明的最高指令。”[1] 戈尔巴乔夫希望西方认同苏联的变化，对之给予帮助。

1991年5月11日，戈尔巴乔夫同布什通电话，谈到改革的困难，要求给予援助，布什坦率地说：他及他的专家都不相信帕夫洛夫的反危机纲领能使苏联转到市场经济。如果能够采取一些有利于直接面向市场经济改革的补充措施，那么，我们能够争取到更多的东西，特别是通过我们同国际组织的联系。不但如此，也有可能较快地解决苏联在国际货币基金组织和世界银行中的特殊联系国的地位问题。[2]1991年6月，亚夫林斯基领导的苏联经济政治研究中心和美国哈佛大学肯尼迪国家管理学院的专家们共同拟定了一份经济改革纲领，被称为哈佛计划，该文件的全称是“希望协议——‘苏联—西方’联合纲领”[3]。这一纲领是在苏联经济危机加深，亟须找到出路，并希望得到西方帮助的情况下拟定的，其中心思想是苏联加入世界经济一体化进程，加速向市场经济转变。西方根据苏联经济发展的每一个阶段的情况，向苏联提供技术和资金的援助。这一构想的核心目标是在苏联实行新的马歇尔计划，因为苏联与西方已经有共同的价值观和利益。这一纲领实际上是苏联向西方领导人表明加强合作，希望得到西方帮助的态度。1991年7月1日，苏联计划委员会和国家物资供应委员会解散，计划经济解体。

戈尔巴乔夫的顾问在日记中记述了戈尔巴乔夫寻求西方援助的急迫心情：“晚上我们坐下来草拟戈尔巴乔夫致科尔的信。他没有打电话向科尔提出自己的请求，而这可是‘SOS’：因为有些州已经发生饥荒，顿巴斯正在罢工，同时高呼‘打倒总统！’各大城市商店里的货架绝对名副其实地空空如也。米哈

[1] Отвечая на вызов времени. Внешняя политика перестройки: документальные свидетельства. С.119–120.

[2] ［俄］阿·切尔尼亚耶夫著：《在戈尔巴乔夫身边六年》，第536页。

[3] 全文见《苏联东欧问题译丛》1991年第6期，第28—61页。

伊尔·谢尔盖耶维奇请求科尔火速施以援手，迫使银行提供贷款，同时以我国从德国撤军时遗留的军产作抵押预支一笔款项。”[1]

1991 年 7 月，西方七国在伦敦开会，戈尔巴乔夫寄希望于得到西方的大力援助，为此，他精心准备了一个按照市场经济原则重整苏联经济的方案，提交给西方七国领导人，其核心内容是价格自由化、私有化、完全的经济自由、快速建立市场基础设施，在工业和农业领域改变所有制关系。戈尔巴乔夫坦陈，只有在西方大量援助的情况下，这一方案才能实施。七国同意苏联成为国际货币基金组织和世界银行的联系成员国，并让这些机构制定出有关方案协助苏联向市场经济过渡。戈尔巴乔夫对西方国家可以花钱去打海湾战争，却没有给苏联足够的援助不满，也不理解，在 7 月 17 日与布什共进早餐时，戈尔巴乔夫对布什发牢骚说：“我所掌握的信息，我知道美国总统是个认真的人，他的决定是一个严肃政治家的决定，而不是什么即兴之作，在这些决定的基础

戈尔巴乔夫出席七国集团首脑会议，1991 年 7 月

[1] *Черняев А.С.* 1991 год: Дневник помощника президента СССР. М., ТЕРРА; Республика, 1997. С.115.

上，通过我们的对话，我们已经在安全方面迈出了很有前途的一步。但同时给人的一种印象是，我的朋友、美国总统还没有最后回答一个主要问题：美国想看到一个什么样的苏联。在没有对这个问题作出最后回答之前，我们还会在我们关系中这样那样的个别问题上磕磕碰碰，而时间将会流失。"他还对贝克、斯考克罗夫特等人说："我想问一问：乔治·布什期待着什么？如果在这次便餐后，在'七国首脑会议'上，我的同事们将都对我说，我们喜欢你们所做的事，我们支持这一点，但是实际上你却应该在自己的锅里煮汤，那么我要说，要知道这汤是我们大家的大锅汤！让人感到奇怪的是：为了对付一场地区冲突，可花上千亿美元，为了实现其他计划也能找到钱，而这里讲的是这样的项目——改变苏联，使其达到新质，让它成为世界经济、国际社会的一个有机部分，而不是一种对抗力量、一种可能产生威胁的泉源。这是一项没有先例的任务。"[1]布什回到美国后，对手下人说："真是可笑。他一直善于推销自己，但这次却不是。我想他真让人难以理解。"[2]七国首脑会议实际上拒绝了戈尔巴乔夫提出的财政援助的要求，戈尔巴乔夫想利用这一援助与叶利钦等进行斗争的希望落空。

根据美国驻苏大使马特洛克的观察，他把戈尔巴乔夫的潜台词归纳为：在戈尔巴乔夫看来，成功的社会是自由社会，他想在苏联以美国为榜样建立一个自由社会，他需要美国做的事，"首先是理解，理解和尊重。我正努力做自二战以来你们一直祈祷的事：消除苏联对其他国家的军事威胁，打开国门，建立法制，建立民主制度，转入市场经济——你们在意识中喜欢把这些称作资本主义，但我想你们知道我不会这样说——至少现在。这正是数十年来你们所梦想的，但却从不敢指望它会发生。我决心成就这番事业，不是因为你们要我这样做。这是我的目标，因为我的国家需要它。"他希望美国不要把苏联当成冷战中的失败者，是他、布什、里根共同结束了冷战。"我真正需要帮助的是经济方面……当我说需要帮助时，我不单是指钱。我需要你们帮助我想一想我应该做些什么。人民感到不知所措，他们和我一样都不知道市场经济是怎么回事。"戈尔巴乔夫希望美国像当年杜鲁门在西欧实施马歇尔计划那样帮助苏联实现经

[1] ［俄］阿·切尔尼亚耶夫著：《在戈尔巴乔夫身边六年》，第 546、547 页。

[2] 转引自［美］小杰克·F. 马特洛克著：《苏联解体亲历记》下，第 647 页。

济转轨。[1]

1991 年 7 月布什访问苏联，西方同意在 1991—1993 年，每年给苏联 150 亿—200 亿美元的贷款，条件是苏联要切实进行改革，包括实行私有化、放开价格、减少工业补贴，卢布可兑换等。戈尔巴乔夫接受了西方对苏联内政的指导，经济上采用了美国的"哈佛计划"，在不具备国际竞争力情况下，全面放开市场，取消对西方的贸易限制，使西方消费品迅速占领了苏联市场。

第二节　革新联盟：困难重重

戈尔巴乔夫认识到了问题的严重性，在 1991 年元旦讲话中提出"未来一年对我们不同寻常，解决我们这个多民族国家的命运就落到未来这一年。对我们大家来说，没有比保留和复兴各族人民幸福生活的联盟更神圣的事业了。我们全国各族人民生活在一起已经有几百年了，苏联时代所形成的价值观将大家团结在一起。那场毁灭性战争取得最后胜利所留下的深深记忆将大家联合在一起。我们在 1991 年将面临很多重大的、涉及国家命运的问题。解决这些问题的钥匙就在保留和复兴苏联的进程之中。"[2] 戈尔巴乔夫要努力维持联盟的存在。1991 年 1 月，立陶宛危机后，立陶宛、爱沙尼亚和拉脱维亚先后宣布独立，俄罗斯联邦承认了它们的独立，苏联其他各加盟共和国的离心倾向也迅速增强。1991 年 1 月 15 日，叶利钦表示，近期要与白俄罗斯、乌克兰、哈萨克斯坦领导人去白俄罗斯会晤，签署四国间的协定，这个协定可以作为其他共和国自愿参加的中心。他还表示为了捍卫俄罗斯的主权，俄罗斯需要有自己的军队。[3] 俄罗斯联邦要建立自己的军队显然违背苏联的宪法，更是破坏苏联的统一。在联盟的存亡面临重大威胁的背景下，戈尔巴乔夫不得不把革新联盟，即建立主权国家联邦的问题提上日程。

[1] 参见 [美] 小杰克・F. 马特洛克著：《苏联解体亲历记》下，第 648—652 页；[俄] 阿・切尔尼亚耶夫：《在戈尔巴乔夫身边六年》，第 547 页。

[2] Правда.1 января.1988.

[3] Союз можно было сохранить. Белая кника. С.200–201.

一、戈尔巴乔夫保住联盟的努力与全民公决

在1922年苏联成立时，设想的是一个联邦制国家，各共和国有很大的自主权，但是，在斯大林的领导下，苏联名义上是联邦制，实质上是单一制国家，是一个高度中央集权的国家。经济政策问题都归中央解决，实行干部任命制，逐渐形成不成文的规则：由中央派全权代理人担任各共和国共产党中央的第二书记，党的机关和国家安全机关事实上是各共和国的主人。改革提出了革新联盟的问题，迫切需要把各共和国获得主权的进程与保持全联盟统一的经济空间、同向市场经济过渡结合起来。革新联盟是否成功取决于联盟领导人和俄联邦领导人之间达成协调而又互相制约的各种协议。

在革新联盟的问题上，戈尔巴乔夫反应迟钝，1988年波罗的海的人民阵线就提出了缔结新联盟条约的想法，但是直到1989年年中以前，都没有得到国家领导人、人民代表的支持。1989年苏联第一届人代会才提出了必须更新联盟条约的问题，波罗的海国家的代表建议签订“确保其他必要的条约——经济条约、共和国间条约、经营管理条约得到履行的联盟条约。”[1]但戈尔巴乔夫此时并没有意识到这一问题的紧迫性，联盟中央并没有及时满足各共和国的要求。在各共和国争主权的呼声日益强烈的条件下，1990年苏共中央二月全会，在向党的第二十八次代表会议提出的《走向人道的、民主的社会主义》纲领中才提出必须巩固联盟建设的条约原则，在明确规定的一些职能自愿交给联盟管理的情况下，各加盟共和国作为主权国家的地位将得到加强。但是，苏共并没有马上着手进行革新联盟体制的工作。

在1990年3月2日政治局会议上专门讨论了联盟条约的问题，戈尔巴乔夫说哈萨克斯坦诗人苏莱曼诺夫建议首先应该改革联盟，然后再选举总统。与波罗的海国家进行谈判，要知道他们已经有了立法建议，并已经把自己的建议提交给最高苏维埃了。戈尔巴乔夫接着说：“我们，同志们，应该有方案。我们可以谴责、埋怨等等，但不能把它们开除出苏维埃社会主义共和国联盟。但这种思想已经在弥漫。应该从情绪化的反映转向理智的讨论。要知道那个苏莱曼诺夫甚至说：‘为什么我们需要这个庞然大物？俄罗斯加上乌克兰已经有两

[1] [俄] 鲁·格·皮霍亚著：《苏联政权史（1945—1991）》，第675页。

亿人了！已经很多了！还有哈萨克斯坦，那里有一半是俄罗斯人。也许乌兹别克斯坦也会留在联盟里，其余的让它们走！’这不行。在波罗的海国家生活着250万俄罗斯族人，怎么办？结论只能这样：需要更新联盟条约基础的理念，我们的‘对话者’已具体研究了这个问题，我们用什么来抵挡？”马斯柳科夫说：“应该准备新的条约草案。但五个区应该从立陶宛回到白俄罗斯，克莱佩达（麦麦利）留在苏联，也就是相当于1/7的立陶宛领土和18.2万居民分出来。”沃罗特尼科夫说：“应该提出倡议：准备条约草案并予以公布。对之进行讨论，目的是让人们看到对于从苏联分出去的民族是多么有害的。直接地‘赞成团结不可分’不行，应该选择让它们不想分离的策略。”利加乔夫站了起来说：“在各共和国他们只考虑本民族的利益，族际主义被抛弃了。族际主义的方案有，但他们听不到。我坚持族际主义的、全联盟利益的方案。这应该在最高苏维埃、在中央委员会讲出来。”戈尔巴乔夫最后对雷日科夫说：“我们不应该再拖延了，如果我们自己不行动，那么我们会继续动荡不安，并妨碍事业。‘抓住不放’就什么也得不到！应该前进，但要精心部署，控制进程，否则我们将处于被动防守的地位，甚至在最支持我们、百分之百赞成联邦的人面前也是如此。如何架设理解的桥梁？出发点是建立现实的联邦。不管采取什么样的步骤，向这边或那边倾斜，但出发点应该是联邦制……任何时候都不要离开核心问题，这就是联邦制。我们不应该离开联盟开始更新的立场，应该准备好论据，我们还没有捍卫联邦的行动计划，应该向人民证明对他们有利的做法。那就需要行动，向最高苏维埃提出方案。卢基扬诺夫、普里马科夫、尼沙诺夫、吉连科，请拿出给最高苏维埃的建议。”[1] 从政治局会议的讨论中我们看到，有些人实际上已经有了让波罗的海三国分出去的准备，在拟定新联盟条约的问题上，观点也不尽相同，利加乔夫是强烈反对改革联盟者，戈尔巴乔夫看到了革新联盟的必要性，他要求相关人员准备着手这一工作，可实际上这一工作并没有真正开展起来。

在当选苏联总统后，戈尔巴乔夫把这项工作作为重点，他在就任总统的第一次讲话中说：“改革的命运在很大程度上将取决于新的联邦制的改造是否成功。现在在我就任总统之际，再次确认将忠于国家的完整。同时也认为，采

---

[1] В Политбюро ЦК КПСС… По записям Анатолия Черняева, Вадима Медведева, Георгия Шахназарова (1985–1991). С.603-604.

取措施以期巩固加盟共和国的主权及其政治和经济的自主权、提高自治共和国和其他民族区域构成体的地位，应当是总统权力特别关注的对象。我赞同大家就这些问题所发表的意见。同时我认为当务之急是制定新的联盟条约，这个新的条约应当符合当前实际情况，符合我国联邦制和每个民族发展的需要。这里应当估计到每个民族有其独特的条件和机遇，因而其与联邦的联系程度也会有所区别。”[1]但是，把苏联改造成主权国家联盟的建议没有得到多数政治局委员和苏联最高苏维埃领导人的支持。

在联盟中央行动迟缓的条件下，各加盟共和国在格鲁吉亚和波罗的海三国的带动下，纷纷发表主权宣言：1990 年 3 月 9 日格鲁吉亚、3 月 11 日立陶宛、3 月 30 日爱沙尼亚、5 月 4 日拉脱维亚、6 月 12 日俄罗斯（此后俄境内的卡累利阿，雅库特、科米、巴什基尔、鞑靼、车臣自治共和国也发表了主权宣言）、6 月 20 日乌兹别克斯坦、6 月 23 日摩尔达维亚、7 月 16 日乌克兰、7 月 27 日白俄罗斯。到 1990 年 10 月，15 个加盟共和国的最高苏维埃都先后发表了《主权宣言》，宣布共和国的主权至高无上，共和国的法律高于联盟的法律，共和国的所有资源归本共和国所有。

1990 年 6 月 12 日，举行了联邦委员会会议，会议讨论了民族国家结构问题和联盟条约，成立了一个工作组，由所有共和国的代表参加。1990 年 7 月，戈尔巴乔夫在苏共二十八大上宣布“需要一个真正的主权国家联盟”。加盟共和国代表工作组、苏联最高苏维埃、苏联部长会议多次召开会议，讨论这一问题。各加盟共和国的领导人，特别是叶利钦的态度十分重要，没有俄罗斯联邦，戈尔巴乔夫革新联盟的设想根本无法实现。1990 年夏，围绕制定向市场经济过渡的经济纲领，戈尔巴乔夫与叶利钦关系改善，他们想使之成为新联盟条约的经济部分，但是，由于叶利钦坚持自己的“500 天计划”，拒不接受戈尔巴乔夫的调和方案，雷日科夫也坚持己见，机会又被错过了。

1990 年 11 月，第四次人代会召开前夕，总统委员会的人在起草总统的题为《关于国内形势与克服社会经济和政治危机局势之措施》的报告时，提出了关于签订经济联盟条约的最初方案，当时包括波罗的海三国都会签订这样一个条约。但是，戈尔巴乔夫拒绝了这一思想，他的理由是如果签署了这项经济条

[1] ［俄］米哈伊尔·戈尔巴乔夫著：《对过去与未来的思考》，第 131 页。

约，很多人会止步于此，不想再签署已经准备好的、大家都宣布签署的联盟条约。[1]苏联的经济不是靠市场联系在一起的，新的经济纲领将一些重要的经济职能转归各共和国，“从而导致必须对苏联政治制度，即对苏共中央、苏联最高苏维埃、苏联人民代表大会的地位与作用进行重新审视。”[2]这激起了苏共上层、苏联部长会议的反对，一些人指责其为“瓦解苏联”的纲领。苏联失去了在 1990 年更新联盟的机会。

在 1990 年 12 月第四次人代会上爆发了一场激烈斗争，对于如何改革联邦体制有两种截然对立的主张，一种主张对原体制进行修补，另一种主张对联盟进行根本改造。1990 年 12 月 24 日，大会通过了《关于新联盟条约的总构想及其签署程序》的决议，决定把现行联盟改组为“自愿平等的主权共和国联盟——民主的联邦制国家”。决定由专门的委员会负责条约的起草工作和决定签署的程序，委员会的成员包括：联邦主体的最高公职人员、苏联最高苏维埃主席和苏联最高苏维埃联盟院主席。这一工作是在戈尔巴乔夫位于莫斯科郊外新奥加廖沃的官邸进行的，1991 年年初成立了起草新联盟条约草案的专家小组，领导人是苏联科学院副院长弗·尼·库德里亚夫采夫和总统的两个代表：列文科和沙赫纳扎罗夫，参加这一小组工作的有经济学家、法学家、政治学家，各加盟共和国的领导人和自治共和国的领导人参加讨论和作出决定。

起草新联盟条约的工作是在联盟中央与加盟共和国的斗争中进行的。1991 年 1 月立陶宛事件，使戈尔巴乔夫认识到“单单凭借没有政治权威和道德权威的暴力，既不能使政权稳固，也不能使之持久。戈尔巴乔夫也明白这个道理……戈尔巴乔夫在向反对派的让步中寻找着出路，包括修改苏联宪法、签订新的联盟条约，以削弱过于僵硬的苏联国家中央集权，扩大各加盟共和国的权利。”[3]叶利钦等人不断架空联盟中央，为了给联盟的存在提供更有说服力的合法性，戈尔巴乔夫和苏联最高苏维埃产生了举行全民公决的想法，戈尔巴乔夫希望借俄罗斯人占优势和民众的爱国主义情绪，来压制一下民族分离分子和激进派，保住统一国家。最高苏维埃在 1991 年 1 月 16 日通过决定于 3 月 17 日

[1] *Примаков Е.* Годы в большой политике. М., 1999. С.78.

[2] ［俄］鲁·格·皮霍亚著：《苏联政权史（1945—1991）》，第 656 页。

[3] ［俄］罗伊·麦德维杰夫著：《俄罗斯向何处去？——俄罗斯能搞社会主义吗?》，第 51 页。

举行全民公决，苏联公民要回答的问题是："您认为是否有必要保留一个将完全保障所有民族的人权和自由并作为平等主权共和国革新联邦的苏维埃社会主义共和国联盟吗?"实际上，这一问题本身含有不确定性，被更新的联邦什么样？如何保障各主权共和国的权利平等？如何保障每一个民族的人权与自由？通过什么手段保留联邦？还有一个如何解释投票结果的问题，对于那些不参加投票的共和国，这一结果是否有约束力？

新联盟条约还没有签订，社会局势不稳定，苏共领导和政府没有摆脱危机的切实可行的纲领，此时举行全民公决的时机并不成熟，学者皮霍亚认为，"全民公决之所以打算举行，目的是为了代替和偷换联盟条约，显示联盟中央的强大力量和得到全民支持。"[1]全民公决本身的潜意识影响很坏，此前，没有人认为苏联会解体，现在"消灭苏联帝国"的思想在社会意识中站住了脚，激进知识分子公开表示帝国应该垮台。

俄罗斯领导人批评全民公决的做法，激进派反对举行全民公决。叶利钦认为戈尔巴乔夫搞全民公决的目的，一是为了赋予全国范围内的紧急状态以合法性质，二是为了取得同俄罗斯的独立进行斗争的"合法权利"。[2]1991 年 2 月 7 日，俄罗斯联邦最高苏维埃通过决议，决定在全民公决票上加上第二个问题："您是否同意设立全民投票选出的俄罗斯联邦总统职位?"目的是巩固自己与中央关系中的主权地位。1991 年 2 月 19 日，叶利钦在苏联电视台发表讲话，而且是直播，在阐述完其对重大问题的立场后，叶利钦宣读了一份事先准备好的声明："事情已经非常清楚，戈尔巴乔夫保留'改革'这个词的同时，不愿意进行实质上的改革，他要保存现有体制，保留强硬的中央集权，不给予各加盟共和国特别是俄罗斯以独立自主……我完全不同意总统的立场和政策，我要求他立即辞职。"[3]并要求把权力转交给联邦委员会。叶利钦这一激烈的、不妥协的发言让人感到意外，2 月 25 日，民主派在莫斯科组织了一场不少于 30 万人的大规模游行。3 月 9 日，《真理报》刊登了主权国家联盟条约的第一个草案，这将是经过革新的联邦的法律基础。该草案规定苏联是"主权的联邦制的民主

[1] [俄] 鲁·格·皮霍亚著：《苏联政权史（1945—1991）》，第 679 页。

[2] [俄] 鲍里斯·叶利钦著：《总统笔记》，第 26 页。

[3] 同上书，第 27 页。

国家，它是根据各平等共和国自愿联合组成的，在条约参加国赋予它的权力范围内行使国家权力。”各共和国有权同外国建立直接的外交、领事、贸易和其他联系，有权同它们互换全权代表，签订国际条约和直接参加国际组织的活动。对这一给了加盟共和国相当大权力的条约草案，叶利钦声明：“我们不需要现存的任何形式的联盟，我们不需要这样的中心——庞大的、官僚化的……我们应该摆脱它。改革已经进行了6年，一切让我们相信，我们正在破坏这个体制，我们事实上已经走上了民主革新之路，原来这是一个谎言。”[1]叶利钦摆出了一副要与联盟中央对着干的架势。

戈尔巴乔夫对此没有反应，他没有反对俄联邦设置总统职位，尽管苏联宪法没有规定各共和国设立全权总统。此时，叶利钦在俄联邦开始了与联盟中央公开的争权斗争，公然违反苏联的法律和法规，如俄罗斯联邦议会通过了自己的退休法，通过了允许私人拥有生产工具的法令，取消了个人副业税等税种，等等。在与叶利钦等人的斗争中，戈尔巴乔夫的非民选性降低了他的权威，一位民主派人士写道：“国家总统不应该由那些机关工作人员，以及受他们关怀的‘人民公仆’通过暗箱操作选举产生，国家元首应该由人民直接选举。”[2]如果戈尔巴乔夫此时辞职，苏联人民选举出另一位领袖来领导联盟，也许还可以保住联盟。《独立报》评论员古辛指出：“客观分析国内局势可以得出这样一个结论——我们所能预见到的，不仅是戈尔巴乔夫政治生涯可怜的垂死挣扎，而且是人民饱受煎熬的关键时刻。解救方法只有一个，就是戈尔巴乔夫自己能够意识到当前局势的危机性质，他自愿退出政治舞台。大家都已经确信，戈尔巴乔夫是无法将国家从危机中拯救出来了，他的政治形象受损、威信和影响降低已经发展到不可逆转的程度。在过去的6年里，戈尔巴乔夫犯了很多错误，很多过失已经无法矫正，他的不少决定做得不合时宜，或者滞后，或者超前，这都给他的政治威信造成很大破坏。”[3]在准备全民公决的过程中，各

[1] Союз можно было сохранить. Белая кника. М., АСТ. 2007. С.212.

[2] 《自鸣钟》1991年2月19日，转引自［俄］罗伊·麦德维杰夫著：《苏联的最后一年》，第23—24页。

[3] 《独立报》1991年3月7日，转引自［俄］罗伊·麦德维杰夫著：《苏联的最后一年》，第31—32页。

种政治力量进行着激烈的斗争。

1991 年 3 月 17 日，148574606 名苏联公民参加了全民公决，占公民总数 185647355 的 80%，其中肯定回答者为 113512812 人，占 76.4%，持否定意见者 32303977 人，占 21.7%，还有 2757817 张票无效，占 1.9%。[1]在俄罗斯联邦，有 75.4%的公民参加了全民公决，表决的结果是反常的。一方面有 71.3%的参加者赞成保留革新的联盟，另一方面有 70.8%的人赞成在俄罗斯设立总统职位，这表明人们想保留联盟，但不想保留原有的政权体系。俄罗斯的全民公决结果很难说是苏联总统设想的胜利。这一结果实际上提高了叶利钦在选举中胜利的可能性，两个政权中心的关系并没有和平的迹象。

在乌克兰举行全民公决时，有 83.5% 的公民参加了投票。根据乌克兰最高苏维埃的决议，也加上了一个问题：您是否同意在组成苏维埃主权国家联盟的宣言的序言中写明乌克兰的国家主权？有 80.17%的人回答是肯定的，高于赞成保留联盟者（70.2%）。这确定了乌克兰法律高于联盟法律的思想

戈尔巴乔夫与夫人赖莎参加苏联第一次公民公决，1991 年 3 月 17 日

[1] Хрестоматия по отечественной истории (1946 – 1995). М., 1996. С.351.

基础，在事实上排除了建立新的联邦制国家时乌克兰完全合乎要求加入的可能性。[1] 在地位仅次于俄罗斯和乌克兰的哈萨克斯坦，89%的公民参加了投票，对于全民公决的问题，94%的人给予了肯定的回答。白俄罗斯、阿塞拜疆、吉尔吉斯斯坦、乌兹别克斯坦、塔吉克斯坦、土库曼斯坦赞成保留联盟者的比例分别为：82.7%、93.7%、94.6%、93.7%、96.2%和 97.9%。[2] 从全民公决的结果可以看到，最高支持度来自中亚各共和国，而最低的竟然是俄罗斯和乌克兰。

尽管格鲁吉亚、立陶宛、摩尔多瓦、拉脱维亚、亚美尼亚、爱沙尼亚六个共和国没有成立全民公决的共和国中央委员会，但这些共和国还是有不少公民在地方苏维埃、企业以及一些社会团体建立的投票站参加了投票，其中：格鲁吉亚有 44012 人、拉脱维亚有 501375 人、摩尔多瓦有 700893 人、立陶宛有 436783 人、亚美尼亚有 3549 人、爱沙尼亚有 222240 人参加了投票，赞成保留苏联者占 95% 以上（只有亚美尼亚占 72.1%）。[3]

全民公决的结果应该具有强制性的威力，这次全民公决给了政府维护国家统一的全权，政府有权据此采取措施保留联盟，避免国家的分裂。但是，这个全民公决是有问题的，公民公决要保留的不是现存的苏联，而是更新后的苏联，这次全民公决也不表明苏联公民对联盟机关的信任。据调查，“莫斯科市民对戈尔巴乔夫的信任度只有 12%，对内阁和总理的信任度已经低于 10%。与此同时，莫斯科市民对俄罗斯联邦最高苏维埃和莫斯科苏维埃的信任度却分别达到 40%和 34%。莫斯科市民对叶利钦的信任超出其他任何人，民众对他的支持率已经超过 50%。在各个政党中，刚刚成立不久，而且还没有完全定型的‘民主俄罗斯’运动最受民众欢迎，被调查者中的 50%支持这个党，而此时苏联共产党的支持率却只有 12%。”[4] 俄罗斯联邦参加投票的人和赞成保留联盟的人在共和国中占倒数第一和第二位，在俄罗斯联邦的中心地区，赞成保留联盟的人很少。联盟中央对没有参加全民公决的格鲁吉亚、立陶宛、摩尔

[1] *БарсенковА.С.,ВдовинА.И.* История России.1938–2002. М., 2003. С.374.

[2] Союз можно было сохранить. Белая кника. С.215–216.

[3] Хрестоматия по отечественной истории (1946–1995). М.,1996. С.354.

[4] ［俄］罗伊·麦德维杰夫著：《苏联的最后一年》，第 39 页。

多瓦、拉脱维亚、亚美尼亚、爱沙尼亚六个共和国没有办法，这意味着它们已经分离出去了，这个全民公决让人们看到了国家分裂的现实。3 月 31 日，格鲁吉亚举行全民投票，90.57% 的公民参加了投票，99.08% 的人赞成独立。4 月 9 日，格鲁吉亚苏维埃通过了独立宣言。

全民公决的结果鼓励了戈尔巴乔夫，他把这看成是个人的胜利，看成是政治上反对叶利钦和激进派的资本。“他越来越把叶利钦个人当作焦点，认为叶利钦不断增长的力量是对他的权力的威胁。很可能，正是把国内正在展开的复杂政治过程的人格化导致了戈尔巴乔夫的许多错误。总统反对叶利钦的斗争使他迷住了心窍，他顽固地企图把俄罗斯的领导人‘开除’出政治生活。”[1] 戈尔巴乔夫对叶利钦不正确的态度，对苏联历史产生了重要影响，正如雷日科夫所说：“戈尔巴乔夫和叶利钦的对立肯定会把我们的国家分裂成两个敌对的阵营，并使双方丧失理智，从而使我们的工作失去意义，因为俄罗斯联邦第一次人代会后开始的那场苏联与共和国的法律之战首先打击了经济，打击了人心与事业。”[2]

1991 年 3 月初，苏共中央制定了一份名为《行动计划—28》的文件，确定了共产党人应该在俄罗斯联邦第三次人代会上采取的措施，目的是解除叶利钦的俄罗斯联邦最高苏维埃主席的职务。3 月 20 日，苏共中央书记舍宁主持召开苏共中央会议，对俄罗斯联邦第三次人民代表大会重新提出了几项任务：要求俄罗斯联邦最高苏维埃主席作出解释，由苏联总检察长对俄罗斯政府的行为提出质问，保护共产党员代表免受“民主俄罗斯”支持者可能实施的违法行为的侵害。3 月 25 日，苏联内阁通过《关于莫斯科市暂时停止举行集会、上街游行和示威的决议》，规定 3 月 26 日—4 月 15 日禁止在莫斯科举行群众集会、抗议活动、上街游行和示威。3 月 26 日颁发总统令《关于建立苏联内务部莫斯科市和莫斯科州总局》，莫斯科的民警机关直接归苏联内务部管辖。3 月 28 日，俄罗斯人代会开会之际，莫斯科市中心部署了军队。

1991 年 3 月 28 日，俄罗斯联邦第三次人代会（非常人民代表大会）开幕，这次会议成为争夺权力的决定性战役的战场。保守派在俄罗斯议会中凑够了多

[1] ［俄］格·阿·阿尔巴托夫著：《苏联政治内幕：知情者的见证》，第 434 页。

[2] ［俄］尼·雷日科夫著：《大动荡的十年》，第 454 页。

数票提出召开俄罗斯人民代表大会特别会议，要求叶利钦向大会报告工作，想把叶利钦从俄罗斯联邦最高苏维埃主席的位置上拉下来。由于军队进入莫斯科，会议中断，代表大会派俄罗斯联邦最高苏维埃副主席哈斯布拉托夫同戈尔巴乔夫谈判，他们要求戈尔巴乔夫撤出军队。当晚，莫斯科举行了数十万人参加的大游行。在强大的反对势力面前，戈尔巴乔夫退缩了，3 月 29 日军队撤出了莫斯科，“戈尔巴乔夫止步于使用武力的界限，不敢承担可能使用武力的责任。戈尔巴乔夫不久前的战友在这种情况下原来都是多余的无用之人，他们明白了这一点。”[1]保守派对戈尔巴乔夫这种让步行为不满，戈尔巴乔夫在与叶利钦的对抗中又输了。

3 月 29 日代表大会继续举行，共产党议员团的两个报告以失败告终，叶利钦在俄罗斯非常人代会上宣布与共产党的改革派一起行动，主张建立人民信任与民族和睦的联合政府，尽快签署平等主权国家联盟条约，这种主权国家联盟是联邦制的、自愿和权利平等的联合体。快速坚决地向市场经济过渡，把各地区紧密联结起来。叶利钦的策略是成功的。在他的发言之后，共产党阵营分裂。以阿富汗战争的英雄鲁茨科伊为首的 170 名代表宣布退出俄共党团，成立“共产党人—争取民主”党团，鲁茨科伊说俄罗斯共产党不了解国内发生的事情，其目标与人民的目标相左，表示支持叶利钦。叶利钦在这次人代会上取得了足够的多数票，得到了补充权力，获准了建立俄罗斯总统制，这次人代会决定在 6 月 12 日举行俄罗斯联邦总统选举。之后，煤矿工人的罢工在全国蔓延，他们提出了让戈尔巴乔夫辞职的要求。

3 月事件使戈尔巴乔夫认识到，必须与叶利钦达成妥协，于是开始了新奥加廖沃进程，但是，戈尔巴乔夫的政策又引起了苏共上层强硬派人物的不满。1991 年 4 月 18 日，雅科夫列夫写信给正在日本访问的戈尔巴乔夫，一是重提建立两党制的问题，认为在现今条件下，两党比一党好，也比一百个党要好；二是警告戈尔巴乔夫可能发生政变，“从分析中也可得出这种预测，这就是有人正在准备来自右的政变。某种类似新法西斯制度的东西即将到来。1985 年的思想将遭到践踏。您，还有您的战友将被革除出教门。这种悲剧的后果甚至是无法想象的。”雅科夫列夫认为，出路只有一个：“使所有健康的民主力量联

[1] ［俄］鲁·格·皮霍亚著：《苏联政权史（1945—1991）》，第 698 页。

合起来，成立一个主张社会革新的党或运动。”[1]戈尔巴乔夫并没有理会雅科夫列夫的建议。

二、新奥加廖沃进程

1991年4月初，戈尔巴乔夫意识到当务之急是想办法保留统一的联盟，4月15日，戈尔巴乔夫宣布时间在以天和星期来计算，最重要的任务是“应该就在这个月签署联盟条约，下个月批准。”[2]4月23日，根据戈尔巴乔夫的倡议，在莫斯科近郊的小村新奥加廖沃，戈尔巴乔夫与俄罗斯联邦、乌克兰、白俄罗斯、乌兹别克斯坦、哈萨克斯坦、阿塞拜疆、吉尔吉斯斯坦、塔吉克斯坦、土库曼斯坦领导人举行会晤，被称为“9+1”会晤，开始讨论新联盟条约的问题，发表了《关于刻不容缓采取紧急措施稳定国内局势和克服危机的共同声明》，指出在通过新联盟条约和联盟宪法前，采取坚决的措施恢复宪法秩序，在新联盟条约和联盟宪法通过前无条件地遵守法律；近期拿出新联盟条约草案，旨在使各共和国代表团签署这个协议文件；在签署条约后的六个月内，苏联人代会通过建立在主权国家联盟基础之上的新宪法；在新宪法通过后准备进行联盟权力机关的选举，在整个过渡时期内使联盟和共和国的权力机构、各级人民代表机构能够有效运行；承认拉脱维亚、立陶宛、爱沙尼亚、摩尔多瓦、格鲁吉亚、亚美尼亚自主决定是否参加联盟条约的问题；联盟和各共和国共同采取一些克服经济和社会危机的措施。[3]这个声明是出乎人们预料的，表明戈尔巴乔夫作出了巨大的原则性让步。叶利钦说：“戈尔巴乔夫在这次集会上的讲话完全出乎我的意料之外。苏联总统通告大家，他同意签订一项联盟条约，该条约大大削弱中央对各加盟共和国生活的影响。他坚决主张通过新的宪法，之后解散现存立法机关——苏联人民代表大会和最高苏维埃，直接选举新总统。我在事先准备好的各共和国领导人的联合声明上

[1] [俄] 亚·尼·雅科夫列夫著：《一杯苦酒——俄罗斯的布尔什维主义与改革运动》，第227—228页。

[2] Союз можно было сохранить. Белая кника. C.224.

[3] Союз можно было сохранить. Белая кника. C.224–227.

签了字。"[1]叶利钦还签署了暂停政治罢工的协议。苏联总统想方设法阻止联盟解体，各共和国知道苏联总统的弱点，努力从中央分得更多的权力，在新的条件下，苏联总统默认了未来联盟的邦联体制，与全民公决的立场有所不同，但他们也不能完全忽视全民公决的结果，因此，尽量多使用"统一的联盟国家"、"联邦"等词语。

起草新联盟条约的工作夹杂着种种矛盾与斗争，既有来自民主派的压力，更有来自强硬派的反对。叶利钦与其他共和国加强双边联系，以增强与戈尔巴乔夫讨价还价的资本，积极推动苏联解体的布尔布利斯回忆说："还在 1991 年 4 月俄罗斯、白俄罗斯和哈萨克斯坦的代表团多次举行会晤，在此之前就与这些共和国签订了双边协议。这些协议能够成为新联盟条约（没有当局竭力保留的具有极权主义内容的联盟中心）的基础，但是，卢基扬诺夫和戈尔巴乔夫注意到这么做对他们的危险后果，依靠新奥加廖沃进程轻易阻止了我们。"[2]阿尔巴托夫认为，"戈尔巴乔夫想同各共和国达成协议的要求遇到了来自怀有帝国传统和野心的势力的有力抵制，这就是党的领导层、军事工业集团、一大批高级官员、克格勃和'工业将军们'（管理苏联经济的政府部门的上层管理人员）。他们又得到了非俄罗斯共和国中一部分俄罗斯族人和讲俄语居民的政治运动的支持。这些人害怕，一旦苏联解体，他们将变成在外国的少数民族。"[3]他们的看法都反映了当时的现实。在 1991 年 4 月 24—25 日举行的苏共中央全会上，戈尔巴乔夫受到俄共第一书记波洛兹科夫等人的强烈谴责，支持戈尔巴乔夫的雅科夫列夫、谢瓦尔德纳泽、巴卡京、梅德韦杰夫也受到尖锐批评。戈尔巴乔夫表示要辞职，但会议表决以压倒多数的票数——13 票反对，14 票弃权，决定不讨论戈尔巴乔夫辞职的问题。为了防止出现灾难性后果，代表大会强调必须在全民公决和保留苏维埃社会主义共和国联盟的基础上签署联盟条约，恢复国家的宪法和法律秩序。[4]

但是，戈尔巴乔夫的看法显然与苏共中央全会的强硬派不同，他认识到

[1] ［俄］鲍里斯·叶利钦著：《总统笔记》，第 31 页。

[2] Союз можно было сохранить. Белая кника. С.220.

[3] ［俄］格·阿·阿尔巴托夫著：《苏联政治内幕：知情者的见证》，第 441 页。

[4] Союз можно было сохранить. Белая кника. С.230.

各共和国不会接受强硬派的立场，1991 年 5 月 4 日，戈尔巴乔夫与其顾问和助手讨论联盟条约的名称和联盟的性质问题。他提出，新联盟应该叫“主权国家联盟”，“我们致力于革新联邦，自治共和国成为与其所在加盟共和国一样的联邦权力平等的成员，只能作为联盟的一部分保留俄罗斯联邦，加强苏联所有共和国的国际职责。”[1] 戈尔巴乔夫的这一动议显然是在削弱各加盟共和国，特别是俄罗斯联邦，很难被他们接受。雅科夫列夫认为名称不重要，经济是单一制的，政治上和其他领域可以是别的形式。阿巴尔金赞成联邦性质的国家联盟。卢基扬诺夫表示可以作出让步，但条约的限度是主权国家联邦的联盟。卢基扬诺夫认为可以准备三套方案：仅加盟共和国签署；或者加盟共和国与俄罗斯的自治共和国一起签署；所有加盟共和国和自治共和国一起签署。梅德韦杰夫则认为，原则上只能把自治共和国看成是加盟共和国的相应组成部分。[2] 同一天叶利钦在电视台发表声明，认为 9 个加盟共和国和苏联总统的会晤预示着国内局势朝好的方向发展，在基本问题上已经达成妥协，而不是对抗和冲突。

1991 年 5 月 24 日，在新奥加廖沃戈尔巴乔夫主持召开由各加盟共和国和自治共和国领导人参加的会议，讨论新联盟条约的名称、签订条约的主体、建立新联盟的原则、它的最高机关的名称、税收和财产所有权问题。提交的草案称“主权社会主义共和国联盟”条约，缩写与原来的国名一致。叶利钦提出应该叫“苏维埃主权共和国联盟”，俄罗斯要保持统一，不允许其自治共和国单独签署，俄罗斯拥有独立的内外政策，俄罗斯会向联邦转让相应的职能，中央的最高权力机关形式应该根据各共和国的意愿来确定，中央应该把权力最大限度地赋予地方。如果没有确定地分割财产，俄罗斯将不签署条约，煤矿工业、石油工业、有色金属加工等等转给了共和国很好，在联盟条约里应该划分国防和国家安全职能。关于税收，叶利钦反对按比例提供给联盟，认为应该根据所需数额提供。[3] 这些问题解决了，俄罗斯可以签署。其他共和国实际上追随俄罗斯联邦领导人。会议决定再对条约草案进行加工，下次会议再讨论。

---

[1] Союз можно было сохранить. Белая кника. C.231.

[2] Союз можно было сохранить. Белая кника. C.231－232.

[3] Союз можно было сохранить. Белая кника. C.241,242.

戈尔巴乔夫想尽一切办法保持联盟和自己的权力，1991 年 5 月，他在访问法国时，在与密特朗总统举行的记者招待会上，有记者问：您认为西方国家元首和俄罗斯联邦总统保持什么样的关系才是最合适的呢？他没有直接回答这一问题，而是声明苏联还将存在，并且作为一个强国存在，他把苏联比作是一艘航行在大海上的一条船，“天气很不好，常常刮起风暴，大雾很重，能见度很低，而且仪表还出毛病，船员也并非都是需要的人。但是，这艘船还是按照我们制定的航线前进，向改革构想指定的目标前进。很多人冲向轮船的方向盘，不少人拽着别人的手脚，这种事时有发生，但从原则上说，方向盘还在我们手中，轮船将要沿着既定的方针前进。希望任何人都不要指望，苏联总统会把阵地让出去，尽管已经被摔得双肩着地。”[1]但是，在协商联盟条约的问题上，戈尔巴乔夫不得不向叶利钦等人让步。

1991 年 6 月 3 日，举行了新联盟条约起草委员会的第二次会议,6 月 4 日，卢基扬诺夫向最高苏维埃通报了新联盟条约的起草情况。苏联最高苏维埃中最大的议会党团——“联盟”议会党团对这个条约持否定的态度。6 月 8 日，这一议会党团的领导人和该议会党团建立的“联盟”——全联盟人民运动发表《关于签署联盟条约》的声明，对条约草案进行谴责，认为这一条约取消了苏联这个统一国家。对于联盟条约谈判的过程，俄民族问题专家季什科夫有过一段精彩的评述，他写道：“这是一个戏剧性时期，没有任何得当的专家指导，也没有任何公开性，甚至连个人责任感都没有，而包含着最高政治优先权和历史意义的争论就那么展开了。每个人都是参照他们‘自己’本族或议会的‘意愿’，追求他们自己个人在当时形势下的先见之明和自己的口头准则。这完全是在展示苏联政治文明的一种惊人特征——缺乏法律约束，也没有公民一致同意。”[2]

1991 年 6 月 15 日，苏共中央举行俄罗斯共产党各共和国、边疆区、州党委第一书记会议，舍宁主持，会议讨论了在俄罗斯联邦总统选举中的失败，认为戈尔巴乔夫是罪人，舍宁在总结报告中说：“根据与会者的意见，不容许无

[1]　Известия. 9 мая. 1991.

[2]　[俄] 瓦列里·季什科夫著：《苏联及其解体后的族性、民族主义及其冲突——炽热的头脑》，姜德顺译，中央民族大学出版社 2009 年版，第 98 页。

视全民公决的结果和苏联第四届人民代表会议的决议，因为全民公决的结果和决议明确规定了新联盟国家的名称——苏维埃社会主义国家联盟及其组建的基本原则。与会者强调指出，只有苏联人民代表大会才有权通过解决这一问题的最终决议。”[1]1991 年 6 月 17 日，联盟条约草案确定，分发给联盟各共和国讨论。同一天，苏联最高苏维埃举行会议，总理帕夫洛夫、国防部长亚佐夫、内务部长普戈、安全委员会主席克留奇科夫在会议上讲话，谴责戈尔巴乔夫。帕夫洛夫要求得到补充权力，得到“联盟”党团的支持。第二天，戈尔巴乔夫宣布不同意帕夫洛夫的报告，得到了相应的支持。6 月 21 日，在最高苏维埃会议上，戈尔巴乔夫与“联盟”党团决裂，指责他们试图破坏各共和国间的合作，戈尔巴乔夫又与党内保守分子、强硬派对立起来了。

1991 年 7 月 12 日，苏联最高苏维埃通过《关于主权国家联盟条约草案》的决议，基本上同意主权国家联盟条约草案，确定了以戈尔巴乔夫为团长的拥有全权的联盟代表团的组成人员名单，委托联盟全权代表团遵照苏联最高苏维埃各委员会及其成员以及苏联人民代表所提出的意见和建议对主权国家联盟条约草案加以完善并达成一致意见。由联盟全权代表团同共和国全权代表团商定符合革新的联邦民主国家原则的联盟条约的最后文本。[2]7 月 23 日，各共和国领导人再次在新奥加廖沃举行会晤，苏联最高苏维埃领导人全部到会，总理、外交部长、国防部长亦到会。卢基扬诺夫说，最后一次讨论关于主权国家联盟条约最后文本的会议仍是非建设性的，有人建议从条约中删除苏维埃社会主义共和国联盟是主权联邦国家的内容，坚持只有一套税收系统。乌克兰代表在会谈中宣布，乌克兰将不会在 9 月中旬前决定自己与联盟条约的关系问题。15 个加盟共和国中只有 8 个准备签署条约。[3] 最后，参加会谈的各共和国代表决定 9—10 月在苏联召开人代会时签署条约，戈尔巴乔夫支持。这一协议的达成标志着新奥加廖沃进程第一阶段工作的完成，尽管未能使所有加盟共和国都留在联盟内，但毕竟这还是多数共和国的联盟。

---

[1] 转引自［俄］鲁·格·皮霍亚著：《苏联政权史（1945—1991》，第 712 页。

[2] Союз можно было сохранить. Белая кника. C.252 – 254.

[3] 转引自 *Барсенков А.С.,Вдовин А.И.* История России. 1938 – 2002. C.375.

三、俄罗斯联邦的总统选举及其后果

在戈尔巴乔夫忙于制定新联盟条约时，叶利钦则忙于继续与联盟争权。1991 年 5 月 5 日，俄罗斯联邦最高苏维埃决定建立自己的国家安全委员会。1991 年 3 月底，俄罗斯联邦非常人民代表大会决定直接选举俄罗斯总统，第四届人代会确定 6 月 12 日是选举日。这种时间紧迫的选举显然对叶利钦有利，他占据时间和资金两大优势。

在俄罗斯总统选举的问题上，各种政治力量进行竞争，叶利钦得到“民主俄罗斯”运动和一些新政党的支持，同叶利钦对抗的是苏共和俄共。俄共支持的候选人是前总理雷日科夫。1991 年 5 月 20 日，俄罗斯联邦总统选举的登记工作才结束，除叶利钦、雷日科夫外，候选人还有日里诺夫斯基、图列夫、马卡绍夫、巴卡京。戈尔巴乔夫做了不明智的举动，企图阻止叶利钦当选，叶利钦的支持率又很高，戈尔巴乔夫不可能成功，此举加剧了叶利钦对他的不满。

叶利钦进行了精心的准备，他选择了阿富汗战争的英雄、俄共中央委员鲁茨科伊作为自己的副总统候选人，此举能够获得许多共产党员和军人、老战士的支持，用叶利钦的话说：“鲁茨科伊简直就是为了搞竞选运动而造就成才的。他好像生下来就是专门为了成为闪光发亮、五颜六色在广告宣传画中的形象鲜明的人物，专门为了参加电视转播节目，为了在人山人海的群众面前发表演说的……中年女人一见到这样一位副总统，简直都会狂喜得目瞪口呆。”[1]叶利钦在竞选演说中承诺要结束国家的经济危机状态，承诺不提高物价，为了争取共产党员的支持，他表示不是反对整个苏共，而只是反对戈尔巴乔夫和党内的教条主义者。叶利钦认为，“戈尔巴乔夫代表联盟，代表一个大帝国，代表一个旧的超级大国；而我则代表俄罗斯，代表一个独立的共和国，代表一个新的甚至尚未存在的国家。大家期待着这个国家的出现。”[2]

1991 年 6 月 12 日，俄罗斯联邦举行了历史上第一次公民投票直选总统，最后的结果是：叶利钦以 57.3%的得票率当选为俄罗斯联邦的总统，巩固了自

[1] ［俄］鲍里斯·叶利钦著：《总统笔记》，第 37 页。

[2] 同上书，第 42 页。

“叶利钦和人民在一起，人民和叶利钦在一起”——当时支持叶利钦竞选俄联邦总统的口号之一

己作为俄罗斯主人的地位。雷日科夫的得票率是 16.85%、日里诺夫斯基居第三，是 7.81%、图列夫是 6.81%、马卡绍夫是 3.74%、巴卡京是 3.42%。俄罗斯的总统选举结果是对中央政权、苏共、俄共的打击，“设立俄罗斯总统，并且赋予他很大的权力，这本身就意味着，在苏联国家大厦下埋下了一个巨大的地雷。在俄罗斯即将出现一个新的，与苏共中央没有任何联系，并且基本不依赖于苏联政府和苏联总统的权力中心，出现一个与苏联竞争的国家。”[1]叶利钦比戈尔巴乔夫有权威，因为他是全民普选产生的，而戈尔巴乔夫是在没有竞争对手的情况下，由苏联人民代表选出的，有“抢权”的嫌疑，遭到不少人的反对和讥讽。叶利钦被民意推上了俄罗斯总统的宝座，使他这个“小总统”比戈尔巴乔夫这个“大总统”更加强有力，同时，波波夫当选莫斯科市长，索布恰克当选为列宁格勒市长，实际上苏共在俄罗斯联邦已失去了执政地位。意大利文艺复兴时期著名的政治家、思想家马基雅维里在其名著《君主论》中说：“如果一个人是由于人民的赞助而获得君权，他就发觉自己是巍然独立的人，在自

[1] ［俄］罗伊·麦德维杰夫著：《苏联的最后一年》，第 46 页。

已周围并没有一个人不准备服从自己或者只有很少数人不准备服从自己的……如果人民心怀不满，君主是永远得不到安全的，因为人民为数众多；另一方面，君主能够使自己安全地对付贵族，因为贵族人数甚少。”[1]在政治权力斗争中，叶利钦民选总统的身份恰恰使他比戈尔巴乔夫更有力量，他借用民众的支持与苏共的官僚上层进行斗争，成为戈尔巴乔夫很难对付的对手。

叶利钦在当选总统后举行的记者招待会上宣布：“共产主义已经死亡，在我看来，共产党人和诚实的共产党员开始明白这一制度开始崩溃，没有任何方法可以拯救它。”1991 年 6 月，列宁格勒改名为圣彼得堡，在莫斯科和圣彼得堡两个首都的市长选举中，波波夫和索布恰克分别当选，激进派在俄罗斯取得了决定性的胜利，戈尔巴乔夫时代正在过去。1991 年 7 月 10 日，叶利钦在克里姆林宫的代表大会堂宣誓就任俄罗斯联邦总统。莫斯科又出现了一个新的、强有力的政治权力中心。1991 年 7 月 20 日，叶利钦发布命令《在国家机关、管理机关和俄罗斯联邦机构中禁止政党和组织从事政治活动》，要求在 8 月 5 日前政党和政治运动停止在这些机构中的组织活动，这实际上是直接反共的命令，因为只有苏共在这些机构里有自己的组织。叶利钦下令禁止俄罗斯联邦所有企业和机关党组织的活动，戈尔巴乔夫可以取消叶利钦的命令，他却没有行动。1991 年 8 月 13 日，苏共中央书记处向各加盟共和国共产党中央委员会、各共和国党委会、各边疆区和州的党委会发布的关于俄罗斯联邦党组织工作的通报指出：“中央书记处认为，鉴于苏联宪法监督委员会行将审理这一问题，各级党的集体和广大党员为了保存党的结构而采取的行动是正确的。就是在今后，也应利用各种手段去揭露俄罗斯联邦苏维埃社会主义共和国总统 7 月 20 日命令反民主的实质。因此，党的集体应当使关于召开公开的党的会议的建议更有效力，继续运用各种形式进行公开的抗议，做中央和地方人民代表的工作是很重要的。”“苏共中央书记处对匆忙决定取消基层党组织，并把党组织迁出企业和机关之外，其中包括为了加强区域的工作等做法提出警告。应该有批判地对待‘民主派’报刊有关这方面的报道和某些推进非党化进程的活动家的声明。截至 1991 年 8 月 12 日，莫斯科市的 1 万个基层党组织中有 55 个党委会奉指示撤出劳动集体之外……劳动集体中要不要党组织取决于党组织是怎样参

[1] ［意］尼科洛·马基雅维里著：《君主论》，潘汉典译，商务印书馆 2004 年版，第 46 页。

加共同的工作和它是否捍卫劳动人民的利益。”苏共中央书记处并没有坚决反对叶利钦的命令，而是认为采取变通的方式解决问题，“现在的立法能够比较灵活地解决保留党组织的地位和职能问题。例如，伊万诺沃建筑工程学院依靠‘社会团体法’实行共产党员派驻学院（党组织不是学院的党组织，而是学院所属的党组织）。某些领导人根据俄罗斯联邦苏维埃社会主义共和国‘企业和企业家活动法’第 32 条将集体和党组织的相互关系的问题转给签订集体条约的代表会议去解决。”[1] 苏共中央书记处实际上要求基层组织灵活地适应新形势，尽量在叶利钦所给予的夹缝中生存。

苏联总统向俄联邦当选总统致贺，1991 年

叶利钦上任后实际上也想当一个苏共总书记那样全权的总统，他对共产党的压制实际上是巩固其权力的需要，他这个地方领导人根本不把苏联的最高领导放在眼里，开始自行其是，他访问美国，表示要独立自主地与美国发展关系，声明俄罗斯不执行苏联政府制订的下一年的经济计划。对于叶利钦针对联盟中央和苏共的这些命令与决定，戈尔巴乔夫无力改变。正如博尔金所看到的：“实际上内阁的活动和苏联总统命令都贯彻不下去了，苏联版图内

[1] 沈志华总主编：《苏联历史档案选编》，第 30 卷，第 621 页。

的各国的首脑越来越经常地撇开戈尔巴乔夫和违背他的意愿而自行相会。共和国领导人的这种行为客观上剥夺了苏联总统的决策权。但是戈尔巴乔夫还没有彻底明白这一点，他觉得，只要集中掌握着党和国家的权力，只要有非常权力，总书记—总统就绝对控制着这个大国。实际上戈尔巴乔夫只是紧紧攥着缰绳，而他的马早就被卸套了，它们现在拉着别人的车奔向相反的方向。”[1]从叶利钦宣誓就任俄罗斯总统时起，苏联实际上已经被架空了，正如基辛格所说："叶利钦以俄罗斯总统的身份，重申俄罗斯的独立（因此等于暗示其他的苏维埃共和国也是独立的），实质上等于解散了苏联，也等于架空了戈尔巴乔夫担任苏联总统的职位。”[2]在这种情况下，戈尔巴乔夫只能改革联盟体制以适应新的形势，通过承认加盟共和国更多的权益来换取他们对中央的支持，但由于在发展道路上叶利钦已经走上了否定社会主义之路，双方要达成妥协是困难的。

四、革新联盟希望再现，新联盟条约诞生

叶利钦就任俄罗斯总统后，戈尔巴乔夫保住自己政治家地位和影响的唯一可能就是成功完成苏维埃社会主义共和国联盟这一国家形式的改革进程，签署新的联盟条约。他和叶利钦之间暂时休战，但准备新联盟条约的过程很艰难。为了争取叶利钦能够签署新联盟条约，戈尔巴乔夫作出了最大限度的让步，联盟中央只保留了制定安全、外交、社会政策以及协调经济活动等权力。

社会广泛讨论的是1991年6月16日形成，6月27日，公布的主权国家联盟条约草案。7月22—23日，戈尔巴乔夫与叶利钦、纳扎尔巴耶夫在新奥加廖沃会晤，对新联盟条约草案进行了重大改动：联邦变成了松散的联盟，联盟权力机关的职能也较模糊。这些改动是秘密的，7月23日，在新奥加廖沃协商好的新联盟条约最后文本没有对外发表。

7月23日，一批政治活动家和社会活动家（包括国防委员会副主席巴克拉诺夫）在《苏维埃俄罗斯报》上发表《告俄罗斯各族人民书》，表示要不分老幼奋起捍卫国家。

[1] ［俄］瓦·博尔金著：《戈尔巴乔夫沉浮录》，第368页。

[2] ［美］亨利·基辛格著：《大外交》，第739页。

1991年7月29—30日，戈尔巴乔夫与叶利钦、纳扎尔巴耶夫在新奥加廖沃再次举行秘密会晤，戈尔巴乔夫建议俄罗斯和哈萨克斯坦总统不是在9—10月，而是在8月20日开始签署条约。共和国的领导人同意了这一建议，因为他们明白苏联最高苏维埃和人代会不会通过这样的条约，而8月份人民代表们正在休假，是签订条约的好时机。在交换意见中戈尔巴乔夫接受了共和国领导人关于在财政预算中实行单一的税收体系的建议。戈尔巴乔夫还同意解除总理帕夫洛夫、克格勃主席克留奇科夫、国防部长亚佐夫、内务部长普戈、国家广播电视委员会主席克拉夫琴科、副总统亚纳耶夫的职务，他们三人商定由纳扎尔巴耶夫任总理。叶利钦在谈到新奥加廖沃条约时说："我同戈尔巴乔夫突然都清清楚楚地感觉到，我们二者的利益终于相互一致了，这些角色让我俩完全满意。戈尔巴乔夫保住他最高的职位，我则保住自己的独立。这对于我们二人而言乃是理想的决策。"[1]

8月2日，戈尔巴乔夫发表电视讲话，声称8月20日俄罗斯、哈萨克斯坦和乌兹别克斯坦率先签署新联盟条约。8月4日，戈尔巴乔夫去克里木的福罗斯别墅休假，计划19日回来。

福罗斯别墅，位于克里木半岛的最南端，这里原来十分荒凉，一年大部分时间刮狂风，只有8、9月份适合休闲。1985年秋天，开始在这里为戈尔巴乔夫修建新官邸。是将一座山"开膛破肚"后建的，别墅的主体建筑是一座铺砌着优质大理石的三层宫殿，富丽堂皇，舒适无比。"无论是苏联领导人，还是西方国家的领袖，此前都没有这样档次的别墅，只有齐奥塞斯库和他的妻子建的别墅比这个豪华。"[2]据估计，这一别墅按1986年价格计，造价是8.5亿卢布，加上维修、维护的费用，这也是国家一笔不小的负担。1988年，戈尔巴乔夫一家第一次来这里休假。1991年8月21日，当记者首次见到这一别墅时，描写道："20世纪克里木半岛南岸一共建了两座神奇的建筑，一座是尼古拉二世的里瓦几亚宫，另一个就是戈尔巴乔夫的那座革命色彩十足的'霞光'工程。"[3]切尔尼亚耶夫对此也不理解，他写道："位于里瓦几亚的以前的那幢

---

[1] ［俄］鲍里斯·叶利钦著：《总统笔记》，第45页。

[2] ［俄］罗伊·麦德维杰夫著：《苏联的最后一年》，第77页。

[3] 《苏维埃俄罗斯报》1992年1月16日。

别墅，比起从捷谢利到萨雷奇角的这片宽阔土地上修建起来的这栋别墅，简直就是庸俗的棚子。”[1] 戈尔巴乔夫一方面倡导改革、反对干部特权；另一方面又在为自己建造苏联历史上从未有过的、耗资巨大的超豪华别墅，如果此事在公开性和叶利钦反特权时期被曝光，恐怕他早就威信扫地了。

戈尔巴乔夫在福罗斯别墅也没完全休息，他让其助手们在继续完善条约文本，在给梅德韦杰夫的电话中说：计划 8 月 15 日在媒体上公布条约，8 月 20 日签署，21 日建立解决当时紧迫问题的三个联邦委员会：粮食、原料和财政。[2]1991 年 8 月 14 日，《莫斯科新闻》刊登了 7 月 23 日确定的新联盟条约的最终文本，8 月 16 日，苏联各大媒体也争先公布了新联盟条约文本。按照新公布的条约文本，苏维埃社会主义共和国联盟将改名为“苏维埃主权共和国联盟”，简称仍为苏联[3]。新条约规定：苏维埃主权共和国联盟是主权联邦民主国家，“缔约的每一个共和国都是主权国家。”“结成联盟的各共和国在保证平等的政治权利、社会经济与文化发展的同时，保留着自己独立决定自我发展的一切问题的权利。”“在国际关系中苏维埃主权国家联盟作为一个主权国家，是国际法主体——苏维埃社会主义共和国联盟的继承者……结成联盟的国家也是国际社会全权的一员，他们可以与外国建立直接的外交、领事关系，以及贸易关系，交换全权代表，缔结国际条约和参加各国际组织的活动。”参加联盟的成员是自愿的，各成员有同样的权利和义务，成员国可以自由加入和退出。联盟的疆域由所有参加联盟国家的领土组成，参加国承认缔约时的边界。各成员国相互关系的原则是：平等、尊重主权和领土完整、不干涉内政、和平解决争端、合作互助、诚实履行根据联盟条约和共和国间协议而承担的义务。在联盟职权范围内，联盟法律至高无上；在共和国职权范围内，共和国法律在本共和国境内至高无上。土地、矿藏、水源和其他自然资源均为各共和国所有。为筹集联盟财政预算支出的拨款，建立联盟统一税收和在联盟与各共和国协商的基

[1] *Черняев А.С.* Шесть лет с Горбачевым. М., 1993. С.222.

[2] В Политбюро ЦК КПСС… По записям Анатолия Черняева, Вадима Медведева, Георгия Шахназарова (1985–1991). www.gorby.ru/2006.16.08.

[3] 在俄文中“苏维埃社会主义共和国联盟”与“苏维埃主权共和国联盟”的缩写一样，都是“СССР”。

础上确定税率。结盟国家的最高权力机关赞成本条约，条约将自签字之日起生效，1922 年的联盟条约即同时失效。[1] 为了保住联盟，戈尔巴乔夫作出了很大让步，可以看到，在联邦政府和共和国的关系中，共和国是第一位的。新联盟条约许多条款内容含糊不清，如联盟没有明确税收比例，联盟的财政预算要取决于共和国提供多少，联邦与加盟共和国的权力划分也不清，有人认为如果签订这一条约就意味着联盟国家的灭亡。在签字前如此短的时间里公布这个条约，实际上也意味着没有时间再对其进行修改了。

1991 年 8 月 19 日之前，有 15 名评论家组成的小组对该条约作出法律上的评价。他们指出其有许多内部矛盾、不合逻辑和没有法律意义之处，提出这一文件的法律意义值得怀疑。这一条约“承认联邦，但在实际上建立的并不是联邦制国家，而是国家俱乐部。这是导致苏联消失的最直接的途径，这其中决定了未来的货币、军队、海关等等。实行这种路线是秘密的、不清楚的，它有双倍的危险，因此这样的构想将导致产生一个国家怪物。”[2]

卢基扬诺夫在得知新联盟条约最后文本后，于 8 月 16 日发表“苏联最高苏维埃主席声明”，重申了 1991 年 7 月 12 日苏联最高苏维埃决议的立场。卢基扬诺夫要求注意，联盟条约必须在苏联最高苏维埃对之进行加工后才能签署，并要反映 3 月 17 日全民公决的结果，即保留革新的、但是统一的联邦国家。卢基扬诺夫认为，如果新联盟条约签署，它将破坏苏联的统一经济空间、统一的银行系统、整个联盟的所有权、税收、预算体系，法律战会加剧，国家政权和管理机关的继承也无法得到保证。[3] 叶利钦认为，“最高苏维埃完全操纵在卢基扬诺夫一人手中。人民代表们对经济改革、新联盟条约及戈尔巴乔夫的整个改革的抵触是毋庸置疑的。这个议会主要代表着对改革不满的苏联上层精英。”[4]

根据帕夫洛夫总理的建议，部长会议在 1991 年 8 月 17 日讨论了条约的

---

[1] Союз можно было сохранить. Белая кника. С.268–283.

[2] 转引自 *Барсенков А.С.,Вдовин А.И.* История России.1938–2002. М., 2003. С.376.

[3] ［俄］安纳托利·卢基扬诺夫著：《俄罗斯骚乱的漩涡》，莫斯科 1999 年，第 55—56 页，转引自［俄］罗伊·麦德维杰夫著：《苏联的最后一年》，第 86 页。

[4] ［俄］鲍里斯·叶利钦著：《总统笔记》，第 58 页。

最后文本，他也提出了一些建议和要求，部长们建议必须加到备忘录中。这个备忘录应该成为条约必不可少的一部分和必须履行的。戈尔巴乔夫同意8月19日与总理会晤讨论这些建议。

戈尔巴乔夫、叶利钦等人认为，新条约意味着联盟的更新，“我想，如果我们三个人商量好的事情得以实现的话，那么许许多多的事情就会出现另外的结果，历史也会完全可能沿着另外一条道路发展。”“8月19日以后，苏联在一天内就不复存在了……”[1]

有人认为，在“8・19”之前新奥加廖沃进程已经导致了苏联作为一个统一国家不再存在。签署的条约可能不意味着苏联瞬间消失，还保留有统一的军队、货币，与苏联统一空间相联系的基础设施（能源、交通等等），但是在消除共同的管理机构的情况下它们的解体会成为近期的问题。准备签署的条约草案所确定的苏联各共和国的关系实质在后来1991年12月文件中合法化了。[2]哈萨克斯坦总统纳扎尔巴耶夫说：“今天我理解到，即便我们签署了条约也无法解决国家日积月累的政治问题。戈尔巴乔夫已经丧失管理权，国家政治经济部门政权危机十分尖锐，国家威信大幅降低。最终，戈尔巴乔夫被迫不仅和各加盟共和国首脑，还需要和四十多个自治体进行谈判，它们在新的条件下开始要求享受和加盟共和国同样的权力。”[3]

戈尔巴乔夫动身到克里木休假后，苏联保守派领导人就在策划阴谋，以中断改革，完全恢复中央和苏共的权力。[4]戈尔巴乔夫休假，为强硬派提供了方便。在他休假期间，副总统亚纳耶夫、总理帕夫洛夫成了苏联的头号人物，舍宁负责苏共中央的工作。另外大权在握的三个人：克格勃主席克留奇科夫、苏联总统国防委员会副主席巴克拉诺夫以及总统办公厅主任博尔金，都是新联盟条约的反对者。8月6日，克留奇科夫与国防部长亚佐夫会晤，次日开始研究在国内实行紧急状态的问题。

[1]　［俄］鲍里斯・叶利钦著：《总统笔记》，第47、45页。

[2]　转引自 *БарсенковА.С., ВдовинА.И.* История России.1938–2002. М., 2003. С.377.

[3]　［哈］努・纳扎尔巴耶夫著：《时代、命运、个人》，第72页。

[4]　*Согрин В.В.* Политическая история современной России. 1985–2001: от Горбачёва до Путина. М., 2001. С.87.

戈尔巴乔夫在休假期间给很多人打过电话，讨论新联盟条约签字仪式的细节，8 月 14 日他还跟叶利钦通电话。叶利钦还是有些让人不放心，他于 8 月 17 日没有通知戈尔巴乔夫就飞到阿拉木图对哈萨克斯坦进行访问。不过，已经得到充分休息的戈尔巴乔夫还是满怀信心地期待 8 月 20 日举行新联盟条约签字仪式。不料，强硬派发动的“8・19”事变打断了戈尔巴乔夫的计划。

第三节　事与愿违的“8・19”事变[1]

在苏联解体的进程中，1991 年发生的“8・19”事变起了很大的促进作用，尽管当事人、史学家对此有不同的解释与看法，至今还有许多谜团没有解开，但在谈到这一事件的后果时，比较一致的看法是这一事件加剧了苏联的解体。“8・19”事变是苏共党内危机的反映，几位试图维护苏联原来联盟体制的政治家发动政变，企图恢复中央集权以挽救苏联，但仅仅两天就宣告失败。“8・19”事变的悲剧性在于，它以维护苏联为目的，却成了苏联加速瓦解的催化剂。

一、苏共党内分裂加剧，强硬派对戈尔巴乔夫不满

苏联共产党是苏联国家政治制度和社会的核心，苏共靠自上而下的各级党组织管理着国家。戈尔巴乔夫开始政治体制改革后，党纪松弛，党内出现了不同的思想派别和组织派别。在公开性和民主化的条件下，苏共未能适应新的环境，没有形成一个坚强的领导改革的核心，戈尔巴乔夫虽然提出了“新思维”，“但它没有被作为一种全面的、令人信服的思想体系加以实施。”[2] 共产党几十年习惯于垄断权力和意识形态，进入政治体制改革后，各种思潮大量涌现，起初矛头对着斯大林模式的社会主义，1989 年底以后，又开始把矛头转向列宁。索尔仁尼琴的《古拉格群岛》虽然揭露的是斯大林时期的恐怖，但矛头指向布尔什维克思想体系。据统计，“1990 年曾发表过约 1 万篇含批判列宁和列宁主义内容的文章和材料。按照（苏联）国家统计委员会的数据，仅在随

---

[1]　俄国学者和苏联官方对“8・19”事变用的词是“путч”，意为“叛乱”。

[2]　［俄］罗伊・麦德维杰夫著：《俄罗斯向何处去？——俄罗斯能搞社会主义吗?》，第 1 页。

后的1991年的上半年，在苏联就公布了不下1700份材料，指责列宁犯有五花八门的政治和刑事犯罪——从叛国罪到传播性病等。”[1]对此，苏共并没有进行有力的回击。“1991年年中，苏共事实上已经输掉了国内的思想争论。”[2]

思想领域的危机和无所适从，必然影响到组织建设，正如巴卡京所说：“马克思主义的思想危机不是米·戈尔巴乔夫引起来的，而是他揭露的，并试图解决它；在这场危机爆发以后，在上层建筑领域里开始了一场斗争。不是进化，而是‘社会主义的’党国旧机构和‘民主主义’新力量之间的斗争。”[3]苏共分成了大量独立的、代表不同集团利益的政治派别。有以列宁格勒和斯维尔德洛夫斯克为中心的保守派，有极端程度不同的几个派别，也有民主派。

苏共二十八大以后，苏联领导层发生了很大变化，利加乔夫、雅科夫列夫、谢瓦尔德纳泽离开了苏共中央政治局和书记处，一些强硬派新人出现在国家高级领导岗位上。来自乌克兰的弗拉基米尔·伊瓦什科被选为苏共中央副总书记，来自克拉斯诺亚尔斯克的奥列格·舍宁成了政治局委员，苏共中央书记奥列格·巴克拉诺夫升为政治局委员，苏共中央新书记亚历山大·扎索霍夫负责意识形态工作；瓦季姆·巴卡京的内务部部长职务由苏共中央政治局候补委员、苏共中央监察委员会主席鲍里斯·普戈取代。以亚佐夫为代表的许多军人实际上反对戈尔巴乔夫的内外政策，据阿尔巴托夫的观察，“相当大一部分军方领导人反对最近几年的整个政策，他们知道，说出有关那个时候的政治领导人和有关斯大林的真相，将是对我们的极权主义制度的堡垒的又一次打击。二次大战常被用来为斯大林犯的罪行作辩护的主要借口。这种辩护是这样的：是啊，是有过镇压，有过对农民的剥夺，但是后来我们胜利了，并且拯救了欧洲。但是没有人给自己提出这样的问题：‘可是我们付出了什么代价？那种灾难是不是不可避免的？我们难道有任何理由不应取得胜利吗？’”[4]

在局势混乱的情况下，苏联和苏共需要一个坚强有力的领导人，而戈尔

[1] ［俄］罗伊·麦德维杰夫著：《俄罗斯向何处去？——俄罗斯能搞社会主义吗?》，第2—3页。

[2] 同上书，第5页。

[3] ［俄］瓦·巴卡京著：《摆脱克格勃——克格勃最后一任主席回忆录》，第218页。

[4] ［俄］格·阿·阿尔巴托夫著：《苏联政治内幕：知情者的见证》，第212页。

巴乔夫不是这样的人，用其对手叶利钦的话说："自身的天性使戈尔巴乔夫富有外交手腕，善于妥协折中，精于玩弄从容不迫而又纷繁复杂的人事把戏，更能掌握奥妙的'东方'式的统治法术，但戈尔巴乔夫被那些我们苏维埃国家机器的'典型代表人物'包围起来，从而为他自己掘好了陷阱。戈尔巴乔夫赋予他们以巨大的权力，推动自己的班子急剧地改变方针。同时，自身的政治命运又让米哈伊尔·谢尔盖耶维奇与左派势力对话，与民主派进行政治妥协。"[1]戈尔巴乔夫的顾问们建议他辞去苏共中央总书记的职务，专心当好总统，当时苏共中央已经不是政权机构，在莫斯科党的机构发挥不了任何作用，但州区等地方党委仍在起管理国家的作用，戈尔巴乔夫希望通过担任苏共中央总书记来保持苏共的统一，防止苏共的联邦化和国家的解体，实际上他未能达到此目的。苏共党内很多人对戈尔巴乔夫不满，有意撤换他，但找不出能跟叶利钦对抗的有魅力的其他领导人，长期养尊处优的地位使苏共党内充斥着官僚，而缺少贴近民众的领袖。许多面临着失去地位和影响的人，希望回到改革前的状态，靠垄断权力舒舒服服地过日子。

从1990年秋天开始，苏共党内的保守派就在酝酿实行紧急状态，国家安全机关的领导人在制订实施紧急状态的计划，在1990年冬和1991年春曾有一系列的行动，1991年1月中旬发生的立陶宛事件，国防部长亚佐夫、克格勃主席克留奇科夫、内务部长普戈都直接参与，一周后类似的尝试又发生在拉脱维亚，3月在俄罗斯非常人代会召开前夕，军队开进了莫斯科。在1991年4月苏共中央全会上，代表们激烈批评戈尔巴乔夫，75名州委第一书记中有45人要求解除戈尔巴乔夫苏共中央总书记的职务。戈尔巴乔夫用手敲着桌子，说要辞职，但中央委员会和政治局经过讨论发现，除了忍耐戈尔巴乔夫，别无他法，"中央委员中就找不出一个，哪怕只是临时担任中央委员会领导的人物，而且没有一个中央委员愿意担任这个领导……政治局恳请总书记收回辞职申请，继续履行先前的职责，戈尔巴乔夫答应了这个要求，原因也是'为了党的最高利益'。"[2]也有人认为，戈尔巴乔夫是因为4月23日在新奥加廖沃与九个共和国的领导人达成了在近期签署主权国家新联盟条约协议才保住了总书记

[1] ［俄］鲍里斯·叶利钦著：《总统笔记》，第20—21页。

[2] ［俄］罗伊·麦德维杰夫著：《苏联的最后一年》，第31—32页。

职位。[1] 不管怎么样，戈尔巴乔夫的地位还是无人能替代的，尽管许多人对戈尔巴乔夫的批评是切中要害的，但是他们也提不出能够使党和国家摆脱危机的纲领。

在这种情况下，有人劝戈尔巴乔夫甩开这些保守派，建立社会民主党，阿巴尔金就是其中之一，他说："我向党的领导人谈到这个话题，也跟中央委员们说过，得到的答复是为时尚早。"[2] 党内不少有影响的人物要求戈尔巴乔夫履行其作为总书记和总统的职责，苏联最高苏维埃 500 名代表组成的"联盟"议员团发表声明："如果在召开第四次苏联人代会前的 30 天内国内形势仍没有根本好转，那么人代会就应该解决关于总统本人的问题，对总统的信任将结束。"在 1991 年 6 月 17 日召开的最高苏维埃会议上，内阁总理帕夫洛夫宣称内阁不是总统的，表明总统和内阁间存在分歧，而且这一分歧还不仅限于一些小事，而是体现在摆脱危机的方式、方法中，他们必须就很多问题与总统协调立场，但总统却常常找不出时间来解决内阁经常遇到的问题。[3] 国防部长亚佐夫在发言中说，苏联的强国地位开始动摇，军队状况堪忧；内务部长普戈称犯罪率在上升；克格勃主席克留奇科夫说，国内外都有人在策划反对苏联政治经济体制的阴谋，他提到必须在交通、能源、冶金、金融，以及国内的某些区域实行紧急状态，以保持社会稳定。[4] 而戈尔巴乔夫在 6 月 21 日的会议上发言却宣称总统与政府间没有分歧，不必实行紧急状态，要保证经济的非军事化和向市场经济过渡。

1991 年 6 月，俄罗斯联邦总统选举和市长的选举结果，表明苏共在人民中已经没有什么威信，苏共支持的候选人在 100 万以上人口的城市，即工人和知识分子集中的地方都输掉了，这加剧了苏共的危机。时任中央委员的罗伊·麦德维杰夫说："苏共好像不再是执政党，而苏共中央工作人员似乎觉得这样更好。无论大事还是小事，都能感觉到苏共新地位的征兆……不仅是著

[1] История России. XX век. Отв.редактор *В.П. Дмитренко*. М., 1998. С.590.

[2] *Абалкин Л. И.* Теория социальных альтернатив неизменна.Она определяет логику общественного прогресса. www.ng.ru/ng_politics/2010–04–06/9_theory.html.

[3] ［俄］罗伊·麦德维杰夫著：《苏联的最后一年》，第 54 页。

[4] 同上书，第 55 页。

名的政治家和社会活动家，而且几百万普通党员也公开宣布退出苏共。仅从1990 年 1 月到 1991 年 6 月，苏共党员人数就减少了 400 万，从 1900 万下降到 1500 万。”[1] 军队对军工企业转产，军事战略思想的改变，裁减军备，从东欧撤军不满。

1991 年 7 月 25—26 日，在克里姆林宫召开苏共中央全会，这是最后一次苏共中央全会。主要议题是讨论新党纲草案和关于联盟条约草案。在这次会议上戈尔巴乔夫明确强调了社会主义与市场不仅相容，而且实质上是不可分开的，他强调要建立混合的、多种所有制成分的经济。对于苏共，他承认苏共内部已经形成了不同的派别，认为苏共要想取得胜利，只能要求自己成为一个有政治作为的党。[2] 戈尔巴乔夫在中央全会上受到攻击，许多人指责他背离了马克思列宁主义，要求他向政治局汇报和各共和国领导人会见、谈判的情况。被认为是保守派的俄共第一书记波洛兹科夫声明要从第一书记的位置上退下来，戈尔巴乔夫也希望如此，但俄罗斯联邦各州党委第一书记们一致反对他辞职，说明苏共内的保守势力还很强大。改革派最终还是占了上风，全会通过了《关于苏共纲领草案和各级党组织对草案进行讨论的任务的决定》，决定于 1991 年 11—12 月召开苏共第二十九次代表大会，会上将通过新党纲。但戈尔巴乔夫认为在苏共二十九大上“原教旨主义者和改革派分子最后会闹到劳燕分飞、各行其是的结局。”[3] 有人认为，此后，戈尔巴乔夫从依靠党和国家的官僚们以及军事—肃反工作者集团，转而采取与各共和国领袖，苏共中的改良派，由谢瓦尔德纳泽、雅科夫列夫、波波夫领导的民主改革运动中的“新民主主义者”合作的态度。[4] 雅科夫列夫、波波夫、谢瓦尔德纳泽、沙塔林、沃尔斯基、西拉耶夫等签署声明，主张成立民主改革运动。7 月 2 日，雅科夫列夫还在《消息报》上发表《需要新步骤》一文，表示：“我向来主张多党制，而更准确地讲是主张理性的民主的两党制……这就是为什么我同意并支持以民主为导向的运动和政党的主张。”激进派希望甩掉保守派的愿望在这次全会上也没有达到。

---

[1] ［俄］罗伊·麦德维杰夫著：《苏联的最后一年》，第 61 页。

[2] ［俄］米·谢·戈尔巴乔夫著：《戈尔巴乔夫回忆录》下册，第 1325—1327 页。

[3] 同上书，第 1327 页。

[4] ［俄］瓦·巴卡京著：《摆脱克格勃——克格勃最后一任主席回忆录》，第 41 页。

1991 年 7 月 27 日，雅科夫列夫提出辞呈，与戈尔巴乔夫分手。1991 年 8 月 15 日，苏共中央监察委员会主席团常委会作出了决定，认为雅科夫列夫有“违背苏共章程和分裂党的行动，认为他不宜继续留在苏共队伍里。”8 月 16 日，雅科夫列夫给苏共中央机关党委的声明，认为这是对他的侮辱和迫害，“我想提醒社会，在党的领导核心里已形成了颇有势力的斯大林式的集团，它反对 1985 年的政治方针，阻碍我国的社会进步。实际上这是党的领导违背自己的宣言，正在摆脱党内的民主派，为进行社会复仇、进行党内政变和国家政变做准备。在这种条件下，我认为再在苏共内部为民主改造事业服务已经是不可能的和不道德的了，因此我声明退出苏联共产党。我的良心要求我这么做。”[1]同一天，雅科夫列夫还写了一封致苏联共产党员的公开信《论复仇主义的危险》，他认为党的领导采取了把民主派清除出党的方针，“现在的领导应该对摧毁党和使党从政治舞台上消失承担全部责任，我个人认为他们在政治上是目光短浅的”。他认为“业已形成的最高权势机关不仅抗拒要求革新、自由和民主的任何运动，而且由于武断、非理性思维以及不能遵循正常道德和人权的通行标准，它本身已成了对社会的威胁，成了进步的障碍。不仅如此，这个机关企图唆使人民群众反对改革，反对提倡改革的人。”“最终，党没有实现民主重建，也没有与专制的过去决裂，更没有变成有作为的政治组织。”“六年的改革表明，苏共的组织结构和苏共领导的行动使苏共急剧滑向同社会、特别是同社会中的最爱国最积极最有作为的那部分人对抗的地步。”“需要有一个由建设性反对派组成的运动，这个运动不是集中力量去搞什么意识形态争吵，不是要什么政客手腕来自我肯定、也不是为什么人的野心而斗个没完没了，而是捍卫健全的理性和合理的实用主义，争取通过能在今天和未来使人民和全国生活得到一些改善的决议和法律。”[2]

民主派采取了离开的办法与戈尔巴乔夫分手，强硬派则想把戈尔巴乔夫赶下台，“卢基扬诺夫本人后来证实，党内的‘健康力量’根本不打算按照戈尔巴乔夫的日历乖乖地在 11 月充当牺牲品，而是打算‘在 9 月举行的非常中

[1] ［俄］亚·尼·雅科夫列夫著：《一杯苦酒——俄罗斯的布尔什维主义和改革运动》，第 235—236 页。

[2] 同上书，第 236—242 页。

央全会上提出罢免戈尔巴乔夫的总书记的职务问题。戈尔巴乔夫看来知道此事。'"[1] 为了解除戈尔巴乔夫苏共总书记和苏联总统的职务，苏共反对派和党的机关筹备在1991年9月召开非常的苏共代表大会和苏联人民代表大会。戈尔巴乔夫向加盟共和国领袖寻求支持，许诺彻底地扩大他们的权限并加紧准备于1991年8月签订新的联盟条约。抢在戈尔巴乔夫采取行动之前，国家紧急状态委员会发动了著名的"8·19"事变。

在戈尔巴乔夫休假前，有许多人警告他可能发生政变，但他置之不理。阿尔巴托夫认为，戈尔巴乔夫"对国家处于灾难的边缘也负有很大一部分责任。那是他不听众多的警告，任命一些政治骗子、改革的反对者、反动分子和不道德的人担任高官，处于高位。他还通过发布总统令或立法手续准备和规定了一整套紧急措施，这些措施显然是他自已打算在情况变得最坏的时候加以采用的（但实际上却被政变分子所用）。他甚至指挥了使用这些措施的几次'预演'，例如在波罗的海共和国中的一月事件和3月18日在莫斯科出动军队（虽然作为一种结果我们也进行了反抗的预演，人们至少变得不怕坦克和军队了）。最后，尽管右翼采取行动的危险已很明显，他仍然不听众多的警告而去休假。"[2]

"8·19"事变并不是偶然的，它是苏共党内危机的反映，苏共党内潜在的冲突变成了公开的决战。

二、"8·19"事变的策划

如何评价"8·19"事变？有人认为是一场政变，有人认为是挽救濒于解体的苏联的最后尝试。俄官方的说法则是"叛乱"。为什么要发动这一行动？至今仍说法不一。

"8·19"事变一年后，俄罗斯总检察长B.斯捷潘科夫宣布的原因如下：1991年7月底，戈尔巴乔夫与叶利钦、纳扎尔巴耶夫在克里姆林宫秘密会晤，在这次会晤中达成协议，矛头指向苏联政治领导层的保守派核心。其中包括

---

[1] ［俄］安德烈·格拉乔夫著：《戈尔巴乔夫之谜》，第310页。

[2] ［俄］格·阿·阿尔巴托夫著：《苏联政治内幕：知情者的见证》，第445页注。

在8月20日签署联盟条约后，要解除苏联总理帕夫洛夫、国防部长亚佐夫、克格勃主席克留奇科夫的职务。克留奇科夫知道了会晤的内容，抢先发动了政变。[1]

当年的民主派认为，叛乱分子的目的是挽救行将崩溃的共产主义制度；国家紧急状态委员会成员声明此举是为了拯救国家；戈尔巴乔夫则认为，国家紧急状态委员会成员是想挽救自己岌岌可危的地位，"国家紧急状态委员会的声明说，促使他们采取行动的完全是一种爱国主义感情，——这纯系骗人的鬼话。我不愿说他们对于国家的命运完全无动于衷。但是他们把国家和旧体制相提并论了，而他们行事的动机，首先考虑的是自己的功名利禄，甚至一己私利，希望保住自己的职位。"[2] 原苏联最高苏维埃主席、后国家杜马议员卢基扬诺夫在"8·19"事变10周年之际指出："10年来，我的观点始终没有改变，即这是一场组织得糟糕的挽救苏联的尝试。"他否认这是一场阴谋政变，因为政变的目的是改变现存制度，而国家紧急状态委员会尝试保存现存制度。卢基扬诺夫透露，国家紧急状态委员会并不是"8·19"事变前夕成立的，它成立于1991年春天，成员是戈尔巴乔夫"钦定"的，当时已经准备好了紧急状态委员会的公文纸和公章。换句话说，戈尔巴乔夫了解事件的原委，他被困之说与事实不符。卢基扬诺夫认为，戈尔巴乔夫的主要对手是叶利钦，他的策略是，如果国家紧急状态委员会获得胜利，他将骑红色的马回到莫斯科，如果叶利钦获胜，他将骑白色的马回到莫斯科。戈尔巴乔夫的如意算盘是在任何结局下都能保留自己的总统地位。[3] 被认为是"8·19"事变主谋的克留奇科夫说，由于苏联不少地区民族冲突事件时有发生，他们曾不断提出在全国或部分地区实行紧急状态或实行总统治理的问题，"1990年间，由于南奥塞梯、波罗的海沿岸，尤其是立陶宛和拉脱维亚所发生的事件，在这方面曾一再作出指示。1991年，鉴于阿塞拜疆、亚美尼亚和摩尔达维亚发生的事件，苏联总统下达了许多类似的命令。在许多地区，因为动乱和罢工，形势白热化到极限。因此，这样的委托具有十分具体的性质：拟定有关决定、呼吁书的草案，提出有组织的紧

[1] Известия. 13 августа.1992.

[2] ［俄］米·谢·戈尔巴乔夫著：《戈尔巴乔夫回忆录》下册，第1339页。

[3] 李永全：《莫斯科咏叹调》，东方出版社2006年版，第33页。

急措施的提纲。”[1] 他认为，“国家紧急状态委员会的成员没有想出什么新办法，因为一切决定、行动和呼吁都是在 1990—1991 年间按照戈尔巴乔夫本人提出的任务研究拟定的。”[2] 在国家陷入混乱的情况下，确实需要秩序，戈尔巴乔夫也许有过这方面的考虑，但国家紧急状态委员会搞的解除戈尔巴乔夫职务而实行的紧急状态很难说是戈尔巴乔夫的方案。在当时国家局势严峻的情况下，身体并没有多大问题的戈尔巴乔夫不应该放下工作去休假。“很多人都认为，当时的事情很多，国家局势非常严重，戈尔巴乔夫在这非常关键的一个星期去休假，是有意让身边这些战友放手大干一场。”[3] 戈尔巴乔夫不合时宜的休假为政变者提供了机会。

8 月 14 日，苏联《莫斯科新闻》周报公布了《苏维埃主权共和国联盟条约》，引起了许多人的不满和担忧，克留奇科夫认为主要任务是整顿秩序而不是设计新的联盟条约，“新条约的设计只会搞垮苏联，是提不出任何积极的取代方案的。这一条约一旦签署，苏联的灭亡即不可逆转。要拯救局势，需要新的途径。”[4] 不满者认为应该采取行动阻止这一条约的签署。

8 月 17 日下午，政变成员在位于列宁大街尽头的克格勃中心秘密开会，亚佐夫、巴克拉诺夫、舍宁、博尔金等人参加，亚纳耶夫、卢基扬诺夫和普戈没有参加这次会议。国防部副部长弗拉季斯拉夫·阿恰洛夫上将、瓦连京·瓦连尼科夫大将参加了会议。没有人作出马上采取行动的决断，但也不想无动于衷。聚集在一起的这些人一个共同的特点就是都不同意戈尔巴乔夫的内外方针，据克留奇科夫回忆：“1991 年夏天，一次在克里姆林宫开会，会议的休息时间，大家谈起了国家局势和改革。我问一些同志，他们一共是 8 人，如果我们早知道改革会带来这样的结果，我们还会开始改革吗？在场的德米特里·季

[1] [俄] 弗·亚·克留奇科夫著：《个人档案（1941—1994）——苏联克格勃主席弗·亚·克留奇科夫狱中自述》，第 424—425 页。

[2] 同上书，第 426 页。

[3] [俄] 罗伊·麦德维杰夫著：《苏联的最后一年》，第 82 页。

[4] [俄] 弗·亚·克留奇科夫著：《个人档案（1941—1994）——苏联克格勃主席弗·亚·克留奇科夫狱中自述》，第 442—443 页。

莫费耶维奇·亚佐夫说：‘我们为什么需要改革？’”[1] 最后决定向戈尔巴乔夫派特别代表团以说服其采取措施拯救国家，推迟新联盟条约的签署。

8月18日中午，戈尔巴乔夫同副总统亚纳耶夫通话，并告诉亚纳耶夫他抵达莫斯科的具体时间，亚纳耶夫答应要去机场迎接戈尔巴乔夫。午餐后，戈尔巴乔夫继续起草预定在新联盟条约签字仪式上发表的演说稿。下午4时30分，巴克拉诺夫、舍宁、博尔金和瓦连尼科夫飞到福罗斯与戈尔巴乔夫会面，同行的还有克格勃第九局局长普列汉诺夫和副局长格涅拉罗夫。此时，戈尔巴乔夫的对外联系被切断。

戈尔巴乔夫这样描写当时的场景：差10分5点卫士长通知他来了一群人要求见他，戈尔巴乔夫很吃惊，想确定这些人是谁派来的，但电话不通，他让家人做最坏的准备，然后与这些人见了面。这些人要求戈尔巴乔夫要么签署实行紧急状态的法令，要么把职权交给副总统，但戈尔巴乔夫没有答应他们的要求。戈尔巴乔夫说：“只有想自杀的人才会现在在我国实施紧急状态。我同此事毫无关系。”他警告他们说人民不会支持，建议召开最高苏维埃和人民代表大会，在那里解决一切问题。但这些人并不听他的，戈尔巴乔夫最后说：“那么就这样吧。没有什么可以再谈的了。回去报告，我绝对反对你们的计划，你们将被击败。但是我为我们的人民和我们近年来所取得的东西而担忧。”[2]

博尔金这样描写他见到的戈尔巴乔夫：“他一副病态，步履蹒跚，脸呈赤红色，这与其说是阳光晒的，不如说是血压高的缘故，他给人一种痛苦和不满的感觉。他迅速同大家握手问候，不看任何人，怒气冲冲地问：‘出什么事了？为什么不事先通报一下？电话怎么都不通了？’‘米哈伊尔·谢尔盖耶维奇，有很多问题需要讨论。’‘什么问题？’”“‘我们来的目的是讨论国内局势问题。’舍宁说。‘你们代表什么人？以谁的名义讲话？’戈尔巴乔夫打断他的话。”他们以为能够得到戈尔巴乔夫准备在国内实行紧急状态的指示，但戈尔巴乔夫不配合，他们向他汇报国内的局势，说政府和最高苏维埃反对他们没参加讨论

[1] [俄] 弗·亚·克留奇科夫著：《个人档案（1941—1994）——苏联克格勃主席弗·亚·克留奇科夫狱中自述》，第234—235页。

[2] [俄] 米哈伊尔·戈尔巴乔夫著：《八月政变》，岱奋译，世界知识出版社1992年版，第12—17页。

的新联盟条约，向他汇报了准备实行紧急状态以稳定经济，“他突然问道，紧急状态措施是否也适用于俄罗斯领导人的行为。当听到肯定的答复后，他感到完全放心了。”戈尔巴乔夫强调这些方案最好通过民主的方式实施，并要求向同志们转达他的意见，握手告别时，他又补充说：“好吧，就这样，你们干吧。”[1] 他们认为，“戈尔巴乔夫只要确信实行紧急措施会取得初步的良好效果，他就将公开地，且以最积极的方式给予支持。”[2] 在这里，博尔金说戈尔巴乔夫身体欠佳显然是谎言，几天后当戈尔巴乔夫从福罗斯回来时并没有丝毫的病容，“8·19”事变的组织者靠制造戈尔巴乔夫生病的谎言来接管权力显然是不合法的。

格拉乔夫描写道：“8月18日下午5时许，舍宁、巴克拉诺夫、瓦连尼科夫、博尔金和普列汉诺夫（戈尔巴乔夫当即将他拒之门外）组成的代表团来到福罗斯时，戈尔巴乔夫向他们提出的第一个问题是：‘谁派你们来的？’从他的卫队长向他报告有客人从莫斯科来拜访他，到那些人出现在他的办公室这40分钟之内，他已经搞清：包括最高统帅战略通讯在内的所有电话，均悉数关掉。他把家人集合起来，并向他们发出警告：要准备应付事态的任何发展——从‘赫鲁晓夫模式’到更加悲剧性的结局。”[3] 这些人要求戈尔巴乔夫要么签署关于在波罗的海三国、摩尔达维亚、亚美尼亚、格鲁吉亚及乌克兰和俄罗斯联邦的‘个别州’实行‘总统治理’，换言之就是紧急状态的文件，要么他将自己的权力交给副总统亚纳耶夫并靠边站，让国家紧急状态委员会替他把脏活干完，戈尔巴乔夫听了火冒三丈：“你们和派你们来的人都是冒险主义分子。你们要毁掉自己，那是你们自己的事。可你们要毁掉国家，毁掉我们所做的一切。就把这个话给派你们来的委员会捎去吧。”[4]“预谋的这次行动，目的言简意赅：阻止新的联盟条约的签署。”[5] 他认为，克留奇科夫从春天开始就在筹划

---

[1] ［俄］瓦·博尔金著：《戈尔巴乔夫沉浮录》，第9—11页。

[2] ［俄］弗·亚·克留奇科夫著：《个人档案（1941—1994）——苏联克格勃主席弗·亚·克留奇科夫狱中自述》，第535页。

[3] ［俄］安德烈·格拉乔夫著：《戈尔巴乔夫之谜》，第314页。

[4] 同上书，第317页。

[5] 同上书，第315页。

此事。

“8·19”事变组织者的实际意图是阻止新联盟条约的签署，而签署新联盟条约是戈尔巴乔夫经过苦苦努力好不容易才与各共和国领导人达成的协议，此时他跟叶利钦站在同一战线上，因此，说戈尔巴乔夫默认之说并不成立，皮霍亚的结论应该更符合实际：“分析现有的资料使人确信，这一阴谋是违背戈尔巴乔夫的意愿的，尽管戈尔巴乔夫经常谈到可以实行紧急状态，他的这种说法对于国家紧急状态委员会图谋的最终成熟起到了‘营养高汤’的作用。戈尔巴乔夫拒绝与国家紧急状态委员会成员合作，但是并没有与他们发生直接冲突。让我们再来回忆一下当时的重要细节：戈尔巴乔夫的卫队始终忠实于他。8月21日，正是他的卫队威胁说要采用武力，拘留了飞到福罗斯的国家紧急状态委员会的代表团成员，并且强迫他们必须接通与外界的通信联络。而戈尔巴乔夫却出尔反尔，力求逃避责任，把责任推到了直接执行者身上，所有这一切构成了八月政变的特有因素。”[1]从戈尔巴乔夫自己所描述的对政变者的谈话看，他的反对态度不够坚决。在紧急状态委员会开始行动后，戈尔巴乔夫于8月19日下午提交一份要求：立即恢复通信联系，派一架飞机把他送回莫斯科。他让助手切尔尼亚耶夫帮助起草了一份声明：亚纳耶夫等人的行动是非法的，没有法律效力，要求紧急召开苏联最高苏维埃和人民代表大会，决定政府应该采取的措施，立即中止国家紧急状态委员会的活动。[2]

8月18日晚7时，巴克拉诺夫、舍宁、博尔金和瓦连尼科夫等人返回莫斯科，戈尔巴乔夫及其周围的人都被严格看管起来，实际上把戈尔巴乔夫软禁起来了。晚9时，政变者聚集到克里姆林宫帕夫洛夫总理的办公室开会，至8月19日凌晨3时左右才结束，参加会议的有：帕夫洛夫、克留奇科夫、亚纳耶夫、亚佐夫、卢基扬诺夫、舍宁、普戈、博尔金等。“多数人倾向于这种观点，既然戈尔巴乔夫不置可否，就应该按照既定方针办，对外宣布戈尔巴乔夫生病，由副总统亚纳耶夫签署实行紧急状态的法令。所有文件都已准备好，大家一致提议亚纳耶夫领导‘国家紧急状态委员会’。”[3]大家推举亚纳耶夫担任

[1] ［俄］鲁·格·皮霍亚著：《苏联政权史（1945—1991）》，第729页，俄文第585页。

[2] ［俄］米哈伊尔·戈尔巴乔夫著：《八月政变》，第19—20页。

[3] ［俄］罗伊·麦德维杰夫著：《苏联的最后一年》，第95页。

紧急状态委员会的主席，成员有国防会议第一副主席巴克拉诺夫、克格勃主席克留奇科夫、国防部长亚佐夫、总理帕夫洛夫、内务部长普戈、苏联农民联盟主席斯塔罗杜布采夫，苏联国营企业和工业、建筑、运输、邮电设施联合会会长季贾科夫等，一共 8 人，都是苏联掌握军政大权的领导人。

作为紧急状态委员会的第一把手，代行总统职权的副总统亚纳耶夫说：8 月 18 日 21—22 点之间，他被叫到克里姆林宫，在政府大厦三层一间办公室里，坐着帕夫洛夫、亚佐夫、普戈、巴克拉诺夫、克留奇科夫等人，他们在此坐了快一天了。谈国家严峻的局势，应该采取措施，但通过什么道路克服危机，大家在争论。共同的看法是在基础部门和一些地区宣布紧急状态。亚纳耶夫表示："没有戈尔巴乔夫的同意我不宣布在特定地区实行紧急状态。"他不知道戈尔巴乔夫已被软禁，被大家要求履行总统职责。他们说戈尔巴乔夫身体不好。他是被迫签署命令、声明和呼吁书。[1] 苏联末任克格勃主席、当时任国家安全委员会成员的巴卡京在回忆录中证实了亚纳耶夫的说法：8 月 19 日早晨他看到的亚纳耶夫神经极端紧张，在办公室里走来走去，不停地吸烟，他对巴卡京说："半夜四点钟把我从床上叫了起来，把我送到了这里，花了两个钟头说服我，我同意了，所有文件我都签了字。戈尔巴乔夫完全意志消沉了，什么也不明白，他已经不能控制自己。头天晚上他们在他那里。所以需要我来担负起管理国家的责任。这是正确的。"[2]

8 月 19 日 11 点左右，苏共中央书记处在舍宁的主持下召开非常全体会议，对成立国家紧急状态委员会及其有关决议表示追认，给各加盟共和国和地区党的领导机关发了密码电报，要求尽一切可能支持紧急状态委员会的活动，但具体应该做什么，事件的发动者并不清楚。

据当时的国家安全委员会成员普里马科夫回忆，8 月 20 日早晨 8 点，他去克里姆林宫上班，没有遭到任何阻拦，半小时后，他去找亚纳耶夫，遇到的是正在用酒精麻醉自己的亚纳耶夫，普里马科夫要求他去电视台发表讲话，拒绝国家紧急状态委员会，他表示："一切都安排好了。米哈伊尔·谢尔盖耶维

[1] 《星火》杂志披露的亚纳耶夫 1991 年 8 月 22 日入狱后的笔录，《当代世界》2003 年第 3 期，第 36—37 页。

[2] ［俄］瓦·巴卡京著：《摆脱克格勃——克格勃最后一任主席回忆录》，第 2 页。

奇一回来，我们就一起工作。”亚纳耶夫给人的印象是（实际上也是如此）国家紧急状态委员会宣布其为代总统，也就是国家第一号人物的亚纳耶夫，远非阴谋的“首席小提琴手”，他真诚地希望所发生的一切原来是一场噩梦。也许他当时喝酒正是为了让自己变得轻松些。[1]

政变的实际筹划者是国家安全委员会（克格勃）主席克留奇科夫。克格勃在戈尔巴乔夫改革以后并未发生实质性的变化，它由30个总管理局、管理局和独立科组成，第一总管理局是情报局，主要向苏共中央国际部提供情报；第二总管理局实际上是反间谍局；第三总管理局负责军队中的反间谍工作；第四总管理局负责安全问题，并提供反间谍工作所需的交通工具；第六总管理局负责经济安全问题。还有保卫宪法制度管理局。第七总管理局负责户外监视，“阿尔法”特别分队也属于这个局。第九局是保卫局，执行保卫国家最高官员的任务，还保卫苏共和国家机关的重要设施。边防军管理总局负责保卫苏联的陆海疆界，这是一项艰巨的任务。政府通讯管理局负责国家领导进行专门的密码通讯的工作。业务管理局集中了苏联一流的专家。克格勃有大约48万名工作人员。克格勃实际上长期在没有法律根据的条件下行使其职权。8月事件后成立的调查国家安全委员会的小组得出的结论是：“在实际上没有能于某种程度上控制其活动的法律基础的情况下，国家安全委员会的长期工作导致它实质上成为一个高度集中的机构，可以对社会生活的一切方面进行检查，而且以最有效地保证国家安全为借口，在自己手中集中了庞大的政治和军事力量。既然苏联最高苏维埃没有制定出规范性的法令，没能保证对苏联克格勃进行监督，所以它也就没有履行宪法赋予它的责任。苏联检察机关也没能对安全机构的工作进行有效的检查。结果安全委员会成为一种有其自己特殊利益的独立政治力量，客观上变成凌驾于苏联及各加盟共和国最高机关之上、不受其管辖的、超国家的设制。”[2] 从1990年秋天开始，戈尔巴乔夫明显倾向于保守势力，克格勃表现积极。1990年12月，克留奇科夫就委托心腹中的极少数几个人——第一总管理局副局长弗拉基米尔·日任，克格勃第一副主席维克托·格鲁什科的

---

[1] *Примаков Е.* Годы в большой политике. М., 1999. С.98.

[2] ［俄］瓦·巴卡京著：《摆脱克格勃——克格勃最后一任主席回忆录》，第37页。

副手阿列克谢·叶戈罗夫制定在非常情况下使国内局势保持稳定的措施。[1]

苏联最高苏维埃主席卢基扬诺夫没有参加紧急状态委员会，但被认为是紧急状态委员会的思想家。卢基扬诺夫是戈尔巴乔夫的同学和多年好友，不仅与紧急状态委员会联系密切，而且对戈尔巴乔夫有很大影响，是他让戈尔巴乔夫疏远改革派而转向保守派。8 月 19 日早 6 时，卢基扬诺夫在电台和电视台发表声明，他批评条约草案，强调不能签署这样的文件。[2]

三、"8 · 19" 事变的发动与失败

8 月 19 日凌晨 4 时，苏联国家紧急状态委员会开始工作。6 时，苏联中央电视台和广播电台正式宣布了苏联副总统亚纳耶夫的命令：苏联总统戈尔巴乔夫因健康原因已不能履行总统职责，根据苏联宪法第 127 条，由副总统亚纳耶夫代行总统职务。事变发动者的行为显然是违反苏联宪法的。苏联宪法规定苏联总统，"为了确保苏联公民的安全，提出关于在个别地区宣布实行紧急状态的警告，而在必要情况下，根据苏联最高苏维埃主席团或者相应的加盟共和国最高国家权力机关的请求或者同意，宣布实行紧急状态。在缺少这种同意的情况下，宣布实行紧急状态并立即将所作出的决定提交苏联最高苏维埃批准。苏联最高苏维埃关于这个问题的决定要由不少于其成员总数 2/3 的多数通过。"代总统亚纳耶夫关于实行紧急状态的命令显然与此项条款不符。

大约 6 时 30 分，亚纳耶夫和总理帕夫洛夫、国防委员会第一副主席巴克拉诺夫发表了《苏联领导声明》，宣布从莫斯科时间 1991 年 8 月 19 日 4 时起，在苏联某些地方实行为期 6 个月的紧急状态，同时宣布成立"苏联国家紧急状态委员会"，在此期间，国家全部权力移交给苏联"国家紧急状态委员会"行使。苏联国家紧急状态委员会由苏联代总统亚纳耶夫、苏联总理帕夫洛夫、苏联国防会议第一副主席巴克拉诺夫、苏联国防部长亚佐夫、苏联内务部长普戈、苏联国家安全委员会主席克留奇科夫、苏联农民联盟主席斯塔罗杜布采夫、苏联

---

[1] ［俄］瓦·巴卡京著：《摆脱克格勃——克格勃最后一任主席回忆录》，第 39 页。

[2] *Андрусенко Л.* Двадцать ведущих политиков в августе 1991 года. www.ng.ru.2001.08.18.

国营企业和工业、建筑、运输、邮电设施联合会主席季贾科夫等 8 人组成。最高苏维埃主席卢基扬诺夫的名字虽然没有出现在紧急状态委员会的名单中，但他实际上站在他们一边。苏联陆军总司令瓦连尼科夫积极负责实施紧急状态，负责戈尔巴乔夫保卫工作的普列汉诺夫执行了软禁戈尔巴乔夫的命令，使他同外界的联系完全中断。几乎所有和戈尔巴乔夫一道并肩工作的高官都参加了政变。

苏联国家紧急状态委员会发表《告苏联人民书》，作为国家紧急状态委员会的成立宣言和对此次事变的正式解释。《告苏联人民书》，指出：

同胞们！

在我们祖国和我国各族人民命运面临的严峻危机时刻，我们向你们发出呼吁，我们伟大的祖国面临致命的危险，由戈尔巴乔夫发起并开始的改革政策，原想作为保障国家迅速发展和使社会生活民主化的手段，却因种种原因进入了死胡同……

出现了极端主义势力，它们奉行消灭苏联、瓦解国家和不惜一切代价夺权的方针，它们利用赋予的自由，蹂躏刚刚出土的民主萌芽。赞成祖国统一的全民投票结果遭到了践踏。利用民族感情进行无耻的投机，只是为了掩盖他们的野心。无论是本国人民今天的灾难，还是明天的前途，都不能使那些政治冒险家动心……

应该由人民选择社会制度，但有人企图剥夺他们的这一权利。有些人手中握有权力，却不把权力用于关心每位公民和全社会的安全和幸福，而把它用来谋求与人民格格不入的利益。用作无原则的自我肯定的手段。滔滔不绝的话语、堆积如山的声明和许诺只能突出地证明所做的具体工作微乎其微。权力的膨胀比任何其他膨胀都更为可怕地破坏着我们国家和社会。每位公民都对明天越来越失去了信心，对自己的孩子的未来感到深切担忧……

国家紧急状态委员会意识到破坏我们国家的危机的深度，它担负起了对祖国命运的责任，并决心采取最重大的措施使国家和社会尽快走出危机。[1]

[1] Хрестоматия по отечественной истории (1946–1995). М., 1996 .С.355–356.

中午11时，国家紧急状态委员会发布第一号命令，这个包括16项内容的命令说，为了维护苏联各族人民的切身利益、国家的领土完整、恢复法制和克服危机，各级政权机关和管理机关必须无条件实施紧急状态，无力确保实施紧急状态的机关将被停止活动，而由紧急状态委员会任命的专门全权代表负责；立即解散违反苏联宪法和苏联法律的权力机关与管理机构，以及军事化组织；权力机关和管理机关颁布的违反苏联宪法和法律的法令与决定一律无效；停止阻碍局势正常化的政党、社会团体的活动；公民和团体非法拥有的武器必须立即交出；禁止集会、游行、示威和罢工等，必要时可实行宵禁；坚决与“影子经济”作斗争，对贪污、盗窃、投机倒把、不善经营和经济领域内的其他违法行为，坚定地采取刑事措施和行政手段。该命令还要求苏联内阁采取措施保障居民食品和消费品的供应等。

国家紧急状态委员会宣布他们的目的是：为了民主化进程，为了政治改革，把国家建立在新的基础上，促进经济和社会的繁荣，在世界上占有重要地位。宣布要在一周内公布经济纲领，降低物价，提高工资、退休金、助学金、补助金等。发展多种成分的经济，支持私人企业，发展生产和服务业。国家紧急状态委员会并没有号召保卫社会主义，没有“共产主义”、“社会主义”这样的用词，而主要是唤起人们的爱国主义情感，团结所有苏联公民，而不管他们的政治偏好。但是，民众从中看到的是传统社会主义模式的复活，是已经获得的政治自由的丧失。实际上事变的发动者除了宣布权力转移到他们手中外，没有别的新东西，他们所用的词语在以往的文件中也说过不止一次了。

本来按计划，应该先逮捕叶利钦，但是由于他们忙于去同戈尔巴乔夫谈判、举行会议和喝酒，使计划拖了下来，政变者还寄希望于议会批准亚纳耶夫代行总统职权，使政变合法化。在政变开始的第一个上午，莫斯科并没有发生任何变化，人们照常在大街上行走。政变者对自己的行动没有信心，帕夫洛夫因喝酒过多，犯了心脏病，被送进了医院。只有亚佐夫和克留奇科夫在支撑着局面，上午11时，克留奇科夫从克格勃总部给亚佐夫打来电话焦急地说：“我谁也找不到，帕夫洛夫、亚纳耶夫、巴克拉诺夫，他们都到哪去了？后来我的副官告诉我说，他们全都到亚纳耶夫那里喝酒去了。”亚佐夫告诉克留奇科夫，帕夫洛夫住进了克里姆林宫医院。亚佐夫这时明显地意识到，他们的行动成功的希望渺茫。

8 月 19 日早晨，在阿尔汉格尔斯克别墅睡梦中的叶利钦被女儿叫起，被告知发生了政变。但别墅的电视可以照常收看，电话可以接听，紧急状态委员会并没有对叶利钦采取行动。俄罗斯联邦的领导人：哈斯布拉托夫、沙赫赖、波尔托拉宁、布尔布利斯、西拉耶夫等半小时后都来到了这里，总统叶利钦立即组织大家对政变进行反击，大家一起起草了《俄罗斯领导人告俄罗斯公民书》，并用传真机发出去。叶利钦没料到事情做得如此容易，他在谈到此事时说："克留奇科夫没有预料到这一点。由于近两三年商业的迅速发展，在我们国家里新的通信手段大量涌现。在我女儿刚印完告俄罗斯公民书后一个小时，莫斯科和其他城市的人们就读到了这个文件。外国通讯社、专业和业余计算机网、几家类似《莫斯科回声》的独立无线电台、交易所及许多主要刊物的通信网也都转发了这一文件，还出现了数以万计的复印件。"[1]

国家紧急状态委员会并没有对叶利钦采取强硬行动，"快到早晨 9 时了，电话还在响着，别墅周围没有什么明显的人员走动。该开始走动了，于是我决定去白宫。"[2] 本来克留奇科夫派出"阿尔法"小组到阿尔汉格尔斯克别墅去逮捕叶利钦，但"逮捕叶利钦的命令之所以没有执行，是由于分队的领导意见不一致。'阿尔法'的一个副队长卡尔普欣将军坚持要逮捕叶利钦。另外两个队长反对。20 日，通过多种通讯渠道又把'阿尔法'全体人员召集起来，但是他们弄清情况以后，拒绝参加任何行动。"[3] 克留奇科夫说没有过逮捕叶利钦的计划，派"阿尔法"小组去阿尔汉格尔斯克别墅区是为了保证国家紧急状态委员会的代表同俄罗斯总统会晤的安全。[4] 叶利钦于上午 9 时半离开了别墅，当挂着俄罗斯联邦国旗的叶利钦的车队离开别墅开往"白宫"时，隐藏在路旁的特种部队"阿尔法"小组"按兵不动，战士们默默地注视着疾驶而过的车队。"他们事后说，"当时只有特种部队小队长卡尔普欣通过无线电声嘶力竭地命令

[1] ［俄］鲍里斯・叶利钦著：《总统笔记》，第 66 页。

[2] 同上书，第 69 页。

[3] ［俄］瓦・巴卡京著：《摆脱克格勃——克格勃最后一任主席回忆录》，第 11 页。

[4] ［俄］弗・亚・克留奇科夫著：《个人档案（1941—1994）——苏联克格勃主席弗・亚・克留奇科夫狱中自述》，第 554 页。

拦截车队。”[1]

在国防部，格拉乔夫、沙波什尼科夫等国防部的要员明显支持叶利钦。叶利钦从容地从别墅回到了俄联邦议会所在地——“白宫”。11时46分，叶利钦在“白宫”举行记者招待会，宣读了俄罗斯领导人《告俄罗斯公民书》，其内容如下：

公民们！

1991年8月19日凌晨，合法选出的国家总统被解职了。

无论用什么理由来为解除总统职务一事辩解，我们都认为这是一次右派的、反动的、反宪法的政变……

我们过去和现在一致认为，这种武力解决方法是不能接受的。它损害了苏联在世界的声誉，破坏了我们在国际社会中的威信，使我们回到冷战时代，使苏联与国际社会隔绝开来……所有这一切迫使我们不得不宣布这个的所谓委员会是非法的。这个委员会的一切命令都是非法的。

我们相信，地方政权机关能始终不渝地遵守俄罗斯的各项宪法法律和俄罗斯总统令。

我们呼吁俄罗斯公民对叛乱分子给予应有的回击，要求国家走上正常的合法的发展道路。必须保证苏联总统戈尔巴乔夫有机会对全国人民讲话，我们要求紧急召开苏联非常人民代表大会。

我们坚信，我们的同胞不会让毫无廉耻的叛乱分子的专横和违法行为得逞。我们呼吁军人们表现出高度的公民责任感，不参与反动政变。

在这些要求得到满足之前，我们呼吁在俄罗斯全境内进行无限期的总罢工。[2]

在叶利钦的号召下，群众走上街头，中午12时许，莫斯科跑马场上有人举行集会，开始只有上千人，人越聚越多，集会者宣读了叶利钦的《告俄罗斯

[1] ［俄］科尔扎柯夫著：《我所知道的叶利钦：俄总统安全局前局长回忆录》，杨藻镜等译，外文出版社1999年版，第68页。

[2] Россия, которую мы не знали.1939 – 1993, Хрестоматия. С.371.

公民书》。直到此时，在国家紧急状态委员会的命令下，军队开到莫斯科，一队装甲车从大剧院方向开往跑马场广场。12 时 30 分，示威者在民族饭店前用两辆无轨电车封锁了特维尔大街。市中心的所有桥梁上都停着坦克，军队开始在莫斯科市内大规模调动。

尽管国家紧急状态委员会的主要矛头是针对叶利钦的，但亚纳耶夫等人试图借助宪法的权威，使紧急状态委员会行动合法，迟迟没有对叶利钦和俄罗斯联邦其他领导人采取措施。“白宫”的通信照常，叶利钦与西方领导人保持着联系，争取军方的支持，并做好了组织流亡政府的准备，在“白宫”成立了以鲁茨科伊为首的防卫司令部，组织保卫“白宫”。

俄联邦领导人发起宣传战，被禁止的激进派的报纸改用号外、传单的形式在莫斯科广为散发，其中心是苏联总统戈尔巴乔夫身体健康，意在向民众表明戈尔巴乔夫被解职的理由是站不住脚的，让人们认识到紧急状态委员会的不合法性。

民众站在路上阻挡坦克前进，表现出不惜以生命为代价保护俄联邦政权。“成千上万的莫斯科人响应俄罗斯领导的号召，往俄罗斯议会大厦走去，以捍

驶向“白宫”的坦克，1991 年 8 月

卫民主，保卫自由。‘白宫’周围筑起了街垒。”[1] 如果发生武力对抗，会造成流血，这是紧急状态委员会也不愿看到的。被派来包围“白宫”的塔曼师坦克连和图拉空降师倒戈，转到了叶利钦一边，其余部分保持中立，加里宁大街桥头和“白宫”周围的坦克炮口不是对着“白宫”，而是枪口朝外。叶利钦得到了空降部队司令员格拉乔夫的支持，增强了叶利钦的信心。格拉乔夫派列别德将军率领图拉的空降兵来保卫“白宫”，叶利钦允许他把一连空降兵派驻大楼周围。在这种情况下，国家紧急状态委员会如果坚持用强力手段解决问题，会导致流血，甚至发生灾难性的内战。

8 月 19 日 13 时，叶利钦走出俄联邦议会大厦，在人们的欢呼声中登上封锁议会大厦的塔曼师 110 号坦克，他的几名助手也随其登上坦克。叶利钦发表了演讲，呼吁莫斯科人和俄罗斯全体公民进行反击。叶利钦向人们发表讲话，宣读《告俄罗斯公民书》，他还签署了一系列命令，宣布“凡以所谓国家紧急状态委员会名义颁布的命令都是非法的，它们在俄罗斯联邦境内一律无效。”苏联在俄罗斯联邦境内的所有权力机关，其中包括克格勃、内务部、国防部都转归他领导，他宣布自己对俄罗斯联邦境内的苏联军队有全权指挥权。叶利钦等俄罗斯联邦的领导向卢基扬诺夫递交备忘录，要求他公布戈尔巴乔夫健康状况及其所在地的真相，立即召开苏联最高苏维埃会议，对紧急状态作出法律评价，取缔非法的国家紧急状态委员会的命令。

8 月 19 日下午 5 时许，苏联最高苏维埃主席卢基扬诺夫宣布定于 8 月 26 日在莫斯科召开苏联最高苏维埃非常会议，会议将批准在苏联个别地区实行紧急状态的决定。紧接着，亚纳耶夫颁布命令，宣布从 8 月 19 日起在莫斯科实行紧急状态，任命莫斯科军区司令加里宁上将为莫斯科市卫戍司令，授权他颁布必须严格执行维持紧急状态的命令。苏联国家紧急状态委员会发布第二号命令，决定暂时限制中央、莫斯科市和州的社会出版物，只允许下列报纸出版：《劳动报》、《工人论坛报》、《消息报》、《真理报》、《红星报》、《苏维埃俄罗斯报》、《莫斯科真理报》、《列宁旗帜报》、《农村生活报》。

在下午 5 时 46 分举行的记者招待会上，政变者表现得并不坚定，亚纳耶夫的手在发抖，他在谈到戈尔巴乔夫时说，戈尔巴乔夫“处于十分安全的状态

---

[1] ［俄］瓦・巴卡京著：《摆脱克格勃——克格勃最后一任主席回忆录》，第 3 页。

1991年8月，叶利钦在坦克上发表讲演

中，没有受到任何威胁”，“现在正在克里木休息和治疗”，希望“戈尔巴乔夫康复后履行自己的职责”。“我的朋友戈尔巴乔夫总统将会归队，我们还将在一起工作”。他们没有拿到证明戈尔巴乔夫病重的医生证明，而正是他们说戈尔巴乔夫健康状况不佳。在记者招待会上，记者们的问题使紧急状态委员会成员陷入死胡同，国家紧急状态委员会的合法性不足。帕夫洛夫病倒了，克留奇科夫没有参加记者招待会。紧急状态委员会确实没有可信服的领袖。“国家紧急状态委员会的任何一个领导人都没有赢得大众的信任，他们中的某些人，我们以前根本就不认识。”[1]

8月20日，紧急状态委员会除了继续宣传其声明等文件外，没有什么切实的行动，这天允许出版的报刊除了刊登紧急状态委员会的声明和命令外，还刊登了卢基扬诺夫对新联盟条约草案的声明，但落款日期是8月16日[2]。卢基

[1] ［俄］罗伊·麦德维杰夫著：《苏联的最后一年》，第112页。

[2] 格拉乔夫认为是卢基扬诺夫改动了日期，以便让人觉得与政变无关。见［俄］安德烈·格拉乔夫著：《戈尔巴乔夫之谜》，第322—323页。

扬诺夫的声明称："条约的许多条款是违反苏联宪法的，需要做很大的更动；它会引起劳动公民的疑问。还说匆忙签订条约使他深感不安。"[1]这一声明在政治和法律上支持了紧急状态委员会，但卢基扬诺夫与紧急状态委员会保持着距离。

叶利钦和哈斯布拉托夫在俄联邦最高苏维埃会议上

在粉碎"8·19"事变中，俄罗斯的领导人起了决定性作用，俄罗斯联邦总统叶利钦、总理西拉耶夫、议长哈斯布拉托夫目标一致，号召人民保卫宪法，支持合法选举的政权机关，与叛乱分子进行斗争。8月20日早，"白宫"周围聚集了不下5万人，有些人构筑了堡垒，要誓死保卫之。用武力攻占俄罗斯领导人的办公地点无疑会造成大量伤亡，没有人想那么做。格拉乔夫一直与叶利钦保持联系，空军司令沙波什尼科夫公开声明不用武力反对人民。巴卡京在俄共中央监察委员会主席尼古拉·斯托利亚罗夫的要求下，与国防部长亚佐夫进行联系，劝说军队不要冲击议会大厦，并得到了亚佐夫的保证。俄罗斯联邦总统叶利钦、副总统鲁茨科伊、议会代主席哈斯布拉托夫、政府总理西拉耶夫联名致信苏联最高苏维埃主席卢基扬诺夫，并要求：在收到信的24小时内

[1] ［俄］鲍里斯·叶利钦著：《总统笔记》，第74页。

会见戈尔巴乔夫；在三天内对戈尔巴乔夫进行有世界卫生组织专家参加的医疗检查，并将检查结果公布于众；取消对俄罗斯所有舆论工具活动的限制；在俄罗斯联邦8月21日召开最高苏维埃非例行会议期间停止在俄联邦境内实行紧急状态；将军队撤回原驻地；确保俄罗斯总统不受阻碍地行使职权；停止对俄罗斯领导的威胁，确保他们不受侵犯和自由出入；解散苏联国家紧急状态委员会，撤销其所有命令和决定。卢基扬诺夫与哈斯布拉托夫、鲁茨科伊、西拉耶夫会见，当得知俄罗斯领导人不会放弃抵抗后表示，争取说服政变者将部署在“白宫”附近的军队撤走。[1]

8月20日11时30分，普里马科夫与巴卡京通过国际文传电讯发表联合声明：“我们认为，实行紧急状态和把国家权力移交给一部分人是违反宪法的。据我们掌握的材料，苏联总统米・谢・戈尔巴乔夫身体健康。作为安全委员会成员，我们有责任要求立刻从各城市街道上撤走装甲车，尽一切可能防止流血事件的发生。我们也要求确保戈尔巴乔夫的个人安全，让他有机会立刻发表公开讲话。”[2]

苏联最高苏维埃主席卢基扬诺夫承认国家紧急状态委员会的行为合法，苏共中央积极支持国家紧急状态委员会，向共和国和区委、州委发布指示：采取措施让党员参加国家紧急状态委员会的行动。但政变者过高估计了中央对共和国的权力，只有中亚一些共和国和阿塞拜疆支持国家紧急状态委员会，尽管他们没有正式承认。波罗的海国家、哈萨克斯坦和摩尔多瓦则坚决反对。8月20日，各加盟共和国的形势也发生了不利于国家紧急状态委员会的变化。哈萨克斯坦总统纳扎尔巴耶夫发表正式声明：“宣布紧急状态只能以宪法和法律为基础”，苏联国家紧急状态委员会“在没有苏联最高苏维埃的参加下制定出公开违法的文件”。他希望听到戈尔巴乔夫本人的意见，建议立即在苏联最高苏维埃会议上讨论政治形势，在10天内召开苏联非常人民代表大会。乌兹别克斯坦宣布没有必要在其境内实行紧急状态。摩尔多瓦总统斯涅古尔发布命令宣布苏联国家紧急状态委员会的决定和命令在该共和国境内不具有法律效力。摩尔多瓦总理穆拉夫斯基发布命令，禁止在该共和国发行《劳动报》、《工人论

[1]　［俄］罗伊・麦德维杰夫著：《苏联的最后一年》，第116页。

[2]　*Примаков Е.* Годы в большой политике. М., 1999. С.101.

坛报》、《真理报》、《消息报》、《红星报》、《苏维埃俄罗斯报》、《农村生活报》、《莫斯科真理报》。格鲁吉亚总统加姆萨胡尔季阿发表呼吁书，要求西方国家支持苏联的民主、多党制以及人民选出的议会和总统。立陶宛最高苏维埃主席兰茨贝基斯则抨击紧急状态委员会实行军事独裁，号召立陶宛人“为保卫共和国而战”。

西方国家对苏联国家紧急状态委员会的行动坚决抵制，美国总统布什发表声明，反对通过政变手段搞掉戈尔巴乔夫并要求他们恢复戈尔巴乔夫的权力，宣布暂停美国对苏联的援助；加拿大宣布冻结西方三国财长会议上达成的2亿美元的对苏援助；日本宣布冻结对苏联的援助计划；世界银行宣布取消向苏联提供技术援助而设立的3000万美元基金的建议；欧共体12国宣布中止对苏联的经济技术援助。

8月20日中午，国家紧急状态委员会作出攻占“白宫”，拘捕监禁叶利钦的决定，但没有人来执行这个决定，他们也不知道如何执行这个决定，接到命令的格拉乔夫没有向部队下达命令，而是告诉了俄罗斯领导人，并表示即使接到了进攻“白宫”的命令，他也不会动手；负责攻占“白宫”准备工作的是卡尔普欣领导的“阿尔法”小组，他们很清楚，可以攻占“白宫”，但以后怎么办？于是他们决定不执行这个命令。实际上，当时无论是克留奇科夫，还是亚佐夫都没有向军队下达无条件进攻“白宫”的命令，当时只是命令做准备，亚纳耶夫也反对使用武力，担心造成人员伤亡。据当时在莫斯科的中国记者记述8月20日的情景：“大街上的路人依然行色匆匆，与平时并没有什么两样。莫斯科河边有不少人在悠闲地垂钓。‘白宫’前面则是另一番情景。广场上聚集着近万人，人们身份不同，观点各异，正自发地围成一个个小堆，互相争论着，交换着看法。”[1]

尽管如此，人们还是很紧张，叶利钦的卫士们害怕紧急状态委员会发起对“白宫”的进攻，在20日深夜听到枪声后，想把叶利钦带到离“白宫”只有200米的美国大使馆，但被叶利钦拒绝了。[2]21日凌晨2时发生了不愉快的事，一队装甲车冲进加里宁大街立交桥下的通道时，3名阻止装甲车前进的年轻人死亡。这对政治局势的发展产生了很大影响，平民的死亡使紧急状态委员会的支持者

[1] 唐修哲、孙润玉：《岁月有痕——从苏联到俄罗斯亲历》，第183—184页。

[2] ［俄］科尔扎柯夫著：《我所知道的叶利钦：俄总统安全局前局长回忆录》，第77—78页。

动摇。如果再不停止，就可能发生流血冲突，政变者也不想走到这一步，克留奇科夫说："早在8月18日晚上我们就商定，无论如何要避免流血，一旦发生这样的危险，那我们就停止行动，现在，这一时刻终于来临了。"[1]

8月21日上午8时，在国防部部务会议上，空军司令沙波什尼科夫提出撤出莫斯科的军队，得到亚佐夫和其他与会者的赞成。最后，会议通过决议：军队撤回驻地，取消晚上的宵禁，请求议会审查紧急状态委员会是否合法。国家紧急状态委员会开始分崩离析，在21日早8时多在克里姆林宫召开的国家紧急状态委员会会议上，不少成员不到场，巴克拉诺夫宣布退出，亚佐夫也没参加。他们决定去见亚佐夫，决定不再冒险，停止国家紧急状态委员会的活动，派人到福罗斯，再次向戈尔巴乔夫汇报国内局势，并尽力说服他采取行动。11时，叶利钦在俄联邦最高苏维埃紧急会议上告诉大家，他已和苏联国家安全委员会主席克留奇科夫通了电话，说服对方取消了对"白宫"的包围，并同意一起去克里木接戈尔巴乔夫返回。

下午16时，苏联国防部举行记者招待会，宣布国防部部务会议决定把部署在紧急状态地区的军队撤回原驻地。莫斯科卫戍司令加里宁发布通告，说在首都莫斯科"实行宵禁是不合适的"。决定从8月21日起解除首都的宵禁。塔斯社还发表通告：前苏联国家紧急状态委员会8月19日关于限制中央、莫斯科市和州社会政治出版物出版的规定予以撤销。克留奇科夫、亚佐夫、巴克拉诺夫和季贾科夫去福罗斯见戈尔巴乔夫，卢基扬诺夫和伊瓦什科乘坐另一架飞机前往。戈尔巴乔夫拒绝与克留奇科夫、亚佐夫、巴克拉诺夫和季贾科夫见面，只同卢基扬诺夫和伊瓦什科见了面。

与此同时，叶利钦也立即派人去福罗斯，派去的人有总理西拉耶夫、内务部长杜纳耶夫，巴卡京和普里马科夫也随同前往，还有俄罗斯副总统鲁茨科伊及几名带武器的军官，几名俄罗斯人民代表、法国大使馆一等秘书佩斯西克、记者等。戈尔巴乔夫接见了他们，当晚8时，戈尔巴乔夫发表声明，强调他已完全控制了局势，并恢复了曾一度中断的与全国的联系，并称将于近日内重新完全行使他的总统职权。22日凌晨，戈尔巴乔夫从黑海休养地克里木乘

[1] [俄]弗·亚·克留奇科夫著：《个人档案（1941—1994）——苏联克格勃主席弗·亚·克留奇科夫狱中自述》，第570页。

飞机返回首都莫斯科。

戈尔巴乔夫一家从福罗斯回到莫斯科，1991 年 8 月 22 日

22 日，俄罗斯联邦总统叶利钦发布命令：取消紧急状态委员会及其成员的决定；解除紧急状态委员会所有成员的职务；要求苏联总检察机关追究政变参加者的刑事责任，俄罗斯联邦与联盟建立共同的专门委员会进行侦讯。[1] 叶利钦显然在扮演苏联总统的角色。

事变的发动者受到了惩处，在国家紧急状态委员会的 8 名成员中，内务部长普戈于 22 日开枪自杀（同时自杀的还有他的妻子），其余 7 名成员被捕，此外被捕者还有苏联最高苏维埃主席卢基扬诺夫、苏共中央政治局委员兼中央书记舍宁、陆军总司令瓦连尼科夫、总统办公厅主任博尔金、普列汉诺夫等 7 人。8 月 24 日，阿赫罗梅耶夫元帅在办公室上吊自杀，他在给苏联总统戈尔巴乔夫的遗书中写道：政变发生时他正在索契休假，没有人让他回来，但他认为自己应该回来，他知道这种做法不可能成功，“问题在于从 1990 年开始，我就确信，今天仍然确信，我们的国家正在走向消亡。她很快就要解体了。我在寻找大声

[1] Хрестоматия по отечественной истории (1946–1995). М., 1996. С.358.

说出这一切的办法。我要盘算，我参加‘委员会’的保障工作及最后与此相联系的被审查，会给我机会大声说出这一切。也许这种解释不令人信服和天真，但事实就是如此。在我的行为里没有自私的动机。”[1] 他在遗书中还说：“当我看到我的祖国正在消亡，我生命的所有寄托遭受破坏的时候，我不能再活下去了，我的年龄和我的整个生命都赋予我离去的权利，我一直斗争到最后时刻。”[2]8 月 26 日，苏共中央委员、苏共中央事务管理局局长尼古拉·克鲁奇纳自杀。但是，俄罗斯人还是很有理智的，“8·19”事变并没有变成大规模的迫害，虽然政变者被捕了，曾以“叛国罪”受到审判，但没有判刑。苏联解体，俄罗斯陷入混乱，最高苏维埃与总统之间的争斗、民众对休克疗法的不满、叶利钦炮轰“白宫”等等，影响着人们对“8·19”事变发动者的态度，1994 年 2 月 23 日，俄罗斯联邦国家杜马通过大赦法，因“8·19”事变而被审判者被大赦[3]，他们又在新的制度下找到了自己的位置。

第四节　“8·19”事变失败的原因与后果

“8·19”事变是一场计划不周的闹剧，反映了苏共内部由潜在的意见分歧走向公开的意见分歧，发动事变的强硬派不认同戈尔巴乔夫的改革措施，对苏联的衰落和失去东欧不满，但他们想用强力手段达到目的，显然难以成功。事变的发动者本意是想挽救摇摇欲坠的联盟，其结果却适得其反。“8·19”事变是苏联历史的又一个转折点，事变中断了改革，结束了苏联的社会主义，并加速了苏联的解体。

一、“8·19”事变失败的原因

关于“8·19”事变失败的原因，有各种各样的说法，政变者组织不好自

[1] Из книги: *Степанков В.,Лисов Е.* Кремлевский заговор. Версия следствия. Москва, Издательство “Огонек”, 1992. www.gorby.ru. 2007.07.08.

[2] ［俄］罗伊·麦德维杰夫著：《苏联的最后一年》，第 131 页。

[3] 瓦连尼科夫拒绝接受，他被无罪释放。

然是原因之一，国家紧急状态委员会匆忙上阵，他们也没把此事当成推翻苏联合法总统和俄罗斯民选总统的政变，“这些人没有篡夺国家所有政权、在苏联建立独裁统治的思想准备。这种独裁势必会引发大规模的迫害，甚至会导致恐怖事件的发生。克留奇科夫、亚佐夫、亚纳耶夫、帕夫洛夫等人，在开始冒险行动的时候，还是寄希望最后能和戈尔巴乔夫、叶利钦达成协议……国家紧急状态委员会的领袖们计划在8月19日与叶利钦举行一次会晤，试图通过这种方式找到某种双方都能接受的妥协方案。政治冲突中的任何一方都不知道，对方将如何行动。所有人因此都尽量避免可能造成难以收拾后果的不可逆的武力行为。”[1]国家紧急状态委员会没有采取果断的行动，它的工作仅仅限于分发文件和通过电话下达命令，没有采取什么切实的行动，正如叶利钦说：“叛乱分子们对国内所发生的变化估计不足。戈尔巴乔夫执政期间，除了官方政权以外，出现了社会舆论的一些领袖、政党、文化界的独立权威人士、民主报刊等等，要想堵住人们的嘴，只有通过残酷的血腥镇压、大肆的逮捕和死刑，或者用各种诡计在紧急状态的条件下以独特的新闻花招愚弄社会舆论，然而所有这一切叛乱分子们都没有用。这样，他们全盘皆输了。”“克格勃——作为政变的主要发动机，不想用鲜血玷污自己的手，希望用坦克履带的轰隆声或偶尔的几声警告性炮轰赢得胜利。”[2]此外，事变的发动者威望不高，没有真正的领袖人物。“在国家紧急状态委员会中没有领袖，没有一个使自己的见解成为行动口号和号令的权威人物”[3]。沙赫纳扎罗夫认为，“假如这个班子为首的是个遇事果断、不考虑后果的人，能够像叶利钦那样下令向人群开枪，他们没准就得手了”[4]。从一般事件发展的本来逻辑分析，以上这些说法有一定的道理，但事变的失败还有更重要的原因。

首先，经过几年的改革，苏联社会已经发生了变化，国家紧急状态委员会被许多当事人认为是注定要失败的阴谋，没有人想用武力解决问题（事变的发动者也是如此），没有人愿意看到流血，孩子们爬到坦克上玩耍，市民与官

---

[1] ［俄］罗伊·麦德维杰夫著：《苏联的最后一年》，第105页。

[2] ［俄］鲍里斯·叶利钦著：《总统笔记》，第90、80页。

[3] 同上书，第80页。

[4] ［俄］安德烈·格拉乔夫著：《戈尔巴乔夫之谜》，第324页。

兵聊天。说明现代社会的问题不能靠强硬手段解决，人们不愿为信仰而战，意识形态的交锋已不能转为社会对抗。正如普里马科夫认为，“之所以能成功地挫败这场阴谋，是因为国家已经变成了另一种样子。功勋首先属于莫斯科、列宁格勒和俄罗斯的居民，叶利钦个人的勇敢也起了很大作用，幸运的是，叛乱的领导者极其平庸。”[1] 巴卡京认为：“叛乱的组织者们在主要的一点上打错了算盘。他们没有考虑到，近几年来国内各族人民尝到了自由的甜头，把甘于受人支配的奴性从自己身上一点一滴地挤了出去。他们没有考虑到，最高层的政变已经不会像 1964 年那样遇到死一般的沉默。叛乱分子成了他们自己目光短浅、缺乏远见、对国内发生的变化不能作出正确评价的牺牲品。聚集在‘白宫’周围、阻止新专政到来的普通老百姓制止了他们。拒绝执行非法‘新政权’命令的军人制止了他们。民主主义的领袖们制止了他们，在危急关头，这些领袖表现出了自己的勇敢、决心和善于捍卫人民按照宪法赋予他们的权力，并且能够坚持这种权力。”[2]

其次，当时的国际环境已不同于战后初期或者 20 世纪 60 年代，世界已经紧密联系在一起，苏联不可能不顾国际社会的反映而自行其是，苏联面临的经济困难离不开与国际社会的合作，苏联的改革与发展需要良好的国际环境，因此，国际社会对苏联有着无形的压力。“支持戈尔巴乔夫在位，成为西方决策领袖的主要目标，他们认为换了别人当家，都不好打交道。1991 年 8 月显然是针对戈尔巴乔夫而爆发了一场奇怪的政变，所有民主国家领袖都站在‘法统’这一边，支持把戈尔巴乔夫拥立出来的共产主义宪法。”[3] 美国等西方大国对亚纳耶夫等人的行动完全持否定态度，纷纷表示支持戈尔巴乔夫和叶利钦，同时宣布中止对苏联的经济援助，向苏联国家紧急状态委员会施加压力，得不到国际社会的承认，他们很难成功。政变的发动者也明白这一点，他们事前派代表争取合法总统戈尔巴乔夫的支持，遭到了戈尔巴乔夫的拒绝，但他们仍希望在取得成功后得到戈尔巴乔夫的认可，没有采用武力手段解决问题。

再次，政变没有得到民众的拥护，遇到了意想不到的反抗。政变的发动

---

[1] *Примаков Е.* Годы в большой политике. М., 1999. С.98.

[2] ［俄］瓦·巴卡京著：《摆脱克格勃——克格勃最后一任主席回忆录》，第 44 页。

[3] ［美］亨利·基辛格著：《大外交》，第 727 页。

者以为要拯救国家、要克服危机，会得到民众的拥护，结果表明叶利钦的号召力比他们更强。人们显然认为他们合法选出的总统叶利钦更能代表他们的利益，并不想屈服于强硬派的武力威胁。叶利钦在反对政变者的问题上也表现了果断与坚决，正如戈尔巴乔夫所说："叶利钦组织的反对阴谋者的战斗起了巨大的作用。他采取了勇敢的立场，行动果断，挑起了全副重担。在那种非常的条件下，这是正确的。当我回到莫斯科时，我认可了他在反叛期间发布的法令。"[1]民众把紧急状态委员会看成是过去制度的象征，许多人认为，政变者的主要任务是恢复苏联在 1985 年前存在的秩序。[2] 莫斯科、列宁格勒的民众大多追随叶利钦，军队发生了分化，亚佐夫、克留奇科夫、巴克拉诺夫并不能让军队和克格勃完全听命于紧急状态委员会。沙波什尼科夫拒绝参与政变，列宁格勒军区司令萨姆索诺夫保证军队不进入列宁格勒市。

得不到民众的拥护是紧急状态委员会失败的重要原因，全苏社会舆论调查中心在"8·19"事变过程中所作的几次民意调查结果说明了这一问题：8 月 20 日下午 2 时，该机构公布对远离首都的克拉斯诺亚尔斯克 266 名市民进行调查的结果：72% 的人认为紧急状态委员会不合法，只有 12% 的人支持它。对于紧急状态委员会能否扭转国内局势，77% 的人持否定态度。还有 61% 的人认为，紧急状态委员会上台会引起大规模镇压。8 月 21 日早 6 时，又发表了对沃罗涅什 724 名市民的调查结果：49% 的人认为紧急状态委员会是非法的，28% 的人认为它是合法的，另外 23% 的人认为这个问题很难回答。8 月 20 日下午 5 时，俄议会派人对 1500 名莫斯科市民进行调查，只有 10% 的人支持紧急状态委员会，79.4% 的人反对该组织。只有 2.3% 的人信任亚纳耶夫，3.9% 的人支持帕夫洛夫。有 53% 的人认为应该让戈尔巴乔夫下台了。59% 的被调查人认为，紧急状态委员会的活动只能加剧局势的恶化。8 月 21 日下午 5 时 50 分，公布苏民意调查中心对 1792 名首都人士调查结果：73% 的人认为紧急状态委员会是非法的，只有 13% 的人认为它是合法的。同时还公布了对乌克兰和哈萨克斯坦的民意测验结果：支持紧急状态委员会的比重为 23% 和 14%，

[1] ［俄］米哈伊尔·戈尔巴乔夫著：《八月政变》，第 26 页。

[2] *Мунчаев Ш.М., Устинов В.М.* История Советского государства. 2-е изд. Доп и перераб. М., Норма, 2008. С.613.

反对紧急状态委员会的比重为 72% 和 52%。[1]

最后，事变的准备工作不够，仓促行事，既没有与各共和国协调立场，争取支持，也没有明确的纲领目标，让人们不知道他们到底要做什么。国家紧急状态委员会里缺少有威信的领袖人物，亚纳耶夫当副总统时就受到了许多苏维埃代表的反对；帕夫洛夫接替雷日科夫当总理后，也没有表现得更好，他的反危机纲领遭到许多共和国的反对，其经济政策也没有让民众受惠；亚佐夫、克留奇科夫在其所领导的军队和克格勃中也没有很高的威信，许多下属并不听命于他们，而是倾向叶利钦；巴克拉诺夫、普戈、舍宁等从地方调入中央不久，也缺少威信。

二、"8·19"事变的严重后果

"8·19"事变把苏联解体的进程从潜在的变成了公开的，它使苏共、克格勃、军队威信扫地，联盟机构瓦解，克格勃、总检察院、最高法院和其他权力机关陷于瘫痪，内阁全体人员辞职，戈尔巴乔夫失去了作为党和国家领导人所拥有的政权的力量。如果说在此之前戈尔巴乔夫的目标是坚持社会主义选择、维护苏共的统一和实现联盟国家的革新，那么此后他的目标只是竭力阻止联盟国家的解体。但是，以维护苏联原有的联盟体制为目标的"8·19"事变失败后，苏联解体的形势已无法逆转。对于"8·19"事变的消极后果，无论是政治家，还是学者都有共识。

戈尔巴乔夫坚持认为，"到 1991 年 7 月同各共和国达成了签订联盟条约的协议。反改革力量的政变破坏了条约的签署。虽然政变分子遭到了失败，1991 年 8 月事件大大推进了分崩的进程，有力地损伤了联盟中央的地位。俄罗斯领导利用了这一点，不断地试图取得作出具有全联盟意义的决定的权利。而这又更加加强了分离的进程和共和国之间的疏远，并导致了 1991 年 12 月俄罗斯、乌克兰和白俄罗斯之间搞的阴谋，导致了苏联的解体。"[2] 雷日科夫说："我认为政变成了标志我国改革寿终正寝的界石。改革陷于濒死状态了吗？是

[1] 转引自王国杰：《"八·一九事件"的透视与剖析》，载《俄罗斯中亚东欧研究》2000 年第 1 期。

[2] [俄] 米·谢·戈尔巴乔夫著：《对过去与未来的思考》，第 79 页。

的，它曾进行垂死挣扎。而现在，改革不可避免地死亡了。不论是侥幸还是倒霉，这迟早会受到历史的审判。”[1] 叶利钦说：“联盟机构全部陷入了休眠状态。很明显，实权都握在各共和国，首先是俄罗斯手中。”[2] 巴卡京也说：“这场冒险和这次克里木的软禁，已经使国家和总统的整个生活发生了急剧的变化。不确定的情况结束了。一切思想束缚都打破了。现在他已经成了完全不同的另一个人，另一个政治家。叛乱被挫败了，阴谋者们给逮捕起来，但是谁也不知道，明天对我们预示着什么。”[3]“在沙皇制度废墟上建立新的社会体制需要巨大的牺牲。帝国的残余当时对新政权进行了武装抵抗。现在，行政命令体制及其代表同样也会拼命扼杀新生活的萌芽。他们的破坏活动在很大程度上造成了戈尔巴乔夫改革的失败，制造了改革者个人的悲喜剧以及从政治舞台的退出。然而，戈尔巴乔夫已经在历史上占据了一席之地。”[4]1991 年 10 月 25 日，哈斯布拉托夫在接受询问时说：“紧急状态委员会行为的后果是事实上摧毁了联盟条约，各共和国害怕中央政权的这种行为而宣布本身拥有完全的主权，导致苏联在一天之内解体。据专家估计经济损失达到 350 亿卢布。”[5] 历史学家麦德维杰夫认为，“苏联的历史已经结束，1991 年 8 月 21 日这一天，撕下了苏联历史的最后一页。尽管苏联在这之后又垂死挣扎了几个月，但从这一天起，俄罗斯联邦作为一个新的独立国家已经开始了它的历史计时，尽管这个新国家此前只有一个总统——鲍里斯·尼古拉耶维奇·叶利钦。戈尔巴乔夫说的话，做的事，还有他想干的一切都已经没有任何意义。”[6] 阿尔巴托夫认为：“政变后的最混乱的最明显的损伤就是经济危机变得大为尖锐了。另一个更加复杂的负效应就是党的瓦解。当然，党是极权主义统治的主要工具之一。但

[1] ［俄］尼古拉·雷日科夫著：《背叛的历史——苏联改革秘录》，第 5 页。

[2] ［俄］鲍里斯·叶利钦著：《总统笔记》，第 123 页。

[3] ［俄］瓦·巴卡京著：《摆脱克格勃——克格勃最后一任主席回忆录》，第 11 页。

[4] ［俄］瓦列金·别列什科夫著：《斯大林私人翻译回忆录》，薛福岐译，海南出版社 2004 年版，第 429 页。

[5] Из книги:*Степанков В.,Лисов Е.* Кремлевский заговор. Версия следствия. Изд. “Огонек”, М., 1992 год. www.gorby.ru/07.08.2007.

[6] ［俄］罗伊·麦德维杰夫著：《苏联的最后一年》，第 124 页。

是它突然瓦解留下了一个权力真空和完全无组织的政治过程。”[1] 历史学家德米特连科认为：“1991 年 8 月 19—21 日的事变改变了国家。在以社会主义选择为永久目标的旧体制框架下进行的、作为‘来自上层革命’的改革成为过去。1991 年 8 月事变的结果是苏联的解体。戈尔巴乔夫试图重新启动签署新联盟条约的所有尝试都是徒劳的。”[2]“8·19” 事变给苏联造成的政治经济后果是严重的：

一是使戈尔巴乔夫离开了权力，大大加强了叶利钦的权力，很多人站到了叶利钦一边。在反对“8·19” 事变的过程中，叶利钦实际上取代了戈尔巴乔夫，戈尔巴乔夫成了“光杆司令”，他已经没有实权。叶利钦是“8·19”事变的最大得益者，他被拥戴为英雄。其支持率从俄罗斯联邦总统选举时的 57%，上升到 91%。[3] 叶利钦所领导的激进民主派利用这个机会发动了反政变，篡夺了联盟总统和其他中央机构的权力，正如加特霍夫所说：“叶利钦拆卸了整个现有宪法结构。叶利钦的许多行动就宪法方面而言，比起那些政变发动者的行动来，更加不合法。而正是叶利钦发动的反政变，比那场笨拙的政变本身走得更远，它断送了戈尔巴乔夫所做的种种努力，那就是想使处于改革之下受控制而发生变化的现状重新稳定，并使一个更新后的联盟合法化。”[4]

在 8 月 22 日凌晨 2 时，戈尔巴乔夫回到了莫斯科，他的感觉像是回到了另一个国家。当天，戈尔巴乔夫在电视讲话中表示此事是个沉痛的教训，“我们应该团结起来并沿着激进改革之路快速前进，昨天我与 9 个共和国的领导进行了会晤，我们讨论了并决定在最近采取刻不容缓的措施……我已经跟各共和国的领导人谈了下一步行动的计划，最近将确定签署联盟条约的新日期，然后讨论新的联盟宪法和选举法，选举议员和总统。应该确定完成这一工作的期限，不要拖延，因为延长过渡期，大家已经看到了，对于民主改革是危险

---

[1] ［俄］格·阿·阿尔巴托夫著：《苏联政治内幕：知情者的见证》，第 462 页。

[2] История России. XX век. Отв. Ред. *В.П. Дмитренко*. М., 1998. С.592.

[3] Правда.1988. 12 сентября.

[4] ［俄］瓦列里·季什科夫著：《苏联及其解体后的族性、民族主义及冲突——炽热的头脑》，姜德顺译，中央民族大学出版社 2009 年版，第 100 页。

的。”[1]但戈尔巴乔夫错误地估计了形势，叶利钦并不想继续与戈尔巴乔夫分享政权，也不想和他一道建立所谓的“苏维埃主权共和国联盟”。戈尔巴乔夫以为他还是苏联的全权总统，当天未与叶利钦协商就任命了第一批干部：原总参谋长莫伊谢耶夫大将为国防部长，原克格勃第一总局局长舍巴尔申为克格勃主席，别斯梅尔特内赫留任外交部长，俄罗斯联邦部长会议主席西拉耶夫为代总理。得知这一消息的叶利钦于8月23日上午气冲冲地来找戈尔巴乔夫，叶利钦强硬地要求戈尔巴乔夫收回成命，并对戈尔巴乔夫说：“我们已有过惨痛的教训，8月事件教会我们许多东西，因此提醒您注意，任何干部任免，都要征得我的同意。”[2]经过与叶利钦协商，任命沙波什尼科夫为国防部长，巴卡京为国家安全委员会主席，潘金为外交部长，他们都是与叶利钦一道积极与紧急状态委员会进行斗争的人。叶利钦还不顾戈尔巴乔夫已经返回莫斯科重新掌握权力的现实，继续抢夺联盟的权力。8月21日，他发布命令把全联盟电视中心(奥斯坦基诺）转给俄罗斯联邦，把全联盟第二大电视频道转给俄罗斯国家电视和

现在轮到你来解释了，1991 年 8 月

[1] Союз можно было сохранить. Белая кника. С.305.

[2] ［俄］鲍里斯·叶利钦著：《总统笔记》，第 124 页。

广播公司以组建全俄罗斯电视网。8 月 22 日，他再次发布命令把所有在俄联邦疆域内的联盟的所有企业和机构，除依据俄联邦法律转给联盟机关外，全部转给俄罗斯联邦。他还命令俄联邦政府肢解塔斯社，把消息报社和位于俄联邦境内的出版机构、印刷厂以及苏共所有的为之服务的企业等都转归俄联邦的新闻与出版部。[1] 此后，叶利钦还不断发布命令把他认为应该拿到的联盟资源转到自己的手中。

叶利钦还搬到了克里姆林宫办公，他和戈尔巴乔夫达成了划分克里姆林宫的协议：苏联总统连同其机构使用 1 号楼，叶利钦及其机构使用 14 号楼。叶利钦的安全局长感叹道："当时苏联尚未解体，把俄罗斯的政权机构从全苏联相应的机构划分出来是一件麻烦事，而且极不自然。两个总统同时坐镇克里姆林宫也显得很不正常。我当时就很清楚，叶利钦绝对不会容忍两个政权并存。后来，这种局面很快就以戈尔巴乔夫的垮台而告终。"[2]8 月 23 日上午，戈尔巴乔夫与俄联邦最高苏维埃代表会晤，这一会晤被现场直播，这实际上是叶利钦等人向他示威。当戈尔巴乔夫抵达"白宫"入口时，听到的不是欢迎声，而是要他辞职的喊声。叶利钦强硬地要求戈尔巴乔夫批准他在"8·19"事变期间签署的所有法令，他还打断戈尔巴乔夫的讲话，要求审议他签署的停止俄共活动的法令，戈尔巴乔夫感觉叶利钦就像猫戏老鼠一样在戏弄他，他毫无办法。

二是社会发生了深刻变化，使各种政治力量，特别是激进力量得到发展，而共产党的力量不再起作用。党、克格勃和军队一直被认为是苏联政权的三大支柱，"8·19"事变严重损害了这些机构的威信，也使这些机构走向了解体，随着它们的解体，联盟国家也失去了维系的纽带。

"8·19"事变动摇了克格勃的地位。虽然克格勃广大官兵对这次事变的态度基本是消极的，并没有积极配合紧急状态委员会，但是，由于克格勃最高领导人克留奇科夫积极参加和筹划了"8·19"事变，8 月 22 日，群众在红场举行了声势浩大的示威游行，傍晚这些人又来到苏共中央的所在地老广场和克格勃的所在地卢比扬卡广场，推倒了捷尔任斯基的雕像。激进派借机要求对克格勃进行大改组、大清洗，宣布成立"调查国家安全机构活动委员会"，调查

---

[1] Союз можно было сохранить. Белая кника. C.304、307.

[2] ［俄］科尔扎柯夫著：《我所知道的叶利钦：俄总统安全局前局长回忆录》，第 84 页。

克格勃的活动并对其未来提出建议，1991年10月22日，各共和国首脑和苏联总统在国务会议上研究改组国家安全机构的问题，根据讨论的结果，国务会议作出第八号决议：撤销国家安全委员会（克格勃），并在其基础上成立3个独立的中央一级的机构：苏联中央情报局、共和国间安全机构、保卫苏联国家边界委员会和边防军联合指挥部。[1]不久，戈尔巴乔夫任命普里马科夫、巴卡京和卡利尼琴科为这三个新机构的领导人。新机构无论从其职能、作用和在国家生活中的地位来说，都与原来的国家安全委员会不可同日而语。

苏共不存在了，苏共的精英被俄罗斯的民主派精英所取代，社会上掀起了一股反共潮流。8月22日，所有党的报刊被停刊，后来这些报刊很快就改变了面目，继续在新社会中生存。苏联共产党的主要理论刊物《共产党人》改名为《自由思想》，《党的生活》更名为《实业生活》；有些报刊虽然没有改名，如《共青团真理报》，但内容变成了与社会主义格格不入了。

8月23日，叶利钦签署"俄罗斯社会主义共和国联邦的共产党停止活动"[2]的命令：鉴于俄联邦共产党支持紧急状态委员会，在一些地区成立紧急状态委员会，命令俄内务部和检察院调查俄联邦共产党违反宪法的活动，向审判机关提交相关材料；在审判机关作出相应的结论前俄联邦共产党机关和组织停止活动。当天，苏共中央和俄联邦共产党中央委员会的大部分工作人员照常上班，苏共中央大楼前聚集了大批示威群众，正在俄罗斯联邦最高苏维埃开会的戈尔巴乔夫收到了布尔布利斯的一张纸条，写着："苏共中央正在加紧销毁文件，总书记应立即下令暂停苏共中央委员会的活动。卢日科夫已经切断电力供应。将有人奉命执行苏联总统、苏共中央总书记以及卢日科夫的指令。布尔布利斯。"戈尔巴乔夫在纸条上批示："同意。戈尔巴乔夫。1991年8月23日。"[3]正是根据戈尔巴乔夫的这个批示，苏共中央大楼和克格勃大楼被占领。

由于当时的苏共中央书记和政治局委员大都支持国家紧急状态委员会，

---

[1] ［俄］瓦·巴卡京著：《摆脱克格勃——克格勃最后一任主席回忆录》，第78—79页。

[2] *Мунчаев Ш.М., Устинов В.М.* История Советского государства. 2-е изд. Доп и перераб. М., Норма,2008. С.636–637.

[3] ［俄］罗伊·麦德维杰夫著：《苏联的最后一年》，第154页。

戈尔巴乔夫难于再依靠共产党来保持他的权力。8月24日早晨，戈尔巴乔夫召集普里马科夫、巴卡京、梅德韦杰夫、列文科、切尔尼亚耶夫、沙赫纳扎罗夫、雅科夫列夫、波波夫和卢日科夫等人开会，议题之一是政党问题，最后决定必须通过三个文件：总书记的声明、关于党的财产、关于国家机关的非党化。[1] 此后，戈尔巴乔夫宣布辞去苏共中央总书记的职务。苏共党章规定总书记应该向选举其产生的中央委员会辞职，由代表大会最终决定，但总书记却建议苏共中央自行解散。他在辞职书中写道：

> 苏联共产党中央委员会书记处、政治局没有反对政变。中央委员会未能采取坚决的立场去谴责和阻挡，没有发动共产党员去同践踏宪法的行为作斗争。阴谋家中竟有党的领导干部。许多党委会和大众新闻媒体支持了这些阴谋家的行动。这将共产党置于错误的境地。
>
> 许多党员拒绝与阴谋家们合作、谴责政变并且加入到反对政变的斗争中。谁也没有权利对所有共产党员进行无理指控，而我，作为总统，认为有责任保护他们，作为公民免受无理的指控。
>
> 在这种局势下，苏联共产党中央委员会应该作出艰难的、但是很切合实际的决定：自行解散。各共和国共产党和地方党组织的命运由它们自己决定。
>
> 我认为自己不可能继续履行苏联共产党中央委员会总书记的职责，并让出相应的全权。
>
> 我相信，忠于宪法和社会振兴方针的充满民主精神的共产党员们，一定会主张在新的基础上建立一个能够同一切进步力量一起，为了劳动人民的利益继续推行根本的民主改革的党。[2]

戈尔巴乔夫明白，没有苏共的支持他很难保住权力，但此时苏共上层已经不支持他了。《苏维埃俄罗斯报》总编辑奇金认为："在这样的形势下他放弃了总书记的职务是不道德的。我参加过苏共中央全会、代表大会和代表会议，得出的印象是：戈尔巴乔夫很重视自己在党内的地位，他知道同党在一起才会

[1] Союз можно было сохранить. Белая кника. С.310.

[2] Хрестоматия по отечественной истории(1946 – 1995). М.,1996 .С.369.

有巨大的力量和后盾。后来他之所以不愿丢掉总书记职务，是由于他害怕自己一旦离开党的岗位，共产党就会同他对着干。有关改革作出的一些不得人心的决议都是以党的名义发表的，结果苏共在为戈尔巴乔夫受过，吞下他所制造的苦果。共产党的最上层不管党，可以说背叛了党，首先是总书记，他的行动破坏了党的整个管理系统。苏共实际上早已丧失了政权。戈尔巴乔夫现在已经不敢再召开中央全会来决定是否解散苏共，因为如果召开全会，他就会受到无情的批判。”[1] 戈尔巴乔夫在回忆他为什么发表建议苏共自行解散的声明时说：“沙赫纳扎罗夫从福罗斯回来后，曾打电话给扎索霍夫说：‘请您赶快去医院找伊瓦什科，要求立即解救被囚禁在福罗斯的总书记，谴责国家紧急状态委员会。’扎索霍夫去了，政治局也召集了会议，要求同总书记见面，但是并没有谴责国家紧急状态委员会。这就是当时的全部真相。在这种情况下，我怎么能够同这些人一起在政治局见面，同他们坐在一张桌子旁呢？书记处成员和中央委员基本上都支持国家紧急状态委员会。当这一切情况都明朗化后，我宣布辞去总书记的职务，因为我不可能同搞反宪法武装政变、公开欺骗党和人民的人继续一起合作。同时，我号召共产党员们，在当地组织起来，集体讨论自己活动的组织形式，作出自己的选择。”[2]8 月 27 日，苏联最高苏维埃通过了停止苏共在全联盟活动的决议。在白俄罗斯、格鲁吉亚、吉尔吉斯斯坦、爱沙尼亚共产党停止活动，在乌克兰、摩尔多瓦、立陶宛共产党被禁止。各共和国的非党化到 1991 年 9 月中旬基本结束。叶利钦的顾问沙赫赖论证说：“无论用什么标准衡量，苏共都不是一个政治性政党，而是国中之国，因此，消除它完全符合民主的精神和形式。”[3]

8 月 25 日，叶利钦签署“关于苏联共产党和俄罗斯社会主义共和国联邦共产党财产”[4] 的命令：鉴于苏共中央已经解散，俄共活动也已被停止，因此

---

[1] 转引自唐修哲、孙润玉：《岁月有痕——从苏联到俄罗斯亲历》，第 212 页。

[2] ［俄］戈尔巴乔夫、斯拉文合著：《尚未结束的历史——戈尔巴乔夫访谈录》，第 39 页。

[3] *Согрин. В.В.* Политическая история современной России (1985–2001: от Горбачёва до Путина).М., 2001.С.91.

[4] *Мунчаев Ш.М.,Устинов В.М.* История Советского государства. 2-е изд. Доп и перераб. М., Норма, 2008. С.637–639.

属于苏共和俄共的一切动产和不动产、所有的卢布和外汇资金，包括存在俄罗斯联邦境内外的银行、保险公司、股份公司、合资企业，以及其他企业和机构中的所有资金，都将成为俄罗斯国家的财产。关于苏共中央在境外的其他资产，将按照各加盟共和国签订的同盟条约进行分配。苏联共产党生命的终止实际上宣告了苏联解体已无法逆转。苏共是苏维埃政权机关和经济管理部门的承重结构，苏共没有了，苏联的主要支柱机构也开始崩溃了，联盟国家很难再存在下去了。美国的冷战斗士乔治·凯南在1947年曾说过：假如作为政治工具的共产党被削弱、党内的团结和效率遭到破坏的话，那么苏俄会在一夜之间从最强大的国家之一变成为一个不足挂齿的弱国，一个最令人同情的民族实体。1991年苏联的解体恰是如此。

苏共的解散和国家机关的非党化，并没有遇到苏共党员或人民的任何抗议活动，“苏共已经威信扫地，就连几乎人人都是苏共党员的克格勃的工作人员也不肯出来保卫它了。”[1]

第三，加剧了苏联解体的进程。正如美国俄罗斯问题专家史蒂文·科恩所说：“政变的后果使新奥加廖沃进程遭到沉重的打击，这些后果大大削弱了戈尔巴乔夫和他的中央政府的力量，使叶利钦和克拉夫丘克的政治野心进一步膨胀，也使其他共和国领导人对莫斯科人的不可预料的行为产生了担忧。”[2]“8·19”事变后，所有国家机构瘫痪，实际上开始了消除苏联国家政治机构的进程。9月2—5日，第五次苏联非常人民代表大会召开，会议通过关于过渡时期苏联国家权力机构和管理机构法。该法规定在新宪法和新的权力机构产生之前，苏联最高苏维埃是苏联最高代表制权力机关。苏联最高苏维埃仍为两院制，原先的民族院改为共和国院（上院），其代表由共和国议会直接派出；联盟院（下院）名称不变，但其成员需征得共和国最高权力机关同意。联盟院通过的法律只有在各共和国赞同后才生效。各加盟共和国的领袖们在作出决策时不再遵循苏联的宪法和法律，实际上都在按自己的政治意图行事。共和国的权力机关实际上不再看联盟中央行事，从1991年8月底开始尽可能快速

[1] ［俄］瓦·巴卡京著：《摆脱克格勃——克格勃最后一任主席回忆录》，第49页。

[2] 俄罗斯戈尔巴乔夫基金会编：《奔向自由——戈尔巴乔夫改革二十年后的评说》，第35页。

地拆除联盟政治的和国家的机构。各加盟共和国的离心倾向明显增强，苏联国内掀起了一场独立的浪潮，各国纷纷发表独立声明，确定总统选举日期，起草宣言。拉脱维亚、立陶宛和爱沙尼亚于 8 月 20—21 日宣布独立，恢复 1940 年以前的宪法。8 月 24 日，俄罗斯总统叶利钦宣布承认波罗的海三国独立。8 月 24 日，乌克兰共和国最高苏维埃宣布乌克兰是独立的民主的国家，从这一时刻起，在乌克兰领土内只有共和国法律机关通过的宪法、法律、法令有效。决定于 1991 年 12 月 1 日就批准乌克兰独立的文件在共和国举行全民公决。乌克兰在苏联是仅次于俄罗斯联邦的第二大加盟共和国，乌克兰的立场无疑对联盟具有破坏性。

戈尔巴乔夫和叶利钦在“八月事变”后，1991 年 9 月 6 日

8 月 27 日，白俄罗斯和摩尔多瓦宣布独立，30 日阿塞拜疆宣布独立，31 日吉尔吉斯斯坦和乌兹别克斯坦宣布独立。9 月 9 日塔吉克斯坦宣布独立，9 月 23 日亚美尼亚宣布独立，格鲁吉亚领导人阿姆萨胡尔季阿要求在事实和法律上承认格鲁吉亚独立，截至 9 月底，宣布独立的加盟共和国已达到 12 个。10 月 27 日，土库曼斯坦也宣布独立，在别洛韦日协定签订前只有俄罗斯和哈萨克斯坦没有宣布独立，但它们同样在自行其是。8 月 29 日，纳扎尔巴耶夫宣布关闭在哈萨克斯坦的核试验场，他在命令中说：哈萨克苏维埃社会主义共和国塞米巴拉金斯克州从 1949 年就开始进行核武器试验。在此期间这里共进行了大约 500 次核爆炸，使上千人的生命健康受到了损害。鉴于哈萨克苏维埃社会主义共和国为确保当时苏联对美国的战略军事均势，在建立核潜能力方面已尽了自己的义务，同时考虑到共和国内社会各界的要求，

关闭塞米巴拉金斯克核试验场地；把塞米巴拉金斯克试验场地改建成为加盟共和国的科研中心……需协同联盟机构一同确定给受害的哈萨克公民发放损失赔偿金的范围与程序；努力改善该地区人民的生活条件与医疗条件。[1]

"8·19"事变在苏联历史上是具有重大影响的事件，它使苏联的改革无法再继续下去了，倡导改革的苏共已不复存在，改革的领导人戈尔巴乔夫失去了权力。俄国学者对此总结道："1991年8月19—21日事件改变了国家。在永远选择社会主义方向的保持旧体制的框架内作为'从上层开始的革命'的改革成了过去。"[2]"在8月份最后10天这屈指可数的日子里，做完了在过去6年时间都不能做到的事，这就是解散苏共，同时摧毁了极权官僚主义国家的基础；把共产党的财产收归国有，取消一党专制的经济基础；摧毁了帝国中央，巩固了波罗的海沿岸各共和国的国家独立……8月末的革命从其性质上来看可以视为自由民主革命。这场革命的目标是要确立现代文明的两个基本价值：宣布着重保证个人自由的自由主义和巩固人民在政治管理中的最高地位的民主。"[3]事实上，"八月事变"后联盟已经死亡，只是在形式上存在到1991年底。

总之，进入1991年后，苏联面临着政治经济社会的全面危机，作为总统的戈尔巴乔夫并没有认清形势，他想依靠强硬保守派整顿秩序，维持国家的完整，但是，民主派的力量更加强大，而且得到了民众的支持。戈尔巴乔夫后来意识到了这一点，通过与叶利钦的合作拟定出了新联盟条约，使保留联盟国家的希望再现，可他又没有及时清除阻碍力量，结果强硬派发动了政变，使他的努力再次付诸东流。事态的发展证明，戈尔巴乔夫已经无力使苏联走出危机，在全面危机面前，各加盟共和国各自为政在所难免。

[1] 沈志华总主编：《苏联历史档案选编》，第33卷，第682—683页。

[2] История России. XX век. Ответстственый редактор *В.П.Дмитренко*.М.,1998. С.592.

[3] [俄] В.索格林：《改革：结果与教训》，载《东欧中亚问题译丛》1992年第4期，第7页。

第九章　通往别洛韦日之路

面对危机重重的苏联，戈尔巴乔夫的夫人赖莎满怀希望地表示，“我相信，也希望苏联人民一定有力量、有耐心、有爱国之心——我认为这一点非常重要，也有健全的理智，来克服实现这一目标的过程中的一切困难，保证苏维埃联盟经过改革磨炼之后，依然是各族人民、各共和国和各种理想的联盟。几十个民族历经数百年积累的共同生存、相互合作、彼此吸引的宝贵道德、社会经验，绝不会付诸东流！”[1]可悲的是，赖莎的希望落空了，苏联未能完成从单一制国家向自由、松散的邦联制国家的过渡，而是走向了崩溃。“8·19”事变后，戈尔巴乔夫还想启动被打断的革新联盟的程序，但此时形势已经大变，主动权掌握在俄罗斯而不是联盟领导人的手中，俄罗斯联邦决定脱离联盟而独立，苏联最终走向了终结。

第一节　戈尔巴乔夫保留联盟的最后努力落空

在政治斗争中苏联的经济状况进一步恶化，“1991 年苏联经济经受着严重危机，生产下降了 11%，预算出现了 20%—30% 的赤字，外债达到了 1039 亿美元。”[2] 消费品价格上涨了 1 倍多（101.2%），国家不得不在所有城市实行严格的票证供应。苏联居民食品供应量是：糖每人每月 1 公斤，黄油每人每月 0.2 公斤，肉制品每人每月 0.5 公斤。即使这个标准也缺乏实际保证。零售商品的储备减少到破纪录的最低水平——只够消费 32 天。1992 年 1 月，粮食储备约为 300 万吨，而当时俄国内粮食消费每月为 500 万吨以上。在俄联邦 89 个地区中，有 60 多个地区没有粮食储备和面粉，都在“等米下锅”。[3]1990 年苏联的 GNP 下降了 2.4%，在 1991 年则下降了 13%。固定

---

[1] ［俄］赖莎·戈尔巴乔娃著：《我的希望——赖莎·戈尔巴乔夫回忆录》，王攀、黄鹂译，中国工人出版社 2000 年版，第 231—232 页。

[2] Новейшая история России 1914–2005 Под редакцией *М.В. Ходякова.* 2-е издание. “Высшее образование”, 2007. С.407.

[3] 参见［俄］А.В.乌留卡耶夫：《期待危机：俄罗斯经济改革的进程与矛盾》，经济科学出版社 2000 年版，第 18、20 页。

资产净投资在1990年下降了21%，到1991年估计下降了25%。[1] 通货膨胀迅速发展，1990年通货膨胀率是10%，1991年底周通货膨胀率达到25%，导致黑市猖獗。1989年预算赤字占国民生产总值的11%，1991年则占到了16%。苏联的黄金储备1985—1991年减少了90%……石油产量从1989年的5.6亿吨下降到1991年的4.61亿吨。[2] 苏联经济已经到了崩溃的边缘。在这种背景下，民众希望局势稳定，政治斗争的热情也衰退了，处于等待观望的状态。

一、苏联权力机关的变化与革新联盟程序的重新启动

戈尔巴乔夫还想为保留联盟继续努力，但此时他所面临的情况与“8·19”事变前已经完全不同了。1991年9月1日，在第五次非常人代会召开前夕，戈尔巴乔夫与10个共和国（缺波罗的海三国、格鲁吉亚和摩尔多瓦）的领导人签署了“10+1”声明：鉴于8月19—21日事件打断了签署主权国家联盟的进程，使国家处于灾难的边缘，在民主力量取得胜利的条件下，以苏联总统、共和国的总统和最高苏维埃的代表们为代表的合法选出的最高领导人为了不使国家权力机构进一步解体，一致同意在共和国之间建立起新型的政治、国家体制之间的关系，在过渡时期（直至通过新宪法和在此基础上选举出新的权力机关）建立起共和国间（联盟的）权力结构。在此前应该做到：所有有联合愿望的共和国起草并签订主权国家联盟条约，每个主权国家独立地确定自己加入联盟的方式；呼吁不管是否宣布独立的国家都要刻不容缓地缔结经济联盟条约；在过渡时期内建立由各共和国人民代表委员会，由每个共和国从苏联人民代表中选出20名代表组成，由最高苏维埃授权履行立法职能和制定主权国家联盟的新宪法；建立由苏联总统和各加盟共和国最高领导人组成的国务委员会，以协商解决涉及各共和国共同利益的内外政策问题；为苏联国民经济的管理和推进经济改革而建立临时跨共和国经济委员会；按照集体安全的原则签订共同防御协定，以保持统一的武装力量和军事战略空间，对苏联的武装力量、克格

[1] 国际货币基金组织的统计，转引自［美］大卫·科兹，弗雷德·威尔著：《来自上层的革命——苏联体制的终结》，第118页。

[2] *Тимошина Т.М.* Экономческая история России. М., 2000. С.360.

勃、内务部和检察机关进行彻底改革；严格遵守苏联所签署的国际条约与协定，包括裁减军事力量和偿还外债；发表保障公民权利和自由的宣言；请求苏联人民代表大会支持各共和国向联合国提出承认其国际法的主体地位并研究它们的成员资格问题。[1] 戈尔巴乔夫、叶利钦等人都在文件上签了字，戈尔巴乔夫认为可以很快重新制定出新的联盟条约，但叶利钦却认为，“随着各共和国一个接一个地宣布本国拥有主权，它们在苏维埃联盟中的政治位置也发生了急剧变化。苏联已成为过去，大家对此已明确无疑。在新的现实中只给戈尔巴乔夫留下一个角色，充当各奔前程的各共和国的联合者。”[2] 苏联未来发展的主动权显然不在戈尔巴乔夫，而在叶利钦等人手中。正如时任克格勃主席的巴卡京所说：“联盟解体的性质、速度和合法性的过程，现在仅仅取决于各共和国首脑的意志，其中起决定性作用的是俄罗斯总统鲍里斯·叶利钦。”[3]

苏联的权力机构再次发生了重大变化。1991 年 9 月 2—5 日召开了第五次苏联人民代表大会非常会议，哈萨克总统纳扎尔巴耶夫代表戈尔巴乔夫宣读“10+1”声明，提出对国家权力机构再次作出变动，尽管这一声明引起了代表们的愤怒，有人认为这等于宣布苏联人民代表大会和现行苏联国家体制的死刑，认为这是“新的政变”，违反了 3 月 17 日全民公决的结果。但他们所能做的只能是投票赞成，人代会最终通过了确认“10+1”声明的决议。通过了“关于过渡时期苏联国家权力和管理机关的法令”。[4] 根据这一法令，建立了以西拉耶夫为首的跨共和国经济委员会；由人民代表委员会承担立法机构的职能；成立了由苏联总统和 10 个加盟共和国的最高领导人组成的国务委员会，在不确定的“过渡时期”行使管理国家的职能。此时，戈尔巴乔夫威信下降，总统权威丧失殆尽，在第五次非常代表会议期间，代表们遇到问题时首先征求的是其所在共和国领导人的意见。当时社会学研究所曾向苏联人民代表做过书面调查：“您认为目前有哪 5—6 人可称得上是国家领袖？”有近 1000 名代表回答

[1] Союз можно было сохранить. Белая книга. М., АСТ, 2007. С.318–319.

[2] ［俄］鲍里斯·叶利钦著：《总统笔记》，第 127 页。

[3] ［俄］瓦·巴卡京著：《摆脱克格勃——克格勃最后一任主席回忆录》，第 197 页。

[4] 9 月 2 日，这一法令第一次提交大会，在 9 月 4 日的表决中未获得通过，9 月 5 日被最终通过。

了这一问题，其中 655 人，即占 66%的被调查者认为是叶利钦，480 人（占 48.3%）认为是索布恰克，只有 411 人（占 41.3%）认为是戈尔巴乔夫。纳扎尔巴耶夫在此项调查中得到了 372 票(37.4%)，克拉夫丘克获得 37 票(3.7%)，雷日科夫得 24 票，而布尔布利斯只得到 15 票。[1] 如果戈尔巴乔夫能够认识到自己作为一个政治家的生命已经结束，而把权力让给叶利钦，或许苏联这个大国还不至于解体，但是，戈尔巴乔夫仍要继续当这个没有尊严的苏联总统，仍在为签订新联盟条约做不懈的努力。

9 月 6 日，戈尔巴乔夫主持第一次国务委员会会议，宣布承认波罗的海三国独立，决议被一致通过。同一天，苏联外长潘金在苏联外交部新闻中心正式对外宣布了这一消息。9 月 16 日，苏联宣布各共和国可以自行加入联合国。

俄罗斯联邦开始接管联盟的一些机构，俄罗斯总理西拉耶夫当上了苏联总理，苏联财政部、对外经济联络部等 8 个部级机构，由俄罗斯联邦管理。强大的克格勃机构被改组。8 月事变后，克格勃几万名工作人员被剥夺了军衔，年龄较大者，包括许多将军被解职或退休，保卫工作从克格勃中分出来，建立“直属于苏联总统的保卫机构”。1991 年 8 月 29 日，从克格勃的综合机构中分出了负责政府通讯、密码工作和无线电侦察任务的几个局，在此基础上建立了隶属于总统的政府通讯委员会。莫斯科市和莫斯科州管理局也从克格勃里分离出去，划归俄罗斯，命名为俄罗斯联邦克格勃莫斯科市和莫斯科州管理局。情报机关从克格勃中分离出来，成为独立的机构，由普里马科夫领导，称对外情报局。1991 年 9 月 11 日，由各共和国代表组成的协调委员会代替了克格勃委员会，联盟的克格勃失去了自己的地盘，成了一个协调机构，它与共和国的关系、其职权范围和活动规模由双方协议确定，共和国权力机关获得了独立任命自己委员会代表的权力。1991 年年初克格勃的编制共有 51.3 万人，到了年底只剩下 14 万人，有大约 400 个将军职位被取消。到了 1991 年 11 月，苏联总统戈尔巴乔夫能直接指挥的部门只剩下他的私人卫队、部分克里姆林宫卫队和著名的“阿尔法”特种活动小组。[2] 在 1991 年 10 月 22 日的国务委员会会议上，研究了国家安全机构的改组问题，最后通过决议：撤销国家安全委员会，各共

[1] ［俄］罗伊·麦德维杰夫著：《苏联的最后一年》，第 175 页。

[2] 同上书，第 193 页。

和国安全委员会及其所属机构纯属各主权国家管辖范围；在苏联国家安全委员会的基础上组建若干由苏联国家管理的中央一级的机构：苏联中央情报机构、共和国间的安全机构、保卫苏联国家和边界委员会及边防军联合指挥部。[1]巴卡京领导了对克格勃的改造。在戈尔巴乔夫和叶利钦任命他时，他就说："照我看，一般说来，这个机构应该予以解散。"叶利钦说："那么我们就委托您执行这一任务。"叶利钦建议把这一点写进任命书，戈尔巴乔夫在任命书中提出巴卡京应该提出根本改组国家安全委员会的建议。[2]巴卡京认为克格勃是苏联极权制度的基础，没有它，这个制度简直就不可能存在。"国家安全委员会是一个渗透到一切中去的部门，能够控制社会生活的一切方面。不撤销这个机构或对它进行认真改组，并建立起国家和社会对特工机关进行有效监督的体制，就不可能指望民主改革取得成效。"[3]他建议把克格勃分成几部分，使其直接隶属于国家首脑，相互竞争，相互平等。实行非集中化，共和国的安全机关完全独立，但与跨共和国的机构协调工作。

关于新联盟协议草案的准备工作，由戈尔巴乔夫和叶利钦负责。1991年8月事变后，叶利钦等人认为应该先签署经济联盟条约，这比签署政治协议简便易行。因此在1991年9月至10月初做的主要是这一工作。该工作由亚夫林斯基具体负责，亚夫林斯基认为主要任务是加强主权国家的团结，以建立共同的市场经济，以利于克服经济危机，他强调加入经济联盟并不一定以签署主权国家政治联盟条约为条件。在9月16日国务委员会会议上亚夫林斯基说：1991年生产下降15%，1992年可能达23%—25%，失业者将有200万人，如果不建立起统一的劳动市场，失业者可能会达到500万人，月通货膨胀率达2%—3%，外债达800亿卢布，生产停滞和价格上涨1—2倍将使经济进入绝境，俄罗斯的情况最好。俄罗斯不像其他共和国那么需要经济联盟条约，但经济条约考虑的不是某个共和国的利益，而是所有共和国的利益。[4]9月20日在戈尔巴

[1] ［俄］瓦·巴卡京著：《摆脱克格勃——克格勃最后一任主席回忆录》，第78—79页。

[2] 同上书，第13页。

[3] 同上书，第27页。

[4] АГФ. Фонд №10. Опись №2. 引自 Союз можно было сохранить. Белая книга. М., АСТ,2007. С.322.

乔夫那里讨论联盟条约时，亚夫林斯基复述叶利钦跟他电话交谈的内容："经济共同体——这是现在唯一能做的事。稍后再在这个基础上缔结联盟条约，在经济共同体的基础上可以与更多的共和国结成经济联盟。我想，戈尔巴乔夫会批评我使用'共同体'一词，但是共同体这种结构会吸引更多的共和国，最差也会有三个国家签署。"戈尔巴乔夫拿起话筒给叶利钦打电话："你的立场改变了吗？你曾经承认在联盟内部而不是外部需要不同类型的经济关系……请你明白，经济共同体——这是那些不参加联盟的国家。它们留在联盟的愿望正在消失。它们从俄罗斯得到一切对己有利的东西，而俄罗斯却不能与其他共和国一道作出对它们有约束力的决定。那么你就要承担一切并把它们联合在俄罗斯周围，而我赞成俄罗斯通过联盟国家做这一切……我想，我和你一起前进，但这个谈话让我不安。我想跟你就联盟条约问题达成协议……对此，我们都很清楚，俄罗斯就应该是俄罗斯。据我所知，8 个共和国可以签署联盟条约。能达成协议吗？让总理们去阿拉木图进行讨论……我不参加对联盟的埋葬！"[1]显然，戈尔巴乔夫还坚持要先签署联盟条约，他给纳扎尔巴耶夫打电话，纳扎尔巴耶夫赞成在几周内签署联盟条约。[2]

经济共同体协定草拟的工作进展顺利，到 10 月初已经基本完成草案，10 月 12 日在阿拉木图敲定所有条款，10 月 18 日在克里姆林宫有 8 国签署"主权国家经济共同体协定"，阿塞拜疆、格鲁吉亚、摩尔多瓦缺席，乌克兰派来的是没有被授权的代表。该协定由 12 章 59 条组成，从联盟已经被破坏这一事实出发，建议分割国家的财产，取消统一的中央银行，允许各共和国有自己的货币，为了使这一协议得以实施，还需再签署 20 项具体经济领域的补充协议，而这需要至少 4 个月的时间。戈尔巴乔夫并不想止步于经济共同体协定，他也在加紧拟定新政治联盟条约的工作。但这一进程不断遭到叶利钦等人独立行事的阻挠。

11 月 2 日，戈尔巴乔夫与叶利钦进行了一次谈话，戈尔巴乔夫对叶利钦说："让我们按男人的方式谈谈。你改变了政策，从所有谈妥的协议中后退了。

---

[1] В Политбюро ЦК КПСС… По записям Анатолия Черняева, Вадима Медведева, Георгия Шахназарова (1985–1991). С.728–729.

[2] В Политбюро ЦК КПСС… По записям Анатолия Черняева, Вадима Медведева, Георгия Шахназарова (1985–1991). С.730.

既然这样，国务委员会、经济协议都失去了意义。既然你想把缰绳抓在自己一个人手里，我提出辞职。我将不参加。我要告诉所有人：看看，朋友们，15 个共和国的领导人，是我把你们引向独立的，现在你们好像不再需要联盟了，那么你们好自为之吧，用不着我了。”叶利钦竭力争辩说自己并没有打算改变政策。[1]11 月 4 日，又召开了国务委员会会议，8 个共和国的总统和乌克兰、亚美尼亚的总理参加，戈尔巴乔夫说准备联盟条约进展困难，他希望各国领导人理智和负责任地行事，尽快签署联盟条约，挽救联盟的命运，但没有得到积极响应。戈尔巴乔夫的话讲到一半时叶利钦才到会，也没有表态。纳扎尔巴耶夫说：“我们已经原则上表示了支持，现在需要讨论具体细节……应该一起走向市场经济，如果我们是在经济协议的框架下行事，我没有问题。如果不是，则是另一码事。”[2] 戈尔巴乔夫努力促使新的联盟条约早日签署，11 月 5 日向苏联国务委员会成员分发了主权国家联盟条约草案，未来的联盟定名为主权国家联盟（ССГ）——是具有全权、自愿参加的民主国家的联盟。

11 月 14 日，在新奥加廖沃召开国务委员会会议讨论新联盟条约草案，俄罗斯、白俄罗斯、哈萨克斯坦、吉尔吉斯斯坦、土库曼斯坦、塔吉克斯坦和乌兹别克斯坦的领导人参加，戈尔巴乔夫表示不能允许联盟解体，但叶利钦马上说舒什克维奇反对统一国家的形式。于是，这些领导人首先讨论联盟的形式。纳扎尔巴耶夫认为：“应该确定，今天集中到这里的人，至少也应该有建立一个有统一的军队、领土和边界的政治联盟的愿望。”戈尔巴乔夫坚持应该有统一的国家，舒什克维奇说“这个邦联国家应该有统一的军队”。叶利钦补充说还应该有统一的交通、空间和生态。戈尔巴乔夫则说：“如果没有有效的国家机构，为什么需要总统和议会？如果你们这么决定，我就离开。”叶利钦说他太情绪化。最后叶利钦向记者表示达成了协议，建立的联盟将是民主的邦联国家。[3] 所有领

---

[1] АГФ.Фонд №10.Опись №2. 引自 Союз можно было сохранить. Белая книга. М., АСТ.2007. С.366.

[2] В Политбюро ЦК КПСС… По записям Анатолия Черняева, Вадима Медведева, Георгия Шахназарова (1985–1991). С.742.

[3] В Политбюро ЦК КПСС… По записям Анатолия Черняева, Вадима Медведева, Георгия Шахназарова (1985–1991). С.746–747.

导人都说会有联盟，会议确定 1991 年 11 月 25 日草签协议。

1991 年，由于政治斗争的加剧，经济状况日益严重，在 1991 年国民收入降低了 11%，国民生产总值降低了 13%，工业生产降低了 2.8%，农业降低了 4.5%，石油和煤降低了 11%，铁矿石降低了 17%，食品降低了 10%，谷物收购总额减少了 24%，国家对之的采购量减少了 34%，外贸额急剧减少了 37%，其中出口减少了 35%、进口减少了 46%。市场上商品供应少了，但企业利润却增加了 90%，居民的货币收入增加了一倍，货币供应量增加了 3.4 倍。消费品价格上涨了 101.2%。[1]1991 年的预算赤字急剧增加，比计划增加了 5 倍，占到了国民总产值的 20%，各共和国不再向中央提供资金，而联盟的支出开始由俄罗斯联邦负责。国家的外债增加到 1049 亿美元，内债增加到 56 亿美元，黄金储备急剧减少，1989—1991 年在世界外汇市场上苏联出售了 1000 吨黄金，到 1992 年 1 月 1 日只剩 289.6 吨。粮食储备只剩下每月 300 万吨，而国家需要至少 500 万吨，每月进口谷物近 300 万吨。[2] 经济危机加剧了联盟的解体，各共和国都在寻找自认为对本共和国克服经济困境最有效的办法，而不管联盟这个集体会怎样。

戈尔巴乔夫对苏联的困境毫无办法，他仍在向西方求援，1991 年 11 月 2 日，他给作为西方七国协调人的梅杰写信："亲爱的约翰！您作为七国首脑会议的协调人，我向您提出关于财政援助的紧急请求。尽管已采取了一切措施，可是外汇情况仍有崩溃的危险。到 11 月中旬，我们缺乏清偿苏联外债的外汇资金约为 3.2 亿美元，到今年年底可达 36 亿美元。全部必要的计算数据 10 月 27—28 日已交给'七国集团小组'的专家们。为了避免事态恶化，约翰，我请求您以你们可以接受的任何方式向我们提供 15 亿美元的清偿资金，其中 3.2 亿美元希望在 11 月中旬以前提供。""我想趁我国新大使（潘金）抵达伦敦之际……现在对我们来说，最主要的是在粮食供应和财政方面再支持几个月，以待市场机制带来比较明显的效果。这就是贵国和七国集团其他成员国在此时此

---

[1] *БарсенковА.С., ВдовинА.И.* История России.1938－2002. М., Аспект Пресс, 2003. С.399－400.

[2] *БарсенковА.С., ВдовинА.И.* История России.1938-2002. С.400－401.

刻的支持和帮助特别重要的原因。”[1]12 月 2 日，梅杰给戈尔巴乔夫回信，表示经过协商，欧共体、美国、日本、加拿大同意给予一定的援助，“这样一来，参加经济会议的国家，为直接响应您的呼吁已作出在今后一个半月的时间里为苏联及其各加盟共和国提供总额在 40 亿美元以上的粮食和药品的补充紧急援助的保证。加上 1991 年提供的粮食贷款和其他援助，经济会议参加国给予的援助总额已超过 100 亿美元。因此可以说，七国首脑会议参加国满足了您请求的数额，在我们看来，这个数额对您的援助是足够的了。”[2] 可惜的是，苏联很快解体了，戈尔巴乔夫已经没有资格接受这些援助了。

二、俄罗斯联邦埋葬联盟政策的最终确定

叶利钦并不满足于挟天子以令诸侯的地位，他还要取而代之。“苏联的卫星国和所有的共和国都怨声载道，抱怨自己是俄罗斯剥削的受害者；但是俄罗斯人也同样义愤填膺：他们的血汗都被卫星国和其他共和国榨干了。”[3] 俄罗斯的民族主义表现为民族利己主义，以叶利钦、布尔布利斯为代表的俄罗斯民族主义者认为，俄罗斯人生活的困境在于其对苏联贡献过多，俄罗斯应该甩掉包袱，独立发展。1991 年“8・19”事变后，俄罗斯明显加快了走自己之路的步伐。叶利钦把苏联政权机关的权力揽在自己手中，没有俄罗斯领导人的同意什么也甭想通过，所有共和国俨然置于俄罗斯的管辖之下。时任克格勃主席的巴卡京谈到他的感受时说：“9 月里我就已经清清楚楚地感觉到，有许多俄罗斯政治家企图完全取消克格勃的联盟机构，简单地把它们划归俄罗斯管辖。这种倾向完全符合叶利钦周围——无论是远的，还是近的——那些人的逻辑，那时候他们就已经采取了这样的方针：完全取消联盟，甚至不惜损害其他共和国的利益，最大限度地加强俄罗斯国家的地位。”[4]“8・19”事变后，反共产主义的、

---

[1] [俄] 阿・切尔尼亚耶夫著：《在戈尔巴乔夫身边的六年》，第 596—597 页。

[2] 同上书，第 600 页。

[3] [美] 保罗・约翰逊著：《现代——从 1919 年到 2000 年的世界》，李建波等译，江苏人民出版社 2001 年版，第 914 页。

[4] [俄] 瓦・巴卡京著：《摆脱克格勃——克格勃最后一任主席回忆录》，第 100 页。

民主的力量认为自己获得了胜利，“民主俄罗斯”在1991年8月28日发表一个声明，称8月19—21日发生的反对紧急状态委员会的事件是“八月革命”，是反共产主义的、民主的革命，俄联邦国内的民众情绪发生了变化，愈发朝着有利于叶利钦一派的方向发展。

联盟最高机构的解体使俄罗斯的行政权力变得更加强大了，俄罗斯联邦在“8·19”事变后明显朝着加强总统行政权力的方向发展。1991年9月21日发布第一号总统令：“关于俄罗斯联邦部长会议在俄罗斯联邦政治权力系统中的作用”，确定总统和部长会议的关系，总统不仅监督政府的活动，还与之共同解决政府及其相关机构的组织问题。

俄联邦形成了自己具体的新的政治和经济路线。1991年9月初，在莫斯科郊外的叶利钦的阿尔汉格尔斯克别墅，在布尔布利斯的倡议下，盖达尔、马什茨、涅恰耶夫、戈拉夫科夫，科加洛夫斯基、瓦维洛夫，后来亚辛、格利科里耶夫也参加进来，开始制定政府的战略和政策，在讨论和准备文件的过程中，参加者还有丘拜斯、达尼洛夫—达尼利杨、阿维恩、萨尔德科夫、格拉季耶夫、波尔托拉宁、马哈拉泽、科济列夫、费德罗夫、沙赫赖。最后形成了两个文件：《过渡时期俄罗斯的战略》（即著名的《布尔布利斯备忘录》）和《俄罗斯最近的经济前景》。[1]《过渡时期俄罗斯的战略》认为，1991年秋天俄罗斯的主要问题是在保留联盟国家残余、一体化的经济的条件下，能否实现对俄罗斯经济的改革，或者实行加速俄罗斯经济独立和独立进行经济改革的战略。文件的制定者们确信，1991年8月以前存在的是各共和国精英结成的反对联盟中央的过渡联盟。但是，在8月事变后，首先要解决的矛盾是俄罗斯与其他共和国的矛盾。这些矛盾与它们经济的不同规模、资源潜力的差异、历史发展前景的不同，甚至与在国际社会的地位不同相关。贯穿这一文件的一个中心思想是：“客观上俄罗斯不需要一个凌驾于它之上的、对其资源进行再分配的经济中心。然而，其他许多共和国对这样一个中心则很感兴趣。在自己的领土上建立了对财产的监督后，它们希望通过联盟机构对俄罗斯的财产和资源作出有利于自己的重新分配。鉴于这样的中心只有在各共和国的支持下才能存在，它客观上不依赖于自己的干部构成，将实行有悖于俄罗斯利

[1] *Барсенков А.С., Вдовин А.И.* История России.1938–2002. С.408–409.

益的政策。"[1]他们从中得出的结论是必须建立标志俄罗斯国家独立所需的一切机构，包括自己的外汇、海关、国防等。《俄罗斯最近的经济前景》具体分析了经济政策。找到完全经济独立和独立进行改革之路，可以或者不用与其他共和国配合。俄罗斯要承担与苏联外债有关的责任，使俄罗斯有希望获得苏联的黄金储备和境外财产。在这种情况下，俄罗斯自然会成为西方的伙伴和国际金融组织的成员，俄罗斯特别需要它们的帮助。俄罗斯以其巨大的国内市场和丰富的外贸潜力吸引西方。宣布在俄罗斯领土上的联盟国家财产属于俄罗斯，并监督卢布区的财政情况。俄罗斯应当拥有自己的海关。这两个文件确定了俄联邦在8月事变后的基本政治方针。在1991年10—12月，俄联邦领导人正是按这一方针行事的。

1991年10月28日—11月13日，俄罗斯联邦召开第五次人代会，10月28日，叶利钦在俄罗斯联邦第五次人代会上发表讲话，提出了俄罗斯要采取的一系列措施，这实际上破坏了"主权国家经济联盟协定"，他声称："跨共和国机构只起磋商协调的作用，现在真正掌权的是各共和国，因此，俄罗斯联邦要从民族利益出发，奉行独立的政策，而不是强加给它的规则……该明白而清楚地申明：在俄罗斯只有一个政权：俄罗斯代表大会和最高苏维埃、俄罗斯政府和俄罗斯总统！"[2]叶利钦还在大会上发表《告人民书》，提出了克服危机的一系列措施，一次性放开物价，建立市场调控机制和消除商品短缺；实行自由贸易，建立市场信息和积极的商品流转，实行住宅、国营工业、商业和其他企业的私有化，目的是创造出更多的市场客体和积极的经济活动者。这意味着俄罗斯不用其他共和国的同意，而实行独立的经济改革。大会通过了"在激进改革时期行政权力组织"的决议和"关于经济改革的法律保证"的法令，同意叶利钦进行经济改革，俄罗斯总统获得了所要求的所有补充权限，他可以独立建立最高行政权力机关和独立任命国家行政机构的干部，有权停止执行行政机关的法令。这些措施给人的印象是叶利钦等领导人已经找到了摆脱危机的出路。

1991年11月初，俄联邦着手实施经济改革方针，开始组建新的政府，叶

[1] 转引自 *Горбачев М.С.* Жизнь и реформы. Воспоминания в 2-х тт. Кн.2. С.590.

[2] Союз можно было сохранить. Белая книга. М., АСТ, 2007. С.354.

利钦亲自兼任政府总理。他不想利用苏联原机构的人，认为这些人都是“戈尔巴乔夫的人”，叶利钦最后选中了盖达尔。11 月 6 日，叶利钦签署命令任命布尔布利斯为第一副总理，盖达尔为副总理兼经济和财政部长，绍辛为副总理兼劳动和社会保障部部长，之后“阿尔汉格尔团队”成员大部分参加了这个政府。“盖达尔政府的工作就这样开始了，改革就这样开始了。我重申：这些改革不是别人强加给我们的，不是有人从外面命令我们做的。这是已经成熟了的、使人困扰已久的变革，是由整个俄罗斯的历史进程所准备好了的变革。这是我们国家命运中不能避免的转折。”[1]11 月 15 日，在组成俄罗斯新政府后，叶利钦签署了 10 个相关法令，确定了实行市场经济的具体步骤，实际上控制了俄罗斯境内的所有金融和经济活动。苏联的 88 个部和主管局转归俄罗斯相应的部，代替联盟和俄罗斯联邦 129 个机构的是 20 个部门，人数也大为减少。

叶利钦一方面说同意保留联盟，另一方面又在加紧把联盟的资源据为已有。11 月 15 日俄罗斯联邦政府通过第 8 号令，取消苏联财政部，把其所属的企业和机关，包括苏联贵重金属和宝石管理局、苏联财政部国家成色鉴定局都转归俄罗斯联邦经济和财政部；从 11 月 20 日起，除根据俄罗斯联邦法律接受部分国家管理职能的苏联各部和主管部门外，停止向苏联各部委和主管部门拨款，其工作人员可以参加俄罗斯联邦各机构的工作，这些被撤销的部委的财产归俄罗斯联邦政府管辖。当戈尔巴乔夫与叶利钦讨论此事时，叶利钦宣布俄罗斯单独承担联盟官员的工资，他们成了俄罗斯联邦的雇员；叶利钦还宣布苏联军官的工资也由俄罗斯联邦负担。11 月 22 日，俄罗斯联邦最高苏维埃通过决定，撤销在俄罗斯联邦领土上的苏联银行机构网，其企业、机构、物质技术基础和财产转归俄罗斯联邦中央银行。到 1991 年 11 月底，俄联邦承担了苏联的债务并积极寻求西方大规模的援助。苏联最高法院和总检察院的相关部门纷纷解体，俄罗斯联邦的最高法院和检察院得到加强。此时戈尔巴乔夫虽然仍在克里姆林宫办公，召集助手和顾问开会，与各共和国和西方领导人通电话，接待外国来访者，但他的权力实际上只限于克里姆林宫了。

11 月 25 日，在新奥加廖沃举行的国务委员会会议上，提交签署的主权国

---

[1] ［俄］阿纳托利·丘拜斯主编：《俄罗斯式的私有化》，乔木森等译，新华出版社 2004 年版，第 12 页。

家联盟条约[1]实际上满足了叶利钦的要求。条约规定：联盟的每个参加者都是主权国家，主权国家联盟为邦联制民主国家，在协议参加国自愿赋予它的权限内行使权力。参加联盟的各国有独立决定自身发展一切问题的权力，独立决定自己的民族—国家和行政结构、国家体制、权力机构和管理体制。在国际关系中主权国家联盟是“主权国家、国际法的主体——苏联的继承国”。联盟拥有一支集中统一的武装力量，条约参加国有权建立自己的军队。[2]戈尔巴乔夫要求与会者草签条约，没料到叶利钦又变卦了，“戈尔巴乔夫关于草签的声明迫使各共和国领导人对条约内容进行根本修改，主要是使剩余的权力从中央向各共和国转移。苏联总统起初跟与会者好言相商，后来就变得越来越急躁，越来越激动。不管他说什么，就是没有人听。各共和国领袖执拗地要求中央授予更大的独立权，已尝到自由甜头的各加盟共和国领导人真是软硬不吃，使戈尔巴乔夫无能为力。每当戈尔巴乔夫试图坚持自己的某个提法时，我们就异口同声地否定他的提法。”[3]叶利钦的精彩描述反映了当时戈尔巴乔夫的困境，也说明起决定作用的是叶利钦，叶利钦把戈尔巴乔夫保留联盟国家的努力看成是“拯救戈尔巴乔夫的联盟”。

俄联邦代表团建议再次回到新联盟条约，取消“联邦制的民主国家”，而采用“独立国家的邦联”，声称俄罗斯最高苏维埃还没准备好批准先前达成的方案。此外，叶利钦宣布，签署“没有乌克兰的条约，是无益的事”，他建议要“等乌克兰”，而在 12 月 1 日前乌克兰不会举行全民公决。[4]这次会议达成折中的协议，条约将送交各共和国最高苏维埃审议，征得它们赞同后，再由各共和国首脑和苏联总统正式签署。但是，叶利钦实际上并不想签署任何有戈尔巴乔夫政治地位的条约，11 月 28 日，叶利钦签署《关于改组俄罗斯联邦中央国家管理机关》的命令，使存在了超过 70 年的联盟的部和局都转归俄罗斯联邦管辖。

戈尔巴乔夫对叶利钦改变态度感到惊讶，对沙赫赖等人执意要埋葬联盟

[1] 1991 年 11 月 27 日《真理报》登载了这个《主权国家联盟条约草案》。

[2] Союз можно было сохранить. Белая книга. М., АСТ, 2007. С.395–405.

[3] ［俄］鲍里斯·叶利钦著：《总统笔记》，第 129 页。

[4] 转引自 *Барсенков А.С., Вдовин А.И.* История России. 1938–2002. М., 2003. С.391.

不满，但他没什么好办法进行阻止。就当时的民意而言，民众并不希望国家解体，据1991年11月27日公布的社会政治调查基金会所作的民意测验的结果显示，与3月17日全民公决时没有什么改变，在俄罗斯联邦、哈萨克斯坦和乌克兰的城市里，有75%的人表示赞成联盟；在莫斯科，拥护联盟的人数从50%上升至81%；而在基辅，从45%上升至60%。[1] 但两个政权并存的局面是不正常的，"人们已经不再认真看待戈尔巴乔夫，讥笑他。而叶利钦又缺乏足够的权力杠杆。实质上这种局面比无政府状态更糟——无政府状态至少有目的地支持混乱，而百姓也不对恢复秩序抱任何幻想。但是由于两个政权并存的局面持续了很长时间，才使得苏联的瓦解成为可能。每一个人都在想：在自己家里整顿秩序要比在大杂院里容易。"[2] 显然，"俄罗斯政治家们已经作出决定。他们在玩自己的把戏。不是对目的有所动摇，而是在策略上犹豫。对怎样甩掉中央，也就是联盟，而打算采取这样的策略：逐渐切断联盟领导的一切最主要的命脉。"[3] 叶利钦认为，"新奥加廖沃会议的历史已经走到了尽头，我们不能也不会再朝着这个方向走下去。必须寻找和探索一条新路。"[4] 到1991年12月初，大部分联盟的机构或者消失了，或者降低了，或者在法律上转给了共和国，或者分解了。沙赫赖在1991年12月初说：已经接近了这样的时刻："在法律和事实上不能证明苏联的存在。"[5] 但这种状况是俄罗斯联邦的领导人造成的，也是他们为自己的行为在辩护，许多人并不同意这种说法，如果俄罗斯人持保留苏联的立场，中亚和白俄罗斯也不会分道扬镳。白俄罗斯学者亚历山大·戈尔戴认为："当时的事态发展仍有几种可能。要知道在1991年3月举行的苏联全民公决中，大多数公民投票赞成保留和革新苏联，而不是分家散伙。"[6]

[1] ［俄］瓦·巴卡京著：《摆脱克格勃——克格勃最后一任主席回忆录》，第187页。

[2] ［俄］科尔扎柯夫著：《我所知道的叶利钦：俄总统安全局前局长回忆录》，杨藻镜等译，外文出版社1999年版，第94页。

[3] ［俄］瓦·巴卡京著：《摆脱克格勃——克格勃最后一任主席回忆录》，第190页。

[4] ［俄］鲍里斯·叶利钦著：《总统笔记》，第129页。

[5] 转引自 *Барсенков А.С., Вдовин А.И.* История России. 1938–2002. С.389.

[6] 转引自王宪举：《我在莫斯科当外国记协主席》，第102页。

面对叶利钦等人的抵制，戈尔巴乔夫向议会发出呼吁，在 12 月 3 日送交议会的信中，戈尔巴乔夫称国家面临危机，“联盟协议草案正等待你们首肯。你们的决定不是使社会进一步走向新的生活方式，就是使我国各族人民长久地陷入困境，也许每一个民族都不得不长期进行绝望的挣扎。”他要求代表们考虑国家解体的严重后果，强调新的联盟条约不是复活旧的中心、旧的联盟，他呼吁不要再拖延了，“我请求你们，各民族的全权代表们，最近几天请讨论一下主权国家联盟协议草案，并予以赞同。”[1] 但是，代表们并没有理会戈尔巴乔夫的呼吁，没等人民代表们作出决定，叶利钦等人率先宣布了苏联的解体。

1991 年 12 月 5 日，叶利钦与戈尔巴乔夫在克里姆林宫见面，讨论新联盟条约的前途，戈尔巴乔夫表示将尽一切可能签署联盟条约，叶利钦则说，如果乌克兰在联盟条约上签字，俄罗斯就签字。叶利钦说他 12 月 7—8 日要到明斯克去，与乌克兰、白俄罗斯领导人见面，戈尔巴乔夫问他此行的目的，叶利钦说讨论俄乌两国的协议。戈尔巴乔夫担心叶利钦做不利于联盟之事，提醒他：你在电视上向人民声明联盟将继续存在。你也要对克拉夫丘克说明这一立场。希望乌克兰加入联盟，如果克拉夫丘克不同意，那么请周一回到莫斯科，我们再商量下一步的行动。[2] 但叶利钦并没有听戈尔巴乔夫的，他把联盟的命运与已经决意独立的乌克兰的立场挂钩，实质上就是要抛弃联盟，而又不承担责任。

三、乌克兰立场的急剧变化

戈尔巴乔夫与乌克兰领导层的关系也比较紧张，这如同他与叶利钦的关系紧张一样，给国家带来了不利影响。美国总统布什起初并不希望苏联解体，担心苏联这个拥有核武器的超级大国发生混乱和族际冲突。1991 年 8 月 1 日，布什在访问乌克兰时说服乌克兰不要独立，他说：“自由和独立——这并不是一回事，美国人不会帮助那些滥用自己的自由、以地方性专制取代

[1] 见［俄］米·谢·戈尔巴乔夫著：《戈尔巴乔夫回忆录》下册，第 1447—1450 页。

[2] Союз можно было сохранить. Белая книга. М., АСТ, 007.С.515.

先前暴政的人，也不会帮助那些倾向于以民族仇恨为基础的自杀式民族主义的人。”[1]

乌克兰是仅次于俄罗斯联邦的苏联第二大加盟共和国，“8·19”事变后，乌克兰宣布独立，并决定12月1日就此问题举行全民公决。在此期间乌克兰没有参加关于经济协定和联盟条约的草拟工作，10月18日，当8个共和国签署经济协定时，乌克兰最高苏维埃主席克拉夫丘克宣布乌克兰不希望，今后仍不会加入任何联盟，不会签署条约，如果这些条约哪怕有一点儿损害共和国独立的话。

为了让乌克兰留在联盟内，10月22日，戈尔巴乔夫和7个共和国的领导人发表致乌克兰最高苏维埃的呼吁书：乌克兰是联盟内最大的共和国之一，在我们国家的发展中、在我国人民引以自豪的一切方面具有不可替代的作用，我们无法想象一个没有乌克兰的联盟。乌克兰最高苏维埃以通过乌克兰国防法草案、乌克兰武装力量法草案、乌克兰共和国警卫队法草案和边防军法草案回应之。次日，乌克兰最高苏维埃宣布，乌克兰没有授权苏联在国际货币基金组织、世界银行、关贸总协定及其他国际经济组织中代表乌克兰的利益。11月8日，克拉夫丘克宣布：乌克兰最主要的工作是就乌克兰独立举行全民公决，克服经济危机；最主要的是建立自己的军队，需要有自己的硬通货，必须有独立的对外关系。在谈到联盟条约时克拉夫丘克说：“我的立场是终止新奥加廖沃进程，这个联盟已经走到了尽头。苏联最高苏维埃现在代表谁？从前的15个共和国还是现在的7个？戈尔巴乔夫自己处于怎样的境地？新奥加廖沃进程现在已经成了过去时！”[2]

克拉夫丘克在鼓动俄罗斯摆脱联盟方面起了重要作用。11月19日，也就是国务委员会决定草签联盟条约前，他就在《劳动报》上发表谈话：“我想，目前在积累了大量困难问题，几百万人处于不确定状态的情况下，一些共和国，也就是说，乌克兰、白俄罗斯和俄罗斯感觉也不错，赞成创建这样的联合体的建议：所有加入的国家都是平等的，共同解决大家感兴趣的问题。友好地

[1] Спустя 13 лет 41-й президент США снова на Украине.(24/05/2004) www.ukrinter.com/gn_article.asp?ID=10724&NID=7&LEVEL=-1.

[2] Союз можно было сохранить. Белая книга. М., АСТ, 2007. С.373.

共同解决，除了这些国家，没有任何政治中心。”[1]克拉夫丘克拒绝签署戈尔巴乔夫竭力主张的所谓主权国家联盟条约的立场是坚定的。

正当戈尔巴乔夫敦促各共和国签署新的联盟条约时，乌克兰于 1991 年 12 月 1 日举行全民公决和总统选举，结果 90.32% 的投票者赞成国家独立，克拉夫丘克以超过 60% 的得票率当选乌克兰总统，“一个新的独立的乌克兰诞生了”。12 月 2 日，叶利钦宣布承认乌克兰独立，并希望尽快建立两国的新型国家关系。叶利钦还对戈尔巴乔夫说，如果乌克兰不签署新联盟条约，俄罗斯也不签署。面对此景，戈尔巴乔夫向各共和国最高苏维埃代表发出呼吁，要求各共和国最高苏维埃批准新的联盟条约，他警告说如果苏联解体，有可能发生战争并导致全人类的灾难，重申新联盟条约不是回到旧式的中央集权国家，要建立的是完全新的国家和国家关系的联盟，“我主张的是一个新的、邦联式的、民主的国家联盟……不允许再拖延了，失去机会可能是灾难性的。所以我请求你们这些本国人民的全权代表在近期讨论主权国家联盟条约草案并赞成它。”[2]但戈尔巴乔夫的呼吁没有得到响应，12 月 3 日，克拉夫丘克在与美国总统布什会谈时通报说，近日内三个斯拉夫国家的领导人将在明斯克举行会晤。12 月 5 日，克拉夫丘克宣誓就任乌克兰总统，乌克兰最高苏维埃通过“致国家议会和全体公民书”，宣布退出 1922 年签署的建立苏联的条约。美国总统布什也不顾戈尔巴乔夫的请求，承认了乌克兰的独立。

乌克兰独立是对新联盟条约致命的一击，正如美国著名的战略家布热津斯基所说：“正是乌克兰 1991 年 12 月宣布独立以及在别洛韦日关键性谈判中坚持由一个松散的独立国家联合体取代苏联，尤其是乌克兰采取政变式的突然行动，强行夺取驻乌的苏军部队的指挥权，才使独联体没有成为仅是一个更加联邦化的苏联的新名称。乌克兰的政治自决使莫斯科目瞪口呆，并成为一个榜样，原苏联的其他共和国虽然开始时仍较胆怯，然后均纷纷效仿。”[3]“8・19”事变发生以后，乌克兰总统克拉夫丘克对戈尔巴乔夫的多次

---

[1] Союз можно было сохранить. Белая книга. М.,АСТ, 2007. С.385.

[2] Союз можно было сохранить. Белая книга. М., АСТ, 2007. С.418–420.

[3] ［美］兹比格纽・布热津斯基著：《大棋局——美国的首要地位及其地缘战略》，中国国际问题研究所译，上海人民出版社 1998 年版，第 122 页。

邀请置之不理，拒绝到莫斯科来讨论任何有关苏联前途的问题。在叶利钦去白俄罗斯访问之前，戈尔巴乔夫请叶利钦利用这次机会说服克拉夫丘克不要执意脱离苏联。据叶利钦回忆，他的确把戈尔巴乔夫的这个意思转达给了乌克兰总统，但克拉夫丘克的态度十分坚决，他以刚刚结束的全民公决中90%以上的乌克兰人支持独立为依据，表示乌克兰独立的决定已经作出，没有必要再讨论这个问题。乌克兰的强硬立场确实促进了苏联的解体，但没有乌克兰的联盟仍然是可以存在的。

第二节　从别洛韦日到阿拉木图

一、别洛韦日协定——苏联在一日之内消失

“8·19”事变以后，苏联从摇摇欲坠进入彻底崩溃的最后阶段。先是波罗的海三国彻底脱离苏联，其他加盟共和国紧随其后，独立呼声一浪高过一浪。到1991年12月，15个加盟共和国中只剩下俄罗斯和哈萨克斯坦还没有宣布独立。在这个特殊时刻，俄罗斯总统叶利钦和白俄罗斯最高苏维埃主席舒什科维奇一起商量后认为，有必要就苏联的最后结局与乌克兰总统克拉夫丘克举行一次斯拉夫国家三方会晤。这个建议得到了乌克兰总统克拉夫丘克的支持和响应。为了掩人耳目，他们特意把会晤地点选在偏僻的别洛韦日。

别洛韦日坐落在白俄罗斯西部的丛林之中，不仅风景秀丽，气候宜人，还是一个不可多得的天然狩猎场。在苏联时期，这是一个专供党和国家领导人休养的地方，赫鲁晓夫、勃列日涅夫都曾在这里留下他们的足迹，就连东欧国家领导人也非常喜欢这个地方，经常到这里休养、狩猎。但是，俄、白、乌三国领导人在1991年那个寒冷的冬日聚会别洛韦日并不只是为了休息，他们要在这样一个僻静的地方商讨如何为摇摇欲坠的苏联送终。

叶利钦名义上是率政府代表团对白俄罗斯进行工作访问，与白俄罗斯讨论两国双边的社会经济问题；克拉夫丘克则是纯粹的“私人访问”，是应白俄罗斯领导人的盛情邀请到这里的丛林打猎的。12月7日那天，克拉夫丘克抵达别洛韦日比叶利钦早，东道主先安排他到丛林中去打猎。当他返回别墅的时候，天色已晚，此时叶利钦也已经到达。一顿丰盛的晚餐之后，俄、白、乌三

国领导人坐在一起，开始商讨时局。

1991 年终结苏联的最后工作是秘密进行的，更像是少数阴谋家搞的政变。叶利钦回忆道："别洛韦日会谈是秘密进行的，为此甚至动用了特种部队来保卫整个官邸……会议的紧张程度随着分针的移动不断增强。我方参与文件起草工作的有布尔布利斯、沙赫赖、盖达尔、科济列夫和伊柳辛。我们在新的别洛韦日条约的构想和提法上下了很大工夫。显然我们必须当场签署所有这些协议，不能再耽搁了。"[1] 克拉夫丘克也证实了叶利钦的说法，1991 年 12 月 11 日，他在答记者问时说："叶利钦随身带来戈尔巴乔夫关于建立联盟的方案，戈尔巴乔夫向我们提出了如下建议：乌克兰有权作出任何改变，有权重新研究所有条文，甚至有权编写新文本，唯一条件是：它应该预告签署该条约。叶利钦把这个文本放到桌子上并转述戈尔巴乔夫的问题：'无论修改还是不修改，您是否签署这个文件？'叶利钦说，他只在我签字后才签字。因此，条约的命运完全取决于乌克兰了。我答道：'不签'。马上提出了准备新文件的问题。专家们工作了整整一夜。"[2] 当事者之一的舒什克维奇也说，事先并没有决定退出苏联，我们只是想讨论在过渡时期通过非市场方法获得能源的问题。"在会晤时布尔布利斯突然说，苏联作为地缘政治现实停止自己的存在，我们同意这一点。我说，同意签署这样的协议，我有宪法赋予的这个权力，列昂尼德·马加洛维奇·克拉夫丘克也同意，既然是布尔布利斯提出这样的建议，也就意味着叶利钦对此

布尔布利斯

[1] ［俄］鲍里斯·叶利钦著：《总统笔记》，第 131 页。

[2] *Кацва Л. А.* История России. Советский период (1917–1991) . http://it-n.ru.

也是‘赞成’的。这发生在 1991 年 12 月 7 日，剩下的事是把这一切写出来。我想，我们内部早就清楚，我们想要真正的独立，只是彼此没有说出来。现在这个词终于说出来了……况且八月叛乱后联盟的解体实际上已经发生了。联盟的联系再像以前那样已经不可能了。我们还有足够的智慧平静地确认这一点，并向全世界宣布。”[1]

不管怎么说都不能推卸叶利钦的责任，如果俄罗斯不选择独立之路，苏联不会彻底解体，没有任何一个加盟共和国苏联都可能存在，但是没有了俄罗斯，苏联便不可能存在了。正如美国俄罗斯问题专家所说：“恰恰俄罗斯的利益和民族主义在苏联解体中扮演了主要角色。”[2]雷日科夫在谈到叶利钦的作用时也说：“为了攫取国家最高权力，他可以无所不用其极。他用自己的行动千方百计鼓动波罗的海沿岸地区的、乌克兰的以及其他共和国的民族主义行动，以此作为同国家中央政权斗争的政治杠杆。一旦作出最重要决定的关头来临，他就毫不犹豫地跑到别洛韦日森林去有意识地展开了搞垮国家的行动。”[3]这些评价是符合事实的，如果叶利钦没有签署别洛韦日协定，至少可能保留一个小苏联。当然，许多人也不接受这一看法，盖达尔和哈斯布拉托夫等人在苏联解体后坚持认为，1991 年年底苏联的解体是事情逻辑发展的结果，“8·19”事变前苏联还有保留的可能，但到 1991 年年底苏联事实上已经解体。[4] 前俄罗斯总统驻国家杜马代表阿·科捷恩科夫认为，对于苏联解体，戈尔巴乔夫和叶利钦两个人都有责任，但是，是戈尔巴乔夫造就了叶利钦。[5]

埋葬苏联和建立独联体，在一定意义上是三国领导人的即兴之作，意大

---

[1] *Станислав Шушкевич*: “Я ни о чем не жалею”. Последний председатель Верховного Совета Белоруссии рассказывает о закулисах Беловежской Пущи. www.ng.ru/ng_politics/2010–04–20/15_shushkevich.html.

[2] ［美］尼古拉·梁赞诺夫斯基、马克·斯坦伯格著：《俄罗斯史》，第 593 页。

[3] ［俄］尼古拉·雷日科夫著：《大国悲剧——苏联解体的前因后果》，第 386—387 页。

[4] 参见：*Гайдар Е.* Дни поражений и побед. М., 1997. С 151. *Хасбулатов Р.* Размышления спикера. М., 1992. С.27.

[5] 转引自 Кризис национальных отношениий в прибалтике и закавказле Санкт-Петербург 2004 . revolution.allbest.ru/languages/00008140_0.html.

利记者基耶萨指出："我们掌握的所有材料证明，在这三位斯拉夫领导人中，谁都没有任何具体计划，关于苏联解体的决定是在不考虑将来、不承认它具有过渡性，甚至没有减轻危机的愿望这一片混乱的情况下产生的。唯一真实的是叶利钦要摆脱戈尔巴乔夫和联盟'中央'的想法。几乎全是前苏共政治局委员的其他共和国领导人，只是利用了俄罗斯为他们提供的机会来拯救他们自己。这个在联盟中最重要和最强大的国家决心脱离所有的其他国家，真是罕见！"[1] 据参加会晤的俄联邦总统法律顾问沙赫赖回忆，最初白俄罗斯舒什科维奇提出的新组织名称为"独立国家联盟"，乌克兰总统对"联盟"这个字眼极其反感，坚决不同意这样的名称，当有人提出用"联合体"来代替"联盟"时，克拉夫丘克没有提出反对。独联体成立的重大决定作出以后，三国领导人要求法律专家连夜起草《独联体章程》，以便在第二天举行签字仪式。由于乌克兰代表团成员不愿意夜里加班，这项工作就落到了俄罗斯和白俄罗斯两国专家的身上。经过一夜的紧张工作，《独联体章程》在 12 月 8 日早晨即告完成。俄罗斯、白俄罗斯和乌克兰三国领导人当天签署了这份文件，苏联作为国际法主体在这个世界上从此消失。这个解散苏联的协定文本由两部分组成：第一部分是白俄罗斯共和国、俄罗斯联邦和乌克兰于 1922 年签署联盟条约建立的苏维埃社会主义共和国联盟被宣布作为国际法主体和地缘政治现实已不复存在；

克拉夫丘克、纳扎尔巴耶夫和叶利钦

[1] ［意］朱利叶托·基耶萨著：《别了，俄罗斯！》，徐葵等译，新华出版社 2000 年版，第 116 页。

第二部分是俄罗斯、白俄罗斯和乌克兰（还是以创始国的身份）宣布建立新的联合体——独立国家联合体，在签约国境内不允许实行第三国，包括前苏联的法律准则，明斯克作为独联体协调机构所在地，苏联机构在独联体成员国境内一律被禁止。就这样，苏联在一天之内就不再存在了。

叶利钦的顾问沙赫赖解释说，当 1922 年苏联建立时的四个创始国中的三个——俄罗斯、白俄罗斯和乌克兰聚集在维斯库里时一切都迎刃而解了。第四个创始国是外高加索联邦，它只存在到 1936 年。而所有的前外高加索联邦的成员都已经退出了联盟。显然，四个缔造者中的三个有权讨论联盟的命运。三个斯拉夫共和国认为自己有权不考虑中央政权机关和其他共和国的意见，自作主张地解散了存在了 69 年、由 15 个加盟共和国组成的联盟。如果从法律的角度来评价，这显然是一个违反苏联宪法的协定。当时实行的已不是 1922 年的宪法，而是 1977 年的宪法，组成联盟的国家不是三个斯拉夫国家，而是 15 个，抛开已被戈尔巴乔夫承认独立的波罗的海三国，也应该由组成苏联的 12 个加盟共和国共同决定联盟的命运。但是，在整个苏联解体的过程中，法律实际上早就被当成一纸空文，在这里他们凭借的是实力，而不是法律。尽管他们违法了，但身为总统的戈尔巴乔夫没有任何对这种违法进行惩罚的手段。就这样，俄罗斯、白俄罗斯、乌克兰三个斯拉夫国家决定了苏维埃社会主义共和国联盟“已不存在”。这种做法也是对苏联共产党长期没有法治观念，没有在苏联实行法治，使苏联从领导到民众都没有遵守法律意识的惩罚。

此时，尽管远在莫斯科的戈尔巴乔夫对发生在这里的事情一无所知，但他凭直觉预感到这几个人在别洛韦日正在搞什么名堂。当他得知苏联国防部长刚刚与叶利钦通过电话时，马上迫不及待地把电话打到这个部下的办公室，得到的消息证实了他的预感：叶利钦等人在偏僻的树林里，用一个晚上的时间把苏联解散了。此时的戈尔巴乔夫已经丧失控制时局的最后能力，就连他的国防部长得知苏联解体的消息以后都不愿向他报告。

1991 年 12 月 8 日，俄罗斯、乌克兰、白俄罗斯三个斯拉夫国家的领导人正式向外界发表声明，并签署建立独立国家联合体的协议，宣布苏联作为国际法主体和地缘政治实体将停止存在。《白俄罗斯、俄罗斯和乌克兰国家元首联合声明》中说：

> 我们，白俄罗斯、俄罗斯联邦和乌克兰共和国领导人
>
> ——注意到起草新联盟条约的谈判已经走入死胡同，各共和国退出苏联和建立独立国家的客观进程已经成为现实；
>
> ——指明中央缺乏远见的政策已经导致了深刻的经济和政治危机，生产崩溃和几乎社会各阶层实际生活水平的急剧下降；
>
> ——注意到前苏联许多地区的社会紧张局势升级，这导致了有众多人员伤亡的族际冲突；
>
> ——意识到对本国人民和国际社会负起的责任和实际实施政治和经济改革的迫切必要性，我们声明建立独立国家联合体，三方于1991年12月8日签署了关于建立独立国家联合体协议。
>
> 由白俄罗斯、俄罗斯联邦和乌克兰共和国组成的独立国家联合体敞开供苏联各成员国以及赞同本协议的宗旨和原则的其他国家参加。
>
> 大家庭成员打算奉行加强国际和平与安全的方针。大家庭成员国保证履行根据前苏联签署的条约和协议而承担的各项国际义务，保障统一控制核武器并不扩散核武器。[1]

《关于成立独立国家联合体的协议》共有14条，开篇就明确声明："白俄罗斯、俄罗斯联邦和乌克兰作为苏联的创始国，1922年联盟条约的签字国（下称缔约各方），共同确认：苏联作为国际法主体和地缘政治实体已终止存在。"协议指出，三国领导人以人民之间业已形成的关系所具有的历史共同性为根据，希望在相互承认和尊重国家主权，尊重不可剥夺的自决权，在平等和不干涉内政、不使用武力，不使用经济压制手段或其他任何压制手段，协商解决争端等原则以及其他公认的国际法原则和准则的基础上发展相互间的关系。认为进一步发展和加强我们三国之间的友好、睦邻和互利合作关系符合三国人民根本的民族利益并有助于和平与安全事业。重申自己忠于联合国宪章、赫尔辛基最后文件和欧洲安全与合作会议其他文件的宗旨和原则，保证遵守有关人权和

[1] Союз можно было сохранить. Белая книга. М., АСТ, 2007. С.450–451. 中国国际问题研究基金会俄罗斯中亚研究中心编：《中亚区域合作机制研究（论文集）》，世界知识出版社2009年版，第45页。

各国人民权利的公认的国际准则，就下列各项达成协议："缔约各方组成独立国家联合体。""缔约各方保证本国公民享有平等权利和自由，不管他们属于哪个民族和有什么其他差别。缔约各方中的每一方应根据有关人权的公认的国际准则保证他方公民以及在该方领土上居住的无国籍人士（不管他们属于哪个民族和其他差别）享有公民的权利和自由，以及政治上、社会上、经济上和文化上的权利和自由。""缔约各方愿意帮助在各自领土上居住的少数民族和现有独特的民族文化地区表现、保留和发展民族的、文化的、语言的和宗教的独特性，承担保护他们的责任。""缔约各方相互承认和尊重领土完整和联合体范围内的现有边界不可侵犯性。它们保证在联合体范围内开放边界、公民往来和传递信息的自由。""联合体成员国将在确保国际和平与安全、实施削减军备与军费的有效措施方面进行合作。它们力争销毁一切核武器、在严格的国际监督下全面彻底裁军。各方将尊重相互间谋求取得无核区和中立国地位的意愿。联合体成员国将在联合司令部之下保留并支持共同的军事战略空间，包括统一控制核武器，由专门协定协调实施统一控制的办法。它们还共同保证战略武装力量的部署、行使职能、物质与社会保障的必要条件。各方应在军人及其家属的社会保障和赡养问题上奉行协调一致的政策。"联合体各成员国还将协调外交活动，在建立和发展共同的经济领域、全欧和欧亚市场中，在关税政策方面进行合作；在发展交通和通讯、环保、移民、同有组织犯罪进行斗争等方面加强合作。"缔约各方的每一方保留中止本协定或本协定某些条款生效的权利并将此事在一年前通知协定参加国。经缔约各方相互同意，本协定的各条款可以补充

签署别洛韦日协定，1991 年 12 月 8 日

和修改。”“本协定自签字之时起，在签署协定国领土上不许使用第三国，包括前苏联的准则。前苏联各机构在联合体成员国境内的活动将停止。联合体协调机关的正式所在地为明斯克市。本协议于 1991 年 12 月 8 日在明斯克市完成，一式三份，分别用白俄罗斯语、俄语、乌克兰语写成，三种文本具有同等的效力。”在上面签字的有：舒什克维奇、克比奇、叶利钦、布尔布利斯、克拉夫丘克和福金。[1]

俄罗斯、白俄罗斯和乌克兰三个斯拉夫国家的领导人的声明和协定宣告了苏联的死亡，强大的苏联消失了，取而代之的是 15 个独立主权国家。但是，实际上当时苏联的许多加盟共和国，以及这些国家的大多数居民并不知道他们从哪里获得独立。“当签署独联体成立协定时，各成员国倾向于保留共同的社

给苏联画上句号的三人：叶利钦、克拉夫丘克、舒什克维奇。别洛韦日密林，1991 年

[1] Союз можно было сохранить. Белая книга. М., АСТ, 2007. С.451–455. 中国国际问题研究基金会俄罗斯中亚研究中心编：《中亚区域合作机制研究（论文集）》，第 41—44 页。

会经济、交通和军事战略空间。”[1] 他们发明了一种建立在几国之上的新机构——独联体，取代了苏联，它有统一的经济空间，联合的军事指挥部和共同的外交政策。许多人误以为国家只是换了个名称而已，并没有意识到苏联这个强国从此不复存在。

在签订别洛韦日协定的问题上，起决定性作用的当然是叶利钦，有人认为这一协定的签署是叶利钦对戈尔巴乔夫的胜利。“通过这一文件的签署，他消灭了一个他认为是自己的主要政敌的人——米哈伊尔·戈尔巴乔夫。很明显，对他来说没有什么比此举更重要了。现在已经可以有把握地说，他除了这个结果外，什么都没有看到。”[2] 这种说法是深刻而贴切的，与戈尔巴乔夫和叶利钦常打交道的纳扎尔巴耶夫也认为：“促成‘三人联盟’作出这个史无前例协定的真实因素是叶利钦对戈尔巴乔夫的个人憎恨，准确点说，是他努力不惜花任何代价要撤销不成功的苏联总统的权力。”[3] 但雅科夫列夫则没有更多归咎于个人，他认为苏联境内的所有民族提出了向民主转折的必要性，“当过去的制度不能完成这样的转折时，苏联便不复存在了。”[4]

抛开联盟独立行事是叶利钦的选择，他把联盟完全看成是与俄罗斯联邦对立的机构，他说：“在那之前我早已不把俄罗斯的命运与苏共中央、部长会议、人民代表大会、部长会议国家物资和技术供应委员会以及其他‘历史地’始终对俄罗斯的命运满不在乎的部门绑在一起，因为它们恰好是‘历史地’始终对俄罗斯的命运满不在乎的机构。俄罗斯之所以使它们感兴趣，仅仅是因为俄罗斯一直向它们提供原料、劳动力和炮灰，一直充当可以把别国、直至古巴吸引过来的主要的帝国的‘磁铁’。”[5] 在谈到签署别洛韦日协定的心情时，叶利钦直言不讳地承认：“在别洛韦日的树林里，一股无名的自由和轻松感突然袭入我的心头。对此，我至今仍记忆犹新。俄罗斯签署这个协议，也就选择了

[1] ［俄］伊万诺夫著：《俄罗斯新外交》，第 67 页。

[2] ［意］朱利叶托·基耶萨著：《别了，俄罗斯！》，第 111 页。

[3] ［哈］努·纳扎尔巴耶夫著：《时代、命运、个人》，第 81 页。

[4] ［俄］亚·尼·雅科夫列夫著：《一杯苦酒——俄罗斯的布尔什维主义和改革运动》，第 326 页。

[5] ［俄］鲍里斯·叶利钦著：《总统笔记》，第 132 页。

另外一条发展道路。问题并不在于数百年前被征服和吞并的那些部分相继脱离苏联帝国的怀抱。文化、生活、经济和政治的一体化迟早会发挥自己的作用，分离出去的这些部分反正还会留在共同合作的区域之内。重要的是俄罗斯走上了一条和平的、民主的、非帝国的发展道路。”[1]

《别洛韦日协定》签署以后，叶利钦决定马上把这个消息通报美国总统布什。在此之后，才由这次聚会的东道主舒什科维奇给戈尔巴乔夫打了一个电话，通知他所领导的国家作为国际法主体已经不复存在。戈尔巴乔夫气得暴跳如雷，令他感到不能接受的是他们竟然如此不把他这个苏联总统放在眼里，连美国总统都比他先知道消息，他气愤地对叶利钦说：“你们串通美国总统背着我干的事，是丢人现眼，奇耻大辱！”[2]

12 月 10 日，乌克兰的最高苏维埃讨论批准《别洛韦日协定》，有 367 名代表参加会议，有 288 人赞成，10 人反对，7 人弃权，62 人没有参加投票，批准了关于建立独立国家联合体的协定；同一天，白俄罗斯最高苏维埃也讨论批准了这个协定，有 263 名代表投票赞成，2 人弃权，1 人（卢卡申科）反对，27 名代表没有投票。12 月 12 日，俄罗斯联邦最高苏维埃召开第四次会议，叶利钦在发言中说：“在 8 月事变后苏联解体的进程开始进入最后阶段，开始了它的最后挣扎。”“12 月 1 日乌克兰全民公决赞成独立……必须尽快采取决定性步骤中止无益的事件进程。上周末在明斯克做了这一工作……找到了在新的条件下共同生活的唯一可能的形式——独立国家联合体，而不是在其中谁都没有独立性的国家。”“费了好大劲才最终找到友好国家——苏联成员唯一可以接受的形式，也许这是最后的机会。”[3] 俄罗斯联邦最高苏维埃以 188 票赞成、6 票反对、7 票弃权，62 人没有投票的表决结果也批准了这一协定，从而在法律程序上为苏联解体进程画上了句号。三个共和国都通过了停止它们在联盟立法机关中代表全权的决议。

[1] ［俄］鲍里斯·叶利钦著：《总统笔记》，第 132 页。

[2] ［俄］米·谢·戈尔巴乔夫著：《戈尔巴乔夫回忆录》下册，第 1395 页。

[3] Союз можно было сохранить. Белая книга. М., АСТ, 2007. С.477–479.

二、戈尔巴乔夫的无能为力与其他共和国态度的变化

戈尔巴乔夫要为联盟战斗到最后一分钟，尽管他没有可资利用的资源，他仍然每天到克里姆林宫上班，打电话、签署命令。12月9日，戈尔巴乔夫急不可待地要求三个斯拉夫国家的领导人来见他，但最后只有叶利钦一个人前来，会谈进行了一个多小时，戈尔巴乔夫与叶利钦争吵得很厉害，但毫无结果。叶利钦急于把戈尔巴乔夫赶走，第一次提出让戈尔巴乔夫辞职的问题，他说："联盟已不复存在，这难道您真的不明白？也没有回头路，因此必须找出一条摆脱绝境的出路。我们已经找到了，相信其他共和国也会支持它。"[1]12月10日，戈尔巴乔夫发表声明，强调："协议直接宣布苏联停止存在。无疑，任何一个共和国都可以退出联盟，但一个多民族国家的命运，不能取决于三个共和国的领导人的意志。这个问题，只应通过协商的办法，在所有主权国家的参与下，并考虑这些国家人民的意志，才能决定。同样，关于停止实行全联盟法律准则的声明也是非法的和危险的，因为它只能加剧社会混乱和无政府行为。文件的仓促产生引起人们的困惑不解。它既没有经过居民的讨论，也没有经过各共和国最高苏维埃的讨论，可文件却是以他们的名义签订的。何况此事恰恰发生在这样一个时刻：各共和国议会正在讨论苏联国务委员会制定的主权国家联盟协议草案的时候。在这种情况下，我坚信应该让所有共和国的最高苏维埃和苏联最高苏维埃讨论这个主权国家联盟方案和在明斯克缔结的这个协议。鉴于协议中提出了另一种国家形式，这属于苏联人民代表大会的职权范畴，必须举行这样的代表大会。此外，我也不排除就这个问题举行全民公决（全民投票）。"[2]12月11日，戈尔巴乔夫继续发表谴责别洛韦日协定的声明，接受了《独立报》的采访，强调应该在法律的框架下解决问题。但戈尔巴乔夫的呼吁无人响应。

戈尔巴乔夫没有采取强硬措施来制止别洛韦日协定变成现实，尽管他不愿看到苏联解体。戈尔巴乔夫一直坚信不能流血，更不能发生内战。"尽管

[1] ［俄］鲍里斯·叶利钦著：《总统笔记》，第142页。

[2] Россия, которую мы не знали. 1939 – 1993. Хрестоматия. Под ред. *М.Е. Главацкого*. Челябинск южно-уральское издательство. 1995. С.377.

有这一切沉痛的生活教训，他却没有自救，没有借助军队挽救国家，而是在1991年12月试图向他所造就的社会力量和宪法机构求助，希望他们像在8月那样支持他，搭救他。然而，在别洛韦日政变之后的日子里发现，抛弃他的不仅是国防部长，而且还有政治大军。”[1]

对于其他国家是否参加别洛韦日协定，叶利钦采取了无所谓的态度，“我们没有硬拉着其他共和国签署新文件，而是向它们表明，三个斯拉夫国家已经接通了联合的‘线路’，但不给其他共和国长期踌躇和讨价还价的机会：愿意就跟我们联合，不愿意那是您的权利。”[2]中亚国家本来就不希望苏联解体，现在他们不想被抛在外边，12月11日，亚美尼亚宣布加入，12月12日，摩尔多瓦宣布加入。

12月12日，中亚各国领导人聚会，讨论如何应对别洛韦日协定签订的现实，他们对三国背着他们签署别洛韦日协定很气愤，但也别无选择。13日，哈萨克斯坦、吉尔吉斯斯坦、塔吉克斯坦、乌兹别克斯坦、土库曼斯坦发表首脑声明，要求成为独立国家联合体的创始会员国，并表示保证对核武器的统一控制及对战略遏制部队和海军的联合指挥。1991年12月16日，哈萨克斯坦当时的最高立法机关国家最高委员会通过了《哈萨克斯坦独立和国家主权法》，正式宣布独立。

此后，12个国家的领导人进行了紧急磋商，重新起草关于成立独立国家联合体的协议，戈尔巴乔夫没被邀请参加协议的起草工作，他仍提出了一些建议，强调应该有过渡期，应该有跨共和国的协调机构，12月17日，戈尔巴乔夫的顾问和新闻秘书格拉乔夫在记者会上说：“戈尔巴乔夫关心的是从苏联到独联体的转变进程应在民主的框架内合法、公开地进行。”“我没感觉到戈尔巴乔夫时代已经结束，他是一个注重过程而不是具体职位的人，我们在相当长的时期内都要谈论属于他的时代。米哈伊尔·戈尔巴乔夫并没有考虑辞职问题。”[3]12月18日，戈尔巴乔夫给为成立独联体而去阿拉木图参加会晤的各共和国领导人一封信，认为自己有道义和政治上的责任提请他们注意一些问题，

[1] ［俄］安德烈·格拉乔夫著：《戈尔巴乔夫之谜》，第352页。

[2] ［俄］鲍里斯·叶利钦著：《总统笔记》，第133页。

[3] Известия. 18 декабря. 1991.

重申他坚持不允许国家解体，写信的目的不是再次跟他们讨论这个话题，主要是提醒他们不要让这一进程加剧社会业已存在的破坏性倾向。他认为向独联体的过渡会导致政治、经济和族际危机的深化以及人民生活水平的下降。他建议：新的联合体应该叫“欧亚国家联合体”，生活在其中的各族人民应该平等；应该努力保障人权和民主自由权，在漫长的过渡期内应该使“联合体公民”和相应的国家公民身份同时存在；确保统一的市场和多种所有制以利于建立社会市场经济；以负责任的态度对待国家的战略安全体系，对战略核力量进行统一控制等。戈尔巴乔夫的信发表在12月20日的《真理报》上，但没有得到回音。叶利钦等人已经决定不再理会戈尔巴乔夫而任意行事，12月16日，俄罗斯最高苏维埃从苏联最高苏维埃召回了俄罗斯联邦的代表，在解决关于苏联最高苏维埃的命运前由俄罗斯保护其财产。12月17日，戈尔巴乔夫与叶利钦商定，所有联盟机构在年底前停止活动，一部分转归俄罗斯联邦管辖，一部分将取消。12月19日，俄罗斯总统叶利钦颁布了“关于建立俄罗斯安全和内务部”的总统令。12月20日，苏联国家银行被撤销，变成了俄罗斯国家银行。

12月20日，戈尔巴乔夫对德国总理科尔说：“如果阿拉木图的与会者批准目前提出的关于联合体的协定的文本，我就辞职，而且此事不会拖得太久。我已经说过，我不会继续参加国家解体的过程。这可是我开始的事情啊，因此我不想让过程脱离宪法的范围，不想让联合体成为骗人的东西。”[1]纳扎尔巴耶夫在谈到戈尔巴乔夫时说：“我想在他心灵深处期盼着，各共和国领导人无法找到共同语言并不会达成一致，将会向他求援。但这没有发生，因为唯一的出路对于我们来讲就是协商成立独联体。核超级大国元首和世界最强大之一军队的统帅却无力抗衡局势而很快投降屈服。爱莫能助，他自己选择了个人命运。”[2]戈尔巴乔夫对于苏联局势的发展已经失去了影响力，在各共和国都决定埋葬联盟的情况下，他对苏联的解体也无可奈何。

[1]［俄］安德烈·格拉乔夫著：《戈尔巴乔夫之谜》，第355页。

[2]［哈］努·纳扎尔巴耶夫著：《时代、命运、个人》，第86页。

三、独立国家联合体正式成立

1991 年 12 月 21 日，俄罗斯等 11 个独立国家领导人在哈萨克斯坦首都阿拉木图举行独立国家首脑会议，经过长达三个半小时的磋商，11 国领导人达成了一致，达成了《关于建立独立国家联合体协议的议定书》，会议通过了《阿拉木图宣言》和《关于武装力量的议定书》等文件，正式宣告建立独立国家联合体，1922 年 12 月 30 日成立的苏维埃社会主义共和国联盟不复存在。阿塞拜疆共和国、亚美尼亚共和国、白俄罗斯共和国、哈萨克斯坦共和国，吉尔吉斯斯坦共和国，摩尔多瓦共和国，俄罗斯联邦、塔吉克斯坦共和国、土库曼斯坦、乌兹别克斯坦共和国和乌克兰，在平等原则的基础上作为缔约各方组成独立国家联合体。

叶利钦挥舞俄国的三色旗，1991 年

《阿拉木图宣言》宣布：

“独立国家——阿塞拜疆共和国、亚美尼亚共和国、白俄罗斯共和国、哈萨克斯坦共和国，吉尔吉斯斯坦共和国，摩尔多瓦共和国，俄罗斯联邦、塔吉克斯坦共和国、土库曼斯坦、乌兹别克斯坦共和国和乌克兰，努力建设民主的法制国家，将在相互承认和尊重国家主权和主权平等、不可分割的自决权、平等和不干涉内部事务的原则、不使用武力和以武力相威胁，不施加经济或其他方式的压力、和平解决争端，尊重人权和人的自由（包括少数民族的权利），认真履行国际法义务及其他公认的原则和国际法准则的基础上发展相互关系。”“互相承认并尊重领土完整及现有边界的不可侵犯；认为加强具有深刻历史渊源的友好、睦邻和互利合作关系，符合各国人民的根本利益，有利于和平与安全事业；意识到自己对保持公民和睦和民族和谐的责任；忠于建立独立国家联合体协定的宗旨与原则。”特发表如下声明：

“联合体的参加国将通过以均等的原则建立的、按联合体（它既不是国家，也不是国家同盟）成员国之间的协议规定的程序行使职能的协调机构实行平等协作。为保证国际战略稳定和安全，将保留对军事战略力量的统一指挥和对核武器的统一监督；各方将互相尊重成为无核或中立国家地位的愿望。

独立国家联合体在其所有成员国都同意的情况下，可供前联盟成员国或同意联合体的宗旨与原则的其他国家加入。

重申愿在形成并发展统一经济空间、全欧和欧亚市场方面进行合作。

随着独立国家联合体的成立，苏维埃社会主义共和国联盟将停止存在。

联合体成员国保证按自己的宪法程序履行苏联所签订的条约、协议所规定的国际义务。

联合体成员国必须恪守本宣言原则。”[1]

11 国领导人在《阿拉木图宣言》上签上了自己的名字。独立国家联合体首脑理事会作出决定，支持俄罗斯继承苏联在联合国中的成员国地位，包括常任理事国和其他国际组织中的成员国地位；一致同意沙波什尼科夫为独联体武装力量临时总司令；致函戈尔巴乔夫，通知他苏联已经不存在，苏联总统的设置被取消。他们还签署了《独立国家元首会议关于武装力量临时指挥的议定书》、《关于独立国家联合体协调机构的协定》、《关于前苏联根据联合国宪章在权利和义务方面延续性的决定》。领土上有核武器的白俄罗斯、哈萨克斯坦、俄罗斯和乌克兰四国签署了《关于在核武器方面采取共同措施的协定》。

[1] Союз можно было сохранить. Белая книга. М., АСТ, 2007. С.493–495. 中国国际问题研究基金会俄罗斯中亚研究中心编：《中亚区域合作机制研究（论文集）》，第 49—50 页。

12 月 23 日，叶利钦与戈尔巴乔夫会晤，讨论与停止联盟机关活动相关的问题。戈尔巴乔夫答应了叶利钦的强硬要求，把武装力量的指挥权和发射 2.7 万枚核弹头的“核按钮”——一只黑色的密码箱交给叶利钦，把克里姆林宫的总统府让给叶利钦，把他保存的一批机密的档案文件也交给了叶利钦。叶利钦答应给戈尔巴乔夫 20 名警卫，同时，戈尔巴乔夫还得从原来住的国家别墅中搬出去，叶利钦答应另外给他一座国家别墅“莫斯科河 5 号”供他终身使用，这是一个占地 18 公顷的现代化的庄园。一处住宅和两辆小汽车，每月 4000 卢布（当时相当于 60 美元）的退休金。叶利钦还把列宁格勒大街上的一组建筑交给戈尔巴乔夫基金会，这里原是高级党校的分部。叶利钦让戈尔巴乔夫主动提出辞职，实际上是给戈尔巴乔夫留的一点面子。12 月 25 日，俄罗斯联邦最高苏维埃确定了俄罗斯的新国名——俄罗斯联邦（俄罗斯[1]）。

25 日圣诞节之夜，西方国家都沉浸在一派节日的喜庆气氛中，苏联总统戈尔巴乔夫来到了他在克里姆林宫的办公室，偌大的办公室显得空空荡荡，只有他的首席顾问切尔尼亚耶夫和助手利霍塔尔陪伴在他身边。戈尔巴乔夫签发了他作为苏联总统的最后一个文件：辞去苏联总统和苏联最高统帅的职务。19 时整，戈尔巴乔夫在电视讲话中宣布辞职，他把自己的辞职看成是对别洛韦日协定的抗议。戈尔巴乔夫开始向独联体国家的人民、也向全世界人民宣告苏联的死亡，宣布自己辞去苏联总统，他声音低沉地说道：“亲爱的同胞们！公民们！鉴于独立国家联合体成立后形成的局势，我停止自己作为苏联总统的活动。作出这一决定是出于原则性考虑。我坚决主张各族人民的独立自主，主张共和国拥有主权，但是同时主张保留联盟国家，保持国家的完整性。事态沿着另一条道路发展。肢解国家和分裂国家的方针占了上风，对此我是不能同意的。即使在阿拉木图会晤并作出决定后，我的这一立场也没有改变。此外，我坚信，如此重大的决定本应该由人民自己投票作出。尽管如此，我将尽一切可能，使那里达成的协议导致社会中的实际和睦，并且有助于走出危机和继续改革进程。”戈尔巴乔夫对 1985 年以来他倡导的改革进行了总结，他认为当时苏联必须进行根本改

[1] Россия 译为“俄国”较为确切，俄国人意在表明其是延续了被十月革命打断的历史，但中国人为区别于十月革命前的俄国译作“俄罗斯”，这种译法在某些场合容易造成混乱。

革，他认为，在这几年的改革中，“社会获得了自由，在政治上和精神上得到了解放。这是最主要的成就，我们对此还没有充分的认识，因为还没有学会利用自由。”“各个民族、各个国家获得了选择自己的自治道路的真正自由。”他还提到了冷战的结束，停止了军备竞赛，苏联对世界开放了。他表示了对国家解体的不安，但并没有承担相应的责任，他认为是 8 月叛乱使苏联的危机达到顶点，导致了国家的解体。他希望民主成果能够得到保留，国家会得到振兴。[1]

19 时 38 分，克里姆林宫屋顶旗杆上，那面象征红色政权的镰刀锤子旗徐徐下落，俄国的三色旗随之升起。此时此刻，广场上的人们意识到，克里姆林宫已经成为俄罗斯联邦的总统府，苏联从地图上消失了，永远地消失了。12 月 26 日，苏联最高苏维埃联盟院举行最后一次会议，代表们以举手表决的方式通过一项宣言，宣布苏联停止存在。

苏联能够和平分家，没有发生像南斯拉夫那样的内战，说明他们还是比较理智的，尽管新独立国家间有各种矛盾和问题，但都坚持用政治和外交手段，而不是军事手段加以解决了，这是时代的进步。

四、苏联国民与外部世界的反应

苏联的解体是 20 世纪下半叶最重大的事件，它彻底改变了占地球 1/6 人口的人民的命运，也在很大程度上影响了世界的命运。但苏联民众对苏联解体的消息表现得十分平静，没有遇到任何反抗，让人吃惊。对此，俄历史学家有不同的解释。莫斯科大学的两位学者认为，“首先，人们厌倦了长期的犹豫不决，在几个月的时间里，国家处于半解体状态，无论如何要结束这种状况。其次，长期以来，人们对日益增长的分割国家中央机构的行为无能为力，这导致了他们事实上对 1991 年 12 月事件的麻木。再次，在心理感受上，由于存在独立国家联合体协议，减轻了人们对苏联消失造成的心理冲击，也就是说苏联不是消失了，而是变成了另一种形式。”[2] 对于国家解体造成的严重后果，当

[1] В Политбюро ЦК КПСС… По записям Анатолия Черняева, Вадима Медведева, Георгия Шахназарова (1985–1991), 2-е изд., исправ. и доп. М., Горбачев-Фонд, 2008. С.768–770.

[2] *Барсенков А.С., Вдовин А.И.* История России. 1938–2002. .М., 2003. С.391.

事者本身也估计不足，叶利钦事后说："别洛韦日协定，正如我当时认为的那样，首先是为了大大提高正在瓦解的联盟的向心力，促进缔结条约的进程……成立独立国家联合体在当时是能保留统一政治空间的唯一机会。"[1]戈尔巴乔夫认为，建立独联体是对在全民公决中同意保留更新和改造后的联盟的民众的欺骗，当时压倒一切的想法是："戈尔巴乔夫方案保留的只是有 8 个成员的苏联，而别洛韦日协定一下子有苏联的 12 个国家参加。"[2] 人们平静地接受苏联的解体表明了对戈尔巴乔夫的失望，有人愤怒地说："我们需要他干什么？如果苏联都不存在了，他还有什么用？苏联再也不存在了，不是吗？""当我想起过去对他的信任时，现在对那种激动的心情要嗤之以鼻。我现在闹不清楚那个人除了使我们一无所有和把责任推给别人以外是否还做过什么有价值的事。"[3] 但是，也有人不这样认为，1991 年 12 月 27 日《俄罗斯报》的一篇报道说："戈尔巴乔夫给我们留下了什么呢？他的对手们认为，他留下了一个分裂的帝国，这个帝国曾有一个名字叫苏联；留下了无法遏止的通货膨胀、街头乞丐；留下了百万富翁和据说达到 80% 的处于贫困线以下的人民。然而我们有安德烈·德米特里耶维奇·萨哈罗夫的名字和自己的洞察力，有亚历山大·伊萨耶维奇·索尔仁尼琴的书和对一个伟大的真理的理解——'人'的确是一个骄傲的称呼。这还少吗?"[4] 人们希望在各自独立行事的条件下能够摆脱经济危机和政治混乱，过上安定的生活。

戈尔巴乔夫一直在为保留联盟作努力，但反对联盟的力量更强大，指责戈尔巴乔夫搞垮苏联的俄共领导人久加诺夫当时遵照哈斯布拉托夫的委托四处奔走，劝说议员们投票赞成别洛韦日协定。对于人们的指责，戈尔巴乔夫在改革二十年后问道："那时你们大家在哪里？为什么没有一个人站出来呢？知识界沉默，媒体沉默，最高苏维埃沉默，军队没动静。没有一个人站出来！所以

---

[1] [俄] 鲍里斯·叶利钦著：《总统笔记》，第 133 页。

[2] *Горбачев М.* Создание СНГ обмануло ожидание тех жителей бывшего СССР, кто на референдуме голосовал за обновление и реформирование Союза. ИТАР-ТАСС, 28.08.2005.

[3] 黄宏、纪玉祥主编：《原苏联七年"改革"纪实》，红旗出版社 1992 年版，第 733 页。

[4] 转引自俄罗斯社会与民族问题独立研究所、俄罗斯政治与经济历史中心：《戈尔巴乔夫—叶利钦政治对抗 1500 天》，王南枝等译，新华出版社 1993 年版，第 375 页。

我就想：原来只有我一个人需要联盟国家，可你们大家为什么把一切罪责都归咎于我呢?”[1]在苏联解体的过程中，叶利钦是起决定性作用的一个人物，正如基辛格所说：“戈尔巴乔夫的大政敌利用花了三个世纪才建立的俄罗斯帝国土崩瓦解的过程，来推翻戈尔巴乔夫。叶利钦以俄罗斯总统的身份，重申俄罗斯的独立（因此等于暗示其他的苏维埃共和国也是独立的），实质上等于解散了苏联，也等于架空了戈尔巴乔夫担任苏联总统的职位。戈尔巴乔夫知道问题出在哪里，但是他的动作太快，也太慢：太快，因为他容忍其制度，但又太慢于控制住不断加速的瓦解。”[2] 基辛格的分析有一定的道理。

苏联的解体超出了西方人的预料，西方最敏锐的观察家都没有预见到苏联会如此迅速地解体。西方对苏联的解体采取的是欢迎的态度，乌克兰一宣布独立，就受到了美国总统布什的祝贺，他们把乌克兰的独立看成是对俄罗斯帝国的打击，西方人最关心的是苏联的核武器问题和苏联解体采用和平的方式。明斯克协议签订后，美国国务卿贝克在接受美国哥伦比亚广播公司记者采访时表示，美国担心存放在乌克兰、白俄罗斯和哈萨克的核武器会失去控制。12 月 11 日，布什会见内阁成员前对记者说，美国正密切注视苏联事态的发展，特别是苏联核武器问题。[3] 为此，贝克对乌克兰和俄罗斯进行了访问，主要谈的问题是对核武器的监督和美国提供援助的问题，叶利钦表示独立国家联合体将可靠地控制核按钮，乌克兰承诺取得无核国地位和在本国境内销毁核武器。独联体各国首脑阿拉木图会晤达成协议，建立联合军事指挥部来管理武装力量和核武器。12 月 30 日，明斯克会晤确认了阿拉木图决定有效。苏联拥有的 2.7 万枚核弹头全部由独联体联合战略力量控制，其司令是沙波什尼科夫，联合战略力量的使用必须得到四个部署有核武器国家——俄罗斯、乌克兰、白俄罗斯和哈萨克斯坦的总统共同决定。四国间建立了的热线，每个人都有一个密码，如果使用核武器，必须凑齐这四个密码，单独一人谁都不能决定。

在戈尔巴乔夫辞职后，西方国家领导人对戈尔巴乔夫给予了不同于苏联

[1] 王振广等编译：《改革二十年——戈尔巴乔夫访谈录》，载《当代世界社会主义问题》2005 年第 4 期，第 53 页。

[2] ［美］亨利 · 基辛格著：《大外交》，顾淑馨等译，海南出版社 1998 年版，第 739 页。

[3] 黄宏、纪玉祥主编：《原苏联七年“改革”纪实》，第 714 页。

人的评价，英国首相梅杰认为：“世界上很少有人能够改变历史的进程，但是戈尔巴乔夫做到了这一点。不管今天出现什么情况，他在历史上的地位是无可置疑的。”美国总统布什赞扬戈尔巴乔夫个人的勇气和为改造苏联所作的贡献。德国总理科尔说：“要是没有戈尔巴乔夫，要消除东西方的冲突和在过去几年里在裁军和武器控制方面取得空前的成功是不可能的。”[1]这种评价当然符合他们的国家利益，他们都在努力与苏联领土上这些新独立的国家打交道，新独立的苏联 12 个加盟共和国也努力争取国际社会的承认，开拓自己的外交空间。世界迎来了一个没有苏联的冷战后时代。

[1] 黄宏、纪玉祥主编：《原苏联七年“改革”纪实》，第 733 页。

结 束 语

戈尔巴乔夫执政的六年，是震撼世界的六年，更是苏联发生转折性变化的六年。从俄国的发展道路来看，戈尔巴乔夫抛弃了斯大林模式的社会主义，开启了政治民主化和经济市场化改革的大门；从联盟国家来看，戈尔巴乔夫的民主化改革给了民族主义、民族分离主义以发展的空间，却没有能力满足其要求，革新联盟体制的尝试失败，民族分离主义的发展导致了国家的解体；从苏联共产党的角度看，戈尔巴乔夫并没有完成对党的改革，苏共没有形成一个领导改革的坚强的领导核心，最后分崩离析，失去了政权；从民众的角度看，被他们寄予厚望的国家领导人让他们极度失望，生活不仅没有改善，反而恶化了，联盟国家也不复存在，多民族的家庭变成了国际性家庭，给人民带来了许多痛苦和失落。苏联的解体、苏联社会主义的失败无论对苏联地区的民众、对世界格局，还是对世界社会主义运动都产生了很大影响，至今这种影响仍在继续。在研究了戈尔巴乔夫时期的苏联历史之后，我们可以得出以下几方面的结论：

一、苏联的剧变有深刻的历史与体制的原因

“冰冻三尺，非一日之寒”。戈尔巴乔夫的改革面临着很大困难，苏联70年积累下来的矛盾与问题在这一时期集中爆发，使戈尔巴乔夫顾此失彼、应接不暇。正如俄国历史学家麦德维杰夫所说：“苏联被瓦解了，在这本可避免的戏剧性事件中，俄罗斯联邦及其总统起了主要作用。但是，把对所发生事情的所有责任都推给俄罗斯联邦，或者戈尔巴乔夫与叶利钦的争斗上，是一个错误。这些全局性事件的原因众多，需要进行最认真的研究。”[1] 杜牧在《阿房宫赋》中曾说：“灭六国者六国也，非秦也。族秦者秦也，非天下也。嗟夫！使六国各爱其人，则足以拒秦；使秦复爱六国之人，则递三世可至万世而为君，谁得而族灭也?”这段话也完全适用于苏联和苏共。苏联剧变是在戈尔巴乔夫时期发生的，但问题是几十年积累下来的，不能把所有责任都推给当时的领导人。

俄罗斯人好走极端，急于求成、不善于做细致扎实工作的特点在其中也

---

[1] [俄]罗伊·麦德维杰夫著：《俄罗斯向何处去？——俄罗斯能搞社会主义吗?》，第130页。

起了很大的作用。正如一位改革的亲历者事后说:“改革的过程本身使社会迅速激进化，因而社会很快感到了社会主义革新模式的束缚，于是社会朝前走了。我记得自己当年的焦虑和对戈尔巴乔夫经常感到愤怒的状态。我觉得他当时做一切事都太慢了，实在太慢了……这仅是我的印象，我的许多同事和朋友也这样认为。然而在这么多年之后开始思考时会得出一个结论：我们在那个年代心情急迫并攻击戈尔巴乔夫，却没有向他提供一些积极有效的建议。具有民主思想的精英最终也没有创立关于发展市场和形成新的政治架构的完整思想，尤其是没有创立政治改革与经济改革相结合的思想……总之，我们大家冲向了被改革打开的大门，但同时我们没有充分考虑细节、考虑制度架构和机制、考虑改革方面的辅助性工作。戈尔巴乔夫在社会上拥有民主知识分子的支持，但他的专家基础很薄弱。问题甚至不在于他没有吸收专家或者不了解他们，问题在于当时在旧制度开始崩溃的时候俄罗斯没有能够筹划新结构的人。”[1] 这段话很值得回味。苏联与中国不同，由于斯大林模式的存在已经历经几代人的时间，人们所接受的是传统社会主义观的教育，他们已经不知道如何搞市场经济和按价值规律办事了，因此，无论是领袖，还是专家，都没有人能拿出切实可行的改革方案，改革只能在纠错、试错的过程中进行，但历史并没有给他们时间。

二、戈尔巴乔夫在改革中犯了错误，存在明显的失算

有人认为，苏联体制的崩溃“不是戈尔巴乔夫破坏了它，不是，他只是没有用自己的行为阻止这一体制自行崩溃、自行解体。最后一任总书记开始做的事情，是按照这些事情内部客观规律发展的，完全忽视了其倡导者在老广场所做的指示。”[2] 也许就苏联体制的转换而言，这种说法有一定的道理。但是，苏联体制的转换并不一定以苏联解体、苏共下台为代价，不可否认的是，改革的失败和苏联的解体与戈尔巴乔夫个人的工作作风和政策的失误不无关系。戈

[1] 俄罗斯戈尔巴乔夫基金会编:《奔向自由——戈尔巴乔夫改革二十年后的评说》，第319页。

[2] *Волкогонов Д.А.* Семь вождей. В2 кн. Кн.2. М., Фирма издательство АСТ, 1999. С.282.

尔巴乔夫在总结自己的改革时认为，推行改革是因为不能再这样生活了，苏联的体制让我国成了一个具有强大的工业基础的大国，“苏联在非常时期是强大的，但在较为正常的情势下，我们的制度让我们处于劣势。”对于改革既清楚也不清楚，或者说不是即刻明白，“我们不得不放弃的东西显而易见：僵硬的意识形态，政治和经济制度，与世界上很多国家的对抗，不受约束的军备竞赛。”“我们的目标是什么，我们希望取得什么样的成绩？我们在短时间内走了很长一段路——从试图修补现有的体制到认识到需要取而代之。不过，我的选择始终不变：改革，甚至是最根本的改革，为了不毁掉国家和人民，避免流血，改革应该是渐进的。”对于改革失败的原因，戈尔巴乔夫强调：“激进派催促我们加快速度，保守派阻拦我们。这两类人都必须为此后所发生的一切承担大部分责任。我承认自己也要负部分责任。显然，我们这些改革者犯了错，让我们和我们的国家付出了沉重的代价。”“我们的主要错误在于，对共产党进行改革时已经太迟了。党发起了改革，但很快，党就成了我们继续向前的障碍。党内高层在 1991 年 8 月组织政变，扼杀了改革。”“我们对共和国联盟的改革也太迟了。这些共和国已经成了真正独立的国家，有自己的经济和自己的统治阶级。我们需要找到让它们作为独立的主权国家在一个非集中化的民主联盟内存在的途径。在 1991 年 3 月的全民公决中，超过 70% 的选民支持建立一个由主权共和国组成的新联盟。但 8 月发生的政变（这场政变削弱了我作为总统的职权）使得这一前景变得不可能了。年底，苏联不复存在。”“我们还犯了一些错误。在白热化的政治斗争中，我们忽视了经济，当时，日用物资短缺，购买生活必需品需要排队，在这一点上，人们从未宽恕我们。”[1]从中我们看到，戈尔巴乔夫能够对自己的失误进行反思，他对改革失误的分析对我们有借鉴意义。总的来看，戈尔巴乔夫的失误体现在以下方面：

第一，在改革方针的选择上，戈尔巴乔夫犯了许多错误

戈尔巴乔夫改革的失败，与其认识不到苏联体制的根本弊端有直接关系，在上任之初，他实际上认同苏联的体制，他提出的“加速战略”就是企图在原有体制之内加速。在人民生活水平低下的情况下，首先应该着眼于提高工人、

---

[1] *Горбачев М.С.* Перестройка, 25 лет спустя, 原载 2010 年 3 月 12 日 Россия，转引自 www.gorby.ru/rubrs.asp?art_id=27221&rubr_id=22&page=1.

农民和职员的生活水平，戈尔巴乔夫却把重心放在了加速发展机器制造业上（从20世纪30年代开始苏联一直如此）。同时进行的反酗酒斗争和与“非劳动收入”作斗争，也是不适当的，引起了人民的不满和国家财政的困难。戈尔巴乔夫改革方针的失误耽误了两年时间，于事无补，反而加重了经济的困难，特别是日用消费品的短缺。戈尔巴乔夫还忽视了农业，改革不仅没有从农业开始，而且长期未采取必要措施去解决农业问题，尽管戈尔巴乔夫担任过主管农业的中央书记。直到1987年戈尔巴乔夫才转入经济体制改革，在实施经济改革后他发现，不进行政治体制的改革就不可能把经济改革进行下去，不能使改革拥有不可逆转的保证。这个思路没有错，但是他的政治体制改革搞得过激，面铺得过宽，结果，旧的政治体制被摧毁了，新的又未能运行起来，苏联成了随波漂流的“无锚之舟”。如果戈尔巴乔夫从发展党内民主开始，实行党政分开，逐步使苏维埃成为名副其实的国家最高立法机关，理顺党政关系，苏联还有重新振兴的可能。但是，戈尔巴乔夫教条主义地提出所谓“一切权力归苏维埃”这一脱离实际的口号，把立法和行政权都交给这个人数众多、意见分歧严重、工作没有章法的组织，让它承担起领导和管理国家的重担，显然是不现实的。正如克留奇科夫所说：“最高苏维埃正是根据戈尔巴乔夫的建议，起初是剥夺了部长会议，后来是苏联内阁的很多权力和全权，这样也就卸去了它们的很多责任。总理和各位部长经常就大量的实际问题向最高苏维埃各委员会和总统本人作工作报告，这使执行机构的日常工作脱离了常规。很多部门的领导人都不想继续在自己的岗位上工作，常为本部门的状况感到焦虑，并直截了当地谈到，国家经济已走上危险之路。”[1]戈尔巴乔夫的政治体制改革并没有起到为生产力发展和克服经济危机服务的作用。

在经济体制改革上，戈尔巴乔夫没有及时纠正价格扭曲的问题，没有在改革中引入市场机制，在中国改革已经取得很大进展的情况下，苏联还视市场为资本主义的，迟迟没有启动以市场为导向的改革，继续把大笔金钱投到传统项目上，没有把解决民众日用消费品需求的问题放在重要地位上，戈尔巴乔夫的经济改革没能让人们体会到改革所带来的实际物质利益，动摇了人们对社会

[1] [俄]弗·亚·克留奇科夫著：《个人档案（1941—1994）——苏联克格勃主席弗·亚·克留奇科夫狱中自述》，第633页。

主义的信念。在这种情况下又启动政治体制改革，人们便把不满情绪发泄到了戈尔巴乔夫和苏共头上。

苏联是个多民族国家，戈尔巴乔夫却没有给予民族问题以更多的关注。改革刺激了民族意识，戈尔巴乔夫却未能积极应对民族意识的增长，没有及时调整各民族共和国合理的权力与利益关系，未能及时革新联盟。而当戈尔巴乔夫下决心革新联盟、制定方案的时候，为时已晚，各民族共和国已经纷纷宣布独立或本国主权高于联盟，革新方案对它们已经没有吸引力，散伙之势已成，戈尔巴乔夫已无力挽狂澜于既倒。

戈尔巴乔夫急于求成，在政治体制改革问题上不断改变改革的方针和目标。先以公开性和民主化启动改革进程，又用“一切权力归苏维埃”取代原来的权力结构，引起混乱后又不得不实行总统制，重新加强行政权力。在政治体制改革中苏联并没有很好地借鉴现代政治发展的成功经验，行事匆忙的政治体制改革并没有达到纠正原有体制弊端的目的，反而造成了权力真空。人类的思维、经济运行机制，都有其惯性，苏联人在斯大林体制模式下生活了近60年，无论这种体制还是人的思维都不可能一下子实现根本性的转变。这个过程只能是逐渐地、长期地、要克服许多困难、经历许多痛苦才能完成。

第二，没有形成领导改革的核心力量

戈尔巴乔夫时期的苏联共产党已经不是本来意义上的政党，实际上是管理国家的机关，苏联的政治体制不符合社会主义原则，应该改变，但在取代它的机构建立之前，不能轻易把这个机关弃之不用。苏共也是维系联盟的纽带，它的削弱，必将使国家陷入混乱。戈尔巴乔夫没有从实现党的民主化开始，而是从社会民主化开始，不是通过改革党，使党更具活力来领导改革，而是把党当成了改革的对象。“一切权力归苏维埃”口号的提出，人民代表的普选和人代会的召开，引发的政治过热，以及随之而来的社会混乱，使改革难以进行。历史的经验告诉我们，对任何制度的改革，都必须利用其原有的资源，获得来自其自身力量的支持，才有成功的希望。这种支持的力量越大，改革越顺利，成就也越大。戈尔巴乔夫却把党和党内原有的精英笼统地看成是改革的障碍，一味强调让没有任何政治经验的民众参与改革，使改革事业失去了有力的支撑。

苏联共产党是苏联社会的政治核心力量，自然也应该是改革依靠的力量，但是，戈尔巴乔夫却把党看成是既得利益的代表，当成了改革的障碍机制。在党的第十九次代表会议决定对政治体制进行根本改革时，戈尔巴乔夫就认为这意味着党内高官失去特权，因此，“党政官僚阶层肯定对这些新政措施极端仇视。当时，政权的关键部门还在他们的控制之下，因而只有两种办法才能使改革取得成功：一方面，组织社会上大多数坚决主张彻底变革的力量，对党政官僚阶层施加强大的压力；另一方面，运用策略手段削弱上层的抵制，孤立其中最保守的部分，广招具有新思维的人士一起参与改革。不采取策略手段应对，已经形成总体体系的强大的官僚阶层是永远不会拱手让出权力的。”[1]戈尔巴乔夫把原有的整个精英阶层都看成是改革的阻力，扩大了打击面，使党内阻碍其改革的力量越来越强大。如果说在苏共二十七大上全党都拥护戈尔巴乔夫这个总书记，到苏共二十八大时已经有许多人站到了反对他的阵营里了，到1991年四月全会则要罢免他这个总书记，1991年8月19日，他们终于发动了废黜他的政变。正如基辛格所说：“戈尔巴乔夫欠缺靠得住的群众支持。他激恼了列宁主义国家既得利益者的大网络，却因为没有办法推动或许可行的改革共产主义或中央集权国家之代替方案，而无法吸引新的支持者。”[2]俄国学者也认为：“苏联共产党应该是一支使大家都能学会适应于，并保证改革进程的稳定性和继承性的力量，可是它由于改革者们采取的忙忙乱乱和并不高明的行动而垮台了。”[3]当然，从苏联整个政治干部队伍情况看，确实存在着退化现象，缺少有能力的领导人，尽管戈尔巴乔夫大刀阔斧地进行了干部制度改革，但新任的干部并不比前面的好多少。

戈尔巴乔夫没有建立起坚强的领导核心。在改革初期，戈尔巴乔夫所依靠的利加乔夫和叶利钦，这是两个性格相似——都很固执和不妥协、观点却不同甚至对立的人，领导人之间的政治冲突制约着改革的进行。利加乔夫、雅科夫列夫、梅德韦杰夫先后在政治局主管过意识形态，但他们各有自己的意识形态观点。利加乔夫和雷日科夫经常发生冲突，作为党的第二书记的利加乔夫要发挥领导作用，而作为总理的雷日科夫希望独立工作，“利加乔夫支持建立强

[1] ［俄］米·谢·戈尔巴乔夫著：《戈尔巴乔夫回忆录》上册，第506页。

[2] ［美］亨利·基辛格著：《大外交》，第739页。

[3] ［俄］安德兰尼克·米格兰尼扬著：《俄罗斯现代化之路——为何如此曲折？》，第4—5页。

大的执行权力机构，但反对部长会议决定所有重大问题。他与雷日科夫常常为此而争论，这一点还一度影响了他们的私人关系，只是由于戈尔巴乔夫的灵活性才避免了公开的政治冲突，准确地说，总是戈尔巴乔夫把他们劝开。”利加乔夫“过于相信党的决定和行政指令性管理方式，这是由于他对旧方法的忠实所致。”[1] 雅科夫列夫和利加乔夫在 1989 年关系紧张，1990 年雅科夫列夫与雷日科夫关系又趋于恶化。党内一部分人抱着原有的社会主义模式不放，另一部分人则想对之进行根本改革。党内的争斗不仅导致了党的分裂，也延误了改革，正如雅科夫列夫所说：“1989 年到 1991 年期间，保守派和改革派在中央争斗的结果是谁也没有取得胜利。失去了在转向市场时本来可以利用的极重要的有利条件，即联盟范围内的大市场。在我看来，这个机会在 1989 年年中以前在某些方面是存在的。只要中央能及时地在经济领域中以及按自愿原则革新联盟的基础上推行有远见的和治本的政策，是可以利用这个机会的。可惜，这两件事中央都没有做。”[2] 戈尔巴乔夫既向保守派让步，又向激进派的压力妥协，他允许保守派建立俄罗斯联邦共产党，也允许激进派在俄罗斯联邦权力机关中占据决定性地位，最后这两派都抛弃了他，其改革也在两派的夹击下失败了。

在苏共内部派别林立、分歧严重的背景下，戈尔巴乔夫没有下决心对党进行根本性改革。在思想倾向上，戈尔巴乔夫及其拥护者属于民主派，他们不认同保守派的主张，但在组织上并未与之决裂。1989 年 12 月 27 日，戈尔巴乔夫的顾问沙赫纳扎罗夫曾给他写了一封长信，提出应该对党进行根本改革，他说：“第一位的和最迫切的任务当然是党的改革，在第十九次代表会议前夕的事态已明显表明了这一点。目前具有革命性质的改革不可能依靠保守的领导层来完成。”“主要问题不是写在文件里，而是变成行动计划，可现在还没有这一行动计划。现在对党的改革还只是小修小补。我认为，应当正视现实并承认，以党现在目前的形态，它没有机会保住政权。在其他国家发生的事已经明确证明了这一点，我们也不例外。苏共可以坚持稍长一些时间，因为该体制是

[1] [俄] 弗·亚·克留奇科夫著：《个人档案（1941—1994）——苏联克格勃主席弗·亚·克留奇科夫狱中自述》，第 289 页。

[2] [俄] 亚·尼·雅科夫列夫著：《一杯苦酒——俄罗斯的布尔什维主义和改革运动》，第 186 页。

在我国首创的，根基也更深一些。但是，如果不能趁现在还有时间，从根本上改造它的话，它最终注定要失败。需要的正是根本的改变，直至改变名称。共产主义概念具有空想性，已经过时，不能变成现实，至少在可预见的将来是如此……既然我们在实际上而不是口头上遵从列宁的思想，应该最终承认，武装党的主要思想基础是民主社会主义，说起来您已经这么做了，接下来应该按逻辑把事情做到底，把党的名称改为它创建时的社会民主党。"[1]提这种建议的不只是沙赫纳扎罗夫，1991 年 4 月，雅科夫列夫也向戈尔巴乔夫提出了"使所有健康的民主力量联合起来，成立一个主张社会革新的党或运动。"[2]他们认为应该把苏共分解成民主社会主义政党和共产主义政党，进行竞争，把民主社会主义政党作为改革的支柱。戈尔巴乔夫并未采纳这一建议，他对此没有信心，试图通过维护党的统一保住政权和联盟国家，但是，他又无法使党与他保持思想和组织上的统一。

戈尔巴乔夫把苏共抛在一边进行改革，直接影响了苏联多民族国家的生存。苏联是一个多民族、多宗教的大国，没有形成统一的国内市场，在计划经济体制下，各共和国都认为自己吃了亏，实际上这个国家主要靠苏共的集中与统一来维持。在改革中戈尔巴乔夫使党放弃了政权，失去了能干的支持者，破坏了国家的权力结构，出现了权力真空，最终导致了无政府状态，为地方分离主义的发展提供了条件。苏共的民族化与地方化，使苏联走上了四分五裂之路。俄罗斯联邦共产党的建立完全架空了苏联共产党。

第三，忽视了法制建设

民主与法制是分不开的，没有法律约束的民主必然导致无政府状态，改革需要建立法律规范下的民主体制。但在戈尔巴乔夫改革时期，苏联的各级领导人并没有真正树立起建设法治国家的意识；在推行民主化、公开性之后，没有及时加强法制建设。在决定苏联命运和改革的问题上，决定一切的仍是权力。从这个意义上可以说，苏联的剧变和解体是不遵循法律、没有依法行政的

---

[1] *Шахназаров Г.* Цена свободы. Реформация Горбачева глазами его помощника. М., Россия Зевс. 1993. С.446,446–447.

[2] ［俄］亚·尼·雅科夫列夫著：《一杯苦酒——俄罗斯的布尔什维主义和改革运动》，第 228 页。

结果，是法律无效性造成的悲剧。

苏联是由多个共和国组成的联盟，其三部宪法都有加盟共和国有权退出联盟的规定，但实际上只是招牌，并未真正打算实行。直到20世纪90年代初，面对波罗的海三国欲退出联盟，需要解决如何退出、怎样退出的问题，1990年4月3日，苏联最高苏维埃才通过了《关于解决加盟共和国退出苏联有关问题的程序法》。但是，这个法令没人执行，没有一个共和国宣布独立和退出苏联时走了这个程序，而面对各加盟共和国的独立，联盟中央没有任何办法。

戈尔巴乔夫改革时期的混乱，在很大程度上也是脱离法制的结果。一直到苏联解体，都没有对法律的实施进行有效监督的机制，对于违背宪法和法律的人与事，没办法制裁。1989年建立了宪法监督委员会，旨在保障宪法得到尊重，但这一机构没有执法的手段。根据苏联宪法，苏联最高苏维埃“保证苏联境内立法调整的统一，制定苏联和各加盟共和国的立法纲要”，“在发现文件或文件的个别条款与苏联宪法和法律相矛盾时，苏联宪法监督委员会向颁发该文件的机关寄送自己的结论，以便取消所产生的违法现象。委员会制定的这类结论终止执行与苏联宪法和法律相抵触的文件或文件的个别条款。”“苏联总统根据并为执行苏联宪法和法律颁布命令，该命令在苏联全部领土上必须执行。”但是，1990年6月12日，俄罗斯联邦最高苏维埃通过俄罗斯主权宣言，宣布在俄罗斯联邦范围内，俄罗斯联邦法律高于一切，这明显违反苏联宪法，从此开始了“主权大检阅”，各个加盟共和国都宣称在本共和国内本国的法律高于一切。苏联宪法和法律制度在这些加盟共和国的领导人和代表的眼里，一文不值。在民族分离运动中，没有人想想是否合法。

“8·19”事变在加剧苏联解体进程中起了极其重要的作用，事变发动者的行为显然是违反苏联宪法的。苏联宪法规定苏联总统，“为了确保苏联公民的安全，提出关于在个别地区宣布实行紧急状态的警告，而在必要情况下，根据苏联最高苏维埃主席团或者相应的加盟共和国最高国家权力机关的请求或者同意，宣布实行紧急状态。在缺少这种同意的情况下，宣布实行紧急状态并立即将所作出的决定提交苏联最高苏维埃批准。苏联最高苏维埃关于这个问题的决定要由不少于其成员总数2/3的多数通过。”代总统亚纳耶夫关于实行紧急状态的命令显然与此项条款不符。

在苏联宪法中，就重大事件进行全民公决具有最高的法律效力，1991年

3 月 17 日，苏联全民公决的结果是 76.4%的投票者赞成保留苏联。但是，叶利钦等人却置全民公决的结果和戈尔巴乔夫的努力于不顾，1991 年 12 月 8 日，俄罗斯联邦、乌克兰和白俄罗斯三个共和国的领导人签署的一纸协议，便宣布了苏联这个由 15 个成员（当时还有 9 个）组成的联盟国家停止存在。在这里起作用的显然也是权力。

当一个国家的法律从上到下都没有人执行的时候，有宪法监督机构也是枉然。现代文明国家同时也应该是依法治理的国家，公民遵纪守法，官员依法行政。苏联共产党在 70 多年的社会主义建设中，虽然在经济上实现了现代化，但在政治上离现代化国家还很远，权大于法，权力没有监督和制约，这是苏联社会主义失败和苏联解体的一个重要原因。

第四，不善于关心和引导民众

社会主义国家本是人民的国家，应该更好地实行主权在民的原则，但是，苏联长期是官代民做主，民众对官员没有任何监督和制约，民众也缺乏民主训练。

由于缺乏政治经验和干预政治的手段，人民在具体政治策略和政治操作上也就难免轻率和鲁莽。基于对苏共集权、上层特权、商品短缺和改革无效、无望的不满，人们强烈要求苏共下台。戈尔巴乔夫不明白，在一个缺乏民主传统和民主机制的国家，匆忙取消权力轴心所导致的权力真空，很容易造成社会失控，并为某些政治野心家和谋私集团所利用。不幸的是，苏联剧变正是如此。

结社与言论自由，是苏联宪法所规定的，也是群众参与社会政治生活的条件，但在苏联长期以来并没有真正执行。马克思在 1844 年初曾写道："工人所具备的一个成功因素就是人数；但是只有当群众组织起来并为知识所指导时，人数才能起决定胜负的作用。"[1] 反之，"专制主义最可靠的保证，就在于人们彼此间的孤立"，对于专制主义来说，"良好的公民就是那种自我封闭的公民。"[2] 统治者还会对分散的国民分化瓦解，制造互不信任，如纪德访苏所见，

[1] 《马克思恩格斯选集》，第 2 卷，人民出版社 1995 年版，第 606、607 页。

[2] 萨尔沃 · 马斯泰罗内著：《欧洲民主史》，黄华光译，社会科学文献出版社 1994 年版，第 94 页。

“每个人都当心着别人，每个人都小心翼翼，每个人都受到监视。对谁都不能推心置腹、畅所欲言。”[1]历史经验证明，民主制度的成熟性，与人民的组织化程度是成正比的，与自由结社的广泛性紧密相连。在欧洲，“民主的道路是与各协会的作用联系在一起的”，正是人民结社运动“把西欧推向作为文明生活方式的民主”，“从本源上讲，民主就是一种结社。”[2] 苏联只有“国家”及其延伸，而没有“社会”，工会、作家协会等社会组织并没有真正发挥作用。正如苏共上层人士、资深外交官和学者费德林所言：“至于普通老百姓和诚实的劳动者，都始终处于无权和受压制的地位。”[3]

列宁曾指出：“一个国家的力量在于群众的觉悟，只有让群众知道一切，能判断一切，并自觉地从事一切的时候，国家才有力量。”[4] 但在斯大林当政后，保密制度日益发展，人民失去了知情权和监督权，失去了思想与言论的自由。1936 年，法国著名左翼作家安德烈·纪德访苏，就敏锐觉察到：“在苏联，在任何事情上都不能有一种以上的意见”；当局“要求大家赞同苏联所做的一切”，“哪怕一丁点反对意见，一丁点批评都会招致最严重的惩罚，人们立刻就噤若寒蝉了”。[5] 一切不同意见均具“反党”、“反苏”、“反人民”的非法性质，久而久之，人民也就不敢思考、懒得思考、不会思考了。苏共没有为苏联人民创造行使政治权利、进行民主政治训练的条件，体制造就了闭塞、驯服、消极、盲目、参政能力低下的人民群众。也正如大卫·科兹所说：“苏联体制渐渐驯化苏联公民”，“使普通公民非政治化了，也使他们变得消极了。”[6] 戈尔巴乔夫要改变这种情况，其初衷是好的，但做得过于匆忙，盲目迷信群众的政治觉悟和水平，显然难以达到目的，结果民众选择了叶利钦这样的领导人。

作为社会良心与大脑的知识分子也脱离实际，他们认为“这个制度的实质，是一党政权与国家的结合，而国家的实质是一党政权与经济的结合。因为

---

[1] ［法］安德烈·纪德著：《访苏联归来》，朱静等译，花城出版社 1999 年版，第 73 页。

[2] ［意］萨尔沃·马斯泰罗内著：《欧洲民主史》，第 124 页。

[3] ［俄］尼·费德林著：《我所接触的中苏领导人》，周爱琦译，新华出版社 1995 年版，第 60 页。

[4] 《列宁全集》，中文第 2 版，第 33 卷，第 16 页。

[5] ［法］安德烈·纪德著：《访苏联归来》，第 21、31 页。

[6] ［美］大卫·科兹、弗雷德·威尔著：《来自上层的革命——苏联体制的终结》，第 306 页。

党被叫做苏联共产党，而国家被叫做苏维埃社会主义共和国联盟，所以这个制度在国内和世界被看做社会主义或者共产主义（而在意识形态上则是马克思列宁主义）的相应体现。由此得出一个似乎完全合乎逻辑的结论：不彻底消灭社会主义（不仅在其实际体现上，而且在理论上），民主就永远不能取得胜利。”俄国科学院哲学研究所首席研究员瓦·梅茹耶夫总结说：“这个结论迅速支配了充满激情地开始改革的知识分子的头脑，他们认为自己是比改革进程的倡导者更彻底的民主派。我深信，是他们葬送了改革的思想，他们成了叶利钦的情绪和意见的扬声器，他们赋予改革进程的不是改良的性质，而是真正革命的性质。苏联以实际发生的那种形式解体，随后戈尔巴乔夫被解除权力，虽然这都是叛乱引起的，但不是以法律方式，因而也不是民主方式解决问题的实例，而更像在上层发动的一场政变。”[1]

戈尔巴乔夫热衷于给民众选举权，却忽视了对民众的引导。对于群众最关心的物质利益要求，他却解决无方。在国家面临解体危险时，在全民公决的成果化为乌有时，他没有向人民寻求力量，群众没有组织，实际上被排除在政治进程之外。

第五，戈尔巴乔夫个人行事作风的问题

真正的政治家，应该永远把国家利益置于个人利益之上，应该知道用什么手段去实现自己的目标，戈尔巴乔夫未能实现其改革之初提出来的更新社会主义的目标，苏联在他当政时解体了，从这个意义上看，戈尔巴乔夫并不是成功的、真正的政治家。

改革苏联的政治体制需要从总书记戈尔巴乔夫自身做起，但是他本身就是苏联体制的产物，长期在戈尔巴乔夫身边工作的博尔金认为，“实质上总书记依然是自己那个时代的产物，是培养他并把他推上顶峰的那个结构的产物。一方面他看到了现在制度的缺点，想给社会生活带来一些变化；另一方面他又忠实于旧模式和旧方法。不管戈尔巴乔夫如何谈论民主化和公开性，但是他不是斯大林也不是勃列日涅夫的化身，而只不过是他们渺小的影子——狡猾诡诈的苏斯洛夫的化身，而且甚至连他也不如……戈尔巴乔夫高喊民主化并谴责自己战友的斯大林主义，但实际上他独揽党和国家大权，独断人们的命运，一个

[1] 《奔向自由——戈尔巴乔夫改革二十年后的评说》，第 281—282 页。

人根据自己的偏见、好恶决定中央委员会和政治局组成、各共和国共产党中央及各州和边疆区委第一书记的人选。他大谈集体通过决定、遵守协商原则，但却独断专行，一个人通过或发布国家重要决定，排斥异己，并清除自己的竞争者”。[1] 戈尔巴乔夫过于自信，不善于听取别人的意见，不善于发现别人的长处和优点，更不喜欢听消极的消息，他召集人们开会听取意见，但他往往自己一讲就是一两个小时，然后告别。

戈尔巴乔夫高喊民主，但他仍迷恋权力，仍然延续以往苏联最高领导人垄断一切的作风，不善于与他人分权，正如美国驻苏大使马特洛克所观察到的：“在他的内心，个人因素对政治评价占了上风：戈尔巴乔夫不愿意与自己那些有才华的同事分享舞台灯光。他只在与一些沉默、低调的助手在一起时才感到自在，这是可以解释戈尔巴乔夫物色人选方面的情形之一，同时也可以解释：为什么他在与叶利钦的斗争中会遭到失败。”曾多次参加过政治局会议的阿法纳西耶夫在谈到自己印象时说：“戈尔巴乔夫说起来没完没了，在主要问题上加重语气，不时打断别人的发言，有时还很粗暴。我作为一个经常参加政治局会议的人，形成一种印象：一切都在依他为转移。他是不可触犯的、不容反驳的。他沾沾自喜、唠叨不休。”[2] 戈尔巴乔夫并没有改变苏联最高领导人决定一切的传统，他把政治经济外交大权集于自己一身，“给其他领导人最多安排一点顾问性质的工作……政治局从早到晚开会。对议事日程中的每一项内容都反复讨论……讨论越热烈，不同意见越多，就越令人高兴。主席可以在综合考虑这些意见的同时实施他的路线。然而，如果他想拒绝某些意见，通常完全可以不必顾忌讨论的方式或内容。”[3] 戈尔巴乔夫也像赫鲁晓夫一样，邀请数以千计的党员和党外人士参加党代会、中央全会，这样就很难对列入会议日程的问题进行开诚布公的讨论，会议常常开 12—13 个小时，有时到深夜才结束，疲惫不堪的与会者，最后对什么决议都举手了事。

戈尔巴乔夫也不会识人用人，最大的失误是任用叶利钦和雅科夫列夫。

---

[1] ［俄］瓦·博尔金著：《戈尔巴乔夫沉浮录》，第 412 页。

[2] ［俄］维·戈·阿法纳西耶夫著：《真理报总编辑沉浮录》，贾泽林译，东方出版社 1993 年版，第 158 页。

[3] ［俄］瓦连京·法林著：《密室隐情》，余燕学译，军事谊文出版社 2001 年版，第 382 页。

叶利钦是一个虚荣心、权力欲都很强的人，同时也是一个行政组织能力很强的人，戈尔巴乔夫把他调到中央，只安排他当一个负责建筑问题的书记，显然不会让叶利钦满意。用叶利钦的话说："我这一生实际上没在别人手下工作过。我没做过副手。我宁可做工地主任，也不做管理处副处长；宁可做管理处处长，也不做托拉斯经理的副手。我没做过副手，因此，一直习惯自己作出决定，从不把责任推给他人。在这里，在党的中央委员会这里，服从机制，党的严格等级制度已经到了十分荒唐的地步，一切都要执行，一切都要有所预见……对于我的放纵、刚愎的性格来说，这种冷酷的官僚主义框框无疑是种严峻的考验。"[1]后来，戈尔巴乔夫让叶利钦担任莫斯科这个首都的第一把手，本来想让叶利钦成为推进改革的主要助手，但他并未给叶利钦相应的政治地位，没有提升他任政治局委员，这对一个首都的领导人来说显然是不合适的。当叶利钦发难，要辞职而去时，戈尔巴乔夫并未让他彻底离开政治舞台。站到戈尔巴乔夫对立面的叶利钦成了一股强大的力量，他们二人的争斗成为导致联盟国家解体的重要因素。雅科夫列夫一直是戈尔巴乔夫看重和信任的人，也是受利加乔夫等人攻击最多的人，从他发表的言论看，此人与戈尔巴乔夫的信仰不同，戈尔巴乔夫有社会主义信念，坚信苏联应该走社会主义之路，但雅科夫列夫对苏共和苏联社会主义采取的是全盘否定的态度。戈尔巴乔夫执政后期所信任和竭力要求苏联最高苏维埃同意任命的亚纳耶夫、帕夫洛夫、克留奇科夫、亚佐夫、博尔金跟他的观点和看法也不同，他们最后发动了反对他的政变，加速了苏联的解体。戈尔巴乔夫在选用人时很少与他人商量，当有人有不同意见时，他常常固执己见，直到达到自己的目的。"在苏联最高苏维埃表决时，亚纳耶夫未被通过。总统想尽办法赞扬亚纳耶夫，在他的坚持下进行了第二次表决，亚纳耶夫才终于勉勉强强地被选上了。"[2]

在1986—1989年间戈尔巴乔夫让利加乔夫和雅科夫列夫两个人主管意识形态，这是两个观点对立的人，他们之间工作不协调，一个人不在，另一个便会召集各报刊领导人开会，贯彻自己的方针。利加乔夫原则性强，始终坚持自

[1] ［俄］维克托·安德里亚诺夫、亚历山大·切尔尼亚克著：《叶利钦传》，周荣广等译，辽宁人民出版社2001年版，第7页。

[2] ［俄］维·戈·阿法纳西耶夫著：《真理报总编辑沉浮录》，第191页。

己的立场，但缺少灵活性和宽容性；雅科夫列夫则被认为是反复无常的人，他在勃列日涅夫时期担任过苏共中央宣传部第一副部长，后来在戈尔巴乔夫时期成了社会民主主义路线的代表。[1] 当戈尔巴乔夫发现实在无法把这两个人调和在一起时，任命利加乔夫去抓农业，让雅科夫列夫去管国际事务，闪电般地把瓦·安·梅德韦杰夫提升为政治局委员，负责意识形态，梅德韦杰夫是苏联的经济学家，1984 年成为苏联科学院院士，显然他的经济学知识是计划经济的，让他来担任主管意识形态的中央书记也不是很恰当。

人们对戈尔巴乔夫作为政治领导人的素质有过许多评价，苏联总统发言人格拉乔夫说他：喜欢夸夸其谈，说得多，做得少，他“不愿从事千篇一律的、日常的、一贯的工作，几乎到了厌恶的地步。让他感到激动和着迷的，是‘大事’，宏伟的想法，扭转乾坤的决定，远离（或者带着他离开）日常事务的计划。对他来说最有趣的谈话伙伴，是让他脱离平淡生活、枯燥的日常琐事，邀他进入高尚思想世界的空气稀薄的大气层的人。”[2] 曾担任《真理报》总编辑的阿法纳西耶夫说他：“不坚定，模棱两可，老想把不可调和的东西调和起来，脚踏两只船。”[3] 索布恰克说：“深受党内生活锻炼的戈尔巴乔夫总是在追求力量平衡。这种做法在一个稳定、繁荣的社会里不无益处，但是在历史转折关头，在混乱和充满危机的时代，它就有百害而无一利。如果一位政治家只注意策略而忘记战略目标，如果他不善于利用自己的权力引导社会‘方舟’走向自己宣布的既定目标，他就注定要垮台。”[4] 这些说法都反映了戈尔巴乔夫的不同侧面。

戈尔巴乔夫缺乏作为最高领导人的驾驭事务的能力和实现目标的意志品质，正如基辛格所说：“戈尔巴乔夫是另一代人，与受到斯大林威吓的苏联领导人不同。他缺乏前人的强悍作风。非常聪明又温文尔雅的他，像是十九世纪俄国小说中的抽象人物——既见过大世面，又不脱乡村气息；聪明绝顶，但不

---

[1] 参见［俄］维·戈·阿法纳西耶夫著：《真理报总编辑沉浮录》，第 167—169 页。

[2] ［俄］安德烈·格拉乔夫著：《戈尔巴乔夫之谜》，第 100 页。

[3] ［俄］维·戈·阿法纳西耶夫著：《真理报总编辑沉浮录》，第 193 页。

[4] ［俄］索布恰克著：《苏联政局演变中的一次重要转折》，第 171—172 页。

专精一技；有远见，但见不到眼前的主要两难困境。”[1] 缺乏战略和胆识，使戈尔巴乔夫难以承担使一个危机重重的国家走向新生的使命。

三、戈尔巴乔夫改变了俄国传统的政治道德观

在俄国历史上有为目的不择手段的传统，有“目的证明手段正确”的理念，大家熟知的是叶卡捷琳娜二世对苏沃洛夫将军说过的话：胜利者是不受审判的。俄国有作为的统治者们——伊凡雷帝、彼得大帝、叶卡捷琳娜二世等等，无不把自己的功绩建立在累累白骨之上。在社会主义建设时期，斯大林也为了建成和巩固斯大林模式的社会主义，不择手段，不仅消灭了政治上的竞争对手，还消灭了可能的竞争对手，以及可能反对他的人。勃列日涅夫把许多不认同其保守僵化政策的人或者赶出国门，或者送进疯人院。戈尔巴乔夫改变了这种为了目的不择手段的政治传统，在他看来，政治行为首先得符合人类的道德规范，他强调：“对我来说，最重要的一点是，当我做重大决定时，我最注重的是道德考量。我敦促追随我的事业和理念的人，在设法达成目标时，无论目标是否达成，都要注重过程的参与。政治应该是洁净无私的，是不可以衡量价值的，但可惜现在的政治并非如此，是马基雅维里式的。我必须说，人们要诚实地来思考该选谁出来执政。设法达成目标时，无论目标是否达成，都要注重过程的参与。”[2] 戈尔巴乔夫的夫人也说：“我不止一次听米哈伊尔·谢尔盖耶维奇讲：我们所确定的目标，绝不允许我们不择手段地求得它的实现。”[3] 戈尔巴乔夫自动离职和放弃了权力，其所确定的改革目标没有实现。

戈尔巴乔夫反对用流血的手段解决政治问题，在国家面临崩溃、社会秩序需要整顿之时，戈尔巴乔夫都没有动用武力，在与池田大作的对话时他说：“权力和政治总是与正义相互矛盾的，当存在着不道德行为的时候，权力对我

[1] ［美］亨利·基辛格著：《大外交》，第 727 页。

[2] 据中新网 2003 年 8 月 19 日报道。

[3] ［苏］赖莎·戈尔巴乔娃著：《我的希望——赖莎·戈尔巴乔夫回忆录》，第 203 页。

来说是很难接受的。"[1]戈尔巴乔夫拒绝把暴力作为实施国家政策的基本手段，他不愿用暴力对付民族分离主义者，俄罗斯学者维克多·库瓦尔金认为："戈尔巴乔夫不使用暴力不仅是因为道德的绝对指令，而且是出于政治上的考虑。鉴于俄罗斯的沉重遗产，当时任何诉诸强力的做法都可能迅速葬送改革的民主理想以及对自由的希望和憧憬。戈尔巴乔夫断然拒绝用强力把人民驱赶到改革的自由王国中，而少了强力成分就无法走向那里。不仅如此，不受约束的改革自发势力有可能把失去自卫能力的国家打得粉碎。"[2]戈尔巴乔夫没有不惜一切手段去维护权力，而是把道德放在了首要地位。对戈尔巴乔夫的道德信仰禁止他采用武力，哪怕是在关键时刻为了拯救国家，历史学家麦德维杰夫表示："很难同意这样的论点作为普遍原则。但是，在1991年的条件下采用武力，可能导致更坏的结果。"[3]在戈尔巴乔夫道德优先的行事原则下，他没有充分使用自己的权力，没有用强力手段阻止破坏联盟进程的人，武力手段不用，法律手段又不起作用，那么，只好顺其自然了，结果是苏联分为15个国家。戈尔巴乔夫这种鼓励"文明离婚"的行为也并非一无是处，至少在苏联的解体过程中没有发生南斯拉夫那样的流血冲突。

俄国学者梅茹耶夫在谈到评价政治家的标准时认为，"我们形成的意识是，对我们而言伟大的政治家一定是为了取得政权、巩固政权和扩大政权不择手段的枭雄：伊凡雷帝、彼得一世、斯大林。""戈尔巴乔夫是俄国历史上唯一一个在拥有完全权力的情况下，为了思想和道德价值自觉地限制权力并且甘冒丧失权力风险的政治家。他有着另外的成功标准，他根据另外的甚至大多数人都不理解的规则做游戏，根据人的道德准则做政治游戏。所以应该根据这些规则评价他是否成功。"[4]确实，戈尔巴乔夫的行事原则不同于俄国历史上的领导者，他没有为了目的不择手段，他把目的与手段看得都很重要，有时手段甚至比目的更重要。

不管人们是否认同戈尔巴乔夫的政治行为原则，他一直坚信自己行为的正

---

[1] ［俄］戈尔巴乔夫、［日］池田大作著：《20世纪的精神教训》，第9页。

[2] 《奔向自由——戈尔巴乔夫改革二十年后的评说》，第91页。

[3] ［俄］罗伊·麦德维杰夫：《苏联为什么解体?》，载《世界社会主义研究动态》2003年第34期，第11页。

[4] 《奔向自由——戈尔巴乔夫改革二十年后的评说》，第302页。

当性。用不同的标准与尺度衡量戈尔巴乔夫会得出不同的结论，无论怎样，戈尔巴乔夫所生活的时代与彼得大帝、斯大林等人所处的时代已经大不相同了，政治文明、自由民主已经深入人心，时代也不允许他不择手段地实现自己的目标。

纵观人类长河，政治如果遵循“目的证明手段正当”的信条，在政治生活中必然充斥狡诈、伪善、背信弃义、残暴等恶行，无数的历史事例证明，这是民众的灾难。实际上政治也需要道德的正当，特别是进入现代以来，伴随着选举文化的发展与政治生活的文明化，道德的正当性与历史发展的必然性越来越紧密地结合在一起了。19 世纪法国政治学者路易斯·博洛尔就国内政治和国际政治说过两段很有见地的话：“诡计和暴力可能会获得短暂的成功，但是，绝不能保证国家的伟大的繁荣。以不道德的政策获得的成功不会长久，国家就像个人一样、政治家就像老百姓一样，迟早会因其所作之恶而被惩罚，也会因其所行之善而获报偿。”[1]“就民族国家之间的关系而言，它们的利益并非取决于政治与道德的分离。一个正确合理的政策，恰恰就是合乎道德的政策。这种政策促使民族国家走向公道正义与宽厚仁慈，也只有这种政策才能维持住国际间的长久和平，并使各国在交往中都获得各自的利益。”[2]无论是国内政治，还是国际政治，要想获得长久的利益与成果，都离不开对人类共同道德原则的遵循。人类是高级动物，随着文明程度的提高，人类的行为也越来越文明化了，越来越富有理性了。

戈尔巴乔夫作为苏联这个世界超级大国的领导人，纠正了苏联政治文明中与人类政治文明背道而驰的方面，在自己的政治行为中强调人道、和平、民主、法制、宽容、协商，他把遵循道德的原则，坚持不使用暴力、不流血的原则放在了维护国家统一之上。以成败论，戈尔巴乔夫是失败的，苏联这个大国解体了，他自己也失去了权力。但是，戈尔巴乔夫现象并不是过眼云烟，他的政治道德观还是值得研究的。戈尔巴乔夫开启了苏联走向政治民主的大门，推动了苏联政治民主与文明的发展，戈尔巴乔夫—叶利钦—普京—梅德韦杰夫实现了权力的和平交接，这在俄国这个具有长期专制传统国家的历史上，不能不说是一个进步。

[1] [法] 路易斯·博洛尔著：《政治的罪恶》，蒋庆等译，改革出版社 1999 年版，第 308 页。

[2] 同上书，第 316 页。

总的看，戈尔巴乔夫在制定改革方针时没有章法，他对苏联体制弊端的认识只停留在表面现象上，在制定改革政策时缺少科学分析，先是教条主义地对待列宁，后又信奉民主社会主义。他什么都抓，什么都没有抓到底，什么问题都没有解决好，使社会变得混乱和无序。戈尔巴乔夫强调实行民主，但他不明白民主是一种机制，是与法制联系在一起的，而不只是言论自由，发泄不满并不能解决问题。戈尔巴乔夫的改革失败了，但是，改革失败的责任不能完全由戈尔巴乔夫一个人承担，他曾为自己辩解说："应该了解政治局的程序，无论是勃列日涅夫，还是之前的赫鲁晓夫，没有政治局的同意什么事也做不成。政治局最终简单地抛弃了赫鲁晓夫，而选择了勃列日涅夫，由于健康的原因有 6 年时间勃列日涅夫不能影响决议的通过。而如果没有政治局的支持和参与，没有其余政治局委员的同意，戈尔巴乔夫也不能提出改革的方案。"[1] 戈尔巴乔夫要为苏联所发生的一切负主要责任，但当时改革的参加者和领导层也负有重要责任。戈尔巴乔夫改革的失败并不意味着戈尔巴乔夫的一切探索、所有措施都是失败的，他留下的许多遗产也是一笔财富，值得研究和借鉴。现在，戈尔巴乔夫仍是俄罗斯社会活跃的人物，他的回忆录获得了格莱梅奖，他曾代表普京出席里根的葬礼，其基金会活动频繁，其所办的《新报》也受到关注。俄罗斯人仍在关注着戈尔巴乔夫，据 2010 年 4 月 20 日《独立报》统计，从 2000 年到 2003 年媒体提到戈尔巴乔夫的次数不少于 12000 次，此后的 7 年时间里，俄罗斯媒体提到他的次数不少于 68000 次。2009 年媒体提到戈尔巴乔夫的次数超过 16000 次，这当然与柏林墙倒塌 20 周年有关。2010 年是苏联改革开始 25 周年的纪念，俄罗斯媒体对此也有大量的反映。特别是从 2009 年 9 月梅德韦杰夫总统《俄罗斯，前进!》一文发表后，媒体上提到"改革（перестройка）"一词明显增多。人们对改革的评价有高有低，有赞赏的也有诋毁的。在社会主义史上，戈尔巴乔夫的改革是一场悲剧。"秦人不暇自哀，而后人哀之；后人哀之而不鉴之，亦使后人而复哀后人也。"[2] 我们更应该认真研究戈尔巴乔夫改革的成败得失，吸取教训，促进中国特色社会主义事业的兴旺发达。

---

[1] Перестройка: Двадцать лет спустя.Составитель *В.И.Толстых.* М., 2005. С.211.

[2] 杜牧：《阿房宫赋》。

附　　录

参 考 书 目

文　　献

《苏共中央二月全会文件汇编（1990 年 2 月 5—7 日）》，世界知识出版社 1990 年版。

《苏联共产党第二十八次代表大会主要文件资料汇编》，苏群编译，人民出版社 1991 年版。

《苏联共产党第二十七次代表大会主要文件资料汇编》，苏群编译，人民出版社 1986 年版。

沈志华收集和整理：《苏联历史：俄国档案原文复印件汇编》第 25 卷（下），华东师范大学冷战国际史研究中心藏。

沈志华总主编：《苏联历史档案选编》，第 12、30、31、32、33 卷，社会科学文献出版社 2002 年版。

В Политбюро ЦК КПСС… По записям Анатолия Черняева, Вадима Медведева, Георгия Шахназарова (1985–1991), 2-е изд., исправ. и доп. М.,Горбачев-Фонд,2008.（在苏共中央政治局……）

Несостоявщийся юбилей. Почему СССР не отпраздновал своего 70-летия? М., Издательский центр《ТЕРРА》 1992.（未能举行的庆典，苏联为什么没能庆祝 70 周年）

Отвечая на вызов времени. Внешняя политика перестройки: документальные свидетельства. По записям бесед М.С.Горбачева с зарубежными деятелями и другим материалам. М., Издательство «Весь Мир», 2010.（回应时代的挑战，改革年代的对外政策：文献证明）

Россия，которую мы не знали，1939–1993，Хрестоматия. Под ред. М.Е.Главацкого. Челябинск южно-уральское издательство.1995.（我们所不了解的俄国，1939—1993 年）

Союз можно было сохранить，Белая книга: Документы и факты о политике М.С. Горбачева по реформированию и сохранению многонационального государства. -2-е изд., перераб. и доп. - М., АСТ: АСТ МОСКВА, 2007.（联盟本可以保留：关于戈尔巴乔夫改革和保留多民族国家的政策和事实的文献的白皮书）

Хрестоматия по отечественной истории(1946-1995). М.,1996 .

Цензура в Советском Союзе. 1917–1991. Документы. Сост. А.В. Блюм. М., «Российская политическая энциклопедия»（Р О С С П Э Н), 2004.（苏联的书报检查制度。1917—1991 ：文献）

著　作

［澳］科伊乔·佩特罗夫著：《戈尔巴乔夫现象——改革年代：苏联东欧与中国》，葛志强等译，社会科学文献出版社 2001 年版。

［保］托多尔·日夫科夫著：《日夫科夫回忆录》，吴锡俊等译，新华出版社 1999 年版。

［德］埃贡·克伦茨著：《89 年的秋天》，孙劲松译，中共中央党校出版社 2005 年版。

［德］迪阿曼、骆约特著：《我要的是德国统一——科尔自述》，葛放译，辽宁人民出版社 1999 年版。

［俄］A. 利亚霍夫斯基著：《阿富汗战争的悲剧》，刘宪平译，社会科学文献出版社 2004 年版。

［俄］O.T. 博戈莫洛夫著：《俄罗斯的过渡年代》，张驰译，辽宁大学出版社 2002 年版。

［俄］T.C. 格奥尔吉耶娃著：《俄罗斯文化史：历史与现代（修订版）》，焦东建、董茉莉译，商务印书馆 2006 年版。

［俄］B.A. 季什科夫著：《民族政治学论集》，高永久等译，民族出版社 2008 年版。

［俄］阿·切尔尼亚耶夫著：《在戈尔巴乔夫身边六年》，徐葵、张达楠等译，世界知识出版社 2001 年版。

[俄] 阿·亚·索布恰克著:《苏联政局演变中的一次重要转折》，徐小海等编译，吉林人民出版社 1992 年版。

[俄] 阿贝尔·阿甘别吉扬著:《苏联改革内幕》，常玉田等译，中国对外经济贸易出版社 1990 年版。

[俄] 阿纳托利·多勃雷宁著:《信赖》，世界知识出版社 1997 年版。

[俄] 安德兰尼克·米格拉尼扬著:《俄罗斯现代化之路——为何如此曲折》，徐葵等译，新华出版社 2001 年版。

[俄] 安德烈·格拉乔夫著:《戈尔巴乔夫之谜》，述弢译，中央编译出版社 2005 年版。

[俄] 鲍里斯·叶利钦著:《总统笔记》，李垂发等译，东方出版社 1995 年版。

[俄] 鲍利斯·叶利钦著:《叶利钦自传》，朱启会等译，东方出版社 1991 年版。

[俄] 菲·博布科夫著:《克格勃与政权——克格勃第一副主席的回忆》，王仲宣译，东方出版社 2008 年版。

[俄] 弗·亚·克留奇科夫著:《个人档案（1941—1994）——苏联克格勃主席弗·亚·克留奇科夫狱中自述》，何希泉等译，东方出版社 2000 年版。

[俄] 戈尔巴乔夫、斯拉文合著:《尚未结束的历史——戈尔巴乔夫访谈录》，孙凌齐、李京洲译，中央编译出版社 2003 年版。

[俄] 戈尔巴乔夫著:《我与东西德统一》，王尊贤译，中央编译出版社 2006 年版。

[俄] 格·阿·阿尔巴托夫著:《苏联政治内幕：知情者的见证》，徐葵等译，新华出版社 1998 年版。

[俄] 科尔扎柯夫著:《我所知道的叶利钦：俄总统安全局前局长回忆录》，杨藻镜等译，外文出版社 1999 年版。

[俄] 列·伊·阿巴尔金著:《苏联改革的道路和问题》，张慕良等译，世界知识出版社 1989 年版。

[俄] 鲁·格·皮霍亚著:《苏联政权史（1945—1991)》，徐锦栋等译，东方出版社 2006 年版。

[俄] 罗伊·麦德维杰夫著:《苏联的最后一年》，王晓玉、姚强译，社会

科学文献出版社 2005 年版。

[俄] 罗伊·麦德维杰夫著:《俄罗斯向何处去——俄罗斯能搞社会主义吗?》,关贵海、王晓玉译,当代世界出版社 2003 年版。

[俄] 罗伊·麦德维杰夫著:《人们所不知道的安德罗波夫——前苏共中央总书记尤里·安德罗波夫的政治传记》,徐葵等译,新华出版社 2001 年版。

[俄] 米·谢·戈尔巴乔夫著:《八月政变:前因与后果》,新华出版社 1992 年版。

[俄] 米·谢·戈尔巴乔夫著:《改革与新思维》,岑鼎山等译,世界知识出版社 1988 年版。

[俄] 米·谢·戈尔巴乔夫著:《戈尔巴乔夫回忆录(全译本)》,述弢等译,社会科学文献出版社 2003 年版。

[俄] 米哈伊尔·戈尔巴乔夫著:《八月政变》,岱奋译,世界知识出版社 1992 年版。

[俄] 米哈伊尔·戈尔巴乔夫著:《对过去和未来的思考》,徐葵等译,新华出版社 2002 年版。

[俄] 尼·伊·雷日科夫著:《大动荡的十年》,中央编译出版社 1998 年版。

[俄] 尼·伊·雷日科夫著:《大国悲剧——苏联解体的前因后果》,徐昌翰等译,新华出版社 2008 年版。

[俄] 尼古拉·雷日科夫著:《背叛的历史——苏联改革秘录》,高洪山、韩生民等译,吉林人民出版社 1993 年版。

[俄] 瓦·博尔金著:《戈尔巴乔夫沉浮录》,李永全等译,中央编译出版社 1996 年。

[俄] 瓦季姆·巴卡京著:《摆脱克格勃——克格勃最后一任主席回忆录》,非琴译,新华出版社 1998 年版。

[俄] 瓦列里·季什科夫著:《苏联及其解体后的族性、民族主义及冲突——炽热的头脑》,姜德顺译,中央民族大学出版社 2009 年版。

[俄] 维克托·安德里亚诺夫、亚历山大·切尔尼亚克著:《叶利钦传》,周荣仁等译,辽宁人民出版社 2001 年版。

[俄] 亚·尼·雅科夫列夫著:《一杯苦酒——俄罗斯的布尔什维主义和改革运动》,徐葵等译,新华出版社 1999 年版。

[俄] 亚历山大·季诺维也夫著:《俄罗斯共产主义的悲剧》，侯艾君等译，新华出版社 2004 年版。

[俄] 叶·库·利加乔夫著:《警示》，钱乃成等译，当代世界出版社 2001 年版。

[俄] 叶·伊·恰佐夫著:《健康与权力——“克里姆林宫医生”回忆录》，丁笃本译，湖南出版社 1994 年版。

[俄] 叶夫根尼·普里马科夫著:《大政治年代》，焦广田等译，东方出版社 2001 年版。

[俄] 伊戈尔·科尔奇洛夫著:《首席翻译眼中的首脑外交》，达洲译，世界知识出版社 2000 年版。

[俄] 尤·阿法纳西耶夫编:《别无选择——社会主义的经验教训和未来》，王复士等译，辽宁大学出版社 1989 年版。

[俄] 尤·弗·安德罗波夫著:《安德罗波夫言论选集》，辛路，水石等译，世界知识出版社 1984 年版。

[俄] 泽齐娜等著:《俄罗斯文化史》，刘文飞等译，上海译文出版社 2005 年版。

[哈] 努·纳扎尔巴耶夫著:《时代、命运、个人》，陆兵、王沛译，人民文学出版社 2003 年版。

[吉] 阿斯卡尔·阿卡耶夫著:《难忘的十年》，武柳等译，世界知识出版社 2002 年版。

[美] A. 贝奇曼，M.S. 伯恩斯坦著:《安德罗波夫——对西方的新挑战》，许邦兴等译，中国展望出版社 1983 年版。

[美] 彼得·施魏策尔著:《里根政府是怎样搞垮苏联的》，殷雄译，新华出版社 2001 年版。

[美] 大卫·科兹、弗雷德·威尔著:《来自上层的革命——苏联体制的终结》，曹荣湘等译，中国人民大学出版社 2002 年版。

[美] 亨利·基辛格著:《大外交》，顾淑馨等译，海南出版社 1998 年版。

[美] 理查德·尼克松著:《1999: 不战而胜》，世界知识出版社 1997 年版。

[美] 罗伯特·康奎斯特主编:《最后的帝国——民族问题与苏联的前途》，刘靖兆等译，华东师范大学出版社 1993 年版。

［美］迈克尔·麦克福尔著：《俄罗斯未竟的革命：从戈尔巴乔夫到普京的政治变迁》，唐贤兴等译，上海世纪出版集团 2010 年版。

［美］尼古拉·梁赞诺夫斯基、马克·斯坦伯格著：《俄罗斯史》（第七版），杨烨等译，上海人民出版社 2007 年版。

［美］乔治·布什、布伦特·斯考克罗夫特著：《重组的世界——1989—1991 年世界重大事件回忆》，胡发贵等译，江苏人民出版社 2000 年版。

［美］威廉·奥多姆著：《苏联军队是怎样崩溃的》，王振西等译，新华出版社 2000 年版。

［美］沃尔特·G. 莫斯著：《俄国史（1855—1996）》，张冰译，海南出版社 2008 年版。

［美］小杰克·F. 马特洛克著：《苏联解体亲历记》，吴乃华等译，世界知识出版社 1996 年版。

［美］约瑟夫·R. 布拉西等著：《克里姆林宫的经济私有化》，乔宇译，上海远东出版社 1999 年版。

［美］兹·布热津斯基著：《大失败——二十世纪共产主义的兴亡》，军事科学院外国军事研究部译，军事科学出版社 1989 年版。

［苏］谢瓦尔德纳泽等著：《苏联外交反思》，宋以敏选编，世界知识出版社 1989 年版。

［意］朱利叶托·基耶萨著：《别了，俄罗斯!》，徐葵等译，新华出版社 2000 年版。

《戈尔巴乔夫关于改革的讲话（1986 年 6 月—1987 年 6 月）》，苏群译，人民出版社 1987 年版。

《戈尔巴乔夫言论选集(1984—1986 年)》，苏群译，人民出版社 1987 年版。

曹长盛、张捷、樊建新等著：《苏联演变进程中的意识形态研究》，人民出版社 2004 年版。

陈之骅、吴恩远、马龙闪主编：《苏联兴亡史纲》，中国社会科学出版社 2004 年版。

达斯科·多德尔、路易斯·布兰森著：《戈尔巴乔夫：克里姆林宫的异教徒》，隋丽君、施鲁佳译，新华出版社 1991 年版。

俄罗斯戈尔巴乔夫基金会编：《奔向自由——戈尔巴乔夫改革二十年后的

评说》，李京洲译，中央编译出版社 2007 年版。

俄罗斯社会与民族问题独立研究所、俄罗斯政治与经济历史中心：《戈尔巴乔夫—叶利钦政治对抗 1500 天》，王南枝等译，新华出版社 1993 年版。

宫达非主编：《苏联剧变新探》，世界知识出版社 1998 年版。

桂立：《苏美关系 70 年》，人民出版社 2005 年版。

郭春生：《社会政治阶层与苏联剧变》，当代世界出版社 2006 年版。

黄宏、纪玉祥主编：《原苏联七年“改革”纪实》，红旗出版社 1992 年版。

黄立茀：《苏联社会阶层与苏联剧变》，社会科学文献出版社 2006 年版。

黄宗良：《书屋论政：苏联模式政治体制及其变易》，人民出版社 2005 年版。

江流、陈之骅主编：《苏联演变的历史思考》，中国社会科学出版社 1994 年版。

江流、徐葵、单天伦主编：《苏联剧变研究》，社会科学文献出版社 1993 年版。

李凡：《日苏关系史（1917—1991)》，人民出版社 2005 年版。

李兴耕等编：《前车之鉴：俄罗斯关于苏联剧变问题的各种观点综述》，人民出版社 2003 年版。

李宗禹主编：《国外学者论斯大林模式》，中央编译出版社 1994 年版。

林利、姜长斌编：《在改革浪潮中重评斯大林——苏联近期报刊文章选译》，求实出版社 1989 年版。

陆南泉、姜长斌、徐葵、李静杰主编：《苏联兴亡史论》，人民出版社 2004 年第 2 版。

陆南泉、姜长斌主编：《苏联剧变深层次原因研究》，中国社会科学出版社 1999 年版。

陆南泉：《苏联经济体制改革史论（从列宁到普京)》，人民出版社 2007 年版。

穆中魂、郑彪主编：《戈尔巴乔夫时代》，大连出版社 1989 年版。

沈志华、于沛等编著：《苏联共产党九十三年——1898 至 1991 年苏共历史大事实录》，当代中国出版社 1993 年版。

沈志华主编：《一个大国的崛起与崩溃：苏联历史专题研究（1917—

1991)》，社会科学文献出版社 2009 年版。

沈志华主编:《中苏关系史纲》，新华出版社 2007 年版。

唐修哲、孙润玉:《岁月有痕——从苏联到俄罗斯亲历》，东方出版社2008年版。

王宪举:《我在莫斯科当外国记协主席》，新华出版社 2008 年版。

王正泉主编:《从列宁到戈尔巴乔夫——苏联政治体制的演变》，中国人民大学出版社 1989 年版。

邢广程:《苏联高层决策 70 年》，世界知识出版社 1998 年版。

姚海、刘长江著:《当代俄国——强者的自我否定与超越》，贵州人民出版社 2001 年版。

赵常庆等:《苏联民族问题研究》，社会科学文献出版社 1996 年版。

周尚文、叶书宗、王斯德:《苏联兴亡史》，上海人民出版社 1993 年版。

周尚文等:《合法性视野下的苏联政治》，上海人民出版社 2006 年版。

左凤荣:《致命的错误——苏联对外战略的演变与影响》，世界知识出版社 2001 年版。

Акопов С.С., Гуреев Н. Д. История России: Личности и эпохи. 1953–1996. М., 1997.（俄国史：个人与时代）

Аникиев А.В. Горькая память. Записки участника драматических событий (1990–1993). М., Галерия, 2005.（痛苦的记忆：悲剧事件参加者的札记）

Барсенков А.С. Реформы Горбачева и судьба союзного государства. 1985–1991. М., Изд-во МГУ, 2001.（戈尔巴乔夫改革与联盟国家的命运）

Барсенков А.С., ВдовинА.И. История России. 1938–2002. .М., Аспект Пресс, 2003.（俄国史。1938—2002）

Белоусов Р.А. Экономическая история России: XX век. Книг а V. М., Изд. АТ, 2006.（20 世纪俄国经济史。第 5 卷）

Бешлосе М.Р. и Тэлботт.С. На самом высоком уровне: закулисная история окончания ‘’холодной войны’’. М., 1994 .(在最高层：“冷战”结束的幕后故事)

Брумберг А. Советология и распад Советского Союза . Куда идет Россия? М., 1995. Вып. 2.（苏维埃学与苏维埃联盟的解体）

Бурлацкий Ф.М. Проблема прав человека в СССР и России (1970–1980-е и начало 90-х годов). М.,1999.（苏联和俄国的人权问题）

Власть и оппозиция . Российский политический процесс XX столетия. М., РОССПЭН. 1995.（政权与反对派：20 世纪俄国的政治进程）

Волкогонов Д.А. Семь вождей ：В 2-х кн. М., Фирма издательство АСТ, 1999.（七个领袖）

Восленский М.С. Номенклатура: господствующий класс Советского Союза. М., 1991. (在册权贵：苏联的统治阶级)

Гайдар Е.Т. Гибель империи. Уроки для современной России. 2-е изд. М., РОССПЭН, 2007.（帝国的灭亡：对当代俄国的教训）

Гайдар Е.Т. Дни поражений и побед. М., Вагриус, 1997. www.gaidar.org/dni.htm（胜利与失败的岁月）

Геллер М. и Некрич А. История России (1917 – 1995). Т.3. М., Издательство“МИК”, Издательство “Агар”. 1996.（俄国史 1917—1995）

Горбачев М.С. Декабрь-91. Моя позиция. М., Изд-во “Новости”, 1992. www.gorby.ru.（1991 年 12 月：我的立场）

Горбачев М.С. Жизнь и реформы. Воспоминания в 2-х тт. М., АО Издательство «Новости», 1995.（生平与改革）

Горбачев М.С. Избранные речи и статьи. ТТ. 2 – 7. М., Политиздат, 1987.（讲话与文章选）

Горяева Т.М. Политическая цензура в СССР . 1917 – 1991 г.г., М., РОССПЭН, 2002.（苏联的政治的书报检查 1917—1991）

Грачев А.С. Кремлевская хроника. М., ЭКСМО, 1994.（克里姆林宫纪事）

Жирков Г.В. История цензуры в России XIX – XX вв. М., 2001 (http ：// www.media.utmn.ru/library) (19—20 世纪俄国书报检查史）

Зенькович Николай,1985 – 1991, что это было? М.,Олта-пресс образование 2005.（1985—1991 ：事实真相）

История России. XX век:1939 – 2007. под.ред.А.Б.Зубова.М.,Астрель:АСТ. 2009. (20 世纪俄国史）

История России. Для технических вузов. Под ред.М.Н.Зуева А.А. Чернобаева .М., Высш. Шк. 2004.（俄国史，供理工科高校用）

История России. XX век. Отв. Редактор В.П. Дмитренко. М., Издательство АСТ-ЛТД. 1998.（20 世纪俄国史）

Каппелер А. Россия - многонациональная империя: возникновение, история, распад. М., 1996.（俄国——多民族的帝国：产生、历史与解体）

Капустин М.П. Конец Утопии? Прошлое и будущее социализма. М., Изд-во Новости. 1990.（乌托邦的终结？社会主义的过去与未来）

Кацва Л. А. История России. Советский период (1917–1991) . http://it-n.ru（苏维埃时期俄国史。1917—1991）

Кодин М.И. Трагедия Старой площади. М., Фонд содействия развития социальных и политических наук. 1999.（老广场的悲剧）

Косолапов Н. Н. От союзного договора к распаду Союза: логика дезинтеграции. СНГ: надежды, иллюзии и действительность. М., 1995.（从联盟条约到联盟解体：解体的逻辑。独联体：希望、梦想和实际）

Медведев В.А. В команде Горбачева: взгляд изнутри. М., Былина, 1994. www.lib.ru/MEMUARY/GORBACHEV/medvedev.txt£（在戈尔巴乔夫的团队里：内部的观察）

Медведев В.А. Распад. Как он назревал в «мировой системе социализма». М., Междунар. отношения, 1994.（解体：它是怎样在“世界社会主义体系”中到来的）

Медведев В.Т. Человек за спиной. М.,“РУССЛИТ”, 1994.（阴影里的人）

Мунчаев Ш.М. и Устинов В.М. История Советского государства. 2-е изд. Доп. и перераб. М., Норма, 2008.（苏维埃国家史）

Новейшая история Отечества. XX век: Учеб. для студенды вузов. В 2 тт. Т.1. Под ред. А.Ф.Киселева, Э.М.Шагина .М., Гуманит. изд. центр ВЛАДОС,1998.(20 世纪祖国现代史)

Новейшая история России. 1914–2005. Под редакцией М.В.Ходякова. 2-е издание. М., Высшее образование. 2007.（俄国现代史。1914—2005）

Оников Л. КПСС ：анатомия распада. Взгляд изнутри аппарата ЦК. М., Республика，1996.（苏共：崩溃的剖析。从苏共中央机关内部的观察）

Орлов А.С. и Георгиев В.А, Георгиева Н.Г, Сивохина Т.А. История России.

Учебник. 2-е изд., М.,ТК Велби, Изд-во Проспект, 2003.（俄国史教科书）

Отечественная история: Учебник. Под общ. ред. Р.Г.Пихои. (Учебник Российской академии государственной службы при Президенте Российской Федерации) М., Изд-во РАГС, 2005.（祖国史教科书）

Перестройка десять лет спустя (апрель 1985–апрель 1995). М., 1995.（改革 10 年之后）

Печенев В.А. «Смутное Время» в новейшей истории России (1985–2003). М., Норма.（俄国现代史上的“混乱时代”1985—2003）

Пихоя Р.Г. Советский союз: история власти. 1945–1991. М., РГАС, 1998.（苏联政权史 1945—1991）

Почему Украина не Россия. Хариков «Фолио» 2004.（为什么乌克兰不是俄罗斯）

Примаков Е.М. Годы в большой политике. М., Колекция «Совершенно секретно», 1999.（大政治年代）

Прорыв к свободе: О перестройке двадцать лет спустя. М., Альпина Бизнес Букс, 2005.（奔向自由：20 年后评改革）

Путч: хроника тревожных дней. М., 1991.（叛乱：危险时日纪事）

Российское государство и общество. XX век. М., Изд-во Моск.ун-та.1999. (20 世纪俄罗斯国家与社会)

Россия сегодня: политический портрет в документах. 1985–1991. М., 1991.（今日俄国：文献中的政治肖像）

Рябов В.В. Жизнь в ЦК или ЦК изнутри. М., Жизнь и мысль: моск.уче б ., 2005.（中央委员会中的生活）

Сахаров А. Д. Тревога и надежда. М., 1990.(不安与希望)

Слободкин Ю. М. Кто разрушил СССР и распял Россию. Л., 1995.（谁摧毁苏联和折磨俄国）

Собчак А. А. Хождение во власть. — Рассказ о рождении парламента. М., Изд-во “Новости” , 1991. http://soveticus5.narod.ru/85/ansob.htm（走向权力——议会诞生的故事）

Советская внешняя политика в ретроспективе. 1917–1991. Отв.ред.Чубарьян А.О. М., 1993.（苏联对外政策回顾 1917—1991）

Соколов А.К. Курс советской истории. 1941-1991 г., Москва. Высшая школа，1999.（苏联史教程 1941—1991）

Тимошина Т.М. Экономическая история России. М., 2000.（俄国经济史）

Трагедия великой державы: национальный вопрос и распад Советского Союза. Ответственный редактор Академик Г.Н.Севостьянов. М., Изд-во Социально-политическая мысль. 2005.（一个伟大强国的悲剧：民族问题与苏联的解体）

Урок дает истории. Под. общ. ред. В.Г. Афанасьева, Г.И.Смирнова. М., Политиздат. 1989.（历史的教训）

Фалин В. М. Без скидок на обстоятельства: политические воспоминания. М., 1999.（局势不打折：政治回忆录）

Филиппов А. В. Новейшая история России（1945－2006 гг.）Книга для учителя www.prosv.ru/umk/istoriya/index.html（俄国现代史。1945—2006 年）

Хасбулатов Р. Размышления спикера. М., 1992.（议长的思考）

Челноков М. Б. Россия без Союза, Россия без России... М., 1994.（没有联盟的俄国，没有俄国的俄国）

Черняев А. С. Шесть лет с Горбачевым. М., 1993.（与戈尔巴乔夫在一起的六年）

Черняев А.С. 1991 год: Дневник помощника президента СССР. М., ТЕРРА; Республика, 1997.（1991 年：苏联总统助手的日记）

Черняева А.С. Совместный исход. Дневник двух эпох 1972－1991годы. М., РОССПЭН, 2008.（共同的结局：1972—1991 年两个时代的日记）

Чешко С. В. Распад Советского Союза: этнополитический анализ. М., 1996.（苏联的解体：民族政治分析）

Шахназаров Г. Цена свободы. Реформация Горбачева глазами его помощника. Москва, 1993. (自由的代价：助手眼中的戈尔巴乔夫改革)

Шахназаров Г.Х. С вождями и без них. М., Вагриус, 2001.（与领袖们在一起和没有他们）

Шубин А. Истоки перестройки.Т.1－2.1997.（改革的缘起）

Шубин А.В. От «застоя» к реформам. СССР в 1917–1985 гг. М., РОССПЭН, 2000.（从“停滞”到改革。1917—1985 年的苏联）

Яковлев А.Н. Омут памяти. От Столыпина до Путина. В 2-х книгах. Книга первая. М., «Вагриус», 2001.（记忆的漩涡。从斯托雷平到普京）

论　　文

[俄] 梅德韦杰夫：《并非军备竞赛毁灭了苏联》，《当代世界社会主义问题》,1999 年第 1 期。

[俄] 韦・瓦・阿列克谢耶夫、谢・亚・涅费多夫：《从社会主义历史角度看苏联覆灭》，《马克思恩格斯列宁斯大林研究》2006 年第 4 辑。

[美] 沃伊泰克・马斯特尼著：《纸板城堡？——华沙条约组织秘史》，李锐等译，华东师范大学国际冷战史研究中心：《冷战国际史研究》第 8 辑，世界知识出版社 2009 年版。

郑羽：《戈尔巴乔夫时期苏美经济关系的几个问题》，《俄罗斯中亚东欧研究》2005 年第 4 期。

Бондарев В. Самораспад: Можно ли говорить о закономерностях развала СССР? // Родина. 1993. № 4.

Быстрова И.В. Военно-промышленный комплекс СССР на международной арене. //Отечественная история. 2006. №2-№3.

Виноградская Т. Распад СССР как системный фактор национальных конфликтов // Обозреватель. 1993. № 7.

Зиновьев А. А. Гибель «империи зла» (очерк Российской трагеди и) // Социологические исследования. 1994. № 10, 11; 1995. № 1, 2, 4.

Иванов Р.Ф. Крушение организации варшавского договора и советского союза：американская версия// Новая и новейшая история，2000，№1.

Кирсанов Р.Г. Реформирование банковской системы СССР в годы перестройки. //Российская история. 2010. № 2.

Козодой В.И. Становление оппозиционных организаций в Сибири (1989-август 1991г.) //Вопросы истории. 2008.№5.

Кретинин Г.В. Баторшина И.А. Восстановление литовской государстнности на рубеже 1980- х – 1990-х гг. //Вопросы истории. 2010. №7.

Мусатов В.Л. Горбачевская перестройка и режим чаршеску. // Новая и новейшая история. 2010. №3.

Наринский М.М. М.С.Горбачев и объединение Германин по новым материалам. //Новая и новейшая история. 2004. №1.

Наринский М.М. Советское руководство и кризис в персидском заливе (1990–1991 годы). Новые мотериалы. // Новая и новейшая история.2007. №3.

Новопашин Ю.С. О причинах восточноевропейских революций 1989 г. (международный аспект) // Вопросы истории. 2010. №2.

Олиг Яницкий Перестройка и общественные движения 1980–х . //Свободная мысль 2007. №9.

Паин Э. А. Грозит ли России судьба СССР? Сепаратизм и федерализм в современной России // Дружба народов. 1994. № 6.

Празаускас А. А. Мог ли быть вечным «Союз нерушимый»? // Свободная мысль. 1992. №8.

Рубцов Ю.В. Советский союз в «необъявленной» войне в Афганистане (1979–1989 годы): осмысление прошлого. // Новая и новейшая история. 2009. №1.

Филитов А.М. Советская политика и объединение Германин (1989–1990). //Отечественная история. 2004. № 6.

Черняев А.С На старой площади. Из дневниковых записей. //Новая и новейшая история. 2004. №5-6. 2005. №1,№5. 2004. №3.

Шишков Ю. Распад империи: Ошибка политиков или неизбежность? // Наука и жизнь. 1992. №8.

报　　刊

Вопросы истории

Известия

Исторический Архив

Источник

Мировая экономика и международные отношения

Новая и новейшая история

Отечественная история (История СССР)

Правда

Проблемы дальнего востока

Российская история

Свободная мысль

США: экономика политика и деология

档案馆和档案

АГФ（戈尔巴乔夫基金会档案馆）

АПРФ (俄罗斯联邦总统档案馆，原苏共中央政治局档案馆)

主题索引

A

阿尔汉格尔斯克别墅 553, 589
阿富汗战争 74, 78, 84, 420, 429, 433, 435, 436, 437, 482, 521, 527, 639
阿拉木图事件 143, 144, 145, 146, 369
阿拉木图宣言 610, 611

B

“8·19”事变 27, 298, 496, 536, 542, 543, 546, 547, 550, 558, 563, 566, 567, 569, 571, 575, 577, 580, 581, 588, 589, 595, 596, 597, 599, 626
柏林墙倒塌 468, 473, 474, 636
保守派 200, 208, 214, 250, 269, 283, 288, 291, 294, 300, 302, 303, 304, 305, 324, 347, 453, 504, 520, 521, 535, 537, 538, 539, 540, 543, 550, 577, 620, 624
北约 73, 83, 431, 440, 454, 455, 460, 462, 469, 470, 471, 474, 477
别洛韦日协定 378, 407, 576, 597, 599, 603, 605, 606, 607, 608, 612, 614

C

超越遏制 448
承包制 89, 116, 157, 274
承租 274, 275
持不同政见者 46, 78, 99, 103, 122, 123, 179, 252, 283

D

德国统一 3, 121, 429, 446, 447, 466, 467, 468, 469, 471, 472, 473, 474, 475, 476, 477
第比利斯事件 259, 368, 370, 380, 381, 384, 385, 386, 387, 388, 392
多党制 12, 13, 19, 176, 239, 265, 266, 268, 270, 289, 291, 292, 294, 298, 300, 301, 307, 308, 310, 311, 312, 314, 320, 324, 416, 462, 504, 540, 560

E

俄联邦最高苏维埃 291, 341, 412, 558, 561, 571
俄罗斯联邦 9, 30, 70, 143, 185, 249, 250, 256, 261, 290, 291, 292, 293, 294, 295, 296, 298, 306, 311, 312, 324, 325, 336, 338, 341, 342, 343, 358, 359, 360, 390, 394, 403, 406, 407, 408, 409, 410, 411, 412, 413, 414, 415, 417, 500, 511, 514, 516, 517, 518, 519, 520, 521, 522, 524, 525, 527, 528, 529, 530, 539, 540, 546,

553, 555, 556, 558, 559, 562, 563, 568, 569, 570, 571, 572, 575, 576, 580, 583, 587, 588, 589, 590, 591, 592, 593, 595, 600, 602, 605, 606, 609, 610, 612, 613, 618, 624, 626, 627
俄罗斯联邦共产党 23, 297, 302, 303, 304, 313, 415, 416, 417, 503, 504, 624, 625
俄罗斯联邦总统选举 521, 525, 527, 539, 569
俄罗斯民主党 293, 294, 312, 325, 343
俄罗斯社会民主党 293

F

反危机纲领 499, 508
反酗酒斗争 130, 131, 132, 134, 621
费尔干纳事件 392
福罗斯别墅 532, 533

G

改革与新思维 199, 216, 221, 246, 368, 422, 434, 466
告俄罗斯公民书 553, 554, 556
告苏联人民书 551
戈尔巴乔夫上台 32, 45, 85, 98, 109, 110, 420, 429, 438, 459
公开性 15, 16, 19, 21, 24, 25, 29, 33, 58, 78, 97, 115, 118, 119, 121, 122, 123, 124, 141, 144, 148, 163, 165, 166, 168, 169, 170, 171, 172, 173, 174, 175, 176, 177, 178, 179, 180, 181, 182, 188, 189, 195, 201, 209, 213, 219, 220, 224, 225, 226, 228, 229, 233, 234, 236, 239, 240, 261, 269, 270, 289, 305, 310, 367, 369, 416, 451, 465, 525, 536, 622, 625, 629
官僚社会主义 194
国家紧急状态委员会 24, 246, 316, 542, 543, 544, 546, 547, 548, 549, 550, 551, 552, 553, 555, 556, 557, 559, 560, 561, 562, 564, 565, 567, 572, 574
国营企业法 153, 172

H

哈佛计划 508, 511
华约（华沙条约组织）83, 304, 434, 453, 454, 455, 459, 462, 470, 471, 476, 477, 478

J

“9+1”会晤 522
激进派 210, 246, 249, 251, 263, 265, 266, 267, 268, 270, 271, 289, 291, 292, 293, 294, 295, 300, 303, 312, 315, 324, 333, 335, 352, 501, 503, 515, 516, 520, 529, 540, 555, 571, 620, 624
激进民主派 210, 251, 253, 261, 315, 318, 326, 504, 569
极端主义 25, 192, 340, 342, 371, 551
加速战略 28, 29, 86, 111, 112, 113, 120, 121, 125, 126, 128, 129, 130, 135, 143, 146, 148, 149, 224, 226, 620

经互会 71, 105, 434, 453, 454, 459, 464, 475, 476, 497
经济体制改革 29, 44, 48, 113, 121, 126, 149, 151, 159, 160, 162, 163, 164, 221, 239, 274, 346, 488, 621

K

克格勃 6, 14, 25, 33, 39, 40, 41, 42, 44, 107, 110, 126, 127, 174, 185, 220, 228, 281, 304, 310, 311, 352, 376, 406, 438, 445, 502, 523, 532, 535, 538, 539, 543, 544, 548, 549, 552, 564, 566, 567, 570, 571, 572, 573, 582, 583, 584, 588
跨地区议员团 261, 264, 266, 270, 271, 291, 298, 311, 315, 503

L

雷克雅未克会晤 430, 441
冷战结束 446, 453, 471, 475
联盟党团 304, 525
六月全会 148, 150, 152, 157, 161, 201, 202
鲁赫 405

M

马耳他会晤 448, 449, 474
马克思主义纲领派 300, 301, 318
民主的社会主义 8, 12, 103, 270, 300, 308, 343
民主俄罗斯 291, 293, 294, 298, 325, 343, 403, 503, 519, 520, 527, 589
民主化 7, 14, 15, 16, 18, 19, 21, 24, 25, 29, 78, 115, 116, 141, 148, 151, 152, 165, 166, 167, 168, 172, 173, 174, 175, 176, 182, 187, 188, 195, 200, 209, 213, 216, 217, 218, 225, 228, 229, 231, 237, 240, 242, 260, 261, 278, 282, 284, 285, 289, 291, 315, 343, 367, 369, 465, 468, 504, 622, 625, 629
民族分离主义 27, 289, 356, 367, 372, 388, 398, 405, 406, 407, 409, 412, 417, 618, 634
民族自决权 7, 372, 373
莫斯科人民阵线 233, 291
莫斯科选民协会 291, 293

N

纳—卡问题 370, 378

O

欧洲常规武装力量条约 454, 455
欧洲大厦 304, 398, 453, 462, 466, 467, 476

P

平反 182, 183, 185, 186, 187, 188, 189, 215, 244, 246, 270, 306, 364

Q

切尔诺贝利 14, 122, 123, 135, 136, 137, 138, 139, 140, 141, 164, 321

全民公决 15, 296, 304, 348, 389, 405, 414, 503, 512, 515, 516, 517, 518, 519, 520, 523, 526, 534, 576, 582, 592, 593, 595, 596, 597, 606, 607, 614, 620, 626, 627, 629

R

人道的、民主的社会主义 15, 19, 31, 215, 220, 285, 288, 299, 309, 318, 319, 324, 512
人道主义 17, 49, 165, 178, 187, 188, 192, 193, 194, 215, 447
人民代表大会 9, 224, 236, 237, 248, 249, 252, 255, 256, 257, 258, 259, 260, 262, 263, 265, 268, 269, 270, 289, 291, 304, 309, 310, 312, 314, 315, 348, 349, 373, 382, 396, 397, 400, 410, 417, 515, 520, 521, 522, 526, 527, 542, 545, 547, 554, 559, 575, 582, 605, 607
人民代表选举 239, 249, 252, 256, 271
人民阵线 233, 272, 273, 289, 291, 308, 379, 380, 381, 388, 395, 397, 413, 512

S

“10+1”声明 581, 582
萨尤季斯 394, 395, 396, 397, 399, 402
十月革命 2, 87, 148, 150, 186, 188, 189, 202, 207, 213, 216, 230, 234, 244, 265, 271, 272, 285, 300, 365, 368, 487, 612
书报检查制度 174, 219
斯大林模式 29, 100, 148, 170, 190, 194, 198, 234, 265, 285, 362, 536, 618, 619, 633
斯大林体制 6, 29, 87, 101, 103, 180, 188, 190, 192, 194, 198, 215, 220, 270, 622
四月全会 102, 107, 226
苏芬战争 364
苏共第十九次代表会议 29, 32, 214, 216, 224, 231, 232, 233, 237, 240, 241, 242, 247, 248, 274, 278, 285, 434
苏共二十大 104, 182, 190, 197, 306, 364
苏共二十七大 32, 110, 111, 112, 114, 115, 117, 118, 119, 120, 121, 122, 130, 156, 216, 228, 236, 242, 421, 422, 424, 425, 426, 439, 480, 623
苏共二十八大 31, 32, 299, 319, 320, 321, 322, 324, 325, 326, 372, 428, 463, 514, 537, 623
苏共民主纲领派 291, 293, 299, 300, 343
苏联合作社法 158, 274
苏联解体 2, 3, 4, 5, 7, 8, 9, 10, 15, 16, 19, 20, 21, 22, 24, 26, 27, 30, 32, 33, 160, 254, 318, 345, 378, 389, 407, 408, 416, 420, 425, 433, 456, 475, 489, 523, 536, 563, 567, 575, 594, 596, 599, 600, 601, 606, 608, 613, 615, 619, 626, 627
苏联最高苏维埃主席团 130, 131, 257
苏联最高苏维埃 9, 54, 108, 130, 131, 153, 158, 171, 237, 248, 256, 257, 258, 262, 263, 264, 268, 272, 294, 305, 314, 317,

318, 328, 334, 336, 339, 340, 341, 347, 348, 351, 374, 375, 379, 382, 396, 400, 401, 409, 414, 514, 515, 525, 526, 491, 532, 534, 539, 543, 547, 549, 550, 556, 558, 559, 562, 574, 575, 595, 607, 609, 613, 626, 631
苏维埃政治体制 58
苏维埃政权 30, 218, 305, 312
苏维埃民主 120
苏维埃国家 166, 234, 280, 322, 342, 356
苏维埃机关 197, 237
苏维埃主权共和国联盟 524, 533, 544
苏维埃选举 167, 238, 257, 258, 268, 289, 323, 388

T

团结工会 26, 82, 460

W

500 天计划 336, 337, 338, 339, 340, 341, 342, 347, 353, 499, 514
维尔纽斯事件 404
卫国战争 23, 87, 170, 182, 185, 197, 230, 306, 365, 391, 420, 500
乌克兰独立 414, 576, 595, 596, 597
乌兹别克斯坦案 47

X

西方七国 509, 587
宪法第六条 262, 265, 266, 267, 291, 292, 299, 300, 308, 309, 310, 311, 312, 313, 415
削减进攻性战略武器 448
新奥加廖沃进程 496, 521, 522, 523, 526, 535, 575, 595
新的安全观 119, 424, 492
新联盟条约 13, 318, 337, 373, 396, 405, 414, 512, 513, 514, 515, 516, 522, 523, 524, 525, 527, 531, 532, 533, 534, 535, 536, 538, 545, 546, 547, 557, 569, 577, 583, 586, 592, 594, 596, 602
新欧洲巴黎宪章 455
新思维 15, 16, 19, 27, 102, 104, 121, 124, 199, 221, 227, 248, 261, 420, 421, 422, 423, 424, 428, 429, 437, 439, 460, 461, 468, 476, 477, 492, 493, 506, 536, 623

Y

叶利钦事件 199, 200, 208, 209, 211, 243, 246
一切权力归苏维埃 225, 235, 238, 239, 256, 261, 264, 265, 307, 621, 622
一月全会 50, 148, 150, 168, 200, 231
影子经济 46, 77, 128, 157, 234, 301, 416, 499, 504, 552

Z

在册权贵 99, 249, 646
政治体制改革 29, 121, 122, 150, 164, 168, 180, 213, 214, 216, 219, 224, 225, 227,

228, 231, 234, 235, 236, 238, 239, 240, 241, 242, 247, 248, 259, 261, 264, 267, 273, 277, 278, 285, 307, 314, 328, 395, 447, 536, 621, 622
政治民主化 11, 12, 30, 60, 146, 618
中导条约 433, 442, 443, 450
中苏关系正常化 479, 480, 482, 483, 484, 485, 486, 488, 489, 490, 491, 492
总统委员会 311, 316, 317, 334, 338, 339, 340, 341, 343, 347, 348, 349, 352, 501, 514
总统制 238, 285, 307, 310, 311, 313, 314, 315, 316, 317, 318, 410, 496, 521, 622

人名索引

A

阿巴尔金 106, 130, 151, 161, 264, 273, 334, 336, 337, 339, 351, 524, 539
阿布拉泽 190, 501
阿尔巴托夫 12, 62, 64, 72, 89, 95, 102, 105, 106, 209, 318, 523, 537, 542, 568, 569
阿法纳西耶夫 65, 110, 179, 188, 190, 191, 197, 225, 233, 262, 270, 278, 289, 298, 316, 630, 631, 632
阿甘别吉杨 106, 151, 226, 229, 273
阿赫罗梅耶夫 456, 469, 562
阿赫玛托娃 124, 306
阿卡耶夫 14, 97, 252, 316
阿利耶夫 44, 120
阿列克谢耶夫 7, 501
阿鲁秋尼扬 378
阿恰洛夫 402, 544
阿维恩 589
艾赫玛托夫 306
安倍晋三 458
安德列耶娃 198, 200, 209, 210, 211, 212, 213, 214, 215, 231, 305
安德罗波夫 37, 38, 39, 40, 41, 42, 43, 44, 45, 46, 47, 48, 49, 50, 51, 52, 53, 54, 55, 56, 57, 59, 63, 84, 89, 90, 91, 93, 95, 96, 98, 101, 105, 107, 109, 111, 113, 114, 199, 247, 437, 479
昂纳克 266, 465, 466, 467, 468, 471, 473, 474
奥勃连斯基 316
奥尔特加 452
奥莱塔 · 查莫罗夫人 452
奥西皮扬 317

B

巴尔谢科夫 34
巴吉罗夫 378
巴卡京 14, 34, 317, 351, 352, 383, 438, 523, 527, 528, 537, 548, 558, 559, 561, 565, 568, 570, 572, 573, 575, 582, 584, 588
巴克拉诺夫 232, 280, 323, 351, 384, 496, 531, 535, 537, 544, 545, 546, 547, 548, 550, 552, 561, 566, 567
巴拉扬 375, 376
鲍里索夫 188, 329
鲍文 105, 193, 501
贝克 162, 448, 449, 461, 469, 470, 510, 615
比克宁 231
比留科娃 120, 149, 264, 281
彼得大帝（彼得一世） 213, 633, 634
彼特拉科夫 106, 151, 161, 172, 341, 348,

431, 499, 501
别尔嘉耶夫 181, 306
别克 173
别斯梅尔特内赫 317, 352, 570
波波夫 151, 172, 233, 246, 250, 261, 263, 264, 289, 293, 299, 311, 325, 412, 528, 529, 540, 573
波尔托拉宁 553, 589
波洛兹科夫 295, 303, 304, 415, 416, 503, 523, 540
波德尼耶科斯 307
勃列日涅夫 10, 30, 38, 39, 40, 41, 43, 44, 45, 46, 47, 48, 52, 53, 54, 56, 60, 61, 62, 89, 90, 95, 96, 101, 102, 103, 104, 105, 111, 114, 116, 125, 143, 170, 178, 182, 186, 187, 188, 194, 214, 312, 357, 429, 434, 446, 455, 458, 459, 462, 479, 488, 597, 629, 632, 633, 636
博布科夫 55, 376
博尔金 15, 134, 183, 214, 231, 256, 280, 301, 317, 324, 351, 386, 497, 530, 535, 544, 545, 546, 547, 562, 629, 631
博戈莫洛夫 106
布尔布利斯 523, 553, 572, 583, 588, 589, 591, 598, 604
布尔加科夫 173
布尔拉茨基 105, 190, 501
布哈林 182, 183, 186, 187, 188, 196, 197, 306
布拉藻斯卡斯 304, 395, 398, 402
布罗基亚维丘斯 398, 404
布罗茨基 181
布热津斯基 596
布什 26, 448, 449, 462, 470, 474, 502, 506, 507, 508, 509, 510, 511, 560, 594, 596, 606, 615, 616

C

采列捷利 387
茨维贡 39

D

达尼洛夫—达尼利杨 589
邓小平 439, 479, 482, 484, 485, 486, 487, 492
杜金采夫 173, 174
杜纳耶夫 561
多勃雷宁 120, 435, 446, 465
多尔基赫 108, 120, 136, 137, 213, 233, 281, 375

E

恩格斯 15, 27, 28, 169, 191, 192

F

法林 119, 323, 460, 469, 473, 491
费奥多罗夫 469
费德罗夫 589
费多尔丘克 47
弗拉索夫 137, 250, 281, 295, 365, 377, 409,

410
弗罗洛夫 323
伏罗希洛夫 184, 185
福金 604

G

盖达尔 5, 16, 142, 154, 172, 338, 406, 498, 589, 591, 598, 599,
戈尔巴乔夫 2, 3, 4, 5, 7, 9, 10, 11, 12, 13, 14, 15, 16, 17, 18, 19, 20, 21, 22, 24, 25, 26, 27, 28, 29, 30, 31, 32, 33, 34, 35, 38, 44, 45, 47, 52, 53, 54, 55, 57, 58, 59, 66, 68, 69, 72, 86, 87, 88, 89, 90, 91, 92, 93, 94, 95, 96, 97, 98, 99, 100, 101, 102, 103, 104, 105, 106, 107, 108, 109, 110, 111, 112, 113, 114, 115, 116, 117, 118, 119, 120, 121, 122, 123, 124, 125, 126, 127, 128, 129, 130, 131, 135, 136, 137, 139, 140, 141, 143, 144, 145, 146, 148, 149, 150, 151, 152, 153, 155, 156, 157, 158, 160, 161, 162, 164, 165, 166, 167, 168, 170, 171, 174, 175, 177, 178, 181, 182, 186, 187, 188, 189, 198, 199, 200, 201, 202, 203, 204, 205, 206, 207, 208, 209, 210, 211, 212, 213, 214, 215, 216, 217, 218, 219, 220, 221, 224, 225, 226, 227, 228, 230, 231, 232, 234, 235, 236, 237, 238, 239, 240, 241, 242, 243, 245, 246, 247, 248, 250, 251, 254, 255, 256, 258, 259, 260, 261, 263, 264, 265, 266, 267, 268, 269, 270, 272, 273, 274, 278, 279, 280, 281, 282, 283, 284, 285, 286, 288, 289, 290, 291, 292, 295, 298, 300, 301, 302, 303, 304, 305, 306, 307, 308, 309, 310, 311, 313, 314, 315, 316, 318, 319, 320, 321, 323, 324, 327, 328, 329, 331, 333, 334, 336, 337, 339, 340, 341, 342, 343, 344, 345, 346, 347, 348, 349, 350, 351, 352, 356, 357, 358, 363, 368, 369, 369, 370, 371, 372, 373, 374, 375, 376, 377, 378, 380, 381, 382, 383, 386, 387, 388, 390, 395, 397, 398, 399, 401, 402, 403, 404, 405, 406, 408, 409, 411, 412, 414, 415, 416, 417, 419, 420, 421, 422, 423, 424, 425, 426, 427, 428, 429, 430, 431, 432, 433, 434, 435, 436, 437, 438, 439, 441, 442, 443, 444, 445, 446, 447, 448, 449, 450, 451, 453, 454, 455, 456, 457, 458, 459, 460, 461, 462, 463, 464, 465, 466, 467, 468, 469, 470, 471, 472, 473, 474, 475, 476, 477, 479, 480, 481, 482, 483, 484, 485, 486, 487, 488, 489, 490, 491, 492, 493, 495, 496, 497, 499, 500, 501, 502, 503, 505, 506, 507, 508, 509, 510, 511, 512, 513, 514, 515, 516, 517, 518, 520, 521, 522, 523, 524, 525, 526, 527, 528, 529, 531, 532, 533, 534, 535, 536, 537, 538, 539, 540, 541, 542, 543, 544, 545, 546, 547, 548, 549, 550, 551, 555, 556, 557, 559, 560, 561, 562,

563, 564, 565, 566, 567, 568, 569, 570, 571, 572, 573, 574, 576, 577, 580, 581, 582, 583, 584, 585, 586, 587, 588, 591, 592, 593, 594, 595, 596, 597, 598, 599, 600, 601, 605, 606, 607, 608, 609, 612, 614, 615, 618, 619, 620, 621, 622, 623, 624, 625, 626, 627, 628, 629, 630, 631, 632, 633, 634, 635, 636
戈尔巴乔娃（赖莎）100, 104, 269, 518
格德良 291, 412
格拉季耶夫 589
格拉宁 250
格拉乔夫，安 39, 99, 128, 546, 556, 557, 632
格拉乔夫，波 554, 556, 558, 560, 632
格拉先科 333, 413
格里申 40, 53, 91, 92, 94, 95, 109, 110, 111, 199
格罗莫夫 351
格罗斯曼 173, 270
格里戈里扬茨 179
葛罗米柯 39, 40, 41, 52, 53, 55, 92, 93, 94, 107, 108, 120, 121, 124, 167, 211, 213, 232, 245, 280, 390, 436
贡巴里泽 388
古边科 317, 351
古连科 351
古米廖夫 181

H

哈达谢维奇 181
哈宁 328
哈斯布拉托夫 521, 553, 558, 559, 568, 599, 614
海部俊树 458
赫鲁晓夫 10, 30, 57, 77, 88, 98, 100, 101, 104, 114, 121, 125, 170, 174, 182, 185, 186, 187, 189, 192, 194, 226, 306, 389, 390, 506, 546, 597, 630, 636

J

基里连科 39, 40, 44, 90
基辛格 4, 13, 78, 98, 433, 531, 615, 623, 632
吉达斯波夫 323
吉洪诺夫 40, 44, 45, 52, 53, 54, 55, 93, 94, 95, 109, 111
吉连科 323, 400, 513
季贾科夫 496, 548, 551, 561
季诺维也夫 182, 183, 186
加尔答伊利斯基 293
加里宁 556, 561
加里宁，米，伊 185
加米涅夫 182, 183, 186, 306
加姆萨胡尔季阿 380, 381, 387, 388, 389, 560
加韦尔 314
江泽民 492
杰米尔强 378

杰米契夫 120, 281, 390
杰缅捷伊 500
久加诺夫 15, 23, 24, 278, 415, 614

K

卡尔迈勒 435
卡尔普欣 553, 560
卡冈诺维奇 57, 184, 185
卡里亚京 501
卡普季基扬 375, 376
康德拉季耶夫 124
柯罗季奇 122
柯西金 39, 98, 101, 121, 125, 151, 153, 226
科恩 4, 20, 21, 575
科尔 453, 467, 469, 471, 474, 508, 509, 609, 616
科尔宾 143, 144, 145, 263, 369
科尔奇洛夫 14
科济列夫 589, 598
科加洛夫斯基 589
科捷恩科夫 599
科诺托普 264
科切托夫 382
科瓦鲁新 307
克比奇 604
克拉夫琴科 347, 532
克拉夫丘克 323, 575, 583, 594, 595, 596, 597, 598, 600, 604
克留奇科夫 25, 33, 183, 228, 281, 308, 310, 317, 335, 341, 343, 352, 382, 402, 403, 460, 469, 526, 532, 535, 538, 539, 543, 544, 546, 547, 548, 549, 550, 552, 553, 557, 560, 561, 564, 566, 567, 571, 621, 631
克伦茨 5, 468, 473, 474, 478
库德里亚夫采夫 263, 515
库拉科夫 88, 89
库纳耶夫 40, 53, 95, 120, 121, 143, 145, 166, 369
库普佐夫 303, 323, 415
库秋根 293
库兹涅佐夫 197

L

拉林娜—布哈林娜 196
拉斯普京 317, 341
拉希多夫 47, 48, 62
拉祖莫夫 120
拉祖莫夫斯基 143, 183, 250, 255, 280, 281, 375, 381, 383, 390, 400
兰茨贝基斯 399, 403, 560
雷巴科夫 173
雷日科夫 3, 4, 22, 23, 33, 44, 50, 54, 92, 95, 101, 107, 108, 109, 110, 111, 120, 123, 126, 128, 131, 133, 136, 137, 138, 139, 142, 144, 145, 149, 150, 156, 157, 158, 161, 162, 200, 204, 213, 228, 232, 238, 250, 255, 256, 257, 258, 260, 262, 263, 264, 266, 271, 273, 275, 280, 282, 301, 308, 309, 310, 317, 323, 334, 335, 336,

337, 339, 340, 341, 343, 347, 350, 353, 379, 380, 385, 386, 392, 437, 469, 491, 496, 513, 514, 520, 527, 528, 567, 583, 599, 623, 624
雷先科 233, 291, 299
李可夫 182, 183, 196, 197, 306
李鹏 479, 484, 491
李森科 173, 195, 299
李维诺夫 184
里根 26, 79, 80, 81, 82, 83, 140, 430, 431, 432, 433, 437, 441, 444, 445, 451, 510, 636
里亚博夫 204
利哈乔夫 250, 492
利加乔夫 3, 4, 33, 43, 44, 47, 66, 92, 93, 94, 95, 107, 108, 111, 120, 122, 129, 131, 132, 134, 137, 146, 149, 200, 201, 202, 203, 204, 207, 209, 210, 211, 212, 213, 214, 232, 233, 244, 245, 247, 248, 250, 255, 280, 281, 283, 284, 302, 303, 308, 311, 322, 323, 331, 375, 381, 383, 386, 408, 415, 513, 537, 623, 624, 631, 632
列别德 556
列别杰夫 262
列加索夫 136, 140, 141
列宁 2, 4, 29, 38, 40, 58, 61, 88, 90, 117, 118, 144, 148, 149, 164, 176, 179, 186, 187, 190, 191, 192, 194, 195, 196, 197, 216, 217, 221, 225, 231, 235, 239, 239, 244, 248, 264, 265, 271, 305, 360, 361, 362, 365, 372, 537, 628
列文科 317, 351, 515, 573
卢基扬诺夫 25, 106, 110, 120, 166, 183, 231, 238, 255, 258, 263, 264, 281, 308, 310, 314, 343, 381, 390, 491, 492, 513, 523, 524, 525, 526, 534, 541, 543, 544, 547, 550, 551, 556, 557, 558, 559, 561, 562
卢卡申科 606
卢日科夫 572, 573
鲁茨科伊 521, 527, 555, 558, 559, 561
鲁缅采夫，阿 104
鲁缅采夫，奥 293
鲁斯特 167
罗高寿 483, 491
罗曼诺夫 40, 92, 95, 107, 111
洛马金 262

M

马哈拉泽 589
马基雅维里 528, 529, 633
马卡绍夫 527, 528
马克思 8, 28, 168, 194, 627
马林科夫 57, 185
马纳延科夫 323
马尼亚金 262
马丘欣 412
马什茨 589
马斯柳科夫 264, 317, 351, 400, 513
马特洛克 239, 254, 351, 502, 510, 630

马约列茨 136
麦德维杰夫 5, 16, 17, 34, 35, 40, 52, 72, 78, 103, 305, 349, 350, 404, 568, 618, 634
麦西亚茨 204
梅德韦杰夫，德 30, 190, 635, 636
梅德韦杰夫，瓦·安 33, 44, 67, 106, 110, 120, 150, 160, 161, 183, 213, 214, 231, 238, 250, 253, 255, 280, 281, 295, 298, 308, 311, 317, 322, 323, 331, 341, 349, 350, 351, 352, 381, 400, 523, 524, 533, 573, 623, 632
梅杜诺夫 46, 47
梅杰 456, 587, 588, 616
米高扬 184
米格拉尼扬 100, 105, 180, 229, 230, 236, 237, 313, 407, 416, 640
莫德罗 469, 470
莫洛托夫 57, 104, 184, 365, 366, 397
莫斯 4
莫伊谢耶夫，M.A 382, 570
莫伊谢耶夫，H 75, 106, 226
穆拉霍夫斯基 149
穆拉舍夫 503
穆萨托夫 290

N

纳巴科夫 181
纳吉布拉 435, 437, 452
纳扎尔巴耶夫 3, 38, 143, 145, 208, 283, 288, 317, 320, 342, 349, 351, 365, 369, 370, 373, 391, 406, 407, 531, 532, 535, 543, 559, 576, 582, 583, 585, 586, 600, 605, 609
尼科诺夫 111, 120, 149, 280
尼沙诺夫 257, 500, 513
涅恰耶夫 589

P

帕尔姆 262, 289
帕夫洛夫 317, 350, 351, 352, 492, 497, 498, 499, 500, 508, 526, 532, 534, 535, 539, 543, 547, 548, 550, 552, 557, 564, 566, 567, 631
帕季阿什维里 380, 381, 382, 383, 384, 388
帕斯捷尔纳克 173
潘金 456, 570, 583, 587
皮霍亚 34, 35, 56, 318, 516, 547
蒲宁 181
普戈 183, 250, 255, 279, 281, 317, 351, 352, 402, 403, 526, 532, 537, 538, 539, 544, 547, 548, 550, 562, 567
普京 20, 30, 451, 635, 636
普拉托诺夫 173, 306
普里马科夫 34, 103, 104, 205, 237, 246, 257, 261, 284, 317, 319, 329, 349, 350, 351, 352, 441, 513, 548, 559, 561, 565, 572, 573, 583
普列汉诺夫 545, 546, 551, 562
普罗科菲耶夫 133, 158, 253, 311, 323, 500

Q

齐米亚宁 120, 166
齐普科 9, 191, 192, 271
奇赫伊泽 383, 388
奇金 212, 573
契尔年科 37, 38, 39, 40, 41, 45, 52, 53, 54, 55, 56, 57, 59, 84, 86, 87, 89, 90, 91, 92, 93, 94, 95, 96, 101, 109, 457, 479
恰亚诺夫 124
恰佐夫 45, 63
钱其琛 483, 484, 488, 491
切布里科夫 44, 47, 107, 111, 120, 137, 183, 213, 233, 250, 280, 281, 377, 381, 383, 386, 390
切尔科吉亚 388
切尔尼亚耶夫 34, 53, 90, 95, 105, 106, 110, 162, 207, 231, 278, 437, 502, 573, 612
丘拜斯 172, 233, 254, 589, 591
丘尔巴诺夫 47

R

日丹诺夫 185
日夫科夫 105, 198, 477
日里诺夫斯基 527, 528
日任 549

S

撒切尔夫人 57, 431
萨哈罗夫 25, 103, 123, 179, 233, 250, 260, 262, 263, 264, 266, 267, 289, 412, 614
萨姆索诺夫 566
沙波什尼科夫 554, 558, 561, 566, 570, 611, 615
沙赫赖 8, 9, 553, 574, 589, 592, 593, 598, 600, 601
沙赫纳扎罗夫 34, 105, 106, 110, 231, 238, 515, 564, 573, 574, 624, 625
沙塔林 106, 130, 161, 317, 336, 337, 338, 339, 341, 342, 349, 353, 499, 501, 540
绍斯塔科夫斯基 291, 299, 319
绍辛 591
舍宁 303, 323, 402, 520, 525, 535, 537, 544, 545, 546, 547, 548, 562, 567
施魏策尔 26
什梅廖夫 106
舒什克维奇 140, 586, 598, 604
斯大林 6, 10, 11, 24, 38, 46, 57, 67, 74, 87, 88, 101, 103, 111, 114, 121, 148, 170, 178, 180, 184, 186, 187, 188, 189, 190, 191, 192, 193, 194, 195, 196, 197, 198, 209, 210, 213, 215, 230, 231, 242, 273, 285, 313, 360, 361, 362, 363, 364, 365, 366, 367, 375, 376, 380, 389, 390, 391, 397, 460, 461, 463, 512, 537, 541, 628, 629, 632, 634, 635
斯捷潘科夫 542
斯考克罗夫特 462, 468, 506, 507, 510
斯拉文 12, 17, 34, 103, 215
斯柳尼科夫 120, 166, 201, 255, 280, 281,

282, 330, 331, 332, 381
斯莫连采夫 263
斯塔罗杜布采夫 548, 550
斯特罗耶夫 323
斯托利亚罗夫 558
松盖拉 395
苏莱曼诺夫 512
苏斯洛夫 39, 40, 76, 89, 90, 91, 101, 185, 629
苏沃洛夫 633
索布恰克 176, 251, 252, 254, 256, 264, 293, 299, 313, 315, 325, 349, 528, 529, 583, 632
索尔仁尼琴 42, 103, 173, 272, 306, 536, 614
索科洛夫，阿 34
索科洛夫 46
索科洛夫，谢·列 107, 111, 120, 167
索洛缅采夫 44, 120, 132, 149, 182, 201, 280
索洛维约夫 120, 188, 232, 233, 255, 306

T

特拉夫金 291, 294
特拉佩兹尼科夫 44
特列古博夫 46
特罗扬诺夫斯基 481, 484, 485, 488
田曾佩 483, 485
图哈切夫斯基 196
图列夫 527, 528
托洛茨基（勃朗施坦）

W

瓦连尼科夫 401, 402, 404, 544, 545, 546, 547, 551, 562, 563
瓦维洛夫 589
韦济罗夫 378
沃尔科戈诺夫 17, 34, 178, 187, 197
沃尔斯基 45, 298, 378, 379, 540
沃罗宁 264
沃罗特尼科夫 44, 120, 127, 129, 149, 211, 212, 255, 390, 513
沃兹涅先斯基 197
乌斯季诺夫 40, 41, 45, 52, 53, 56, 57, 101
吴学谦 481

X

西拉耶夫 298, 337, 341, 540, 553, 558, 559, 561, 570, 582, 583
西蒙诺夫 197
西塔良 151, 231
希什林 105
夏兰斯基 122
谢尔比茨基 40, 120, 121, 232, 323, 390
谢尔盖耶夫 303, 319
谢柳宁 163, 233
谢洛科夫 46, 47
谢瓦尔德纳泽 12, 107, 108, 111, 119, 120, 129, 149, 196, 204, 213, 233, 250, 255, 264, 280, 282, 304, 308, 310, 317, 341, 348, 350, 352, 380, 381, 383, 386, 428,

431, 432, 433, 451, 457, 458, 460, 461, 463, 469, 470, 472, 483, 484, 523, 537, 540

Y

雅科夫列夫，亚·尼 12, 25, 33, 44, 106, 108, 110, 111, 114, 119, 120, 122, 129, 137, 166, 169, 170, 180, 182, 200, 201, 204, 209, 210, 211, 212, 213, 214, 231, 238, 240, 250, 255, 280, 281, 298, 300, 302, 308, 310, 317, 323, 349, 351, 352, 375, 390, 391, 397, 451, 461, 462, 469, 521, 522, 523, 524, 537, 540, 541, 573, 605, 623, 624, 625, 631, 632

雅科夫列夫，叶戈尔 501

雅鲁泽尔斯基 82, 83, 459, 460, 463

亚夫林斯基 336, 337, 338, 339, 342, 353, 508, 584, 585

亚历山大二世 391

亚林 317

亚纳耶夫 317, 323, 349, 350, 352, 532, 535, 544, 545, 546, 547, 548, 549, 550, 552, 555, 556, 560, 564, 565, 566, 567, 626, 631

亚佐夫 25, 167, 317, 343, 352, 377, 381, 382, 386, 388, 399, 402, 403, 437, 454, 464, 526, 532, 535, 537, 538, 539, 543, 544, 545, 547, 548, 550, 552, 558, 560, 561, 564, 566, 567, 631

叶尔莫拉维丘斯 404

叶夫图申科 124

叶卡捷琳娜二世 391, 633

叶利钦 3, 9, 15, 17, 19, 21, 27, 31, 33, 34, 35, 66, 93, 94, 108, 109, 110, 111, 120, 199, 200, 201, 202, 203, 204, 205, 206, 207, 208, 209, 210, 211, 214, 224, 241, 242, 243, 244, 245, 246, 247, 250, 251, 252, 253, 254, 262, 263, 264, 267, 289, 291, 292, 293, 294, 295, 298, 299, 310, 319, 324, 325, 327, 333, 335, 336, 337, 338, 339, 340, 341, 342, 343, 350, 351, 352, 373, 403, 404, 407, 408, 409, 410, 412, 414, 417, 496, 499, 500, 501, 503, 510, 511, 514, 515, 516, 517, 518, 519, 520, 521, 522, 523, 524, 525, 527, 528, 529, 530, 531, 532, 533, 534, 535, 536, 538, 543, 547, 552, 553, 554, 555, 556, 558, 560, 561, 562, 563, 564, 565, 566, 567, 568, 569, 570, 571, 572, 574, 575, 576, 577, 582, 583, 584, 585, 586, 588, 589, 590, 591, 610, 592, 593, 594, 596, 597, 598, 599, 600, 601, 604, 605, 606, 607, 608, 609, 612, 614, 615, 618, 623, 627, 628, 629, 630, 631, 635

伊凡雷帝 213, 633, 634

伊瓦什科 308, 323, 537, 561, 574

Z

扎雷金 250

扎米亚金 173, 181

扎斯拉夫斯卡娅 106, 161, 175, 229, 233
扎索霍夫 323, 537, 574
扎伊科夫 108, 111, 120, 206, 213, 233, 250, 255, 308
扎伊切夫 181
赵紫阳 486, 488
中曾根康弘 457

人物简介

A

阿巴尔金（Абалкин Л.И. 1930—）——1987 年 12 月当选苏联科学院院士。1989 年 6 月由雷日科夫提名任部长会议副主席，后又兼任部长会议国家经济改革委员会主席。

阿布拉泽（Абуладзе Т.Е. 1924—1994）——格鲁吉亚电影厂导演，苏联当代“诗电影”的代表人物之一，其执导的电影《悔悟》1987 年初终于在莫斯科公映后引起震动。获戛纳国际电影节三项大奖和金棕榈提名。

阿尔巴托夫（Арбатов Г.А. 1923—2010）——1943 年加入苏共。从 1964 年起在苏共中央机关工作，从 1967 年起任苏联科学院美国和加拿大研究所所长，1995 年起任该所名誉所长，俄科学院顾问。1971—1976 年是苏共中央监察委员会成员，1976—1981 年是苏共中央候补委员，1981 年起任苏共中央委员。

阿法纳西耶夫，尤・尼・（Афанасьев Ю.Н. 1922—1994）——1976—1989 年任《真理报》主编。1987 年起任历史档案馆馆长，1989 年加入跨地区议员团，1990 年成为民主俄罗斯运动的主要领袖。《别无选择》一书的主编。

阿甘别吉杨，阿・格・（Аганбегян А.Г. 1932—）——经济学家，科学院院士。1986 年起任苏联科学院经济所所长；曾参与起草 1990 年的雷日科夫与沙塔林改革计划妥协方案。

阿赫罗梅耶夫，谢・费・（Ахромеев С.Ф. 1923—1991）——1983 年起任苏军总参谋长，退役后任戈尔巴乔夫的军事顾问，1991 年 8 月 24 日自杀。

阿赫玛托娃，安・安・（Ахматова, Анна Андреевна 1889—1966）——苏联女诗人。

阿卡耶夫，阿斯卡尔・阿卡耶维奇（Акаев Аскар, 1944—）——1984 年当选吉尔吉斯斯坦科学院通讯院士。1986 年至 1987 年，出任吉尔吉斯斯坦共产党中央科学和高教部部长。1989 年，任吉尔吉斯斯坦科学院院长。1990 年 11 月，出任吉尔吉斯共和国总统。1991 年 10 月 12 日，在全民选举中当选吉尔吉斯斯坦独立后的首任总统 。1995 年和 2000 年两次蝉联总统。2005 年 3 月，反对派发动郁金香革命后下台。

阿利耶夫，盖·阿·（Алиев,Гейдар Алиевич, 1923—2003）——1945年加入苏共。1969年任苏共阿塞拜疆共和国中央第一书记。1971年当选苏共中央委员。1976年当选苏共中央政治局候补委员，1982年起任苏联部长会议第一副主席。1987年退休。1993年、1998年两度当选阿塞拜疆总统。

阿列克谢耶夫（Алексеев С.С.）——院士，宪法监督委员会主席。

阿鲁秋尼扬，谢·格（Арутюнян С.Г. 1939—）——亚美尼亚人。1961年入党。1986年1月任亚美尼亚共和国部长会议副主席，亚美尼亚党中央委员。1988年5月21日，当选为亚美尼亚共产党中央委员会第一书记。是第七至第十一届亚美尼亚共和国最高苏维埃代表。

阿恰洛夫，弗拉季斯拉夫（Ачалов Владислав.）——上将，国防部副部长。1990年指挥空降兵处理奥什州的民族冲突。

阿维恩，彼得·奥列科维奇·（Авен П.О. 1955—）——俄国务活动家、企业家。1991—1992年任俄罗斯联邦盖达尔政府外经贸部部长。1993年成为“俄罗斯选择”党成员，并任俄罗斯联邦国家杜马“俄罗斯选择”党团议员候选人。

艾赫玛托夫（Айтматов Ч. 1928—2008）——苏联、吉尔吉斯作家，1952年开始发表作品，主要作品有《查密莉雅》、《群山和草原的故事》、《永别了，古利萨雷》、《白轮船》、《花狗崖》、《一日长于百年》、《断头台》、《成吉思汗的白云》、《卡桑德拉的印记》、《崩塌的山岳》等。曾担任苏联作家协会书记、苏联最高苏维埃代表、苏联人民代表和戈尔巴乔夫总统委员会成员。吉尔吉斯科学院院士、驻外大使。

安倍晋三(Shinzo Abe，1954—)——日本著名的鹰派政治家，自民党总裁，2006年9月—2007年9月任日本首相。

安德列耶娃（Андреева Н.А.）——列宁格勒大学教师，1988年3月13日在《苏维埃俄罗斯报》上发表《我不能放弃原则》。

安德罗波夫，尤·弗·（Андропов Ю.В. 1914—1984）——1939年加入苏共。1962年当选苏共中央书记。1967年任苏联国家安全委员会主席。1982年当选苏共中央总书记。1983年任苏联最高苏维埃主席团主席。1967年起任苏联克格勃主席，1982年11月起任苏共中央总书记。

昂纳克，埃里希（Erich Honecker，1912—1994）——1971年5月3日当选德国统一社会党中央委员会书记，随后在1976年当选德国统一社会党总书记。从1975年10月29日兼任议会主席。1989年10月18日，被解职，1989年12月3日被德国统一社会党开除。1994 年 5 月 29 日因患肝癌在智利圣地亚哥逝世。

奥勃连斯基，阿·（Оболенский А.）——自荐与戈尔巴乔夫竞争苏联总统，但被取消资格，俄罗斯社会民主党领导人之一。

奥尔特加，丹尼尔·萨阿韦德拉 (Ortega Daniel Saavedra 1945—) ——1984 年 11 月 4 日当选尼加拉瓜总统，在 1990 年 2 月举行的尼加拉瓜总统选举中落选，同年 4 月 25 日去职。1991 年 7 月，奥尔特加当选为桑解阵总书记，2006 年 11 月，再次当选总统。

奥莱塔·查莫罗夫人（Violeta Chamorro 1929—）——1990 年作为全国反对派联盟推举的尼加拉瓜总统候选人，在总统选举中击败执政的桑地诺民族解放阵线的候选人奥尔特加当选总统。她也因此成为拉美历史上第一位在大选中击败男性候选人而当选的女性政治家。

奥西皮扬（Осипьян Ю.А.）——苏联人民代表，苏联科学院院士，总统委员会成员。

B

巴尔谢科夫（Барсенков А.С.1957—）——历史学博士，莫斯科大学历史系 20 世纪祖国史教研室教授，研究 20 世纪俄国史的专家。

巴吉罗夫（Багиров К.М.1933—2000）——1982 年 12 月起任阿塞拜疆党中央第一书记，因在纳–卡事件中坚持强硬立场，1988 年被解职。

巴卡京，瓦·维·（Бакатин В.В. 1937—）——1988—1990 年任苏联内务部长，“8·19”事件后被任命为国家安全委员会主席。

巴克拉诺夫，奥·德·（Бакланов О.Д. 1932—）——1983 年任苏联机器制造部部长，1988 年任苏共中央书记，苏联国防部第一副部长，“8·19”事件领导人之一。后被捕，1994 年后投身商界，目前是“和平”国防企业银行顾问。

巴拉扬（Балаян З.）——亚美尼亚人，作家。

鲍里索夫（Борисов Ю.А.）——国家粮食和采购委员会副主任。

鲍文（Бовин А.Е.1930—2004）——苏联国际问题评论家。1972—1991 年任苏联《消息报》高级评论员。苏联解体的前一周被任命为驻以色列大使，苏联解体后作为俄国驻以色列大使至 1997 年。

贝克，约·（Бейкер Дж）——美国国务卿。

比克宁（Биккенин Н.Б.）——哲学家，记者，1985 年戈尔巴乔夫智囊团成员。

比留科娃，亚·帕·（Бирюкова А.П. 1929—）——1985 年任全苏工会副主席。历任中央候补委员、委员，在苏共二十七大上当选苏共中央书记。1988 年晋升为政治局候补委员，并被任命为苏联部长会议副主席兼部长会议社会发展局局长。

彼得大帝（彼得一世）(Пётр Алексеевич Романов 1672 — 1725）——俄国罗曼诺夫王朝第四代沙皇,1682 年即位,1689 年掌握实权。俄罗斯帝国皇帝（1721—1725 年）。

彼特拉科夫（Петраков Николай Яковлевич）——经济学家，1990 年起任苏共中央总书记经济助手、总统经济顾问。现为俄罗斯科学院市场研究所所长。

别尔嘉耶夫（Бердяев Н. 1874—1948）——20 世纪最有影响的俄罗斯哲学家、思想家和政论家，1922 年被驱逐到西方，一生共发表 43 部著作、500 多篇文章。

别克，亚・阿・(Бек А.А. 1903—1972) ——苏联作家,1965 年创作了长篇小说《新任命》，充分揭示了斯大林时期行政命令体制的弊端。1986 年才发表。其另一部未完成的反映斯大林青年时代的小说《第二天》在 1990 年问世。

别斯梅尔特内赫，亚・亚・(Бессмертных А А 1933—）——1986 年 4 月任苏联外交部副部长。1990 年 5 月出任苏驻美特命全权大使。1991 年 1 月—8 月任苏联外交部长。1990—1991 年任苏共中央委员。1991 年 9 月起任俄罗斯外交协会政治分析中心领导。

波波夫（Попов Г.Х. 1936—）——经济学家。苏联民主运动的创始人之一。1991 年当选为莫斯科市长，1993 年辞职。

波尔托拉宁 (Полторанин М.Н.) ——曾任《真理报》记者，《莫斯科真理报》主编，苏联人民代表，1990 年任出版信息部部长。苏共反对派领袖，苏联第一届人代会代表。

波洛兹科夫（Полозков И.К.1935—）——1985—1990 年任克拉斯诺亚尔斯克边疆区委第一书记，1990 年 6 月至 1991 年 8 月任俄罗斯联邦共产党第一书记。

波德尼耶科斯，尤・(Подниенс Ю.) ——苏联导演，改革年代导演了面向青年的影片《年轻人轻松吗?》。

勃列日涅夫，列・伊・(Брежнев Л. И. 1906—1982）—— 1931 年加入苏共。1952 年当选苏共中央委员、中央主席团候补委员。1960 年任苏联最高苏维埃主席团主席。1964 年 10 月起任苏共中央第一书记（1966 年改称总书记)。

博布科夫，菲・(Бобков Ф.Д. 1925—）——苏联将军，1969—1991 年 1 月任苏联克格勃第五局局长，1983 年 2 月同时兼任克格勃副主席，1985 年 12 月起任克格勃第一副主席，1986—1990 年任苏共中央委员。

博尔金（Болдин В.И. 1935—2006）——1960 年起任苏共中央委员，1961 年起在苏共中央机关工作，1981—1987 年任苏共中央总书记的助手，1987—1991 年任苏共中央机关总务局主任，1990—1991 年任苏联总统办公厅主任，在“8・19”事件中积极参加“国家紧急状态委员会”，事件后被免职逮捕。

博戈莫洛夫，奥・(Богмолов О.）——俄罗斯科学院院士，俄罗斯科学院国际经济和政治研究所荣誉所长，俄罗斯科学院顾问；曾任苏联科学院世界社会主义体系经济研究所所长，1989—1991 年任苏联人民代表。

布尔布利斯 (Бурбулис Г.Э 1945—）——1989 年当选苏联人民代表，1990 年 1—6 月任俄罗斯联邦最高苏维埃主席的全权代表，1991 年 7 月至 1992 年 5 月任俄联邦国务秘书。1991 年 11 月任俄罗斯联邦政府第一副总理。

布尔加科夫，米・阿・(Булгаков М.А. 1891—1940）——苏联作家，1920 年，弃医从文，1921—1924 年先后创作了小品、篇幅长短不等的小说，如《红色王冠》、《狗心》(直到 1987 年才发表)、《不祥的蛋》等，确立了他在苏联文学中的地位，代表作有《大师和玛格利特》(1966 年才在苏联发表)、《白卫军》(据此改编的戏剧 1928 年被禁演）等。

布尔拉茨基，费多尔・(Бурлацкий Ф.М. 1927—）——苏联政论家，哲学博士，教授。1965—1967 年任《真理报》政治评论员，1967—1972 年任苏联科学院社会学所副所长，1990—1991 年任《文学报》主编。1989—1991 年任苏联人民代表。

布哈林，尼・伊・(Бухарин Н.И. 1888—1938）——1906 年加入俄国社会民主工党。十月革命后先后任《真理报》和《消息报》主编。政治局候补委员和政治局委员(1924 年)，共产国际执行委员会委员、主席团委员和政治书记处书记。1938 年被处死，后被平反。

布拉藻斯卡斯 (Бразаскас А.1932—2010）——1977—1988 年任立陶宛共产党中央书记，负责经济事务。1988 年 10 月任立陶宛共产党中央第一书记，1990 年 3 月任立陶宛副总理。1990 年初立陶宛宣布独立，立共改名为立陶宛劳动民主党，12 月当选该党主席。1992 年当选议会主席，代行总统职权。1993 年 2 月 14 日当选立陶宛首任总统。

布罗基亚维丘斯（Бурокявичюс М. 1927—）——立陶宛共产党中央第一书记，历史学博士、教授。1990 年 7 月起任苏共中央政治局委员。因不同意立陶宛共产党独立，另组立陶宛共产党。1991 年“8・19”事变后立陶宛共产党被禁止活动，1994 年 1 月在明斯克被抓回立陶宛，1996 年 10 月因立陶宛 1 月事件被判刑，2006 年 1 月获释。

布罗茨基，约・(Бродский И. 1940—1996）——美籍苏联诗人，1964 年以“寄生虫”罪名被提起公诉，流放北方，后又被判五年徒刑。1972 年被苏联驱逐出境，移居美国，1987 年获诺贝尔文学奖。

布热津斯基(Brzezinski Zbigniew Kazimierz 1928—)——波兰裔美国国际关系学者、地缘战略家、国务活动家、外交家。卡特政府的国家安全顾问，美国国家安全事务助理（1977—1981）。

布什，乔治（Буш Джордж）——美国总统。

C

采列捷利（Церетели И.）——格鲁吉亚民族主义运动领导人。

茨维贡，谢・库・(Цвигун, С.К. 1917—1982）——1967 年起任苏联部长会议国家安全委员会第一副主席，1978 年起任苏联国家安全委员会第一副主席。1982 年 1 月自杀身亡。

D

达尼洛夫-达尼利杨（Данилов-Данильян В.И. 1938—）——俄国学者，经济学家，俄科学院通讯院士。1981—1990 年在苏联部长会议下属的国民经济研究院工作，1991—1996 年任俄罗斯联邦环境和自然资源保护部部长。

杜金采夫 (Дудинцев В.Д. 1918—1998）——苏联作家，《不只是为了面包》、《白衣服》的作者。

杜纳耶夫（Дунаев А.Ф.）——1991 年任俄罗斯内务部长。

多勃雷宁，阿・费・(Добрынин А.Ф. 1919—2010)——1961—1986 年任驻美大使。1986—1988 年任苏共中央书记和苏共中央国际部部长，1988 年任最高苏维埃主席团主席顾问，1989 年任最高苏维埃主席顾问，1990 年任总统顾问。

多尔基赫，弗・伊・(Долгих В.И. 1924—）——1942 年加入苏共。1969 年任苏共克拉斯诺亚尔斯克边疆区委第一书记。1972 年当选苏共中央书记。1971—1989 任中央委员，1982—1988 年任政治局候补委员，1988 年退休。

E

恩格斯，弗里德里希（Engels Friedrich 1820—1895）

F

法林（Фалин В.М. 1926—）——外交官、苏共官员。1990—1991 年任苏共中央国际部主任。

费奥多罗夫 (Феодоров)——苏共中央国际部的成员、德国问题专家。

费德罗夫（Федоров Б.Т. 1958—）——经济学家。1990 年任俄联邦财政部长；1991 年及 1992 年初负责“欧洲重建开发银行”苏联方面的工作；1992—1994 年任俄罗斯联邦副总理和财政部长；1993 年大选中是“俄罗斯选择”的领导人之一；1994 年起当选为俄联邦国家杜马议员。

费多尔丘克，维・瓦・(Федорчек, В.В. 1918—2008) —— 1970 年起任乌克兰部长会议国家安全委员会主席，1982 年 12 月任苏联内务部长。

弗拉索夫，亚・弗・(Власов А.В. 1932—) ——第九至第十一届苏联最高苏维埃代表。1986 年 1 月任苏联内务部部长。1988 年 9 月当选为政治局候补委员。1988 年 10 月任俄罗斯联邦部长会议主席。

弗罗洛夫（Фролов Т.И.1929—1999 ）——哲学家，1980—1986 年任苏联科学院主席团科学和技术的哲学和社会问题学术委员会主席。1986 年初任苏共中央理论刊物《共产党人》杂志主编。1987 年起任苏共中央总书记助理。1988 年任苏共中央意识形态委员会委员。1989—1990 年任苏共中央书记处书记。1990—1991 年任苏共中央政治局委员。

伏罗希洛夫，克・叶・(Ворошилов，К.Е. 1881—1969) ——苏联元帅，国防人民委员。

福金（Фокин В）——乌克兰总理，签署建立独立国家联合体协议。

G

盖达尔，叶・特・(Гайдар Е.Т. 1956—2009) ——1991 年 11 月—1992 年 2 月任俄联邦政府副总理，1992 年 6 月—12 月任俄联邦政府代总理。1992 年起一直领导过渡经济研究所。

戈尔巴乔夫，米・谢・(Горбачев，М.С. 1932—) ——1952 年加入苏共。1971 年当选苏共中央委员。1980 年当选苏共中央政治局委员。1985—1991 年任苏共中央总书记；1988—1989 年任苏联最高苏维埃主席团主席；1989—1990 年任苏联最高苏维埃主席；1990—1991 年任苏联总统。

戈尔巴乔娃（赖莎）(Горбачева Р.М. 1932—1999) ——戈尔巴乔夫夫人，是苏联第一位走向公众的第一夫人。

格德良（Гдлян Т.Х. ）——80 年代“乌兹别克案”中检察院侦察小组的组长。

1990年后成为跨地区议员团的重要代表人物。

格拉季耶夫（Глазьев С.Ю. 1961—）——俄罗斯经济学家、政治家，曾任俄联邦对外经济关系部部长。第一、三、四届国家杜马议员。2008年11月27日起任欧亚经济共同体副秘书长。经济学博士、教授，2008年起任俄罗斯科学院院士。

格拉宁（Гранин Д.А.1918—）——苏联作家，1949年开始发表作品，作品有《奇特的一生》、《一幅画》、《死硬派》等。小说《克拉芙季娅·维洛尔》获1978年度国家奖金。

格拉乔夫（Грачев А.）——苏联总统新闻发言人。

格拉乔夫（Грачев П.С.）——空降兵司令，参与"8·19"事件前国家进入紧急状态的战略预案制定工作。

格拉先科（Геращенко В.В.）——苏联中央银行行长。

格里申，维·瓦·（Гришин В. В. 1914—1992）——1939年加入苏共。1956年任全苏工会中央理事会主席。1967—1985年任莫斯科市委第一书记。1971—1986年任苏共中央政治局委员。

格罗莫夫（Громов Б.В.）——在阿富汗作战的苏军第40集团军司令，驻阿富汗苏军总司令、基辅军区司令，1991年1月任苏联内务部第一副部长。

格罗斯曼（Гроссман В.С. 1905—1964）——苏联作家，代表作是长篇小说《为了正义的事业》和《生活与命运》。《生活与命运》创作于1953至1961年，被苏联克格勃扣至1988年才得以出版。

格里戈里扬茨（Григорьянц С.И.1941—）——哲学副博士、记者、人权卫士。1975年和1983年两次被捕和判刑。1987年7月创办《公开性》杂志。

葛罗米柯，安·安·（Громыко А.А. 1909—1989）——1931年加入苏共。1943年起任苏联驻美国大使。1973年当选苏共中央政治局委员。1957—1985年任苏联外交部长。1985年7月当选苏联最高苏维埃主席团主席，1988年9月退休。

贡巴里泽(Гумбаридзе Г.1945—)——第比利斯流血事件后，1989年4月14日在格鲁吉亚共产党中央全会上当选为格共中央第一书记，在苏共二十八大上当选政治局委员。

古边科，尼·尼（Губенко Н.Н.）——苏联文化部长，1990年总统委员会成员之一。

古连科（Гуренко С.И.）——苏共中央书记，1990—1991年任乌克兰党第一书记。

古米廖夫，尼·斯·（Гумилев Н.С. —1921）——俄罗斯诗人，1921年8月未经审判被肃反委员会枪毙。

H

哈达谢维奇，弗·费·（Ходасевич В.Ф. 1886—1939）——苏联诗人。

哈宁，格·伊·（Ханин Г.Н.）——经济学家，与谢柳宁一起写《伪造的数据》。

哈斯布拉托夫，鲁·伊·（Хасбулатов Р.И. 1942—）——1990—1991年任俄罗斯联邦最高苏维埃第一副主席，1991—1993年任俄罗斯最高苏维埃主席。

海部俊树（1931—）——1989年8月当选日本自民党第14任总裁，继而成为日本第76届、第48位总理大臣。1989年8月9日出任首相。1991年在日本自民党总裁竞选中失利下台。

赫鲁晓夫，尼·谢·（Хрущёв Н.С. 1894—1971）——1938年任乌克兰党中央第一书记，1939年起为联共（布）中央政治局委员，1953—1964年任苏共中央书记、第一书记。

J

基里连科，安·巴·（Кириленко А.П. 1906—1990）——1950年任苏共第聂伯罗彼得罗夫斯克州委第一书记。1962年当选苏共中央政治局委员。1966年起任苏共中央书记。

基辛格，亨·阿·（Kissinger，Henry Alfred，1923—）—— 美国哈佛大学教授。1969年起任美国总统国家安全事务特别助理。1973—1977年任国务卿。

吉达斯波夫（Гидаспов Б.В.）——列宁格勒州委书记，1990年成立的苏共中央俄罗斯联邦委员会成员。

吉洪诺夫，尼·亚·（Тихонов，Николай Александрович 1905—1997）——1940年加入苏共。1966年当选苏共中央委员。1977年当选苏共中央政治局委员。1976年9月任部长会议第一副主席，1980年10月至1985年10月任部长会议主席。

吉连科，安·尼·（Гиренко А.Н. 1936—）——乌克兰人。1987—1989年任克里木州委第一书记，1989年任苏共中央书记。

季贾科夫 (Тизяков А.И.1926—) ——苏联国营企业和工业、建筑、运输、邮电设施联合会会长，国家紧急状态委员会成员。后被捕，1994年获释后积极从事商业和政治活动，并著书立说。

季诺维也夫，格·叶·（Зиновьев Г.Е. 1883—1936）——十月革命后历任党的中央委员、政治局委员，彼得格勒苏维埃主席。共产国际执行委员会主席。1925 年是“新反对派”的组织者之一，1926 年是托季联盟的组织者之一。1936 年被处死，后平反。

加尔答伊利斯基（Кардаильскиий В.）——俄罗斯社会民主党的领导人之一。

加里宁（Калинин ）——苏联上将，莫斯科军区司令，“8・19”事变时被任命为莫斯科市卫戍司令。

加里宁，米・伊・(Калинин М.И. 1875—1946）——1898 年加入俄国社会民主工党。1919 年起任全俄（苏联）中央执行委员会主席，1919 年起任党的中央委员、中央政治局候补委员，1926 年起为政治局委员。

加米涅夫，列・波・(Каменев，Л.Б. 1883—1936）——十月革命后任全俄中央执行委员会主席、莫斯科苏维埃主席，1920—1926 年任中央政治局委员、候补委员等职。1936 年 8 月被判处死刑，后平反。

加姆萨胡尔季阿，兹维亚德（Гамсахурдия З. 1939—1993）——语言学家和历史学家，1989 年 10 月出任格鲁吉亚最高苏维埃主席。1991 年 5 月 26 日，当选格鲁吉亚第一任总统。1992 年 1 月 22 日，以基古阿为首的反对派在首都第比利斯发动政变，还在指挥对阿布哈兹作战的加姆萨胡尔季阿仓皇逃至车臣。

加韦尔（Гавел В.）——持不同政见者，作家。

江泽民（1926—）

杰米尔强（Демирчян К.С.）——亚美尼亚领导人，因纳戈尔诺—卡拉巴赫事件被撤换。

杰米契夫，彼・尼・(Демичев П.Н. 1917—2010）——1961—1989 年任苏共中央委员，1964—1988 年为政治局候补委员，1961—1974 年是苏共中央书记，1974—1986 年任文化部长。

杰缅捷伊（Дементей Н.И.）——“8・19”事件时任白俄罗斯最高苏维埃主席，事后被解职。

久加诺夫，根・亚・(Зюганов Г.А. 1944—）—— 1983—1989 年任苏共中央宣传部局长，1989—1990 年任苏共中央意识形态部副部长。俄罗斯联邦共产党成立后，任中央政治局委员兼中央书记。现为俄共主席。

K

卡尔迈勒，(Karmal Babrak，1929—1996）——塔吉克族。1979 年 12 月随苏军回

到阿富汗，推翻阿明政权，任阿富汗革命委员会主席，人民民主党总书记，1979—1981年兼任政府总理，1986年被纳吉布拉所取代，1987年流亡苏联。

卡尔普欣（Карпухин В.Ф.）——“8·19”事件中国家紧急状态委员会派出的“阿尔法”小组指挥员。

卡冈诺维奇，拉·莫·(Каганович, Л.М. 1893—1991）——1930—1957年为联共（布）中央政治局委员，1930—1935年兼任莫斯科州委和市委第一书记。

卡里亚京，尤里·(Карякин Ю.Ф.）——苏联著名作家，政论家。

卡普季基扬（Капутикян С.）——亚美尼亚女诗人，纳－卡事件发生后，在1988年2月受到戈尔巴乔夫接见。

康德拉季耶夫，尼古拉 (Кондратьев 1892—1938）——俄国经济学家及统计学家，提出康德拉季耶夫长波理论闻名于西方经济学界。

柯罗季奇（ Коротич, Виталий）——1986年起任《星火》杂志主编。

柯西金，阿·尼·(Косыгин，Алексей Николаевич 1904—1980）——1927年加入苏共。1948年起任苏联财政部长。1964年起任苏联部长会议主席。1960年当选苏共中央政治局委员。

科恩（Коэн С. ）——美国历史学家，著有《布哈林政治传记》。

科尔，赫尔穆特 (Helmut Kohl，1930—) ——1973年任基民盟联邦主席，1976年起在历届议会选举中当选为联邦议员，联邦议院基督教民主联盟—基督教社会联盟议会党团主席，1982年10月任联邦政府总理，后多次蝉联总理和基民盟主席职务。1998年9月在大选中败给社民党的施罗德。

科尔宾（Колбин Г.В. 1927—）——1986年12月任哈萨克党中央第一书记，1987年6月起当选为苏联最高苏维埃主席团委员。

科尔奇洛夫，伊戈尔（Колчилов И.）——苏联外交部高级译员。

科济列夫（Козырев А.В. 1951—）——1991年后任俄罗斯联邦外交部长。

科加洛夫斯基（Кагаловский К.Г. 1957—）——1990—1994年任俄国政府与国际财政组织联系的代表，1990—1991年任俄国与国际货币基金组织和世界银行联系的全权代表。

科捷恩科夫，阿·(Котенков А.А. 1952—）——1990—1991年任俄罗斯联邦最高立法委员会成员、秘书，1991年任苏联国防和安全最高委员会主席。2004年起任俄罗斯总统在联邦委员会的代表。

科诺托普（Конотоп В.И. ）——曾任莫斯科州委书记，1989 年 6 月致信戈尔巴乔夫和政治局，就改革中的一些问题提出批评。

科切托夫 (Кочетов К.А.1932—) ——苏联将军。1982 年 8 月起任苏联驻匈牙利南部兵团指挥官,1985 年 8 月起任高加索军区指挥官,1988 年 5 月起任莫斯科军区指挥官。1989 年 1 月起任苏联国防部第一副部长，1989—1991 年为苏联人民代表。曾指挥军队驱赶第比利斯示威群众。

科瓦鲁新，谢·(Говорухин С.) ——苏联导演，改革年代执导了有争议的影片《不能再这样生活》和《我们失去了的俄罗斯》。

克比奇，维·(Кебич В.) ——白俄罗斯总理，签署建立独立国家联合体协议。

克拉夫琴科，列·(Кравченко Л.П.1938—) ——1961—1975 年任《建设》杂志记者，1975—1980 年任该杂志主编，1980—1985 任《劳动报》主编。1985—1988 年任苏联国家广播电视委员会第一副主席，1988 年起任苏联塔斯社总编，1990 年 9 月起任苏联部长会议国家广播电视委员会主席。1991 年起任苏联国家广播电视委员会主席，8·19 事变中支持“国家紧急状态委员会”。

克拉夫丘克（Кравчук Л.М. 1934—）——1990—1991 年任乌克兰最高苏维埃主席，1991—1994 年任乌克兰总统。

克留奇科夫，弗·亚·(Крючков В.А. 1924—2007) ——1967 年起在克格勃任职，1978 年任克格勃副主席，1988 年起任克格勃主席。1986 年起任苏共中央委员，1989 年当选为苏共中央政治局委员，1991 年 8 月是“国家紧急状态委员会”主要成员。

克鲁奇纳（Кручина Н.Е.1928——1991）——1962 年起在苏共中央机关工作，1971 年起任苏共中央候补委员，1976 年任苏共中央委员。1983 年起任苏共中央事务管理局局长，1991 年任苏共中央办公厅主任。1991 年 8 月 26 日自杀。

克伦茨（E. Krenz，1937—）——曾任德国统一社会党总书记，国务委员会主席。

库德里亚夫采夫（Кудрявцев В.Н. ）——苏联科学院副院长、院士。在 1989 年苏联人代会上被选为宪法监督委员会主席，1991 年初任起草新联盟条约草案的专家小组领导。

库拉科夫，费·达·(Кулаков Ф.Д. 1918—1978) ——1940 年加入苏共。曾任斯塔夫罗波尔边疆区的第一书记，1961 年当选苏共中央委员。1965 年当选苏共中央书记。1971 年当选苏共中央政治局委员，负责农业问题的中央书记。

库纳耶夫（Кунаев Д.А. 1912—1993）——1939 年加入苏共。1952 年任哈萨克共

和国科学院院士。1956 年当选苏共中央委员。1964 年 12 月至 1986 年 12 月任哈萨克党中央第一书记。1966 年 4 月至 1987 年 1 月任苏共中央政治局委员。1987 年 6 月被开除出苏共中央。

库普佐夫（Купцов В.А.1937—）——1966 年加入苏共，1984 年起任沃洛格达州委第二书记，1985 年任该州第一书记，苏共监察委员，1986 年起任苏共中央委员，苏联最高苏维埃成员。

库秋根，波·（Кудюкин П.）——俄罗斯社会民主党领导人之一。

库兹涅佐夫 (Кузнецов А.А.) ——1945 年 1 月，阿列克谢·亚历山大罗维奇·库兹涅佐夫被选为列宁格勒州委和列宁格勒市委第一书记。1949 年 2 月 15 日被解除一切职务。1950 年被捕并被处决，后被平反恢复名誉。

L

拉林娜-布哈林娜，安娜·（Ларина-Бухарина, Анна 1914—1997）——布哈林的夫人。

拉斯普京，瓦连京·（Распутин В.1937—）——苏联作家，人代会代表，总统委员会成员。

拉希多夫，沙·拉·（Рашидов Ш.Р. 1917—1983）——1939 年加入苏共。1950 年任乌兹别克共和国最高苏维埃主席团主席。1959 年任苏共乌兹别克共和国中央第一书记。1961 年当选苏共中央委员。

拉祖莫夫（Разумов Е.З.1919—）——1951 年任克麦罗沃州书记，1956 年任该州区委第二书记，1961 年进入苏共中央机关工作。1983—1990 年任苏共中央组织和党务工作部第一副主任，负责选拔干部。

拉祖莫夫斯基（Разумовский Г.П. 1936—）——1983—1985 年任克拉斯诺达尔边疆区委第一书记。1985—1988 年任苏共中央组织党务工作部部长。1988 年后任苏共中央党建和干部政策委员会主席。第 8—11 届最高苏维埃代表。1989 年任苏联人民代表。

兰茨贝基斯（Ландсбергис В. 1932—）——立陶宛音乐家，1989 年当选苏联人民代表；萨尤季斯主席；1990—1992 年任立陶宛最高苏维埃主席。

雷巴科夫（Рыбаков А.Н. 1911—）——苏联作家，1951 年，因长篇小说《司机》获斯大林文学奖金。1973 年，中篇小说《无名小卒》又获俄罗斯国家文学奖。其作品致力于对历史、道德和政治的严肃思考，其作品还有《青铜鸟》、《叶卡捷琳娜·沃罗尼娜》、《沉重的黄沙》、《大清洗的日子》和《克罗什历险记》等。他于1966—1983年创作的《阿尔巴特街的儿女》是其最负盛誉的作品，被译成50多种文字。

雷日科夫，尼·伊·(Рыжков Н.И. 1929—）——1982年11月—1985年任苏共中央书记，兼任苏共中央经济部部长。1985年9月—1990年12月任苏联部长会议主席。1991年6月竞选俄罗斯联邦总统职务，获14%的选票。

雷先科（Лысенко В.Н.）——某高校科学共产主义教研室的副教授，“苏共民主纲领派”直接组织者之一。

李可夫，阿·伊·(Рыков, А.И. 1881—1938）——历任内务人民委员、最高国民经济委员会主席、人民委员会主席、中央政治局委员等职。1938年被处死，后平反。

李鹏（1928—）

李森科，特·杰·(Лысенко, Т.Д. 1898—1976）——苏联生物学家。

李维诺夫，马·马·(Литвинов, М.М. 1876—1951）——1898年加入俄国社会民主工党。十月革命后任苏俄驻英国全权代表。1918年起先后任外交人民委员部部务委员、副外交人民委员、外交人民委员等职。

里根，罗·(Ronald Wilson Reagan 1911—2004）——美国政治家，第33任加利福尼亚州州长，1981—1989年任美国总统。

里亚博夫（Рябов Я.П. 1923—）——曾任斯维尔德洛夫斯克州委书记，1976年调任中央书记。1979—1983年任苏联国家计划委员会第一副主席。1984—1986年任苏联部长会议副主席。1986年起任苏联驻法大使。1990年退休。

利哈乔夫（Лихачев Д.С. 1906—1999）——苏联科学院院士，终身致力于俄罗斯文化和文学史研究。其代表作《古代俄罗斯文学诗学》1967年问世，此后多次修订再版。1987—1990年任苏维埃文化基金会主席；1989年被选为苏联人民代表。

利加乔夫，叶·库·(Лигачев Е.К. 1920— ）——1983年任苏共中央组织党务工作部部长。1985年4月当选为苏共中央政治局委员，主持中央书记处和主管意识形态方面的工作。1989年改任苏共中央农业政策委员会主席。1990年7月曾竞选苏共中央副总书记职务，未能当选，同年退休。

列别德，亚·伊·(Лебедь А.И.1950—2002）——1989—1991年任图拉空降师师长；1992年任俄罗斯驻摩尔多瓦第14集团军司令。1995年参与组建“俄罗斯公众大会”。1996年6月，参加总统大选，得票率列第三，成为风云人物。1998年5月，任克拉斯诺亚尔斯克边疆区行政长官。2002年因飞机失事逝世。

列别杰夫（Вячеслав Лебедев，1943—）——1989 年 7 月起任俄罗斯联邦最高法院院长。

列加索夫（Легасов В.А.）——院士，切尔诺贝利事件发生后为找到减少辐射后果的办法做了大量工作。

列宁 (Ленин В.И. 1870—1924)

列文科，格·伊(Ревенко Г.И.1936—)——从 1985 年 11 月起任基辅州委第一书记，1989 年 3 月 26 日当选苏联最高苏维埃代表，1990 年 3 月 23 日被任命为苏联总统委员会成员和戈尔巴乔夫的顾问。

卢基扬诺夫（Лукьянов А.И.1930—）——1985—1987 年任苏共中央总务部部长。1987—1988 年当选苏共中央书记，1988 年当选政治局候补委员。同年当选苏联最高苏维埃主席团第一副主席。1989 年 5 月当选苏联最高苏维埃第一副主席。1990 年 8 月为苏联最高苏维埃主席。1991 年 8 月，被指控参与“8·19”事变而辞去主席职务，后被逮捕受审。1993—2003 年俄共杜马代表。

卢卡申科，亚·格·(Лукашéнко Алексáндр Григóрьевич 1954—）——1979 年加入苏共，1990 年当选白俄罗斯最高苏维埃代表，1994 年 7 月当选白俄罗斯总统，以后又连任至今。

卢日科夫，尤里·米哈伊洛维奇（Юрий Михайлович Лужков，1936—）——1986 年任化学工业部科学技术局局长。1987 年，任莫斯科市议会执委会第一副主席，同时兼任莫斯科农工委员会主席。1990 年 3 月，任莫斯科市执委会主席。1991 年任莫斯科第一副市长。1992 年 6 月波波夫辞职后，任莫斯科市长。俄罗斯政治家，从 1992 年至 2010 年 9 月一直担任莫斯科市长一职，是统一俄罗斯党的创始成员之一。

鲁茨科伊，亚·弗·(Руцкой А.В. 1947—）——1985 年和 1988 年两度被派往阿富汗。1990 年当选俄罗斯人民代表大会代表，1991 年 6 月当选为俄罗斯副总统，1992 年开始反对叶利钦，1993 年 10 月俄罗斯议会大楼遭炮击后被捕，1994 年俄罗斯国家杜马予以特赦。

鲁缅采夫 (Румянцев А.М.) ——曾担任《和平与社会主义问题》（1958 年创刊，总部设在布拉格）总编辑。

鲁缅采夫，奥（Румянцев О）——俄罗斯社会民主党领导人之一。

鲁斯特（Руст М.）——德国飞行爱好者，1987 年 5 月 28 日驾机在红场降落。

罗高寿，俄文名：伊戈尔·阿列克谢耶维奇·罗加乔夫（Рогачев，Игорь Алексеевич 1932—2012）——1958年1月起，供职于苏联驻华大使馆，1986年起，担任苏中边境问题谈判团团长。1989年2月，作为苏联外交部副部长，为中苏关系改善做了许多工作。1992年起任驻华大使。2005年5月21日结束任职回国，任俄罗斯联邦委员会委员。

罗曼诺夫，格·瓦·（Романов Г.В.1923—2008）——1964年至1970年任列宁格勒州委第二书记，1979年 至1983年6月任第一书记。1966年在苏共二十三大上当选中央委员，1973年起任苏共中央政治局候补委员。1976年起任政治局委员。1983年6月调任苏共中央书记处书记，1985年7月被解职。

洛马金（Лома́кин，Ви́ктор Па́влович，1926—）——曾任苏共滨海边疆区第一书记，苏联驻捷克斯洛伐克大使，1971—1990年任苏共中央委员。

M

马哈拉泽（Махарадзе В.А.）——根据1991年8月14日俄联邦第45号令任俄联邦首席督察，1992年根据229号总统令被解职。

马基雅维里，尼可罗·（Niccolò Machiavelli，1469—1527）——意大利政治思想家和历史学家，1513年12月，所著《君主论》问世。

马卡绍夫，阿·米·（Макашов А.М.）——1991年俄罗斯联邦总统候选人之一，时任伏尔加沿岸—乌拉尔军区司令。

马克思，卡尔（Маркс К. 1818—1883）

马林科夫，格·马·（Маленксв, Г.М. 1902—1988)——联共(布)中央政治局委员，部长会议主席。

马纳延科夫（Манаенков Ю.А. 1936—）——1960年入党。1984年任科利佩茨州委第一书记，1989年任苏共中央书记。

马尼亚金（Сергея Манякин，1923—2010）——1961—1987年任鄂木斯克州委第一书记，1987—1989年任苏共中央监察委员会主席，1995—1999年任俄联邦杜马议员。

马丘欣（Матюхин Г.Г.）——1990年8月1日被任命为俄罗斯联邦中央银行行长。

马什茨，弗·米·（Машиц В.М. 1953—）——1986—1991年任苏联科学院中心经济资料研究所经济新措施分析实验室主任，1991年任俄罗斯科学院市场问题研究所实验室主任，从1991年12月起任与独联体国家经济合作的俄罗斯联邦政府代表。

马斯柳科夫，尤·德·（Маслюков Ю.Д. 1937—）——1985年11月起任苏联部长

会议副主席。1988年任部长会议第一副主席和计委主席。1990年任总统委员会委员。

马特洛克，约·(Метлок Дж.)——80年代任美国驻苏大使，著有《苏联解体亲历记》。

马约列茨（Майорец А.И.）——雷日科夫政府的能源部长。

麦德维杰夫，罗·(Медведев Р. 1925—)——苏联历史学家，1969年因撰写《让历史来审判》一书被开除出党，1989年被恢复党籍，1989—1991年任苏联人民代表、苏共中央委员。

麦西亚茨（Месяц В.К.）——曾任莫斯科州委第一书记，1987年10月中央全会上批评叶利钦"标新立异"。

梅德韦杰夫，德·(Медведев Д. 1965—)——俄罗斯联邦总统。

梅德韦杰夫，瓦·安·(Медведев В.А. 1929—)——1986年3月苏共二十七大上当选中央委员，后又当选中央书记，并任苏共中央对外联络部部长。1988年9月任政治局委员，并出任新成立的苏共中央意识形态委员会主席，主管意识形态工作。戈尔巴乔夫的得力助手。

梅杜诺夫·谢·(Медунов С)——克拉斯诺达尔边疆区委第一书记。

梅杰，约翰（John Major，1943—）——英国政治家，曾于撒切尔夫人的内阁出任财政部秘书长、外相及财相，1990年至1997年出任英国首相。

米高扬，阿·伊·(Микоян А.И. 1895—1978)——1915年加入俄国社会民主工党。1926年8月起任对外贸易和国内商业人民委员，1930年起任供给人民委员，1934—1938年任食品工业人民委员。1926年起为政治局候补委员，1935年起任政治局委员。

米格拉尼扬，安德兰尼克·(Мигранян Андраник. 1949—)——俄国政治学者。

莫德罗，汉斯·(Hans Modrow 1928—)——1967年起为党中央委员，后任德累斯顿区党委第一书记，1989年东德爆发民主运动，他是第一个转向民主的东德地方大员。柏林墙倒塌、昂纳克下台后，他成为政治局委员并出任总理，率先提出两德统一建议。在1990年东德首次民主大选中失败下野。

莫洛托夫，维·米·(Молотов В.М. 1890—1986)——十月革命后曾任乌克兰共产党（布）中央书记。1921年起任中央委员、中央书记和政治局委员，苏联人民委员会主席、外交部长等职。1962年被开除出党。

莫斯，沃尔特·(Moss Walter G.)——美国东密歇根大学教授。

莫伊谢耶夫（Моисеев М.А. 1939—）——1988年12月起任苏军总参谋长，苏联国防部第一副主席，"8·19"事变时积极支持"国家紧急状态委员会"。

莫伊谢耶夫（МоисеевН.1917—）——苏联科学院院士，著名的力学家、数学家。

穆拉霍夫斯基（Мураховский В.С. 1926—）——1946年入党。苏共二十六届中央委员。1985年11月被戈尔巴乔夫提升为苏联部长会议第一副主席。

穆拉舍夫，阿尔卡季（Мурошев А.）——苏联人民代表、跨地区议员团秘书长。

穆萨托夫（Мусотов В.）——苏共中央国际部副部长。

N

纳巴科夫（Набоков В. В.1899—1977）——俄国和美国作家、诗人、翻译家、昆虫学家，作品有《黑暗中的笑声》、《洛莉塔》、《苍白的火》等。

纳吉布拉（Najibullah，Mohammed，1947—1996）——1979年苏军入侵阿富汗后配合苏联人负责情报工作。卡尔迈勒上台后任国家情报局长。1981年6月当选为阿富汗人民民主党中央政治局委员、最高革命委员会委员。1986年1月当选为最高革命委员会主席团委员。1986年5月4日卡尔迈勒被苏共解除总书记职务，纳吉布拉接任。1987年10月，当选为阿富汗共和国总统。1992年4月16日纳吉布拉宣布辞职，并企图逃往印度，未遂。1996年9月，塔利班攻破喀布尔将其处死。

纳扎尔巴耶夫（Назарбаев Н.А. 1940—）——1979—1984年任哈萨克党中央书记；1984—1989年任哈萨克部长会议主席；1989—1991年任哈萨克党中央第一书记；1990年2月兼任哈萨克最高苏维埃主席；1990年4月起至今任哈萨克斯坦总统。

尼科诺夫（Никонов В.П. 1929—）——1954年入党。1979—1983年任"农业化学联合会"主席，农业部副部长。1983—1985年任俄罗斯联邦农业部部长。1985—1989年任苏共中央书记，1989年退休。

尼沙诺夫（Нишанов Р.Н. 1926—）——乌兹别克人。1949年加入苏共。1986年12月起，任乌兹别克最高苏维埃主席团主席，苏联最高苏维埃主席团副主席。1988年1月12日任乌兹别克党中央第一书记。在苏联第一届人代会上当选民族院主席。

涅恰耶夫，安·阿·（Нечаев А.А. 1953—）——俄经济学家，1991年在苏联科学院和苏联政府的国民经济政策研究所任科研工作副所长，1991年11月—1992年2月，任俄罗斯联邦经济和财政部第一副部长。

P

帕尔姆 (Пальм В.А.1926—2010）——爱沙尼亚和苏联的学者、爱沙尼亚科学院院士、苏联人民代表，1989 年 7 月成立的跨地区议员团五主席之一。

帕夫洛夫，瓦・谢・(Павлов В.С. 1937—）——1985 年任苏联财政部第一副部长，1989 年任苏联财政部长。1991 年 1 月任苏联第一任内阁总理。“8・19”事件中和亚纳耶夫、巴克拉诺夫等宣布成立“国家紧急状态委员会”。后被捕，1994 年获大赦后投身商界。

帕季阿什维里 (Патиашвили Д.И.）——格鲁吉亚共产党中央委员会第一书记，第比利斯流血事件后，1989 年 4 月 14 日在格鲁吉亚共产党中央全会上被解职。

帕斯捷尔纳克，鲍・列・(Пастернак，Борис Леонидович 1890—1960）——苏俄作家、诗人。1957 年在国外发表长篇小说《日瓦戈医生》。1958 年获诺贝尔文学奖。

潘金，鲍・德・(Панкин Б.Д.）——“8・19”事件时任苏联驻捷克大使，拒绝承认国家紧急状态委员会，事件后被任命为外交部长。

皮霍亚（Пихоя Р.Г. 1947—）——俄国历史学家、档案学家，1997 年起任俄国家行政学院国家和社会—哲学思想史教研室主任。

蒲宁（Бунин И.А.1870—1953）——俄罗斯作家、诗人。曾受教于托尔斯泰、契诃夫、高尔基等作家，并为高尔基主办的知识出版社撰稿。1909 年被选为科学院名誉院士。1920 年起侨居法国。代表作有自传体长篇小说《阿尔谢尼耶夫的一生》、《米佳的爱情》、《中暑》、《三个卢布》、《幽蝉的小径》、《大乌鸦》和《巴黎》等。1933 年因“继承俄国散文文学古典的传统，表现出精巧的艺术方法”获诺贝尔文学奖。

普戈（Пуго Б.К. 1937—1991）——1984 年 4 月任拉脱维亚党中央第一书记。1990 年任苏共中央监察委员会主席，1991 年 1 月任内务部长，“国家紧急状态委员会”成员。1991 年 8 月 22 日自杀身亡。

普京，弗・弗・(Путин В.В. 1952—）——2000—2008 年任俄罗斯联邦总统，现任俄罗斯联邦总理。

普拉托诺夫，安・普・(Платонов А.П. 1899—1951）——苏联作家。

普里马科夫，叶・马・(Примаков Е.М. 1929—）——经济学博士。1985—1989 年任苏联科学院世界经济和国际关系研究所所长。1991 年任国家安全委员会第一副主席，1991 年 11 月任中央情报局局长。

普列汉诺夫（Плеханов Ю.С.）——“8·19”事件中“国家紧急状态委员会”派去福罗斯见戈尔巴乔夫的人员之一，时任国家安全委员会警卫局局长、将军。

普罗科菲耶夫（Прокофьев Ю.А.1939—）——1990—1991 年为苏共中央委员和苏共中央政治局委员，1989 年 12 月至 1991 年 11 月任苏共莫斯科市委第一书记。

Q

齐米亚宁（Зимянин М.В. 1914—）—— 白俄罗斯人，历任驻外大使和外交部副部长。1965—1976 年任《真理报》主编。1976—1987 年任苏共中央书记。1987 年退休。

齐普科，亚历山大·(Ципко А.А.）——苏共中央工作人员、政治理论家。

奇赫伊泽（Чхеидзе З.）——格鲁吉亚部长会议主席，第比利斯流血事件后，在 1989 年 4 月 14 日在格鲁吉亚共产党中央全会上被解职。

奇金（Чикин В.В.）——曾任《苏维埃俄罗斯报》主编。

契尔年科（Черненко К.У. 1911—1985）——从 1965 年开始担任中央委员会总务部部长，1978 年起任政治局委员，1984 年 2 月当选苏共中央总书记。

恰亚诺夫（Чаянов А.В.）——俄国经济学家。

恰佐夫（Чазов Е.И. 1929—）——院士，1967—1986 年任苏联卫生部第 4 局局长，1968 年起任卫生部副部长，1987—1990 年起任卫生部部长，1982—1990 年任苏共中央委员。

钱其琛（Qian Qichen 1928—）——1988—1991 年任中华人民共和国外交部长。

切布里科夫，维·米·(Чебриков В М 1923—1999）——1944 年加入苏共，1968 年起任苏联国家安全委员会副主席。1978 年授上将军衔。1981 年当选苏共中央委员，1982 年 12 月—1988 年 9 月任苏联国家安全委员会主席。1988—1989 年任苏共中央书记。

切尔科吉亚 (Черкезия О.）——第比利斯流血事件后，在 1989 年 4 月 14 日格鲁吉亚共产党中央全会上被解职。

切尔尼亚耶夫，阿·谢·(Черняев А.С. 1921—）——1986 年起任苏共中央总书记助理。1988 年任苏共中央国际政策委员会委员。戈尔巴乔夫国际问题的顾问。

丘拜斯，阿纳托利·(Чубайс А.Б.1955—）——1990 年被任命为列宁格勒市苏维埃执行委员会副主席、第一副主席；列宁格勒市市长索布恰克的经济顾问；1992 年 6 月 1 日被任命为俄罗斯联邦政府负责经济和财政政策的第一副总理；1992 年在丘拜斯的主持下制定了“私有化”方案和实施计划，因此有人称其为“俄罗斯私有化之父”。现为俄罗斯纳米集团公司总经理。

丘拜斯，伊·勃·（Чубайс И.Б.1947—）——俄罗斯学者。1988—1989年是莫斯科人民阵线成员。

丘尔巴诺夫，尤·米·（Чурбанов Ю.М. 1936—）—— 勃列日涅夫的女婿。1960年加入苏共。1977年任内务部副部长，1980年任内务部第一副部长。1981年当选苏共中央候补委员。勃列日涅夫死后被降级使用，1986年5月被解除一切职务，清除出内务部。

R

日丹诺夫，安·亚·（Жданов, А.А. 1896—1948）——1934年为联共（布）中央书记，兼任列宁格勒州委和市委书记，1934年起任中央组织局委员、中央书记。1935年起任政治局候补委员，1939年起任中央政治局委员。

日夫科夫，托多尔·（Zhivkov，Todor 1911—1998）——1932年加入保加利亚共产党。1954—1989年任保加利亚共产党中央第一书记（1981年起改称总书记）。东欧剧变后，1989年11月被解除保共中央总书记和政治局委员及国务委员会主席职务。同年12月被开除出党。1990年1月被关押并审讯。1992年9月以“滥用职权为自己和他人谋取好处”罪被最高法院判处7年监禁，监外执行，1996年被“无罪释放”。

日里诺夫斯基，弗·沃·（Жириновский В.В. 1946—）——俄自由民主党创始人。1991年竞选俄罗斯总统失败，1993年12月俄罗斯国家杜马选举中自由民主党居第二位。

日任，弗拉基米尔·（Жижин В.）——克格勃第一总管理局副局长，“8·19”事件时任国家安全委员会第一总局副局长，负责制定国家进入紧急状态的战略预案。

S

撒切尔夫人（Тэтчер М.1925—2013）——1979年至1990年任英国首相。

萨哈罗夫，安·德·（Сахаров А.Д. 1922—1989）————苏联物理学家，号称“氢弹之父”。1953年成为苏联科学院院士。苏联持不同政见者。1986年12月从高尔基流放地获释，1989年当选苏联人民代表，是“跨地区代表团”创始人之一。

萨姆索诺夫（Самсонов В.Н.）——“8·19”事件时任列宁格勒军区司令，保证不派军队进入列宁格勒。

沙波什尼科夫，叶·伊·（Шапошников Е.И. 1942—）——苏联最后一任国防部长。

1988 年任苏联空军副司令，1990 年任苏联空军总司令。

沙赫赖（Шахрай С.М.1956—）——1990 年当选俄罗斯联邦人民代表大会代表；叶利钦的早期盟友；1992 年任俄联邦副总理；1993 年任俄罗斯统一和谐党主席。

沙赫纳扎罗夫（Шахназаров Г.Х. 1924—2001）——1964 年起在苏共中央工作，从事国际问题研究，1987 年当选为最高苏维埃代表，1988 年起任苏共中央总书记助理、稍后任苏联总统顾问。

沙塔林，谢・沙・(Шаталин С.С.)——经济学家，戈尔巴乔夫改革智囊之一，“500 天计划”的主要制定者。

绍斯塔科夫斯基，维・尼・(Шостаковский В.Н. 1937—）——1973—1978 年在苏共中央社会科学研究院工作,1986—1990 年任莫斯科高级党校校长。1990 年建立的“苏共民主纲领派”的主要组织者，在苏共二十八大上公开反对苏共，1990 年 11 月当选为俄罗斯联邦共和党两主席之一。

绍辛（Шохин А.Н.1951—）——1991 年 8—11 月任俄罗斯联邦劳动部长，1991 年 11 月起任俄罗斯联邦政府主管社会政策问题的副总理。1991—1992 年任俄联邦劳动和社会保障部部长。

舍宁，奥・谢・(Шенин О.С. 1937—2009）——苏共克拉斯诺亚尔斯克的第一书记，在 1990 年 7 月苏共二十八大上当选为政治局委员和中央书记，1991 年任苏联内务部长。“8・19”事变时支持国家紧急状态委员会。事变平息后被捕。1994 年获赦免出狱后参与俄共的领导工作。1997 年后开始反对俄共领导人久加诺夫，鼓吹俄共和白俄罗斯共产党建立联盟。2001 年，舍宁同俄共决裂，另创共产党联盟—苏联共产党（列宁—斯大林)，不久改组为苏联共产党(舍宁派)，自任主席。

施魏策尔，彼得・(Schweizer Peter）——美国中央情报局雇员。

什梅廖夫，尼・彼・(Шмелев Николай Петрович）——俄经济学家，院士，欧洲所所长，1989—1991 年苏联人民代表。

舒什克维奇（Шушкевич С.И. 1934—）——白俄罗斯物理学家。1989 年当选苏联人民代表大会代表；1990—1991 年任白俄罗斯议会副主席；1991 年 8 月后任白俄罗斯议会议长，并以这一身份签署了“独立国家联合体”成立宣言，随后成为独立的白俄罗斯国家元首。1994 年初辞职，年底竞选白俄罗斯总统失败。

斯大林，约・维・(Сталин, И.В. 1879—1953)

斯捷潘科夫（Степанков В.Г.）——俄联邦总检察长。

斯考克罗夫特（Brent Scowcroft，1925—）——1989 年 1 月至 1993 年 1 月任美国总统国家安全事务助理。

斯拉文，鲍（Славин Б. Ф. 1941—）——政治学家，哲学博士，莫斯科国立师范大学教授，曾任苏共中央社会主义理论和历史研究院副院长，中央教师进修学院社会学教研室主任。现为戈尔巴乔夫基金会顾问，《新生活报》主编。

斯柳尼科夫（Слюньков Н.Н. 1929—）——1983—1987 年任白俄罗斯中央第一书记，1986 年起任苏共中央委员，1986 年成为苏共中央政治局候补委员，1987—1990 年任苏共中央政治局委员。

斯莫连采夫（Смоленцев Е.В. ）——1989 年被苏联人代会选举为苏联最高法院院长。

斯塔罗杜布采夫 (Стародубцев В.А.1931—) ——苏联农工联盟主席，农民党的创始人之一，“8·19”事变时国家紧急状态委员会成员。1997—2005 年任图拉州州长。

斯特罗耶夫（Строев Е.С. 1937—）——1985 年任奥廖尔州委第一书记，1989 年任苏共中央书记。第 11 届苏联最高苏维埃代表。1989 年起任苏联人民代表。

斯托利亚罗夫（Столяров Н.С.）——1991 年任俄共中央监督委员会主席。

松盖拉(С онгайла Р.)——1987 年 12 月至 1988 年 10 月任立陶宛共产党第一书记。

苏莱曼诺夫，奥·奥·(Сулейменов О.О. 1936—) ——哈萨克斯坦诗人。

苏斯洛夫，米·安·(Суслов М.А. 1902—1982）——1921 年加入苏共，1941 年当选苏共中央委员。1947 年起任联共中央书记，1952 年起任中央政治局（主席团）委员。1964 年 10 月赫鲁晓夫被罢免后成为苏共中央第二书记，主管意识形态。

苏沃洛夫，亚历山大•瓦西里耶维奇 (Суворов Я.В. 1730—1800) ——沙俄军事家、军事理论家、战略家、统帅，俄国军事学术的奠基人之一，著有《苏兹达尔团条令》、《制胜的科学》。

索布恰克，阿·亚·(Собчак А. А. 1937—2000）——列宁格勒大学法律系教授、民法教研室主任，1989 年当选苏联人民代表，1990 年 5 月当选列宁格勒市苏维埃主席。“跨地区代表团”和民主运动发起人之一。1991—1996 年任圣彼得堡市长。

索尔仁尼琴，亚·伊·(Солженицын А.И. 1918—2008）——苏联作家。持不同政见者，1970 年获诺贝尔文学奖。1973 年发表《古拉格群岛》，因此被剥夺苏联公民权，被迫流亡。1976—1994 年住在美国，后回国定居。

索科洛夫（Соколов А.К.）——当今俄国的历史学家。

索科洛夫（Cokolов）莫斯科第一食品商店的经理，1982 年因受贿被捕。

索科洛夫，谢·列·（Соколов С.Л.1911—2012）——1984年12月22日任苏联国防部长。1987年5月28日因联邦德国青年鲁斯特驾驶轻型运动飞机在红场上降落事件遭罢免。

索洛缅采夫，米·谢（Соломенцев М.С. 1913—2008）——1940年加入苏共。1966年当选苏共中央书记。1971年当选苏共中央政治局候补委员。1971—1983年任俄罗斯联邦部长会议主席。1983—1988年任苏共中央监察委员会主席。1988年退休。

索洛维约夫（Соловьев Ю.Ф. 1925—）——1955年加入苏共。1978年起任列宁格勒市委第一书记，1984—1985年任工业建设部部长。1985—1989年任列宁格勒州委第一书记。1989年退休。

T

特拉夫金，尼·（Травкин Н. 1946—）——苏联共产党中央委员、苏联人民代表，1990年5月在莫斯科成立了俄罗斯民主党。

特拉佩兹尼科夫，谢·巴·（Трапезников С.П. 1912—）——1931年加入苏共。1935年前在中伏尔加边疆区做基层共青团工作，从1935年至1944年在奔萨州党委任职。后到莫斯科列宁师范学院学习，并在联共（布）中央高级党校接受培训。1948年，从联共（布）中央社会科学院毕业，任摩尔达维亚党中央高级党校校长兼《摩尔达维亚共产党人》杂志主编。1965年任苏共中央科技和高等院校部部长。1966年当选苏共中央委员。

特列古博夫(Трегупов Н.）——1970年起任莫斯科商业总局局长，1983年因经济犯罪被捕。

特罗扬诺夫斯基（ Трояновский Олег 1919—2003）——1985—1990年任俄罗斯联邦驻华大使。

田曾佩(1930—)——1988年4月至1998年3月任中华人民共和国外交部副部长。

图哈切夫斯基，米·尼·(Тухачевский, М.Н. 1893—1937）——1918年加入俄共(布)。1918年起任一些集团军和方面军的司令，副国防人民委员。1937年被判处死刑，后平反。

图列夫(Тулеев А.М.1944—)——1991年曾参加俄罗斯联邦总统选举，现为科麦罗沃州州长。

托洛茨基(勃朗施坦)，列·达·(Троцкий Л.Д. 1879—1940）——1895年加入俄

国社会民主工党。十月革命后先后任俄共中央委员、政治局委员，外交人民委员、陆海军人民委员和共和国革命军事委员会主席等职。1927 年被开除出党。1928 年流放阿拉木图，1929 年被驱逐出境。1940 年在墨西哥被斯大林派去的刺客刺死。

W

瓦连尼科夫，瓦连京·(Варенников В.1923—2009）——苏共中央政治局候补委员，1989—1991 年任苏联国防部副部长兼陆军总司令，1978 年晋升为大将，1979 年苏军入侵阿富汗，任驻阿富汗苏军总司令，1986 年参与指挥切尔诺贝利事故救援。"8·19"事件中是国家紧急状态委员会成员。后被捕，拒绝大赦，1994 年 2 月被无罪释放。

瓦维洛夫（Вавилов А.П.1961—）——曾任俄联邦预算委员会委员。

韦济罗夫（Везиров Абдулрахман Халил. 1930—）——1976 年前在阿塞拜疆从事党团工作。1976 年后任苏联驻印度加尔各答市总领事，驻尼泊尔、驻巴基斯坦特命全权大使。1988 年 5 月任阿塞拜疆党中央第一书记。

沃尔科戈诺夫，德·安·(Волкогонов Д.А. 1928—1995）——从 1970 年起任苏联陆海军总政治部副主任、苏联国防部军史研究所所长。

沃尔斯基，阿·(Вольский А.И.1932—2006）——1988 年担任过中央委员会的发言人，1988 年 7 月至 1989 年 11 月任由中央直接治理的纳戈尔诺－卡拉巴赫地区"全权代表"，"8·19"事变时站到叶利钦一边。

沃罗宁，列·阿·(Воронин Л.А. 1928—）——1980 年 10 月任苏联国家计委第一副主席。1981 年 3 月在苏共二十六大上被当选为苏共中央委员。1984 年苏联进行"扩大企业权利"试验，任试验总领导委员会主席。1985 年 11 月任部长会议副主席兼国家物资技术供应委员会主席。

沃罗特尼科夫（Воротников В.И.1926—）——曾任驻古巴大使，1982 年被选为克拉斯诺达尔斯克边疆区委第一书记，1983—1988 年任俄联邦部长会议主席，苏共中央政治局候补委员、委员。

沃兹涅先斯基（Вознесенскии Н.А. 1903—1950）——苏联政治活动家、经济学家。1941 年起任苏联人民委员会第一副主席。1947 年为政治局委员，1943 年当选为苏联科学院院士。1949 年因"列宁格勒案件"被解除一切职务。1950 年被捕并被处决。后平反，著有《卫国战争时期的苏联经济》、《沃兹涅先斯基经济文选》等。

乌斯季诺夫，德·费·（Устинов，Дмитрий Фёдорович，1908—1984）——1927 年加入苏共。1953 年任苏联国防工业部长。1976 年任苏联国防部长，元帅。1976 年当选中央政治局委员。

吴学谦（1921—2008）——1982—1988 年任中华人民共和国外交部部长，1988—1993 年任国务院副总理。

X

西拉耶夫，伊·斯·（Силаев И.С. 1930—）——长期主管航空工业，1981 年起任中央委员，1985 年 11 月任部长会议副主席，1990 年 6 月被叶利钦拉来做俄罗斯联邦的总理，1991 年 8 月 21 日被任命为苏联总理。

西蒙诺夫，康·米·（Симонов，Константин Михайлович，1915—1979）——苏联作家。1942 年加入苏共。1952 年当选苏共中央委员。

西塔良（Ситарян С.А）——经济学家,1987 年 6 月中央经济改革全会筹备组成员。

希什林（Шишлин Н.В.）——苏联资深外交家，苏共中央国际事务专家，戈尔巴乔夫的顾问。

夏兰斯基，纳坦·（ Sharansky Natan 1948—）——苏联持不同政见者，犹太人，1978 年以间谍罪被判三年监禁和十年劳改。1986 年 2 月在里根干预下获释放，迁居以色列。

谢尔比茨基，弗·瓦·（Щербицкий В.В. 1918—1990）——1941 年加入苏共。1971 年当选苏共中央政治局委员。1972 年任乌克兰共产党中央第一书记。

谢尔盖耶夫（Сергеев А.）——俄罗斯联邦共产党中央委员，最高工会学校的政治经济学教授，1991 年俄罗斯联邦总统候选人马卡绍夫的搭档。

谢柳宁（Селюнин В.И. 1927—）——经济学家，与哈宁合写《伪造的数据》反驳苏联官方六十年来的统计数据。

谢洛科夫，尼古拉·（Щероков Н. 1909—1984）——1951 年 1 月，出任摩尔达维亚部长会议第一副主席，1966 年任内务部长，1982 年 12 月被安德罗波夫解除职务，因贪污受贿被审查。1984 年 12 月自杀。

谢瓦尔德纳泽，爱·阿·（Шеварднадзе Э.А. 1928— ）——1972 年任格鲁吉亚党中央第一书记。1985 年 7 月至 1990 年 12 月任苏联外交部长。1992 年，任格鲁吉亚国务委员会主席。1993 年 11 月任格鲁吉亚公民联盟主席。1995 年 11 月后任格鲁吉亚总统，

2003年11月23日辞去总统职务。

Y

雅科夫列夫，亚·尼·(Яковлев А.Н. 1923—2005）——1985年任苏共中央宣传部部长。1986年当选为苏共中央委员和主管意识形态问题的中央书记。1988年任苏共中央国际政策问题委员会主席。1990年至1991年任总统委员会成员。1991年8月15日，被开除出党。晚年担任国际民主基金会会长与社会民主党主席。2005年10月17日病逝。

雅科夫列夫，叶戈尔·(Яковлев Е.）——《莫斯科新闻》周刊的主编。

雅鲁泽尔斯基，威西基·(Jaruzelski，Wojciech 1923—）——1948年参加波兰统一工人党。1981年起任波兰统一工人党中央第一书记。

亚夫林斯基，格·阿·(Явлинский Г.А. 1952—）——经济学家。1989—1990年供职于国家经济改革委员会；1990年任俄罗斯副总理；1991年9—12月任苏联国家经济改革委员会副主席；1992年后，任莫斯科经济与政治研究中心主席；1993年参与创建亚博卢集团；1994年后为俄罗斯国家杜马议员。

亚历山大二世，尼古拉耶维奇·(Александр II Николаевич，1818—1881）——1855—1881年在位，1861年下诏废除了农奴制，为俄罗斯在十九世纪后半期的中兴奠定了基础。此外亚历山大二世还主持了多项政治改革，制定了把俄罗斯君主制改造为君主立宪制的政改计划。1881年3月13日被刺身亡，俄罗斯的政治改革进程被打断。

亚林（Ярин В.）——苏联人代会代表，戈尔巴乔夫总统委员会委员。

亚纳耶夫（Янаева Г.И. 1937—2010）——1962年加入苏联共产党。1990年12月，当选苏联第一任副总统。1989年8月19日亚纳耶夫发布命令，宣布代行总统职务，与8名高级领导人组成“国家紧急状态委员会”，接管国家权力。事变失败后被捕，1994年2月获大赦。

亚佐夫，德·季·(Язов Д.Т. 1923— ）——1987年任苏联国防部长。1991年8月“国家紧急状态委员会”成员，8月21日被解除国防部长职务，并以“国事罪”被捕受审。8月23日被开除出党。1994年获赦出狱。现为俄罗斯国防部国际军事合作总局的顾问。

叶尔莫拉维丘斯，尤·(Ермолавичус Ю.）——1991年立陶宛共产党正统派首领，时任立陶宛共产党中央意识形态部部长。

叶夫图申科（Евтушенко Е.А.1932—）——苏联和俄罗斯诗人、散文作家、导演、剧作家，1986—1991 年任苏联作协书记，1989 年当选苏联人民代表。

叶卡捷琳娜二世（Екатерина II Алексеевна，1729—1796）——俄国女皇。1729 年 4 月 21 日出生于德国斯特丁，1762 年至 1796 年为俄国沙皇。

叶利钦，鲍·尼·（Ельцин Б.Н. 1931—2007）——1976 年 11 月任斯维尔德洛夫斯克州季第一书记。1985 年，任苏共中央书记兼苏共中央建设部长、莫斯科市委第一书记等职。1987 年 11 月，被解除莫斯科市市委第一书记职务。1991—1999 年任俄罗斯联邦总统。

伊凡雷帝（Иван Грозный，1530—1584）——俄国历史上第一位沙皇，1533 年至 1547 年为莫斯科大公，1547 年至 1584 年为沙皇。

伊瓦什科，瓦·安·（Ивашко В.А. 1932—）——1986 年任乌克兰共产党中央书记，1988 年任第二书记，1989 年任乌克兰党中央第一书记，1989 年 9 月取代谢尔比茨基任乌克兰最高苏维埃主席，在 1990 年 7 月苏共二十八大上当选苏共中央副总书记。

Z

扎雷金 (Залыгин С.П.1913—2000) ——苏联作家，俄科学院院士。1986 年 8 月起任《新世界》杂志主编，在他的提议下苏联 1988 年出版了索尔仁尼琴的作品。

扎米亚金（Замятин Е.И. 1884—1937）——作家，曾积极参加十月革命，后因写作针砭时弊的作品，被迫流亡法国，代表作是反乌托邦的科幻小说《我们》。

扎斯拉夫斯卡娅，特·(Заславская Д.И.) ——经济学家，《别无选择》一书的主要作者。

扎索霍夫（Дзасохов А.С.1934—）——1986—1988 年任苏联驻叙利亚大使，1989 年当选为人民代表，1990 年进入最高苏维埃，在 1990 年苏共二十八大后当选苏共中央书记处书记和政治局委员，负责意识形态工作。是“国家紧急状态委员会”的支持者。1998—2005 年任俄罗斯联邦北奥塞梯—阿兰共和国总统，

扎伊科夫 (Зайков Л.Н. 1923—) ——1985 年任主管工业—国防工业的中央书记。1987 年 11 月 11 日叶利钦被免职后，任莫斯科市委第一书记。历任中央委员和政治局委员，在第十届最高苏维埃代表大会上当选为代表和民族院外交事务委员会委员。

扎伊切夫，鲍·康·(Зайчев Б.К. 1881—1972）——俄国侨民作家、哲学家和政论家。

赵紫阳（1919—2005）——1987年10月当选中共中央总书记，1989年6月被撤销总书记职务。

中曾根康弘（NakasoneYasuhiro，1918—）——1982年11月—1987年11月任日本首相。

大 事 记

1982 年

11 月 10 日　勃列日涅夫逝世。

11 月 12 日　苏共中央全会选举 68 岁的安德罗波夫为苏共中央总书记。

11 月 15 日　苏联为勃列日涅夫举行国葬，安德罗波夫致悼词。

12月17日　内务部长谢洛科夫被解职，切布里科夫被任命为克格勃主席。

1983 年

9 月 1 日　进入苏联萨哈林岛上空的韩国波音—747 客机被苏联空军击落，269 名旅客丧生。

9 月 5 日　西方国家禁止苏民航飞机入境 14 天。

9 月 16 日　安德罗波夫当选苏联最高苏维埃主席。

12 月 13 日　苏联内务部长谢洛科夫自杀身亡。

12 月　苏共中央作出《关于在工业中进一步发展劳动组合与劳动刺激的作业队形式并提高其效率》的决议，部长会议随后采取了相应的措施。

1984 年

2 月 9 日　安德罗波夫逝世。

2 月 13 日　在苏共中央委员会全会上契尔年科当选苏共中央总书记。

4 月 11—12 日　契尔年科当选苏联最高苏维埃主席团主席，吉洪诺夫再次被任命为部长会议主席。

8 月　苏共中央和部长会议通过了《关于加速国民经济中科学技术进步的措施》的决议。

12 月 20 日　苏联政治局委员、国防部长乌斯季诺夫去世。

1985 年

3 月 10 日　契尔年科逝世。

3月11日　在苏共中央全会上戈尔巴乔夫当选苏共中央总书记。

3月12日　苏共斯维尔德洛夫斯克州州委第一书记叶利钦被任命为苏共中央建设部部长。

3月23日　《真理报》开始发起大规模的反酗酒运动。

4月23日　苏共中央全会提出加速社会和经济发展的方案，推举切布里科夫、雷日科夫、利加乔夫为政治局委员。

4月26日　华约组织领导人在华沙达成《华沙条约》延长20年的协议。

5月1日　美国总统里根致信戈尔巴乔夫，敦促和谈。

5年7日　苏联部长会议通过"反酗酒和禁止私酿酒"决定。

5月16日　苏联最高苏维埃主席团通过关于反酗酒斗争的法令。

5月14日　美国国务卿舒尔茨和苏联外长葛罗米柯在维也纳会晤。

7月1日　在苏共中央全会上，谢瓦尔德纳泽升为政治局委员，叶利钦成为苏共中央书记。

7月2日　葛罗米柯就任苏联最高苏维埃主席，谢瓦尔德纳泽就任外交部长。

7年5日　雅科夫列夫就任苏共中央宣传部部长。

7月30日　戈尔巴乔夫发表单方面停止核试验声明。

9月27日　苏联部长会议主席吉洪诺夫辞职，雷日科夫就任苏联部长会议主席。

10月15日　苏共中央召开全会，集中讨论苏联共产党党纲和党章的修订问题，否定了"发达社会主义"理论，提出"完善社会主义"和"加速社会经济发展"。

10月17日　戈尔巴乔夫在政治局会议上建议苏联军队撤出阿富汗。

11月14日　新组建了苏联农工综合体委员会，穆拉霍夫斯基被任命为主席。

11月19—21日　戈尔巴乔夫和里根在日内瓦实现了首次会晤。

11月22日　苏联最高苏维埃通过《关于改革农工综合体管理机构体制的决定》。

12月24日　叶利钦取代格里申就任苏共莫斯科市委第一书记。

1986年

1月15日　戈尔巴乔夫建议到2000年全面销毁核武器。

2月18日　叶利钦当选苏共中央政治局候补委员，格里申被解除政治局委员职务。

2月25日—3月6日　苏共二十七大召开，通过新的苏共党章修正案和《关于苏联1986—1990年和2000年前经济和社会发展的基本方针》。

4月21日　戈尔巴乔夫发表苏联准备同时解散华约和北约的声明。

4月26日　切尔诺贝利核电站发生重大事故。

4月29日　因苏联入侵阿富汗后中断的美苏商业航空业务开始恢复。

5月23日　苏联部长会议通过“加强同非劳动收入作斗争”的决定；谢瓦尔德纳泽在苏联外交部主持会议，讨论外交新思维。

6月　《新世界》刊登艾赫玛托夫的小说《断头台》。

7月28日　戈尔巴乔夫在海参崴发表长篇讲话，表示要努力实现与中国关系的正常化。

7月31日　戈尔巴乔夫在哈巴罗夫斯克发表讲话，谈政治体制改革问题。

8月31日夜　在新罗西斯克附近发生货轮和游轮相撞事故，游轮阿德米拉·纳希莫夫号沉没。

10月　电影《悔过》上映，《旗帜》杂志开始发表作家别克的小说《新任命》。

10月11日　戈尔巴乔夫和里根在雷克雅未克会晤。

10月19日　苏联驱逐5名美国外交官，以报复美国驱逐苏联驻联合国外交官。

10月22日　苏联再驱逐5名美国外交官，并撤出了全部在美国使馆和总领馆的苏方雇员，以报复美国驱逐55名苏联驻美外交官的行为。

11月19日　苏联最高苏维埃通过《个体劳动法》。

12月16日　科尔宾接替库纳耶夫任哈萨克斯坦党中央第一书记。

12月17—18日　阿拉木图发生群众性抗议事件。

12月23日　萨哈罗夫结束流放回到莫斯科。

1987年

1月　《涅瓦》杂志开始刊登作家杜金采夫的小说《白衣服》，《新世界》刊登格拉宁的小说《死硬派》。

1月13日　苏联部长会议通过“关于资本主义国家和发展中国家的联合机构和公司在苏联境内创办合资企业活动的程序”的决议。

1月15日　美国解除了向苏联出口石油天然气钻井设备的禁令。

1月27日　在苏共中央全会上，戈尔巴乔夫作了《关于改革和党的干部政策的报告》，雅科夫列夫当选政治局候补委员。

2月5日　准许建立社会产品合作社，生产居民日用消费品。

3月28日—4月1日　英国首相撒切尔夫人访问苏联，要求苏联从阿富汗撤军。

4月14日　美国国务卿舒尔茨访问莫斯科，以推动雷克雅未克会晤后的谈判。

5月6日　“纪念”组织未经批准在莫斯科举行第一次抗议活动，要求给予其合法地位。

5月28日　联邦德国青年鲁斯特驾驶自己的飞机在莫斯科红场降落。

5月30日　亚佐夫取代索科洛夫元帅成为苏联国防部长，苏联空军总司令和许多将军被解职。

6月　《旗帜》杂志发表作家布尔加科夫的中篇小说《狗心》，《新世界》发表普拉托诺夫的小说《地槽》和什梅廖夫的文章《预付款和债务》，《涅瓦》杂志刊登阿赫玛托娃的长诗《安魂曲》。

6月19日　乌斯季诺夫市恢复使用伊热夫斯克名称。

6月20日　在莫斯科发生克里木的鞑靼人抗议运动（一直持续到8月）。

6月25—26日　苏共中央全会召开，通过了《根本改革经济管理的基本原则》和《国营企业（联合公司）法》草案，雅科夫列夫当选为政治局委员。

6月30日　苏联最高苏维埃通过《苏联国营企业法》。

8月10日　莫斯科州切霍夫斯基区汽车司机罢工。

8月11日　莫斯科苏维埃通过《莫斯科市在街道、广场、公园等其他公共场所组织和进行集会、游行、示威和其他活动的临时措施》。

8月23日　波罗的海沿岸国家首都出现群众集会，要求公布《苏德互不侵犯条约》秘密议定书。

9月12日　叶利钦致信戈尔巴乔夫，抱怨利加乔夫并提出辞职。

9月28日　政治局成立研究1930—1940年代镇压事件的专门小组，索洛缅采夫任主席。

10月17日　在埃里温发生上万人要求维护生态环境的游行。

10月21日　在苏共中央全会上叶利钦对利加乔夫的领导作风提出批评，并请求辞职。

10月24日　非正式出版物的编辑们在列宁格勒举行第一次聚会。

11月2日　在纪念十月革命70周年大会上戈尔巴乔夫作《十月与改革：革命在继续》的报告。

11月11日　苏共莫斯科市委通过免去叶利钦第一书记的决议，选举扎伊科夫为第一书记。

11月14日　在莫斯科大学前发生支持叶利钦复职的签名活动并散发叶利钦的讲话。

11月18日　叶利钦被任命为国家建设委员会副主任。

11月　戈尔巴乔夫的《改革与新思维》一书以俄文和英文同时出版。

12月7日—10日　里根和戈尔巴乔夫在华盛顿举行会晤，签署了中导条约。

1988年

1月　《新世界》开始发表帕斯捷尔纳克的小说《日瓦戈医生》，《十月》杂志发表格罗斯曼的小说《生活和命运》。

2月4日　苏联最高法院撤销对布哈林的所有指控。

2月8日　苏共中央委员会、苏联部长会议、全苏工会中央理事会制定劳动集体委员会选举企业领导人的选举条例。

2月8日　戈尔巴乔夫宣布从阿富汗撤军。

2月13日　纳戈尔诺-卡拉巴赫发生骚乱。

2月20日　纳-卡自治州人民代表苏维埃通过了关于请求阿塞拜疆共和国和亚美尼亚共和国允许纳-卡自治州脱离阿塞拜疆并入亚美尼亚的决议。

2 月 24 日　塔林举行了 4000 人参加的游行，庆祝爱沙尼亚独立 70 周年。

2 月 26 日　戈尔巴乔夫发表告阿塞拜疆和亚美尼亚人民书。

2 月 27—28 日　在苏姆盖特市发生对亚美尼亚人的大屠杀。

2 月 28 日　苏共中央政治局会议讨论亚美尼亚人和阿塞拜疆人的冲突，决定派军队去苏姆盖特。

3 月 13 日　《苏维埃俄罗斯报》发表安德列耶娃的文章《我不能放弃原则》。

3 月 17 日　苏共“纳–卡州”委通过决议，要求把该地区重新划归亚美尼亚，要求苏共中央政治局纠正这一“历史错误”。

3 月 18 日　苏联和南斯拉夫发表联合声明。

3 月 23 日　苏联最高苏维埃主席团就“纳–卡冲突”通过决议，不允许用向国家政治机关施加压力的方式解决民族领土争端问题，要求阿塞拜疆和亚美尼亚采取措施加强法制，维护社会秩序。

3 月 26 日　苏共中央政治局决定，为 50 年代初的一批受害者，其中包括沃兹涅先斯基、库兹涅佐夫等人恢复党籍。

4 月　在爱沙尼亚成立了名为“支持改革人民阵线”的民族自由运动。

4 月 5 日　《真理报》发表了《改革的原则：思维和行动的革命性》正式反击安德列耶娃的文章。

5 月 7 日　苏联 14 个城市的 100 多名代表在莫斯科集会，要求实行西方式民主，决定成立“民主同盟”。

5 月 15 日　苏联开始从阿富汗撤军。

5 月 21 日　阿塞拜疆党中央和亚美尼亚党中央同时撤换第一书记。

5 月 26 日　苏联最高苏维埃通过了《苏联合作社法》。

5 月 29 日　戈尔巴乔夫和里根在莫斯科会晤。

6 月 5 日—7 月 10 日　苏联举行基督教传入俄罗斯 1000 年庆祝活动。

6 月 13 日　苏联最高法院撤销 1936—1937 年间的政治审判案。

6 月 15 日　亚美尼亚共和国最高苏维埃同意纳–卡州并入。

6 月 17 日　阿塞拜疆共和国最高苏维埃通过不接受亚美尼亚共和国最高苏维埃同意纳–卡并入的决议。

6 月 28 日—7 月 1 日　苏共第 19 次代表会议召开。

7 月 9 日　莫斯科人民阵线举行第一次集会。

7月12日　纳戈尔诺－卡拉巴赫最高苏维埃表决赞成脱离阿塞拜疆，阿塞拜疆宣布此决议无效。

7月18日　苏联最高苏维埃主席团就亚美尼亚共和国和阿塞拜疆共和国关于纳-卡问题举行会议，通过不准许变更疆界的决议。

7月28日　苏联最高苏维埃主席团通过《在苏联境内进行聚会、集会、街头示威、游行的组织和行动原则》与《苏联内务军队保卫社会秩序的责任和义务》命令。

8月　全苏历史—启蒙“纪念”协会成立。集体农庄和国营农场可将土地出租给家庭和个人，租期可达50年，承租土地者在农忙时可雇佣劳动力。

8月19日　爱沙尼亚人民阵线发表纲领草案。

9月5日　法院开始审查丘尔巴诺夫和其他人的案件。

9月8日　在古比雪夫市出现了近七万人参加的集会，要求苏共州委第一书记辞职，一周后穆拉维耶夫离职。拉脱维亚人民阵线发表行动纲领。

9月18日　纳-卡地区局势尖锐化。

9月30日　苏共中央全会通过决议改组苏共中央机关。

10月1日　苏联最高苏维埃选举戈尔巴乔夫为最高苏维埃主席。

10月1日—2日　爱沙尼亚人民阵线正式成立。

10月8日—9日　拉脱维亚人民阵线正式成立。

10月22日—23日　立陶宛改革运动成立。

10月20日　苏共中央政治局撤销中央委员会通过的1946年8月14日关于《星》和《列宁格勒》杂志的决议，恢复无限制订阅报纸和杂志。

11月16日　爱沙尼亚共和国最高苏维埃通过主权宣言及爱沙尼亚共和国宪法补充和修正案，赋予共和国法律以优先地位。

11月22—29日　在第比利斯政府大楼广场发生大学生绝食事件。

11月23日　苏联最高苏维埃主席团通过《在阿塞拜疆共和国和亚美尼亚共和国恢复社会秩序的紧急措施》。

12月1日　苏联最高苏维埃通过《苏联宪法（根本法）的修改与补充法》，通过《苏联人民代表选举法》。

12月1日—3日　中华人民共和国外交部长钱其琛对苏联进行正式访问。

12月6日　戈尔巴乔夫到达纽约，出席联合国大会，发表讲话宣布单方面裁军。

12月7日　亚美尼亚发生地震，戈尔巴乔夫提前结束访美回国。

12月30日　撤销用勃列日涅夫和契尔年科名字命名的企业、学校、街道和居民点的名称，恢复原名。

1989年

1月　苏联开始进行人民代表的选举。

1月12日　苏联最高苏维埃颁布在纳-卡地区实行特别管理的命令，将之置于莫斯科的直接控制之下。

1月18日　爱沙尼亚最高苏维埃把爱沙尼亚语定为国语。

2月1日　拉脱维亚最高苏维埃宣布将拉脱维亚语定为国语。

2月6日　中苏双方同时发表了关于柬埔寨问题的联合声明，并宣布戈尔巴乔夫的访华日期。

2月15日　苏联完成从阿富汗撤军。

3月6日　北约和华约关于欧洲常规武器谈判在维也纳举行。

3月16日　苏联发表从蒙古撤军的声明。

3月26日　苏联共选出2250名代表，其中750名为社会组织推荐。

4月　苏联从德意志民主共和国和捷克斯洛伐克撤出5万苏军。

4月9日　第比利斯发生流血事件 。

4月10日　苏联国家农工综合体委员会被解散。

4月14日　格鲁吉亚共产党领导人被撤换。

4月25日　在苏共中央全会上74人退出苏共中央委员会，24名候补委员进入苏共中央。

5月15—19日　戈尔巴乔夫访华，中苏两国两党关系实现正常化。

5月18日　立陶宛最高苏维埃宣布立陶宛独立。

5月21日　萨哈罗夫和叶利钦参加在卢日尼卡体育馆举行的集会（15万人参加）。

5月23—24日　在乌兹别克共和国费尔干纳地区发生民族冲突 。

5月25日　第一次苏联人代会召开，戈尔巴乔夫当选苏联最高苏维埃主席。

6月3日　在车里雅宾斯克的乌法铁路和天然气管道上发生惨祸，近百人死亡。

6月3日　在乌兹别克发生民族冲突，100多名麦斯赫特土耳其人死亡。

7月15日　在格鲁吉亚中央政府与阿布哈兹自治共和国之间发生武装冲突。

7月16日　顿涅茨矿工罢工。

7月28日　拉脱维亚最高苏维埃宣布独立。

8月23日　200多万人参加了“波罗的海之路”大游行。

8月31日　摩尔达维亚最高苏维埃将摩尔多瓦语定为国语，用拉丁字母代替基里尔字母。

9月4日　阿塞拜疆举行大罢工，要求承认民族阵线，恢复对纳戈尔诺-卡拉巴赫的控制。

9月8—10日　鲁赫在基辅举行选区代表大会，打出遭禁的独立乌克兰的国旗。

9月11日　匈牙利宣布不再阻止东德公民越过边境进入奥地利。

9月23日　阿塞拜疆共和国最高苏维埃通过共和国主权法。

9月24日　哈萨克斯坦和吉尔吉斯斯坦议会分别指定哈萨克语和吉尔吉斯语为国语。

9月25日　立陶宛最高苏维埃宣布1940年并入苏联的法律无效。

10月6日　戈尔巴乔夫会见昂纳克，敦促其加快改革。

10月11日　东德领导人昂纳克辞职，克伦茨接任。

10月27日　华约外长会议谴责“勃列日涅夫主义”。

11月9日　柏林墙倒塌。

11月10—17日　保加利亚领导人日夫科夫等强硬派领导人被解职。

11月12日　爱沙尼亚最高苏维埃宣布1940年并入苏联的法律无效。

11月19日　格鲁吉亚最高苏维埃宣布主权独立，1921年苏俄占领格鲁吉亚违反了1920年的格俄条约。

11月28日　苏联最高苏维埃不顾亚美尼亚和纳戈尔诺-卡拉巴赫代表的反对，投票决定结束对纳-卡地区的直接管理。

12月1日　戈尔巴乔夫和教皇保罗二世在梵蒂冈会晤。

12月2—3日　美国总统布什和戈尔巴乔夫在马耳他举行非正式会晤，发表结束“冷战”声明。

12月3日　克伦茨和东德领导人集体辞职。

12月5日　保加利亚、匈牙利、东德、波兰和苏联发表声明，称1968年出兵捷克斯洛伐克应受谴责。

12月7日　立陶宛最高苏维埃废除共和国宪法第六条关于共产党领导的条款。

12月9日　成立苏共中央俄罗斯局。

12月9—10日　捷克斯洛伐克胡萨克辞职，非共产党政府上台。

12月12—24日　苏联人代会第二次大会召开 。

12月14日　萨哈罗夫去世。

12月18日　罗马尼亚发生“革命”。

12月19日　立陶宛共产党第20次代表大会宣布脱离苏共独立，12月20日立共分裂。

12月31日　阿塞拜疆纳希切万群众集会失控，损毁苏伊边境上百公里设施。

1990年

1月11—13日　戈尔巴乔夫来到立陶宛，未能说服立陶宛共产党留在苏共内。

1月13日　巴库爆发反亚美尼亚人大屠杀。

1月19日　苏军进入巴库，解除阿塞拜疆人民阵线的武装。

2月5—7日　苏共中央全会批准党纲草案，决定修改宪法第六条。

2月12—13日　杜尚别群众集会失控，造成人员伤亡。

2月24日　萨尤季斯赢得立陶宛最高苏维埃多数议席。

2月25日　在莫斯科出现30万人的反共示威游行。

3月11日　立陶宛最高苏维埃宣布恢复立陶宛独立，并在立陶宛境内废除苏联宪法。

3月12日　苏联第三次非常人民代表大会修改宪法第六条，实行总统制。

3月14日　戈尔巴乔夫在苏联第三次非常人民代表大会上当选为苏联总

统。

3月23日　苏军部队和坦克进入维尔纽斯。

4月3日　苏联正式承认对1940年在卡廷森林屠杀波兰军官负责。

4月18日　苏联中央政府对立陶宛实行经济封锁，削减对其石油天然气供应。

5月1日　红场五一节游行变成反戈尔巴乔夫示威。

5月16日　俄罗斯联邦第一届人代会开幕。

5月29日　在第三轮选举中叶利钦当选俄罗斯联邦最高苏维埃主席。

5月30日　戈尔巴乔夫与布什在华盛顿举行会晤。

6月12日　俄罗斯联邦第一次人民代表大会通过俄罗斯联邦主权宣言。

6月19日　俄罗斯党代表会议召开，成立俄罗斯联邦共产党。

6月20日　俄罗斯联邦共产党代表大会选举波洛兹科夫为第一任书记。

6月20日　乌兹别克斯坦最高苏维埃通过乌兹别克共和国主权宣言。

6月23日　摩尔达维亚最高苏维埃通过摩尔达维亚共和国主权宣言，改国名为摩尔多瓦苏维埃社会主义共和国。

6月30日　立陶宛议会决定暂时中止实施独立宣言之后，苏联恢复向其提供石油和天然气。

7月2—13日　苏共二十八大召开，戈尔巴乔夫再度当选总书记。

7月12日　叶利钦在苏共二十八大上宣布退出苏共。

7月13日　俄罗斯联邦最高苏维埃宣布在俄罗斯境内的苏联国家银行分行和其他银行的资产和负债均归俄罗斯所有。组建俄罗斯联邦国家银行和储蓄银行。

7月16日　戈尔巴乔夫和西德总理科尔就德国统一问题达成协议。

7月16日　乌克兰通过主权宣言。

7月20日　北奥塞梯—阿兰共和国发表国家主权宣言。

7月21日　立陶宛最高苏维埃发表议会声明，宣布从即日起1940年7月21日通过的立陶宛并入苏联的决议失效。

7月23日　乌克兰最高苏维埃选举克拉夫丘克为最高苏维埃主席。

7年27日　白俄罗斯最高苏维埃发表白俄罗斯国家主权宣言。

8月　亚美尼亚发表主权宣言。

8月1日　苏联新闻法颁布，取消书报检查制度。

8月1日　戈尔巴乔夫与叶利钦达成协议，共同制定经济改革计划。

8月3日　贝克和谢瓦尔德纳泽在莫斯科签署联合声明，谴责伊拉克入侵科威特。

8月15日　戈尔巴乔夫发布命令，恢复索尔仁尼琴等人的公民身份，索尔仁尼琴拒绝接受。

8月22日　土库曼斯坦发表主权宣言。

8月25日　塔吉克斯坦发表主权宣言。

8月25日　阿布哈兹自治共和国最高苏维埃宣布从格鲁吉亚独立出来，享有苏联加盟共和国的地位。

8月30日　沙塔林领导制订的"500天计划"出台。

8月31日　戈尔巴乔夫宣布把雷日科夫政府计划和沙塔林计划结合起来。

9月9日　布什和戈尔巴乔夫在赫尔辛基会晤，同意联合采取行动结束伊拉克对科威特的占领。

9月11日　俄罗斯联邦最高苏维埃批准沙塔林计划。

9月12日　"2+4协定"在莫斯科签署，四大国终止了对德国的权力。

9年18日　《共青团真理报》发表索尔仁尼琴的《我们如何建设俄国》。

9月20日　俄罗斯联邦最高苏维埃表示不再信任苏联政府。

9月20日　南奥塞梯最高苏维埃宣布从格鲁吉亚独立出来，格鲁吉亚议会宣布此决议无效。

10月3日　联邦德国与民主德国统一协议生效，民主德国不复存在。

10月9日　苏联最高苏维埃通过立法，确立多党制。

10月16日　戈尔巴乔夫获诺贝尔和平奖。

10月19日　苏联最高苏维埃批准向市场经济过渡计划。

10月20—21日　"民主俄罗斯"在莫斯科举行第一次代表大会。

10月26日　哈萨克斯坦发表主权宣言。

10月27日　尼亚佐夫当选土库曼斯坦总统。

10月28日　在格鲁吉亚最高苏维埃选举中加姆萨胡尔季阿获胜。阿卡耶夫当选吉尔吉斯斯坦总统。

10月30日　吉尔吉斯斯坦宣布独立。

10 月 31 日　俄罗斯联邦最高苏维埃通过预算法案，宣布俄境内所有企业的税收纳入俄罗斯联邦预算。俄罗斯联邦最高苏维埃通过有权监管自己境内自然资源的法案。

11 月 7 日　在纪念十月革命的游行示威中出现多个“民主俄罗斯”组织。

11 月 17 日　戈尔巴乔夫建议大规模改组苏联政府。

11 月 19 日　“欧洲常规武器条约”在巴黎签署。

11 月 24 日　联盟条约草案公布，大多数共和国领导人对之并不完全认可。

12 月 1 日　普戈就任内务部长。

12 月 12 日　南奥塞梯局势紧张。

12 月 12 日　美国借给苏联十亿美元贷款用于购买食品。

12 月 12 日　克格勃主席克留奇科夫在电视上称改革积极分子受到“外国情报机关的支持”。

12 月 17 日—27 日　苏联人代会第四次会议召开，戈尔巴乔夫获得特别授权。

12 月 20 日　谢瓦尔德纳泽递交辞呈，辞去外交部长职务。

12 月 27 日　亚纳耶夫在苏联人代会第二轮投票中当选副总统。

1991 年

1 月 10 日　戈尔巴乔夫命令立陶宛立即恢复“宪法秩序”。

1 月 11 日　“立陶宛民族解放委员会”宣告成立。

1 月 12 日　在维尔纽斯阿尔法小分队占领维尔纽斯电视塔，造成 14 人死亡，近百人受伤。

1 月 14 日　帕夫洛夫被任命为苏联政府总理。

1 月 20 日　莫斯科和列宁格勒发生大规模示威，抗议对立陶宛独立的镇压。

1 月 22 日　帕夫洛夫总理签署在规定时间内收回 50 和 100 面值卢布的命令。

1 月 24 日　美国大使转交布什致戈尔巴乔夫的信，宣称如果继续在立陶宛实施暴力，将中断经济联系。

1 月 25 日　颁布内务部和军队在大城市进行联合巡逻命令。

1月26日　克格勃扩大同经济犯罪做斗争的权力。

1月30日　俄罗斯联邦最高苏维埃主席团通过建立俄罗斯国防和国家安全委员会的决议。

2月1日　格鲁吉亚对南奥塞梯实行经济封锁。

2月9日　立陶宛举行全民公决，90.5%的选民赞成立陶宛独立。

2月19日　叶利钦要求戈尔巴乔夫辞职。

3月1日　顿巴斯地区煤矿工人举行大罢工，要求戈尔巴乔夫辞职。

3月3日　爱沙尼亚和拉脱维亚就独立问题举行全民公决，78%的爱沙尼亚投票者赞成独立，74%的拉脱维亚投票者赞成独立。

3月7日　苏联总统委员会解散，成立国家安全委员会。

3月14—16日　美国国务卿贝克访问莫斯科。

3月17日　苏联就是否保留联盟问题举行全民公决。持肯定回答者占76.4%，持否定意见者占21.7%。

3月28日　军队开进莫斯科以阻止支持叶利钦的游行，未能如愿，第二天军队撤出。

3月31日　格鲁吉亚举行独立问题的全民公决。

4月2日　苏联进行价格改革，一系列商品提价。

4月4日　俄罗斯联邦最高苏维埃投票授予叶利钦巨大权力。

4月9日　苏军开始从波兰撤出，格鲁吉亚宣布独立。

4月10日　苏共作为社会组织在苏联司法部注册。

4月16—19日　戈尔巴乔夫访问日本。

4月21日　“联盟”议会党团审查国内半年来的重大事故。

4月22日　帕夫洛夫总理向苏联最高苏维埃提交“反危机计划”。

4月23日　在新奥加廖沃就新的联盟条约达成协议。

4月24日　俄罗斯联邦最高苏维埃通过总统选举法。

4月24—25日　戈尔巴乔夫在苏共中央全会上备受攻击，但辞职要求未被接受。

5月16日　《中苏东段边界协定》签署。

5月20日　苏联最高苏维埃通过出入境法，第一次给苏联公民国外旅行和移民权。

6月11日　美国给苏联提供15亿美元食品贷款。

6月12日　叶利钦当选俄罗斯联邦总统，波波夫当选莫斯科市长，索布恰克当选列宁格勒市长。

6月21日　苏联最高苏维埃拒绝帕夫洛夫特别授权的请求。

6月28日　经互会解体。俄罗斯联邦最高苏维埃批准俄政府关于不执行苏联内阁制定的1992年经济计划的决定。

6月30日　最后一批苏军撤出捷克斯洛伐克。

7月1日　苏联副总统亚纳耶夫在布拉格代表苏联签署关于停止华沙条约组织活动的议定书，华约解体。

7月1日　苏联最高苏维埃通过《私有化法》。

7月3日　谢瓦尔德纳泽向苏共中央监察委员会提出退党声明。

7月8日　戈尔巴乔夫与9个共和国领导人在新奥加廖沃举行会晤。

7月10日　叶利钦宣誓就任俄罗斯联邦总统。

7月12日　苏联最高苏维埃通过《关于主权国家联盟条约草案》的决议。

7月17日　戈尔巴乔夫在伦敦参加西方七国首脑会议，没有得到期待中的援助。

7月20日　叶利钦签署《关于在俄罗斯联邦国家机构、机关和组织中停止政党和群众性社会运动和组织机构活动》的命令。

7月23日　苏共中央政治局发表声明，称叶利钦的非党化命令是违反苏联宪法和反民主的。

7月25—26日　苏共中央全会召开，戈尔巴乔夫就新党纲等问题作报告，通过关于叶利钦非党化命令的声明。

7月28日　戈尔巴乔夫和叶利钦、纳扎尔巴耶夫达成协议，8月20日签署新联盟条约。

7月29—30日　布什访问莫斯科，与戈尔巴乔夫举行会谈，签署了美苏经济合作议定书等5个文件和《削减战略武器条约》。

7月30日　叶利钦在克里姆林宫会见布什。

8月1日　布什访问基辅，会见克拉夫丘克。

8月3日　俄罗斯共产党人民主党成立会议宣布，在苏共内成立俄罗斯共产党人民主党，苏共中央书记处发表声明指责其旨在分裂苏共。

8月4日　戈尔巴乔夫去福罗斯休假。叶利钦非党化命令正式生效，大批基层党组织解体。

8月14日　《莫斯科新闻》公布了7月23日商定的新联盟条约的文本。

8月15日　苏共中央监察委员会主席团委员会建议把雅科夫列夫开除出党，第二天雅科夫列夫递交退党申请。

8月18日　舍宁、巴克拉诺夫、瓦连尼科夫、博尔金等到戈尔巴乔夫在黑海的休假地，要求戈尔巴乔夫签署紧急状态令，遭拒绝，戈尔巴乔夫与外界的联系被切断。

8月19日　亚纳耶夫宣布接替戈尔巴乔夫的总统全权，在全国实行为期6个月的紧急状态，国家紧急状态委员会成立，国家全部权力转交该委员会，发表《告苏联人民书》。叶利钦中午在俄罗斯联邦议会大厦举行记者招待会，宣读告俄罗斯公民书，宣布这是反宪法的反动政变。

8月20日　叶利钦积极组织反抗紧急状态委员会的活动，国家紧急状态委员会没有得到普遍支持，西方停止对苏援助，要求恢复戈尔巴乔夫的职务。爱沙尼亚议会宣布该共和国独立。

8月21日　政变失败，紧急状态委员会成员被捕。

8月22日　戈尔巴乔夫回到莫斯科。

8月23日　叶利钦签署“俄罗斯社会主义共和国联邦的共产党停止活动”的命令。

8月24日　戈尔巴乔夫宣布辞去苏共中央总书记的职务，并建议苏共自行解散。

8月24日　乌克兰宣布独立，并定于1991年12月1日举行全民公决。

8月25日　苏共中央书记处发表声明，宣布接受自动解散苏共中央的决定；叶利钦签署“关于苏联共产党和俄罗斯社会主义共和国联邦共产党财产”的命令，把苏共和俄共的财产收归俄罗斯国家所有。

8月27日　苏联最高苏维埃通过了停止苏共在全联盟活动的决议；白俄罗斯和摩尔多瓦宣布独立。

8月30日　阿塞拜疆宣布独立。

8月31日　吉尔吉斯斯坦和乌兹别克斯坦宣布独立。

9月6日　苏联国务委员会正式承认爱沙尼亚、拉脱维亚和立陶宛独立，支持他们加入联合国和欧安会。列宁格勒市民投票赞成恢复该市原名圣彼得堡。

9月9日　塔吉克斯坦宣布独立。

9月21日　亚美尼亚举行全民公决，要求独立。

9月23日　亚美尼亚宣布独立，格鲁吉亚领导人加姆萨胡尔季阿要求承认格鲁吉亚独立。

10月11日　苏联国务委员会决定解散克格勃，在此基础上组建苏联中央情报局，跨共和国安全局、苏联保卫边界委员会和边防军联合司令部。

10月19日　8个共和国签署“主权国家经济共同体协定”。

10月27日　土库曼斯坦宣布独立。

10月28日　俄罗斯联邦人民代表大会授予叶利钦实施经济改革的权力，为期一年。

11月4日　苏联国务委员会会议决定废除苏联各部委，只保留国防、外交、铁路、电力和核能等部，叶利钦通知会议，俄罗斯不打算组建自己的军队。

11月5日　叶利钦发布命令，禁止苏共和俄共在俄罗斯联邦境内活动，解散其组织机构，其在俄罗斯联邦境内的财产转归俄罗斯联邦和联邦内各共和国。

11月6日　叶利钦自任总理，提名布尔布利斯、盖达尔、绍欣为副总理。

11月8日　叶利钦命令在车臣—印古什共和国实行为期一个月的紧急状态。

11月9日　杜达耶夫宣誓就任车臣—印古什共和国总统，要求独立。

11月11日　俄罗斯联邦最高苏维埃否决了叶利钦在车臣—印古什自治共和国实行紧急状态的命令，要求用政治手段解决危机。

11月14日　叶利钦和其他共和国领导人在苏联国务委员会会议上同意新的国体应是一个邦联。

11月15日　叶利钦颁布10项命令，实际控制了在俄罗斯境内所有金融和经济活动。

11月22日　俄罗斯最高苏维埃宣布接管苏联国家银行。

11月25日　叶利钦和白俄罗斯的舒什克维奇拒绝在已拟好的邦联条约上

签字，主权国家联盟条约草案将交各共和国议会讨论。

11月26日　主权国家联盟条约草案公布。

11月27日　美国宣布把政策重心从苏联中央政府转向各共和国，如果乌克兰12月1日决定独立，美国将迅速予以承认。

12月1日　乌克兰举行全民公决，决定乌克兰脱离苏联独立。

12月5日　乌克兰正式撤销对建立苏联条约的认可。

12月8日　俄罗斯、乌克兰和白俄罗斯首脑在明斯克附近举行会晤，签署别洛韦日协定，宣布“苏联作为国际法主体和地缘政治实体将停止存在”。

12月10日　白俄罗斯和乌克兰批准别洛韦日协定。

12月11日　俄罗斯联邦议会批准别洛韦日协定。

12月12日　中亚国家领导人在阿什哈巴德召开会议，要求承认其独联体创始国的地位。

12月21日　苏联11个加盟共和国的首脑在阿拉木图签署建立独立国家联合体议定书，宣布成立独立国家联合体。

12月25日　戈尔巴乔夫在电视上发表辞职演说，俄联邦国旗取代克里姆林宫上空的苏联国旗。

12月26日　苏联最高苏维埃举行最后一次会议，以举手表决的方式通过宣布苏联停止存在的宣言。

СОДЕРЖАНИЕ

Введение ······ 1

Глава 1. СССР под руководством Ю.В. Андропова
и К.У. Черненка. ······ 37

1. Ю.В.Андропов у власти ······ 38
2. Бездейственный К.У.Черненко ······ 52
3. Порок и проблемы советских систем
——историческая предпосылка перестройки ······ 59

Глава 2. Приход М. Горбачева к руководству и
начальные меры реформы ······ 85

1. Приход М. Горбачева --иного не дано ······ 86
2. Перестройка --начало с перемены кадров ······ 100
3. XXVII съездом КПСС и «новый курс» ······ 112
4. На путании курса реформы ······ 125

Глава 3. На трудной пути перестройки ······ 147

1. Проект экономической реформы и
его проведение ······ 149
2. Начало политической реформы ······ 164
3. Исправление прошлых ошибок и пересмотр
советской истории ······ 181
4. Поиски теории перестройки и
внутрипартийная борьба ······ 199

Глава 4. Переход центра тяжести перестройки на

политическую систему ······ 223
1. Курс политической реформы ······ 224
2. Кардинальное изменение политической системы ······ 248
3. Ухудшающее экономическое и социальное положение ······ 269

Глава 5. 1990 год: перемена стратегии перестройки ······ 287
1. Сильные изменения в советском обществе ······ 289
2. Радикальные перемены политической системы Советского Союза. «Гуманистический демократический социализм» и раскол КПСС ······ 307
3. Попытка перехода к рыночной экономике ······ 327

Глава 6. Всё обострённые национальные проблемы ······ 355
1. Недосмотр М. Горбачева за национальные проблемы ······ 358
2. Плохо наладилось национальное противоречье ······ 374
3. Русский национализм и национальный сепаратизм ······ 406

Глава 7. Теория и практика нового мышления М.С. Горбачева о внешней политике ······ 419
1. Новое мышление о дипломатии и изменение внешней политики СССР ······ 420
2. Улучшение и развитие отношений СССР с западными странами ······ 438
3. Регулирование политики со странами Восточной Европы ······ 458
4. Нормализация Советско-китайских отношений ······ 478

Глава 8. Попытка обновления Союза и Путч 19 августа ······ 495
1. Советское общество в общем кризисе ······ 496
2. Обновление Союза ······ 511

3. Путч 19 августа и его последствие ···································· 536
4. Причины и последствия поражения Путча 19 августа ··················· 563

Глава 9. Путь к Беловежскому соглашению ································· 579
1. Последняя попытка сохранить союз М. Горбачевым ······················ 580
2. От «Беловежского соглашения» к
«Алма-Атинскому соглашению»Заключение ································· 597

Приложение
Литература
Предметный указатель
Указатель имён
Именной комментарий
Хроника

后　记

参与郑异凡先生主编的这套苏联全史，是从2001年夏天开始的。当时郑异凡、徐天新、黄宗良三位前辈来参加我的博士学位论文答辩，郑老师谈起他在主编一套苏联史，戈尔巴乔夫这部分还未找到合适的人选，他建议我参加进来。能得到如此德高望重、学识渊博的老先生的器重当然是我莫大的幸事，我当时爽快地答应了。

真正开始这项工作后，我发现事情并不轻松，这段历史是极其复杂的，资料浩如烟海，各种看法和争论难以相容，加之这段时间离我们很近，许多当事人，利益相关方仍在，如何把这惊心动魄的六年写清楚，实在不是件轻松的事。到2010年10月才完成了初稿，此后又进行了修改，校订，真正完成这项工作已近2011年底了。

对于将近十年完成的这一成果，我自己并不满意。由于其他工作繁多，无法全力以赴地投入到这一工作中，许多资料没有时间阅读，对细节注意不够。在写作的过程中，我没有做过多的定性，旨在把事情的来龙去脉交待清楚，分析戈尔巴乔夫所采取的各项政策是如何出台的，其实践效果如何，研究当时社会和苏共党内的状况及其对政策选择的影响。我们要做的不是做事后诸葛亮，而是当一名历史的小学生，从中感悟到一些东西，使自己变得更聪明，生活得更明白。

能够完成这项任务，首先要感谢郑异凡老师一直的鼓励和指导。正是他的鼓励、督促使我能够坚持下来，潜心研究，实事求是地做出判断和分析，让人们对这一时期苏联改革与剧变的全貌有个深入的了解。初稿交给郑老师后，他又进行了十分认真的审读，提出了修改意见，在此基础上我又进行了进一步的加工和修改，提升了书稿的质量。徐天新老师也以极大的耐心和细心审读了书稿，并提出了许多宝贵意见，避免了不少错误，令我十分感动。我衷心感谢他们的指导与帮助。

这本书的完成也要感谢我的恩师姜长斌教授，他也是给我鼓励和支持最大的人，他严谨的学风一直影响着我，他做事为人的态度更是我学习的榜样，能够走进苏联史研究这个领域，并取得一点儿成绩，很大程度上要得益于姜老师的引导与帮助，师恩难忘，更感责任重大。

在这本书的写作过程中，沈志华教授把他搜集的档案资料毫无保留地提供给我，前辈闻一、陆南泉、马龙闪、黄宗良等老师也给过我许多帮助，黄立弟、金雁、张盛发、刘显忠、王桂香、戴桂菊、徐向梅等好友都向我提供过许多帮助，他们的研究成果对我很有启发，在此表示衷心的谢意。

本书最后能够与读者见面当然是责任编辑张伟珍女士细心工作的结果，她一直关注着这项工作，让我感到惭愧的是没有早些完成。

苏联历史虽然已经画上了句号，但对苏联问题的探究永远没有止境，这个国家很值得我们研究。中国学者在认识和研究苏联问题时，有其他国家的学者所没有的条件，因为苏联这个邻国对我们的影响太大。希望这本书的问世能够对我国的苏联史研究有些裨益，更希望得到同行专家的批评指正。

2011 年 11 月 16 日于北京

责任编辑：张伟珍
封面设计：吴燕妮
封面制作：王春峥

图书在版编目（CIP）数据

戈尔巴乔夫改革时期 / 左凤荣 著. －北京：人民出版社，2013.9（2026.2 重印）
（苏联史 / 郑异凡主编；9）
ISBN 978－7－01－012355－4

I. ①戈…　II. ①左…　III. ①苏联－历史－1985～1991　IV. ① K512.56

中国版本图书馆 CIP 数据核字（2013）第 163872 号

戈尔巴乔夫改革时期

GEERBAQIAOFU GAIGE SHIQI

左凤荣　著

人民出版社 出版发行
（100706　北京市东城区隆福寺街 99 号）

北京新华印刷有限公司印刷　新华书店经销

2013 年 9 月第 1 版　2026 年 2 月北京第 2 次印刷
开本：710 毫米 ×1000 毫米 1/16　印张：47.5
字数：743 千字

ISBN 978－7－01－012355－4　定价：201.00 元

邮购地址 100706　北京市东城区隆福寺街 99 号
人民东方图书销售中心　电话（010）65250042　65289539